策划编辑：方国根

编辑主持：方国根　夏　青

责任编辑：夏　青

封面设计：石笑梦

版式设计：顾杰珍

国家社科基金重点项目(11AZD052)

朱志荣／主编

中国审美意识通史

ZHONGGUO SHENMEI YISHI TONGSHI

·清代卷·

杨明刚／著

人民出版社

目 录

绪　论

　　清朝是中国两千余年封建社会数十个王朝中最后一个封建帝制王朝。清朝自 1644 年定鼎北京至 1911 年清帝退位,延续了 268 年。在清朝整个发展过程中,不仅延续了已经步入末路的中国封建制度,还以其勃勃生机、积极进取精神再创中国封建社会的辉煌,把中国封建社会推向了巅峰,成为中国封建社会的集大成者。

　　整体来看,清代处于传统社会的晚期,新的经济因素成长发展,加之西学东渐,中西文化冲突融合,使得清代社会呈现出有异于前代的承继与断裂相交织的独特风貌。其一,清代依凭强悍的政治军事不断强化君主专制,使得中央集权的大一统始终居于垄断格局,而晚明以来的民主启蒙思潮持续萌生并不断挑战专制威权,两大思潮的交织斗胜一贯清代始末,堪称此期最大的特色。清承明制,却改革宦官制度,设军机处加强中央集权,行督抚制、保甲制管理地方,设理藩院管理少数民族事务,在部分地区设将军,分而治之,思想文化上继续尊崇程朱理学,推行八股取士,大兴文字狱,思想专制空前强化。与此同时,在明清更迭、社会动荡、思想桎梏一度削弱的间隙,黄宗羲、顾炎武等猛烈批判君主专制,提出限制君权、分散权力、学校议政等一系列颇具民主色彩的思想,这些反君主专制的思想具有鲜明的近代色彩,堪称时代进步的写照,却终因清廷的遏制与扼杀,阻碍了它的进一步近代化。其二,有清一代日渐形成了多元一体的中华帝国,传统文化借此得以集中梳理,中华文明得以有效承继、延续和传递。清廷肇始于东北,从统辖漠南漠北蒙古入手进据中原,嗣后又统一台湾、平定准格尔叛乱、平定南疆、统一新疆、抗击沙俄侵略黑龙江地区、定西藏归驻藏大臣辖领、在西南少数民族地区行"改土归流"之策,终在乾隆一朝形成包括汉、满、蒙、维、藏、彝、白、回等数十个民族于一体的统一国家。多民族共生共通共荣、各民族融合共塑多元一体,成为此期最突出的特点。其三,得益于国家统一所形成的市场与货币流通,清代农业、手工业持续发展,商品经济与城市经济空前繁荣,促成商人群体的发展和城市市民群体的迅速增大。城市与商业的勃兴堪称此期不同于前代的重要特征。其四,清代社会风俗总体上普遍呈现出世俗化、平民化的倾向,其中既有教育的平民化和世俗化,也有三教合流的世俗化,更有世俗、平民意识对文人士大夫阶层雅趣的渗透。其五,肇端自晚明利玛窦来华以来的西学东渐与传统的中学西传并行不悖,在冲突与融合中,为中华古老文明带来了异质的西方科技,注入了新鲜血液,鼓噪着传统中国社会迈向近代的转型与进步。

清廷治下的 268 年间,政治、经济、军事、民族关系等诸多方面都产生了天翻地覆的变更,取得了足以令中外瞩目的空前的巨大成就,投射到社会、思想、文化乃至审美方面,更呈现出全方位的嬗递轨迹。其中,既有着面向前代的集大成式的全面总结与内在承续,更有着面向未来的雅俗并进的近代转型与外在影响。影响所及从周边地区一直扩展到世界各地,成为当时世界上名副其实的赫赫东方大国。纵览清代 268 年历史,清代社会恰如晚清重臣李鸿章所言:"三千年未有之一大变局",呈现出鲜明的多"变"的特征。有清近三百年间,中国人民历经了承续与断裂的剧变阵痛、天崩地解的思想突变、复古与典雅的正统倡导、思想启蒙的逐步兴盛,在承续与断裂的天崩地解中孕育着中国审美意识史上承前启后的高峰,在漫长的中国古代审美意识发展嬗变史中有着独特的历史地位。

一、清代经济发展与清廷财政格局

清代,是中国传统社会从繁荣逐步走向衰落的时期,也是中国社会由古代向近代转型的时期。此期,空前统一强大的中央集权的多民族国家逐渐形成,传统的社会经济达到鼎盛,18 世纪更出现了康乾盛世。在鸦片战争前的近二百年间,政治、经济、民族、宗教、军事及外交等诸多方面颇多建树,为后世留下宝贵遗产,影响着近现代中国的发展大势。到了19世纪后半叶,由于它自身难以克服的弱点,政治腐败、经济崩溃,激化了国内阶级矛盾、民族矛盾,战乱不止,致使综合国力大大削弱,愈来愈无法抵御新型的资本主义列强的疯狂侵略,惨遭严重损失,蒙受奇耻大辱,直至中国社会由封建逐步落入半殖民地半封建的深渊而不能自拔,最终被波及全国的辛亥革命推翻。

(一)清代经济总览①

经济是社会的基础,它决定政治、文化、军事、法制、思想等等。欲全面了解清代社会,必不可跨越清代经济。关于清代经济,学界长期存在"停滞论"与"增长论"的对峙。② 对此,戴逸先生曾在清代经济宏观趋势与总体评价学术研讨会上作过一个整体判断。如他所言,清代近三百年的经济发展,可用"驼峰型模式"来概括,即两头低、中间高。清初经济一片残破,经过长期战争,破坏得很厉害,清初三四十年间经济十分萧条。康熙以后,经过恢复、发展,又经过雍正、乾隆达到高峰,发展到很高的程度。鸦片战争以后,外国的侵略,清廷本身的衰败,又使得经济迅速跌落至低谷。③ 萧国亮在上面提到的会议的总结中借助麦迪森《中国经济的长期表现》所载 GDP 数据和清人法士善《陶庐杂录》所载户部存银数,以定量方式肯定了戴老清代经济总体上呈驼峰型模式的观点。④ 燕红忠关

---

① 有关清代经济的研究,历来是清史界研究的焦点问题,产生了一系列重大成果,其中尤以中国社会科学院的经济研究所和历史研究所、北京大学经济学院、中国人民大学历史学院和清史所的研究最为集中和具有代表性。本书此部分内容参阅借鉴了吴承明、方行、经君健、魏金玉、陈振汉、熊正文、李谌、殷汉章、萧国亮、戴逸、陈桦、张研、黄兴涛、毛佩琦、倪玉平等多位学者所著的《清代经济史》(经济日报出版社 2000 年版)、《〈清实录〉经济史资料》(北京大学出版社 2012 年版)、《清代经济简史》(中州古籍出版社 2001 年版)及其他多种成果。

② "停滞论"盛行于 20 世纪 90 年代以前,尤以马克斯·韦伯、伊懋可和黄宗智等学者的宗教观、"高水平均衡陷阱"、"内卷化"(或"过密化")等影响最为深远;"增长论"则主要崛兴于 20 世纪 90 年代以后,王国斌、彭慕兰、麦迪森等人均持此论。

③ 参见戴逸:《在清代经济宏观趋势与总体评价学术研讨会上的发言》,《清史研究》2008 年第 3 期。

④ 参见萧国亮:《清代经济宏观趋势与总体评价学术研讨会总结》,《清史研究》2008 年第 3 期。

于货币流通量的分析亦从另一方面佐证了这一观点。①

依据史学界的惯例,常将清代经济分为前期与后期两段。清代早中期尤其是康雍乾时期的经济,堪称中国封建社会经济发展的巅峰。此期的粮食总产量、重要产粮区单产、经济作物的发展均臻于新的历史水平;城乡手工业由家庭协作转向雇佣劳动、由个体小生产转向手工作坊和工场手工业大生产,出现早期工业化萌芽;茶楼、酒肆、戏院、旅馆等传统服务业持续发展的同时,商业、航运、金融等新兴服务业也日益成长为新的经济增长点;商业首推贩运贸易,航运尤以漕运为基础,广开初具近代规模的内河东西干线、南北水陆联运干线、南北洋海运干线,金融业则于传统典当之外兴起钱庄、票号,汇票、银票、钱票普遍通行,信用制度趋向完备,初具现代银行基本职能。但是,一个基本的史实是:清代农业和手工业的生产工具并未曾有重大改进,生产关系和经济制度也并未发生实质性改变。可以说,清代前期的经济发展总体上依然承续而仍未突破传统社会经济发展的模式,全凭劳动力人口生产的增长和生产资料土地投入的增长来实现。及至后期,随着资本主义列强在世界范围内的兴起,资本开始横扫全球,中国亦被卷入这一历史洪流。在一系列军事失败中签署了丧权辱国的不平等条约,被迫赔款并让渡种种政治经济特权,列强在中国境内设厂、开矿、筑路、开航,导致中国民穷财尽,沦为半殖民地。这无疑是清代后期经济坍塌至关重要的核心因素。与此同时,也在客观上给予积重难返的中国传统经济一个颇具时代意义的重大经济变化和经济发展机遇,即生产与市场的开放性。然而,列强们显然不会轻易放任中国自主走向近代化、工业化的道路,不仅如此,昏聩愚昧的清廷也不特无力应对帝国主义的侵略和挑战,更无识无力抓住有利的发展经济的历史机遇,鸦片战争后虽有自强运动、洋务运动乃至戊戌变法等具有资本主义色彩的经济政策,却终因热衷于穷兵黩武、筹饷练兵、巩固皇权、消弭革命而成一纸空文,最终走向沉沦。

----

① 参见燕红忠:《丛货币流通量看清代前期的经济增长与波动》,《清史研究》2008年第3期。

　　清代经济的发展成就主要集中在前期的康雍乾时期亦即 18 世纪。康雍乾时期可谓清代经济发展的最高峰,也是中国历史上经济发展的最高峰。从历史的纵轴来看,中国古代经济史上,清代康乾盛世的粮食产量和供养人口数量较之汉唐盛世要高出许多,汉代粮食可供养 6000 万人口、唐代粮食产量可供养 8000 万人口,而清代则在 18 世纪就要供养 3 亿多人口,在 19 世纪初更要供养 4 亿多人口;从世界的横轴来看,据麦迪森和贝洛克的统计,清代康乾盛世时的 GDP 已居世界之首,占到世界 GDP 的 32%,远超占世界 GDP20% 的第二名的印度,3 亿人口数量占世界 9 亿人口的 1/3,农业产量、城市数量、手工业规模、市场贸易等数据均居当年世界第一,①足见清代中国的生产力之高。然而,这一判断是源自经济规模、经济总量的基准,而非人均经济水平。此期中国经济的本质仍然保持了传统封建经济的特性,体量虽大但整个结构仍是封建社会的结构,并未经历产业革命、走上近代化的轨道。

　　总体来看,这一时期的经济发展呈现出四大明显特征。

　　其一,此期经济的社会环境和发展基础良好。甲申之变、清军入关、定鼎北京之后,清廷耗时五十余年,抛出一系列重大政治军事举措,不断巩固和强化战乱频仍之中的新兴政权;为缓解战后土地严重荒芜、人口大量流亡的不利状况,促使社会经济迅速回复到正常的发展轨道上来,清廷在大兴战端之余对内实行适度的减轻赋税、招民垦荒、安置流民、兴修水利、推广高产作物等迅速恢复生产的应对措施。应该说,清廷所采取的这些政策的成效是显著的。截至 18 世纪初期,清廷的政治军事局面已初步稳定,经济生活也步入良性发展轨道。清朝的人口数量得以大幅攀升,甚至让清廷倍感压力;因战乱抛荒的大批耕地亦得以垦复,且面积得以进一步扩展;社会生产顺利复苏,农业、手工业、商业等开始步入飞速发展期。政局的稳定为经济生活的平稳和日后的社会发展奠定了坚实的基础。

　　其二,此期经济成就突出地反映在人口和耕地两个方面。一是人口数量猛增。尽管人口多寡并非总与社会生产水平呈正相关、人口数量也并非

──────────

① 参见《〈清实录〉经济史料》,北京大学出版社 2012 年版。

衡量一国经济发展程度的最佳指标,但在生产技术相对低下、物质生活相对贫瘠的传统农业社会,一国供养人口的数量往往能在很大程度上客观地反映出其经济能力。有学者估计,整个 18 世纪,清朝的人口从初期顺治年间的 1.3 亿左右增至末期的 3 亿左右,增加近 2 倍之多;及至鸦片战争前夕更达 4.1 亿之巨,这一增速创造了中国历代传统社会之最,足见清代前期经济发展的规模。另有学者进一步对人口的构成加以研究,认为鸦片战争前的清朝人口中,农业人口大约占到全国人口的九成,其中,自耕农占 42%左右,半自耕农占 22%左右,佃农占 35%左右,农业雇工占 1%左右;非农业人口约占全国人口的一成,其中,工匠工人占 30%左右,地主缙绅占 25%左右,商人小贩占 15%左右,吏兵占 10%左右,盐灶人户占 10%左右,畜牧游民等占 10%左右;全国城镇人口不超过 6%。上述两类数据均可推出清代前期的传统经济已经发展到高峰的结论。二是耕地面积扩大。清代类同前代,以农立国,土地开发利用程度可谓是衡量其社会生产发展水平的重要尺度。康雍乾时期的 18 世纪,清代各帝治下的政府均致力于以减免税收、移民、屯田等方式,开垦内地荒坡、河滩等零星土地、开发边疆农业,扩大耕地面积,土地垦辟成就卓然。据有关学者统计,康熙二十四年(1685年)清朝全国耕地约 6 亿亩,嘉庆十七年(1812 年)增至近 8 亿亩,鸦片战争前夕即 1839 年预计在 8.5 亿亩左右;另有学者估计,19 世纪初清朝全国耕地面积不仅已远超明末水平,且很可能已破 10 亿亩。无论哪种观点均足以证明清朝社会经济已发展到空前宏大的规模。具体到粮食产量而言,总产与亩产亦均有增益,有学者估计,鸦片战争前夕清朝的全国平均亩产为 239 斤,粮食总产量 2745 亿斤,人均粮食占有量 653 斤;其中,北方旱作区平均亩产 114 斤、总产量 601 亿斤、人均占有量 464 斤,南方稻作区平均亩产 344 斤、总产量 214 亿斤、人均占有量 737 斤;另有棉花、烟草、甘蔗、花生等商品性农作物,播种面积占全国耕地面积的一成左右。①

　　其三,此期经济成就还突出表现在商品经济与工商业史无前例的高度发达和区域经济错落发展上,尤以大量市镇的涌现和商品交易网的形

---

① 参见《〈清实录〉经济史料》,北京大学出版社 2012 年版。

成标志。一是大量市镇的涌现。康雍乾时期,清代经济虽呈现出明显的区域分化现象,但市镇却在不同区域同步大量涌现,并承担着日趋专业化的功能定位。据郭松义的研究,从社会经济发展水平的角度看,清代区域经济可分为以太湖平原和珠江三角洲为代表的发达地区,封建经济发展比较充分、地域上多属传统农业区的已发展地区,因大量流民进入而在经济上有较大发展的开发中地区,以及地处边疆和偏远山区、生产力和生产关系都较落后的未发展地区四大类别。① 经济发达地区的市镇圩集依傍中心城市、密度最大,江南地区紧靠苏州、杭州、上海等中心城市,仅苏州、松江两府,乾隆时期市镇和圩集已达 210 个,较明末 59 个增加了 256%;珠江地区紧靠广州、佛山等中心城市,仅南海、顺德、东莞三县,清中叶圩集已达 334 处,较之明末 120 处增加了 190%。江南、珠江两地市镇圩集的平均密度均列全国之首。已开发地区的城镇作用日渐凸显,甚至成为地区性乃至全国性商贸中心,形成市镇经济网络,例如汉口镇、厦门港、湘潭、成都、重庆、樟树镇、河口镇、景德镇、宁波港、福州、芜湖、梧州、临清、济宁、胶州、咸阳,等等。而开发中地区如华北市镇的数量规模明显扩大,欠发达地区如西北、西南等地也出现了数量不等的市镇。这些城市、市镇的功能和定位也随着经济的发展而逐步发生变化,开始向专门从事某一类商品生产及交易的专业市镇转化,如以粮食集散和运销为主要功能的粮食市镇、生产棉织品的市镇、丝绸市镇、日用品商贸市镇等。这种专业化分工是商品经济发展到一定程度的表现,反过来又促进工商业的发展。二是商品交易网的形成。传统封建生产方式往往使得经济发展受制于地区间的封闭状态,因此,全国性商业网的建立堪称此期商品经济繁荣发展的重要标志。这一局面的改观主要源自明清时期白银货币化与大量白银的输入和大商帮集团的兴起以及由此带来的地方性交易与远距离贸易的融通。明代形成的晋商、徽商、陕商等数十个商群入清后在经营品类、活动范围、资本数量上均得到极大拓展。② 此期晋商活动范围已从明初“半

---

① 参见郭松义:《清代地区经济发展的综合分类考察》,《中国社会科学院研究生院学报》1994 年第 2 期。

② 参见刘建生:《晋商研究》,陕西人民出版社 2005 年版。

天下"走向"遍天下",商品网络遍布全国,甚至延伸至整个北亚,所营商品也号称"上自绸缎,下至葱蒜,无所不包",组织运作形式亦或"分号制"、或"联号制"、或"股份制",十分先进;徽商入清后则从明代沿大运河、沿长江的南北、东西贸易发展为遍及全国的"遍地徽",所营商品亦由初期的盐、典、茶、木扩展至米谷、棉布、丝绸、瓷器等各个行业。这些商帮所占资本量也均由明代不足百万发展为雍乾时期的数百万乃至千万量级。强大的货币资本和健全的商业网络,使得长途贩运贸易成为可能,成为清代商品经济繁盛的主要标志,既造就了一批区域性初级市场和当时三十余个大宗商品集散地性质的大型商业城市,也带来了各地粮食、棉花、生丝、蔗糖、绸缎、棉布、铁器等重要商品和各类经济型土特产、手工业产品及生产原料的大批量流通,缓解了供需矛盾,增强了市场联系、密切了区域间经济往来。

其四,此期经济成就的另一个重大利好源自工农业生产的提高,尤其是农产品商品化和手工业生产的独立。随着康雍乾时期的农业生产的稳步发展和商业资本空前活跃,粮棉丝油染等经济作物和手工艺品的商品化和远距离长销,带来了工农业生产的持续增长,也带来了手工业生产的独立。棉布业、丝织业、陶瓷业、造纸业、制茶业等土特产品的加工制造日渐脱离农家副业或官营手工业,走向独立,成为产业;手工艺生产技术、组织方式、生产规模、分工与专业化生产获得极大发展和推广;人民生活水平得到普遍提高。所有这些,都为有清一代在小说、诗文、戏曲、书法、绘画、园林、器物乃至衣食住行的日常生活等文学艺术和文化生活领域创造出绚烂多姿的物质文化遗存奠定了坚实的经济基础,准备了平稳的社会环境,提供了可靠的技术保障,培育了可持续的人力资源。

当然,"18世纪的中国社会经济虽然取得了巨大成就,但也不可避免地存在着诸多不足与局限,带有鲜明的时代标记。"①康雍乾百余年间的

---

① 参见陈桦、卢忠民:《客观认识清代社会的经济与发展——陈桦教授访谈》,《学术月刊》2007年第12期。

清代经济成就,并非筑基于生产技术的改变,工业发展整体上仍然停留于家庭手工业阶段,工商业发展规模所占份额远未超脱传统封建经济框架,新兴资本主义生产关系始终处于萌发孤岛状态,导致闭关锁国、限制工商业、不重视科学技术等封建的生产关系仍然牢牢控制着整个经济领域,严重制约着社会进步,阻滞着整个中国社会的近代化转型进程。

(二)清廷财政格局

财政是国家为实现其各项职能而对一部分社会产品的分配活动。它伴随着国家产生而产生、独立、发展,既为国家行使各项职能提供财力保障,亦对社会经济发展给予重大影响。一国财政往往与该国的社会经济间存在密不可分的关系。经济是财政的基础,财政的发展离不开特定历史时期的社会经济;社会经济的规模及增长速度,决定着财政的规模和发展程度。从这种意义上讲,一国财政活动同时也就等同于该国政府主导的社会经济行为。具体到清代,如前所述,清代社会经济尤其是康雍乾时期的社会经济已臻至传统封建社会的巅峰,清廷各项财政制度在此基础上较之前朝历代无疑愈加完善,铸就了封建财政的黄金时代。若将其置于整个中国财政史的框架下察考,不难发现,清代财政还具有由古代封建财政转向近代财政的独特历史地位,反映出近代机器工业兴起时期社会结构开始发生根本性改变的倾向,在财政结构和财政规模上均呈现出明显的嬗变特征。仅就鸦片战争前而言,清廷的财政主要以各项税收、货币积累、财政拨款等形式集中一国财力,展开水利河政、赈灾荒政、扶助盐政、发展矿政、开发边疆、刺激生产、推进商贸、保障民生等各项政事。与此同时,清廷财政中贯穿始终的横征暴敛、财政赤字等潜流,亦极大地制约和破坏着清代经济的发展和清代民生的改善。总之,清廷财政的一举一动无不影响着治下百姓日常生活的方方面面。因此,研究清代社会,考察其时社会的发展和变化,揭橥其时百姓民生,清廷的财政问题是一道无法跨越的鸿沟。

在有清一代的 268 年的统治历程中,清廷财政在收支规模与结构上前期与后期变化巨大,并呈现出两种鲜明倾向:一是在绝对数额上呈不断扩大之势,清初维持在稳定水准,晚清则急剧膨胀,整体上呈现出前低后高、前慢后快的财政岁入格局;二是在收支关系上日渐不平衡,咸丰之后支出扩张甚巨,经常入不敷出。① 导致前者的主要原因,正在于清廷财政收入既受清廷财经政策影响,也受当时经济发展水平制约,更受清廷游离于世界格局巨变之外的误国方略决定;导致后者的主要原因则是清廷财政制度建构的不完备和治国理政的昏聩无能。由于清廷财政收支格局正是筑基于清代社会经济整体发展水平之上的,从这个意义上讲,上述两种倾向产生的根本原因则是,清代生产力与生产关系的严重不匹配。

作为异族代汉入主中原的王朝,清廷在问鼎中原后既保留了一些满族传统的制度和习俗,譬如八旗制度中的经济制度;又出于稳固统治之需、社会制度惯性之因以及无暇顾及经济制度革新之实,在清初沿袭了许多明朝经济旧制。清初朝廷财政岁入类型均为税收,主要由田赋、盐课、关税、杂赋四项构成,尤以田赋为主、其他收入为辅。一是田赋。田赋即依据田制类别对民田、屯田等直接课税,分为"地丁银钱"和"漕粮"两类。"地丁银钱"系田赋与丁银的合称,按亩征收,缴纳货币。摊丁入亩后,田赋中又包括了丁银。田赋征收主要采取货币地租形式,但是也有一小部分征收实物。清承明制,在鲁、豫、苏、徽、浙、赣、鄂、湘等"有漕省份"以实物税征收田赋亦即"漕粮"。漕粮中又有"正兑"、"改兑"、"改征"、"南米"、"白粮"等名目。漕粮征收通过"漕运"完成,"漕运"包括漕粮征收、漕粮运输、漕粮交仓三大项。二是盐课。盐课即盐税,是清廷对食盐产销所征税收,分"场课"、"引课"两种,主要也是征收银钱。三是关税。关税即对商人征收的商品过往税,清前期主要是内地的"常关税"。清前期设于"天下水陆衢会,舟车之所"的收税关卡,称为"榷关",又称"常关"、"钞关"。关税包括"正税"、"商税"、"船料税"。四是杂赋。杂赋即其他杂项税种。除此之外,清代前期清廷财政收支亏空主要通过捐纳弥补。1840 年以后,尤其是 1850 年以后,晚清财政岁入结构有了重大调整:田赋比重渐次降低,关税占比显著升高,更史无前例地出现厘金、公债等取

---

① 参见申学锋:《清代财政收入规模与结构变化述论》,《北京社会科学》2002 年第 1 期。

代捐纳地位的弥补岁入亏空和财政赤字的新形式。

清代前期,财政岁入总量持续攀升,但涨幅不大。从总量来看,从清代前期至 1840 年近二百年间,财政岁入规模由 1644 年的 2428 万两增至 1750 年的 4858 万两,总量翻了一番,1890 年后又稍有下滑;1722 年以后直至 1840 年间,清代财政岁入始终徘徊在 4000 万两上下。可见,清前期的清廷财政岁入虽较之明朝略有提高,但大致徘徊在 2000 万两至 4000 万两之间,至多 5000 万两上下;清前期财政岁入规模扩张速度堪称缓慢。从岁入来源结构看,据何本方《清代户部诸关初探》相关数据显示,地丁银即田赋在清廷初期岁入中所占比重一直维持在六成以上,甚至接近九成,其他如盐课、关税、杂赋等占比至多不过四成;地丁银外,田赋中尚有大批米麦豆草等漕粮实物收入,康熙年间实物田赋收入折价甚至占到同期地丁银半数之多,足见清前期财政岁入对农业税收的倚重。相较之下,同期盐课、关税虽均有增长但仍处从属地位,关税中海关收入份额极小,亦从侧面反映出此期商品经济发展较为缓慢;①与此同时,捐纳称为清廷承明旧制而行并最终转化为长期性收入的清初弥补财政赤字的重要工具,据统计,雍乾嘉三朝捐纳盛行,至 1804 年已占户部收入近八成之高,②充分印证了清廷财政的封建性质和古典模式。

晚清的情况则大有不同。1840 年后,帝国主义的商品与资本伴随着坚船利炮攻破了清朝大门,也冲垮了数千年一贯的传统封建小农经济,早已萌生却被持久压抑的新兴资本主义生产方式在资本的逐利性匡助下揭开了技术改造的帷幕;与此同时,清廷为"自强"、"求富"以维持摇摇欲坠的统治,开始认可和鼓励发展工商业和引进先进技术,这些均在客观上促进了近代民族工业的短暂勃兴,经济发展与技术进步也为晚清政府扩展了财源,增加了财政收益,使得晚清财政岁入企及清代前期无可比拟的规模。从晚清财政岁入总量看,1840 年至 1850 年间,清廷财政岁入仍然徘徊在 3000 万两至 4000 万两之间;1850 年至 1874 年间,清廷财政岁入约

---

① 参见何本方:《清代户部诸关初探》,《南开学报》1984 年第 3 期。

② 周伯棣编著:《中国财政史》,上海人民出版社 1981 年版,第 444 页。

略在 5000 万两至 6000 万两之间，此期虽设立了新税目——厘金，但军费开支抵销了该项收入；1874 年至 1911 年间，清代财政岁入在光宣之际飞速增长，尤其是自 1886 年后的十年间，清廷财政岁入持续高居在 8000 万两以上，比 1796 年至 1850 年嘉道之际的 4000 余万两翻了一番；不仅如此，至 1903 年清廷财政岁入破亿两，至 1908 年清廷财政岁入又突破 2 亿两关口，短短五年时间便使收入规模又翻了一番。可见，晚清财政岁入较之清代前期在规模扩张速度上要快得多，在体量规模上也高得多。从晚清财政岁入结构看，1850 年后的晚清财政岁入结构较之清代前期有明显差异。据邓绍辉《晚清赋税结构的演变》数据所示，田赋仍为收入主体，但占比份额则由 1842 年占近八成降至 1885 年的不及五成，再降至 1903 年的不及四成，至 1911 年清末更降至不及三成，其在晚清财政岁入中的主体地位因其他收入递增而逐年下降。较之田赋，关税则在晚清财政岁入中的占比持续攀升，由 1842 年的一成增至 1888 年后的三成，仅在 1911 年因盐课、厘金畸高略减至二成，显示了晚清海关制度完善和中外贸易扩展的进程。[1] 厘金是产生于 1853 年的商业税种，至 1885 年在清廷岁入中占比已近二成，成为晚清清廷弥补赤字的重要手段。公债则是晚清时期清廷于税收之外祢衡财政亏空的另一独特方式，有内债、外债之分，尤以外债为主。据徐义生《中国近代外债史统计资料》[2]和千家驹《旧中国公债史资料》[3]统计，内债方面，晚清清廷国家内债分别有 1894 年"息借商款"、1898 年"昭信股票"和 1911 年"爱国公债"三次，另有直隶、安徽、湖广等地发行的地方内债；外债方面，1894 年前，清廷外债合计 4626 万两，仅占财政岁入 4% 左右，1894 年至清末，外债高达 12.04 亿两，占财政岁入三至五成之高。晚清厘金和公债的产生，既表明清廷财政正逐步向近代化迈进，又昭示着传统自然经济已在商品经济和资本主义的双重冲击下加速瓦解，也反映出晚清财政对外债的依赖和随之而来的部分主权的丧失，烙上了半殖民地印迹。

---

[1]　参见邓绍辉：《晚清赋税结构的演变》，《四川师范大学学报》1997 年第 4 期。
[2]　参见徐义生：《中国近代外债史统计资料》，中华书局 1962 年版。
[3]　参见千家驹：《旧中国公债史资料》，中华书局 1984 年版。

　　与财政岁入相对,清廷的财政支出则始终处于捉襟见肘的局促格局之下。清代前期近二百年间,清廷财政支出主要集中于皇室供养、军队供养、官宦供养以及其他支出四大方面。一是皇室供养,主要涵括生活、恩赏、丧葬等用度。清廷皇家财政统由内务府打理,内务府下设七司三院,①尤以广储司、会计司为要,前司掌管库藏及出纳总汇,类同清廷户部;后司掌管帑项出纳及庄园户口、地亩、赋税事宜。二是军队供养,主要涵括兵饷、战费两项。此期清军分八旗、绿营二种,八旗或京营、或驻防,约20万两;绿营约60万两,80万清军年饷约2000万两,几占此期清廷岁入的一半。清军此期战事不断,平三藩、平准噶尔、金川二役、平大小和卓等,仅平准噶尔和金川二役就支出过亿,战费之巨更远超兵饷,清廷财政及至入不敷出。三是官宦供养,主要涵括宗室贵族爵禄岁俸、民爵贵族爵禄岁俸和官员岁俸以及雍正实行"养廉银"制度后的养廉费用。四是其他支出,主要涵括工程、救济、教育、驿站等河政、荒政、育人、基建、交通方面用度。

　　如上所述,清代前期的财政收支窘况在清初因战事连连与经济萧条而时有发生。总体来看,清廷财政支出几乎全是"政治性支出",而非"建设性支出"。为缓解因清初连年征战的频繁和灾荒的破坏所造成的社会经济残破凋敝、百姓生计困窘艰难的窘境,彻底恢复元气大伤的社会经济,清廷不得不在一定程度上轻徭薄赋、与民休息。但是,清廷在清前期为恢复社会经济、扭转财政窘境所付出的代价是巨大的。一要轻徭薄赋。据载,1661—1705年的44年间,康熙蠲免钱粮即达9000多万两;②1735—1796年乾隆当政61年间仅普免赋银即破亿两,蠲免规模远胜前朝。如1745年清廷共计免征赋银2824万余两,③嗣后又于1770年、1778年、1790年三度普免全国钱粮。④ 二要加大扶困助农投入。蠲免之外,清

---

　　① 七司指即广储司、都虞司、掌仪司、会计司、营造司、庆丰司、慎刑司;三院指上驷院、武备院、奉宸院。

　　② 参见《清圣祖实录》卷二二三,中华书局2008年版。

　　③ 参见《清史稿》卷一二五《食货六》,中华书局1977年版。

　　④ 参见《清高宗实录》卷八五〇、卷一〇二五、卷一三五〇、卷一四四一,中华书局2008年版。

廷还要兴荒政、赈济灾荒以养民,又要修水利、修浚河道以沃土,各项用度
颇繁巨大。这些恢复经济的举措无一不需巨额财政支出,代价极其巨大,
清廷也为此损耗了不菲的收入,阻滞了岁入规模扩大的进程。同时,作为
新兴生产关系载体的商品经济虽于清代前期相对薄弱的辖制中取得了些
微发展,但随着清廷缓手于军事征服与政权稳固之后重新开始继续延续
前朝的闭关锁国、"重农抑商"、遏制外贸政策而再度受到限制、遭受重
创。因此,清廷此期的财政岁入也只能回归以田赋为主体的传统封建经
济基础之上,加之清初定下的"永不加赋"、"摊丁入亩"等改革将田赋定
额化,更使得清廷此期财政岁入只能长期维持在较低水准而难有快速大
幅增长。尽管如此,得益于康熙"盛世滋生人丁,永不加赋"的赋役改革、
雍正整顿逃赋和"会考府"及"耗羡归公"、乾隆的"摊丁入亩"等持续政
策,清代前期的财政收支窘况迄至康熙中期以后,已随着经济复苏、收入
增多以及捐纳开征而基本缓解;及至乾隆中后期则彻底摆脱财政窘况,年
均盈余超 6000 万两;降及嘉道,清廷财政历年收支相抵后仍均有盈余;道
光朝前 14 年年均盈余仍达 2716.3 万两。① 清初财政入不敷出的窘况正
在随着经济好转而逐步消解。然而好景不长。晚清军费支出中,仅为镇
压义军即耗至少 8.5 亿两,②仅《马关条约》、《辛丑条约》战败赔款本金
即达 6.5 亿两;更有甚者,当此国难清廷皇室奢靡不收反增,仅同治、光绪
二帝大婚即耗银达 300 万两之巨,③无异于雪上加霜。于是,迄及咸丰,
因战不利、陡增军需、赔款之需,加之赈务、河工之用,支出激增,清廷岁入
无力支撑、度支窘迫,1853 年甚至"部库仅存正项待支银二十二万七千余
两",④及至清末更至"库储一空如洗"的惨境。⑤ 造成这一局面的原因无
疑是多方面的,既有清廷财政收支制度不完备而使其无法应对应急事项
的制度表层原因,又有清代小农经济落后于世界资本主义经济大势的深

---

① 彭泽益:《十九世纪后半期的中国财政与经济》,人民出版社 1983 年版,第 142 页。
② 彭泽益:《十九世纪后半期的中国财政与经济》,人民出版社 1983 年版,第 137 页。
③ 参见《清朝续文献通考》卷六九,国用考七;《清德宗实录》卷二四三,中华书局
2008 年版。
④ 参见《清文宗实录》卷九七,中华书局 2008 年版。
⑤ 参见《清德宗实录》卷五二三,中华书局 2008 年版。

层原因,更有帝国主义经济侵略、清廷加赋抽厘转嫁危机盘剥及自然灾害严重破坏所致的国弱民穷的主客观原因。因此,如果说清初这种国家财政的穷蹙源自穷兵黩武、初享国祚时受制于当时经济社会发展水平的无暇顾之、无力为之,那么,晚清财政的窘迫则更源自昏聩无能、苟延残喘的晚清统治阶层的祸国之腐、殃民之策。

纵览清代经济发展与清廷财政格局可知,清代经济发展是清廷财政格局的基础,清廷财政格局则均为维持平衡、满足国用、维护稳定、巩固统治的共同政治功利目的的服务。这既是清代经济与清廷财政最大的本质,也奠定了清廷 268 年大一统社会与专制集权治下清代审美意识流变的核心基调。

二、清廷极权一统与清代社会格局

前一部分的分析,约略概述了全部清代历史和清廷兴衰史究竟建构在何种经济基础之上。据此可知,清廷初享国祚的 17 世纪中叶,无论在世界史还是中国史上,均为重要发展时期。世界史视域中,西欧诸国资本主义生产关系最终突破封建经济罗网取得胜利,1640 年英国资产阶级革命爆发揭开了近代社会的篇章,开启了资本主义在西欧高歌猛进的历史进军。与之迥然相异,东方所呈现的则是另一幅激剧动荡的历史画卷。中国史视域中,左右彼时中国命运的依旧是与封建宗法制扭结在一起的封建地主阶级及其专政机器,明末叱咤风云的农民起义虽摧毁了旧王朝却无法动摇封建经济结构根基,尽管明中叶以后少数地区的农业生产和某些手工行业中已然出现了资本主义萌芽,但此期的中国社会中并无新兴资产阶级席位,也并不具备产生此一阶级的历史条件,昙花一现的资本主义萌芽也随着社会动荡所造成的经济凋敝被摧残殆尽,农民起义的胜利果实显然被取而代之的清廷轻松攫取了,中国封建社会只是凭借农民起义的力量再次实现了改朝换代的政治变动,并未发生根本变革。在漫长的中国古代史上,明清更迭堪称历史前进中的又一个大事件。严格来讲,它不是一个突发于某一时间节点的孤立事件,而是一个长达百年的历史过程:始于清太祖 1583 年告天兴兵,迄于清世祖 1683 年统一台湾。① 明清易代中,尽管真正令明朝覆灭的是农民起义,但胜利果实却被拥兵西进的清朝攫夺了。明朝积弱待毙之际,建州女真悄然崛起;努尔哈赤兴兵东北,雄踞辽沈,虎视关内;皇太极继后频频挥师叩关,出没鲁晋冀乃至京畿一带;顺治元年清军入关,清廷以满汉地主阶级利益代言人自居,一面颁发圈地令,以确保满洲贵族合法占据大量土地,欲使"满汉分居,各理疆界";②一面在不损圈地前提下明令保护汉族地主阶级利益,在全国形成满汉地主阶级狼狈为奸、联合镇压南北农民起义的局面。然而这种合作显然是以汉族地主阶级无条件服从满洲贵族的清廷统治为前提的,加之清廷嗣后又明令推行剃发等民族高压政策,不仅打破了满汉地主阶级的短暂联盟,而且激化了民族矛盾,清廷历十余年角逐,至康熙三年方才镇压了此起彼伏的抗清斗争;康熙亲政前后,朝内鳌拜专权乱政,台湾郑氏不奉正朔,西北王公抗衡清廷,西南三藩尾大不掉,一面是清廷强化集权统治之迫切需求,一面是军阀割据称雄欲望之急剧膨胀,力量消长演成长达十余年的鳌拜之患、三藩之乱、统一之战;直至 1683 年才彻底完成杀鳌拜、平三藩、收台湾,基本结束了百年动乱。这些都构成了本节即将展开探讨的清廷极权一统与清代社会格局的基础。

(一)清廷极权一统③

清代是中国古代宗法君主制社会由巅峰开始走向衰落的阶段。一面是君主专制统治已渗透在从经济基础到上层建筑的每一个环节和流程之内,一面是社会矛盾日趋激烈,封建统治危机四伏,迫使清廷加速极权以备困兽之斗;同时,由于清廷建立于战争危机之中,开国几代君主均以强化专制统治为首务。随着鳌拜被诛、三藩平定、台湾回归的完成,清廷首

①　参见陈祖武:《清代学术源流》,北京师范大学出版社 2012 年版。
②　参见《清世祖实录》卷十二"顺治元年十二月丁丑"条,中华书局 2008 年版。
③　参见王戎笙:《清代全史》(10 卷),辽宁人民出版社 1995 年版;王戎笙:《清代简史》,辽宁人民出版社 1996 年版;孟森:《明清史讲义》,中华书局 1981 年版;萧一山:《清代通史》,中华书局 1985 年版;戴逸:《简明清史》,人民出版社 1980 年版。

次确立了对全国的有效统治,实现了极权一统的根基奠定。自此,清廷开始采取多种有力措施,使业已恢复的经济迅速发展,清初社会亦开始由乱而治。康熙一朝虽因立储之争引发过政治变乱、因国家统一之故两度在西北和西藏兴兵、局部农民起义也偶有发生,但从全国范围整体来讲,仍可算是政通人和、百废俱兴,呈现出由安定走向繁荣的趋势。在这一背景下,清廷的统治也逐步走向专制集权。

其一,从政治制度来看,清廷实行以满族贵族为主体的满蒙汉封建阶级联合专政,是专制主义中央集权制度的高度发展形态。这一政体尤其突出地表现在清廷的政权组织上。清廷政权组织沿袭明朝旧制,专制皇帝君临全国,主宰一切,皇帝的意志就是国家法律。清代中央机构如内阁、六部、督察院、大理寺、理藩院、翰林院、国子监、钦天监、通政司等,均仿明制,但略加改订。内阁为全国行政总机关,设大学士,满汉各二人,冠以保和殿、文华殿、武英殿三殿与文渊阁、东阁、体仁阁三阁之名,襄赞君主、督率百僚,为政府领袖、犹古之宰辅;下有学士、侍读学士、侍读、中书等职。六部为吏户礼兵刑工,执行政令,综理事务,分理全国庶政,设尚书、侍郎,满汉并用,内除户部分十六司外,余分四司,设郎中、员外郎、笔帖式等职。督察院为监察机关,设左都御史、左副都御史、给事中、监事御史、经历、都事、科道等职。大理寺掌刑狱平反,设寺卿、少卿、寺丞、评事等职。新增的理藩院管理少数民族和某些对外事务等藩属政令,只任用满族和蒙族官吏。翰林院掌制诰文史,设掌院学士、侍读学士、侍讲学士、侍读、侍讲、修撰、编修、检讨、典簿、庶吉士等职。国子监掌成均教育,设祭酒、司业、监丞、博士、典簿、助教、学正、学录等职。钦天监察天文、定气朔,设监正、监副,另设庞大的帝室官厅,如内务府、詹事府、宗人府、太常寺、光禄寺、太仆寺、鸿胪寺等。其中,内务府照料皇室的生活和财产,管理宫廷太监、匠役。清代中枢机关虽承明制,但与明朝有所不同。官员虽由满汉分授,但实权掌握在满员手中;除内阁外,别设议政王大臣会议,由满族贵族组成,负责筹划军国大事,奏请皇帝裁决;1677 年康熙设“南书房”,为清代内廷机构,坐落于紫禁城内月华门南,旧为康熙读书处,翰林入值南书房,初为文学侍从,常侍皇帝左右,备顾问、论经史、谈诗文,皇帝每外出巡幸亦随扈,皇帝即兴作诗、发表议论等皆注记,进而常代皇帝撰拟诏令、谕旨,参与机务,因接近皇帝而对皇帝决策特别是大臣升黜有一定影响力,故入值南书房者位虽不显而备受敬重,直至雍正朝后才不再参与政务;1729 年雍正设"军机房",始为秉承皇帝旨意办理西北两路用兵等军机事务,1732 年改为"军机处",成为秉承皇帝旨意办理所有机要政事的中枢机构,1735 年雍正驾崩、乾隆继位守丧期间更名为"总理事务处",1737 年又恢复"军机处"名称,自此遂成定制,直至 1911 年清廷宣布成立"责任内阁"时废止,军机处的职能主要是,掌书谕旨、参赞军国机务、参议重要政务及刑狱、用兵时则考其山川道里和兵马钱粮之数以备顾问、文武百官的简放、换防、引见、赐予以及拟定对外藩朝觐者的颁赐等,军机处无正式衙署,其办公处所涉与内廷隆宗门内,称为值房,无专职官员,全部工作由军机大臣主持,设军机章京办理一切事务。由于军机处"只供传述缮撰而不能稍有赞画于其间",军机事务裁决出于皇帝一人,削弱了满族贵族势力、强化了皇权。可见,明清中央官制的主要区别即在:明代权力在内阁,清代内阁地位虽尊崇,但权力较小。最初,军政大权在议政王大臣会议,日常庶政归于内阁;康熙时皇权加强,设南书房协助皇帝参与机务,雍正时创设军机处,成为有清一代处理政务的最高权力机关,负责决策发令、撰述谕旨、总理军国大计。军机处不是独立的正式衙门,而是皇帝身边的办事机构,无官署、无定员,军机大臣均为兼职,由皇帝特简。清代地方行政机构也沿袭明朝,大体分设省、府、县三级,并在省级官吏设置上除布政使、按察使外另设总督、巡抚。总督又名总制,明朝始设,在清代为地方最高级之长官,辖一省乃至二三省,位在巡抚之上,官秩为正二品(加上数衔者为从一品);清初总督额数及辖区并不固定,乾隆以后成为定制,全国设八个总督官缺,即直隶总督、两江总督、陕甘总督、闽浙总督、两湖总督(或称湖广总督)、两广总督、四川总督、云贵总督;总督一般均带兵部侍郎或兵部尚书、右都御史衔,其职掌综理军民事务、统辖文武、考核官吏,为一方军民高级长官,世称封疆大吏;另有漕运总督、东河总督、南河总督三员,负责漕运及河工事宜。巡抚则总揽一省军政、民政,亦称抚台,以"巡行天下,抚军安民"而名;明代始设,初非专设,1430 年后常设并成制度;清因明制,在歌声设置巡抚,计有山东、山西、河南、江苏、安徽、江西、浙江、湖北、湖南、陕西、新疆、广东、广西、云南、贵州各一人;其以总督兼者,有直隶、甘肃、福建、四川各一人;清代巡抚之官级一般为从二品(兼督察院右副都御史的为从二品,加兵部侍郎衔的为正二品),均兼兵部侍郎及副都御史衔,是一省最高军政长官,具有处理全省民政、司法、监察及指挥军事之大权;省内自布政使、按察使以下,均为其属官。总督、巡抚无一不是皇帝心腹,事无巨细、一遇疑难均直达天听,候皇帝指示。清廷地方行政体系中,总督、巡抚为省级最高长官,布政使(又称藩司)、按察使(又称臬司)、提督学政(又称提学道)分掌全省民政、财政、刑法、教育。还分设道员,作为辅佐。府设知府,统辖数县,承上启下。县设知县,为基层"亲民之官",掌管全县政务、赋役、户籍、缉捕、诉讼、文教。少数民族地区,根据各地情况,设立不同的地方军政机构。

　　其二,从专政统治来看,清廷在军事组织上强化八旗制度、在司法体制上完善大清律例、在政治统治上打压派系党争势力,最终实现了稳固统治秩序、强化皇权专制的目的。在军事制度上,清军推行的是八旗制度。在此框架下,清代军队以八旗为主体,辅以绿营、勇营。八旗兵分为禁旅和驻防两类,禁旅八旗驻扎在北京,保卫皇室、拱卫京畿,驻防八旗则分驻各地。遇有战事,从禁旅和驻防兵种调遣出征。八旗兵额共计 22 万人。清初八旗战斗力很强,待遇亦较优厚,但后来渐染城市习气,不习武事,逐渐丧失了战斗力。清军入关,招降了大批明军,以绿旗为标帜,以营为建制单位,称为绿营。绿营分驻各地,有马兵、战兵、守兵、水师等区别,共60 余万人,设提督、总兵、副将、参将、游击、都司、守备等武职。提督全称为提督军务总兵官,负责统辖一省陆路或水路官兵;其制始于明,初非固定职官,万历始成专设之官;清因袭之,于各省地方额设提督 19 人,官秩为从一品,统帅所属绿营官兵,是一省绿营最高级军官;计有直隶、福建、湖北、陕西、甘肃、新疆、四川、湖南、广东、广西、云南、贵州各一人;兼辖水陆提督者,江南、浙江各一人;其以巡抚兼提督事者,有山东、山西、河南、安徽、江西五人;另设外海、内河、长江、福建、广东水师提督各一人;凡水陆提督统辖所属官兵,分防要地,或游弋巡哨,修整武备,皆受总督节制。清中叶以后,又有汉族地主自募自练的团练乡勇,称为勇营,有事招募,无事裁撤,不同于八旗、绿营常备之兵。依托八旗、绿营和勇营三大主要军事力量,清廷外攻内压,建立了强大的中央集权,形成了大一统的整体格局。在司法制度上,清廷法律既结合满族在关外时期的习俗、制度,也大量沿用了明律。顺治初年,清廷已制定了大清律,康雍乾三朝不断修订增删,乾隆初年公布《大清律例》,涵括律文 436 条,附例 1409 条。它和传统的封建法典一样,保护统治阶级的利益,按照人们的不同身份等级由不同的审判手续和量刑标准,包括"叛逆"在内的"十恶"被视为最严重的罪行,对地主阶级的经济利益和封建家族的权利,作了明文保障。律例鲜明地体现了封建统治的本质,其中还有许多民族压迫和歧视的条文。依托这一逐步完善的大清律例,清廷有效地保障了统治阶层利益,确保了中央集权的权威和大一统格局的总体稳定。在政治统治上,清廷上层的争斗从未间断。清军入关前后,清帝与八旗旗主的矛盾异常尖锐,旗主们的权力虽随着皇权加强而日渐削弱,但上层斗争并未停息,党争不断。康熙年间,诛杀鳌拜之后,索额图、明珠获宠,各树党羽、日益坐大、争权倾轧,另有汉臣徐乾学、高士奇等受重用后亦招权纳贿、形成"南党",加之诸党分别与皇子勾连成势、党祸日盛,以至清帝不得不以"秘密立储"之法除弊;雍正年间,则有年羹尧、隆科多之党争,终以年赐死、隆被囚、雍正亲撰《朋党论》诫群臣而告终;乾隆年间,先有鄂尔泰与张廷玉两党之争,经乾隆裁抑方不得专权,复有和珅恃宠纳贿营私,终被嘉庆诛杀。可以说,有清一代,上层政治屡起风波,政局变幻诡谲,但因专制皇权却很坚固,清帝尚能驾驭局势、驱遣左右,故统治秩序尚为稳定,并未伤及清廷中央集权、君主专制和清代大一统的总体格局。

其三,从边疆治理来看,清代在康雍乾时期统一天山南北,加强了对西北地区、西藏和西南其他地区的控制。清廷为分化蒙古族,强化对其上层贵族的控制,在西北地区力推盟旗制度。盟旗制度之"旗"是军事、行政合一的单位,由清中央在旗内王公中任命札萨克为旗长,可世袭,战时司动员之职,平时总揽本旗行政、司法、税收等各项事务,下设协理台吉、管旗章京等僚属;"旗"以下置"佐"设佐领,领本佐兵丁,司清册、收税、征夫之职。盟旗制度之"盟"则是"旗"的会盟组织,合数旗而成,每盟设盟长、副盟长各一人,盟长司三年一次的回梦召集之职,掌除发兵权之外的比丁、练兵、清查钱谷、审理重大刑名案件等事务,对各旗札萨克无命令权、有监督告发其不法与叛变行为之权。盟旗制度严令蒙古族人民不得越旗游牧、耕种、往来、婚嫁,严禁蒙汉人民间的接触。清廷自 1624 年开始在西北地区力推盟旗制度,历时 140 余年,至 1771 年成功地将全蒙古部众纳入这一政治制度之下,至 1949 年后彻底废除,仅留称谓。为顺利推行盟旗制度,清廷于康雍乾三朝数次用兵(其中,康熙朝三次、雍正朝两次,乾隆朝两次),最终打击了准噶尔上层贵族割据势力、平定准噶尔、统一西北边疆,有力地抵制了沙俄势力扩张。清初准噶尔部在厄鲁特蒙古四部中最为强盛,首领噶尔丹野心奇大,先后战胜其他部族、征服南疆回部、进兵青海、笼络西藏、侵扰甘肃,自称"博硕克图汗";1688 年更乘喀尔喀蒙古内部纷争之机、里通沙俄、率兵三万由杭爱山东侵,喀尔喀蒙古战败求援于清廷,1690 年清军于乌兰布通之战中击溃准部,噶尔丹遁逃;1691 年康熙与内外蒙古首领会盟于多伦、推行盟旗制度,稳定了喀尔喀蒙古的动荡局势;1694 年康熙又再度率师亲征,平定了噶尔丹叛乱;此后,清军又分别于 1720 年、1724 年、1755 年三度对准噶尔用兵,于 1757 年彻底平定了准噶尔,统一了天山北路。嗣后,清军于 1759 年平定了回部大小和卓之乱、一统南疆,并于 1771 年册封冲破俄军追击拦截、率众顺利返回伊犁的厄鲁特蒙古土尔扈特部首领渥巴锡为亲王,以盟旗制度彻底巩固了在西北地区的统治地位。清廷还设置驻藏大臣、三度对藏用兵、颁行《西藏善后章程》和《钦定西藏章程》、实施金瓶掣签制等,强化对西藏的管辖。1720 年,清军将准噶尔部逐出西藏,清廷任命康济鼐主持藏政,并设驻藏大臣监督;嗣后,颇罗鼐主持藏政、服从清廷政令,其子珠尔墨特却不服清廷管辖,清军于 1750 年再度进藏平叛,七世达赖与众僧人合力擒杀珠尔墨特;1791 年,清军三度进藏驱逐了尼泊尔廓尔喀军,并追越喜马拉雅山、议和而返。驻藏大臣的设立,是清廷治藏的创举,对加强祖国统一、巩固边防、促进民族团结起到了积极的历史作用。驻藏大臣全称为"钦差驻藏办事大臣",又称"钦命总理西藏事务大臣",设正副职各一员,副职称"帮办大臣",始置于1727年,至1911年废止,历时184年,总计83任57人;驻藏大臣代表中央政府汇通达赖喇嘛监理高级僧俗官员任免、财务收支稽核、地方军队指挥、涉外事务处理、司法户口差役各项政务督察等各项西藏地方事务,并专司监督有关达赖喇嘛、班禅及其他大呼图克图转世的金瓶掣签、拈定灵童、主持坐床典礼等事宜。为稳定西藏局势,清廷除以藏人主持藏政并设驻藏大臣监督外,还先后颁行《西藏善后章程》和《钦定西藏章程》,全面改革西藏的政治、军事、财政、宗教、外事等事务,进一步提高驻藏大臣权力,规定西藏地方官员的职权和品秩,积极训练藏军,并统一铸币。同时,在1793年正式颁布的《钦定西藏章程》第一条中明文规定"对今后确认达赖、班禅的转世灵童,由金瓶掣签定"。所谓"金瓶掣签",是清廷于1792年启用的确定活佛转世人选的制度;金瓶藏语音译为"金奔巴"或"金奔巴瓶"。为防止大贵族势力操纵活佛转世,强化中央政府对西藏政教的控制,清廷于1792年颁发两只金瓶,分贮于北京雍和宫及拉萨大昭寺内,前者由理藩院上述监临,掣签拈定章嘉呼图克图与哲布尊丹巴呼图克图转世灵童,后者由驻藏大臣监临,主持达赖喇嘛与班禅额尔德尼及大呼图克图转世掣签之事;凡遇有活佛转世之时,先行呈报所选灵童姓名、出生年月日,用满汉藏三种文字缮写于牙签之上,贮入钦颁金瓶之中,供于释迦佛祖像座前,先期传唤那马集齐大昭寺,诵经七日,届期由驻藏大臣亲临大昭寺,焚香顶礼,从瓶内掣签;掣得者,即为转世活佛,申报朝廷请封。推行金瓶掣签制,主旨在于防范班禅、达赖的转世被贵族农奴主操纵、利用,强化中央政府对西藏的管辖。

清廷于雍正年间在滇黔桂川湘鄂等省大规模推行"改土归流"之策,以强化对西南地区少数民族的控制。所谓"改土归流",即指废除土司制、分别设置府厅州县、委派非世袭的流官任职、推行流官制、实行与内地各省相同的政权管理体制的政策。为解决元朝始设的土司制度之积弊,明清两朝统治者大多主张实行改土归流之策,即在条件成熟的地方,取消土司世袭制度,设立府厅州县,派遣有一定任期的流官进行管理。1726年,雍正采纳云贵总督鄂尔泰数次上疏所提"改土归流"的建议,在滇、黔、桂、川、湘、鄂六省全面推行此策,涉及苗、彝、布衣、侗、瑶、水等族。"改土归流"政策遭到了土司的抵制与反抗。清朝采取和平招抚和武力镇压两种手段,对抗命骚乱者出兵征讨。清廷镇压土司势力用力最大、耗时最久的是乾隆年间两次派重兵镇压今四川阿坝藏族自治州大金川和小金川等地藏族的大小金川之役。1746年,大金川土司莎罗奔劫夺小金川土司泽旺,经清廷干预后归还,1747年,莎罗奔又攻明正土司等地,清廷出兵前往弹压,莎罗奔于1749年降;1771年,大金川土司索诺木与小金川土司僧格桑再次发动武装反清斗争,清军二次出兵、历时五年、耗银七千万两、官兵死伤万计方平;嗣后,清廷在大小金川设立懋功、章谷、抚边、绥靖、崇化五屯,驻军屯垦,以防再次发生反抗事件。改土归流废除了土司制度,减少了叛乱因素,加强了中央政府对边疆的统治,有利于少数民族地区社会经济的发展,对中国多民族国家的统一和经济文化的发展有着积极意义。

其四,从民族边防来看,清代一统全国,边疆地区在中央政府管辖下得到较长时间的安定,经济迅速发展,各族人民生活有所改善。清廷对边疆少数民族的基本政策是"修其教不易其俗,齐其政不易其宜",即保持各民族风俗习惯、生活方式、宗教信仰,因族而异、因地制宜、强化统治和管理。在边疆行政机构设置上因地制宜。因北方边境历长年战乱且与俄国接壤,清廷着重巩固边防,设军府制,统管军政民政;在东北设盛京、吉林、黑龙江三将军,在外蒙设定边左副将军,在新疆设伊犁将军,派兵戍守;在南疆地区沿用旧有的伯克制,改为非世袭,由参赞大臣请旨简放;在内外蒙古、青海实行札萨克制,设盟长、旗长,统属于理藩院;在西藏则适应政教合一的体制,建立和完善了达赖喇嘛与驻藏大臣协同管理的噶厦机构;在西北的乌鲁木齐、巴里坤和西南新设流官地区以及台湾则与内地各省一样,设府州县制,分属各省总督、巡抚管辖。清廷采取各种措施团结笼络少数民族上层,或优给廪禄、减免徭赋、封以爵位官职、许以世袭罔替,或规定他们轮流觐见皇帝、观光赐宴、联络感情、增进了解、待遇优渥;尤其重视蒙古族上层,强调"满蒙一体",以皇室子女与其通婚联姻;又在蒙、藏中扶植黄教、尊崇活佛、优礼喇嘛,并于各地大兴土木,修建许多喇嘛寺庙,利用宗教进行统治。为加强边防,清廷还在沿边的山川隘口、交通要道设置许多军事哨所,名为卡伦;又在漫长边境线上规定巡边制度,派兵定期巡视;18世纪下半叶的乾隆年间,清廷巡边范围东北至外兴安岭,西北至巴尔喀什湖、伊赛克湖,形成了声名显赫的大一统帝国。

综上,清廷在政治、军事、司法、内政、民族、边防乃至边疆治理等诸方面的中央集权与君主极权统治,最终形成了中国古代史上大一统的局面。

(二)清代社会格局①

清代前期近二百年的社会组织级层、人民生活方式、生产生活工具、文化形成素养等方面几乎一仍数千年之旧,并未有较大的变化,但其统治阶级属性、经济重心转移、民俗士习好向、学术政治影响等诸方面则均自成规模、衍为风气。整体来看,清代社会的格局分由清室贵胄、士大夫、城乡士绅、黎民百姓四大部分组成。

首先是清室贵胄。清室贵胄当属名副其实的清代统治阶级。在清初,清室皇帝贵胄演化为"君阀"和"旗阀"。清太祖努尔哈赤初定的八旗旗主共议国政的封建制度,至清太宗皇太极已转变为君主制,及至清世祖福临亲政,遂将八旗之三收为侍卫亲军,其余五旗诸王分领,旗主之人选已非关外宗藩世及的陈规旧制,变为可由清帝随意任命的情况,由此,君王成为唯一的累世的"君阀",贵胄不过假天子之名偶派指挥禁旅的傀儡。然而,旗主各臣所属却犹有定规、一仍其旧,加之国是由议政大臣裁决,于是诸王皆通兵略、植党羽,结纳士大夫以邀声誉,属下为官者亦必勒令报效,于是诸王旗主们便日益形成一种"旗阀",以至于时时威胁到"君阀"的权威。在此背景之下,雍正为巩固君权、竭力呵谴诛戮、严加裁抑,一是不许于帝王之外复以旗主为主,旗主所属下人觐和必须由清廷允许;二是改固山额真之名为固山谙班,使旗主由一旗之"主"降格为管事;三是加重都统职权,直属清廷,总摄旗内行政;四是限制诸王旗主权限,除享有包衣及奉饷外,一切不能过问,并禁止与朝士交结、向外官需索,甚至禁

---

① 参见萧一山:《清史大纲》,上海世纪出版集团2008年版;戴逸:《清史》,中国大百科全书出版社2010年版。

止上三旗与下五旗及各旗属人私相往来。当此严苛律令之下，旗人宗室一面衣帛食粟、养尊处优，一面隔绝气类、学行能力日渐乏力，全部颓然式微。而帝王一人则专擅权柄、极人主之尊、达到专制政体的巅峰。

其二是士大夫。应该说，清廷之所以能享近三百年国祚，与雍正的废议政、设军机、君主集权、一人专断的大一统有着莫大的干系。但由此而来的问题则是，设三省宰相以约束权力的隋唐制度设计、"天子与士大夫共治天下"的宋人理念、以内阁为历代政府领袖的传统却自明太祖朱元璋始、至清雍正帝彻底崩塌。帝王不欲与任何人共治天下，只欲以士大夫作为附势于君权、走狗于廷上的不二人选；清代科举正是实现这一目的的有效手段。迥异于六朝门阀制度和魏、周、初唐的"关中本位政策"，清廷适应中国社会的环境，维持科举的制度，以科举取士笼络了大批文人士大夫，既成功地控制了汉人的情感，又不动声色地将满人融化进去。中国古代文人士大夫的崛起，可溯源至隋唐开创的科举取士与文章选士制度。[①] 此后，科举取士的方式使得天下有志上进的读书人有了一条政治出路，可以"学而优则仕"，可以"经世致用"，不以文章为点缀之品、而以"文章华国"为致仕的敲门砖；"宰相必用读书人"和"万般皆下品，惟有读书高"成为传统的思想观念，读书做官俨然形成千年一贯的风习。清承明制，虽科举制义一仍八股，但科举为正途却沿袭了隋唐两宋以来的旧风。尽管康雍乾三朝皆有废止科举、改为策论之议，但终因黄玑、张廷玉、鄂尔泰等为代表的清廷束缚才智、牢笼士子的私心而难成行。[②] 于是，科举取士于清廷而言，是"天下英才，入吾彀中"，帝王可高枕无忧；于文人而言，则是"窗下十年，熬得人上"，士子亦得美好归宿。经由科举拔擢出来的文人们，举人得候选内阁中书、各省教职及大挑知县，进士则或授修撰、或授编修、或选授庶吉士，有望入围翰林院的"清华之选"，余则皆为京官、主事、中书、教习，外放则可为知州、推官、知县等。京官、外官三年考绩中一二等或卓异者，或加级纪录、或赴京引见，即予升转。通过科举而被取士的

---

① 参见陈寅恪：《唐代政治史述论稿》，三联书店1954年版。

② 按：鄂尔泰甚至有"非不知八股为无用，特以牢笼人才，舍此莫属"的露骨言论，有此一途，自然有"秀才造反，三年不成"之实。

文人们不仅有事做,而且只要肯努力,拔擢升迁也很快。可悲的是,治学出仕本当为明道救世,然而在清廷科举做官却变为士大夫为稻粱谋的捷径。清廷俸禄极薄,一品官岁俸180两银,至五品递减25两,为80两,六品60两,七品45两,八品40两,九品仅30余两;京官每两搭禄米五斗,乾隆二年后加倍给予恩俸。如此薄俸自然不够支出,只能靠陋规、贿赂调剂。于是,凡是经手钱粮的官吏均涉陋规积弊。中央机关中,户部奏销有"部费";吏兵工刑诸部亦各有办法,河工、军需、城工、赈恤诸事"讲分头",题官、议叙、调缺、刑名诸事有"打点"、"照应"、"招呼"、"斡旋";惟礼部最穷,其余翰詹、御史等官则或收门生"赘敬"、或赖学差"棚规"及同年同乡作外官的"冰炭敬"和"别敬"贴补;此外,京官另有派往外省查案时的盘费、供应、公帮、程仪、规礼及贿赂等收入;而地方官员则于钱粮当中加火耗。清帝于此种现状并非不知、虽亦深以为害却无良方,以至于康熙称:"所谓廉吏者,亦非一文不取之谓,若纤毫无所取给,则居常日用及家人胥吏何以为生?如州县官止取一分火耗,此外不取,便称好官。"雍正行"火耗归公",给官吏养廉,立贪廉标准又执严法,稍见清效,孙嘉淦曾有"雍正时人人可为清官"之语。但上有政策、下有对策,州县仍巧立"平余"等名目,勒索乡里、鱼肉百姓,"三年清知府、十万雪花银"的积弊远未消除,形成薪俸不足养廉、贪腐遂成陋规之势,文人士大夫治学出仕明道救世的弘道初衷也由此一变而成升官发财、操奇计赢的营生。

其三,城乡士绅。既然清室贵胄与文人士大夫均成为不足以被人民依赖的群体,那么,百姓何以维系自己的生活呢?迥异于西方国家以城市积成为基础的紧凑型社会组织的形态,中国历来就是以宗法积成的国家,社会组织颇为散漫。因此,乡村主要依赖传统宗法背景的乡治,城市则主要依赖清廷政权组织与变种乡治的嫁接。在中国古代社会,乡村由宗法而聚成,依靠宗法关系实行乡自治,城市不过是政府设治或工商业集聚的地方,政权组织之外仍属自治性质。乡的称谓各不相同,有乡、里、区、社、坊、镇、铺、厢、集、图、都、保、总、村、庄、营、圩、甲、牌等十余种叫法;此外另有寨、堡、团、卡房等特殊组织。这些组织大都由家、户、人组成,称谓中国最底层社会自治单位,首领多为乡绅耆老或宗族长老,其组织原则大体有五：一是农家相联，村设一长；二是村长多有族长兼任，掌一村行政权、处决诉讼及私事之权；三是村或多至百余家、或少至三五家，依势自然相集；四是村名常随族姓或地主之姓；五是村乡间俱可联编为乡镇、堡寨等，常以乡籍文人或在乡军人为首，或行合议制。此种形态自周秦以降，多仍其旧，后从同一渊源演化出乡治与保甲两种体制，交相消长。清代的乡治，多以宗祠为基础，行保甲与乡约而途。清廷重保甲，几乎与乡治合为一体；乡治所办事务亦几乎无所不包。① 保甲始于顺治，初为甲总制，继为里甲制，均为十户一甲，十甲一总，城中曰坊，近城曰厢，在乡曰里；康熙下令十户立一牌头，十牌立一甲头，十甲立一保长，户给纸牌一张，造册呈报，以稽户口；乾隆则因保甲长人选之弊谕令公推公选，并另设"地方"一名承值。可见，保甲与乡治的关系是，清廷以保甲为乡治，百姓则以乡治含保甲。中国古代城市，本是农民"秋冬入保"的地方，嗣后随着职业细分，渐变为官吏商户集居之所，并有"国"、"野"之分，野扩大化为乡村，国则演化为城市。清代城市多为行政官厅所在，设施多为清廷政权组织。大如帝都，有外城、内城、皇城、紫禁城之别；次如省城，系各省督抚将军治所，将军常于城内另筑旗营驻防；再次为县城。纯然为商的城市，清初仅有广州、厦门、宁波、上海四处，后仅剩广州为外贸唯一门户，有"十三行"之谓；余如苏州、杭州则仅算风景名胜地。

其四，清代民生。清室贵胄、权奸朝贵、士大夫官僚以及富绅大贾们的生活豪奢自不待言。身为清廷宗室的旗人和半数汉军，尽管由于政治上的特殊地位，在日用给养方面受到清廷优渥，但常因养尊处优、妄事奢靡而穷困日盛。作为社会组成最基本构件的人，则是百姓。清代百姓的生活状况，因东南富庶、西北贫瘠而在总体上呈现出较为明显的南北差异。但若从占人口的绝对数量大多数的普通民众的生活来看，则普遍都是因异族统治的私心与官吏贪黜的风习，而逼得清代百姓只能靠天吃饭、穷苦不堪。有田的地主自然好些。但即便是以笔耕舌耨为生的读书人，

---

① 按：对此，梁启超《中国文化史》曾专设乡治一章详述，可资参考。参见《梁启超论中国文化史》，商务印书馆 2012 年版。

一旦无法通过科举出仕,便只能做个穷教书匠,一年也仅得十余两束脩,生活窘迫不堪。而占到九成的小自耕农、佃户、长短工的年收入则与教师相去无几,甚至更糟。工匠以手艺、劳力糊口,日入不过几分银;商肆伙计日入亦只合几分。可以说,占清代大多数的士农工商四类人的年入均不过二十两银。更为清苦贫瘠的地方,人们更是过着水深火热的非人生活。

三、清廷文化政策与清代思想流变

在影响清代审美意识发展的诸多因素之中,清廷的文化政策和清代思想流变是至关重要的方面。政治与文化历来都是结伴而行的。作为维护统治阶级根本利益的手段,一定时期的文化政策总是那一时期的统治者的思想的集中反映。就中国古代社会而言,它在很大程度上是作为封建帝王治国思想的直观反映。政治专制往往也伴随着文化专制。作为上层建筑的统治阶级文化思想以多种形式渗透到社会生活的每个角落,发挥着主导作用。为此,实事求是地对清廷文化政策及清代思想流变加以梳理,无疑是展开本书研究之先一个应当解决的重要问题。

(一)清廷文化政策①

清廷在顺治一朝虽戎马倥偬、未遑文治,在文化政策上基本沿袭明代旧制,仍在政权建立伊始就不断加强文化专制;自康熙朝以后更为变本加厉,力图将全国的思想文化强行纳入程朱理学的轨道之内,同时极力打击各种异端学说。康熙初叶南明残余扫荡殆尽、清廷统治趋于稳固,圣祖亲政以后,经济逐渐恢复、文化相应加强,迄至三藩平定、台湾回归,清廷更于文化政策上屡加调整、强化专制,使得清初一度活跃的文化思潮受到沉重打压,丧失健康发展机会,从而有力地维护了政权的高度专制。与统一的专制帝国晚期相适应的清代文化,最显著的特征就是,清廷将远比先

---

① 参见经君健:《清代社会的贱民等级》,浙江人民出版社 1993 年版;王戎笙:《清代简史》,辽宁人民出版社 1996 年版;黄爱平:《18 世纪的中国与社会·思想文化卷》,辽海出版社 1999 年版;张研、牛贯杰:《清史十五讲》,北京大学出版社 2004 年版;陈祖武:《清代学术源流》,北京师范大学出版社 2012 年版;毛佩琦:《中国文化发展史·明清卷》,山东教育出版社 2013 年版。

秦、汉、唐更富于思辨色彩的新儒学——宋明理学作为其统治思想。理学虽派系繁多、主张各异,但均从孔孟出发、将君主专制与伦理道德归为宇宙本原、试图论证君主政体的合法性、永恒性、权威性,因此受到清廷青睐并被定为思想文化的正统。在此前提下,清廷仍承明制、尊朱学、崇正统、黜异端。清廷文化政策,突出表现在民族高压政策的确定、科举取士制度的恢复、崇儒重道基本国策的实施、博学宏词特科的举行、图书访求与编纂的兴盛、由尊孔到尊朱的转向六个方面。

首先是民族高压政策的确定。作为上层建筑的文化政策,一面必然要受到所由以形成的经济基础的制约,从而打上鲜明的时代印记,一面必然无不受到统治者的根本利益所左右,成为维护其统治的重要手段。满洲贵族所建立的清王朝,虽然形式上是"满汉一体"的政权体制,但是以满洲贵族为核心才是这一政权的实质所在。这一实质决定了满洲贵族对广袤国土上的众多汉民族和其他少数民族的强权统治。反映在文化政策上,便是民族高压政策的施行。顺治中叶开始,清廷便以武力为后盾,渐次向全国推行剃发易服,构成了民族高压政策的基本内容。具体而言,有两项较大的事件:一是焚书;二是文字狱。清廷焚书是自顺治所开的恶劣先例。顺治十六年(1659年),清廷以"畔道驳注"为口实,下令将民间流传的《四书辨》、《大学辨》等书焚毁,并严令各省学臣"不得崇尚异说",①明令士子"不得妄立社名、纠众盟会"。② 文字狱是清廷于康熙开始制造的又一恶劣举动。较之明代,清廷文字狱多因镇压汉族士人的民族意识而发难。清廷对汉族士人政策经历了最初的怀柔利用到康雍乾时期高压的转变。譬如,康熙朝的庄廷鑨"《明史》案"就是其中一例,戴名世"《南山集》案"因著述招致杀身之祸亦是一例,雍正朝查嗣庭"试题案"、吕留良"文选案"等均为累及众多的文字狱大案,后来乾隆年间文网密布、冤狱丛集、文字狱再兴均肇始于此,乾隆一朝文字狱案件较康雍二朝总数增长四倍以上,史载康雍乾三朝文字狱更达到108起之多,堪称中国文化思

---

① 《清世祖实录》卷一三〇"顺治十六年十一月甲戌"条,中华书局2008年版。
② 《清世祖实录》卷一三二"顺治十七年一月辛巳"条,中华书局2008年版。

想史上血腥的一页,而其根源亦皆在于此。严酷的文化专制,禁锢思想,摧残人才,成为清代思想学术发展的严重阻碍。

其二是科举取士制度的恢复。科举取士自隋唐以来即历代相沿,成为封建国家的储才大典和文化建设的基本国策。明末,由于战乱频仍、灭亡在即,科举考试不能正常举行。顺治元年(1644年),清廷入主中原,顺治帝诏示天下,"会试,定于辰、戌、丑、未年;各直省乡试,定于子、午、卯、酉年",恢复实行明代的科举取士制度。1645年,清廷从科臣龚鼎孳、学臣高去奢之请,于当年十月举行南京乡试;同年七月,张存仁疏请在浙江开科取士;1646年,清廷在京举行首次会试、殿试,傅以渐成为清廷首位状元,日后官居大学士。此后科举的内容或为八股文、或专事策论,而以八股文作为科举考试内容最终成为定制。同时,清廷还修复明代北监为太学,又改明代南监为江宁府学,官学教育自此重开;此外,各省书院也陆续重建。

其三是"崇儒重道"基本国策的实施。中国古代社会历来重视文教,世代相沿,宋明以来,从孔孟之道到周程张朱的道统,崇儒重道已成为封建帝国的基本文化国策。清承此制,"崇儒重道"也成为顺治和康熙时期制定的基本文化国策。在经历清初多年的干戈扰攘之后,顺治九年,"临雍释奠"大典隆重举行,顺治帝勉励太学师生笃守"圣人之道"、"讲究服膺,用资治理"。翌年,又颁谕礼部,把"崇儒重道"作为基本国策确定下来。两年后又举行了清廷历史上第一次经筵盛典,崇儒重道的开国气象初具规模。康熙帝即位后,辅政四大臣以纠正渐习汉俗、返归淳朴旧制为由,推行文化倒退;圣祖亲政后则提出以"文教是先"为核心的十六条治国纲领,把顺治帝制定的"崇儒重道"国策具体化,尤以康熙十七年的诏举"博学鸿儒"为标志,将这一国策在国内全面实行。

其四是"博学鸿儒"特科的举行。开科取士,意在得人。自顺治初年重开科举之后,清廷虽网罗了部分人才,但多数学有专长者或心存正闰、不愿合作,或疑虑难消、徘徊观望,不愿为清廷所用。出于"振兴文教"的需要和笼络天下士子之心以巩固统治的私心,康熙十八年"博学鸿儒"特科举行,集应荐143人于体仁阁殿试,经考试录取50人,其中一等20人,二等 30 人,俱入翰林院供职。其意义之重大,既显示了清廷崇奖儒学,标志着清廷与天下士子全面合作的实现,同时也促进了满汉文化的合流,从而在无形中为巩固清廷统治提供了文化心理保障。

其五是图书访求与编纂的兴盛。书籍关系文教。封建帝国文教盛衰的考量多系于二,一为得人多寡与质量高低,二为图书编纂与收藏盛衰。清廷于此二道尤为重视,前有科举恢复与"博学鸿儒"特科开设,后有历代清帝对图书典籍的重视。顺治帝对图书编纂和访求重视,编纂《明史》、《通鉴全书》、《孝经衍义》等。康熙帝加以光大,先是经学、史学,后扩及诗文、音韵、性理、天文、地理、数学及名物汇编等,遂奠定了日后图书编纂繁荣兴旺的深厚根基。康熙年间敕撰的大型书籍,除了组织编纂《世祖章皇帝实录》,完成重修太祖、太宗《实录》,刊刻太祖、太宗、世祖三帝《圣训》,着手编写《明史》之外,还编辑了许多颇有价值的书籍。一是编纂《会典》、《则例》与《方略》。清廷重视编纂《会典》,主要是为了强化中央专制主义权力,使各级官员更有效地进行统治。清朝的第一部《会典》开修于康熙二十三年(1684 年),二十九年(1690 年)成书,共 162 卷。全书以宗人府为首,然后是内阁,各部院衙门,实行以官统事,以事隶官的编次方法。《则例》由各衙门负责编修,做法是将所在衙门中经办的典型事例归纳起来。康熙十二年(1673 年),颁布《六部题定新例》,又先后编撰《刑部则例》、《中枢政考》、《吏部品级考》、《兵部督捕则例》、《户部赋役全书》、《学政全书》、《旗地则例》等。《方略》(纪略)的资料采自军事奏报和有关诏旨,并按年月日次序进行编纂。有《平定三逆方略》、《平定察哈尔方略》、《平定海寇记略》、《平安罗刹方略》、《亲征平定朔漠方略》。二是编修史书。有《御批通鉴纲目》59 卷,《通鉴纲目前编》1 卷、《外纪》1 卷、《举要》3 卷,《通鉴纲目续编》27 卷,《历代纪事年表》100卷。三是编注《经解》等类书籍。其中,《经》部分 10 类,《易》类有《日讲易经讲义》18 卷、《周易折中》22 卷;《书》类有《日讲书经解义》13 卷、《书经传说汇纂》24 卷;《诗》类有《诗经传说汇纂》20 卷,又序 2 卷;《礼》类有《读礼通考》120 卷,《读礼志疑》、《礼经会元疏解》共 17 卷,《周官笔记》、《礼记纂编》、《朱子礼纂》共 12 卷,《周礼问》、《丧礼吾说篇》、《三年服制考》、《昏礼辨正》、《大小宗通绎》、《家礼辨说》、《辨定祭礼通俗谱》等44卷;《乐》类有《律吕正义》5卷;《春秋》类有《春秋传说汇纂》38卷,《日讲春秋解义》64卷;《孝经》类有《孝经衍义》;理学有《朱子全书》66卷,《性理精义》12卷。四是编辑诗文集。其中,《古文渊鉴》64卷,《御定全唐诗》900卷,《御定全金诗》74卷,《御定四朝诗》312卷,《御定佩文斋咏物诗选》486卷,《历代题画诗》120卷。五是编纂字典及有关工具书。其中,《康熙字典》、《清文鉴》、《渊鉴类函》450卷,《佩文韵府拾遗》443卷,《骈字类编》240卷,《分类字锦》64卷,《子史精华》160卷,《词谱》40卷,《曲谱》14卷。六是编纂大类书《古今图书集成》。七是编纂地理、历象、数理、植物等学科书籍。其中,地理类有《皇舆表》16卷,《方舆路程考略》、《清凉山新志》10卷;历象类有《月令辑要》24卷,《历象考成》42卷,《星历考原》6卷;数理类有《数理精蕴》53卷;植物类有《广群芳谱》100卷;另有绘画《御定佩文斋书画谱》等。乾隆年间图书编纂首推《四库全书》。该书于乾隆三十八年开始设馆编辑;内容包括经、史、子、集四部,分44类,66个子目,共辑录先秦至清初重要文献典籍3503种79327卷;该书前后共抄写7部,分藏七阁,另抄副本1部,藏翰林院。历经战乱,大部分散佚。总之,清廷通过编纂书籍网罗汉族士人,以图"燕翼百世无疆,开国经纶万年",达到巩固其统治目的。与此同时,这些图书整理与编纂工作,对古代图书文献的保存有不可磨灭的功绩,也有利于推动学术研究。

其六是由尊孔到尊朱的转向。尊孔,是历代崇儒的标志。康熙由亲政之初在太学释奠孔子到执政23年后的尊孔,有着截然不同的意味,前者有虚应成分,后者则是崇尚儒术的象征。这一转变呈现了康熙本人的儒学观从形成到深化的转向。纵览康熙一朝"崇儒重道"文化国策实施的全过程,反映了康熙帝从了解理学、熟悉理学、直到重新为理学确定标准的思想发展脉络。儒臣熊赐履为康熙帝师,熊氏笃信朱学,常向康熙讲述理学,尤其是朱熹思想,在熊赐履的影响下,康熙形成了以理学主张为主的儒学观。康熙的儒学观,核心是一个辨别理学真假的问题。翰林院侍讲学士崔蔚林认为格物"乃穷吾心之理也",认为朱熹格物太泛。康熙帝转而论"诚意",指出"朱子解'意'字亦不差"时,崔氏不同意,康熙依据程朱之说予以批驳,指出理学有真假之分,并斥崔蔚林、李光地等假道学。由此可见,康熙之儒学实为理学,即尊崇朱学。换句话说,康熙尊孔的本根命意在于,要用以孔子为代表的儒家思想去统一知识界的认识,以此来确立维系封建统治的基本道德规范。康熙儒学观的基本内容涵括主要三个方面,一是视理学为伦理道德;二是将理学融于儒经之学;三是尊朱学为官方哲学。三者构成了康熙儒学观的基本内容。正是基于这种认知,康熙出于社会稳定的需要,最终选择了作为元明两朝正统学说的朱熹儒学。他指出:"朕以为孔孟之后,有裨斯文者,朱子之功最为弘巨",并下令汇编朱熹论学精义为《朱子全书》,升格其从祀孔庙的地位,使朱熹由东庑先贤跃升为大成殿十哲之一,实现了由尊孔到尊朱的转变,从而确立了"崇儒重道"文化国策的基本格局。

总之,清廷严酷的文化专制政策是君主专制制度的衍生物,这些政策造成清代学术空气的死板和守旧,大量士人思想受到禁锢而陷于僵化呆滞状态,毫无生气和创造力,正如龚自珍所言之"避席畏闻文字狱,著书都为稻粱谋"。① 这一政策实施的直接后果,便是乾嘉学派的产生、发展与病态兴盛。某种意义上讲,近代中国在世界范围内的落伍,清廷文化专制政策之害难辞其咎、罪责难逃。

(二)清代思想流变②

其一是程朱理学的复归与衰变。程朱理学酝酿、成型于宋元,在南宋理宗时已占统治地位,元代沿袭南宋"以朱子之书,为取士之规程"的之旧制,且"终元之世,莫之有改"③。程朱理学到明代达到鼎盛,在朱明王朝的大力扶植下,成为中国宗法君主制社会后期占主导地位的官方正统哲学,对当时的社会生活产生了极其深远的重大影响;当此朱学鼎盛之际,明季社会政治危机也日渐突出,阳明心学开始勃兴并完成市民化转

---

① 龚自珍:《龚自珍全集》(下册),中华书局 1959 年版,第 471 页。
② 参见张研、牛贯杰:《清史十五讲》,北京大学出版社 2004 年版;余英时:《论戴震与章学诚——清代中期学术思想史研究》,三联书店 2000 年版;黄爱平:《18 世纪的中国与社会·思想文化卷》,辽海出版社 1999 年版。
③ 《儒林传》,见柯劭忞:《新元史》(影印本)卷二三四,上海开明书店 1935 年版。

向。程朱理学和陆王心学均为时代产物，又随时代演变和统治需求而此消彼长、各领风骚。及至清朝，程朱理学经历了清代前期的复归、兴盛、清代中期的衰落及清代晚期的稍振而不兴的嬗变过程。程朱理学在清初的复归主要归因于两个方面，其中，清廷大力倡行是至关重要的程朱理学复归原因。如前所述，清初满人入主中原后，为巩固政权，除在政治制度上效仿明制外，还加强了对文化思想领域的控制。清廷以强大的行政力量匡扶程朱理学的正统地位。清帝康熙称"自幼好读性理之书"，并重修《性理大全》，编印《朱子全书》和《性理精义》，重用熊赐履、李光地、汤斌等"理学名臣"，在尊孔之后力崇朱学，定朱熹《四书章句集注》为科举必考内容；乾隆亦多次下诏删减、销毁书籍中与程朱抵牾或标榜他人之处；此外，清廷还对科举所试八股文仍规定以《四书》、《五经》为据，不得牵涉经典以外他籍，议论也不得引证史事、联系现实，士子皆不敢旁观杂书。另外，理学自身发展是程朱理学复归的另一重要因素。明末清初，士人深病王学末流弃儒入禅、空谈性命、不务实际的弊端，甚至将明亡归咎于王学。为此，学者纷纷因王学末流之积弊而或儒熊赐履尊朱黜王、或如孙奇逢《理学宗传》调和朱王、或如顾炎武回归经典。康熙年间，李光地、陆陇其、陆世仪、张履祥等理学名臣扬其波，各自在理论上持续推进程朱理学的复归。李光地学宗程朱而不盲从、不拘泥于其学理且能纠其偏失，亦兼取陆王之长，于程朱"以理为本"和陆王"以心为本"之外别创"以性为本"，并十分注重向康熙强调儒学道统与帝王治统的一致性、主张儒学道统为帝王治统服务，因此深得康熙宠信。陆陇其则恪遵程朱"以理为本"，强调不可"越理"、"悖理"、"逾理"，要谨遵恪守封建纲常伦理准则，并对陆王心学大加抨击，深得清廷褒奖。陆世仪学宗程朱，既承袭其"理本论"、"理在气先"的宇宙本原思想，又反对程朱性二元论之说而坚持"性善只在气质"的性一元论，并肯定陆王心学中"致良知"的学说，堪称清初思想活跃的表征，被顾炎武誉为"当世真儒"。张履祥治学由王返朱，祖述孔孟、宪章程朱，恪守朱子"居敬穷理"、"内敛求心"，力辟陆王心学及释老之说，既遵循程朱"理本论"、"理在气先"，又将封建伦理道德与气循乎理相联系，更主张耕读与共、不可偏废，注重切于世用。然而，众人的理学阐发终因清廷苑囿及康熙对理学的独特见解而止于对纲常伦理道德规范的践履之上,屈从于康熙等封建帝王借由理学臣驭诸士的道治一统的功利之用。综上,清初的程朱理学复归在学理上并无多少新见,只重纲常伦理规条的统驭功效,难免趋于偏枯。乾嘉以降,程朱理学虽复归为清廷正统思想,却地位旁落、日趋式微、败北汉学。迄至道光,则因考据衰颓而经由唐鉴、倭仁、曾国藩、吴廷栋诸儒力倡复有微振,却终不脱强弩末势。

其二是经世思潮的两度兴起。迥异于之前的程朱理学和之后的乾嘉汉学,立足社会现实、着眼"当世之务"、力求纾难解困的经世思潮堪称清代士林思想中最具革命性的华彩篇章,先后经历了明清易代之际引人瞩目的兴盛与清代中后期因势再兴的崛起。清初的经世思潮着眼于思想上的反思明亡、学术上的弃虚就实、策论上的以经济理,成就了博大的显著特征,几乎涵括了清代学术的全部子项、蕴藉着深厚的史实底蕴。明末至清初的百余年间,中国社会处于天崩地解、神州荡覆、宗社丘墟、世乱积离的极点,程朱理学在理论层面与实践层面呈现出双重没落的颓象,既是整个封建社会积重难返的危机折射,更是儒学、理学等道统与治统思想企于外强中干的衰微窘境的表征。当此危难之际,钱谦益、黄宗羲、顾炎武、王夫之等人为挽救危亡、辩难时世、摒弃理学、转求经学、独辟蹊径、探求实学,反思明亡历史、抨击虚浮学风、高呼学以经世、力倡经世实学,展开了对清廷立为正统的程朱理学的批判性总结,经众多学人一致认同、合力鼓噪而一振颓风,掀起了清初经世思潮首度兴起的盛况。钱谦益首倡"以汉人为宗主"、主张经史结合、学以经世,黄宗羲、顾炎武、王夫之及李颙、费密等积极响应,一时间通经致用之风盛行,尤以黄、顾、王三人贡献最大。

黄宗羲为蕺山学派传人,学宗王阳明、刘宗周而不囿于此,廓王刘之学而大之,主张立足现实、强调顺时而动、弥合学问事功、救国家之急难,著有《明夷待访录》、《明儒学案》、《明文海》等专著,践行以著述救世,其理论贡献突出表现在对君主专制政权体制的系统批判上。他于顺治十年撰写《留书》专门探讨"治乱之故"、抨击积弊、意在复明,《留书》涉及历代政体、兵制、卫所制、党争衍变,几为《明夷待访录》的写作提纲;他在《明夷待访录》中超越时人"一姓之兴亡"的狭隘视域,从君臣与天下的职分关系、法治与人治的区分差异、藏富于民的经济思想三个方面系统地批判千百年来的君主专制政权体制,一是明确提出"臣之与君,名异而实同"的理念,指出"古者以天下为主,君为客","今也以君为主,天下为客",造成"臣为君而设"的独裁现状,必须使之回归于"为天下"、"为万民"的轨道;二是明确提出法治主张,指出先秦之法是不"为一己而立"的"无法之法"和"天下之法",秦后之法却是"一家之法"的"非法之法";三是明确提出"藏富于民"的观点,指出经济发展的"富民"宗旨。黄梨洲的这些思想观念和呐喊呼吁在清初思想界激起强烈反响、应者云集,以致近代改良派也视之为"宣传民主主义的工具"。

顾炎武是力倡务实新风、开清初学术新风气的另一奇人,他抨击阳明心学入手批判宋明理学,一是视晚明心学同魏晋玄谈、以为二者同罪,二是斥理学性与天道之说为禅学,三是否定理学之游谈无根、反对空虚之学,强调资料实证;以"明道救世"为旨建构顾氏实学思想和合博学于文与行己有耻为圣人之道,力主经世致用,于经学、古音学、史学、金石学、舆地学、诗文等俱有造诣,《天下郡国利病书》、《肇域志》和《日知录》均为其传世力著;他研治古音学是因为它是"一道德而同俗者又不敢略"的大事;治经史之学则旨在"引古筹今,亦吾儒经世之用",涉足金石考古和舆地诗文等学,也都是为了对国家民族能有所作为。顾亭林对宋明理学的批驳及其立场务实的经世思想一开后世严谨健实的考据新风、拓宽了清初学术思想的发展路径。而他重资料、重实证的治学风格,尔后更演变成乾嘉汉学的基本方法,开乾嘉汉学之先声。

较之黄梨洲、顾亭林,王船山的思想体大虑周、尤显博大,这首先源自王夫之对中国传统学术的深刻批判与合理继承。王夫之早年为学,以父兄为师,受阳明后学、东林学派的影响。在激烈动荡的社会现实的洗礼中,他通过对传统学术的批判继承,终于冲决了朱、王学术的网罗,找到了他的归宿。王充的《论衡》是中国思想史上的一部伟著。在书中,王充以"疾虚妄"的不妥协态度,全面批判了董仲舒的"天人感应"谬说。王夫之继承了这种批判精神,直斥王学为"新学邪说",他甚至还偏激地把宋、明的灭亡归咎于陆九渊、王阳明之学。王夫之虽然否定王学,但并没有走上由王返朱的途径,而是表彰张载学说,试图据以创辟一条学术新路。张载的《正蒙》建立以气为轴心的哲学体系,素为正统理学所不喜。王夫之则为其作注,将张载的思想加以完善和发展,形成了以完整的元气本体论、"变化日新"的辩证思维和"理势合一"的历史观为核心的哲学体系。在这博大的思想体系中,为王夫之所提出的"实有"范畴,丰富了张载的气论,把中国古代的宇宙观推向一个新的层次,成为中国近代实证科学的先导。为他所运用的"变化日新"的辩证思维,则纠正了张载关于物质运动形式的形而上学,对晚清勃兴的近代思维,同样起了不可忽视的启蒙作用。王夫之对于"在势之必然处见理"的历史观的阐述,厚今薄古,立足现实,既是对宋明数百年理学家向往的"三代之治"的否定,同时又以其对历史发展趋势的理论探索,为中国古代史的发展作出了意义深远的贡献。不仅如此,他还对佛老异说批判地继承,丰富自己的辩证思维。他吸取佛学关于"能"(主观)与"所"(客观)的认识范畴,提出了"能必副其所"的正确命题,从而丰富了自己的认识论。他在政治思想上,抨击申韩的刻核暴戾,于老庄思想则有所节取。总之,工夫之的学术把对传统文化的批判与创新结合在一起。王夫之的为学立足点也是要经世致用。如果说王夫之表彰王充、张载思想,是对传统成功的批判继承,那么他对同时学者方以智学风的赞许,则是将传统与现实相结合的向前看,其意义显然非继承本身所能比拟。方以智倡导"博学积久,待征乃决"的学风,王夫之给予积极评价,称"密翁与其公子为质测之学,诚学思兼致之实功",这是从方法论上对宋明理学的大胆否定。它与顾炎武以经学取代理学的努力,李颙融理学于儒学的倡导不谋而合,同样是清初务实学风的不可分割的一部分。然而由于时代的局限,王夫之的务实主张并没有超越传统儒学的藩篱,继之而起的乾嘉学者,从他走过的学术道路中所依稀看到的,只是强调"闻见之征"的考据之学罢了。这是对王夫之学术精华的无视和曲解,也是整个清初学术的历史悲剧。实际上,不特王夫之如此,清初诸儒所倡导的通经致用实际上均与清廷巩固统治后的文化高压政策相抵悟,最终导致清初学术思想逐渐趋向博稽经史一途,经世实学思潮一度旁落,也在客观上造就和促成了考据之学与乾嘉汉学稍后的兴盛。

及至清代中后叶,发生了深刻的经济和政治的变革,尤其是到了晚清,在士大夫阶层"万马齐喑"的沉闷气氛中,纷至沓来的内忧外患更使得一部分思想敏锐、具有社会责任感的中下层士人开始从玄学思辨和古籍考证中抬起头来,把目光转向现实,为社会危机寻找出路,于是传统儒学的"经世致用"思想又受到这些人的重新倡导,嘉道之际,经世思潮和经世之学又在唐鉴、曾国藩、龚自珍、魏源等人的倡导下再度崛起和兴盛起来,成为清初"通经学古"、"明道救世"实学思潮的延续。这股新起的经世思潮,因受学术派别的影响,发展衍化为由今文经学和程朱理学分别走向经世道路的两大流派。唐鉴、曾国藩等是以程朱理学经世的代表。他们一面突出强调理学的"躬行"、"践履"等内容,以有益于"世道人心";一面开始注重"经济",研求实政、经世之学。以今文经学经世的以龚自珍、魏源等为代表。他们继承了今文经学派援经议政的学风,以功利主义的眼光,把学术引向"经国济世",开学人议政之风。在这种忧患意识、经世观念和究心实政实学的引导下,当时已日渐严重的西方侵略威胁也引起了这些经世派人士的注意。他们的视野开始由边疆扩及海疆,由时务扩展到"夷务"。龚自珍早年受乾嘉朴学影响,后来则走上学以救世的道路。他的经世思想首先集中反映《明良论》和《乙丙之际著议》的撰写。他撰的《明良论》4 篇,喊出了"更法"的时代呼声。他认为,随着社会危机的日益深重,必须仿古法以行之,去"救今日束缚之病"。所谓古法,是讲求廉耻,培养士大夫的正气;破除以资格论人的积习,激发士大夫的生气;解脱对各级官吏的束缚,使之充分发挥积极性。他的《乙丙之际著议》25 篇,强调:"一祖之法元不敝,千夫之义无不靡,与其赠来者以劲改革,孰若自改革",再次提出了"改革"的主张。其次,援《公羊》以经世。龚自珍治《公羊》是因为其中"变"的倾向与其经世思想相吻合。他少言"大一统",而多援《公羊》"张三世"、"通三统"诸义以言变革。他讲的"大一统",主要是由据乱到升平再到太平的"三世"变易说,这种历史进化观虽很幼稚,但开假《公羊》以言社会改革风气之先河。魏源主张"以经术为治术"，其经世思想主要有三：一是批判乾嘉学风，对于曾经风靡一时的乾嘉汉学，魏源痛加抨击，斥为"无用"之学。与汉、宋学壁垒中人异趣，他主张"以经术为治术"，倡导"通经致用"，进而提出"变古愈尽，便民愈甚"的社会改革论；二是撰写《诗古微》与《书古微》，假经术以谈治术，力倡"以经术为治术"，其《诗古微》从经世需要出发、不拘泥于家传师法、着重阐发深微的《诗》教、以说《诗》为"谏世"之具，其《书古微》发明《尚书》微言大义、贯经术和政事及文章于一体、体现"以经术为治术"的"通经致用"的精神；三是纂辑《皇朝经世文编》，以"欲识济时之要务，须通当代之典章；欲通当代之典章，必考屡朝之方策"为宗旨，旗帜鲜明地倡导和宣扬经世思潮，该书辑成不仅反映了魏源思想的趋于成熟，而且也是清中叶经世思潮崛起的重要标志。另外，魏源还在《海国图志》中提出"师夷长技以制夷"的思想，包括引进西方技术，鼓励学习西洋军事技术的人才，提倡发展民用工业，还介绍了一些西方国家的民主政治制度。他把传统的经世之学从旧时代的安邦治国之道、从整顿盐漕河吏诸政的传统方策，引上了带有近代色彩的新轨道，从而为近代改良主义思想的产生作了铺垫。

其三是乾嘉汉学的兴盛。康熙中叶以后，随着国家的统一、社会的安定、经济文化的蓬勃发展，清代学术思想风尚开始由初期的经世思潮转向考据求实、穷经考古，经过颜元与李塨所代表的颜李学派、阎若璩与胡渭穷经考古的考据学、毛奇龄的槽初经学，考据学风逐步取代经世学风在清代酝酿成型。一是首倡于颜元、大成于李塨的颜李学派，该派以讲求实习、实行、实用的"习行经济"之学为特征，颜元讲求经世致用、以恢复"周礼正学"为己任，主张"学习、躬行、经济，吾儒本业也"，形成"习行经济"之学，著有《存治》、《存性》、《存学》、《存人》"四存编"，另有《四书正误》、《朱子语类评》等，是颜李学派的创始人；李塨早年是颜元的弟子，在其去世后继承其事业，著有《大学辨业》、《圣经学规纂》等，后受毛奇龄、阎若璩等人经学影响而误入考据学门槛，一改颜学经世的特征，"流连三古"、遍注群经，表明清初经世学风已终结、经史考据之风兴起。二是穷经考古的阎若璩与胡渭考据学，阎若璩为考据学开派宗师，著有《古文尚书疏证》、《潜丘劄记》、《四书释地》、《困学纪闻三笺》等，尤以其就史籍所载《古文尚书》篇数、郑玄注《古文尚书》篇名以及《古文尚书》内容、文句等旁征博引，揭出梅赜伪造《古文尚书》的依据，于经学考据贡献最大；胡渭著有《易图明辨》、《禹贡锥指》、《洪范正论》、《大学翼真》等，尤以《易图明辨》为其考据学代表作，该书系统地批判宋《易》先天图书象数学，开启清代《易》学复元汉《易》的先路，梁启超称其对易学研究"功不在禹下"。三是毛奇龄与槽初经学，清初理学盛极而衰，承钱谦益、顾炎武、费密诸大师的经学倡导，经学复兴；毛奇龄治经虽犹存理学旧辙，但却认为"汉去古未远，其据词解断，犹得古遗法"，并表彰汉学、崇尚考证，向着回归儒家经典的路径走去；其经学观根本立足点是对既往的经说进行批判，诸如论《大学》无古今文之殊、辨证宋儒图书《易》说之非、论定《太极图》非儒家正传、斥《子夏诗传》、《申培诗说》为伪作、考订《周礼》虽非周公作但非伪书等，开继起者诸多路径；较之清初八十年间顾炎武、黄宗羲、王夫之等人治经着眼于通经致用，毛奇龄更着眼于纯学术的考证，其治学之路堪称清初经学演进过程的一个缩影，从中足以见出由经籍考辨入手对历代学术进行全面总结和整理的时代已经到来。

　　及至清代乾隆、嘉庆两朝，无论是经学、史学、语言文字学，还是金石考古、天文历算以及舆地诗文诸学，几乎整个知识界皆为汉代经师所倡导的朴实考据之风所笼罩；学术思想界中这一以考据为学的清代汉学被称为乾嘉学派，因其学风为朴实考经证史，又有朴学之称；有清一代，乾嘉学派先后经历了形成、汉宋之争、吴皖分野、发展兴盛的过程。一是乾嘉学派的形成，从外在环境看是清廷统治趋于稳定和文字狱大兴的结果，就内在逻辑讲，清初批判理学思想则是它形成的先导；批判理学思潮具有经世致用宗旨和浓郁法古倾向的双重属性，其双重属性随着清廷文化专制的加剧而发生了地位转换，以法古为特征的朴实考经证史成为主要方面，而经世宗旨则继响乏人；终于在乾嘉时期形成继宋明理学之后的清代汉学，即乾嘉学派。二是汉宋学术之争，以为学蹊径而论，乾嘉汉学与宋明理学风格各异；宋学旨在阐发儒家经典所蕴涵的义理，而汉学则讲求对经籍章句的考据训诂；在中国古代学术思想史上，起初并无所谓汉、宋学术之分，自清人才开始有此区分；毛奇龄、全祖望、惠栋、戴震等人都表彰汉学，力辟宋学;姚鼐、翁方纲,尤其是方东树,开始批判汉学;从此,汉宋学术形同水火,不共戴天;直到晚清陈澧倡汉宋兼采说,始得持平之论。三是乾嘉学派分野,乾嘉学派,惠、戴齐名;因惠栋为江苏苏州人,戴震为安徽休宁人,所以又有吴皖二派之分;另有以焦循、汪中为代表的扬州一派,以全祖望、章学诚为代表的浙东一派等;作为乾嘉学派,其共同特点是以训诂治经,离开文字训诂,即无所谓乾嘉学派;惠栋与戴震之学是乾嘉时期的主要学派,由惠学到戴学,实为乾嘉学派从形成到鼎盛的一个缩影。四是乾嘉学派的主要成就,清代学术以经学为中坚,乾嘉学派之于经学,潜心整理,尤称专精,无论是本经疏解还是群经通释都取得了超迈前代的成就;在古代学术史上,文字、音韵学,本为经学附庸,乾嘉诸儒治经讲求文字训诂,奉"读九经自考文始,考文自知音始"为圭臬,终使附庸而蔚成大国;校勘、辑佚皆为整理古籍基本手段,乾嘉诸儒,经学方面对两汉经师经说的表彰,史学方面对两晋六朝及宋元散佚著作的辑录,尤其是子学方面对先秦子书及有关古籍的整理,其成就皆为历代学者所不及;乾嘉学派治史精力皆专注于古代史籍的整理,或校勘其讹误,或订正其史实,或补辑其遗阙,或整齐其故事,引古以筹今不足;乾嘉学派治史,一如其治经,走的是总结、整理一路。

四、清代审美意识研究的路向

稽考清代文学艺术和文化遗存可知,清代审美意识自觉臻于高峰,既传承了传统意象理论的主要成就,又孕育了古典审美向度的近代转型,形成了以雍容典雅之美为核心,复古性、多样性、保守性和断裂性等交相融合的时代特征,是清代审美意识的核心载体与重要媒介。清代是古典审美意识发展的总结性时代,也是古典审美意识发生突变的时代。一方面,清兵入关、定鼎中原之后,满族统治者在政治、文化和思想等方面承续了明代,使清代审美意识在某种程度上保持了继续发展的势头;另一方面,清人统治的建立以及其后推行的保守政策,又使晚明时期在审美领域所产生的一些新质被斩断,并重新回归到此前的范围之内,小说诗文、戏曲戏剧、书画艺术、园林建筑、工艺器物、日常生活等文艺和文化领域,无不体现出复古倾向,逐渐向雅致、繁缛、俗艳和精细的方向发展,在复古中走向了新阶段,并与时人的日常生活相与为一。值得注意的是,在这种历史背景之下,以小说、诗文、戏曲为代表的文学艺术形式发生了重大变化,受众面增多,成为人们反思历史、表达思想的重要的艺术载体;书画领域也逐渐形成了一种以怪诞奇崛为美的美学追求,同时也孕育着一种似淡实浓、绵长悠远的感伤情绪,成为人们反思历史、表达思想的重要的艺术载体;园林、器物、日常生活等文化艺术形式也出现了由皇家宫廷向民间世俗、由典雅向世俗的转向。这些特点与思想领域中的新发展是相互呼应的。此外,在满人入关之前,他们对汉族文明已高度认同,渐有汉化趋势,汉民族的审美意识也逐渐渗透到满族人的日常生活之中;成为中国新一代的统治者之后,满汉等民族之间的审美意识的交流和融合进入新阶段,这使清代审美意识进入多样发展的阶段。1840年鸦片战争之后,随着国门的被打开,古典审美意识也随之发生了剧变,摄像、电影、戏剧、舞蹈等西方近现代艺术进入中国,中国相关的艺术形式也随之发生了巨大变化,清代审美意识的发展由此进入到一个新的历史阶段,并开启了古典审美意识进入近代阶段的大门。与晚明时期审美意识领域出现的新动向相比,清代美术遗存审美意识的多样性变化相对缺乏内部力量的支持,客观历史环境等外部力量在其发展过程中的作用较大,因而也就使审美意识在外部因素的刺激下发生某种程度的突变乃至变异,这一点至今仍在产生着影响。

(一)审美意识研究价值

本书以清代小说、戏曲、书法、绘画等方面的遗存为例,切入清代审美意识史和中国审美意识通史研究,既有审美意识发展史研究的一般性理论与现实意义,又有其独特意义,择其要者,兹列于下:

第一,清代是中国学术乃至美学的集大成时期,这是学界不争的共识。可以说,清代不仅是中国古代审美意识与美学思想的集成总结期,也是中华古代审美意识向近现代审美意识演进、中华传统美学走向近现代美学的重要转型期,更是中国近代各类审美意识与美学思想的集中迸发期。然而,由于清代美学思想和文艺创作非常丰富,诸如小说、诗文、戏曲、书画、园林、工艺器物乃至日常生活等方面所蕴藉的审美意识异彩纷呈,对写作清代审美意识史带来了很大难度。尤其是清代前中期与后期的社会出现巨大断裂,西方文化强势进入,中国传统文化受到极大冲击,更使得清代审美意识史的研究与写作极难贯通。较之其他门类,小说、戏曲、书法、绘画等文学艺术形式更具有中华民族的独创性和民族思维的独特性,其审美意识更难把握。凡此种种皆致清代审美意识史的系统研究专著极为少见,而专论清代各门类文学艺术遗存审美意识的研究著作更是付诸阙如。① 本书的研究可视为一种尝试性的补白工作。

第二,反思清代审美意识史,中国古典美学虽已终结,但其中所蕴含的审美意识和审美精神却传承下来,成为近现代美学家建构中迫近的有效资源,而其中的反美学因素也随着古典美学的终结而被裹挟到近现代美学,甚至到了今天,仍在拘牵着人们的审美思维。因此,以清代小说、戏曲、书法、绘画等文学艺术遗存为例,切入清代审美意识史的梳理与研究,对于当今中国更加主动更加自觉地推动社会主义文化大繁荣大发展具有相当的现实意义。

第三,考索清代小说、戏曲、书法、绘画等文学艺术遗存,奠定小说、戏曲、书法、绘画等文学艺术遗存史料基础。清代文学艺术种类繁多,涵括小说、戏曲、书法、绘画等诸多方面;遗存繁杂,却或多散存于海内外各地馆所,或多杂存于笔记、史料等各类著述文献之中,难以全见。本书拟尽最大可能予以稽核、考索,以期为后来学者研究奠定史料基础。

第四,重审清代美学思想,揭橥小说、戏曲、书法、绘画等文学艺术遗存丰富内涵。清人寄寓在小说、戏曲、书法、绘画等文学艺术遗存中的审美意识内涵丰富,有待进一步发掘整理。本书着力研究其嬗变轨迹,注重发现不同地域、民族、阶层、时段书法审美意识的会通和交融,兼顾外来文化刺激对清代书法审美意识的影响,以期全面展现清人的审美趣味、理想、观念、创造力与鉴赏力、生命精神以及独特的审美思维方式等丰富内涵。

---

① 目前的研究成果多集中于晚明至清的审美思潮研究,其中,张灵聪的《从冲突走向融通——晚明至清中叶审美意识嬗变论》(复旦大学出版社 2000 年版)探讨了这一阶段审美意识的变迁问题。

　　第五，优化跨学科方法论，更新文艺遗存研究范式。清代小说、戏曲、书法、绘画等文学艺术遗存审美意识研究需要考古学、艺术学、人类学、历史学、社会学，甚至更多学科的知识支撑。本书拟从跨学科角度，着力改进学科融合和方法论借鉴，进一步拓展和更新美学研究思路，以期为美学研究的跨学科实践提供借鉴，推动美学学科建设。

　　第六，激活清代审美资源，提升文艺遗存当代价值。清代小说、戏曲、书法、绘画等文学艺术遗存审美意识具有独特嬗变轨迹和艺术特质，值得好好利用、继承和发展。本书以清代小说、戏曲、书法、绘画等文学艺术遗存为媒介，挖掘其审美意识的核心特质，总结其形成、发展的规律和特点，揭示其演变、发展、转换的全面历程，从而更准确、更全面、更深入地研究，以期为当代美学研究思路更新、美学话语转型以及价值体系重构提供新的契机和路径。

　　（二）审美意识研究范式

　　尽管前述这些研究成果或多或少地存在多单门独类少整体会通、多史论视角少艺术视角、多作家主线少文本中心、多文献梳理少实证稽考、多个体分析少系统理论等问题，但却都已经表明，在中国美学史的研究历程中，以审美意识为视点研究中国美学史，也是一种基本方式。与此同时，宗白华、李泽厚、蒋孔阳等前辈学者一直提倡将审美意识与美学思想结合起来研究美学史。他们的研究成果给予后继的研究者以启示：中国美学史的研究不仅可以从既有的文献入手，也可以从具体的艺术实践、考古的新发现以及日常生活领域等方面切入。

　　宗白华曾提出要将哲学、文学和工艺、美术作品联系起来进行美学研究，他对《周易》和《老子》的美学思想的研究，就是结合上古时期的工艺和日常生活加以还原的。宗白华指出，美学的内容，不一定在于哲学的分析、逻辑的考察，也可以在于人物的趣谈、风度和行动，可以在于艺术家的实践所启示的美的体会与体验。这就是将审美意识和美学思想联系在一起研究美学史的方法。宗白华尤其重视工艺和艺术品，重视自下而上的实证研究。宗白华在《中国美学史中重要问题的初步探索》一文中曾说："中国各门传统艺术（诗文、绘画、戏剧、音乐、书法、建筑）不但都有自己独特的体系,而且各门传统艺术之间,往往相互影响,甚至相互包含(例如诗文、绘画中可以找到园林建筑艺术所给予的美感或园林建筑要求的美,而园林建筑艺术又受诗歌绘画的影响,具有诗情画意)。因此,各门艺术在美感特殊性方面,在审美观方面,往往可以找到许多相同之处或相通之处。"的确,小说、戏曲、书法、绘画等各艺术门类中的审美意识相互之间并非彼此独立存在,而是存在相互交融和相互渗透的情况,这也是美学史研究过程中需要具体、深入探讨的。宗白华还说:"在学习中国美学史时,要特别注意考古学和古文字的成果。""搞美学尤其要重视实物研究,要有感性认识为基础。""各门艺术在美感特殊性方面,在审美观方面,往往可以找到许多相同之处或相通之处。"在各门艺术的审美特征之间,宗白华尤其重视各门艺术之间的内在贯通,如雕镂与绘画的关系等,求同存异,加以比较,既有打通,又有区分。宗白华的这一思想和研究成果,值得进一步继承和发展。

李泽厚对审美意识问题尤为重视,在理论阐述和研究实践上均取得了重要成果。李泽厚在王朝闻主编的《美学概论》第二章"审美意识"中曾对审美意识的本质、历史起源及其与科学和道德的关系等问题进行过阐述。李泽厚将审美意识分为广义和狭义两种类型,广义的审美意识是指美感,狭义的审美意识专指审美感受,它是审美意识的核心组成部分。李泽厚认为审美意识,"包含一般所说的美感(审美感受),以及与之相关的审美趣味、审美观念、审美理想、审美心理等等","非常具体地表现在人们对现实(包含自然和社会)美和艺术的感受、欣赏、评论中",其中,"艺术是审美意识的最集中的表现"。在讨论审美意识的本质和历史起源的过程中,李泽厚从马克思的实践观点出发,论证了审美意识在人类的物质生产劳动过程中所占的地位,并重点论述了审美意识与原始艺术之间的密切关系。此外,李泽厚还论述了感觉、情感、联想和想象等审美感受与审美意识之间的关系。李泽厚对审美意识的理论阐述是以马克思实践观为指导,同时吸收了人类学、心理学等学科的内容。李泽厚还将这一思想贯穿到他的研究实践中。他在与刘纲纪合写的《中国美学史》的前言中,将美学史分为广义的美学史和狭义的美学史。广义的美学史就是

"不限于研究已经取得多少理论形态的美学思想,而是对表现在各个历史时代的文学、艺术以至社会风尚中的审美意识进行全面的考察,分析其中所包含的美学思想的实质,并对它的演变作出科学的说明"。狭义的美学史就是"对我们民族的审美意识在理论形态上的表现,作出具体的、科学的分析解剖",是以美学思想为主要内容的美学史。而1979年由文物出版社出版的李泽厚的《美的历程》实际上是一部中国审美意识史,是对中国审美意识的发展历程进行宏观的、粗线条的描述和概括的通史。

　　蒋孔阳的中国古典美学研究,主要是按照美学思想和审美意识相统一的方法进行的。蒋孔阳对这一方法曾多次提到过。他说:"中国古代并没有美学这么一门学科,但美学思想却大量存在。它们有的附丽于哲学著作,有的孕蓄于有关文艺论著之中。还有的则具体体现在文物和器用之中。正因为这样,所以研究古代的美学思想,既可以从哲学出发,也可以从有关的文艺论著出发,还可以从文物的考证出发。"又说:"中国古代虽然没有美学这门专门化的学科,但却具有丰富的审美意识和美学思想,它们分别表现在哲学思想、文物器用以及文学艺术等当中。比较起来,文学艺术又最为集中地反映了中国古代的审美意识和美学思想。"蒋孔阳还说:"要研究我国古代审美意识和美学思想的发展,除了有关的文物和哲学著作等之外,现存的艺术作品和有关的艺术论著,应当是最可靠和最为重要的依据。"蒋孔阳的中国古典美学研究主要集中在先秦音乐美学、中国绘画美学和唐诗美学三个方面。在研究先秦音乐美学的过程中,蒋孔阳以"和"、"礼"等核心概念为统领,将审美意识与美学思想相统一,总结了先秦音乐美学思想的形成过程和基本特点;在中国绘画美学研究方面,蒋孔阳以动态、历史和比较为视点,考察了中国古代绘画的审美特点,凸显了中国古代绘画美学的主体特征和整体意蕴;在唐诗美学研究方面,蒋孔阳将文学赏析和理论概括相结合,将唐诗与音乐、建筑等艺术形式相结合,概括了唐诗的音乐美、意境美和个性美及其本体性质。即使是在以研究音乐美学思想为主的《先秦音乐美学思想论稿》中,蒋孔阳也力求将审美意识与美学思想结合起来进行研究。蒋孔阳从新石器时期原始先民所遗留下的生活用具和陶器中考察了他们的装饰性活动,发现了其中所蕴含的丰富的审美意识,音乐、歌舞在原始先民生活中的重要位置。同时,蒋孔阳又从诗、乐、舞相统一的角度发现了音乐在原始人类生活中的重要地位。同时,大量的出土文物也证明了古代音乐的发达和繁荣。这些文献中所蕴含的审美意识与美学思想是统一在一起的。在此基础上,蒋孔阳得出结论说:"我国古代早已有了审美意识和大量的美学思想存在。"

宗白华、李泽厚、蒋孔阳三位先生的理论阐述和研究实践对本书的研究具有重要的指导意义:清代文学和美术遗存的研究既可以从既有文献入手,也可以从具体艺术实践、考古新发现以及日常生活领域等方面切入。这就为清代审美意识史的研究指明了前进的方向。

循着这一理路,在当代的中国美学史研究中,一直有学者主张审美意识史的研究。叶朗在《中国美学史大纲》一书中,将美学史分为以审美范畴为主的美学史和以审美意识为主的美学史,分析了两种美学史的不同特点,对展开审美意识史研究有很大启发。审美意识史的研究虽存在较大难度,但部分学者对审美意识的研究仍然取得了一系列相关成果。如陈望衡的《狞厉之美——中国青铜艺术》,吴功正的《六朝美学史》、《唐代美学史》就是审美意识史与美学思想史相结合的研究,其他如于民的《气化和谐:中国古代审美意识的独特发展》、陈立群的《先秦审美意识的酝酿》、罗坚的《先秦审美意识发展史》、张灵聪的《从冲突走向融通:晚明至清中叶审美意识嬗变论》、朱志荣的《商代审美意识》和《夏商周美学思想研究》及相关论文等,都是从审美意识入手研究中国美学史的尝试;其中,张灵聪《从冲突走向融通:晚明至清中叶审美意识嬗变论》更直接触及清代文学和美术遗存审美意识问题。这些成果既有宏观上的把握,也有断代研究,与宗白华、李泽厚和蒋孔阳等人的成果结合在一起,共同为本书乃至中国审美意识史的研究积累了宝贵经验:以审美意识为视点研究虽存在较大难度,却也不失为一种不错的中国美学史研究的基本范式。

(三)研究现状及问题述评

清代文学和美术遗存浩如烟海,对当时政治、经济、宗教、哲学、社会、文化都有重要影响,清代小说、戏曲、书法、绘画等文学和美术遗存蕴藉着丰富的审美意识内涵,凸显着其创造者们的生活境遇、心理状况以及与当时文化世态、审美时风的密切关系,是非常值得研究的课题。

　　总体来看,目前学界对审美意识的研究已取得了一系列阶段性成果。综合而言,学界在清代文学和美术遗存审美研究方面以史学成果最为显著,对清代文学史、门类文学史、门类文学思想史、门类文学技法,美术史、门类美术史、门类美术思想史、门类美术技法以及文学和美术与政治、宗教、哲学的关系都曾有深入考量;学界已经注意以某一朝代、地域、门派为主对审美意识进行细致的考察。这些成果都为本书的研究指明了研究方向,并奠定了坚实的理论基础。但客观地讲,中国审美意识史的研究在总体上仍处于开始阶段,尚存在着一些突出问题,例如已经取得的成果多为零散的研究,整体的史的研究相对缺位;对审美意识的理论研究和学理探讨还有待继续全面拓展和深入开掘;对文学和美术审美意识嬗变、意象演变和法度变迁以及门类文学和美术间的动态关系研究较为薄弱;尤其是对清代审美意识的研究更是付诸阙如,对清代文学和美术遗存乃至清代审美意识的系统研究尚未展开,对清代文学和美术遗存的个案研究还应当继续加强。

　　具体而言,当前学界对清代审美意识研究的不足主要表现在六个方面:第一,对审美意识概念没有一个准确的界定,造成了使用的混乱和理解的含混,表现在审美意识的泛化或泛审美意识上。第二,对审美意识缺乏全面、系统研究,对审美意识史(尤其是清代审美意识史)的专著性研究成果很少,且对审美意识的本质和特性缺乏更为全面深入的分析。第三,缺少对审美意识与艺术之间关系的深入研究。第四,缺乏人类意识和人类视野。第五,目前对审美意识的研究方法和范式还较为僵化和单一。第六,对审美意识的价值和意义认识还不够。形成这种局面的原因有二:一是和学者对审美意识与美学思想、美学理论的认知有关,多数学者选择循着思想史或范畴史的视角对理论形态的美学思想和美学理论进行集中研究,而审美意识作为人们司空见惯、习以为常的潜在的基本美学概念,几乎经常被忽略和遗忘,加之审美意识问题本身具有复杂性、多义性、生成性、潜在性,对审美意识史的研究更需投入超乎想象的精力去做大量艰巨的实证、考订、田野调查工作,是一项吃力且不易出彩的工作,这些都给研究的深入带来了不少实际的困难;二是学术研究历来都有一个由浅入深、由表及里的过程,中国美学和美学研究是沿着本体论、认识论、主体论的轨迹,伴随着人类思维水平、认识能力的不断提升和人的自觉自由本质和主体能动性不断发展、进步,逐步萌芽、发生、发展、成熟的,其间经历了由向外(外界对象)求美到向内(人自身)求美的艰难转向,审美意识研究之于揭示人自身奥秘以及整个美学研究的哲学价值和理论意义也是在这一转向的历程中逐步彰显而日渐受到重视的。诚然,审美意识作为基本概念,平常得几乎令人遗忘,但往往越是平常,越是不引人注意的地方,越是存在着重要的理论研究价值。这种现状使得本书的研究不仅具有前人研究的良好学术基础,更富有广阔的理论进取空间,可谓适逢其时。

(四)研究的思路、关键、方法及创新之处

一是研究思路。

审美意识在美学史研究领域极有价值。近年来,朱志荣先生所作中国史前艺术审美特征、中国史前审美意识、中国审美通史系列研究,为中国美学史研究创拓出新路径。清代文学艺术审美意识自觉臻于高峰,既传承了传统意象理论的主要成就,又孕育了古典审美向度的近代转型,是清代审美意识的核心载体与重要媒介。若能循着朱先生的研究路径,以遗存作品为中心展开探讨,必当取得丰硕成果。为此,本书拟从小说、戏曲、书法、绘画等文学艺术入手,以动态、历史和比较的视角,系统揭橥清代审美意识。现存清代小说、戏曲、书法、绘画等文学艺术遗存,种类完备、遗存繁杂、意象丰富、法度精湛;现有成果多单门独类少整体会通、多史论视角少艺术视角、多作家主线少文本中心、多文献梳理少实证稽考、多个体分析少系统理论。本书拟直接从清代小说、戏曲、书法、绘画等文学艺术作品中提炼其审美意识,归纳其独特表征与重要属性,厘清其发展脉络和嬗变轨迹,抽绎其时代特征和历史印记,挖掘其主体精神与价值内核,探究不同地域、民族、国别、门类文学艺术之间的审美会通及其与当世审美标准变迁、审美向度转型的关系,呈现清代小说、戏曲、书法、绘画等文学艺术的审美历史面貌,为批判性继承清代文化遗产提供有力的思想支撑,同时,也构成清代审美意识史研究的重要板块。

具体而言,本书的研究将循着如下基本思路展开。

第一,首先从学科的角度对"审美意识"作严密的界定,将"审美意识"放在美学研究的框架之内,限定在美学的学科范围内,不能无边地泛化审美问题。审美意识指心灵在审美活动中所表现出来的自觉状态。作为一种感性的意识形态,审美意识是被意识到、并被系统化的审美经验。它包括主体审美的感受能力、思维方式和审美理想等,是以生理快感为基础,在心物之间反复融通、物我同一的基础上形成,并在各种社会生活因素的影响下所造就起来的心理特征,因而受着文化形态和一般文化心理的影响。它与其他社会形态是既相辅相成、相互影响,又迥然有别的。课题组全体成员对"审美意识"应该有一个基本的共识,才能有利于我们对丰富的审美意识发展史资源进行系统研究。"审美意识"的具体含义虽然可以讨论,可以百家争鸣,但是作为学科的基础概念,"审美意识"必须在学理上加以严格界定,与"美学思想"等概念相区别,才能有利于进一步讨论和深入研究。

第二,审美意识与人类的其他意识既相互关联,又别具特质。人类的社会意识、宗教意识、道德意识和政治意识等,推动和丰富了审美意识的发展,但审美意识本身始终有自己的质的规定性,这是我们研究审美意识发展史的时候必须要注意的。我们要避免将审美范畴泛化,把审美与宗教、道德、实用乃至王权等方面的范畴混为一谈。尽管其中有着相互联系、相互影响和相互转化等特点,但是审美意识作为研究的对象,必须有学术边界。我们既不能把审美意识与人类的其他意识截然割裂开来,也不能把审美意识泛化。我们要在重视审美意识自身特性的基础上探究其发展,许多体现审美意识的创造虽然附着于实用器物、祭祀和礼器用品上,但其造型、纹饰和风格中依然充分体现了审美意识。

第三,清代审美意识史注重各朝代之间的联系,充分揭示中国古代审美意识中一脉相承和不断演进的特点,即古人审美意识的延续性和承继性。在对清代审美意识的研究中,既突出清代审美意识的特色和对于前代的发展与新变,也注重传统和对前代审美意识继承的一面。同时,鉴于《清代审美意识史》作为"中国审美意识通史"子项的独特属性,务必十分注重对"通"的把握。这个"通"不仅表现为时间跨度上的"通",即涵摄从史前到清代,更是真正意义上的"通",即试图将历朝历代打通和融会贯通。这就要求本书的研究不仅要精通清代的情况,对其他朝代以及中国古人审美意识的总貌都要有一个宏观性的全局把握。

第四,对清代某一艺术门类中的审美意识的研究采取全面呈现与典型举要相结合的思路,既在每章第一节的概述中完整呈现该艺术门类中的审美意识的全貌,又选取该门类中最具典型性、代表性和特色的艺术形式,如对于清代书法中的审美意识研究,我们选取了遗民草书、画家书法、帖学、碑学、馆阁体等进行专节研究。

第五,注重各艺术门类中的审美意识的关系。宗白华先生在《中国美学史中重要问题的初步探索》一文中曾说:"中国各门传统艺术(诗文、绘画、戏剧、音乐、书法、建筑)不但都有自己独特的体系,而且各门传统艺术之间,往往相互影响,甚至相互包含(例如诗文、绘画中可以找到园林建筑艺术所给予的美感或园林建筑要求的美,而园林建筑艺术又受诗歌绘画的影响,具有诗情画意)。因此,各门艺术在美感特殊性方面,在审美观方面,往往可以找到许多相同之处或相通之处。"①的确,小说、戏曲、书法、绘画等各文学艺术门类中的审美意识在清代并非彼此独立存在,而是存在相互交融和相互渗透的情况,这也很值得我们具体探讨。

第六,清代审美意识史在以汉民族为主体研究对象的基础上,兼顾满族等少数民族的审美意识,兼顾外来审美意识对中国审美意识的影响和渗透。同时注重宫廷贵族的审美意识、文人士大夫的审美意识、平民百姓的审美意识这三者之间的关系,注重一个时代的审美意识与创作个体审美意识之间的关系。

二是拟突破的关键问题。

包括清代审美意识史在内的中国审美意识通史,是中国美学史的有机组成部分,希望通过对审美意识史的研究,达到对中国美学史更全面深入的认识。这决定着本书面临着一些关键问题需要突破:

第一,纵向突出"美"的发展脉络,贯通清代各帝统治时期文艺审美

---

① 宗白华:《美学散步》,上海人民出版社 1981 年版,第 32—33 页。

意识。因不同时期种类、风格、重点不一,文艺遗存之间跳度颇大,必须从不同文艺遗存中发现各时期的审美风貌,分析其传承。这既是本书研究的首要之义,也是难点所在。本书拟从具体文学艺术作品遗存等出发,言之有据地还原清代不同时期小说、戏曲、书法、绘画等文学艺术遗存的审美特征,历史的审美潮流以及族群的审美风尚,并得以阐释清代不同时期小说、戏曲、书法、绘画等艺术发展中的审美传承,分析小说、戏曲、书法、绘画等文学艺术遗存审美意识发展的规律,剖析审美意识发展所承受的内外推力,探索清人的审美精神,褒贬评析,为当代中国审美生活的建构提供更丰富的本土资源与历史经验。

第二,横向突出"术"的会通融合,兼融地域、民族、门类、国别意识差异。在还原清代审美意识的时候,要通过对不同层次和侧面的艺术作品的分析,呈现一个完整立体的时代审美意识系统:既要重视不同地域、不同民族、不同美术门类之间审美意识的相互影响和融合,又要重视外来文化因素对清代审美意识发展的影响以及特点,如佛教、基督教、西方绘画等审美系统对清代小说、戏曲、书法、绘画等文学艺术审美意识的发展及其影响;既要注意审美意识在上层建筑中的位置及其与政治、经济、宗教、哲学等相关思想观念的联系,也要注意审美意识的阶层性,即同一个时期不同的阶层也会有不同的审美意识。

第三,论证突出由"器"向"道"的提升。本书将从具体作品出发,力图还原时人的审美意识,弥补形上之道与形下之器之间的裂痕。虽然小说、戏曲、书法、绘画等文学艺术遗存表现出的意识更加具体、生动、现实,但由于遗存言说的模糊性、不确定性,从小说、戏曲、书法、绘画等文学艺术遗存上挖掘整个时代背后的审美意识需要有一套行之有效的方法以及针对小说、戏曲、书法、绘画等文学艺术作品的广博、精湛的专业知识。研究者需融会贯通地对多个艺术门类进行熟练分析并获得相关的专业背景,以期可以从一个行内人的专业视角对小说、戏曲、书法、绘画等文学艺术作品说话,之后,才可以从美学的视角将之概括为相应的理论性的审美意识。

第四,行文凸显"意识"与"思想"差异。作为中国美学史的一部分,包括清代审美意识史在内的中国审美意识通史研究,需要与既有的美学思想和器物研究区别开来。中国传统的审美意识不仅是中国美学史研究的基础,更是中国传统美学思想形成和发展的源泉。中国美学思想中很多独特的观念,诸如器与道、技与艺、阴与阳、形与神、虚与实、动与静等,中国古人体现在创造物之中的那种与自然的亲和态度,那种人文精神,那种独特的审美思维方式和以象表意的特点,那种强烈的生命意识,那种充沛的情感和纵横驰骋的想象力,乃至独特的时空意识、抽象方式、和谐法则和形式美的法则等,都是从审美意识中逐步孕育、升华、提炼出来的。为此,清代审美意识史的研究将充分重视中国传统的审美意识与美学思想的关系。本书将在美学史研究中新辟一个视角——不是从既有的美学思想文献出发,也不拘泥于具体器物,而是在两者之间,从具体出发,力图还原时人的审美意识,弥补形上之道与形下之器之间的裂痕,这亦是本书研究拟突破的一个重大难点。

三是拟采取的研究方法。

本书的研究欲关注清代社会经济政治文化发展的具体情况,从清代实物或实物记载和古人审美实践出发,使审美意识研究建立在坚实的基础上,揭示审美意识的历史演变与自身逻辑演变的过程及其规律。具体方法主要如下:

第一,历史与逻辑统一。坚持马克思主义方法论指导,坚持唯物辩证论与历史辩证论,坚持历史与逻辑相统一的方法。

第二,实证研究法。借鉴考古成果,从作品出发,重视对器物和艺术作品的实证研究,还原清人审美意识的本来面目。清代审美意识史重视实证研究,从清人具体的创造遗存中去加以探究,尊重清人审美意识的本来面目,重视审美意识的时代特征和历史印记。这些感性存在的具体的创造遗存是人类审美意识的活化石,清代的审美意识,乃至自然环境和生活方式等都必然地在清人日常生活的器物、文学和艺术等方面打上烙印。这种审美意识史的实证研究,需要跨学科的广阔视野和比较研究的意识,尤其需要重视考古学的最新研究成果。

第三,纵横交错法。清代审美意识史的研究将尤其关注史的内在脉络和重要艺术门类纵横交错。"纵"即凸显史的内在脉络和演进逻辑,

"横"即对一些重要的艺术门类。本书的研究将揭示清代审美意识的纵向的"美"的内在脉络和严谨逻辑以及横向的"术"的文学艺术门类、地域、阶层、民族、国别等差异比较,纵横交错。

第四,综合研究法。清代审美意识史的研究将以美学的基本研究方法为主,同时兼采艺术学、人类学和考古学等方法进行综合研究。本书的研究首要的是将清代的艺术品、文学作品、日常生活用具及其日常生活本身作为审美对象,放在审美关系中进行反思考察,归纳和总结其中蕴涵的人的审美意识,故其基本方法是美学研究方法。同时,由于本书涉及的对象门类很多,有的专业性很强——例如,清代书法、绘画、园林、器物、小说考据、美术考古等——这就需要我们与其他学科相交叉,借用其他学科的研究视角和方法进行研究,以提升研究的专业性和可靠性。

第五,比较研究法。作为"中国审美意识通史"子项的清代审美意识史的研究,必须牢牢把握研究对象的中国特点、中国特色,用中国人的心灵去体味中国人的艺术与生活。但是,中国的学院学术体系是建立在西方学术体系的基础上的,不可能完全按照中国古代文人的方法治学。为此,本书的研究将在前述基础上,适度借鉴西方研究方法,拓展研究的视野和思路,将清代小说、戏曲、书法、绘画等文学艺术遗存审美意识的发展放到中国审美意识发展乃至世界审美意识发展的大背景下,以古希腊、古印度等异域文明为参照,展开比较分析,具体阐释清代文学艺术乃至日常生活的审美特质与民族特性,以期起到反思和补充的作用,并最终形成一个逻辑清晰、论证严谨的清代审美意识史研究,但切忌生搬硬套。

第六,当代视角。从当代意识出发对清代小说、戏曲、书法、绘画等文学艺术遗存审美意识研究进行深化,体现超越现实的情怀和对人的精神关怀。从当代人的精神需求和审美理想出发,汲取传统审美意识的精华,将其发扬光大。清代审美意识史的意义不仅在于它的历史价值和博物馆意义,更在于流淌在当代中国人心灵中、并且得以传承的精神血脉。当然这种当代意识不是一种狭隘的、庸俗的、实用主义的研究,而是与历史意识是相辅相成、有机统一的。审美意识史研究应该尊重审美意识自身的价值和特点,从中发现并揭示其历史价值和现实价值以及它的发展、演变规律。

四是创新之处。

由于本书所要研究的内容丰富，时间跨度大，文献资料多，牵涉面广，问题极为复杂，研究时就必须打破陈规，用新的视野与研究方法来处理问题，力促中国审美意识史研究向新的阶段掘进，以推进和深化中国美学史的研究。本书的创新点有：

第一，具有文献整理价值。加强了对清代文学艺术遗存的审视，整理出小说、戏曲、书法、绘画等文学艺术遗存的基本信息，开掘加强了它的史料价值。本次整理，工作量虽大，但意义亦重大，基本奠定了进一步深入研究清代审美意识史的基础。

第二，紧扣审美意识研究。不同于美学思想史侧重于概念、文献，也不同于审美文化研究、审美风尚研究的方法，本书以既有历史遗留物——清代小说、戏曲、书法、绘画等文学艺术遗存为考察对象，系统地梳理、总结和彰显清代审美意识的发展脉络和嬗递轨迹，集中全面地论述清代审美趣味，以期通过上述研究，使清代审美意识研究与美学思想研究互补，全面揭橥清代审美意识与清代美学思想乃至中华民族审美传统形成之间的密切联系。

第三，从文化背景的角度实现还原理解，充分挖掘清代小说、戏曲、书法、绘画等文学艺术和文化形式中的审美意识，凸显其审美价值，建构立体多元的研究框架，还清代审美意识以本来面目。清代审美意识是清人自己的东西，研究者不能以今天的眼光和思维模式来看待古人的审美习惯，本书的研究将以还原的方式来考察器物的造型、纹饰及其蕴涵的审美意识，注重传统文化、民间技艺、社会习俗在审美意识形成和发展观过程中所起的作用，发掘清人在哲学观念、小说、戏曲、书法、绘画等文学艺术和文化形式中所表达的自然情感和社会文化心理。

第四，初步形成和完善审美意识研究的独特方法论体系。目前美学界关于中国审美意识和自东周迄清的美学思想之间关系的研究还不够系统，没有相对成熟的研究模式和经验可以借鉴。本书将以作品为中心，强调从具体感性的材料中分析和归纳中国审美意识的形成、发展的规律和特点，适当借助田野考察、借鉴考古成果并借鉴西方相关研究的方法，拓展审美意识史研究的新途径,充分挖掘清代小说、戏曲、书法、绘画等文学艺术遗存中的审美意识,凸显其嬗变轨迹和审美价值;从文化背景角度,以还原理解方式考察清代小说、戏曲、书法、绘画等文学艺术遗存的意象、法度及其蕴涵的审美意识,发掘清人所表达的自然情感和社会文化心理,还清人审美意识以本来面目;比较小说、戏曲、书法、绘画等文学艺术之间的审美会通与异同,建构立体多元的研究框架;在具体研究中,既尊重审美意识的历史事实,又体现当代意识,充分揭示其现实价值和当代意义。

第一章

小说审美意识

第一节　清季小说审美概述

在中国古代文学传统中,历来有这样的评判:"中国文学的好处在诗,不在小说。"(陈世骧语)此语精准地道出了"小说不入主流"的传统文学观念。这一局面到清末"小说界革命"兴起方才开始得以扭转。五四运动之后,罗贯中、施耐庵、吴承恩、蒲松龄、吴敬梓和曹雪芹等才得以取得足与屈原、陶渊明、李白、杜甫、苏轼、陆游等人比肩的应有地位。不仅如此,小说更以其独特的通俗性与普适性赢得了更为广泛的读者与拥趸,成为中国传统文学中缺乏官方正统地位却不乏社会影响的重要文种,小说审美意识也在普通中国人的历史观、伦理观、人生观、社会观中随时随处发生着不可忽视的重要影响。时至今日,毋庸置疑的是,谈及中国社会、历史和文化,无法逾越小说。而在中国小说史上,清代小说更以足以彪炳史册的辉煌成就企及巅峰。据此,研究清代审美意识,清代小说自然同样不容忽视。

一、清代小说发展概览

清代是中国最后一个封建王朝,中国古典文学在这一时期走入了集大成阶段。中国传统小说在清代取得了重大成就,臻于巅峰。小说可谓清代文学中成就最大的门类,有学者称:"清代小说是中国古代小说的繁荣期、高峰期和转型期";①清代堪称"中国小说史的黄金时代"。② 此论诚不欺也。总体而言,清代小说于承明季小说之中蕴含变化,作品数量

---

① 石昌渝:《清代小说在文学史上的定位问题》,《文汇报》2006 年 1 月 3 日。
② 谭邦和:《略论清代小说的发展与演变》,《高等函授学报》1996 年第 3 期。

大、题材广、风格多、流派齐、类型全，整体质量上乘、单部个性鲜明；若以数量看，据不完全统计，清代仅白话小说即达千余种之多，几乎为已知宋、元、明三代小说数量的三倍强；若以流派看，鲁迅曾指出明代小说流派有讲史、神魔、人情、拟话本四种而尤以神魔、人情为两大主流，但清代小说的流派比明朝更多，有拟古派、讽刺派、人情派、才学派、狭邪派、侠义及公案派、谴责派等，再加上晚清的翻译派、宗教派和其他新生派，可谓流派纷呈；若以类型看，文言之外，清人还创作了大量的白话小说，笔记小说也层出不穷；其中尤以蒲松龄的《聊斋志异》、曹雪芹的《红楼梦》和吴敬梓的《儒林外史》为当之无愧的标志性代表作，其魅力时至今日虽逾两百多年仍历久不衰，在思想和艺术上均企及迄今仍无法与之比肩的古典小说巅峰。这些小说，或集中地反映了清代波澜壮阔的社会生活，或细腻地表现了青年男女的儿女情长，或翔实地记载了彼时社会的各类逸闻趣事，不仅贩夫走卒、普通百姓茶余饭后对其津津乐道，而且文人士大夫也常对其喜不自禁、手不释卷，盛况诚如《中国历代小说序跋选注》所言："莫道小说闲书，不关紧要。须知越是小说闲书，越发传播得快，茶坊酒肆，灯前月下，人人喜说，个个爱听"①，铸就成清代文化生活的靓丽景观。与此同时，清代小说尤其是晚清小说，更在数十年间承继数百年传统小说优良传统，汲取西方文化养分，变革小说体制及叙事模式，完成了由古典向近现代的历史性转型。

分而论之，清初、清中叶、晚清小说发展各具特色、亮点纷呈。学界将清季小说发展演变或分四期，即顺康、雍乾、嘉道咸同、光宣；或分三期，即顺乾、嘉道、道光二十年后；或分六期。② 为阐发之便，本书综采这两种分法，以顺康为清初、雍乾嘉道为清中叶、道光二十年后为晚清。

伴随着激烈的民族、阶级矛盾与残酷的杀戮，清初文坛呈现出明清易

---

① 曾祖荫、黄清泉、周伟民、王先霈：《中国历代小说序跋选注》，长江文艺出版社1982年版，第241页。

② 参见刘世德：《中国古代小说百科全书》，中国大百科全书出版社1993年版；陈大康：《通俗小说的历史轨迹》，湖南出版社1993年版；张俊：《清代小说史》，浙江古籍出版社1997年版；王进驹：《清代小说的分期问题》，《学术研究》2004年第10期。

代、异族代汉之际特有的色彩。清初小说创作虽不及诗文繁盛，但顺康百年间小说承明余绪，继承和发展了明末小说反映现实生活、批判堕落世风的优良传统，并取得了相当的成就，一展繁荣兴盛格局与勇攀高峰之势，为古典小说臻于巅峰酝酿着条件。一是极富民族特色的古典小说评点迅猛崛起。金圣叹批《水浒传》、毛宗岗批《三国演义》、张竹坡评《金瓶梅》、汪象旭和陈士斌评《西游记》等杰出理论成果鳞次栉比、鱼贯而出、风行天下、广泛流布，既及时总结推广了前代一流小说家的创作经验，又刺激了清初当代小说家的创作欲与长成欲，更培育了大批颇具赏鉴水准的受众群体，于是，清初小说评点家、小说家、广大读者三者共同酿成了古典小说美学的第一个高潮。二是才子佳人与家将两类新型白话长篇小说成批涌现。才子佳人小说系世情长篇小说之分支，尤以天花藏主人等人创作的《玉娇梨》、《平山冷燕》、《好逑传》、《定情人》等为代表。才子佳人小说的文体介乎于话本与长篇世情小说之间，多16至20回，开始尝试由表现"欲"、"丑"转向追求"情"、"美"，虽因思想肤浅妥协、艺术程式僵化而并未臻至上佳境界，却为杰出巨著的批量诞生积累了诸多可资借鉴的经验教训。此期还诞生了明末《杨家将演义》，清初《说岳全传》、《隋唐演义》等大批集历史演义与英雄传奇于一体的家将小说，夹杂神怪的《梁武帝西来演义》，取法才子佳人的《正德游江南传》的朝代小说，思想艺术俱含新意的《水浒后传》、《后水浒传》、《后西游记》、《斩鬼传》等续书类小说以及《济公全传》、《济颠大师醉菩提全传》等影响较大的作品。尤值得一提的是，神怪小说《后西游记》已有转向哲理讽刺的倾向，《樵史演义》、《新世宏勋》、《台湾外纪》等部分清初演义小说和神怪而兼历史的《女仙外史》开始有了关注当下的新视野，惜因忌惮清廷文字狱之囿艺术成就较差。三是拟话本类白话短篇小说斩获甚丰，尤以李渔《无声戏》、《十二楼》、《肉蒲团》和艾衲居士《豆棚闲话》为杰出代表。李渔之作情节曲折、结构严谨、语言流畅、极富喜剧色彩；艾衲居士之作体裁新颖、结构新奇、内容愤世嫉俗，在揭露统治阶级的丑恶和讽刺世风的低下方面，都各有所长，均属上乘之作。四是文言小说成就辉煌，尤以蒲松龄《聊斋志异》为标。蒲松龄《聊斋志异》汲取六朝以降文言小说艺术经验，"用传奇法而以志怪"，洞鉴时弊、耐人寻味，似幻实真、清新雅洁，思想艺术均企及文言小说之巅峰，堪称清初现实批判主义的代表性力作。蒲松龄虽热衷科举功名却举途多舛，以秀才终老，他以游幕、坐馆为生，一生穷困潦倒，胸中积满了愤懑。蒲松龄创作的《聊斋志异》借妖狐鬼魅写世态人情，故事曲折、形象生动、文笔优美、寓意深远，是我国古代成就最高的文言短篇小说集，深为人民群众所喜爱。作者通过谈狐说鬼的形式，描写了众多人与花妖狐魅恋爱的故事，以幻想的形式表现了对美好爱情的向往，部分作品揭露了当时政治的黑暗与官吏的罪恶，有些作品则深刻展现了科举制度的弊端。《聊斋志异》最显著的艺术特征，就是讲花妖狐魅与幽冥世界等非现实的事物人格化、社会化，一面借以曲折影射社会现实，一面又充分利用这些非现实形象所提供的超现实的力量，鲜明地表达作者的爱憎与理想。

至清中叶，由于康熙、雍正两代的平稳发展，社会趋于繁荣安定。明清易代的苦痛已逐渐成为历史的记忆，文学艺术的发展也相对走向繁荣，此期小说的成就更令中国古代小说发展至鼎盛和顶峰。一是"南吴北曹"交相辉映，共同问鼎古典小说顶峰。清中叶的小说创作以吴敬梓的《儒林外史》和曹雪芹的《红楼梦》两部长篇巨著为代表。吴敬梓的《儒林外史》是我国古代讽刺文学的典范性作品，全书由许多彼此独立的故事勾连而成，并无一中心人物作为主干。《儒林外史》共 55 回，后来流传的 56、60 回诸本，皆系他人妄增。吴敬梓以鞭挞科举取士的弊害、揭露醉心猎取功名富贵的儒林群丑为中心，通过对众多腐儒形象的勾画，深刻揭露和描状了科举制度的种种弊端和科举文化的社会病态，辛辣地剖析了被功名富贵腐蚀异化了的儒林士人内心世界，抨击程朱理学的"以理杀人"，对封建礼教、官僚政治以及江河日下的世风皆作了辛辣的讽刺。全书以喜剧之构蕴悲剧之思，笔锋犀利、讽刺深刻、韵致深沉，揭露了科举制的弊端和知识界卑劣丑恶的阴暗面，反映了封建王朝末期的政治腐败和文化、道德的沦丧，开创了小说直接讽刺、评价现实社会生活的范例，是一部富有积极社会意义的批判现实主义作品。诚如鲁迅先生所言："迨吴敬梓《儒林外史》出……说部中乃始有足称讽刺之书。"①较之《儒林外史》,《红楼梦》的美学品位显然更高一筹,被誉为"封建社会的百科全书"。曹雪芹先世为汉人,但很早隶籍于满洲正白旗包衣佐领,为皇室家奴;其家庭从曾祖曹玺开始直至其父,三代四人世袭江宁织造,为皇帝办理制造用品等;祖父曹寅任江宁织造时,广交江南文士,自己也写诗、词、戏曲,主持刻印《全唐诗》、《佩文韵府》等书;康熙帝六次南巡,曹寅迎接四次,皆以江宁织造署为行宫。雍正帝时,以织造款项亏空为名,下令削职、抄家,曹家自此家业凋零。曹雪芹正好经历了曹家由盛转衰的过程,从富贵豪华的生活转为"举家食粥酒常赊"的境况。曹雪芹创作《红楼梦》正是在这种异常贫困的生活中进行的,故有"字字看来皆是血,十年辛苦不寻常"之谓。曹雪芹的《红楼梦》共120回,前80回由曹雪芹写成,后经高鹗补为完书120回。曹雪芹的《红楼梦》是中国最优秀的古典小说,它围绕贵族家庭中爱情悲剧的主题,展开了宽广的、丰富多彩的历史生活的画卷,塑造了形形色色、栩栩如生的人物形象,歌颂了个性解放与坚贞的爱情,有力地批判了封建的纲常伦理,预示了封建社会走向没落和必然灭亡的命运。《红楼梦》以贾、史、王、薛四大家族为背景,以贾宝玉、林黛玉的爱情悲剧为主要线索,通过对贾、史、王、薛四大家族政治、经济、文化诸方面活动的描写以及同他们发生往还的各阶层诸多人物的刻画,真实生动地向读者展示了一幅贾家荣、宁二府这一封建家族由盛而衰的历史画卷,并在这一转变过程中,写出贾宝玉、林黛玉等众多人物的悲剧命运,反映了具有一定觉醒意识的青年男女在专制体制与旧式家庭遏制下的历史宿命。全书成功地塑造了贾宝玉、林黛玉、薛宝钗、王熙凤等众多栩栩如生的人物形象,概括、典型、真实地反映了我国18世纪中期的社会生活,曲折地反映了那一时代必然崩溃、没落的历史趋势,达到了我国古典小说中现实主义艺术的最高峰。二是演艺家将与才子佳人白话等长篇小说持续繁荣。《南史演义》、《北史演义》、《东周列国志》等系谨遵旧体、较有影响的历史演义类小说;《说唐演义全传》、《说唐后传》、《罗通扫北》、《说唐薛家府传》、《反唐演义传》、

---

① 鲁迅:《中国小说史略》,人民文学出版社1975年版。

《异说征西演义全传》、《征西说唐三传》、《飞龙全传》、《说呼全传》等则属演义而更重传奇的家将小说。《归莲梦》、《锦香亭》、《驻春园》、《金石缘》、《水石缘》、《雪月梅》等才子佳人小说进一步呈现由专注"情"、"美"转向杂混神怪、演义、传奇、公案的合流趋势。《儒林外史》与《红楼梦》之外,李百川《绿野仙踪》、夏敬渠《野叟曝言》、李汝珍《镜花缘》堪称清中叶长篇小说的重要成果。《绿野仙踪》兼具神怪、世情、讽刺多元特征,思想内容与人物塑造均属上乘;《野叟曝言》亦以史传兼笔记之构,杂混演义、传奇、神魔、世情元素,极尽显才学之能事,确为"奋武摆文,天下无双正士;熔经铸史,人间第一奇书"的佳品;《镜花缘》以渊博的才学与出色的想象力,在声张女权、抨击科举、呵斥陋习、批判迷信诸方面表现出民主进步倾向,通过对幻想中的海外世界的描写,暴露和讽刺了现实社会的黑暗,寄托了李汝珍具有民主思想因素的"乌托邦"式的社会理想,全书最为引人入胜的当属对众多极富才情的女性的塑造,颂扬了女性的才能,反映出作者肯定妇女社会地位的倾向,堪称清中叶《红楼梦》之后又一部优秀的长篇小说。三是文言小说兴旺一时。得益于《聊斋志异》刊行的广泛影响,《谐铎》、《夜谭随录》、《萤窗异草》、《子不语》等优秀文言作品陆续问世;纪昀更在蒲松龄"传奇"笔法之外,以《阅微草堂笔记》"尚质黜华,追踪晋宋"。[①] 余如笔炼阁主人《五色石》、《八洞天》等白话短篇小说则成就不高,预示了拟话本小说因艺术活力逐渐丧失而式微的清中叶小说新格局。

及至晚清,世界格局、国家形势、社会生活与学术思想均发生前所未有、波澜壮阔的剧变,龚自珍等一批先进文人创作了大量富有激情与想象力的文学作品,开始打破传统文学的沉寂局面,表现出反专制、反压抑、渴求个性自由解放的思想,首开近代文学先声。嗣后,文学艺术亦随之出现显著的转变,小说创作亦不例外。经过清初小说兴盛繁荣和清中叶小说高潮之后,虽然古典小说渐近尾声,晚清小说在整体上佳作不多并逐渐冷

---

① 按:对此,鲁迅评云:"凡测鬼神之情状,发人间之幽微,托狐鬼以抒己见者,隽思妙语,时足解颐。"(参见《中国小说史略》人民文学出版社 1975 年版)

落下来,但在本土自强和西学东渐背景下显露出现代化转型趋势,仍不乏优秀作家作品和新型审美意识涌现。一是狭邪小说的出现与长篇白话小说创作的延续。《荡寇志》、《儿女英雄传》、《万花楼》、《五虎平西前传》、《五虎平南后传》、《施公案》等昭示着演义、传奇、侠义、公案在此期继续合流的态势;《绿牡丹》、《粉妆楼》等则是旨在弭灭人民的反抗、维护封建统治秩序的侠义小说成型的标志,《三侠五义》、《儿女英雄传》相继产生、广泛流传、很有影响;《品花宝鉴》则是专门描写文人与妓女、优伶交游的狭邪小说,代表了才子佳人小说向狭邪小说的演变,狭邪小说的出现,反映了时势衰颓,文人悲凉哀怨,追求享乐、消遣的风气。嗣后,《林兰香》、《花月痕》、《青楼梦》、《海上花列传》、《海天鸿雪记》、《海上繁华梦》、《九尾龟》等狭邪小说历经了"溢美"、"近真"到"溢恶"的嬗变轨迹。① 二是文言小说的新发展。晚清文言小说多在《聊斋志异》笼罩之下,产生了《夜雨秋灯录》、《淞隐漫录》、《淞宾琐话》、《女聊斋志异》、《醉茶志怪》等成果;惟屠绅《虫薈史》、陈球《燕山外史》突破传统,以文言为长篇、以骈体作小说,体裁上创新颇多,而沈复《浮生六记》、苏曼殊《断鸿零雁记》则俱为情韵深厚的自传体文言小说,令人耳目一新。三是翻译小说的出现。世乱积离、人心思变,造就了小说阅读需求的大涨,欧风西雨带来的科技进步又促成了报刊出版印刷业的发达,在西风东渐的整体社会文化背景之下,小说家们加速创作之余开始译制外国作品,翻译小说便应运而生并日渐繁盛。申报馆刊行《瀛寰琐记》,为我国最早的文学专业刊物。从第三期起,连载蠡勺居士翻译的外国小说《昕夕闲谈》,这是我国近代较早由英文译成白话的长篇小说。四是谴责小说的重要贡献。光绪后期涌现出一批社会批判、时事抨击的谴责小说。李宝嘉《官场现形记》、吴沃尧《二十年目睹之怪现状》、刘鹗《老残游记》、曾朴《孽海花》等均为此类型代表著作,堪称晚清小说最重要的成就,并称"晚清四大谴责小说"。此类小说虽因内容还不够深刻、文词又较为粗糙、结构也欠严谨而在文学史

---

① 参见鲁迅:《中国小说的历史变迁》对狭邪小说演变过程的勾勒。(参见《中国小说史略》,人民文学出版社 1975 年版)

上稍有异议,但谴责小说作为一种现实主义暴露文学出现于晚清,因其大胆的变革激情和沉郁的忧患意识以及宽广的对象视野,有着重要的历史作用和时代进步性;又因其受到西方文化影响而生出新的艺术因素,昭示着古典小说近现代转型的揭幕。五是小说也是革命派喜用的宣传武器。除曾朴谴责小说《孽海花》外,陈天华《狮子吼》和《猛回头》、黄小配《洪秀全演义》和《大马扁》、颐琐《黄绣球》、梁启超《新中国未来记》、陆士谔《新野叟曝言》和《新中国》、春颿《未来世界》、苍园《新中国之伟人》、悔学子《未来教育史》、荻夏《女学生》、海天独啸子《女娲石》、思绮斋《女子权》、王妙如《女狱花》等,或倡民主,或求启蒙,或倡改良,或图立宪,或论教育,或主女权,都宣传了民主革命思想。虽艺术成就皆不如《孽海花》,但立意思想却都进步新鲜,颇具开心智、发蒙愚的时代气息。正是在这种情状下,中国古典小说自此走上近现代转型快车道。

二、清代小说及其审美研究

鲁迅《中国小说史略》堪称首部系统研究中国古代小说发展演变的学术专著,其中《中国小说的历史的变迁》一节尤为著名,[1]而清代部分则占有相当的比重。然而,在鲁迅之先,小说批评已历数百年历史,脂砚斋《红楼梦》评点也与毛宗岗《三国演义》评点、金圣叹《水浒传》评点一道,早已流播久远并影响广泛。相较而言,此类评点多针对某本小说有感而发,缺乏理论系统性,难以归入严格的小说研究范畴。鲁迅之后,涵括清代小说的中国小说研究方才接轨国际成为专学。胡适虽无小说研究专著,但其有关《红楼梦》、《儒林外史》等数十种小说的论文集序跋却对当时和以后的古典小说研究产生极大的震荡。以鲁、胡为先导,20世纪清代小说研究成就斐然。无论是对小说作者、小说版本、作品思想、作品艺术成就的研究,还是对小说与社会思潮、小说所涉中外文化交流等的研

---

① 参见鲁迅:《中国小说的历史的变迁》,参见《中国小说史略》,人民文学出版社1975年版。

究,均取得史无前例的成果。譬如,对《红楼梦》作者曹雪芹的家世生平、《红楼梦》版本研究等方面的,周汝昌、冯其庸、吴恩裕、吴世昌、王利器等人的成就已远超胡适;王昆仑、李晨冬、吴组缃诸君的《红楼梦》小说思想和艺术成就研究成果也已企及相当的深度;《聊斋志异》、《儒林外史》及明清其他小说研究则有陈寅恪、孙楷第、阿英、吴晗、郑振铎、赵景深、徐朔方、路大荒等人各具慧眼的创获。

中国小说整体研究,自民国钱静方《小说丛考》①、孔另境《中国小说史料》②、谭正璧《中国小说发达史》③、鲁迅《中国小说史略》④、胡适《中国章回小说考证》⑤、蒋瑞藻《小说考证》⑥、阿英《小说闲谈四种》⑦、孙楷第《沧州后集》⑧等之后,有关成果不绝如缕、层出不穷。20 世纪 80 年代后,相关研究成果更呈喷涌而出之势,先后有宁宗一与鲁德才《论中国古典小说的艺术——台湾香港论著选辑》⑨、郭豫适《中国古代小说论集》⑩、孙逊《明清小说论稿》⑪、方正耀《明清人情小说研究》⑫、王定天《中国小说形式系统》⑬、林辰《明末清初小说述录》⑭、夏志清《中国古典小说导论》⑮、韩南著尹慧珉译《中国白话小说史》⑯、侯忠义《中国文言小

① 参见钱静方:《小说丛考》,商务印书馆 1916 年版。
② 参见孔另境:《中国小说史料》,中华书局 1936 年版。
③ 参见谭正璧:《中国小说发达史》,光明书局 1936 年版。
④ 参见鲁迅:《中国小说史略》,人民文学出版社 1981 年版。
⑤ 参见胡适:《中国章回小说考证》,上海古籍出版社 1979 年版。
⑥ 参见蒋瑞藻:《小说考证》,上海古籍出版社 1984 年版。
⑦ 参见阿英:《小说闲谈四种》,上海古籍出版社 1985 年版。
⑧ 参见孙楷第:《沧州后集》,中华书局 1985 年版。
⑨ 参见宁宗一、鲁德才:《论中国古典小说的艺术——台湾香港论著选辑》,南开大学出版社 1984 年版。
⑩ 参见郭豫适:《中国古代小说论集》,华东师范大学出版社 1985 年版。
⑪ 参见孙逊:《明清小说论稿》,上海古籍出版社 1986 年版。
⑫ 参见方正耀:《明清人情小说研究》,华东师范大学出版社 1986 年版。
⑬ 参见王定天:《中国小说形式系统》,学林出版社 1988 年版。
⑭ 参见林辰:《明末清初小说述录》,春风文艺出版社 1988 年版。
⑮ 参见夏志清:《中国古典小说导论》,安徽文艺出版社 1988 年版。
⑯ 参见韩南著,尹慧珉译:《中国白话小说史》,浙江古籍出版社 1989 年版。

说史稿》(上)①、段启明《中国古典小说艺术鉴赏辞典》②、苗壮《才子佳人小说史话》③、侯忠义与刘世林《中国文言小说史稿》(下)④、石昌渝《中国小说源流》⑤、蒋松源与谭邦和《明清小说史》⑥、王旭川《中国近代小说思想》⑦、杨义《中国古典小说史论》⑧、陈节《中国人情小说通史》⑨、陈美林与冯保善及李忠明《章回小说史》⑩、武润婷《中国近代小说演变史》⑪、夏志清《中国古典小说史论》⑫、王平《中国古代小说叙事研究》⑬、杜贵晨《传统文化与古典小说》⑭、陈大康《中国近代小说编年》⑮、周先慎《明清小说》⑯、程毅中《中国古代小说的文献研究》⑰、韩南《中国近代小说的兴起》⑱、高玉海《明清小说续书研究》⑲等专著与专论问世。中国古代小说思想研究,大略循美学、批评、理论三个维度与路向,研究成果丰厚。除新中国成立以来的多种文学批评史中设有专章探讨之外,复有综合性与专门性的多种专论专著产生。仅改革开放以后享有广泛声誉的知名论著即有叶朗《中国小说美学》⑳、王先霈与周伟民《明清小说

① 参见侯忠义:《中国文言小说史稿》(上),北京大学出版社 1990 年版。
② 参见段启明:《中国古典小说艺术鉴赏辞典》,北京师范大学出版社 1991 年版。
③ 参见苗壮:《才子佳人小说史话》,辽宁教育出版社 1992 年版。
④ 参见侯忠义、刘世林:《中国文言小说史稿》(下),北京大学出版社 1993 年版。
⑤ 参见石昌渝:《中国小说源流》,三联书店 1994 年版。
⑥ 参见蒋松源、谭邦和:《明清小说史》,长江文艺出版社 1996 年版。
⑦ 参见王旭川、马国辉:《中国近代小说思想》,华东师范大学出版社 1997 年版。
⑧ 参见杨义:《中国古典小说史论》,人民出版社 1998 年版。
⑨ 参见陈节:《中国人情小说通史》,江苏教育出版社 1998 年版。
⑩ 参见陈美林、冯保善、李忠明:《章回小说史》,浙江古籍出版社 1998 年版。
⑪ 参见武润婷:《中国近代小说演变史》,山东人民出版社 2000 年版。
⑫ 参见[美]夏志清著,胡益民、石晓林、单坤琴译:《中国古典小说史论》,江西人民出版社 2001 年版。
⑬ 参见王平:《中国古代小说叙事研究》,河北人民出版社 2001 年版。
⑭ 参见杜贵晨:《传统文化与古典小说》,河北大学出版社 2001 年版。
⑮ 参见陈大康:《中国近代小说编年》,华东师范大学出版社 2002 年版。
⑯ 参见周先慎:《明清小说》,北京大学出版社 2003 年版。
⑰ 参见程毅中:《中国古代小说的文献研究》,《文献》2004 年第 2 期。
⑱ 参见韩南:《中国近代小说的兴起》,上海教育出版社 2004 年版。
⑲ 参见高玉海:《明清小说续书研究》,中国社会科学出版社 2004 年版。
⑳ 参见叶朗:《中国小说美学》,北京大学出版社 1982 年版。

理论批评史》①、陈谦豫《中国小说理论批评史》②、方正耀《中国小说批评
史略》③、孙逊与孙菊园《中国古典小说美学资料汇粹》④、陈洪《中国小说
理论史》⑤、刘良明《中国小说理论批评史》⑥唐跃与谭学纯《小说语言美
学》⑦、王旭川《中国近代小说思想》⑧、程华平《中国小说戏曲理论的近代
转型》⑨、韩进廉《中国小说美学史》⑩、于兴汉《中国古代小说批评概
论》⑪、方正耀《中国古典小说理论史》(修订版)⑫、吴士余《中国小说美
学论稿》⑬、黄毅与许建平《二十世纪中国古代小说研究的视角与方
法》⑭、谭帆与杨志平《中国古典小说文法考论》⑮等论著。比较遗憾的
是,此类概论性美学、批评和理论研究时常以明清合论形式出现,专论清
代的较为稀见。

　　相较古典小说的整体研究,集中研究清代小说及其思想、审美意识的
成果相对较少,较有影响的专著专论主要有阿英《晚清小说史》⑯、李汉秋
与胡益民《清代小说》⑰、欧阳健《晚清小说史》⑱、张俊《清代小说史》⑲、

---

① 参见王先霈、周伟民:《明清小说理论批评史》,花城出版社 1988 年版。
② 参见陈谦豫:《中国小说理论批评史》,华东师范大学出版社 1989 年版。
③ 参见方正耀:《中国小说批评史略》,中国社会科学出版社 1990 年版。
④ 参见孙逊、孙菊园:《中国古典小说美学资料汇粹》,上海古籍出版社 1991 年版。
⑤ 参见陈洪:《中国小说理论史》,安徽文艺出版社 1991 年版,天津教育出版社 2005
年版。
⑥ 参见刘良明:《中国小说理论批评史》,武汉大学出版社 1991 年版。
⑦ 参见唐跃、谭学纯:《小说语言美学》,安徽教育出版社 1995 年版。
⑧ 参见王旭川、马国辉:《中国近代小说思想》,华东师范大学出版社 1997 年版。
⑨ 参见程华平:《中国小说戏曲理论的近代转型》,华东师范大学出版社 2001 年版。
⑩ 参见韩进廉:《中国小说美学史》,河北大学出版社 2004 年版。
⑪ 参见于兴汉:《中国古代小说批评概论》,中国社会科学出版社 2004 年版。
⑫ 参见方正耀:《中国古典小说理论史》(修订版),华东师范大学出版社 2005 年版。
⑬ 参见吴士余:《中国小说美学论稿》,复旦大学出版社 2006 年版。
⑭ 参见黄毅、许建平:《二十世纪中国古代小说研究的视角与方法》,复旦大学出版
社 2008 年版。
⑮ 参见谭帆、杨志平:《中国古典小说文法考论》,《文学遗产》2011 年第 3 期。
⑯ 参见阿英:《晚清小说史》,商务印书馆 1937 年版。
⑰ 参见李汉秋、胡益民:《清代小说》,安徽教育出版社 1989 年版。
⑱ 参见欧阳健:《晚清小说史》,浙江古籍出版社 1997 年版。
⑲ 参见张俊:《清代小说史》,浙江古籍出版社 1997 年版。

傅惠生《王国维的小说研究》①、汤哲声《海派狭邪小说：中国清末小说的终结者》②、王国维等著《王国维、蔡元培、鲁迅点评红楼梦》③、侯运华《晚清狭邪小说新论》④、朱国昌《晚清狭邪小说与都市叙述》⑤等。有关清代小说审美意识研究成果主要集中于对《红楼梦》、《聊斋志异》、《儒林外史》等几部重要代表作品的研究中。代表性成果如王国维、胡适、俞平伯、一粟、顾平旦、刘梦溪、朱一玄诸先生的《红楼梦》和曹雪芹研究；胡适、何满子、刘阶平、前野直彬、张景樵、路大荒、孙一珍、任孚先、马瑞芳、袁世硕、王枝忠、李永祥诸先生的《聊斋志异》和蒲松龄研究；程晋芳、胡适、小川环树、吴文祺、王璜、张慧剑、吴组缃、陆侃如、冯至、何其芳、何泽翰、傅继馥、赵山林、黄秉泽、陈汝衡、孟醒仁、章培恒、李汉秋、夏志清、陈美林诸先生的《儒林外史》和吴敬梓研究。此外还有对初清季言情小说之外的《水浒后传》、《西游补》、《歧路灯》、《阅微草堂笔记》、《浮生六记》、《镜花缘》和《醒世姻缘传》等作家作品的集中研究，以及以金圣叹、李渔为主要研究对象的清季小说理论研究。另外，部分学界同仁还对清代小说作品展开研究，产生了一系列论文成果，尤以宁宗一《史里寻诗到俗世咀味——明代小说审美意识的演变》的研究方向最为切题，可惜只做了明代小说审美意识的研究。⑥可惜的是，在上述所有研究中，纯以清代小说审美意识为对象的研究仍处于方兴未艾的境况，亟待深入掘进。毋庸讳言，对中国古代小说思想尤其是清代小说审美意识的研究，还有许多问题需要进一步深入反思和拓展。

三、清代小说审美意识流变

21世纪初，有学者曾对小说审美意识的内涵做过四点注解："第一，

---

① 参见傅惠生：《王国维的小说研究》，《中国文学研究》2001年第4期。
② 参见汤哲声：《海派狭邪小说：中国清末小说的终结者》，《明清小说研究》2003年第4期。
③ 参见王国维等：《王国维、蔡元培、鲁迅点评红楼梦》，团结出版社2004年版。
④ 参见侯运华：《晚清狭邪小说新论》，河南大学出版社2005年版。
⑤ 参见朱国昌：《晚清狭邪小说与都市叙述》，上海大学博士论文，2010年。
⑥ 参见宁宗一：《史里寻诗到俗世咀味——明代小说审美意识的演变》，《天津师范大学学报》(社会科学版)2001年第6期。

小说审美意识是小说家对小说这种艺术形式的总体看法,包括小说家的哲学、美学思想、对小说社会功能的认识,所恪守的艺术方法,创作原则等。第二,小说审美意识是小说家和读者(听众)审美思想交互作用的结果,它在创作中无所不在,渗透在作品的思想、形式、风格特别是意象之中。第三,小说审美意识具有鲜明的时代色彩,各个历史时代都具有其代表性的小说审美意识,而这种鲜明的时代色彩又不否认各个时代各种小说审美意识之间存在着严格关系。第四,小说审美意识的更新、演变像一切艺术观念的变革一样,一般地说是迂回的、或快或慢的,有时甚至出现了巨大的繁复或异化。"①这一表述至少揭示了有关小说审美意识研究的四个关键问题,显然是切中肯綮之论。据此,可以发现有关清代小说审美意识研究的几个基本观点:其一,清代小说上承晚明余绪、下开近代先河、中历封建帝国最后的盛世,跨度甚大、波澜起伏,审美意识变迁轨迹鲜明、且嬗变影响因子丰富,堪称清代审美意识史研究中最富于含金量的研究对象之一;其二,清代小说审美意识集中国古典小说审美意识之大成,前代小说审美意识在这一历史时期有着集中体现或映射,研究清代小说审美意识不仅能够揭示这一历史时期特有的小说审美意识,而且还有利于理解整个中国古代的小说审美意识;其三,晚清有着小说审美意识近现代化的大胆尝试,其得失能够为实现中国古典小说审美理论与实践的"现代转换"提供相当的历史经验与教训。综上,对清代小说审美意识的研究非常必要。其关键性突破口即在,立足优秀小说文本,依凭合理有效之法,深入发掘清代小说审美资源,并在古今、中外审美实践与思想的比较、理解、对话、阐释基础上,以具体而微的扎实研究,为揭橥清代小说审美意识嬗递规律、疗救中国传统审美理论的"失语症"、实现中国古代小说审美理论与实践的"现代转换"提供启示性思路与理论建构。

中国古典小说的根本特征,首先在其边缘性。迥异于诗词曲赋,古典小说始终未能形成自己清晰、稳定的文本特征,对作品的内容和形式均缺

---

① 参见宁宗一:《史里寻诗到俗世咀味——明代小说审美意识的演变》,《天津师范大学学报》(社会科学版)2001 年第 6 期。

乏明确的规范,是一种具有宽泛的包容性的边缘文学。白话小说自不待言,有着逾千年历史的文言小说也是如此。不仅六朝笔记小说如此,即便更为成熟的唐传奇亦如此,甚至清代蒲松龄《聊斋志异》这样一部古代文言小说的巅峰之作也不例外。这种情状的缘由端在中国小说本身的多种著述集合体属性,不在其他。边缘性的特征与其说是中国古典小说在形式上的先天缺陷,毋宁说是中国古典小说在内涵与外延等另一视角的先天优势。它使得中国古典小说与历史、宗教、哲学、伦理、政治、制度、民俗、艺术等几乎一切四邻水乳交融,在表现中国古代社会文化、呈现时代审美意识方面具有了他种文体无可比拟的天然的深度和广度。所以才有《红楼梦》被誉为"一部百科全书似的小说杰作"。相较而言,"词的世界仿佛较小",旧诗则"不过是些世俗的悲欢离合",①虽在表现古人情感波澜曲折方面胜出小说不少,却在表现社会生活全貌与实况上不及小说深广。中国古典小说中的中国历史文化、社会演进方面的积淀极其深厚,正如陈寅恪所言"唐代小说之取材,实包含大量神鬼故事与夫人世所罕见之异闻",②这正是中国古典小说特有的价值,也是我们可以借由一时代的小说窥见该时代审美意识的根源。

　　中国古典小说有文言与白话两种基本形式。虽然白话小说源自文言小说,二者之间存在紧密相连、密不可分的天然关联,但严格来讲,二者分属不同文体,有着截然不同的文化背景、语言风格和情趣追求,分属中国古典小说的两种文体和两条源流,二者各成系统、相对独立。王国维最早发觉并指出这一点。③ 王氏指出,文言与白话小说的根本差异在于:文言小说始终依附于史书著述,受史官文化影响极深,以在正史之外拾遗补缺为己任,以"述轶事"、"记异闻"为根本,虽不刻意标榜"事纪其实"、"言必可信",但并不强调虚构;而白话小说则以民间文化为依托,虽也受史

---

　　① 张爱玲:《国语本〈海上花〉译后记》,《张爱玲文集》第 4 卷,安徽文艺出版社 1992年版,第 341 页。
　　② 参见陈寅恪:《韩愈与唐代小说》,《国文月刊》1947 年第 57 期。
　　③ 参见王国维:《宋元戏剧史》,商务印书馆 1915 年版。王国维在该书第三章中称,文言小说"但为著述上之事,与宋之小说无与焉。宋之小说,则不以著述为事,而以讲演为事"。

官文化传统深刻影响,所涉内容则大部分出于民间想象,人物、故事主要出于虚构。可见,虚构成分多寡是区分白话与文言小说的内在深刻区别,而虚构性则是解读、阐释白话小说的关键所在。本章拟借由对《聊斋志异》、《红楼梦》、《儒林外史》的剖析,通过清代小说揭橥和发现清代审美意识的嬗变递演轨迹,正是基于对古典小说此一特性的基本把握。《聊斋志异》的虚构性是显而易见的,《红楼梦》与《儒林外史》也都是虚构大于写实的佳构。尽管胡适等一再提倡以富于科学精神的考证来研究曹雪芹家世生平,并始终强调《红楼梦》为"曹雪芹自叙传"的属性,甚至直接将《红楼梦》视为曹雪芹自传,但这明显并不符合实际情况,显然是胡适囿于脂砚斋评点、陷入了将小说等同于事实的误区、尚未脱离中国传统史官文化阴影笼罩的结果。为此,本章研究的重点当集中在对白话小说虚构背后所蕴藉的民间心理和社会思想以及它们所承载的民族思维与呈现模式。

清代小说审美意识的研究,约略可从内在理路与外缘影响两大路向展开探绎。其中,内在理路主要集中于作品本身的基本主题、意象创构、叙事模式、艺术语言、小说观念、思维方式等诸方面;外缘影响则主要集中于与作品相关的作家家世生平、时代背景、社会风尚、人文地理、时风习俗以及贯穿作品始终的中国古代历史、哲学、宗教、文明、政教、宗法传统等方面的影响与映射。

清代小说的基本主题多与反理学紧密相关,主要有三类:一是反八股、反科举,如前所述,清廷定程朱理学为官学,沿袭明代以八股为试制度,理学与八股狼狈为奸、互为利用,以此牢笼天下士人,《聊斋志异》、《儒林外史》、《红楼梦》以及《后西游记》、《镜花缘》等作品均对失智腐儒、科场弊端和科举制度予以揶揄、抨击、反思、否定,形成反八股、反科举的核心主题;二是反性理、反空疏,清廷钦定的程朱理学所倡导的"尽性"、"循理"前置"天理"即封建纲常秩序,重"内圣"轻"外王"、崇性理鄙实学、尚空谈弃事功,竭力美化统治阶级价值观,《女仙外史》、《儒林外史》乃至《阅微草堂笔记》均以原儒之说为器指斥和否定"坐谈性天"的空疏价值观,形成反性理、反空疏的思想洪流;三是反禁欲、反理教,程朱理学惯以"存天理、灭人欲"的"天理人性论"来强奸民意、荼毒百姓,历来即为有识之士坚决反对,《聊斋志异》、《儒林外史》、《红楼梦》、《女仙外史》等作品或以幻寓实、或以情反理、或理性剖辩,均于情爱婚恋的描述中发出了对"天理"的抗争强音,力主以"人心"反"道心"、以"人欲"抗"天理",否定程朱人性学说、要求自然人性发展。这些主题上承明末清初反理学社会批判思潮余绪,下启近代旧民主主义革命与文化改良运动,全面深刻地揭橥了清廷在"仁心"、"仁政"标榜下以"钦定"、"御纂"外加文字狱的方式瓦解士人独立精神、毁灭优秀传统文化的野蛮而血腥的险恶用心和罪恶行径,艰难曲折地表现着彼时彼境的社会风尚与时代精神,呈现着中华文明由古典迈向近现代的嬗递意象轨迹。

清代小说的创作思维,主要成就集中表现在对"史官传统"和"史学意识"的日渐疏离,小说创作与评判标准亦逐步以"去史实化"的"虚构"真实取代"于史有据",并在《聊斋志异》、《儒林外史》、《红楼梦》等几部代表性作品中实现了中国古典小说的艺术独立与观念成熟。蒲松龄、吴敬梓、曹雪芹的小说作品中已基本摆脱"史官传统"和"史学意识"的干扰。蒲松龄虽以"异史氏"自号,其创作用心却皆在情节创造、场景描摹和形象塑造上,使得《聊斋志异》堪称地道的小说创作;《儒林外史》虽慑于文字狱淫威仍假托明代,却以小说之笔法秉笔白描,截取人物人生片段反省文化传统;曹雪芹《红楼梦》则更为决绝地挣脱、斩断了"史官传统"和"史学意识"及讲史方法的创作荼毒,直以"见而知"、实未见的"熟悉的陌生人"的悲喜剧展现现实人生。可见,对"史官传统"尤其是"讲史"传统的摒弃,最终促成了清代小说优秀之作艺术独立性的获得。

清代小说的创作艺术,则集中展现在形式、内容、方法三个方面。首先,清代小说创作形式呈现出由文言而白话的世俗化趋向、由类型而典型的多元化趋向、注重反复循环的缀段性三大鲜明特征。清代小说在语言形式上一变前代尊文言、卑白话的传统观念,立足小说服务对象的社会性、世俗性,大力推崇小说语言的浅近通俗、明白晓畅,佳作语言皆以生动、俏皮、风趣、通俗的白话为主;即便是蒲松龄以文言写就的《聊斋志异》等著亦非常浅显,且时时巧妙杂入许多白话成分,处处显露出"谐于里耳"的特色。清代小说在意象形式上一变传统的单一化、类型化的写法,不仅不再以简单的善恶好坏两极为人物定性,开始致力于人物的完整性、复杂性及其本来面貌的表现,出现了大批"杂色"人物意象;而且十分注重人物性格的描写。清代小说在结构形式上则较好地承继了中国古典小说缀段性手法,强调以"反复循环"的模子来表现人间经验的细致的关系,①成为区分中西文学作品差异的重要表征。其二,清代小说创作内容呈现出由历史与传说中的大人物向现世日常生活中的小人物的对象转换、由关注宏大主题向关注世情、人情、女权的重点转换两大重要变化。清代小说描写的重点不再是帝王将相、达官贵人、英雄豪杰、神仙鬼怪,而是转向商人、手工业者、小贩、艺人、妓女、医卜星相、书办衙役、流氓乞丐和尚道士等世俗普通人物,关注小人物的世情百态,寄寓小说家自身的社会理想。清代小说在对人情、世情的重点关注中,大胆表现饮食男女之情欲、反映社会关系之复杂、凸显世态变迁之炎凉,并以极大的勇气与热情极力赞美女性、张扬女权、讨伐封建纲常对人性的桎梏与扭曲,冲刷长期以来荼毒社会意识的陈腐之见。其三,清代小说创作方法呈现出手法多样、主题明确、结构严谨的整体风貌。清代小说在写法手法上十分注重概括和总结历代经验,在分析《水浒传》《西游记》等前代佳作的基础上总结出诸如夹叙法、草蛇灰线法、大落墨法、绵针泥刺法、背面铺粉法、引弄法、獭尾法、正犯法、略犯法、极不省法、极省法、欲合故纵法、横云断山法、鸾胶续弦法等足令小说丰富多彩、生动有趣的多元写作手法,并善于将其灵活运用于小说创作之中,使得小说作品人物生动逼真、富于个性,小说情节悬念迭出、极富可读性与趣味性,足以充分调动读者的想象力、强化读者的审美情感。《红楼梦》《儒林外史》乃至文言小说《聊斋志异》、《歧路灯》等清代小说佳作无一不具丰富的笔法及其由此而生的或丰富深邃、或波澜壮阔、或言有尽而意无穷的多样美感。清代小说尤其是长篇白话小说在创作结构上极其重视谋篇布局的重要作用,成功的作品往往都先设一主旨、明确主题、立其主脑,再围绕此一主旨严明结构、分章布

----

① 温儒敏:《中外比较文学论集》,北京大学出版社 1988 年版,第 104 页。

白、穿针引线,其后极尽铺陈之能事、尽逞才学,最终于求思想深刻之真、求别于他作之新、求雅俗共赏之文的艺术追求之中予人以异常丰富的别样美感。

清代小说的意象创构,典型形象塑造的重心已由帝王将相转向才子佳人、科举士子及社会各界的普通人,呈现出鲜明的世俗化和"去雅化"倾向,并初步实现了从古典典型形态向近代典型形态的转变。《中国大百科全书》载"清代小说"词条称:"清代是中国古代长篇小说的黄金时代。清人长篇小说数量空前,风格流派多样,最重要的是它与现实生活十分接近,不再只是描写逝去的英雄时代和传奇式的英雄人物,它把目光转向世俗的社会和平常的人们。"该词条又称:"清代长篇小说的主流是描写现实社会的寻常生活,如《醒世姻缘传》、《儒林外史》、《歧路灯》、《绿野仙踪》、《红楼梦》等,都是写现实生活的人。尤其是《红楼梦》,按生活本来的样子描绘生活,以一个家庭的兴衰表现一个阶级一个时代的兴衰,以一群青年男女的悲剧表现一个社会一个时代的悲剧,充分显示出长篇小说表现现实生活的巨大的能力和容量。"可见,《聊斋志异》、《儒林外史》、《红楼梦》等清代小说中的题材重心继承了《金瓶梅》创拓的新途,由帝王将相和英雄人物的治国平天下之事转向普通人的世俗日常生活,把小说作为世纪的风俗画而不是作为断代政治史的观念要更普遍、巩固和自觉了,尤以社会批判小说和言情小说两类作品最具代表性。清代小说直接继承《金瓶梅》的传统,把人生中的优美与崇高、下贱与卑鄙、悲怆与欢乐在平时的世俗生活散文中深刻表现出来,在描写普通人生活的细致精密方面均远胜前代佳作。《聊斋志异》、《红楼梦》、《儒林外史》、《梼杌闲评》、《醒世姻缘传》、《歧路灯》等清代小说的人物塑造,均着重写个性的独特、丰富、复杂,并在特殊中显示一般、个性中融化共性;尤其是《儒林外史》、《红楼梦》中,无论是马二先生、王玉辉、周进、范进,还是王熙凤、贾宝玉、林黛玉、薛宝钗,每人皆有多面性格表现、每面俱涵文化底蕴,小说创造性格化典型意象的水平,确已臻于巅峰。

清代小说的叙事模式,主要成就即在其叙事视角的"去全知化"向作品中人物视角的艺术转化,彻底摆脱传统的"全知视角"对作品艺术效果的戕害。清代小说的叙事角度较之前代已大为丰富。叙事观点的多样化和自然转换，是小说尤其是长篇小说摆脱原始状态、提高表现力的至关重要的关键因素。如吴敬梓《儒林外史》马二游西湖一节，所写之景全是马二所见之景。再如曹雪芹《红楼梦》状物、言情，全由冷子兴、门子、刘姥姥等数种人物之口、之眼中自然流出。吴、曹二作写景、叙事、状人，角度多元又自然天成，全无斧凿匠迹，臻于化境。在此基础上，清代小说因题材一无依傍、注重作品表现力而全面形成了鲜明的个人风格，《聊斋志异》、《儒林外史》、《红楼梦》，甚至包括《镜花缘》、《歧路灯》、《阅微草堂笔记》，均彻底摆脱了《三国演义》、《水浒传》、《三言》等作品的群体风格与特征，无不具有鲜明突出的独特个性风格，成为清代小说艺术独立与成熟的突出标志。

　　清代小说的小说观念，最为突出的转变，端在小说地位的空前提高与小说功能的严肃拓展。首先是小说地位的显著上升。不仅有人公开赞誉小说的审美价值，更有将小说置于儒家经典之上。承继李贽、冯梦龙、公安三袁对小说的极力鼓吹，金圣叹以评点六才子书之举，力图将小说戏曲与《史记》、《庄子》、《楚辞》相提并论，甚至将传奇小说称为天地妙文，以为"言非小道，实有可观"。① 如斯举动与言论皆有力地推进了小说地位在清代的提升。其二是小说功能的严肃拓展。清人不仅意识到小说在娱乐消遣上的巨大功能，并据此开始为小说谋求应有的立足之地；而且严肃地提出迥异于传统儒家"成教化、助人伦"的文学期待的小说功能定位，明确指出"闲言语"之大功效："小说者何，别乎大言言之也。一言乎小，则凡天经地义，治国化民，与夫汉儒之羽翼经传，宋儒之正心诚意，概勿讲焉。一言乎说，则凡迁固之瑰伟博丽，子云相如之异曲同工，与夫艳富、辨裁、清婉之殊科，宗经、源道、辨骚之异制，概勿道焉。其事为家有父子日用饮食往来酬酢之细故，是以谓之说。然则，最浅易、最明白者，乃小说正宗也。"②经此一辩，小说观念于清季大变，日益受到当时文士的严肃对待

---

① （清）金圣叹：《西厢记·惊梦》总评。
② 曾祖荫选注：《中国历代小说序跋选注》，长江文艺出版社1982年版，第256页。

与广泛追捧,不仅热情踊跃地积极参与小说创作,而且敢于在小说作品上直接署名。李渔创作《笠翁十种曲》、《十二楼》、《连城璧》等戏曲小说,沈起凤创作《谐铎》、《报恩缘》、《才人福》、《文星榜》等小说戏曲,李海观创作《歧路灯》,李百川创作《绿野仙踪》,李汝珍创作《镜花缘》,燕北老人创作《儿女英雄传》,陈森创作《品花宝鉴》,魏秀仁创作《花月痕》。上述诸人或为著名文商,或为清廷举人,或为书香门第,或为清廷官吏,或为满族世家或为文人雅士,无一不在小说新观念的涌动下致力于小说创作及小说地位提升、功能正名的事业,演成鲁迅《中国小说史略》中所评"盖传奇风韵,明末实弥漫天下,至易代而不改也"之盛况。及至清末,小说地位提升与功能正名更在知识界达成共识,被梁启超"小说为文学之最上乘"、"小说有不可思议之力支配人道"之说提升至文学殿堂之巅。

第二节　幻境意象·灵异叙事·隐喻思维
——《聊斋志异》审美意识系统

清代审美意识的自觉发展臻于高峰,对清人丰富繁杂的文艺成就中所呈现的独特的审美意识展开研究意义重大。清代审美意识史研究,就是要对清代审美意识资源进行基础性梳理,对清代审美意识特征进行原创性总结,对中国美学史研究新路径展开前瞻性探索,力图在解构审美意识物化形态的基础上建构起清代审美意识的主体价值体系。较之书法、绘画等其他艺术形式,清代小说明显呈现出迥然相异的意象特征和叙事特质,蕴藉着清代审美意识嬗变的深层轨迹;①较之前代,清代小说也承继明代小说四大奇书的辉煌,《聊斋志异》与《儒林外史》、《红楼梦》一同,分别从文言与白话、短篇与长篇两个方面,铸就了古典小说的最后高峰。如此说来,对清代小说审美意识的系统研究,就不仅是清代审美意识研究的一个重要板块,且应占到相当的比重。为此,笔者不揣浅陋,拟从

---

① 参见拙作:《清代书法笔法类型特征及其审美意识》,《民族艺术研究》2013 年第 2 期;《清代馆阁体意象创构特征和审美意识》,《民族艺术研究》2013 年第 3 期。

《聊斋志异》开始,穷究蒲松龄于这部清初力著中隐喻的审美意识体系,
展开对清代小说审美意识的探讨。

一、引言:回归聊斋美学研究的审美意识起点

小说既是一种语言艺术,以意象、故事、情节、人物、叙事艺术地再现
作家对自然、社会、人生的独到体验;同时又是一项审美活动,饱含着"心
灵在审美活动中所表现出来的自觉状态",①与书法、绘画、建筑、园林、器
物等文艺形式密切相连又迥然相异;也是综合性意识形态,既蕴涵政治、
经济、风俗乃至宗教等多种意识内容,更蕴藉着丰富的审美意识内容。同
样道理,《聊斋志异》作为蒲松龄艺术经验和精神活动的结晶,必然蕴含
着其深层的审美心理体验。当他展开创作活动时,其交流需求、审美诉求
乃至情感表达等审美心理体验就开始在创作思维的主导下,渗透到意象、
情节、人物等各种创作资料中,转变为审美意识而随同作品被保存下来。
于是,源自蒲松龄幻境意象创构和叙事模式技法的审美经验势必凝聚在
各篇作品中,作为独特的审美意识被保存下来,并作为精神财富"在不同
的时间和空间中得以传承",②奠定民族审美传统和清代美学思想基础,
并不断地被再创造,被赋予新内涵,展现新理想。从这个意义上讲,《聊
斋志异》既是蒲松龄个人也是清初这个时代审美意识的艺术载体和传承
媒介。

《聊斋志异》堪称文言小说之集大成者,此论早在 20 世纪 80 年代即
已成为学界共识。若从中国古代小说发展的纵横面来看,则"《聊斋志
异》的出现,实在是'文起千年之衰',其功不在'文起八代之衰'以下"。
不仅如此,《聊斋志异》在清代小说美学、中国古典美学史、乃至中国古代
审美意识史上的地位也不可小觑。《聊斋志异》历史地位的奠定,绝"不
单纯的是文言小说自然地顺利地直线地发展的结果","语言的文白并没
有起决定性的作用。关键在于它是成功的小说,创造出了生动感人的人

---

① 朱志荣:《中国审美理论》,北京大学出版社 2005 年版,第 129 页。
② 朱志荣:《中国审美理论》,北京大学出版社 2005 年版,第 129 页。

物形象,反映出了历史所提出的新问题、新动向、新趋势,从而在读者的思想感情里引起强烈的共鸣"。① 蓝翎先生此论诚不欺也。《聊斋志异》在意象创构和叙事模式上既有传统承继的物化特征,也兼有时代烙印与诗化倾向。其于意象创构与叙事模式中呈现的隐喻自觉,在审美功能与艺术形式上,都充分体现了清人对传统的清醒认识和勇于无视的创新精神,展示了其审美意识从封闭约束到开放自由的精神发展。可以说,《聊斋志异》之美,美在神秘诡谲的幻境意象创构,美在灵异叙事模式,更美在其潜藏于幻境意象创构之后、深蕴于灵异叙事模式之中的隐喻审美思维方式,它之所以能在当时和后世的读者那里获得成功,即在它艺术地再现了清初盛行的时代审美意识,使时人有心同此理的共鸣,也使后人有窥斑见豹的释然。换句话说,《聊斋志异》的成功,不仅源自其人物形象与小说语言的艺术感染力,更源自其附着于人物形象与艺术语言上的深层审美意识蕴涵。而蓝翎先生所言之"历史所提出的新问题、新动向、新趋势",正是《聊斋志异》所承载的小说艺术美学意蕴和所蕴藉的清初审美意识内涵,也正是能够"在读者的思想感情里引起强烈的共鸣"的核心基元。以《聊斋志异》为中心视点、以作品与审美意识的关系为切入点展开研究,揭示这一内涵的审美实质,探究这一基元的主要特质,既是《聊斋志异》审美意识研究的本根命意所在,也是其研究的基本方法,更是"聊斋学"研究迄今为止至为重要的旨归和路向。

实际上,自《聊斋志异》诞生迄今三百余年间,有关蒲松龄和《聊斋志异》的研究从未间断,成果斐然。尽管其间的审美研究路向曾有偏离、曲折,但三百余年的"聊斋学"研究史,实可视为《聊斋志异》审美意识的发现史。清人的研究始于并始终立足于文本的分析,关涉本事、版本、评论、影响诸方面,多以序跋、题词、笔记、杂说、评点等形式呈现;②其中,评点的形式最为盛行,③

---

① 参见蓝翎:《略谈〈聊斋志异〉在中国小说史上的地位》,《文史哲》1980 年第 6 期。另见(清)蒲松龄著,张式铭标点:《聊斋志异》(前言),岳麓书社 1988 年版,第 1—12 页。

② 杜云:《明清小说序跋选》,广西人民出版社 1989 年版,第 151—175 页。

③ 参见叶朗:《中国小说美学与明清小说评点》,《学术月刊》1982 年第 11 期;谭帆:《中国小说评点研究》,华东师范大学出版社 2001 年版;杨广敏、张学艳:《近三十年〈聊斋志异〉评点研究综述》,《蒲松龄研究》2009 年第 4 期。

集中探讨了《聊斋志异》的历史地位、思想内容、艺术特征等问题,①尤以王士禛总评、冯镇峦评点、但明伦评点流播为盛;②此期研究虽非纯以小说审美艺术角度审视《聊斋志异》,但其"方经比史"说、"孤愤之书"说及其对文体、笔法、情节的探讨均已触及文本研究的审美领域,为后世"聊斋学"美学研究的大开格局奠定了基调,确定了起点,指明了路向。民国的研究则以遗著的调查和搜集、资料的发掘和整理、著作的初步编纂为主,兼涉作者的生平研究和文本的整体研究;前者以马立勋、刘阶平、路大荒、何鹏、罗尔纲为代表,③尤以路大荒《聊斋全集》成就最显;④后者以胡适、鲁迅为代表,⑤尤以鲁迅论断的影响为最。⑥ 新中国成立以来尤其是20世纪80年代以来,"聊斋学"的研究格局大开,跨越世纪,成果繁盛,迄今不绝。总的来看,主要的成果集中在文献资料的搜集与整理、蒲松龄家世生平研究、《聊斋志异》文本研究几大方面。其中,嘉珠、杨仁凯、王统照、蒲文珊、杜若、张友鹤、路大荒、盛伟等人主要于蒲氏著作整理,路大荒、刘阶平、张景樵、袁世硕、马瑞芳、罗敬之、李永祥、杨海儒等人则于蒲氏家世著述考证方面用力至深,这些前辈学者所取得的成果都为聊斋研究的广泛铺开和深入掘进作出了突出贡献,对"聊斋学"的形成厥功至伟。20世纪80年代以来,专业的研究机构层出不穷,高端的国际国内研讨会交相辉映,大批海内外学者加入到"聊斋学"的研究队伍,《聊斋志异》的文本研究呈现出规范化、集群化、多元化的崭新格局,众多有关《聊斋志异》的意象研究、艺术成就、志怪特征、创作心理、文化蕴涵、历史地位、民族思想乃至国际影响的成果相继出炉;进入21世纪以来,有关《聊

---

① 参见汪龙麟:《聊斋志异研究史略》,《黑龙江社会科学》1998年第6期。

② 参见朱一玄编:《〈聊斋志异〉资料汇编》,中州古籍出版社1985年版,第1—22页。另见黄霖、韩同文选注:《中国历代小说论著选》(修订本)(上册中编),江西人民出版社2000年版,第360—532页。

③ 参见孟广来等:《蒲松龄研究的回顾与展望》,见《蒲松龄学术讨论会专刊》,齐鲁书社1981年版,第419—454页。

④ 参见路大荒:《聊斋全集》,上海世界书局1936年版。

⑤ 按:胡适曾因发表《辨伪举例——蒲松龄生平考》而引起一场关于蒲松龄生卒年代的争论。

⑥ 参见鲁迅:《中国小说史略》,人民出版社1975年版。

斋志异》的叙事学研究、《聊斋俚曲集》的语言学研究更成为新的热点和焦点，"聊斋学"的研究日趋隆盛。这些成果都为后学系统地展开《聊斋志异》美学思想和审美意识研究做好了充分的理论准备。对于 20 世纪"聊斋学"研究的成果，孟广来、汪玢玲、朴桂花（韩）、藤田佑贤（日）、八木章好（日）、王平等人俱有专文详细综述；①21 世纪迄今的研究成果也已有多人梳理，②各家论述均持重中肯，不乏可圈可点之处，足资借鉴，毋庸赘言。

　　尤值一提的是，面对当今已然蔚为大观的"聊斋学"研究，20 世纪 80 年代以来的"聊斋学"研究者，倍加珍视前辈学人创拓的来之不易的大好局面，开始突破传统的文学范畴和史论研究模式，重拾前人奠定的聊斋研究的审美路向，把握深入掘进的绝佳时机，将研究兴趣适时转向心理学、社会学、文化学和语言学范畴，涌现出一批围绕其美学蕴涵和建构展开研究的论文和系统论著，③吹响了系统整理、深入发掘《聊斋志异》审美意识体系的研究号角，延展了"聊斋学"的研究视阈，不失为聊斋之幸。从这个意义上讲，在前人成就的基础上，重回聊斋美学研究的审美意识起点，

---

　　① 参见［日］藤田佑贤、八木章好：《聊斋研究文献要览》，株式会社东方书店 1985 年版；汪玢玲：《70 年来蒲松龄研究》，《蒲松龄研究》1994 年第 2 期；［韩］朴桂花：《蒲松龄研究论文索引》，见《蒲松龄研究》1996 年第 3 期、1996 年第 4 期、1997 年第 1 期、1997 年第 3 期、1998 年第 1 期、1999 年第 1 期；李逸津：《20 世纪俄苏〈聊斋志异〉研究回眸》，《蒲松龄研究》1999 年第 1 期；王平：《二十世纪〈聊斋志异〉研究述评》，《文学遗产》2001 年第 3 期；王庆云：《三百年来的蒲松龄研究回顾》，《山东社会科学》2002 年第 4 期；［日］安载鹤：《日本近代以来〈聊斋志异〉的受容及其研究》，东北师范大学博士论文，2010 年。

　　② 参见阎峰：《25 年（1980—2004）来蒲松龄研究简述》，《长春教育学院学报》2006 年第 2 期；葛丽英：《近十年〈聊斋志异〉文本研究述略》，《语文学刊》（高教版）2006 年第 3 期；高坤：《近十年中国大陆蒲松龄研究综述》，东北师范大学硕士论文，2008 年；［日］安载鹤、孟庆枢：《日本近年〈聊斋志异〉研究述评》，《古籍整理研究学刊》2009 年第 1 期。

　　③ 按：除王平：《二十世纪〈聊斋志异〉研究述评》（《文学遗产》2001 年第 3 期）中所列之外，还有王平：《聊斋创作心理研究》，山东文艺出版社 1991 年版；袁世硕：《努力拓宽古典小说的研究领域——〈聊斋创作心理研究〉序》，《东岳丛》1991 年第 5 期；吴九成：《聊斋美学》，广东高等教育出版社 1998 年版；等等。其他相关成果多见于探究整个中国小说美学的著作的个别章节。如叶朗：《中国小说美学》，北京大学出版社 1982 年版；陈洪：《中国小说理论史》，安徽文艺出版社 1991 年版，第 308—312、333—339 页；韩进廉：《中国小说美学史》，河北大学出版社 2004 年版，第 294—307 页。

展开对《聊斋志异》审美意识系统的研究,可谓适逢其会、正当其时,不仅应为、可为,且宜速行。

二、幻境意象:"出入幻域、顿入人间"的不羁创构

通览《聊斋志异》近五百篇华章可知,意、象、境,是其审美意识系统的核心基元;幻,是其审美意识系统的悲美基调。"意"为审美主体所欲传达之意,关乎作者对政治、社会、人情、世态、人生乃至生命终极意义的思考;《聊斋志异》之"意"广涉官场、科考、婚姻、爱情、商业,旨在剖辨世情、消解"孤愤"、寄寓理想、再现正道。"象"为审美客体所已呈现的典型之象,是寄寓了审美主体之"意"的形象载体;《聊斋志异》之"象"常以群组形式整体呈现,涵括了书生、官吏、女性、侠士、商人、动物、花妖、狐鬼、神仙等多种类型。"境"为审美客体之"象"传达、呈现审美主体之"意"所借由的典型之阈,涵括具象的时间、空间、环境等直观视阈和抽象的情感、哲思、理想等主观体悟;《聊斋志异》之"境"则遍及神、鬼、怪,贯通古与今,描画出灵异互化、人鬼互通、花妖狐魅、鬼怪仙界等梦幻场景,又跳出三界外,勾勒出官场之腐、科举之恨、人情之薄、婚爱之梏等人生百态,貌似彼在,实则此在。而"幻",则是蒲氏借由意中之象、典型之阈,或自觉、或不自觉地传达给读者的关键"意味"——社会人生之圆满在现实世界终将归于一幻,构成了蒲松龄《聊斋志异》客观呈现的聊斋之美的终极蕴涵,也是其审美意识系统的至高范畴。《聊斋志异》中,主体之"意"、客体之"象"与典型之"境"通力合作,共同指向终极之"幻",以"出入幻域、顿入人间"的不羁创想,营构了一个乖奇迷离的幻象世界,完美地铸就了古典文言小说的最后高峰。

(一)孤愤之"意"与"幻"之渊源

《聊斋志异》为蒲松龄"孤愤"之作,已是聊斋学定论。对此,蒲松龄亦已在《聊斋自志》中有过明示:"集腋为裘,妄续幽冥之录;浮白载笔,仅成孤愤之书,寄托如此,亦足悲矣!"王士禛曾于《戏题蒲生聊斋志异卷后》称:"姑妄言之姑听之,豆棚瓜架雨如丝。料应厌作人间语,爱听秋坟鬼唱时。"指出《聊斋志异》以秋坟鬼唱发人间之语的志怪特点。而蒲松

龄则于《次韵答王司寇阮亭先生见赠》称:"《志异》书成共笑之,布袍萧索鬓如丝;十年颇得黄州意,冷雨寒灯夜话时。"①此处"黄州意"也已显露了他的儒家仁爱思想根基和寓救世之情于鬼狐灵魅的创作动机。而其孙蒲立德在青柯亭刊本《聊斋志异跋》中则认为,《聊斋志异》虽所记之事"多涉于神怪"、"冥会幽探",但亦"曲尽世态","触时感事,而以劝以惩","非第如干宝《搜神》已也",更见出乃祖创作《聊斋志异》的孤愤初衷。② 可见,"孤愤"既是蒲松龄寄寓《聊斋志异》中的审美主体之"意",亦是揭橥聊斋审美意识系统的重要关窍。

蒲松龄的孤愤之意,其一,源自其坎坷潦倒的人生遭际。关于蒲氏生平、刘阶平、前野直彬(日)、张景樵、路大荒、马瑞芳、袁世硕、李永祥等学者俱有佳证,③此处不再赘述。蒲氏才学双绝,孙蕙曾称其"绝顶聪明"、"自是第一流人物",④然其满腹经纶却屡试不第,举业无成而入幕为宾,迫于生计而致半生设馆,可谓命途多舛、步履维艰。这些境况无疑成为《聊斋志异》所寓"孤愤"之意的直接渊源。其二,源自其对科场、官场的切身体验。立志举业而皓首穷经,备受煎熬却蹉跎无果,使蒲氏积累了丰富的科举误人、官场误国的认知体验,《聊斋志异》中众多的书生形象实为其自传体画像。其三,源自其对世情、人生的独特体悟。人生的坎坷确为蒲氏之不幸,却促使他有机会深切体验到世情冷暖与人生百态,为《聊斋志异》饱含深情、灌注心血的典型形象与典型环境塑造提供了丰厚的直接素材。其四,源自其对社会、制度的理性思考。修齐治平的儒家仁学根底使得蒲氏难以放弃为民为国的治世理想,他虽身未显达,鸿鹄之志在

① 朱一玄编:《〈聊斋志异〉资料汇编》,中州古籍出版社 1985 年版,第 332、572、572 页。

② (清)蒲松龄撰,张友鹤辑校:《聊斋志异(汇校汇注汇评本)》(上),中华书局 1978 年版,第 32 页。

③ 参见刘阶平:《蒲留仙传》,台湾学生书局 1970 年版;[日]前野直彬:《蒲松龄传》,秋山书店 1976 年版;张景樵:《蒲松龄年谱》,台湾商务印书馆 1980 年版;路大荒:《蒲松龄年谱》,齐鲁书社 1980 年版;马瑞芳:《蒲松龄评传》,人民文学出版社 1986 年版;袁世硕:《蒲松龄事迹著述新考》,齐鲁书社 1988 年版;李永祥:《蒲松龄传》,山东文艺出版社 1993 年版。

④ 路大荒:《蒲松龄年谱》,齐鲁出版社 1980 年版,第 23 页。

现实世界中无由施展,却提笔为文,寄寓自己对社会、道德、制度的思考,在《聊斋志异》中陟罚臧否、挥斥方遒,建构起心中的理想社会。

然而,蒲松龄再现于《聊斋志异》之中的孤愤之意,都以"幻"的形式呈现出来:门楣品第与森严等次的残酷现实势必挑破蒲氏所写农商寒士向上流动的黄粱梦,此其幻一;官场腐败与科场误人的黑暗实际势必击碎蒲氏笔下书生一朝得第的功名梦,此其幻二;世态炎凉与人情浇薄的主流时风势必瓦解蒲氏期盼知己琴瑟相和的温情梦,此其幻三;祖宗之法与皇权官威的根深蒂固势必摧毁蒲氏秉持公心构建正道的社会梦,此其幻四。可以说,无论是源自生平遭际的,还是源自切身体验的,无论是源自独特体悟的,还是源自理性思考的,蒲松龄寄寓《聊斋志异》之"意"最终都指向了"幻"灭,这种"幻"灭绝不仅仅是作者的悲剧,更是时代的悲剧。正是这种源自"孤愤"之意的"幻"之渊源,铸就了《聊斋志异》崇高的悲美。

(二)典型之"象"与"幻"之特质

近五百篇华章中,蒲松龄塑造了数以千计的典型形象,这些寄寓了审美主体之"意"的典型之"象"通常以群组形式出现,饱含着作者的爱憎褒贬以及种种遭际坎坷,集中反映了作者眼中的科场、官场、世态、情场、商场状貌。总体来看,《聊斋志异》所呈现的主要"象"群无出五类:

首先是书生"象"群,多达三百多人,属意科场,企盼公平选才。此类"象"群虽写法不同,或写实,或穿插在灵异幻象中,却都蕴藉着激愤悲凉之绪。如《王子安》中的"名士"王子安,屡试不第,却又"期望甚切",每每"痛饮大醉",借以销愁解闷。篇中,蒲松龄以"七似"描摹秀才入闱之情状,穷形尽相之际尤见凄惨沉痛之情,将落第书生欲罢不能、循环重演的凄凉处境写得鞭辟入里。又如《司文郎》,通过宋生与余杭生截然不同的科场命运,直斥科场"司衡无目、笔墨无灵"之弊。再如《贾奉雉》中,"才名冠一时"但"试则不售"的贾奉雉,偶从"风格洒然"秀才之论,以自己"一读一汗"、自认"不可告人之句,连缀成文",居然"未几榜发,竟中经魁",万般痛苦之余,出家避隐,彻底与科场、官场分道扬镳,控诉了科考"黜佳士而进凡庸"的不良现状。科举害人匪浅、遗毒甚广,诸如《叶生》中考生竟然还魂赴考、《素秋》中俞氏结义兄弟落榜后的惨象、《凤仙》中刘赤水落榜见谤于岳家、《胡四娘》中程孝思中第前后待遇落差,等等,俱为明证。在众多的书生"象"群中,寒士形象是蒲松龄刻意描画的重点,其中凝结了作者人生追求的种种体验和深沉感受以及对寒士阶层的深切同情。

其次是官吏"象"群,达一百六十篇之多,属意官场,呼唤清明吏治。其中既有贪官、酷吏的丑"象",亦有清官、循吏的美"象"。前者意在揭露官场黑暗、抨击豪绅为富不仁、讥刺贪淫无行之辈、记述明末清初史实。如《鸟语》中贪吝却故作清高的县令,《王者》中赇赂贪婪的巡抚某公,《库官》中巧取豪夺的张华东公,《石清虚》中诬陷强窃的某尚书,《田七郎》、《素秋》、《连城》、《珊瑚》、《纫针》中贪官污吏无处不在。又如《席方平》中席方平父子的冤情,借冥世来影射阳间,指斥无官不贪、无吏不酷。《考弊司》亦为以冥世影射阳间的代表性名篇,阴司之神也如人间官吏一般暴虐贪贿。再如《促织》中书生成名的遭遇,将批判的矛头直指帝王:"故天子一跬步,皆关民命,不可忽也。"而《潞令》、《郭安》、《韩方》、《商三官》、《红玉》、《梦狼》等篇也刻画了诸多典型丑"象",并直呼:"天下之虎官吏狼者,比比也。"后者旨在树立榜样,寄托对清明政治的向往。如《雹神》中的王公筠苍,《柳秀才》中的柳神,《王十》中的县令张嵋,《诗谳》中的周元亮公,《于中丞》中的于成龙擒盗,《折狱》中的县令费祎祉,《邵临淄》中的宰邵公,《一员官》中的吴令,等等。

再次是鬼界"象"群,达一百余篇,属意世态,追寄理想。此类"象"群多循着当时民间盛行的原始灵魂信仰,蕴涵着"厚生"、"重德"的人本思想。其中,《叶生》、《画皮》、《聂小倩》、《水莽草》、《珠儿》、《莲香》、《巧娘》、《鲁公女》、《嘉平公子》、《龙飞相公》、《连琐》、《连城》、《公孙九娘》、《梅女》、《章阿端》、《伍秋月》、《宦娘》、《湘裙》、《席方平》、《小谢》、《于去恶》、《爱奴》、《褚生》、《吕无病》、《薛蔚娘》、《公孙夏》、《王兰》、《王六郎》、《鬼作筵》、《棋鬼》、《咬鬼》、《窦氏》、《考弊司》等篇,均塑造了性格鲜明的鬼"象",建构起一个影射人间的鬼蜮世界。

复次是花妖狐魅"象"群,达七十余篇,属意情场,憧憬美好恋情。她们形容姣好、多情风流而又行事果决,堪称《聊斋志异》中最引人瞩目的意中之象。如《红玉》中的狐女红玉,"狐亦侠也,遇亦奇矣!"(蒲松龄语)"程婴、杵臼,未尝闻诸巾帼,况狐耶!"(王士禛语)实为集佳人、侠女、贤妻、良母、健妇、挚友于一身的理想女性化身。再如《荷花三娘子》中的狐女荷花三娘子,《葛巾》中的花妖葛巾、玉版姐妹,虽未必集诸理想于一身,却也都体现了蒲公对女性的某种企盼。再如《莲香》中的狐魅莲香和李女,《香玉》中的花妖香玉、绛雪、如斯等,不胜枚举,余如《娇娜》、《连琐》、《白秋练》、《张鸿渐》、《青凤》更是其中的名篇。

除此之外,还有商人"象"群,达七十余篇,属意商场,反映商业观念。

蒲松龄创构的上述诸类"象"群,虚实互通、唇齿相依,兼具艺术真实性和虚幻性,呈现出共同的审美原则和不同的个性风貌,构成《聊斋志异》的"典型"形象。有学者从审美客体出发对"典型"、"意象"、"意境"的范畴和特征做过探讨。李泽厚将"意境"与"典型"视为美学中"平行相等的两个基本范畴"。顾祖钊则认为:"艺术典型的真实性原则与艺术意象、意境已大不相同。意象反映的真实虽然有时也必须经得起历史主义尺度的检验,揭示出现实关系的某些方面,但它已不再遵守细节真实的原则,不再看重现象的真实,往往以人心营造之象直接象征和暗示出真理。意境所要求的真实已偏重于情感的真实,对形象的历史内含已不再作为表现的重心。"①基于此,曹桂生将"意象"提升为与"意境"、"典型"相并列的美学范畴,并认为:"'意象'的本质在于'意',它是从'意'出发去寻找表意之'象'。'意境'和'典型'则是从'象'出发去营造'境'和'形',即意境形态和典型形象。其思维方式,前者是从'意'到'象',后者则是从'象'到'意'。两者有着很大差别。"②朱志荣则从审美主体出发,将审美意象分为自然、人生、艺术三类。③成为对上述讨论的有益补充。其中,自然意象属于物态层面,人生意象属于人格层面,艺术意象则属于物化层面。蒲松龄观物取象、立象尽意,从自然、人生、艺术中撷取英华,在

① 顾祖钊:《艺术至境论》,百花文艺出版社1999年版,第265页。
② 参见曹桂生:《"审美意象"辨——与叶朗先生商榷》,《大连大学学报》2009年第2期。
③ 朱志荣:《中国审美理论》,北京大学出版社2005年版,第174页。

《聊斋志异》中结撰出数以千计典型意象,奉献给读者一个奇妙的幻境世界。在《聊斋志异》"象"群中,从审美主体而言,既有直通宇宙生命意识的物态意象,又有映照主体精神境界的人格意象,也有彰显主体审美自觉的物化意象;但无论何种类型、哪一层面,都是作为审美主体的作者蒲松龄意中之象的典型呈现,都蕴涵着他面向自然、人生、艺术时的独特体验,融汇着观物取象、立象尽意时与宇宙、天地之道神契意合的主体情意,蕴藉着他在审美意象创构过程中的深刻感受和对清初社会审美意识的反映,于貌似静观或观照的一瞬凝冻着狂热的创造激情,于貌似静谧的冷静叙事中浓缩着强烈的情感、思想、心养和期望,成为我们把握清初时代审美意识本质内核的关键路径。而从审美客体来讲,这些"象"群,既具有艺术典型的具象性、直感性、真实性,又具有审美意象的抽象性、情感性、多义性,也具有意象创构的想象性、虚幻性;而当它们组合在一起成为整体之"境"时,就具备了审美意境的情感真实性。而《聊斋志异》的诸类"象"群正是凭借着这种虚"幻"性特质完美地传达、呈现出蒲松龄意欲表达却囿于种种原因难以直言的孤愤之"意"。欣赏这些短篇华章,透过作家深植其中的典型意象,可以直接观照到蒲松龄的审美趣味和创造意识。

（三）双重之"境"与"幻"之隐喻

《聊斋志异》营构之"境"具有双重指向:一层出入幻域,"多涉于神怪",指向神怪世界,"冥会幽探";一层顿入人间,"触时感事",指向现实世界,"曲尽世态"。这两层之间又绝非完全无关、各自独立的,而是交错互通的一体。这种双重指向之"境"的选择,既是蒲松龄推崇干宝、黄州,"雅爱搜神"、"喜人谈鬼"的特意选择,更是作者虽心有郁结不得不申、但又因身处乱世、心有忌惮,不能或不便直陈胸臆的、不得已而为之的曲意之举。于是,这"境"之营构就暗含了"幻"之隐喻。

首先是出入幻域的神怪世界营构。《聊斋志异》营构了大量的幻域:一是仙界,如《白于玉》中的吴生在仙人引导下到天庭、入月宫,一派宁静美丽、祥和安乐的天堂仙境;再如《鲁公女》中的卢生的梦中仙境,《王六郎》中成为土地神的王六郎给当地人示以梦境神谕,《成仙》中周生因梦归隐修仙,等等。二是鬼界,如《伍秋月》中写冥间城府,《席方平》中写冥王大殿、锯刑,《阎罗薨》中的阴间油锅,《续黄粱》中的冥界刀山,均阴暗恐怖,再如《咬鬼》、《王六郎》、《梦别》、《四十千》、《雷曹》、《塞偿债》、《饿鬼》、《于去恶》、《珠儿》、《鲁公女》、《章阿端》、《陈锡九》、《陆判》等中的梦中鬼境,《考城隍》、《鬼哭》、《梅女》、《席方平》、《考弊司》、《薛慰娘》、《公孙夏》中的病中鬼境,等等。三是怪界,如《黎氏》中的狼精,《汪士秀》中的鱼精,《花姑子》中的獐精,《绿衣女》中的绿蜂精,《八大王》中的鳖精,《阿纤》中的鼠精,《素秋》中的蠹鱼精。《三仙》中的蟹、蛇、蛤蟆精,《二班》中的虎精,《申氏》中的巨龟精,等等。四是狐魅世界,如《娇娜》中的狐精松娘,《婴宁》中的狐女婴宁,《贾儿》、《董生》、《青凤》中的狐精,等等。五是花妖,如《绛妃》中的山茶花精,《荷花三娘子》中的荷花精,《花姑子》中的獐精,《黄英》中的菊精,《香玉》、《葛巾》中的牡丹精,等等。

其次是顿入人间的现实世界描摹。除了科场、官场、情场、商场之外,《聊斋志异》还再现了许多世间真境,毋庸赘言。

值得一提的是,《聊斋志异》之"境"更多的是交错互通的双重世界营构。幻域与人间并非阴阳两隔的,而是彼此贯通、互通互化,水乳交融、相互交错。如《画壁》中朱孝廉通过凝想飘入画中仙界的人仙互通。又如《崂山道士》中,道士于晚宴中剪纸成明月、掷箸为嫦娥的人神互通。再如《酒友》中,车生视狐为酒友、狐助其致富报恩的人怪互通。现实与虚幻相连,人仙与人怪互通,更有大量人异相恋、人鬼交欢、人怪互化乃至异类仙化的故事,如《向杲》中人化虎,《杜翁》中人变猪,《阿宝》中人化鹦鹉,《促织》中人化蟋蟀,《澂俗》中人变鼠,《邑人》中人变猪,《金陵乙》中人化狐,《竹青》中人变乌鸦,《杜小雷》中人变猪,等等。诸如此类的例证不胜枚举,营构出"出入幻域、顿入人间"的奇幻迷离、而有映照时事的艺术世界。

正是在这种"出入幻域、顿入人间"的不羁创想中,《聊斋志异》营造出作者心目中的审美意境,成为蒲松龄观物取象、立象尽意的创作活动的延续、发展和进一步艺术语言化,也成为他作为创作主体的个体情感、观念、心理的凝冻,其中既承载着清初时人审美意识物态化活动的表征和印迹,更成为一种具有超模拟内涵和意义、超感觉性能和价值的清初社会审美意识的符号、标记和载体,"时代精神的火花在此凝冻、沉淀下来,传留和感染着人们的思想、情感、观念、意绪"。① 而它赖以展示清初文明心灵史的媒介正是奇幻迷离的意象群组，形成一个跨越人鬼神三界的幻境世界，共同映射出其心目中的审美理想。

由是观之，孤愤之"意"、典型之"象"、双重之"境"均为蒲松龄小说创作的审美工具，构成《聊斋志异》审美意识系统的核心基元；而"幻"则是他在疏泄孤愤、批判现实时本无意企及却意外臻至的艺术至境，奠定了《聊斋志异》审美意识系统的悲美基调。

三、灵异叙事："班马之笔、意在作文"的模式鼎革

灵异叙事是蒲松龄设幻造境、取象达意的首要方式。宗白华曾言，艺术形式美的秘密和奥妙，在于每个艺术家都要通过创造形式来表现思想，艺术形式美是一种无可替代的创造。② 李泽厚也称，对文艺——审美自身法则的空前重视和刻意追求，意味着"艺"、"文"不只是"载道"而已，它们自身的技巧、规则还有其独立的意义在。③ 在叙事学已成显学当今回望《聊斋志异》，它之所以能位列古典文言小说之巅，除了思想性、典型性之外，蒲松龄的叙事新创亦功不可没。《聊斋志异》突破了传统的"纪事实，探物理，辨疑惑，示劝戒，采风俗，助谈笑"文言写作方式，④全书近五百篇华章，无不涌动着作者不落格套的不羁创想，"每篇各具局面，排场不一，意境翻新"，处处寄寓着作者追宗黄州的山林野趣，"令读者每至一篇，另长一番精神"，在"渔蒐闻见、抒写襟怀"中企及文言叙事的巅峰境界。而灵异叙事亦卓然矗立，成为《聊斋志异》独立于其思想意蕴与典型之象的有意味的形式，以灵异的巧构鬼斧神工地点化了文本寓意之幻，构成审美意识系统中堪与意、象、境比肩的重要范畴。

《聊斋志异》叙事之妙，前人述及良多。清人王士祯对蒲松龄的文笔

---

① 李泽厚：《美学三书》，安徽文艺出版社 1999 年版，第 7 页。
② 宗白华：《艺境》，北京大学出版社 1999 年版，第 255 页。
③ 李泽厚：《美学三书》，安徽文艺出版社 1999 年版，第 413 页。
④ （唐）李肇：《唐国史补序》，见黄霖、韩同文选注：《中国历代小说论著选》（修订本）（上册上编），江西人民出版社 2000 年版，第 53 页。

评价甚高,称其能对先唐散文及六朝骈文兼收并蓄:"或探源左、国,或脱胎韩、柳,奄有众长,不名一格。"(《聊斋文集序》)此论虽从正向予以褒奖,却未免失之于泛。而袁枚"议其繁衍"、纪昀称为"才子之笔、而非著述之体",则从反向予以讥斥,虽失之偏颇却亦从另一面道出蒲氏《聊斋志异》异于著述的创作性质。相较而言,冯镇峦评之为"意在作文"、"班、马之笔"(《读聊斋杂说》),①则可谓抓住了《聊斋志异》以史传完整性强化幻想奇诡性的叙事神韵。而近人鲁迅"用传奇体,而以志怪"(《中国小说史略》)虽一度被聊斋学界视为经典论断,但却略显武断、实难周全。对此,已有学者专文论析、质疑。② 新中国成立后半个世纪,学界关于《聊斋志异》叙事艺术的研究取得了丰硕的斩获,主要集中于结合典型塑造、情节结构、作者情志、社会文化等的传统叙事艺术研究,③直接探究《聊斋志异》叙事艺术特征的以袁世硕、杨义和王平的研究为代表。④ 在众多的

---

　　① 冯镇峦:《读聊斋杂说》,见朱一玄编:《〈聊斋志异〉资料汇编》,中州古籍出版社1985年版,第582、584、587页。

　　② 参见前注所引袁世硕、王平的文章。

　　③ 参见何满子:《蒲松龄与聊斋志异》,上海出版公司1955年版;雷群明:《聊斋艺术谈》,江西人民出版社1981年版;双翼:《聊斋志异今谈》,百花文艺出版社1982年版;李厚基、韩海明:《人鬼狐妖的艺术世界》,天津人民出版社1982年版;陈香:《聊斋志异研究》,(台湾)"国家"出版社1983年版;徐小梅:《聊斋志异与唐人传奇的比较研究》,(台湾)黎明文化事业公司1983年版;吴组缃:《聊斋志异欣赏》,北京大学出版社1985年版;汪玢玲:《蒲松龄与民间文学》,上海文艺出版社1985年版;马振方:《聊斋艺术论》,上海文艺出版社1986年版;任孚先:《聊斋志异评析》,山东人民出版社1986年版;薄子涛:《聊斋艺术谈》,中国文联出版公司1987年版;雷群明:《聊斋艺术通论》,三联书店1989年版;马瑞芳:《聊斋志异创作论》,山东大学出版社1990年版;王枝忠:《蒲松龄论集》,文化艺术出版社1990年版;唐富龄:《文言小说高峰的回归——聊斋志异纵横研究》,武汉大学出版社1990年版;盛瑞裕:《聊斋人物塑造艺术研究》,武汉出版社1991年版;王平:《聊斋创作心理研究》,山东文艺出版社1991年版;于天池:《蒲松龄与聊斋志异》,北京师范大学出版社1993年版;盛瑞裕:《花妖狐鬼话聊斋》,华中理工大学出版社1994年版;林植峰:《聊斋艺术的魅力》,学林出版社1995年版;等等。

　　④ 参见袁世硕:《〈聊斋〉志怪艺术新质论略》,《文史哲》1989年第6期;杨义:《〈聊斋志异〉的叙事特征》,《江淮论坛》1992年第3期;王平:《论〈聊斋志异〉的叙事角度》,《淄博学院学报》(社会科学版)1999年第4期。王平另有两篇发表于本世纪初的相关论文,王平:《"用传奇法而以志怪"质疑——兼论〈聊斋志异〉叙事的基本特征》,《蒲松龄研究》2000年第Z1期;王平:《论文言小说叙事角度的特征及演变》,《山西师大学报》(社会科学版)2002年第4期。

研究成果中,针对《聊斋志异》"异史氏曰"叙事艺术的研究尤为集中,且持续高热迄今不退,成果多达近百篇。① 此类研究的着眼点多类如同期研究主潮,侧重于传统叙事艺术的研究模式。进入新世纪以来,《聊斋志异》叙事艺术研究在延续自 20 世纪 80 年代末开始的融合中国古典小说叙事传统与西方现代叙事理论的基础上,以更为开阔的国际视野走向更为深广的理论视阈,新老学者们的主要研究兴趣集中于两个方面:一是循着前人对"异史氏曰"的叙事研究路径,借鉴中外新型的叙事理论成果展开深入发掘;②

---

① 参见马振方:《"异史氏曰"琐议——读〈聊斋志异〉》,《文献》1980 年第 2 期;张福深:《试论〈聊斋志异〉的"异史氏曰"》,《锦州师范学院学报》(哲学社会科学版)1980 年第 4 期;流舟:《〈聊斋志异〉中的"异史氏曰"》,《青海民族学院学报》1981 年第 2 期;吕扬:《蒲松龄的小说理论初探》,《山东师大学报》(哲学社会科学版)1984 年第 6 期;盛夏:《略论〈聊斋志异〉的"异史氏曰"》,《丽水师专学报》1984 年第 1 期;任孚先:《〈聊斋志异〉"异史氏曰"的思想和艺术》,《文学评论》1985 年第 2 期;李梦生:《浅谈〈聊斋志异〉中"异史氏曰"》,《江淮论坛》1985 年第 2 期;许天琪:《〈聊斋志异〉"异史氏曰"漫评》,《上海师范大学学报》(哲学社会科学版)1989 年第 4 期;张学忠:《写议相辅　主客互托——论〈聊斋志异〉的"异史氏曰"》,《蒲松龄研究》1989 年第 2 期;[日]藤田祐贤、王枝忠、鲁忠慧:《〈聊斋志异〉研究序说——论蒲松龄的创作心态》,《固原师专学报》1991 年第 2 期;林骅:《从"异史氏曰"看理念对〈聊斋志异〉创作的诱导与制约——蒲松龄创作心里探绘之一》,《蒲松龄研究》1992 年第 2 期;赵金维:《论〈聊斋志异〉的史学色彩》,《求是学刊》1996 年第 1 期;刘天振:《从唐人传奇到〈聊斋志异〉看文言小说"叙述者"的变异》,《蒲松龄研究》1999 年第 3 期;朱尧:《论〈聊斋志异〉"异史氏曰"思想和艺术上的缺陷》,《明清小说研究》1999 年第 4 期。

② 参见郑铁生:《〈聊斋志异〉"异史氏曰"叙事形式的探析》,《蒲松龄研究》2001 年第 4 期;夏春豪:《〈聊斋志异〉"异史氏曰"略论》,《青海师专学报》2002 年第 4 期;黄晶:《"异史氏"的"心灵史"——论〈聊斋志异〉中的压抑与幻想》,《蒲松龄研究》2004 年第 1 期;董玉洪:《浅论古代文言小说对"太史公曰"论赞形式的继承》,《阜阳师范学院学报》(社会科学版)2005 年第 2 期;李娟:《"异史氏曰"——〈聊斋志异〉中的干预叙述者》,《河池学院学报》(哲学社会科学版)2006 年第 3 期;孟睿:《蒲松龄在〈聊斋志异〉创作中自我实现心态的移置》,《理论界》2007 年第 5 期;房春草:《"君看十万言,实与良史俱"——从〈聊斋志异〉看蒲松龄的史才》,《蒲松龄研究》2008 年第 2 期;黄英龙:《〈聊斋志异〉曲终奏雅艺术探析——评"异史氏曰"的得失》,《忻州师范学院学报》2009 年第 3 期;刘尚云:《〈聊斋志异〉"异史氏曰"叙事艺术论略》,《山东师范大学学报》(人文社会科学版)2009 年第 6 期;何明凤:《〈聊斋志异〉中的"异史氏曰"与评论》,《文史杂志》2011 年第 4 期;余宗其:《"异史氏曰"的法律议论艺术》,《书屋》2011 年第 6 期;赵凤:《从"异史氏曰"看〈聊斋志异〉的抒情方式》,《河北北方学院学报》(社会科学版)2012 年第 6 期;聂春艳:《论清代文言小说的议论风气及其成因》,《小说评论》2012 年第 S2 期;郑春元:《〈聊斋志异〉的理趣美》,《蒲松龄研究》2013 年第 1 期;刘云春:《论历史叙事及其对明清小说的影响》,《当代文坛》2013 年第 1 期。

二是直接展开叙事学研究。① 尤值一提的是,新世纪加入聊斋学研究的一批新锐,也在这一领域取得了可喜的成绩,尤以尚继武、冀运鲁、张守荣、王小平、陈才训等人的研究为代表。② 上述研究俱为窥见《聊斋志异》

① 参见欧阳文风:《〈聊斋志异〉的离合叙事模式》,《衡阳师范学院学报》(社会科学)2000年第2期;欧阳文风、周秋良:《〈聊斋志异〉的组合叙事范式》,《衡阳师范学院学报》(社会科学版)2001年第4期;杨海波:《论〈聊斋志异〉的叙事角色和叙事视角》,《陇东学院学报》2006年第3期;刘绍信:《叙述声音的多重传达——〈聊斋志异〉评论干预的方式考察》,《北方论丛》2006年第3期;刘绍信:《〈聊斋志异〉叙事模式研究刍议》,《黑龙江社会科学》2006年第2期;刘绍信:《〈聊斋志异〉隐喻寄托模式探微》,《北方论丛》2011年第2期;刘绍信:《聊斋》叙事的特例:《狐梦》解读,《文艺评论》2012年第6期。

② 参见潘峰:《浅析文言小说叙事艺术前演进——以梦小说为中心》,《明清小说研究》2002年第4期;潘峰、张伟:《由注重情节之奇到追求人物之真——〈聊斋志异〉对唐传奇叙事重心的切换》,《临沂师范学院学报》2003年第2期;蒋玉斌:《〈聊斋志异〉的反复叙事策略简论》,《西南民族大学学报》(人文社会科学版)2004年第6期;金生奎:《世俗欲望:在想象中走向圆满——〈聊斋志异〉中"得福型"叙事模式的特点及表达功能》,《蒲松龄研究》2006年第2期;尚继武:《〈聊斋志异〉叙事研究,苏州大学2006年硕士论文;尚继武:《〈聊斋志异〉复合叙事序列论析》,《海南大学学报》(人文社会科学版)2006年第3期;尚继武:《论〈聊斋志异〉的叙事艺术创新》,《连云港师范高等专科学校学报》2006年第3期;尚继武:《第三叙事空间:〈聊斋志异〉独特的艺术空间》,《连云港师范高等专科学校学报》2008年第1期;尚继武:《〈聊斋志异〉反讽叙事修辞简析》,《蒲松龄研究》2008年第1期;尚继武:《〈聊斋志异〉叙事序列与文体形态简析》,《湖南科技学院学报》2008年第1期;尚继武:《疑波迭起 精彩迭出——论〈聊斋志异〉的悬念修辞艺术》,《名作欣赏》2009年第11期;尚继武:《〈聊斋志异〉故事情境的追叙艺术》,《明清小说研究》2011年第1期;冀运鲁:《〈聊斋志异〉叙事艺术与传统文章学"起承转合"笔法》,《中国石油大学学报》2006年第3期;冀运鲁:《〈聊斋志异〉的叙事修辞干预》,《社会科学论坛》2008年第11期(下);冀运鲁《聊斋志异》叙事艺术之渊源研究,上海大学博士论文,2010年;张守荣:《主观情思的艺术奇葩——析〈聊斋志异〉的男性叙事视角》,《青岛大学师范学院学报》2005年第1期;张守荣:《情有独钟矫夭多变——〈聊斋志异〉的叙事时间艺术探》,《青岛科技大学学报》2005年第1期;张守荣:《解析〈聊斋志异〉的叙事语言艺术》,《六盘水师范高等专科学校学报》2008年第5期;张守荣:《"瓜棚下的怪谈"——试论〈聊斋志异〉的叙事艺术》,《新余高专学报》2008年第6期;王小平:《〈聊斋志异〉以文入史的叙事策略》,《蒲松龄研究》2007年第2期;王小平:《〈聊斋志异〉的叙事策略》,《四川理工学院学报》(社会科学版)2008年第1期;袁凤琴、文春凤:《叙事意象及其在〈聊斋志异〉中的运用》,《枣庄学院学报》2007年第6期;穆爽:《蒲松龄〈聊斋志异〉叙事视角分析》,《温州职业技术学院学报》2009年第2期;张凯:《〈青凤〉中民间故事叙事特点的体现》,《蒲松龄研究》2010年第1期;陈才训:《论八股技法对〈聊斋志异〉叙事艺术的影响》,《南京师大学报》(社会科学版)2010年第6期;陈书慧:《论〈聊斋志异〉对前人叙事艺术的承继》,《文学界》2011年第12期。

叙事美学堂奥的佳构,其中已或多或少、或隐或显地述及《聊斋志异》灵异叙事的主要特质。然而,直接对此特质展开明确的系统研究却稍显单薄,以笔者目力所及,目前仅见王春霞、陶丽君、王建平等人的少量论文。① 这无疑是当今蔚为大观的聊斋学研究的一种缺憾。

综览上述研究成果,结合蒲松龄的生平遭际,重新审视《聊斋志异》的叙事文本,可以发现,所谓"灵异叙事",是指借由富于魔幻色彩的超现实的典型之"象"、双重之"境"映照和反观现实社会人生、寄托主体之"意"、勾勒理想审美世界的艺术再现形式。由此观之,则灵异叙事实为蒲松龄在梦断科场、生活困厄之后,痛觉落第"非战之罪",蕴积一股悲郁的逆反情绪,于灵魂幻想中寄寓自己孤愤之意的悲情选择;是他在郁结于心、久难平复之后,反叛正统文学樊篱,自比屈原、干宝、李贺、苏轼,于小说一途寻求自己的审美精神系统的自主溯源;也是他在饱历沧桑、深阅世相之后,还原乡井趣味和个性圣婴,涤去正统文人"公服"之气,于青林黑塞间"自鸣天籁、不取好音"、寻求知己的创作心态的自由表达;更是他在显身无径、报国无门之后,托意狐鬼、假借神明,逞史才、仗诗笔、代灵异立言,于小说创作中贯通三界、指点江山,营构突破时空的主体审美意识系统的自觉思考。可以说,灵异叙事是《聊斋志异》中无处不在的审美思维方式,是蒲松龄审美意识系统至为重要的形式范畴。

从静观的审美客体来讲,《聊斋志异》的灵异叙事在传统叙事艺术和西方叙事学方面的审美特征,前述学者已有诸多成果,这些成果单一来看虽仅涉某个或几个方面,但若综合相参则已形成较为完备的系统。归纳起来,至少覆盖四个子系统:一是灵异叙事的传统渊源系统,涵括民间叙事思维机制、史传叙事模式和志怪、传奇、话本、章回、古文、八股文乃至诗词书画等文艺叙事技法;二是灵异叙事的主体生成系统,涵括主体生平遭际、主体人际交往、社会文化浸润、主体情志养成;三是灵异叙事的客体生成系

① 参见王春霞:《幻境人生——〈聊斋志异〉与灵异山东的文学叙事研究》,山东师范大学硕士论文,2007 年;陶丽君:《小泉八云的〈怪谈〉与蒲松龄的〈聊斋志异〉——从灵异文学看民族文化》,《语文学刊》(外语教育与教学)2010 年第 3 期;王建平:《〈聊斋志异〉中的灾异叙事》,《名作欣赏》2010 年第 5 期。

统,涵括本事考辨、故事结构、情节设计、形象塑造;四是灵异叙事的文本分析系统,涵括叙事结构、叙事角度、叙事模式、叙事时空、叙事修辞、叙事语言、角色类型。无论渊源、主体、客体、文本中哪一个子系统的研究,其叙事审美意蕴的精髓均指向"灵异",共同服务于全书至高审美范畴——"幻"。

从动态的审美主体角度来讲,蒲松龄在小说叙事艺术上"高人一等"之处正在于其所创构的灵异叙事模式。而这一模式的典范意义则源自三个方面:首先源自其植根传统、渊源有自的开放意识。他以万物皆备于我的开放心态兼容百家,采干宝之题材范围与幻想方式,撷唐传奇之意象典故与叙述方式,融六朝志怪之文人雅统,化话本章回之市井趣味。正是这种开放之心奠基了《聊斋志异》叙事艺术的成就。其次源自其植根民间、舍我其谁的担当意识。在蒲松龄的时代,小说本为文人士大夫所不耻为之,"讲奇语怪"更是圣人不为、于己无益,但他却以务使小说并非小道末技的担当意识,敢于接着"讲奇语怪"的叙事传统继续讲,并务求匠心独运,揭橥了隐匿于民间乡野的原始异质文化的丰厚蕴涵和民族风采。最后源自其转益多师、超越前代的自觉意识。他于传统之中探求精神系统,承继前代又力求超越,来自传统与民间的养分的确丰厚,却无一不经其在意中、心内长久揣摩、陶染和融化,最终进入文本的结撰成"象"的,都暗含着他的生平遭际与学问涵养,寄寓了他的某种态度与某种希冀,是饱含其心血情意的意中之"象"的物化形态与审美释放。正是这种艺术自觉,使他以奇诡的想象、自由的思想开创了全新的"灵异叙事"模式,铸就了《聊斋志异》的辉煌。

四、隐喻思维:"冥会幽探、曲尽世态"的道本追索

隐喻思维是蒲松龄生命美学的直觉体验和小说理论的审美积淀。隐喻原本是作为语言学修辞格存在的,有学者认为,"隐喻是艺术理论中一个原点性问题,是一个不断被思考与解答的古老又富有生命力的话题。"①"隐喻是一种认知和行为方式,具有系统性、经验性和心理现实性的特

———————————

① 参见付军龙:《叙事语言中的隐喻》,《学术交流》2007 年第 8 期。

征"，其"深层哲学基础是'天人合一'的宇宙统一论"。① 20世纪以来，隐喻横跨心理学、哲学、文艺学、语言学诸学科的多维性蕴涵开始被进一步发掘，隐喻思维对文学文本的意义进入学人研究视野。有学者认为，古代文学文本中往往蕴含诸多隐性话语，"这种隐曲之意的表达是古人隐喻思维模式的表现"，"隐喻思维主要包括两个过程：从具象到形象的观物取象和从形象到表意的立象以尽意"，具有"隐曲性、对应性、想象与联想性和主观性"四大特征。② 蒲松龄创构《聊斋志异》彼时的境况我们已无法确切获知，但其寄寓于《聊斋志异》中的"幻"感与"悲"情，尽管具有隐、藏、晦的特质，却可以通过其生平、文本、遗迹、传说等线索，窥见其隐喻思维的扩散和审美意识的积淀。

其一，《聊斋志异》是蒲松龄以身体道发现人本之"幻"的产物。从审美客体看，袁世硕曾考察了蒲松龄创作《聊斋志异》的过程，认为蒲松龄在及冠之年便已开始了神怪小说创作，四十岁时就已初具规模、结集成书、并写了《自志》，他在这年进入毕家坐馆后，仍然在不停地创作，及其暮年时最后成书。蒲氏一生遭际坎坷，书中蕴涵着他大半生的感情寄托和心理历程，隐喻着他以身体道之后对人生的人本之"幻"的深切体验。依据《聊斋志异》的许多篇章里写到的人、事及其他有关情况来看，他在早期仍对科举抱有幻想，到晚期则已彻底绝望。③ 文本中处处隐喻着审美主体以身体道的生命美学中的幻灭直感。从审美主体看，蒲松龄的一生，是怀才不遇、穷愁潦倒的一生。他对前途和共鸣，曾经历过一反热望和幻灭的过程。"惨淡经营，冀博一第，而终困于场屋"，构成他一生的主要矛盾。这种矛盾也造成他巨大的心理压抑和沉痛的精神折磨。蒲松龄自称"破衲病僧"，虽为愤激之言，实为其落魄难堪的心态的真实写照。书中落魄书生的生活和命运，尤其是那些写书生科举失意、阅卷官"黜佳士而进凡庸"的篇章，无一不是蒲松龄本人的身影和心迹，蕴藉着自况自

---

① 参见毛凡宇：《关于隐喻的哲学思考》，《江西社会科学》2008年第12期。
② 参见杨万里：《论〈周易〉中的隐喻思维方式》，《忻州师范学院学报》2010年第8期。
③ 参见袁世硕有关蒲松龄与他人交往的相关研究成果。

伤的悲情;那些花妖狐魅的描写既歌颂了自由爱情,也蕴涵着蒲氏独特情感体验和在现实中不能或不敢表露的情愫、思想;如《娇娜》中非妻异性娇娜与孔生的精神契合,《公孙九娘》中鬼女的哀怨对清廷镇压、滥杀的抗议,《黄英》对文人鄙视经商的清高意识的嘲笑。

其二,《聊斋志异》是蒲松龄以心悟道发现心本之"幻"的产物。袁世硕曾明确指出《聊斋志异》是蒲松龄自抒其愤、自表其哀、自慰其情、自抉其心灵的因素和性质。蒲松龄在《聊斋志异》中所隐喻的孤愤和隐愁蕴藉两层内涵:一是不满社会现实,以抒写其愤激情怀,消释块垒;二是肯定自我,幻想美好人生,以表达其生活理想。这种愤激与理想,既是对书生、青年、百姓、商贾等生活苦难的悲悯与同情,也是对科考、礼法、吏治、商业的思考与寄望,两者均在《聊斋志异》幻境意象的不羁创构和灵异叙事的模式鼎革中得到释放。《聊斋志异》素材来源大致有三:一是采撷或借鉴前人的小说和笔记,朱一玄《聊斋志异资料汇编》之"本事编"多有记载;二是友人所提供和赠寄;三是作者自己的经历或见闻。实际上,其中更多的作品,尤其是那些爱情题材的名篇,多为作者虚构创造,并无"本事"可考。这些作品或借由"师造化"得自然之"物态",或借由"得心源"得自我之"人格",或借由"一天人"得冥想之"物化",通过"物态——人格——物化"流程,实现自然之物与自觉之我、世情之态与厚生之情、鬼狐之形与气韵之神、人物之体与天地之道的妙合无垠和完美对应。各类作品尤其是虚构创造的作品中,悲悯与同情是真挚的,又是隐喻的,在文本中以虚幻迷离的花妖狐魅、灵怪异类等形式承载;思考与寄望是深沉的,也是深藏的,在文本中以超现实的幻域神界、阴司冥王等力量显现。种种创构与鼎革,均隐含着审美主体以心悟道之后对现实世界的幻灭之感。

其三,《聊斋志异》是蒲松龄以幻证道之后发现仁本之"幻"的产物。《聊斋志异》是蒲松龄有意识地借想象、幻想进行的文学创作,有着明显的以文求道的寓意性质,而绝非记述奇闻异事那么简单。他寄望于"青林黑塞间"的知己能领会自己假狐鬼花妖关照人生、抒写忧愤、出脱内心隐秘的意蕴、情趣。对此,冯镇峦曾于《读聊斋杂说》文后列《聊斋》读法四则:"以读《左传》之法读之。《左传》阔大,《聊斋》工细。其叙事变化,无法不备;其刻画细致,无妙不臻。工细亦阔大也";"以读《庄子》之法读之。《庄子》惝恍,《聊斋》绵密。虽说鬼说狐,如华严楼阁,弹指即现;如未央宫阙,实地造成。绵密实惝恍也";"以读《史记》之法读之。《史记》气盛,《聊斋》气幽。从夜火篝灯入,从白日青天出。排山倒海,一笔数行;福地洞天,别开世界。亦幽亦盛";"以读程、朱语录之法读之。语录理精,《聊斋》情当。凡事境奇怪,实情致周匝,合乎人意中所欲出,与先正不背在情理中也"。① 冯氏此论本意在评述蒲氏《聊斋志异》文法之妙,客观来看,他以《左传》《庄子》《史记》、程朱语录比之《聊斋志异》,实已揭橥出蒲氏以文求道的审美创构路向,而其所言之"工细"、"绵密"、"气幽"、"情当",亦可视为对《聊斋志异》以幻证道的隐喻思维技巧的高妙概括。从审美客体来看,无论是书生借由鬼神之力实现科举之想、还是女性借由灵异之力实现情爱之梦,无论是百姓借由冥界之术实现公平之判,还是商人借由奇幻之术实现致富之果,种种对科举、礼法、吏治、商业的理想结局均须凭借超现实的力量获取,这种情节设置本身即蕴藉着对现实之中大道"幻"灭的深切"悲"情。从审美创构过程来看,蒲松龄远接屈原、《史记》,近续瞿佑、李昌祺"剪灯二话",在《聊斋志异》中继承了历代文人"发愤著书"的传统,其花妖狐鬼的描写中自然蕴藉着深沉的情本蕴藉,其"异史氏曰"的抒写中赫然标举着求索正道的道本仁心,是其隐喻思维的审美创构方式的独特呈现。其文本中所隐喻的孤愤之情,与屈原、司马迁、桓谭、韩愈、欧阳修、李贽、陈忱等人的精神一脉相承。对此,南邨跋、高凤翰题辞等均道出《聊斋志异》深刻的思想意蕴和巨大的情感力量,但明伦更将其孤愤精神与《水浒传》《红楼梦》相提并论。

《聊斋自志》云:"集腋为裘,妄续幽冥之录;浮白载笔,仅成孤愤之书。寄托如此,亦足悲矣。"作为一部"孤愤"之书,《聊斋志异》中灌注着蒲松龄凝注现实、设幻寓真的隐性思考和"冥会幽探、曲尽世态"的道本追索,隐喻着蒲氏以身体道的人本向度、以心悟道的心本向度、以幻证道的仁本向度。然而,蒲氏孜孜以求的追索却与现实境况矛盾重重、无法调

---

① 朱一玄编:《〈聊斋志异〉资料汇编》,中州古籍出版社 1985 年版,第 590 页。

和,心中郁结难以化解,文本中便时常流露出人生虚幻之感,笼罩着悲壮感伤的情绪。这种"幻"感与"悲"情交织出《聊斋志异》独特的审美意蕴,而其呈现则主要借由隐喻思维这一极具有魔力的审美方式实现。《聊斋志异》中所呈现的这种以简单方式表达复杂情感的创造性艺术思维模式的蛛丝马迹,不仅是蒲松龄对生命审美的直观体验,而且暗合了人的生命力和审美心理力的关系,成为《聊斋志异》寄寓性、暗示性和多义性的源泉。这也是《聊斋志异》高于时人"谈虚无胜于言时事"之处。

五、结语:《聊斋志异》审美意识系统

综上,蒲松龄在《聊斋志异》中建立起了独特的审美意识系统。首先是审美意象子系统,以"意、象、境"为核心基元,以"幻"为悲美基调;主体之"意"、客体之"象"与典型之"境"通力合作,共同指向终极之"幻",以"出入幻域、顿入人间"的不羁创想,营构了一个乖奇迷离的幻象世界,呈现审美主体价值系统。其次是审美再现子系统,以"灵异叙事"为首要方式;借此独立于思想意蕴与典型之象的有意味的形式,以灵异的巧构鬼斧神工地点化了文本寓意之幻,呈现审美客体价值系统。最后是审美思维子系统,以"隐喻思维"为生命美学的直觉体验和小说理论的审美积淀;借由"师造化"得自然之"物态",借由"得心源"得自我之"人格",借由"一天人"得冥想之"物化",通过"物态——人格——物化"流程,实现自然之物与自觉之我、世情之态与厚生之情、鬼狐之形与气韵之神、人物之体与天地之道的妙合无垠和完美对应,呈现审美创构过程系统。

循着作品中心、意象创构、叙事模式和隐喻思维展开对清代小说审美意识的研究,旨在弘扬古典小说系统由来已久的前沿属性,并使之更好地为传统民族文学现代化和国际化服务,促使民族文学登上新的艺术高峰。

第三节 群体意象·多元叙事·民族思维
——《红楼梦》文本审美意识研究

清代审美意识的自觉发展臻于高峰,对清人丰富繁杂的文艺成就中

所呈现的独特的审美意识展开研究意义重大。清代审美意识史研究,就是要对清代审美意识资源进行基础性梳理,对清代审美意识特征进行原创性总结,对中国美学史研究新路径展开前瞻性探索,力图在解构审美意识物化形态的基础上建构起清代审美意识的主体价值体系。较之书画、园林、器物、诗词等其他艺术形式,清代小说明显呈现出迥然相异的意象特征和叙事特质,蕴藉着清代审美意识嬗变的深层轨迹;①较之前代,清代小说也承继明代小说四大奇书的辉煌,《红楼梦》与《儒林外史》、《聊斋志异》一同,分别从长篇与短篇、白话与文言两个方面,铸就了古典小说的最后高峰。如此说来,对清代小说审美意识的系统研究,就不仅是清代审美意识研究的一个重要板块,且应占到相当的比重。为此,笔者不揣浅陋,拟以《红楼梦》为例,穷究曹雪芹于这部清代力著中潜藏的审美意识体系,展开对清代小说审美意识的探讨。

一、引言:回归红楼美学研究的文本起点

小说既是一种语言艺术,以意象、叙事等艺术地再现作家的独到体验;又是一项审美活动,饱含着"心灵在审美活动中所表现出来的自觉状态",与书画、园林、器物等文艺形式密切相连又迥然相异;也是综合性意识形态,既蕴涵政治、经济、风俗乃至宗教等多种意识内容,更蕴藉着丰富的审美意识内容。《红楼梦》作为曹雪芹艺术经验和精神活动的结晶,必然蕴含着其深层的心理体验和源自意象创构和叙事模式的审美经验,其独特的审美意识势必作为精神财富"在不同的时间和空间中得以传承",②奠定民族审美传统和清代美学思想基础,并不断地被再创造,被赋予新内涵,展现新理想。从这个意义上讲,《红楼梦》既是曹雪芹个人也是清代时代审美意识的艺术载体和传承媒介。

《红楼梦》堪称世情小说之集大成者。它既继承了《金瓶梅》、《醒世

---

① 参见拙作:《清代书法笔法类型特征及其审美意识》,《民族艺术研究》2013 年第 2 期;《清代馆阁体意象创构特征和审美意识》,《民族艺术研究》2013 年第 3 期;《清代碑学转向的革命意识》,《云南社会科学》2013 年第 4 期。

② 朱志荣:《中国审美理论》,北京大学出版社 2005 年版,第 129 页。

姻缘传》等世情小说和明清才子佳人小说的传统，又承传了《西厢记》、《牡丹亭》等元明戏曲以及历代诗词曲赋等多种文艺传统。至为关键的是，曹雪芹还在此基础上，以其主体审美判断加以选择、提纯、新创，筑造起古典小说史上空前绝后的现实主义巅峰。正因此，《红楼梦》甫一问世，即在乾隆、嘉庆年间的士人与民间广为流播、影响甚远，并获得了诸多时人佳评。乾嘉时人郝懿行《晒书堂笔录》曾载："余以乾隆、嘉庆间入都，见人家案头必有一本《红楼梦》。"吴云《从心录题词》亦谓："士夫几于家有《红楼梦》一书。"道光年间缪艮更称："《红楼梦》一书，近世稗官家翘楚也。家弦户诵，妇竖皆知。"足见《红楼梦》自乾隆年间成书以后便在当时流传甚广、家喻户晓。不仅如此，《红楼梦》还赢得了当时广大士人的喜爱与美誉。他们或简加推许、未置详析，如杨恩寿《词余丛话》评其谓："《红楼梦》为小说中无上上品。"①赵之谦《章安杂说》则誉其曰："世所传《红楼梦》小说家第一品也。"或叹赞小说极善言情，如杨懋建《梦华琐簿》称："《红楼梦》叙述儿女子事，真天地间不可无一，不可有二之作。"郑光祖《一斑录杂述》更称："此书立意高而奇，传情深而确，使天下不可无一，不能有二。"或深许小说艺术技巧，如谢鸿申《答周同书》称："《红楼梦》事迹本来平淡无奇"，"乃偏能细筋入骨，写照如生，笔力心思，无出其右"，"其事本无可迹，而一经妙手摹写，尽态极妍，令人愈看愈爱。"邱炜萲《续小说闲评》更称："若论小说本色，则《红楼梦》其圣矣。"甚至在《小说闲评》中直称："《红楼梦》彻首彻尾竟无一笔可议，所以独高一代。"剔除部分夸大失实之词不论，仅从上述清人对《红楼梦》在当时传播盛况之记载和对《红楼梦》的认同、推崇、赞誉之诚意，即足以说明《红楼梦》在有清一代即已颇负盛名，也足以确证《红楼梦》在清代文坛上"无上上品"、"第一品"、"不可无一，不可有二"、"独高一代"的超拔地位。嗣后，诸多红学大家俱对此予以首肯认同，几成学界共识。鲁迅先生就曾盛赞之："《红楼梦》的价值，可是在中国底小说中实在是不可多得的"，"总之，自有《红楼梦》出来以后，传统的思想和写法

---

① 一粟：《红楼梦资料汇编》（全二册），中华书局1964年版，第25页。

都打破了。"①刘大杰亦直言："曹雪芹的《红楼梦》,不但是18世纪中国最伟大的文学作品,它同《诗经》、屈赋、《史记》、杜诗和《水浒》,在中国三千多年来的古典文学历史上,形成绵延不断的现实主义文学的高峰;由于它们在艺术上优秀的成就,高度地表现了我们民族的创造精神和风格,成为民族文学中最珍贵最光辉的遗产。"②鲁迅、刘大杰二先生之论诚不欺也。不仅如此,《红楼梦》在清代小说美学、中国古典美学史乃至中国古代审美意识史上的地位也不可小觑。《红楼梦》在意象创构和叙事模式上既有传统承继的物化特征,也兼有明显的时代烙印与显著的诗化倾向。其于意象创构与叙事模式中呈现的思维自觉,在审美功能与艺术形式上,都充分体现了清人对传统的清醒认识和勇于无视的创新精神,展示了其审美意识从封闭约束到开放自由的精神发展。《红楼梦》的不朽,不在其对经学、史学、诸子哲学、散文骈文、诗词歌赋、评话戏文、绘画书法、八股对联、诗谜酒令、佛教道教、星象医卜、礼节仪式、风土人情等传统中国文化的一切知识累积巧妙安插于文本之内,而在其行文立意之高远,在其艺术成就之卓越。可以说,《红楼梦》之美,美在博大庞杂的群体意象创构,美在错综复杂的多元叙事模式,更美在其潜藏于群体意象创构之后、深蕴于多元叙事模式之中的民族思维审美方式,它之所以能在当时和后世获得成功,即在它艺术地再现了清代盛行的时代审美意识,使时人有心同此理的共鸣,也使后人有窥斑见豹的释然。鲁迅先生所言之被"打破"的"思想和写法",实为《红楼梦》所承载的小说艺术美学意蕴和所蕴藉的清初审美意识内涵,也正是因为它能够彰显"不可多得"的价值和"无上上品"、"第一品"、"不可无一,不可有二"、"独高一代"的地位的核心基元。以《红楼梦》为中心视点、以作品与审美意识的关系为切入点展开研究,揭示这一内涵的审美实质,探究这一基元的主要特质,既是《红楼梦》审美意识研究的本根命意所在,也是其研究的基本方法,更是"红

---

① 鲁迅:《中国小说的历史的变迁》,参见《中国小说史略》,人民文学出版社1975年版。

② 刘大杰:《古典文学巨著〈红楼梦〉》,见《红楼梦研究参考资料》(第四辑),人民文学出版社1978年版,第60页。

学"乃至"曹学"研究迄今为止至为重要的旨归和路向。

自《红楼梦》诞生迄今两百多年间,有关曹雪芹和《红楼梦》的研究从未间断,成果斐然。"红学"研究史,实可视为《红楼梦》审美意识的发现史。对此,潘重规《红学五十年》(1966 年)和《红学六十年》①、郭豫适《红楼研究小史稿》②和《红楼研究小史稿续》③、韩进廉《红学史稿》④、胡文彬和周雷《台湾红学论文选》⑤、《香港红学论文选》⑥和《海外红学论集》⑦以及《〈红楼梦〉在国外》⑧、伊藤漱平《日本研究红楼梦小史》⑨、刘梦溪《红学三十年论文选编》⑩和《〈红楼梦〉与百年中国》⑪、欧阳健《红学百年风云录》⑫、白盾《红楼梦研究史论》⑬、陈维昭的《红学与二十世纪学术思想》⑭和《红学通史》⑮、孙玉明《日本红学史稿》⑯、余英时《四海红楼》⑰等诸多前贤的综述性论著中俱有较为翔实的论述。纵览 260 年"红学"研究史,约略可将其分为三个大的阶段:一是自《红楼梦》问世至清末民初,此期可称为清代当朝的研究,亦即所谓"前红学"阶段;二是整个 20世纪,此期又可分为民国时期的研究和建国以后的研究两段,即所谓"旧红学"与"新红学"阶段;三是进入 21 世纪以来的这 15 年,此期可称为新

① 参见潘重规:《红学六十年》,台北三民书局 1974 年版。

② 参见郭豫适:《红楼研究小史稿》,上海文艺出版社 1980 年版。

③ 参见郭豫适:《红楼研究小史稿续》,上海文艺出版社 1981 年版。

④ 韩进廉:《红学史稿》,河北大学出版社 1981 年版。

⑤ 胡文彬、周雷:《台湾红学论文选》,百花文艺出版社 1981 年版。

⑥ 胡文彬、周雷:《香港红学论文选》,百花文艺出版社 1982 年版。

⑦ 胡文彬、周雷:《海外红学论集》,上海古籍出版社 1982 年版。

⑧ 胡文彬:《〈红楼梦〉在国外》,中华书局 1993 年版。

⑨ [日]伊藤漱平:《日本研究红楼梦小史》,参见周策纵编:《首届国际红楼梦研讨会论文集》,香港中文大学出版社 1983 年版。

⑩ 刘梦溪:《红学三十年论文选编》(上中下),百花文艺出版社 1983、1984 年版。

⑪ 刘梦溪:《〈红楼梦〉与百年中国》,中央编译出版社 2005 年版。另有河北教育出版社(1999 年版)和台湾风云时代出版社出版。

⑫ 欧阳健、曲沐、吴国柱:《红学百年风云录》,浙江古籍出版社 1999 年版。

⑬ 白盾:《红楼梦研究史论》,天津人民出版社 1997 年版。

⑭ 陈维昭:《红学与二十世纪学术思想》,人民文学出版社 2000 年版。

⑮ 陈维昭:《红学通史》,上海人民出版社 2005 年版。

⑯ 孙玉明:《日本红学史稿》,北京图书馆出版社 2006 年版。

⑰ 余英时、周策纵、周汝昌:《四海红楼》,作家出版社 2006 年版。

世纪的研究,姑且称之为"当代红学"阶段。比较"前红学"、"旧红学"、"新红学"、"当代红学"这些不同阶段的研究实践,不难发现,尽管各时期各阶段均各有诸多高潮、成果迭现,但研究重点、研究路向、研究方法却多有不同偏重,呈现出一种由文本而其他再回归文本的明确的变化轨迹。初略地说,清人的研究始于并始终立足于文本的分析,内容关涉本事、版本、评论、影响诸方面,形式则以评点、随笔和序跋为主。从内容方面来看,根据顾平旦《红楼梦研究论文资料索引(1874—1982)》所提供文献资料统计,此期《红楼梦》研究内容中,有关《红楼梦》研究的期刊文献仅 1篇,即"愿为明镜石主人"江顺怡《读〈红楼梦〉杂记》(收录于《瀛寰琐记》1874 年版);有关《红楼梦》的外文译本有 6 部(英文 4 部、日文 2 部)。①根据一粟《红楼梦资料汇编》所提供文献资料统计,该书收录了自乾隆至清末民初大约 160 年间有关《红楼梦》及其作者的评价和考据方面的主要资料,涉及六大板块的研究内容:一是关于曹雪芹和高鹗的材料,68篇;二是包括《红楼梦》的各种版本的序跋,续书、戏曲和仿作的序跋,45篇;三是专门评价或考据《红楼梦》的作品,39 篇;四是笔记题识、诗注曲话、日记尺牍、公文善书等内容驳杂的杂记,74 篇;五是诗词歌咏,至少3000 余首;六是有关《红楼梦》的评述与文论,19 篇。②另据一粟《红楼梦书录》所提供文献资料统计,此期《红楼梦》研究也主要涉及了《红楼梦》的版本译本、续书仿作、评论报刊、图画谱录、诗词、戏曲影视小说等六大方面研究内容。③根据朱一玄《〈红楼梦〉资料汇编》所提供文献资料统计,此期《红楼梦》研究内容中,有关作者的文献 103 部,有关版本的文献2 部,有关评论的文献 70 部,有关影响的文献 4 部。④从形式方面来看,评点、随笔和序跋是此期《红楼梦》研究也是中国古典小说最为重要的传统审美形式。实际上,古代中国自觉地从审美角度探寻小说艺术规律的

---

① 参见顾平旦:《红楼梦研究论文资料索引(1874—1982)》,书目文献出版社 1982年版。

② 参见一粟:《红楼梦资料汇编》(全二册),中华书局 1964 年版。

③ 参见一粟:《红楼梦书录》,上海古籍出版社 1981 年版。

④ 参见朱一玄:《〈红楼梦〉资料汇编》,南开大学出版社 1985 年版。

学者寥寥无几。纵览历代文论,诗话文论叠床架屋,但热心小说理论者则少之又少。迄至明清方有李贽、叶昼、金圣叹、毛宗岗、张竹坡、脂砚斋等横空出世,中国古典小说的审美研究方才日渐显得不同凡响起来,古典小说的美学意义方才得以不断彰显。经过李贽们的不断努力,小说评点也成为古代中国最为经典的审美形式。在众多有关《红楼梦》的文本分析中,尤以评点最具影响,清代当朝有关《红楼梦》的批注评点的评点家众多。有人估计:"《红楼梦》批点,向来不下数十家。"足见数量之大。诸如脂砚斋评点、"护花主人"王雪香评点、"太平闲人"张新之评点、"大某山民"姚燮评点、"耽墨子"哈斯宝评点等。脂评、王评、张评、姚评均十分有名、影响甚巨。张新之更自称花费三十载方得30万字评注。在众多有关《红楼梦》的文本评点中,尤以脂砚斋评点流播为盛。脂砚斋评的《石头记》或《红楼梦》迄今已发现十余种,其中,脂评《石头记》现有八种,脂评《红楼梦》现有四种;此外,另有抄本两部。较之脂砚斋评点的巨大影响,随笔也是清人对《红楼梦》展开阐释与解读甚至猜度的重要形式。自宋以降,尤其是明清二朝,随笔数量相当可观,散漫芜杂中处处闪现着古代小说评论家们对小说文本及其审美价值品题的光芒,甚至广涉小说美学的诸多范畴。清代当朝,除了脂砚斋等人在《石头记》抄本上所作各类批注外,还有众多时人写就的大量"随笔"、"闲笔"、"杂记"、"偶说"、"论赞"、"问答"乃至诗、词、赋等评说文字。这类杂评著作在乾隆至光绪年间层出不穷、汗牛充栋,尤以乾隆时人周春《阅红楼梦随笔》、嘉庆时人二知道人《红楼梦说梦》和裕瑞《枣窗闲笔》、道光时人诸联《红楼评梦》、涂瀛《红楼梦论赞》、《红楼梦问答》、江顺怡《读红楼梦杂记》、"品三芦月草舍居士"《红楼梦偶说》、"梦痴学人"《梦痴说梦》以及清人沈谦、姜祺等人评《红》诗歌词赋为著。序跋则主要是介绍小说创作缘起、揭发思想意蕴、称赏艺术造诣、宣扬社会价值等等。此期较著名的《红楼梦》序跋也有数十篇,尤以清人程伟元《红楼梦序》、高鹗《红楼梦序》、程高二人《红楼梦引言》、戚蓼生《石头记序》、梦觉生人《红楼梦序》、舒元炜《红楼梦序》、周春《红楼梦记》、王希廉《红楼梦批序》、张新之《妙复轩评石头记自记》、五桂山人《妙复轩评石头记序》、紫琅山人《妙复轩评石头记序》、鹭湖月痴子《妙复轩评石头记序》、孙桐生《妙复轩评石头记叙》、哈斯宝《新译红楼梦序》等 14 家最显。① 尤其值得一提的是,中国现代学术是以《红楼梦》研究开其端的。清末首次出现了王国维《红楼梦评论》这一从美学角度出发、采用文献史料与出土文物二重证据法展开的系统性研究《红楼梦》的红学专论,以研究者对人生和艺术的体悟对《红楼梦》的"精神"、"美学上之价值"、"伦理学上之价值"和文艺特征加以深度阐发,对红学研究中存在的"影射"、"自传"谬说加以彻底批驳,具有对《红楼梦》展开现代意义上的审美意识研究的补白与开山意义。② 总体来看,此期研究虽非纯以小说审美艺术角度审视《红楼梦》,但其"精神"说、"美学价值"说、"伦理学价值"说及其对文体、笔法、情节等文艺特征的探讨均已触及文本研究的审美领域,为后世"红学"美学研究的大开格局奠定了基调,确定了起点,指明了路向。民国的研究则以出现了蔡孑民为代表的"旧红学"索隐派与以胡适为代表的"新红学"考证派两种泾渭分明的阵营的论战与对立的对峙局面,间杂吴宓、佩之、陈独秀、陈寅恪、汤用彤、俞大维等人借用西方文艺思想评《红》的文章和鲁迅对《红楼梦》文本本身直接研究评论的红学研究创拓,以及李辰冬、太愚、张天翼等人比较全面地研究《红楼梦》文本、作者、时代、人物、社会内容、写作技巧、艺术价值的整体性和专题性研究。其中,索隐派形成于民国初年,在当时红学界势力颇大,是"旧红学"的重要部分,代表作有王梦阮和沈瓶庵《红楼梦索隐》③、蔡孑民《石头记索隐》④、邓狂言《红楼梦释真》⑤、阚铎《红楼梦抉微》⑥、寿鹏飞《红楼梦本事辨证》⑦、景梅九《石头记真谛》⑧等,尤以王、

---

① 参见朱一玄:《〈红楼梦〉资料汇编》,南开大学出版社 1985 年版。

② 参见王国维:《红楼梦评论》,原载《教育丛书》1904 年连载,后收入《静庵文集》(1905 年),另见《中国近代文论选》(下册),人民文学出版社 1959 年版;一粟:《红楼梦卷》,中华书局 1963 年版。

③ 参见王梦阮、沈瓶庵:《红楼梦索隐》,中华书局 1916 年版。

④ 参见蔡元培:《石头记索隐》,商务印书馆 1917 年版。

⑤ 参见邓狂言:《红楼梦释真》,上海民权出版社 1919 年版。

⑥ 参见阚铎:《红楼梦抉微》,天津大公报馆 1925 年版。

⑦ 参见寿鹏飞:《红楼梦本事辨证》,商务印书馆 1927 年版。

⑧ 参见景梅九:《石头记真谛》,西京出版社 1934 年版。

蔡二著为标。迥异于以往的《红楼》文本评点和对贾府曹家的考证,索隐派主张"以注经之法注《红楼》",竭力"索隐",即探索幽隐,寻求文本所"隐"去的小说"本事"或"微言大义",换句话说,就是从索隐家本人的某种主观意念出发,或因爱《红》成癖如王梦阮、沈瓶庵,或欲借《红楼》之隐言时事之实如蔡孑民,或求索"本事"以证《红》为"野史"如寿鹏飞,或着眼猥亵视《红楼梦》为"淫书"如阚铎,或于无限放宽影射"史事"中杂入"民主"、"革命"术语的索隐变种如景梅九,穿凿附会、全凭想当然地探绎小说所影射、比附、印证的历史人物或政治事件,以此评论《红楼梦》的价值和意义。但无论是前期的王、沈、蔡,还是后期的阚景们致力于"索隐"的动机、内容、说法有何不同,他们的"索隐"方法均在歪曲小说本意及误导后世红学研究方向上产生了惊人一致的极大破坏性和消极影响。考证派的出现则是以批驳索隐派的谬误为直接契机的,它形成于五四以后,以胡适《红楼梦考证》①和俞平伯《红楼梦考辨》②为标志,以顾颉刚《序〈红楼梦辨〉》为檄文。③ 顾颉刚称,胡王二著的发表标志着"旧红学的打倒,新红学的成立"。嗣后,红学界便揭开了"新红学"与"旧红学"之间旷日持久的长期论争与对峙。在论战与对峙中,胡适、俞平伯等人的考据将更多精力置于对曹雪芹"自传"说的论证和《红楼梦》"本事"的校考上;与之相较,有关《红楼梦》文本的审美研究在此一阶段却相对而言被长期忽略了。幸而,还有鲁迅、李辰冬、张天翼和太愚诸君的文本研究实绩。新中国成立以来,"红学"的研究格局大开,跨越世纪,成果繁盛,迄今不绝。总的来看,成果集中在文献资料的搜集与整理、曹雪芹家世生平研究、《红楼梦》文本研究等方面。这一时期,现代中国思想文化的先驱者们都对红学产生了浓厚的兴趣,许多知名作家介入红学,还涌现出大批专司《红楼梦》研究的专家学者们。这一阶段,除前述俞平伯于此间继续躬耕之外,周汝昌、牟宗三、容庚、姜亮夫、方豪、唐长孺、王昆仑、郑振铎、阿英、

---

① 参见胡适:《红楼梦考证》,初作于 1921 年 3 月 27 日,改定于 1921 年 11 月 12 日,载《胡适文存》卷三。

② 参见俞平伯:《红楼梦辨》,上海亚东图书馆 1923 年版。

③ 参见俞平伯:《红楼梦辨》,上海亚东图书馆 1923 年版。

李长之、刘大杰、翦伯赞、邓拓、郭沫若、王力、郭绍虞、韩国磐、傅衣凌、程千帆、郑朝宗、赵冈、余英时、柳存仁、周策纵、潘重规、李希凡、蓝翎、冯其庸、刘梦溪、何炳棣等人均浸淫其中,沈从文、鲁迅、巴金、沈雁冰、冰心、张天翼、吴组缃、周立波、端木蕻良、何其芳、徐迟、林语堂、高阳、张爱玲、杨绛、钱锺书、王蒙、刘心武等人亦端倪其内,研究队伍不断壮大。这些研《红》者们,或致力于曹氏著作整理,或用力于曹氏家世著述考证,或重归《红楼梦》文本详加分析,或围绕公案论争砥砺,创见辈出,佳构迭现。这些成果都对"红学"厥功至伟。其后,红楼文本研究呈现出规范化、集群化、多元化的崭新格局,众多有关意象研究、艺术成就、志怪特征、创作心理、文化蕴涵、历史地位、民族思想乃至国际影响的成果相继出炉。进入 21 世纪以来,有关《红楼梦》的叙事学研究、语言学研究、诗学研究、美学研究更成为新的热点和焦点,"红学"的文本与审美研究日趋隆盛。这些成果都为后学系统地展开《红楼梦》美学思想和审美意识研究做好了充分的理论准备。对此,前述潘重规、郭豫适、韩进廉、胡文彬、伊藤漱平、刘梦溪、欧阳健、白盾、陈维昭、孙玉明、余英时等诸多前贤的俱有专著专文详细综述,各家论述均持重中肯,不乏可圈可点之处,足资借鉴,毋庸赘言。然诚如刘梦溪所言:"近百年来的红学,之所以为人们所关注,保持着学科的生命力,与不断有新材料的发现有很大关系。但随即发生一个问题,检讨百年来的红学,研究者对《红楼梦》文本的研究反而多少忽略了。新材料的发现,总是极为偶然的。对已有材料的诠释,到一定时期也会达到一个极限。其结果研究队伍如此庞大、不时成为学术热点的百年红学,所达成的一致结论并不很多。相反,许多问题形成了死结。"①对此,新中国成立以后相继编撰结集出版的《红楼梦问题讨论集》②、《红楼梦研究参考资料选辑》③、《红楼梦

---

① 参见刘梦溪:《〈红楼梦〉与百年中国》,中央编译出版社 2005 年版。另有河北教育出版社(1999 年版)和台湾风云时代出版社出版。
② 参见本社编辑部:《红楼梦问题讨论集》(第1—4集),作家出版社 1955 年版。
③ 参见本社编辑部:《红楼梦研究参考资料选辑》(第1—4辑),人民文学出版社1973 年至 1976 年版。

研究集刊》①、《红学三十年论文选编》②及前述诸家"红学"史论著作中皆有不同视角的记述和阐发。鉴于此,"当代红学"的开拓者们在已有的丰硕成果基础上开始了上溯前贤、立足文本、重归本体的新探索。尤值一提的是,面对当今已然蔚为大观的"红学"研究,"红学"研究者开始突破传统的文学范畴和史论研究模式,重拾前人奠定的红楼研究的审美路向,将研究兴趣适时转向心理学、社会学、文化学、语言学乃至人类学范畴,涌现出一批围绕其美学蕴涵和建构展开研究的论文和论著,"当代红学"已吹响了系统整理发掘《红楼梦》审美意识体系的研究号角,延展了"红学"的研究视阈,不失为红楼之幸。从这个意义上讲,重回红楼美学研究的文本起点,展开审美意识系统研究,可谓适逢其会、正当其时,不仅应为、可为,且宜速行。

二、群体意象创构:立意高奇,设象寓空

意、象、境,是《红楼梦》文本审美意识的核心基元;空,是小说文本审美意识的悲美基调。其中,"意"为主体所欲传达之意,旨在剖辨世情、消解悲寂、寄寓理想、求索正道。"象"为客体所已呈现的典型之象,是寄寓了主体之"意"的形象载体,常以群组形式整体呈现。"境"为审美客体之"象"传达、呈现审美主体之"意"所借由的典型之阈,涵括具象的时间、空间、环境等直观视阈和抽象的情感、哲思、理想等主观体悟,跳出三界外,远涉神、道、佛,貌似彼在,又出入红尘里,遍及人、世、情,实则此在。而"空",则是曹氏借由意中之象、典型之阈,或自觉、或不自觉地传达给读者的关键"意味"——社会人生之圆满在现实世界终将归于一空,构成红楼之美的终极蕴涵,也是其审美意识系统的至高范畴。

(一)主旨之"意"与"空"之渊源

自曹雪芹《红楼梦》于乾隆年间问世,对《红楼梦》主旨之意的探究和

---

① 参见本刊编委会:《红楼梦研究集刊》(第1—14辑),上海古籍出版社1979年至1989年版。

② 参见刘梦溪:《红学三十年论文选编》(上中下),百花文艺出版社1983、1984年版。

定位就不绝如缕。主张单一主旨的大致有五大类型。依据宝黛钗婚恋中
"木石前盟"与"金玉良缘"的矛盾主线而持论"大旨言情"者有之，如吴
宓直称《石头记》为"爱情大全"，①何其芳、游国恩、李春祥、胡念贻、舒
芜、邢治平、王威轶、周绚隆、杜薇等人亦均主此说，间杂沈天佑等人的异
议与质疑；②依据梦中人与道人和尚的话外解说而持论"色空"主旨者有
之，如俞平伯在其研《红》论著中始终坚称《石头记》本演色空，③虽因
李希凡与蓝翎刊发《关于〈红楼梦简论〉及其他》引发诘难和论争并于
1954 年"批俞运动"几被全盘否定，但始终有熊润桐、林语堂和日本学者
松枝茂夫及孙逊等人均支持俞论；④依据曹公开篇自白"将真事隐去"而
持论"影射"主旨者有之，早期主要有明珠、傅恒、和珅、张侯诸人家世之
说，尤以明珠家世说为要，后期则主要集中于影射清世祖与董鄂妃故事和
影射康熙朝政治状态二说，如王梦阮与沈瓶庵以为《红楼梦》是曹公影射
清世祖与董鄂妃的故事，此说已被学界证伪，寿鹏飞则以为《红楼梦》是
曹公影射雍正夺嫡的假说，虽为一家之言却涉嫌索隐扩大化，景梅九则兼
收王、沈、蔡、邓、寿诸家之论，认为《红楼梦》真谛不外明清政治宫闱之
事、明珠性德父子旧事、著者曹公及增删者本身及其家事三者，余如潘重
规《红楼梦新解》、赵同《红楼猜梦》亦从此说，以为《红楼梦》是一部"汉

---

① 吴宓：《红楼梦之文学价值》，《流星月刊》第 1 卷，1945 年第 1 期。

② 参见李春祥：《〈红楼梦〉的主线与主题》，《开封师范学院学报》1979 年第 1 期；胡
念贻：《谈红楼梦的艺术结构》，《红楼梦研究集刊》（第一辑），上海古籍出版社 1979 年版；
舒芜：《"谁解其中味"——有关〈红楼梦〉的若干问题讨论》，《红楼梦学刊》1980 年第 1 辑；
邢治平：《浅谈〈红楼梦〉的艺术结构》，《河南师大学报》1982 年第 5 期；王威轶：《贾宝玉、
曹雪芹的价值不等式及〈红楼梦〉的题旨》，《红楼梦学刊》1994 年第 1 辑；周绚隆：《"金玉
良缘"与"木石前盟"的悲剧冲突——〈红楼梦〉主题的文本解读》，《红楼梦学刊》1998 年第
3 辑；杜薇：《〈红楼梦〉谈情大旨的美学价值》，《红楼梦学刊》1998 年第 3 辑；沈天佑：《金瓶
梅红楼梦纵横谈》，北京大学出版社 1990 年版，第 154、155 页。

③ 参见俞平伯：《〈石头记〉底风格与作者底态度》，《学林杂志》第 1 卷第 3 期。同类
观点另见俞平伯：《红楼梦辨》、《红楼梦研究》、《红楼梦简论》。

④ 参见熊润桐：《八十回红楼梦里一个重要的思想》，《革新》1922 年 4 月第 1 卷第 4
期；熊润桐：《红楼梦是什么主义的作品——八十回红楼梦里所表现的艺术思想》，《革新》
1924 年 12 月第 1 卷第 6 期；林语堂：《平心论高鹗》，台湾传记文学社 1969 年版；迟公绪：
《松枝茂夫谈〈红楼梦〉》，《红楼梦研究集刊》（第四辑），上海古籍出版社 1980 年版，第 105
页；孙逊：《关于〈红楼梦〉的"色""情""空"观念》，《红楼梦学刊》1991 年第 4 辑。

族志士用隐语写隐痛隐事的隐书",甚至一一坐实小说形象与康熙末年诸皇子等的关系,陷入主观臆测的泥潭;①依据民族革命和阶级斗争需要而持论"大旨谈政"者有之,如蔡子民断言"《石头记》者,清康熙朝政治小说也",影响甚巨,新中国成立后"阶级斗争"说即其余绪,经1954年对胡适派唯心论红学批判渐成"市民说"、"传统说"、"农民说"三种观点,前者以黄药眠、邓拓、李希凡、蓝翎、霍松林等人为代表,中者以曹道衡、胡念贻、刘世德、邓绍基、何其芳等人为代表,后者以刘大杰、佘树声、王冰洋等人为代表,余如王昆仑、杨向奎、霍松林、舒芜等人的论述颇见功力,②代表了新中国成立后红学研究新学派的萌生,与此同时,"衰亡史说"在毛泽东"总纲论"促发与当时社会背景影响下大行其道,直至粉碎"四人帮"尤其是改革开放以后方才逐渐消歇,对此,孙逊、赵荣、何满子、沈天佑等人的述评颇为中肯;③依据"无材可去补苍天"和书中诸嗣的不肖无继而持论"补天""嗣后"者有之,如巴金直称《红楼梦》为"理治之书",④叶嘉莹、秦家伦、丁维忠均持此"补天"之说,⑤朱彤则持"子孙不肖,后继无人"即"嗣后"说,都本忧则在朱文基础上祭出对血缘关系利器,指出此说

① 参见潘重规:《红楼梦新解》,(新加坡)青年书局1959年版;赵同:《红楼猜梦》,台湾三三书坊1980年版。

② 参见王昆仑:《关于曹雪芹的创作思想》,见《红楼梦问题讨论集》第3集,作家出版社1995年版;杨向奎:《曹雪芹的思想》,《红楼梦问题讨论集》第4集,作家出版社1995年版;霍松林:《试论〈红楼梦〉的人民性》,《红楼梦问题讨论集》第4集,作家出版社1995年版;舒芜:《〈红楼梦〉故事环境的安排》,《红楼梦问题讨论集》第3集,作家出版社1995年版。

③ 参见孙逊:《以贾府为代表的封建家族衰亡史——谈〈红楼梦〉的主题与主线》,见《红楼梦研究集刊》(第五辑),上海古籍出版社1980年版;赵荣:《婚姻自由的呐喊男女平等的讴歌——论〈红楼梦〉的主题思想兼评红学"四论"》,《贵阳师院学报》1982年第1期;何满子:《读〈红楼梦〉断想》,《红楼梦研究集刊》(第十二辑),上海古籍出版社1985年版;沈天佑:《金瓶梅红楼梦纵横谈》,北京大学出版社1990年版。

④ 巴金:《我读红楼梦》,天津人民出版社1982年版,第43页。

⑤ 参见叶嘉莹:《从王国维〈红楼梦评论〉之得失谈到〈红楼梦〉之文学成就及贾宝玉之感情心态》,见《红楼梦研究集刊》(第五辑),上海古籍出版社1980年版;秦家伦:《论〈红楼梦〉的写作主旨与创作思想》,《贵阳师范高等专科学校学报》1996年第3期;丁维忠:《关于"补天"主题的悖论》,《红楼梦学刊》2006年第6辑。

之先天不足,并由此引出了多元主旨之说。① 主张多元主旨的主要有三种类型。较之单维主旨之说,多元主旨说显然更具说服力,显示了"红学"界由一元走向多元、由排他趋向包容的理论思维与研究方法上的新拓展,迎来了学界对《红楼梦》的研究逐步由情政二分闲余附庸复归小说文本艺术独立的新突破。持论双重主题说者以余英时、夏志清等港台学者为代表;②持论三重主题说者以俞平伯、丁淦、傅继馥、刘敬圻、张锦池、孙逊、萧相恺、梅新林等学者为代表;③持论多主题者自吴宓始,他曾谓《红楼梦》宗旨正大、内容庞杂、包罗万象,主题以小见大略分四层,并分以贾宝玉、林黛玉、王熙凤、刘姥姥四人指涉个人本身之得失、人在社会中之成败、国家团体之盛衰、千古世运之升降四大主旨,余有周书文提炼四主旨、余珍珠所述四矛盾、都本忱所言五主旨俱从多主题之论,陈大康在肯定诸家见解基础上更发异见、因各家俱持己见而无法相互说服而直称红楼无主题。④ 上述三家之外,另有方克强引进西人荣格神话原型批评之法而主张"女性崇拜说",⑤海鸣、赵荣、汤龙发等人引进西人女权主义理论而拔高《红楼梦》的女权意识,⑥李泽厚、姜宇、朱引玉、白小易等人则

---

① 参见朱彤:《论〈红楼梦〉的主题》,《红楼梦学刊》1981 年第 1 辑;都本忱:《〈红楼梦〉多主题论》,《松辽学刊》1997 年第 1 期。

② 参见余英时:《〈红楼梦〉的两个世界》,《香港大学学报》1974 年第 2 期;夏志清:《〈红楼梦〉里的爱与怜悯》,《现代文学》1966 年第 2 期。

③ 参见丁淦:《〈红楼梦〉的三线结构和三重旨意》,《红楼梦学刊》1983 年第 2 辑;傅继馥:《论〈红楼梦〉形象体系的构成》,载《红楼梦研究集刊》(第十二辑),上海古籍出版社 1985 年版;刘敬圻:《〈红楼梦〉主题多义性纲论》,《红楼梦学刊》1986 年第 4 辑;张锦池:《中国四大古典小说论稿》,华艺出版社 1993 年版;孙逊:《论〈红楼梦〉的三重主题》,《文学评论》1990 年第 4 期;萧相恺:《也谈〈红楼梦〉的主题》,《明清小说研究》1996 年第 3 期;梅新林:《红楼梦哲学精神》,华东师范大学出版社 2007 年版。

④ 参见周书文:《〈红楼梦〉的艺术世界》,书目文献出版社 1990 年版;[美]余珍珠:《〈红楼梦〉的多元意旨与情感》,《红楼梦学刊》1994 年第 2 辑;都本忱:《〈红楼梦〉多主题论》,《松辽学刊》1997 年第 1 期;陈大康:《眼前无路想回头》,《红楼梦学刊》1988 年第 4 辑。

⑤ 方克强:《原型题旨:〈红楼梦〉的女神崇拜》,《文艺争鸣》1990 年第 1 期。

⑥ 参见朱一玄:《〈红楼梦〉资料汇编》,南开大学出版社 1985 年版;赵荣:《婚姻自由的呐喊男女平等的讴歌——论〈红楼梦〉的主题思想兼评"红学"四论》,《贵阳师院学报》1982 年第 1 期;汤龙发:《女权问题是〈红楼梦〉的主题》,《湖南师范大学学报》1994 年第 6 期。

上承王国维、鲁迅等人开掘的悲美之途主张《红楼梦》空幻虚无的主旨,①
余如杜正堂的"人道主义说"、胡文炜的"悔恨警戒说"、王甦的"生命主题
说"、梅节和马力《红学祸耕集》中以末世罪恶与婚姻不自由而主张的"社
会宗法制度不足取说"、白盾依据"青春易逝、韶华难留"而主张的"悼红
说"、张丽红依据"千红一哭、万艳同悲"而主张的"对真善美被毁灭的哀
挽伤悼说",②等等。

　　综上,260 年"红学"研习者们,或以男女之情谓之"爱情小说",或以
佛道之想谓之"色空观念",或以家国之变谓之"政治小说",或以社会巨
变谓之"社会小说",或以世态人情谓之"人情小说",或以小说代现实直
称"政治历史小说",林林种种,异见杂陈,迄今仍无定论。对此,鲁迅曾
于《〈绛洞花主〉小引》中略述了新旧"红学"对这一论题的纷争实况,并
预判了后世"红学"对此一论题的持续纷争趋势:"经学家看见《易》,道学
家看见淫,才子看见缠绵,革命家看见排满,流言家看见宫闱秘事。"又于
《中国小说的历史的变迁》中对导致这一现象的原因作了解释:"这就因
为中国人看小说,不能用赏鉴的态度去欣赏它,却自己钻入书中,硬去充
一个其中的角色。"鲁迅的略述与预判诚然无欺,对缘由的解释也不无道
理,但相较之下,今人郭英德的说法似乎角度更为贴切:"最根本的还在
于《红楼梦》'漱涤万物,牢笼百态',以博大精深的形象体现成为中国封
建社会的百科全书。对于这样一部百科全书式的小说作品,你从任何一

---

① 　参见李泽厚:《美学三书》,天津社会科学院出版社 2007 年版;姜宇:《论〈红楼梦〉
的感伤色彩——兼及〈红楼梦〉的主题》,《社会科学战线》1994 年第 1 期;朱引玉:《无可奈
何花落去——论〈红楼梦〉的主题思想》,《淮阴师专学报》1995 年第 1 期;白小易:《佛教思
想:隐藏于梦幻中的"红楼大厦"基座——兼论曹雪芹创作〈红楼梦〉的主观命意》,《红楼
梦学刊》1997 年第 1 辑。

② 　参见杜正堂:《人情·人性·人道——也谈〈红楼梦〉正旨》,《淮阴师专学报》1989
年第 2 期;胡文炜:《贾宝玉与大观园》,华艺出版社 1995 年版;王甦:《〈红楼梦〉的生命境
界与生命主题》,《红楼梦学刊》1999 年第 3 辑;白盾:《"悼红"是红楼梦的总主题》,《黄山
学院学报》2006 年第 8 期;张丽红:《玉石冲突与四季转换——〈红楼梦〉结构论浅探》,《松
辽学刊》2000 年第 4 期。

个角度去评说它都是可以的,但却都不足以穷极它的奥秘。"①却也总让人有一种"《红楼梦》是个筐,什么都能往里装"的泛化倾向和混沌之感。其实,纵览近世以来的百年红学,自王国维《红楼梦评论》以哲学和美学视角将《红楼梦》创作主旨定位在宣传人生苦痛与解脱之道、将《红楼梦》美学价值定为悲剧中之悲剧开始,以"悲"为美即被李泽厚等后继诸多研《红》者视为《红楼梦》文本的审美基调,已成公论。愚以为,这一观点当被视为从审美角度、以文本为基、破解前贤与时人《红楼梦》主旨之争的肯綮所在。诚然,《红楼梦》的主旨之意的研究不应囿于一端,应取多元的、开放的维度。但多元复合的混合主题研究并非各种学说的简单累叠与粗暴折中,而是必须建立在作者与作品及其社会特性、时代特征本根之上的融合历时性与共时性、兼顾横向与纵向关系的、体现多义、多元与开放的、立体化、整体性、本体性的本旨探索。换句话说,研究《红楼梦》的任何问题都必须取缔一切强加于作者和作品之上的主观臆断和妄加揣度,重新回到《红楼梦》的文本本身,回归曹公雪芹创此巨著的本根意图,并将曹雪芹与《红楼梦》重新安放在他和它所出的特定社会与时代之中。只有尊重作者、尊重文本、尊重时代,才能规避六朝刘勰在《文心雕龙·知音篇》中所言的因"知多偏好,人莫圆该"、"各执一隅之解,欲拟万端之变"而导致的"东向而望,不见西墙"的弊病;惟其如此,方能得出真解,真正成为曹公雪芹及其《红楼梦》的知音。近世"红学"与"曹学"的合流趋势抑或正是学界对此一要旨的主动回应。

曹公雪芹曾在《红楼梦》第一回中开宗明义,明示全书主旨:"满纸荒唐言,一把辛酸泪。都云作者痴,谁解其中味?"诗中之"味"即为全书之"旨"、之"志"、之"道"、之"主脑",亦即曹公之"意"。如前所述,260年来的"红学"史上,诸家评点中对《红楼梦》之"旨"和曹公之"意"的判定可谓言人人殊,然,若细读红楼文本、深较诸家识见,则不难见出,此"旨"、此"意",皆在一"空",而"空"的实相则端在至情、微言二处。首先

---

① 郭英德:《佳作结构类天成——〈红楼梦〉网状艺术构思的特征》,《红楼梦学刊》1991年第4辑。

是"至情"之"况味"。曹公《红楼梦》作于"一番梦幻之后",系"因情得文"之作,孕"托言寓意"之心,故"文虽浅近、其意则深",所主之至情源自作者亲身经历和生活感悟的自觉隐寓与尽情挥写及其对知己、挚情的真诚向往与动人摹写,打破了"历来风月事故"的窠臼。较之东观主人、陈其泰、姚燮诸家红楼评点乃至《红楼梦》的所有评点,脂砚斋评点对曹公"性情"之"况味"的理解最为精到,甚至直以"一片尽情文字"总揽《红楼梦》全书,堪称妙论。的确,曹公《红楼梦》谋篇布局全凭一"情"字统御,全书以贾府为基点,将亲情、友情、恋情、主仆情、特殊情愫和房族争、嫡庶斗、善恶斗、主奴斗、官民斗、意识冲突等当时社会的世态人情全然熔冶为一炉,极尽营构铺陈之能事,既足当"情痴之至文"美誉,又深寓"以情说法"之命意。曹公《红楼梦》所写之情,既有宝黛钗等贵族青年男女、贾政等老年夫妇、贾芸小红和秦钟智能及守备之子与张金哥一干中下层子弟与佛门弟子,以及尤三姐与柳湘莲、乃至贾琏与多姑娘等无涉年龄老幼、无关主次人物、打破方内话外、无论真情淫邪的儿女之情,又有对"冷暖世情"的势利之情的"比比如画"式的刻骨描绘、对势利"世情"的入木三分的深沉"调侃"、对时人行止和世态背后的"世情"缘由——势利力求"写透",极尽世情百态。与此同时,曹公《红楼梦》在对儿女之情、势利之情的穷形极肖之中,或直笔尽写身历梦幻实录,或以知音之感描画真性情,或纯以泪笔极状天然性情,时时处处不忘对"至情"的认定与追索,无一笔不深蕴着其直面人生的真实感悟和苦心棒喝的诚挚警醒,尽显"以情悟道"、"以情说法"之命意。对此,陈评、姚评较之脂评有更深切的评点,尤其是陈评,更点破了曹公《红楼梦》之"情"的精到之处端在宝黛及妙玉间的知己真情,指明了曹公《红楼梦》之"意"、之"味"在——且仅在——抒写真情这一点上,并将正确理解宝玉形象视为揭橥全书主旨的关键;此外,还更进一步明示了《红楼梦》即为曹公自传、曹公即是宝玉的观点,并以心契神合的知己之情升华书中儿女之情,甚至直接李卓吾评《三国演义》、金圣叹评《水浒》、张竹坡评《金瓶梅》时创拓的"发愤著书"和"寓言"的小说评点理论习惯,将斯人此著与屈平《离骚》、司马迁《史记》等相提并论,纳入历代文人的"发愤著书"传统,较为准确地把握了曹雪芹创作《红楼梦》过程中的情感活动轨迹与规律，受到诸多学者的认同与附议。可见，曹公《红楼梦》的至情之旨确乎与该著的形象塑造和主体寓意紧密相连的。其次是"微言"之"大义"。曹公《红楼梦》所发之微言则多源自作家主体对所处时代的时势、家国、世情、人生的深沉反思与诸多思考。小说创作往往蕴藉了创作主体的深远精微的意旨，曹雪芹《红楼梦》亦不能外。正如前述诸家"红学"研究者所言，曹公《红楼梦》中既有借述宝黛钗情事暗寓贾府盛衰之"意"，曹公于《红楼梦》首回即开宗明义地明示亲见盛衰而作书，并以盛衰为据分章布局，更将盛衰主旨一贯于宝黛钗这三位小说主要人物之间的情事纠葛这一全文主线之中，对贾府盛衰之变的呈现始终未曾脱离对宝黛钗情事的关注，一切人事物均围绕这三位主要人物的中心事件和主要线索连续地、贯穿始终地一一展开；又有借述红楼诸人心机暗寓矛盾斗争之"意"，曹公《红楼梦》处处可见对立与矛盾，时时都有争锋与对峙，或如木石前盟与金玉良缘之恋情抵牾，或如玉洁冰澈与指斥谄奸之心机冲突，或如洁身自好与文章经济之观念悖离，善与恶的交锋，情与欲的比对，正与邪的较量，无不从各个侧面殊途同归地指向同一主题——欲忠而不忠、欲义而不义，最终只能以墨水洗恨、以笔剑报仇，全书所有的矛盾与斗争实则均源自"顺则久、逆则亡"的丛林法则；更有借述世俗红尘琐事暗寓《易》道性理之"意"，曹公《红楼梦》貌似琐述儿女情事、家庭俗事，实则全书多处暗合《易》道宏旨和儒教性理，无处不见出作家主体的传统文化修养。对此三"意"，王希廉、哈斯宝、张新之等人曾俱有详评，兹不赘述。姑且不论盛衰说、斗争说、易道说是否全然合理，仅就其后潜藏的作家主体之"意"的呈现而言，曹公雪芹的《红楼梦》无疑已成功地做到了化实为虚、化有形于无形。毕竟，无论是贾府盛衰、还是社会斗争、抑或是《易》道性理，曹公雪芹寄寓在《红楼梦》中的诸多深"意"都是透过类如宝黛钗情事、红楼诸人心机、世俗红尘琐事等小说中虚构的真实来呈现的：于宝黛钗的情事而言，不仅木石前盟完败，而且金玉良缘亦未见胜出，纯美恋情与势利婚姻均以双双落空而告终，贾府终衰亡；于红楼诸人心机而言，不仅纯良愚钝的完败，而且心思缜密的亦未得善终，终究是机关算尽太聪明、反算了卿卿性命，斗到头来尽归于空；于世俗红尘琐事而言，不仅清高的难以自保，而且势利的亦未能全身，终只能尘归尘、土归土，"落了片白茫茫大地真干净"，大道至空；三者同归一"空"。可见，无解之"空"既是曹公寄寓《红楼梦》之"意"，亦是揭橥《红楼梦》审美意识系统的重要关窍。从形式上讲，此处，曹雪芹所与传达的"空"之意，都以"至情"挫败与"微言"不彰的形式呈现出来。作为作者主体的"大义"之"意"，全部借由作为小说客体的"微言"之"象"逐一细细显现，企及了将主体之"意"以"羚羊挂角、无迹可求"的形式附着于小说物象的文学至高境界。从实质上讲，曹公所寓之"意"最终都指向了"空"，这不仅是作者的悲剧，更是时代的悲剧。这种源自主体之意的无解之"空"，铸就了王国维首先阐发的《红楼梦》的崇高的悲美。

（二）典型之"象"与"空"之特质

曹雪芹《红楼梦》是由群体意象构成的庞大有机的系统。诚如胡经之所言："《红楼梦》本身是个宏大而复杂的形象体系。各种人，许多故事，众多场面，所有形象，相互交错，彼此联系，综合而为浑然整体。作者对人生的审美体验，正是通过完整的形象体系才得以体现。因此，要了解《红楼梦》的真谛，就不能不去掌握它的艺术整体。"①这个庞大的意象系统又分为两大层次：一是外在的实体对象，二是内在的情感观念。总体来看，饱含曹公之"意"的《红楼》实"象"群体至少涵括如下三类：人物"象"群、道具"象"群、场景"象"群。

一是人物"象"群。《红楼梦》借由贾府兴衰起落演绎人生无常，登场人物多如牛毛，人际关系复杂纠结，书中各色人物均围绕贾府这一封建大家族旋转，众横捭阖、相互勾连、彼此依存，人物的喜怒哀乐无不令读者魂牵梦萦、揪心牵挂，人物性格鲜明、典型形象比比皆是，被部分学者誉为"人像画廊"。②《红楼梦》中究竟写到多少人，说法不一。清嘉庆年间诸

---

① 胡经之：《文艺美学论》，华中师范大学出版社2000年版，第174页。
② 康来新：《一部"人像画廊"作品的再评价——访王文兴教授谈红楼梦》，《石头渡海——红楼梦散记》，台湾汉光文化事业公司1987年版，第31页。王文兴极不赞成将《红楼梦》视为一部爱情小说，将之归类为西方文学术语所谓的 galley of characters，亦即"人像画廊"。在"人像画廊"里，事情不重要，重要的是人物，作者让我们看到许多人物的形象。康来新以为这是相当新颖的见解。

联《红楼评梦》以为，总核书中人数，除无姓名及古人不算外，共男子232
人、女子189人，合计421人；嘉庆间姜祺《红楼梦诗自序》以为，其于人
焉，男子235、女子213，合计448人；咸丰初年姚燮《红楼梦人索》以为，总
计男282、女237人，合计519人。徐恭时曾搜集各家记述，按发表时间逐
一核计，并统计出男子495人、女子480人，合计975人，含明代以前古人
200人。① 李君侠则列《红楼梦》人物407人、未分男女。② 朱一玄综合各
家所列，得出《红楼梦》人数至少421人、至多975人的结论，并据《红楼
梦》不同版本分别统计后称：庚辰本列男306人、女296人，共计602人；
程乙本列男306人、女302人，共计670人。③ 根据朱著所示，曹雪芹《红
楼梦》所写人物类型多达32种。既有皇室、皇亲国戚、文武官吏及其亲
属，又有太监、宫女、官衙差役、皇粮庄头；既有城乡财主，又有城市居民，
也有农家妇女；既有私塾老师、贾府义学学生、医生、艺人、园林设计者、花
匠，又有商贩、奴仆、媒婆、清客、讼师，也有算卦先生、风水先生、泼皮、拐
子、妓女；既有僧人、尼姑、道士、巫婆，也有外国人、神人仙子，等等。在众
多人物中，暗藏着四大家族、贾府近支族人、与贾王两家联宗者、与四大家
族联姻者、金陵十二钗、四大家族及其亲戚等六大错综复杂的关系脉络，
仅奴仆一类人物即深及宁国府、荣国府、薛家奴仆和房分不明的奴仆及其
亲属等五类。在当代涌现的有关《红楼梦》人物的诸多研究成果中，王昆
仑所著《红楼梦人物论》堪称代表性成果，尤其受红学大家冯其庸的好
评，不仅誉之为"永远芬芳的红学奇葩"，而且直称："这本书虽然叫《红楼
梦人物论》，但实际的论述，何止是人物？ 王昆老是从总体透视了这部书
才着手写'人物论'的，因此，他在'人物论'里，常常表现出对《红楼梦》
的总体的认识。"甚至有将王老故居"七十二峰山馆"别称"解梦山馆"的
佳话。④ 王著论及花袭人、晴雯、李纨、秦可卿、遁世者、探春、平儿、小红、
三烈女、太太奶奶、贾母、刘姥姥、王熙凤、贾府奴仆、史湘云、林黛玉、薛宝

① 参见徐恭时：《红楼梦究竟写了多少人物》，《上海师范学院学报》1982年第2期。
② 参见李君侠：《红楼梦人物介绍》，台湾商务印书馆1969年版。
③ 朱一玄：《红楼梦人物谱》，百花文艺出版社1986年版，第3页。
④ 王昆仑：《红楼梦人物论》，北京出版社2004年版，第1、3、8、9页。

钗、贾宝玉等数十人物,不仅指出了时代背景中的资本主义萌芽、个性解放与自由思想的发展这一理解《红楼梦》的关键和基石,而且指出了全书思想是代表了具有自由思想的知识分子不满现实、要求改变现状的精神和反传统、反礼教的时代核心思想及对政治、思想和社会的批判。王著不仅对所论人物精到准确,而且举一反三、纵横铺排、关涉甚广,全局在胸而下笔千言,观察细密、和同别异、鞭辟入里、评点得体、出人意外、发人深省。此著被收入"大家小书"系列,堪称实至名归,足资借鉴。与之相类的有关《红楼梦》人物形象研究的成果均指向一个结论:曹雪芹《红楼梦》所写"几百个人物形象中,较为活跃的不下百人,堪称艺术典型的人物形象也有二三十个人,这在世界文学史上也是罕见的"。① 仅以《红楼梦》主人公贾宝玉、林黛玉两个人物尤其是林黛玉形象塑造而论,曹雪芹即为读者展示了一位失去双亲、寄人篱下但却"孤高自许,目下无人"、眼光敏锐、思想敏捷、爱憎分明、杜绝伪善、反对礼教、洞穿阴私、针砭陋弊、"见一个打趣一个"的年轻女性叛逆者形象,并在其身上寄寓了对其在当时世风下礼法叛逆者们追求真爱而不可得的悲"空"之情。曹公不仅以宝黛之情的破灭预示着叛逆者个体诉求在与当时的封建宗法卫道者们的斗争中终将悲剧性破灭,而且借由上至皇亲贵胄、高门大户,下至丫鬟差役、市井小民等人物群像的悲情结局,昭示了整个时代虚假繁荣盛况下根基虚脱、摇摇欲坠而终将"好一似食尽鸟投林,落了片白茫茫大地真干净"的归于一"空"的结局。

二是道具"象"群。曹雪芹《红楼梦》中,道具是颇不显眼却尤具匠心的独特意象群体。古往今来,文学作品中道具意象之丰富、道具意蕴之巧构,莫过于《红楼梦》。天象自然、园林建筑、居室陈设、家具器皿、服饰装束、花卉果蔬等等,无一物不入曹公法眼,无一器不为《红楼梦》所用。关于《红楼梦》道具意象,红学家周汝昌称:"他的主体是'花落水流红',他自创的新词是'沁芳',此二字是全书的点睛之笔。"② 有年轻学者进一步

---

① 参见佟雪:《论红楼梦的政治历史意义》,江西人民出版社1975年版。
② 周汝昌:《曹雪芹新传》,外文出版社1997年版,第330页。

研究后称:"花意象与水意象及其与此对应的其他诸意象贯穿《红楼梦》的始终,组成了一个和谐而严密的体系","水意象和花意象是整部《红楼梦》的主导意象,其他诸多意象都在这两种主导意象的规范下发挥着它们各自的作用;而且,水意象和花意象与其他意象交织在一起,组成浑然整体,使整部《红楼梦》具有强烈的整一性。"①此论虽将道具意象总归于自然天成的"水"、"花"二者而不及其余、不免有以偏概全的褊狭之虞,但注意到道具意象在《红楼梦》中的显著作用的观点则诚不欺也。《红楼梦》中的道具意象究竟有多少种了? 此问恐实难详计。对此,傅憎享红学专著中曾专列《小道具中见大千》一节,细数详辩"筷子"在《红楼梦》中的道具作用。该文以为,在《红楼梦》中,箸不是可有可无的小道具,而是情节链条上的不可或缺的一环,起着承前启后的作用,推动情节波澜起伏。文中详细分析了凤姐与筷子的关系,筷子首先出现在《红楼梦》第三回"凤姐安箸",显示了凤姐在贵族之家贾府的地位、职司,于细微之处见出封建之家的礼法森严;同样是凤姐安箸,第四十回的大号象牙箸的出现则是为了凸显凤姐欲令刘姥姥出丑以博贾母"百笑"的主导地位,使得读者诸君即便通过筷子这一自在价值奇低微的小小物件也能具有凸显尊卑贫富差距、影射整个社会关系、揭露世法平等虚像、揭橥清季世情深意的重大社会意义。诚如傅著所言:"艺术巨匠,以箸写人,见箸知微;以箸写事,箸底微澜;以箸写俗,世情毕现。"②曹公道具意象塑造能力实可谓超凡绝尘。仅以常人所见,那块与生俱来的顽石幻相"通灵玉"当属其中最为引人注目的道具了,贾宝玉与林黛玉、薛宝钗、史湘云、众女仆、贾母诸人之间的诸多纠葛多因此而生、因此而申、因此而张。与之相应,薛宝钗的金环、史湘云的麒麟,等等,均系与"通灵玉"具有相当功效的完美道具意象。此外,曹公于书中极尽铺陈之能事的宫苑建筑、园林园圃、亭台楼阁、居室布置、器物文玩、衣物装扮、头身饰品、食品点心等描状,均系将日常物事入文入书作为行文达意的道具。仅以《红楼梦》中的古典园林为

---

① 王怀义:《〈红楼梦〉与传统诗学》,上海三联书店 2012 年版,第 39—40 页。
② 傅憎享:《红楼梦艺术技巧论》,春风文艺出版社 1988 年版,第 137—140 页。

例,即可见出曹公雪芹随手撷取日常物事、驾驭俗世景观为小说所用的熟稔的"创制"小说道具的功力。《红楼梦》第五回《游幻境指迷十二钗 饮仙醪曲演红楼梦》谈及的"太虚幻境"和第十七回《大观园试才题对额 荣国府归省庆元宵》谈及的"大观园"堪称曹雪芹描状园林、活用道具的典范。端看第十七回的描写:

贾政先秉正看门。只见正门五间,上面桶瓦泥鳅脊;那门栏窗隔,皆是细雕新鲜花样,并无朱粉涂饰;一色水磨群墙,下面白石台矶,凿成西番草花样。左右一望,皆雪白粉墙,下面虎皮石,随势砌去,果然不落富丽俗套,自是欢喜。遂命开门,只见迎门一带翠嶂挡在前面。往前一望,见白石䃎嶒,或如鬼怪,或如猛兽,纵横拱立,上面苔藓成斑,藤萝掩映,其中微露羊肠小径。逶迤进入山口。抬头忽见山上有镜面白石一块,正是迎面留题处。进入石洞来,只见佳木笼葱,奇花焖灼,一带清流,从花木深处曲折泻于石隙之下。再进数步,渐向北边,平坦宽豁,两边飞楼插空,雕甍绣槛,皆隐于山坳树杪之间。俯而视之,则清溪泻雪,石磴穿云,白石为栏,环抱池沿,石桥三港,兽面衔吐。桥上有亭。出亭过池,一山一石,一花一木,莫不着意观览。忽抬头看见前面一带粉垣,里面数楹修舍,有千百竿翠竹遮映。于是大家进入,只见入门便是曲折游廊,阶下石子漫成甬路。上面小小两三间房舍,一明两暗,里面都是合着地步打就的床几椅案。从里间房内又得一小门,出去则是后院,有大株梨花兼着芭蕉。又有两间小小退步。后院墙下忽开一隙,得泉一派,开沟仅尺许,灌入墙内,绕阶缘屋至前院,盘旋竹下而出。倏尔青山斜阻。转过山怀中,隐隐露出一带黄泥筑就墙,墙头上皆稻茎掩护。有几百株杏花,如喷火蒸霞一般。里面数好屋。外面却是榆、槿,各色树稚新条,随其曲折,编就两溜青篱。篱外山坡之下,有一土井,旁有桔槔辘轳之属。下面分畦列亩,佳蔬菜花,漫然无际。引人出来,转过山坡,穿花度柳,抚石依泉,过了茶䕷架,再入木香棚,越牡丹亭,度芍药圃,入蔷薇院,出荼坞,盘旋曲折。忽闻水声潺湲,泻出石洞,上则萝薜倒垂,下则落花浮荡。要进港洞时,又想起有船无船。在前导引,大家攀藤抚树过去。只见水上落花愈多,其水愈清,溶溶荡荡,曲折萦迂。池边两行垂柳,杂着桃杏,遮天蔽日,真无一些尘土。忽见柳阴中又露出一个折带朱栏板桥来,度过桥去,诸路可通,便见一所清凉瓦舍,一色水磨砖墙,清瓦花堵。那大主山所分之脉,皆穿墙而过。步入门时,忽迎面突出插天的大玲珑山石来,四面群绕各式石块,竟把里面所有房屋悉皆遮住,而且一株花木也无。只见许多异草:或有牵藤的,或有引蔓的,或垂山巅,或穿石隙,……或如翠带飘摇,或如金绳盘屈,或实若丹砂,或花如金桂,味芬气馥,非花香之可比。贾政因见两边俱是超手游廊,便顺着游廊步入。只见上面五间清厦连着卷棚,四面出廊,绿窗油壁,更比前几处清雅不同。行不多远,则见崇阁巍峨,层楼高起,面面琳宫合抱,迢迢复道萦纡,青松拂檐,玉兰绕砌,金辉兽面,彩焕螭头。只见正面现出一座玉石牌坊来,上面龙蟠螭护,玲珑凿就。引人出来,再一观望,原来自进门起,所行至此,才游了十之五六。至一大桥前,水如晶帘一般奔入。原来这桥便是通外河之闸,引泉而入者。于是一路行来,或清堂茅舍,或堆石为垣,或编花为牖,或山下得幽尼佛寺,或林中藏女道丹房,或长廊曲洞,或方厦圆亭。忽又见前面又露出一所院落来,一径引人绕着碧桃花,穿过一层竹篱花障编就的月洞门,俄见粉墙环护,绿柳周垂。一入门,两边都是游廊相接。院中点衬几块山石,一边种着数本芭蕉;那一边乃是一颗西府海棠,其势若伞,绿垂碧缕,葩吐丹砂。引人进入房内。只见这几间房内收拾的与别处不同,竟分不出间隔来的,原来四面皆是雕空玲珑木板,或"流云百蝠",或"岁寒三友",或山水人物,或翎毛花卉,或集锦,或博古,或万福万寿,各种花样,皆是名手雕镂,五彩销金嵌宝的。一隔一隔,或有贮书处,或有设鼎处,或安置笔砚处,或供花设瓶、安放盆景处,其隔各式各样,或天圆地方,或葵花蕉叶,或连环半壁。真是花团锦簇,剔透玲珑。倏尔五色纱糊就,竟系小窗;倏尔彩绫轻覆,竟系幽户。且满墙满壁,皆系随依古董玩器之形抠成的槽子。诸如琴、剑、悬瓶、桌屏之类,虽悬于壁,却都是与壁相平的。原来贾政等走了进来,未进两层,便都迷了旧路,左瞧也有门可通,右瞧又有窗暂隔,及到了跟前,又被一架书挡住。回头再走,又有窗纱明透,门径可行;及至门前,忽见迎面也进来了一群人,都与自己形相一样,——却是一架玻璃大镜相照。及转过镜去,益发见门子多了。又转了两层纱橱锦隔,果得一门出去,院中满架蔷薇、宝相。转过花障,则见清溪前阻。忽见大山阻路。直由山脚边忽一转,便是平坦宽阔大路,豁然大门前见。于是大家出来。

在前引这段《红楼梦》文本中,曹公通过宝玉随贾政查验大观园和试才题对额的描述,向我们逐次展示了这座中国古典园林的全貌。曹雪芹《红楼梦》中创造的大观园果然是一个人间奇迹,以至清人袁枚《随园诗话》直视之为"余之随园也";更有清人裕瑞《枣窗闲笔》亦称"袁简斋家随园,前属随家者,随家前即曹家故址也,约在康熙年间",为之佐证。然,此说并未被红学界采信。且不论现实中有无大观园,仅以小说中道具而论,曹雪芹所创的这一古典园林正是《红楼梦》诸位主人公诗意栖居的充满着灵气的所在,成为《红楼梦》演绎贾府兴衰、敷演众人命途的审美场域。大观园作为迎接贾政长女皇妃元春返家省亲专修的私家苑囿,规模、布局、设计、工艺、风格、质量乃至规制均已企及皇家园林水准;待元春省亲使命完成,该园又遵皇妃意愿及懿旨成为贾王史薛四大家族少年子女居所,变成宝玉、黛玉、宝钗、迎春、探春、惜春诸人及其奴仆们相对自由的活动空间,也从而成为承载他们喜怒哀乐、包孕他们生命意识的重要场域,更成为曹公雪芹用以编织《红楼》巨制的重要舞台。换句话说,大观园的兴建、繁盛、衰败、没落的历史正见证了贾府乃至整个封建王朝的兴衰,没有大观园就没有《红楼梦》。尤值一提的是,曹公通过贾宝玉的视角,更将小说中的当下场域的"大观园"与第五回中宝玉梦中的"太虚幻境"勾连起来,将贾府的大观园视为仙界太虚幻境的人间缩影,脂砚斋更批之为"园基乃一部之主"、视之为全书总纲,从而将大观园中的人与太虚幻境中的仙形成比对,形成小说中的真实与虚构、合理与不合理的关系,呼应着"假作真时真亦假,无为有处有还无"的"空"旨。这些随处可见、纷繁复杂的日常物事均成为曹公描摹人物、刻画性格的上佳道具,令读者诸君在读罢《红楼》回转现实时睹物思人、触物生情、久久回味,从另一角度显出物是人非事事休的"空"悲之感。

三是场景"象"群。场景意象可谓中国古典小说艺术的独造,而曹雪芹《红楼梦》中场景"象"群的艺术效果更是达到了登峰造极的地步。一切人物的活动都必须有一个特定的场景,一方面人的活动改变着场景;另一方面场景又对人的性格发展起到推动或制约作用,成功的小说作品中人物与场景必然是水乳交融、密不可分的。曹公《红楼梦》中的人物形象之所以个个跃然纸上、呼之欲出,以至时至今日仍为海内外广大读者印象深刻,一个重要的因素即在其对场景意象的群体塑造。关于《红楼梦》的场景意象,从宏观上讲,首当其冲的最大的总意象当属贾府这一总场景,环绕着《红楼梦》人物并促使他们展开各项活动的场景正是包孕了"康乾盛世"一切典型的时代特征的贾府。从这个程度上讲,《红楼梦》中的贾府即可视为中国封建社会的缩影,这已是红学界的共识。《红楼梦》反映的是封建末世的社会面貌,毋庸置疑,"末世"之谓并不特指清代康乾时期,而是整个封建社会,于清季而言,康乾恰为盛世。但曹公的出色之处正在于他能于所处盛世之中见出整个封建制度的腐朽与没落的危机势头,并以《红楼梦》中贾府这一场景意象的极盛而衰的演变宣告了末世到来的预言。《红楼梦》中的贾府场景意象,虽为大富大贵的国戚世家,因元春而与皇家联姻,因历史又与王史薛一荣俱荣、一损俱损,权倾朝野、势大熏天,却又最终绝难逃脱彻底衰败的宿命。诚如段启明所言:"贾府高大围墙的里面,更集中了各种封建末世的矛盾:卫道者与叛逆者之间,主子与奴仆之间,奴才与奴隶之间,主子内部大小主子之间,矛盾重重,错综复杂。正是这种种矛盾的不断激化,使贾府一步步走向彻底垮台。我们看到,这种衰败的必然趋势,王熙凤无法改变,探春理家,同样无法改变,相反,正是她们的倒行逆施,加速着这种趋势。"①尽管段论末句对王熙凤、探春的评判过于强调了个人的力度、略失偏颇,但总体而言,对贾府这一场景意象的定位与论述还是比较精当的。大观园可谓曹雪芹在《红楼梦》中着力营构的另一个较为直观的场景意象。细览前引《红楼梦》第十

---

① 段启明:《红楼梦艺术论》(修订本),北京师范学院出版社1990年版,第75页。

七回中对大观园的描画可知,大观园是《红楼梦》诸位主人公聚居、成长、生活的一个主要场域,小说中几乎所有重要的主人公都曾在这里出现过、活动过,小说中几乎每位重要人物都曾在这个舞台上表演过。作为曹公虚构的这个酷似人间乐园的场景意象,大观园被称为"玉兄与十二钗之太虚幻境"。如果说贾府这一场景意象寄寓着对整个封建王朝和宗法制度的象征的话,那么,大观园这一场景意象则堪称贾府和礼法之外的理想和真情的代表和象征。大观园是宝玉与众女孩儿们结社联诗、宴饮嬉戏、挥洒青春、自由呼吸的精神乐园,然而,大观园毕竟不是世外桃源,太虚幻境终究是美梦一场,它们绝难逃脱必然毁灭的结局;大观园内的众女孩儿们也是常人,也难逃死亡、离散、婚嫁、衰老的必然规律,甚至暗合着"其兴也勃焉、其亡也忽焉"的历史周期律,毁灭崩塌的过程相当急促。它们和她们的毁灭崩塌均象征着封建末世的泥沼中理想与真情在宗法与礼法面前的溃败。从微观上讲,曹雪芹在《红楼梦》中倾力营构的场景意象群体主要集中于各类日常生活事项之中,诸如大观园场景意象下发生的黛玉葬花场景意象,一曲《葬花吟》揭开了"千红一窟"、"万艳同悲"的大观园悲剧的序幕;其后,虽有接踵而至的咏红梅场景意象、啖腥膻场景意象、即景联诗场景意象、雅制灯谜场景意象、寿怡红群芳开夜宴场景意象等诸艳尽欢的闹热欢欣景象,更有金钏投井场景意象、宝玉挨打场景意象、赵姨娘大闹怡红院场景意象、尤二姐转入大观园场景意象、王夫人抄检大观园场景意象等"红消香断"的悲空情状。嗣后,"心比天高"的晴雯遭谤病亡、"温柔和顺"的袭人空云如兰、司棋因情被逐自杀、芳官等十二伶人遭构陷入空门、香菱落入呆霸王手受尽折磨、鸳鸯抗婚势难全身,丫鬟们一个个难逃厄运;黛玉叛逆礼法为情而死、宝钗谨守礼教亦成陪葬、元春圈入宫中英年消逝、迎春误嫁中山狼难逃一死、探春虽有齐家才而逢末世、惜春勘破三春出家为尼、妙玉终入风尘违心愿、凤姐机关算尽家亡人散、湘云重坠幼时坎坷形状、李纨守寡养子终成礼教祭品,一众小姐们也难逃悲剧命运。这些悲剧的集中上演俱在曹公所设的种种日常生活场景意象之中一一呈现,控诉着封建宗法与世俗礼法对重情、理想的情境的破坏与摧残。

上述诸"象",虚实互通、真假相依,构成全书"典型"之象。有学者曾从审美客体出发对"典型"、"意象"、"意境"范畴及特征做过探讨。李泽厚视"意境"、"典型"为"平行相等的两个基本范畴"。顾祖钊认为:"艺术典型的真实性原则与艺术意象、意境已大不相同。"①曹桂生将"意象"提升为与"意境"、"典型"相并列的美学范畴。② 朱志荣则从审美主体出发,将审美意象分为自然、人生、艺术三类,成为对上述讨论的有益补充。《红楼梦》诸"象",从审美主体而言,均为曹公意中之象的典型呈现,融汇着与天地之道神契意合的主体情意,蕴藉着对人生的深刻感受及对清初社会的深切体认,成为把握清初时代审美意识本质内核的关键路径。从审美客体来讲,《红楼梦》诸"象"既具艺术典型的具象、直感与真实,又有审美意象的抽象、情感与多义,是想象与虚幻的合体。凭借"空"性特质,诸"象"完美地传达、呈现出曹公主体之"意"、审美趣味和创造意识。

(三)双重之"境"与"空"之隐寓

清人王希廉曾在《红楼梦总评》中称:"从来传奇小说,多托言于梦。如《西厢记》之草桥惊梦,《水浒》之英雄恶梦,则一梦而止,全部归于梦境。《还魂》之因梦而死,死而复生,《紫钗》仿佛似之,而情事迥别。《南柯》、《邯郸》,功名事业,俱在梦中,各有不同,各有妙处。《红楼梦》也是说梦,而立意作法,别开生面。……与别部小说传奇说梦不同,文人心思不可思议。"③此论道出曹雪芹造"梦"构"境"寓"空"之奇才。

"梦"是曹雪芹在《红楼梦》中勾连现实礼法世界与幻境理想世界的津梁。曹雪芹于《红楼梦》中所造之"梦"源出四途:一为假托神话造梦,开篇即以女娲补天为起点,创设顽石神话、仙草化人神话、太虚幻境神话,为情节展开奠定了真幻结合的元初梦境;④一为借由人物造梦,以实际人物与戏剧人物的身份,先后造出宝玉情梦、贾瑞淫梦、计长策之梦、妙玉思

① 顾祖钊:《艺术至境论》,百花文艺出版社1999年版,第265页。
② 参见曹桂生:《"审美意象"辨——与叶朗先生商榷》,《大连大学学报》2009年第2期。
③ (清)王希廉:《红楼梦总评》,《红楼梦资料汇编》,中华书局1964年版,第148—149页。
④ 王怀义:《〈红楼梦〉与传统诗学》,上海三联书店2012年版,第95页。

梦、香菱诗梦等一系列或隐或显、或忧或悲、起伏跌宕、首尾勾连的审美梦境;①三为依凭场景造梦,这便又要回归到前文一再述及的大观园场景了,余英时将《红楼梦》分为乌托邦和现实两个世界,以为这两个世界落实到《红楼梦》里正是大观园的世界和大观园之外的世界,②宋淇亦称大观园是只存在于理想中而没有现实依据的堡垒,③二人均道出大观园实为小说中的现实版梦境,此外另有借观戏造梦之法,亦属此类;四为假借道具造梦,赋予一花、一水、一草、一木、一玉、一金、一麒麟、一箸等日常生活中的普通物事以特定的内涵,如前所述,《红楼梦》中,花为众女子,水为时间、真情,草、木为黛玉,玉指通灵玉即宝玉,金指宝钗,麒麟为湘云,箸之活用蕴礼之法森严,以之为喻,尽情造梦。

"境"是曹雪芹欲在《红楼梦》中给予读者诸君的阅读愉悦。由此,曹雪芹于《红楼梦》中所构之"境"便具有了明显的双重指向:一是依凭上述四途,竭力造梦,出入幻域,指向理想世界,构造永恒的理想与真情的幻境世界,欲为读者营构一个对真情与理想的自由爽利的无限期待;一是"不加穿凿","按迹寻踪",指向现实世界,以现实而细腻的笔法创构了一个"曲尽世态"的现实世界,欲将人间世外一切真情与理想毁灭给读者看,使读者获得一种崇高的悲美之感。曹雪芹在《红楼梦》中首先营构了大量颇具玄幻色彩的幻域世界:一是仙界,如第一回中的女娲补天、顽石神话、仙草化人和第五回中的太虚幻境等神话中的天界与宝玉的梦中仙境;二是鬼界,如第一回中甄士隐午后梦观通灵宝玉而仙去、第十三回中王熙凤梦秦可卿与其谈治家事后即亡、第六十九回中尤二姐梦到尤三姐捧剑而来顿觉大限吞金自尽等神鬼之梦与梦中鬼境。其次是"不加穿凿"的现实世界描摹。除了科场、官场、情场、商场之外,还再现了许多世间真境。

正如诸多学者所析,《红楼梦》所造之"境"多为依凭"梦"的津梁而

---

① 陈庆浩:《新编石头记脂砚斋评语辑校》(增订本),中国友谊出版社 1987 年版,第 601 页。

② 余英时:《红楼梦的两个世界》,上海社科院出版社 2006 年版,第 34 页。

③ 宋淇:《红楼识要——宋淇红学论集》,中国书店 2000 年版,第 18 页。

交错互通的双重世界营构。幻域与人间贯通、大观园与太虚幻境直接、现实与虚幻交错、人仙与人花对应。这种双重指向之"境"的选择,饱含着曹雪芹对营构奇幻迷离而又映照时事的小说世界的艺术选择和于小说之中寄寓丰富内涵、深切真情及沉重反思的艺术旨归。于是,这"梦"与"境"之营构就暗含了"空"之隐喻。在这种前无古人的不羁创想中,曹雪芹营造出心目中的审美至境,其中既承载着清人审美意识物态化活动的表征和印迹,更成为一种具有超模拟内涵和意义、超感觉性能和价值的清初社会审美意识的符号、标记和载体,"时代精神的火花在此凝练、沉淀下来,传留和感染着人们的思想、情感、观念、意绪"。① 由是观之,主旨之"意"、典型之"象"、双重之"境"均为曹公小说创作的审美工具,构成《红楼梦》文本审美意识的核心基元;而"空"则是他在寄寓主旨、批判现实时刻意追求、如愿企及并臻至高峰的艺术至境,奠定了《红楼梦》文本审美意识的悲美基调。

三、多元叙事模式

多元叙事是曹雪芹造梦构境、取象达意的首要方式。宗白华曾言,艺术形式美的秘密和奥妙,在于每个艺术家都要通过创造形式来表现思想。② 李泽厚也称,对文艺——审美自身法则的空前重视和刻意追求,意味着"艺"、"文"不只是"载道"而已,它们自身的技巧、规则还有其独立的意义在。③ 在叙事学已成显学的当今回望《红楼梦》,它之所以能位列古典小说之巅,除了思想性、典型性之外,曹雪芹在承继传统小说传奇话本写法之外、突破旧有写作方式、展开叙事新创之功不可没。在曹雪芹之前,小说素以引人入胜的故事情节、丰满突出的人物性格为艺术特征见胜;及至曹公《红楼梦》出,更在情节、人物、字里行间蕴涵着神思与韵味的精妙之笔,不仅将传统的诗词曲赋、书法绘画、园林工艺的文思情趣尽收笔下,而且熔铸玄禅、贯通百家,典雅而通俗地呈现了推陈出新的艺术

---

① 李泽厚:《美学三书》,安徽文艺出版社 1999 年版,第 7 页。
② 宗白华:《艺境》,北京大学出版社 1999 年版,第 255 页。
③ 李泽厚:《美学三书》,安徽文艺出版社 1999 年版,第 413 页。

思辨力,并以精巧自然的结构安排、跌宕多姿的故事情节、栩栩如生的人物形象、独具风格的语言艺术、耐人寻味的神话色彩营构出天然浑成的审美烛照,更于家庭日常生活复写、暴露宗法礼教丑恶、细节白描艺术手法之中寄寓曹公手摹心追的人生中的美好、光明、诗意及真情,尤以"兼容并包"、"天然浑成"、"美好真情"为其艺术美学的总特征。《红楼梦》在结构叙事、情节叙事以及叙事语言方面的创拓与成就,使得长篇白话小说的多元叙事卓然矗立,成为独立于思想意蕴与典型之象的有意味的形式,以灵巧缜密的巧构鬼斧神工地点化了文本寓意之空,构成《红楼梦》文本审美意识中堪与意、象、境比肩的重要范畴。正是这种统摄于"天然浑成"总特征下的多元叙事,赋予了曹公《红楼》以其他古典小说难以与之比肩的巨大而感人的艺术真实魅力。

《红楼梦》叙事结构之妙,前人述及良多。清人二知道人曾以"四时气象"总结之:"《红楼梦》四时气象:前数卷铺叙王谢门庭,安常处顺,梦之春也。省亲一事,备极奢华,如树之秀而繁阴,葱茏可悦,梦之夏也。及通灵玉失,两府查抄,如一夜严霜,万木摧落,秋之为梦,岂不悲哉!贾终养,宝玉逃禅,其家之瑟缩愁惨,直如冬暮光景,是红楼之残梦耳。"并进一步称:"小说家之结构,大抵由悲而欢,由离而合,引人入胜,红楼梦则由欢而悲也,由合而离也。"此论以春夏秋冬喻指红楼结构,当是见出小说中贵族之家衰败历程及小说的悲美意识;更以结构上与传统的对峙见出曹公反传统的"壁垒一新"的思想写法和创作主张,无疑是相当有见地的看法。清人王希廉《红楼梦总评》亦开宗明义地将《红楼梦》120 回剖成 21 大段:"各大段落中,尚有小段落,或夹叙别事,或补叙旧事,或埋伏后文,或照应前文,福祸倚伏,吉凶互兆,错综变化,如线穿珠,不板不乱……"张新之则提出"三大支"主张,将第六回至三十六回归为一支、第四十回至六十回归为一支、第七十回至百十三回归为一支,以是为《红楼梦》"通身大结构"。上述清人评点足以说明曹公《红楼》结构之复杂新颖,显示着小说结构紧密的内在联系。细览《红楼梦》文本和学界关于《红楼梦》结构的研究成果,宏观地看,约略可将其分为五大段落:一是第一回至第五回,为全书总纲,学界常称其为楔子、序幕,但实际的功效却远超于此;它为后继者提供了一种长篇小说结构安排的独创性典范,较之前代佳作《三国演义》和《水浒传》,《红楼梦》不仅人物众多、情节复杂,且始终在同一环境中活动、发展,因此确有安排总纲以提纲挈领、总领全书的必要,也的确起到了这一功效。例如,第一回中所设的女娲补天、顽石神话、僧道二仙、甄士隐、好了歌、贾雨村等,或梦境、或现实、或仙者、或俗人,大荒山、无稽崖、青埂峰、十里街、仁清巷、甄英莲、茫茫大士、渺渺真人等,貌似笔锋随意、情节古怪,实则均有深意,实在是借小说中虚构形象之口道出曹公自己的创作主张,并以障眼之法为全书笼罩一层神话色彩,以期在文网密织的境况下令小说得以行世。又如,第二回中冷子兴演说荣国府,脂砚斋曾于此回正文之前对其结构意义做了很长的批语,指出作者欲借冷之口使读者"有一荣府隐隐在心"、做好精神准备,并由远及近、由小至大地述及外戚、通灵宝玉,为正面描写贾府打下良好基础。再如,第三回以黛玉到府引出一干主要人物出场,水到渠成、自然天成,无怪乎脂砚斋称其为"天生地设章法,不见一丝勉强",可谓别具心裁。又如,第四回宕开一笔、由贾府而及社会,勾勒出红楼故事的广阔社会背景。再如,第五回宝玉太虚幻境神游之旨,端在两处,一为小说罩上神话色彩以自保,二为借金陵十二钗正副册判词向读者预告悲惨结局;第五回的第一段落囊括全书、提纲挈领,既为全书展开做好了充分准备,又为读者绘制了一幅千门万户、复道回廊却井然有序、出入自在的导览图,也显示出曹公对自己艺术表现能力和全书艺术价值的极度自信。二是第六回至第十八回,由刘姥姥一进大观园开篇,尽显炎凉世态与贾府声势气派,进一步渲染了小说背景环境气氛;主写秦可卿之死与贾元春省亲,在小说开卷不远处着力渲染"烈火烹油、鲜花着锦"的炙手可热、不可一世的盛况,实是为着深化其最终衰落崩溃时的社会意义;北静王、皇妃的出现更牵连出了封建王朝的最大当权者,直接将全书的批判的锋芒直指皇权,这在清代可谓"胆大妄为"、惊心动魄之举;而王熙凤梦境中的秦可卿话治家,则一语点破了虚假繁荣的虚空结局,预示着无可挽回的必然灭亡的命途。三是第十九回至第五十四回,由上层主子穷奢极欲、逢五鬼生不测、宝黛钗性格关系、丫头抵死抗争等四个侧面全面展开贾府生活画面,集中表现了贾府表面的繁华富贵实与诸多现实冲突紧密交织在一起的,尤以宝玉挨打为一高潮,以矛盾的不断激化昭示着贾府这一诗书旧族已陷入难以为继的窘境,不仅经济入不敷出,而且维系关系的纽带也已松弛。四是第五十五回至第七十八回,以凤姐病倒、探春理家、嗔莺叱燕、召将飞符、寿怡红、尤二姐之死、贾母大寿、检抄大观园、王夫人大观园阅人等七个层次、诸多场景意象的顺次描摹,全面反映贾府内困外焦、无力支撑的危局,明示读者贾府已烂透、动摇、行将就木且毫无希望可言。五是第七十九回至第一百二十回,为高鹗所续,多有违背曹公本意之处,姑且不作曹公《红楼梦》结构的构思,单列一段,尤以黛玉之死为高潮,基本延续了全书的悲剧特征。总体来说,全书所描写的贾府由盛而衰的演进历程,以第五十五回为明显的转折标志分为前后两部分,前半部分以第三十三回宝玉挨打为高潮,后半部分以第七十四回检抄大观园与王夫人大观园阅人为高潮。微观而言,曹公《红楼梦》结构之精微亦处处可见。对此,何永康曾有专文述及,[①]可资参考,兹不赘述。细读文本即可发现,《红楼梦》微观叙事结构的精微之处至少体现在三大方面:一是日常生活场景意象反复出现而不见重复、各有深意;二是每一生活场景意象均非单一线头而是多头辐射、牵丝映带;三是生活场景意象呈现绝非静态、力求流动性。

　　《红楼梦》情节叙事的章法,既延续了中国古典小说讲求情节艺术的传统,又较之《三国演义》、《水浒传》、《西游记》、《金瓶梅》等名著佳篇有出新独到之处。《红楼梦》情节叙事的别具一格端在两点:首在其兼容并包的广泛社会生活基础;次及典型人物、典型意象的言行举止、心理趋势。关于前者,清人王希廉评得中肯,称之为"包罗万象,囊括无遗,岂别部小说所能望见项背";曹公几乎将当时社会各个领域的生活现象均加以提炼概括,将整个封建末世的面貌、各类人物及关系均纳入文本,以细密织网的情节设置功力为读者描绘了一幅庞杂的社会生活画卷。关于后者,曹公巧妙地安排了作为整个封建社会缩影的贾府及其个中人物矛盾、重

---

　　① 　参见何永康:《各抱地势蔚为大观——曹雪芹构筑"红楼"的艺术手法》,《南京师大学报》(社会科学版)1985年第2期。

大事件、日常小事在情节中的位置,使其节奏时紧时松、波澜起伏、合乐中节、扣人心弦,又令其跌宕生姿、辉映成趣、异趣横生、引人入胜,集中笔力尽显贵族之家中诸类主人公的日常生活,以人物间的联系、矛盾、同情、方案和一般的相互关系呈现各种不同性格、典型的成长和形成的历史,窥斑见豹般地揭橥大厦将倾的众生情态与炎凉世态。如前所析,《红楼梦》的叙事情节有主副两条:主线为宝黛钗婚恋,副线为贾府兴衰。两条线索互为表里,贯穿全书,间杂诸多小线索,相互交织,形同网络,成"一击空谷、八方皆应"、"提一发则五官四肢俱动"之势。仅以第三十三回宝玉挨打为例剖析可知,这件父亲教训儿子的日常小事不仅关乎全书情节展开,而且蕴涵着父子人生选择之争、嫡庶之争、主仆之争、高门大户权势之争等诸多矛盾,种种冲突交织推进,最终促成宝玉挨打的事件。曹公在写这一事件时是采取了集中各路冲突、快速推进、激烈爆发、极力渲染气氛等舞台艺术的手法完成的,贾政现实喝命小厮代打,而后亲手痛打;毒打的残酷、引发的波澜、产生的影响是通过王夫人、李纨凤姐迎春姊妹、贾母等一系列人物的顺次登场逐步展现并推向高潮的。与此同时,不仅王夫人、李纨等姊妹、贾母、贾政的性格形象均逼真地呈现于读者眼前,几大矛盾的急剧转化也戏剧性地全景呈现出来,整个场景意象紧凑、集中、强烈,情节演进扣人心弦。不仅如此,宝玉挨打的余波一直延续到第三十六回乃至更后的章回。这些牵丝映带的巧构无不启示来者:情节叙事的构思不仅需要考虑缘起、过程,更要照应各方,符合重大事件绝非孤例静态、而是连续性的规律,妥善安排余波、埋下伏笔、以备呼应,如此方能中轨合矩、确保艺术真实性。《红楼梦》情节叙事的功力还体现在曹雪芹善于从各个侧面生动地表现作品的深刻思想,家宴、对话、手帕、小诗……虽为日常素材的生活琐事,均与全书主旨产生着直接或间接的联系,以至有以为《红楼梦》"如《春秋》之有微词,史家之多曲笔"、"颇得史家法"之论。《红楼梦》尤其注重情节叙事中的细节真实,既有以小见大、寓意深远、颇具思想深度的生活细节的貌似不经意的呈现,如第三十六回宝玉撞见贾蔷与龄官对话时的痴和龄官"牢坑"、"笼中鸟"的不经意的点化、第五十七回湘云黛玉不识当票和"天下老鸹一般黑"的警句、第七十七回王夫人找人参和医生口中"上好的"、"无性力"的隐语；又有妙笔穿插、险句结住两种截然不同却殊途同归的情节叙事笔法的运用，如第七回周瑞家的送宫花路遇女儿说了几句话又继续送宫花等"穿插"手法，使得情节发展极富生活气息，再如第一回甄士隐与贾雨村谈话中断前去会客之后再未回转等"结住"手法，或称横云断岭之法，为情节发展演变提供了简洁明快的加速手段；既有复线发展、平行推进、"明修栈道、暗度陈仓、云龙雾雨、两山对峙、烘云托月、背面敷粉"的红楼笔法，例如第十六回凤姐给贾琏接风场景意象的描写中即用了平行复线法；又有省却闲文、无限烟波的极简情节叙事笔法，例如第十六回以贾宝玉视角以五个如何简明交代元妃晋封后贾府的诸多反应即用此笔法；更有事体相同却情节迥异的叙事视角，如宴饮、问药、做寿等经常出现，场景、功能和意象呈现却各个不同。可见，《红楼梦》情节叙事的艺术魅力，端在其将宝黛爱情这一核心情节描写置于家族兴衰大背景下，透过家族内部的争斗冲突而远涉其他三个家族，进而联系到整个社会，或朝廷官衙、或寺庙道观、或市井民巷、或乡野村落，无不尽收眼底，"由近以言远，即小以赅大"，层层扩展，无限延伸，全书情节叙事得以密而不乱、琐而不碎、从容不迫、条分理析。

曹雪芹是出色的语言大师，既熟悉上流社会、下层百姓的话语，又有着良好的语言修养，精通诗词曲赋，而且熟稔时曲、酒令、灯谜、笑话等日常生活雅趣，这些都为其小说创作提供了绝好的条件。因此，《红楼梦》叙事语言的精美，语言艺术的精妙绝伦、异彩纷呈，历来为人称道。戚蓼生《石头记序》称："夫敷华掞藻，立意遣词，无一落前人窠臼。"其语言神奇诡谲而平淡朴实，既合法度有恣肆酣畅，平淡中寓浓郁诗意，可谓淡极始知花更艳。总体而言，《红楼梦》叙事语言已远超《金瓶梅》、《水浒传》等前代巨制，可谓独具风格，集中表现有四：一是不囿于真实而尤重传神。《红楼梦》中既有大量精雕细刻的细节描写语言，却又不拘泥于细节真实，是在严格选择与精心提炼基础上更重于传神的表达；例如，同样是写求医问药，《金瓶梅》第五十四回描写任医官给李瓶儿看病时几乎将望闻问切全部据实写到、语言细腻，而《红楼梦》第五十一回描写大夫给晴雯看病、第六十九回描写胡君荣给尤二姐看病时则十分注重描写人物的神态,这恰是曹雪芹叙事语言艺术的高明之处;再如,《水浒传》细节描写最著名的当属林教头风雪山神庙一节,尤其是"向火"的描写,可谓语言细腻准确、生动逼真、无懈可击、堪称典范。《红楼梦》第六回也写到凤姐"向火",却是另一番风味,不仅写了外形,更着力突出了高傲矜持的神情、气派,创出"追魂摄魄"即传神的意境来。二是人物语言性格化。这本是成功小说普遍具备的特点,但《红楼梦》中的人物语言格外如此,深得鲁迅嘉许,尤以凤姐的语言最具性格化代表性。凤姐语言不外四类,或于贾母前讨好卖乖,或于下人前威重令行,或旁敲侧击随机应变,或假话连篇包藏祸心。例如,第十六回协理宁国府后告白贾琏的话和第六十八回赚尤二姐入府的话,虽为假话,却动之以情、说之以理、威逼利诱、更兼无赖,将凤姐的口蜜腹剑、两面三刀、虚伪狡诈穷形毕现,极富人物性格特点,足窥曹公着实了得的叙事语言艺术功力。三是行文巧妙字锤句炼。曹雪芹在百万言的《红楼梦》中充分利用情节、人物的机运,前后关照、随意点燃,使得语言生动诙谐又含蓄深刻,足见练字之功与行文之巧。例如,第四十五回宝玉雨夜来探黛玉的对话中,貌似不经意的"渔翁"、"渔婆"和"画上"、"扮上"的闲谈,均是暗藏机锋的潜台词。四是雅俗共赏。《红楼梦》既成功地继承了古代文学语言、巧妙自然贴切地运用古诗古文、使之复活于小说人物语言之中、清新且含蓄、全无卖弄俗套之虞,又大量撷取民间用语和生活口语、成语俗语歇后语俏皮话一一入书,使作品叙事语言鲜明生动、形象性强、且通俗晓畅、极富生活气息,形成了典雅与通俗兼具而完美统一的语言风格。例如,第四十九回宝玉见黛玉与宝钗关系转好心中纳罕而借用《西厢记》中"是几时,孟光接了梁鸿案?"向黛玉发问,问题提得含蓄而又贴切,黛玉也不禁连连赞叹:"这原问的好。他也问的好,你也问的好。"此类巧妙自然地借用古诗文的手法不胜枚举,令全书叙事语言自然且有趣、含蓄而典雅。再如,《红楼梦》中使用了许多"拔一根寒毛比咱们腰还粗"、"瘦死的骆驼比马大"、"丈八的灯台——照见人家照不见自己"、"提着影戏人子上场——好歹别戳破这层纸儿"、"你老是贵人多忘事"、"我们这里都是各占一枝儿的"等流传在民间的生活口语,令全书语言明白晓畅、通俗易懂。

综览前贤《红楼梦》叙事艺术研究成果,重新审视《红楼梦》文本,可以发现,所谓"多元叙事",是指借由笼罩于神话色彩掩护下的典型之"象"、双重之"境"映照和反观现实社会人生、寄托主体之"意"、勾勒真情与理想的审美世界的艺术再现形式。由此观之,则多元叙事实为曹雪芹在惨遭家变、生活困厄之后,痛感世态炎凉与末世悲凉,蕴积一股悲郁的忧世情怀,于诸多梦境中寄寓自己主旨之意的悲情选择;是他在郁结于心、久难平复之后,反叛传统文学樊篱,于小说一途寻求自己的审美精神系统的自主溯源;也是他在饱历沧桑、深阅世相之后,寻求知己的创作心态的自由表达;更是他于小说创作中营构突破时空的主体审美意识系统的自觉思考。可以说,多元叙事是《红楼梦》中无处不在的审美思维方式,是其文本审美意识至为重要的形式范畴。从审美客体来讲,多元叙事在传统叙事艺术和西方叙事学方面的审美特征,前贤已有诸多成果,这些成果单一来看虽仅涉某个或几个方面,但若综合相参则已形成完备系统。归纳起来,至少覆盖四个子系统:一是多元叙事的传统渊源系统,涵括民间叙事思维机制、史传叙事模式和志怪、传奇、话本、章回、古文、八股文乃至诗词书画等文艺叙事技法;二是多元叙事的主体生成系统,涵括主体生平遭际、主体人际交往、社会文化浸润、主体情志养成;三是多元叙事的客体生成系统,涵括本事考辨、故事结构、情节设计、形象塑造;四是多元叙事的文本分析系统,涵括叙事结构、叙事角度、叙事模式、叙事时空、叙事修辞、叙事语言、角色类型。无论渊源、主体、客体、文本中哪一个子系统的研究,其叙事审美意蕴的精髓均指向"梦",共同服务于全书至高审美范畴——"空"。从审美主体来讲,曹雪芹在小说叙事艺术上的卓越之处正在于其所创构的多元叙事模式。这一模式的典范意义源自三个方面:首先源自其植根传统、渊源有自的开放意识。他以万物皆备于我的开放心态兼容百家,采传统之题材范围与幻想方式,撷传奇之意象典故与叙述方式,融历朝之文人雅统,化话本章回之市井趣味。其次源自其植根民间、舍我其谁的担当意识。在曹雪芹的时代,小说本是圣人不为、于己无益的闲篇,为文人士大夫所不耻为之,但他却以务使小说并非小道末技的担当意识,敢于接续叙事传统,并务求匠心独运。最后源自其转益多师、超越前代的自觉意识。他于传统之中探求精神系统,承继前代又力求超越,来自传统与民间的养分的确丰厚,却无一不经其在意中、心内长久揣摩、陶染和融化,最终进入文本的结撰成"象"的,都暗含着他的生平遭际与学问涵养,寄寓了他的某种态度与某种希冀,是饱含其心血情意的意中之"象"的物化形态与审美释放。正是这种艺术自觉,使他以奇诡的想象、自由的思想开创了全新的"多元叙事"模式,铸就了《红楼梦》的辉煌。

四、民族思维特质

《红楼梦》的巨大成功已是毋庸置疑的定论,其成功之处各家自有其说,表现在前述意象群体营构的成功、多元叙事手法的成功等诸多方面,而究其成功之缘由,关键则应在潜藏于其小说文本背后的民族思维特质和先进的小说创作观。换句话说,《红楼梦》之成功,源自曹雪芹先进小说创作观念及其对民族思维特质的深刻理解和隐性传达。

曹雪芹小说创作观的先进集中体现在四个方面:一是对反传统、反封建、反宗法、反礼教的先进时代思潮的主动反映和对特定历史时代的群体感受的打破传统思想和写法的不落俗套的自觉表达;曹公所处时代虽号为"康乾盛世",但却是整个封建社会的末世,对此,惨遭家变、遍尝炎凉的曹雪芹有极其深刻而富前瞻性的感受和预见;他借由《红楼梦》向世人展示了皇家残酷、官场黑暗、贵族无行、奴才卑劣、人事一代不如一代、朝廷越来越腐朽不堪、社会正处于"忽喇喇似大厦倾,昏惨惨似灯将尽"的末世等自身深切感受;他要以不落窠臼、打破传统的一己之笔写出当时的统治策略微调终难逃脱整个社会崩溃坍塌结局的社会现实,写出当世以顾炎武、黄宗羲、王夫之为代表的反封建、反宗法、反礼教的强大思潮。二是对所处时代产生的大量"世俗小说"存在的诸多积弊积极回应、主动批判,弃"皆蹈一辙"而"不借此套"求"新奇别致",据"市井俗人"弃"理治之书"挺"适趣闲文",批"历代野史"否"风月笔墨"弃"才子佳人",弃"千篇一律"反"旧窠"倡打破窠臼以"令世人换新耳目";曹雪芹生活的时代,小说创作的情况异常复杂,既有《聊斋志异》《儒林外史》文言短篇集大成之作和讽刺文学之巅峰,亦有大量良莠不齐的人情小说、才子佳人小说，曹公身逢其时，就面临着如何全面正确评价这些既有作品这一迄今仍是小说史研究上的重要课题，对此，他在《红楼梦》中借小说人物之口——给予了积极回应和主动表态；例如，《红楼梦》第一回"石头"与"空空道人"对话即涉对世俗小说部分不良看法的评价，"空空道人"提出"无朝代纪年可考"和"并无大贤大忠……恐世人不爱看"两个问题，实为曹雪芹对世人可能质疑责难《红楼梦》的预判，亦即脂砚斋批语中"世人欲驳之腐言"之谓，曹公便借"石头"之口分别回应，以是否"添缀"朝代纪年并不关涉作品优劣、不加"添缀"反而"新奇别致"驳斥了第一点责难，又以市井俗人喜看理治之书者少、爱看适趣闲文者多巧妙而深刻地驳斥了第二点责难；此间，他更进一步将"适趣闲文"一分为三，即历代野史、风月笔墨、佳人才子，假托君相批驳野史、直斥风月为"淫秽污臭"、诟病佳人才子"千部共出一套"。三是弃"假拟妄称"力主"追踪摄迹"，公开宣称"写实"并一再强调写实而不实录，主张小说创作必须以生活为基础，情节须有源自生活的素材、人物须有亲睹亲闻的原型，鲁迅誉之为"正因写实，转成新鲜"、"其要点在敢于如实描写，并不讳饰"；曹雪芹在对当世小说乱象的批驳中，尤其注重对才子佳人小说"假拟"、"但拟"的凭空臆造、肆意杜撰和千人一面、千部一腔、毫无个性的人物塑造的批驳，认为小说虽需虚构，但不能因最没趣的脱离生活的胡编乱造而丧失典型形象和积极的社会意义；例如，他借石头之口直称"至若悲欢离合，兴衰之际，则又追踪摄迹，不敢稍加穿凿，徒为供人之目而反失其真"、"我半世亲睹亲闻的这几个女子"等言语中，处处彰显着写实而非实录、"取其事体情理"、"分主分宾"的主张。四是遍察当时各类小说社会功效，以为理治之书无人爱看、历代野史讪谤君相、风月笔墨坏人子弟、才子佳人不近情理，严肃负责地主张以小说创作纾解当世"贫者日为衣食所累。富者又怀不足之心，总一时稍闲，又有贪淫恋色、好货寻愁之事"的灾难。简而言之，曹雪芹的先进小说创作观是主张小说创作立足社会生活、艺术地反映生活、以真情真实打动读者、以新鲜别致令世人耳目一新、从而实现小说作品的社会功效。

支撑曹雪芹先进小说创作观的，是潜藏于《红楼梦》文本之后的深厚的传统文化积淀和民族思维特质。《红楼梦》的成功不仅在其打破传统，更在其破旧与鼎新是基于对传统的承继，是对中华传统中一切文化成就的有选择的汲取与融会，是植根于中华民族优秀文化传统之中的审美探绎。诚如周汝昌所言，《红楼梦》"和他以前的小说相比，是空前的、全新的，但是中国民族自己的"。《红楼梦》文本中烙有鲜明的中华民族文化传统的印记，承载着中华民族长期历史积淀所形成的稳固的审美习惯、民族风格与思维特质。可以说，《红楼梦》是中华民族文化涓滴的汇聚和经验的累积。曹雪芹的小说创作实践是建立在尊重民族传统的审美习惯、深刻检视民族传统的审美趣味、审美心理、审美思维模式之后，把创作的基点置于民族心理、兴趣、爱好等习惯的决定性因素上，并在熟稔民族叙事形式和艺术手法基础上充分发挥民族思维特质的奠基性作用，注重保持与发展文本的民族风格与特点，较好地承继与发扬了民族传统。细读文本可知，曹雪芹《红楼梦》首先承继了"说话"的遗风。小说虽为阅读的文本，属于"写"和"看"的艺术，但并未与说话绝缘，而是从"说"和"听"而来，因此而抱有着话本和拟话本等说话技巧的优长。从《水浒》《金瓶梅》及至《红楼梦》，民族传统的讲唱艺术的许多优秀形式与技法均得以完好地沿袭承传下来。例如，《红楼梦》作为章回体小说，源自说话的分章回讲述传统，讲求起讫首尾关照、悬念引人入胜、事件有头有尾、语言明白晓畅、文本可读可讲。《红楼梦》文本常以"却说""话说"开头，转换情节时以"如今且说"插入，结尾则以"且听下回分解"作结；第一回"列位看官，你道此书从何而来?""待在下将此来历注明，方使阅者了然不惑"明显从说话中"待在下慢慢道来"衍变而来；第十七回、第十八回中"倒是省了这工夫纸墨，且说正经的为是"显然从"闲言少叙，书归正传"中变体而来；不仅如此，《红楼梦》中还经常使用旧时说话人的谦卑自称"在下"、"蠢物"等，并尊各位读者听众为"看官"；无论是述诸听觉得说话还是转供阅读的小说，说话人与作者均极力拉近与听众读者的距离以期营造艺术真实可信的感染力；与此同时，《红楼梦》文本中还积极引进戏曲的优长，既随时以说话人身份介入故事夹叙夹议、又时时以小说人物身份进入摹扮角色，且令读者浑然不觉，看似全知视角的不合逻辑，实则汲取戏曲曲艺传统手法、暗合民族审美习惯。如此等等，数不胜数，时时处处昭示着《红楼梦》借由民族传统优秀叙事手法、熔就成多元一体的叙事表述方式、形成因包容性强而产生的自由生动的民族风格,皆足以说明《红楼梦》文本中"说话"遗风的痕迹,也足以证明《红楼梦》承继小说家言艺术手法、从讲唱话本孕育发展转为叙事文本的历史必然。曹雪芹十分注重从诗词曲赋中汲取养分,因此,《红楼梦》其次承继了民族叙事文学中"楔子"与"有诗为证"的传统。先说"楔子"。此词语出金圣叹腰斩《水浒传》,他将原文引首与第一回合称"楔子","以物出物之谓也";类似宋元话本中的"入话"(郑振铎以为"入话"具有候场、静场之用)、元杂剧中的"得胜头回"、戏曲中的"跳加官",明代称为"标目"、清代又称"传概"与"先声",类同今天的"序幕"。《红楼梦》中的"楔子"则复杂许多,常以"满纸荒唐言,一把辛酸泪。都云作者痴,谁解其中味?"之前为全书"楔子";《红楼梦》化用女娲补天神话,不仅起着由头、入话的怨气作用,更统领全书、敷陈大义、概括全文,是全书的重要组成部分,较之以往"楔子"仅为入话引题要重要和复杂得多。再说"有诗为证"。这也算是中国古典叙事艺术中由来已久的老传统,唐传奇中也夹杂不少诗歌,影响到后来的话本以至章回小说,陈陈因袭之下,有诗为证便演为公式化的传统,包括回前诗、回末诗及文中诗词酒令赋赞等,前二者源自讲唱艺术定场诗、收场诗,尤有定场和收煞之用,有诗为证则有点评之效。因曹公向来鄙夷俗套,所以《红楼梦》中并非每回俱以诗起讫,然以诗起讫者众多,但曹公所拟之诗却绝非讲唱人的旧套,实属"妆以骈丽、证以诗歌"的全新之作。曹雪芹《红楼梦》再次沿袭了小说人物为作者代言的传统。曹公直接将司马迁、班固、杜甫、苏轼、张横渠、李渔等人一脉相承的"代圣人立言"、"代人立言"、"代人立心"这一民族传统演化为"石不能言我代言"(白居易《青石》诗句),对此,胡适、鲁迅、蔡义江、傅憎享等红学家俱有较好论述;曹雪芹还进一步将中华民族"文以载道"的思维特质呈现为隐喻的含蓄形式,堪称曹公生命美学的自觉体验和小说理论的审美积淀。有学者认为,"隐喻是艺术理论中一个原点性问题",①"是一种认知和行为方

---

① 参见付军龙:《叙事语言中的隐喻》,《学术交流》2007 年第 8 期。

式",其"深层哲学基础是'天人合一'的宇宙统一论"。① 也有学者认为,文学文本中往往蕴含诸多隐性话语,"这种隐曲之意的表达是古人隐喻思维模式的表现",具有"隐曲性、对应性、想象与联想性和主观性"特征。② 曹雪芹创构《红楼梦》彼时的境况我们已无法确切获知,但其寄寓于《红楼梦》中的"空"感与"悲"情,尽管具有隐、藏、晦的特质,其"文以载道"的民族思维特质与隐喻叙事表达及悲美审美意识的积淀却可以通过其生平、文本等线索得以窥见。《红楼梦》灌注着曹雪芹凝注现实、造梦构境、以空寓真的隐性思考和假托神话、"曲尽世态"的道本追索,隐寓着曹公渴求真情的人生向度、以情悟道的现实向度、以文载道的思维向度。《红楼梦》是曹雪芹有意识地借神话、梦境进行的文学创作,种种创构与鼎革,均隐含着审美主体以心悟道之后对现实世界的悲空之感,其文本中所隐寓的主旨之情与屈原、司马迁、桓谭、韩愈、欧阳修、李贽、陈忱等人的精神一脉相承,有着明显自觉的渴求真情、以情悟道、以文载道的寓意性质,具有深刻的思想意蕴和巨大的情感力量。这种由虚构的小说主人公们的真情追索与极具艺术真实的现实境况的矛盾重重、无法调和而在文本中流露的荒凉末世之感和悲空感伤情绪,交织出《红楼梦》独特的悲美意蕴,并借由民族审美思维与隐喻叙事方式得以实现。这种含蕴"空"感与"悲"情的创造性艺术思维模式,不仅是曹雪芹对生命审美的自觉体验,也是曹公从中华民族传统文化与民族思维特质中汲取了诸多养分之后的重大创拓,更暗合了人的生命力、家国社会的前程和人的审美心理力与历史演进力量之间的多维关系,成为《红楼梦》寄寓性、暗示性和多义性的源泉。这也是《红楼梦》文本审美意识中至为感人与惊人之处。

五、结语:《红楼梦》审美无止尽

文艺是时代前进的号角。曹雪芹不愧为一位伟大的文学家,他在

---

① 参见毛凡宇:《关于隐喻的哲学思考》,《江西社会科学》2008 年第 12 期。

② 参见杨万里:《论〈周易〉中的隐喻思维方式》,《忻州师范学院学报》2010 年第 8 期。

《红楼梦》中建立起了庞大而独特的审美意识系统,他在《红楼梦》中所展现的美学思想绝不仅止于此;与此同时,他和他的《红楼梦》给予我们的启示与深思也绝不应当仅限于此。

当代中国,社会主义核心价值观旗帜高扬、成为时代主旋律,实现"两个一百年"奋斗目标、实现中华民族伟大复兴"中国梦"的宏伟蓝图渐次打开,举国上下一派奋力前行的勃勃生机。当此盛世,文艺的作用不可替代:既要创作深入生活、扎根人民的优秀文艺作品,更要借助立足作品、着眼当下、植根传统、服务人民的评论的力量,提升文化自觉、鉴定文化自信,汇聚同心共筑中国梦的强大精神动力,为服务大局、服务人民、推动文艺繁荣发展、建设社会主义强国贡献力量。毋庸置疑,文艺创作肩负着创作文艺作品、繁荣文艺发展的重任。站在实现中华民族伟大复兴中国梦的伟大历史节点,当代文艺如何站在悠久灿烂的中华民族传统文化的基础之上、面向民族传统中古典文学的巅峰之作、处理好继承传统与发展创新的关系、深刻把握文艺的本体与价值、认真做好自身的文艺创作、理论建构与主体重塑,已然成为摆在广大文艺家和文艺工作者面前的一项亟待解决的重大历史课题。

在这一大背景下,循着群体意象创构、多元叙事模式和民族思维特质展开对《红楼梦》等清代小说审美意识的研究,对弘扬古典小说系统由来已久的前沿属性,并使之更好地为传统民族文学现代化和国际化服务,促使民族文学登上新的艺术高峰,方兴未艾,大有可为。

第四节　士林群像·谐婉叙事
——《儒林外史》文本审美意识研究

18世纪中期的中国古典小说,《儒林外史》和《红楼梦》是足称伟大的两部典范之作。鲁迅曾给予《儒林外史》非同寻常的至高评价,视之为具有永恒生命力的伟大作品:"《儒林外史》作者的手段何尝在罗贯中下,然而留学生漫天塞地以来,这部书就好像不永久,也不伟大了。伟大也要有人懂。"①亨利·韦尔斯亦称："全书充满浓郁的人情味,足堪跻身世界文学史杰作之林。它可与意大利薄伽丘、西班牙塞万提斯、法国巴尔扎克或英国狄更斯等人作品相抗衡。"②英国大百科全书更称其成就"远远超过了前人"。可见,吴敬梓堪称一位世界级的文学大师。

《儒林外史》可谓中国封建末世社会生活的一面镜子,它以科举考试为中心,用极其高明的讽刺手法,描写了彼时士林的生活和读书人的命运,描绘出一幅真实生动的中国封建末世社会生活的历史图景。诚如鲁迅所言:"迨《儒林外史》出,乃秉持公心,指擿时弊,机锋所向,尤在士林;其文又戚而能谐,婉而多讽:于是说部中乃始有足称讽刺之书。"③美国大百科全书亦称其"对后来的中国讽刺文学产生了极大的影响"。《儒林外史》是清代乃至中国古典小说中讽刺小说的巅峰之作,以至"讽刺小说从《儒林外史》而后,就可以谓之绝响"。④ 因其作品的思想艺术成就及潜藏其内的深沉审美内涵,吴敬梓《儒林外史》甫一问世即广为流播、备受关注,在中国古典文学版图中踞于重要地位,对其后讽刺文学影响甚远。因此,以《儒林外史》为对象,研究其文本在意象构造、叙事艺术方面的显著成就,领悟吴敬梓在面向功名富贵悲喜交融的士林群象塑造、感谐婉讽且又狂狷隐悲的谐婉叙事艺术中所呈现的独自高标的批判性思维方式,揭橥其讽刺巅峰的小说文本所呈现的时代审美风尚及其后所承载的创作者的家国情怀与人文精神,对于我们更为全面地把握清代小说审美意识、深入底里地透辟揭示清代小说审美基调,无疑具有别样的典型意义。

一、文本审美意识:《儒林外史》美学研究的主体重塑

毋庸讳言,自吴敬梓《儒林外史》问世迄今虽已逾 250 载,但在《三国

---

① 鲁迅:《且介亭杂文二集·叶紫作〈丰收〉序》,《鲁迅全集》(第六卷),人民文学出版社 1958 年版。

② 亨利·韦尔斯:《中国文学与外国文学之比较研究》,李汉秋编:《儒林外史研究资料》,上海古籍出版社 1984 年版,第 327 页。

③ 参见鲁迅:《清之讽刺小说》,《中国小说史略》(第三十三篇),人民文学出版社 1975 年版。

④ 鲁迅:《清小说之四派及其末流》,《中国小说的历史的变迁》(第六讲),《中国小说史略》,人民文学出版社 1975 年版。

演义》、《水浒传》、《西游记》、《红楼梦》等"第一流小说中,《儒林外史》的流行最不广"。(对此,胡适《五十年来中国之文学》中已有明断)。然而,因其"在文人社会里的魔力",知识界有关吴敬梓和《儒林外史》的研究不仅始终未曾消歇、而且日趋繁盛,迄至近世更涌现出大批成果,蔚为大观。探寻二百余年的吴敬梓《儒林外史》研究史、传播史,梳理其间的成就与不足,尤其是厘清250余年间有关文本审美研究的脉络与线索,对发掘与考见吴敬梓其人其书的审美意识无疑是大有裨益的。学界关于吴敬梓《儒林外史》的研究,经历了生平考校、版本考订、文本探析、系统研究的发展历程。对此,凌昐《〈儒林外史〉研究的历史和现状》(上、下)、陈美林《20世纪〈儒林外史〉研究的回顾》、许建平《20世纪〈儒林外史〉研究的回顾与反思》及《20世纪〈儒林外史〉研究的回顾与反思》(续)、孙丽华《二十世纪〈儒林外史〉传播研究》、孙欣婷《20世纪80年代〈儒林外史〉研究综述》、李韵与潘华云《新时期〈儒林外史〉研究综述》①等文和陈美林《吴敬梓研究》②等著中俱有较好的梳理。纵览《儒林外史》诞生迄今的传播、研究史可知,清季吴敬梓《儒林外史》的研究,主要聚焦于吴敬梓的家世、生平、遭际、交游、治学状况和《儒林外史》的传抄、刊刻与点评两个着力点上。吴敬梓和《儒林外史》在清代并未进入官书视野,正史中既没有吴敬梓的传记,也未见对其著述的记载;然而对其人其书可资依凭的权威文献虽多属零星记述与片段评说,却也有不少,多见于与其同时且曾有交游的文人著述中,尤以吴门兄弟亲戚及其挚友程晋芳等人贡献为大。③ 吴敬梓生前即有堂兄吴檠《为敏轩三十初度作》和堂表兄金榘、金两铭两首《和作》及乃兄乃弟其他诗文中,详析记述了其生平、生活、遭

---

① 参见凌昐:《〈儒林外史〉研究的历史和现状》(上、下),《文史知识》1996年第11、12期;陈美林:《20世纪〈儒林外史〉研究的回顾》,《东南大学学报》(社会科学版)1999年第4期;许建平:《20世纪〈儒林外史〉研究的回顾与反思》及《20世纪〈儒林外史〉研究的回顾与反思》(续),《河北师范大学学报》(哲学社会科学版)2004年第3、4期;孙丽华:《二十世纪〈儒林外史〉传播研究》,山东大学硕士论文,2005年;孙欣婷:《20世纪80年代〈儒林外史〉研究综述》,《淮北职业技术学院学报》2013年第4期;李韵、潘华云:《新时期〈儒林外史〉研究综述》,《文史研究》2001年第11期。

② 参见陈美林:《吴敬梓研究》(三卷本),南京师范大学出版社2006年版。

③ 按:程晋芳(1718—1784),字门鱼,江苏淮安人,有《勉行堂文集》等行世。

际、个性、才华、家变、举状、思想、情绪等第一手史料。① 吴敬梓的晚辈金兆燕所著《棕亭诗钞》中曾有《寄吴文木先生》、《甲戌仲冬送吴文木先生旅榇于扬州城外登舟归金陵》等诗,述及吴氏半百之年的读书、治经及晚年困窘、病故扬州的情况,亦为难得史料;王又曾《丁辛老屋集》卷十二中则有《书吴征君敏轩〈文木山房诗集〉后》十绝句并前序,详述其病逝前情,中有"如何父师训,专储制举才"之句显吴氏之思想。程晋芳《勉行堂集》卷六曾收入不足千字的《文木先生传》,此传作于吴氏身后二十年内,可谓迄今存世最早、内容最详尽的吴氏传;传记之外,程晋芳另有《怀人诗》、《哭敏轩》、《严东有诗序》等诗文之制,②怀想悼念吴氏之余,亦述及吴敬梓、严东有的交游行状,首开吴敬梓生平研究、思想研究、治学研究、著述研究之先河。程晋芳之外,程廷祚与吴敏轩堪称"契友",曾序《文木山房集》,并有《与吴敏轩书》探讨女性和礼乐问题;唐时琳、吴湘皋、方嶟、黄河、李本宣、沈宗淳等亦曾为吴集作序,分别述及吴集刊刻、吴氏生平等情况;与吴同时的吴培源、郭肇璜、涂长卿、严东有、陶湘、戴瀚、陈古渔诸人诗文集中亦常有零星涉吴文字。上述诸君的各类文献均为后世展开对吴敬梓及其《儒林外史》研究奠定了坚实的史料基础。吴氏身后,另有清人钱大昕、章学诚、李斗、俞樾、杨仲羲等人著述兼涉吴敏轩,顾云、朱绪曾二人著述中俱有吴敬梓小传。关于《儒林外史》的传抄与刊刻,程晋

---

① 按:吴檠、金榘、金两铭两首《和作》俱载金榘《泰然斋集》(卷二附),为清道光二十六年重刊本,见李汉秋《儒林外史研究资料》,上海古籍出版社 1984 年版,第3—5 页。其中,吴檠《为敏轩三十初度作》称:"外患既平家日削,豪奴狎客相钩探。弟也跳荡纨袴习,权衡什一百不谙。一朝愤激谋作达,左(左马右真)史姁态荒耽。明月满堂腰鼓闹,花光冉冉柳鬖鬖。秃衿醉拥妖童卧,泥沙一掷一千担。老子于此兴不浅,往往缠头脱两骖。香词唱满吴儿口,旗亭法曲传江潭。以兹重困弟不悔,闭门嗔喑长醵酣。国乐争歌康老子,经过北里嘲颠憨。"金两铭《和作》亦云:"生小心情爱吟弄,红牙学歌类薛谭。旗亭胜事可再见,新诗出口鸡舌含。三河少年真皎皎,'风流'两字酷嗜贪。……迩来愤激态豪侈,千金一掷买醉酣。老伶小蛮共卧起,放达不羁如痴憨。"此外,吴檠尚有《怀从弟客于长干》、金榘另有《寄怀吴半园外弟》、《赠陈大希廉即用留别并示吴大敏轩》等诗作关涉吴敬梓生平行状,分载《咫闻斋诗钞》、《泰然斋集》(卷三、卷四)中。

② 按:《怀人诗》载于《春帆集》,其中,第十六首称:"《外史》记儒林,刻画何工妍。吾为斯人悲,竟以稗说传。"《哭敏轩》三首则见载于《拜书亭稿》中。《严东有诗序》见载于《勉行堂文集》卷2,黄山书社 2012 年版。

芳作吴传时仅称"人争传写之"而未提刻本,今见最早抄本当属上海图书馆所藏苏州潘氏抄本,而今见最早刻本当属卧闲草堂本。关于《儒林外史》的评点,先后有闲斋老人卧本回评、黄小田与天目山樵评语合梓本、增订与增补齐省堂本、天目山樵评本以及徐允临与平步青等人未成系统的碎评。民国吴敬梓《儒林外史》的研究,常基于近代社会改良与文化革新之需,主要聚焦于小说的主旨思想、艺术表现、影响地位以及对吴氏及其《儒林外史》的整体研究。较有代表性成果主要有邱炜萲、天僇生等人论《儒林外史》主旨思想,黄摩西、夏曾佑等人论《儒林外史》艺术表现,韩邦庆与《谭瀛室随笔》等论《儒林外史》影响地位,以及五四前后陈独秀、钱玄同、胡适等人倡导的系统研究,尤以胡适用力甚多;此外,鲁迅、茅盾、张天翼、吴文祺、王瑶、钱锺书、赵景深、季羡林诸贤的研究亦贡献颇多。在民国众多的《儒林外史》研究成果中,专意《儒林外史》文本研究的成果所占比例较之清季为大,譬如,黄摩西称其人物描写"真如对镜者之无遁形也"、夏曾佑"写小人易,写君子难"之谓、陈钱胡对其用白话创作的肯定、胡适对其结构的剖辩、鲁迅对其内容和艺术及地位的精辟分析与充分肯定、张天翼撰文专论其人物描写和结构特色及艺术表现,等等。此期上述诸前辈的努力将吴敬梓《儒林外史》的研究牢牢筑基在文本研究之上,为此后的研究指明了方向。新中国成立以来,循着前辈们开拓研究理路,站在前人已经取得的《儒林外史》的诸如"穷极文士情态"、鄙视"功名富贵"、"反科举"等思想成就和"平淡无奇"、"真实见性"、"含蓄有力"、"深彻见骨"等艺术成就的基础上,吴敬梓《儒林外史》的研究向着文化内涵、民族心理、家国前景等纵深方向不断拓展,迈入了崭新的天地。整体来看,此期学界对吴敬梓《儒林外史》研究的重点主要集中在涵括家世、生平、思想的吴敬梓研究、《儒林外史》人物原型研究、《儒林外史》创作时间与版本研究、《儒林外史》创作方法与作品思想研究以及涵括艺术总论、讽刺艺术分析、结构特征分析、写人艺术剖析的艺术美学研究等五大方面。其中,尤以丰家骅、任访秋、傅继馥、杜贵晨、宋常立、李汉秋、周中明、周林生、苏海、王献祖、潘昭君、张国光、华德柱、杨义、陈新、滕云、陈美林、孟祥荣、吴伯森等人的《儒林外史》创作方法与作品思想研究成果和吴组缃、何其芳、冯至、姚雪垠、吴小如、何满子、宁宗一、平慧善、何永康、黄岩柏、黄霖、陈美林、苗壮、鲁德才、孟昭连、杨义、吴圣昔、张锦池、王进驹、张新江、刘汉光、陈文新、王薇、王明居等人的《儒林外史》艺术美学研究成果对《儒林外史》文本审美意识研究而言大有裨益,这些学者从《儒林外史》总体艺术、讽刺、结构和人物塑造等方面对《儒林外史》美学价值所作的详析论述和精到阐发,为《儒林外史》文本审美意识研究提供了颇具参考价值的研究范式与理论借镜。然而,诚如许建平所言:"学术研究一方面由被研究对象所规定,从而使得相关研究在这一范围内具有稳定性;另一方面则是研究者的视角与眼光对被研究对象的重塑。而研究者的视角、眼光则在一定程度上受制于时代思潮,并随着时代思潮的变化而形成纵横起伏的历时态和阶段性。"①时至今日,吴敬梓《儒林外史》研究已从清季零星散论、民国系统研究、新中国成立后社会学批评独大发展至20世纪80年代以来多元繁盛、高潮迭起的局面,一方面,基础研究、理论研究与文本分析均取得了长足的进展和空前的进步,90年代以后甚至曾一度出现所谓"文化研究"的热潮;另一方面,受制于部分学者的知识结构所限,此类新探索却又令人遗憾地呈现出既大且空的泛化倾向,偏离了文本研究的主体轨道。仅就文本审美意识研究而言,百年来的《儒林外史》研究中,学者们对《儒林外史》小说本文的研究较之文本之外的作者生平、思想、小说版本、本事、原型研究的成果而言稍显略逊一筹,至若《儒林外史》文本审美意识的研究,更是几被忽略、付诸阙如。鉴于此,当代《儒林外史》的研究者们在已有的丰硕成果基础上开始了上溯前贤、立足文本、重归本体的新探索。尤值一提的是,面对当今已然蔚为大观的《儒林外史》研究,学者们纷纷开始突破传统的文学范畴和史论研究模式,重拾前人奠定的《儒林外史》研究的文本审美路向,将研究兴趣适时转向心理学、社会学、文化学、语言学乃至人类学范畴,涌现出一批围绕其美学蕴涵和建构展开研究的论文和论著,已然吹响了系统整理发掘《儒林外史》

① 参见许建平:《20世纪〈儒林外史〉研究的回顾与反思》,《河北师范大学学报》(哲学社会科学版)2004年第3期。

文本审美意识的研究号角,延展了《儒林外史》的美学研究视阈,不失为吴敬梓之幸、《儒林外史》之幸。从这个意义上讲,重回《儒林外史》审美研究的文本主体,展开对其文本审美意识的研究,可谓适逢其会、正当其时,不仅应为、可为,且宜速行。

二、士林群像创构:《儒林外史》审美意象的基本类型

吴敬梓《儒林外史》塑造了近两百个人物形象。闲斋老人在《儒林外史序》中直称:"而其人之心术,一一活于纸上。读之者无论是何等人品,无不可取以自镜。"综览《儒林外史》文本可知,吴敬梓在小说中所创构的意象群体无出三类十种:

第一类是吴氏极力讽刺的醉心功名富贵、深受八股科举荼毒的人物意象。此类意象最具典型意义,既有利禄熏心、热衷功名的腐儒,又有沉迷八股礼教而自害害人的迂儒。可细分四种,或如被八股科举折磨至昏疯的令人同情的考取之前的周进、范进等老童生,或如骄人傲人、可憎可厌乃至招摇撞骗的中举之后的周进、范进等人,或如深受科举制流毒的马纯上、王玉辉及鲁编修的女儿等人,或如屡试不第却将余生奉献给八股文的马二先生等人。第二回至第四回中所描写的周进和范进的故事,堪称典范意象。考取之前的周进、范进的境况与遭遇无疑是可怜、可悲的,这两个老童生为举业耗尽毕生精力,皓首穷经之后尚未进举,尽管生计无着尤对科举念念不忘;周进从小参加科举考试,考到六十多岁了,还不曾考中一个秀才,花甲之年的周进"苦读了几十年书"还是个童生,因为没有功名,生活穷困,旧帽破衣,黑瘦面皮,头发花白,为了生活,只好去薛家集私塾坐馆糊口,临馆首日便受到"新进学"的秀才梅玖相公的百般奚落凌辱,王举人在他面前更是居高临下、大摆架子,举人进餐吃鸡鸭鱼肉兼好酒好饭,他却只得"一碟老菜叶"就"一壶热水",次日早起更得昏头昏脑地替举人打扫"撒了一地的鸡骨头、鸭翅膀、鱼刺、瓜子壳"等,后来居然连馆也丢了,虽备感羞愧却仍隐忍受之,到省城进贡院见号板却不免悲从中来,便"一头撞在号板上,直僵僵不省人事",妹夫金有余等人同情他凑钱替他纳了监生方才取得进场参考的资格,他立马跪地磕头称谢"重生

父母"、"变驴变马,也要报效"。无独有偶,范进二十岁应考,考了二十多次,弄得面黄肌瘦、头须花白,五十余岁也未中式,中举之前穷得无米下锅,最后一次进考时更是又冻又饿、形同乞丐,待周进可怜他为他"当场添了个第一名"中相公、挣扎着再去省里乡试之后回家,"家里已是饿了两三天",连其岳父胡屠户也尖酸刻薄地嘲弄他去赶考是"癞蛤蟆想吃天鹅肉",出榜那日甚至连早饭米也没有,母亲更是"饿得两眼都看不见了";周、范二人大半辈子追求功名富贵而不可得,深刻反映了八股科考制度下知识分子的可悲命运与虚空灵魂,而"进学"、"中式"之前的苦情、窘状一至于斯,亦足见广大腐儒被八股科举折磨得如痴如狂、时昏时疯的迂腐可怜,也可窥见造成这种变态心理和举止的社会环境与时代背景。然而,考中之后的周进、范进的境遇和言行的变化却又是如此可叹、可憎的,周进中举后,情况马上就发生了翻天覆地的变化,"不是亲的也来认亲,不相与的也来认相与",果真是"一进龙门,身价十倍",待到中了进士、封了御史、钦点广东学道之后,从前曾羞辱过他的梅玖竟于人前冒认他为自己的"业师",并让和尚将他过去用红纸写就而今早已发白的对联揭下来裱好收藏,荣华富贵、显身人前、自不待言。范进中举后,喜极而狂、迷失本性,灌醒之后,不但老丈人对他刮目相看,还有"许多人来奉承他:有送田产的,有送店房的,还有那些破落户,两口子来投身为奴图荫庇的",不到两三个月,便不仅钱米齐备,而且丫鬟奴仆、细瓷碗盏、银镶金盘应有尽有。种种描摹,无不尽显科举考试对人们灵魂的腐蚀与摧残,亦足见几十年落第者们的辛酸与迷狂以及一朝得中后的巨大反差,深刻揭示了这些腐儒数十年不气馁地热衷科考与坚持奋斗的真实社会原因——科考得中方有功名,有功名方有富贵,科考的确是读书人唯一的"荣身之路",也无怪乎周进、范进们毕生追求举业"至白首而不得"也仍不肯回头的社会原因,揭露和鞭挞了彼时社会追名逐利、精神堕落的社会风气,更从侧面显露八股科考制度本身的人为性、主观性、随意性、腐朽与不合理,批判的矛头直指科举八股取士的制度。周进、范进置身八股科场内的腐儒之外,彼时社会上尚有一大批沉迷八股和封建礼教而自害害人的迂腐儒生与家人,王玉辉视程朱理学"教养题目里的词藻"为金科玉律,竟然迷信迂腐到怂恿女儿自杀殉夫的地步;马纯上以八股文选家的身份,虽出自忠厚之心谆谆劝导朋友在八股文上下大工夫,将匡超人等引入歧途;马二虽二十年科场不利,却谙熟八股科举制度之精髓,总括古今举业为"做官"二字,可谓精辟,以至鲁迅亦对其尽揭彼时对学问之见解、洞见所谓儒者之心肝的高见倍加赞赏。[①] 与此同时,彼时社会风气已将八股科举与功名富贵哄抬至无以复加的高位,追求升官发财、功名富贵成为社会的普遍风气,甚至测字抽签、阴阳风水、说媒讨妾等吴敬梓笔下封建末世的落后丑恶现象,无不或隐或显、直接间接地关乎科举考试和功名富贵;马二在丁仙祠下跪求签旨在谋求发财机会,第七回中王惠、荀玫找陈同甫来扶乩请仙旨在问功名之事,聘娘请瞎子来算命则是为了想将来能跟一个贵人、当个官太太,媒婆沈大脚替戏子鲍廷玺向无赖泼妇胡七喇子说媒时,更先把做戏子的话藏起不说,直以功名举业骗人,"只说他是个举人,不日就要做官;家里又开着字号,广有田地";第十一回中,鲁编修为独生女招赘了蘧公孙,因他不肯做举业,竟想老年讨妾,"早养出一个儿子来叫他读书,接进士的书香",并终日为此事忧愁抑郁,以至酿成大病、中风瘫痪,连讨妾之事亦关乎举业和功名富贵,何其怪哉;第十三回中,鲁编修的女儿鲁小姐因痛恨丈夫蘧公孙不事举业,竟将全副希望寄托于儿子身上,为了让儿子长大能继承祖父的举业,刚满四岁的小孩,就"每日拘着他房里讲《四书》,读文章",她丈夫"也在家里,每晚同鲁小姐课子到三四更鼓,或一天遇着那小儿子书背不熟,小姐就要督责他念到天亮";他们或迂执酸腐、或空疏不学、或思想僵化,精神亦被摧残得近乎失常,身体也受到严重摧残,甚至丧失了起码的人性,由此亦足见礼教之毒、八股之害,早已深入其骨髓,可谓为祸日久、造孽日深。

第二类是吴氏最为痛恨的丑态百出的社会毒瘤、官绅和名士等人物意象,既有贪婪成性、敲骨吸髓的贪官滑吏,又有一张功名富贵横行乡里鱼肉百姓的劣绅,更有道德败坏、投机取巧、混充雅人、互相标榜、招摇过

---

① 参见鲁迅:《清之讽刺小说》,《中国小说史略》(第三十三篇),人民文学出版社1975年版。

市的骗子；也可细分三种，或如科举出生、一味捞钱、残民以逞、贪赃枉法的王惠、汤奉、大学士太保公等自下而上的一干贪官污吏，或如圈人肥猪、占人田产、讹人船资，甚至欲侵吞亡弟家产的地头蛇严贡生和家财十万之巨却临死因多点一根灯草而久不闭眼断气的吝啬鬼严监生以及阴谋诡计诬陷和尚谋夺田产的张静斋等遍布市镇乡野的一众土豪劣绅，或如依附官僚地主的假名士、假道学的牛浦郎、匡超人、权勿用、娄三娄四兄弟等沽名钓誉的一群帮闲文人。王惠、汤奉乃至大学时太保公等丧失理智的士人，一朝功成名就便把令来行，大肆攫取富贵，王惠到任南昌太守伊始，便立刻向人请教搜刮盘剥之术，自此府衙内"戥子声、算盘声、板子声"三声不绝，令百姓睡梦中犹胆颤心惊，下属及治下百姓"无一个不知道太爷的厉害，睡梦里也是怕的"，然而，这位残民以逞、贪赃枉法的王太守却并未遭受查处、反被上司引为江西第一能吏、速迁道台；高要县知县汤奉肥私之胆何其之壮，田、布、牛驴、房屋、渔船等一干税目均敢肆无忌惮地收入囊中，年贪赃银竟达八千两之巨，正是这样一个见钱就捞的赃官，却偏偏要既当婊子又立牌坊，为求升迁沽名钓誉，竟小题大做地将为谋生路、进献五十斤牛肉求其放宽屠宰耕牛禁令的回民师傅代表迫害致死，妄图装出一副清正廉洁的面孔；不特地方官吏歹毒贪婪，中央大员亦同样贪婪毒辣，书中的大学士太保公只因朝廷征召的贤达庄绍光不愿作其门生扫了他的面子，便被他在皇帝面前恶意中伤，终使庄绍光失去为国效力、建功立业的机会；借由王惠、汤奉、大学士太保公等人物意象创构，吴敬梓不仅直接鞭挞了此类人物的恶行恶举，而且将这些恶人恶行直接归因于腐朽的封建制度，认为是以功名富贵为饵招安文士为核心的八股科举，直接加剧了吏治之腐败。严贡生、严监生及张静斋等土豪劣绅亦属八股科举制度的副产品，清季科举"优贡"虽于制度上强调品行优良方可应举、实则不然，严贡生即是道德败坏的典型；张静斋亦是唆使地痞流氓装神弄鬼、诬陷和尚与人通奸以谋夺他人田产的不堪之徒。自诩名士、道学之徒，在《儒林外史》中更是任务最多、不胜枚举、形形色色、各具丑态，他们在功名上不得志、却又不愿同周进、范进等辈般苦熬苦挣、热衷假扮名士、道学自欺欺人，南京莫愁湖名士杜慎卿便是此类人物中的代表，他表面道貌岸

然、内心卑鄙龌龊,虽被趋奉为"天下第一才子",实为十足的纨绔子弟,
一面宣称"最厌的人,开口就是纱帽、中状元、做官"、一面不几天就"加了
贡,进京乡试"去了,一面大骂"妇人哪有一个好的",一面求媒婆遍寻"标
致"小妾,可谓言清行浊、文人无行之典型;牛浦郎、匡超人、权勿用、娄三
娄四兄弟则纯然为"心艳功名富贵而媚人下人"的现世宝,牛浦郎本以香
烛店为生,偶然从《牛布衣诗稿》中发现"只要会作两句诗,并不要进学、
中举,便可以同这些老爷们往来,何等荣耀",便冒充牛布衣、做起假名
士、甘心帮闲官绅、追求寄生生活,牛浦郎蒙吃骗喝之时大吹其牛,当他对
道士称自己骑驴进暖阁见知县时,牛皮便不攻自破;匡超人本以杀猪磨豆
腐为业,进学后到处招摇撞骗,甚至伪造文书、私刻印章、祸害妇女、谋财骗
婚、变成恶棍一条,当匡超人称自己在内廷当教习、教学如审案之时,他牛
皮下的马脚便自然暴露;权勿用自标孝子、被吹捧为"真儒",实则骗钱骗奸
的跳梁小丑,当他强奸尼姑案发后在娄三公子家中遭差人拘捕时,短短一
句"真是真,假是假! 我就同他去,怕甚么!"无赖泼皮的本性自曝无遗;所
谓"西湖四名士"则更是一伙追名逐利、贪图富贵的势利小人;即便娄三娄
四这两位养士闻名的相府公子,也不过纨绔子弟的本相。吴敬梓在《儒林
外史》中通过莺脰湖雅集、西湖宴集、莫愁湖高会三次"名士"聚会的描写,
让一众假名士自曝其光、自出其丑,其高明之处绝不仅在对士林百丑的精
到刻骨描画,更在对假名士们恶人丑行的根源的无情暴露,在对骄人傲人、
媚人下人者们所"依仗"、所"心艳"的"功名富贵"之骨的深度剖辨,在对攫
取"功名富贵"的必由之路、八股科举之途的总批判,笔锋所向,尽露机锋。

　　第三类是吴氏尤为推重的理想人物意象,是作者在讽刺与批判科举
制度弊端时塑造的、寄托自己政治理想和社会主张的正面人物意象;亦可
细分三种,或如虞育德、庄绍光、迟衡山等为代表的坚持儒家思想的理想
人物,或如杜少卿、沈琼枝等为代表的蔑视功名富贵、颇具民主思想的离
经叛道者形象,或如王太、盖宽、季遐年、荆元、牛老儿、卜老爹、鲍文卿、倪
老爹等为代表的自食其力、置身功名富贵之外的市井奇人和世俗百姓。
虞育德、庄绍光、迟衡山等人物形象显然是吴敬梓塑造的"真儒"、"贤人"
的代表性形象,他们有学问、有操守、讲求文行出处、淡泊功名利禄,期望

为国建功立业、却不积极"干禄",既有入世之道、又有隐逸思想,始终秉持"用之则行,舍之则藏"的真儒准则;迟衡山幻想用"礼乐兵农"挽救世道人心,庄绍光绝意仕进、闭门著述,虞育德致力于人心教化、号为真儒、大圣人,他们都幻想用修建和祭祀泰伯祠的复古之法改变衰风颓运的正统儒家思想,改造世风日下、人心不古、恶俗浇漓的社会现实,却终难逃笼罩彼时一代文人的失败厄运,作者也不得不在悲观失望之余转而别求救世他途;兴建泰伯祠与公祭泰伯显然寄寓了作者以正人君子弘扬礼乐之制来挽回世道人心,泰伯祠辉煌一时转而破败、制礼作乐热闹一阵终归冷寂,严酷的现实使得对正人君子的向往与推崇人去政息、云散风流、功败垂成,深刻反映了一切努力对衰败的封建末世而言均属无济于事、于事无补之举。出身于"一门三鼎甲、四代六尚书"官宦家族却出淤泥而不染的杜少卿身上,明显寓有吴敬梓自己的影子,堪称作者在书中的化身;他学问出众、真才实学却鄙夷摒弃科举、厌恶科场中人,以为"学里秀才,未见得好似奴才"、称病回绝巡抚上京做官的举荐、拒绝陪人同去会知县;他仗义疏财、广交朋友、自食其力,"和尚、道士、工匠、花子,都拉着相与"、散尽家财去南京种菜浇园卖文为生、被家乡财主们视为"败家子""子弟的戒鉴"而全然不顾、毫不介怀;他藐视礼教习俗、敢于突破礼教携妻之手同游、令路人"不敢仰视",他以人情阐发《诗经》、力主恢复礼乐之制、重整道德、虽屡屡碰壁而不改初衷,并力排众议、盛赞沈琼枝敢于追求个性解放的反抗行为,堪称书中尊重自我个性和理想的典范人物;沈琼枝亦为颇具新因素的女性形象,虽被骗为盐商小妾却不慕财富、不甘做小、不怕恶少、不惧朝廷、有胆有识,私逃南京、刺绣卖文为生、自食其力、力图掌控自己的命运、颇具志气,处处闪现着反传统、反宗法、反礼教的叛逆思想光芒,然而,杜、沈二人这种冲破束缚、个性解放的朴素的民主主义思想追求的结局却都因经济无依凭、精神无归附而相当惨淡,凸显了作者力求出路而不可得的迷惘与苦闷;吴敬梓满怀同情、毫无曲笔地创构的杜少卿、沈琼枝等离经叛道而遭际坎坷、不为人喜的人物意象,而并未为之虚设顺境,却更于文本的字里行间折射出理想与现实交锋时惨烈落败的愈加深沉的社会价值与象征意义。士林儒士之外,吴敬梓又在《儒林外史》最后一回中将目光聚焦在卖火纸筒的围棋高手王太、开茶馆为业却精通诗画的盖宽、无家无业庙内安身却会写字的季遐年、擅长弹琴的裁缝荆元等人身上,王、盖、季、荆以及领戏班子的鲍文卿之流,虽置身市井,却不受名教礼法约束、不受功名富贵羁绊、力求"天不收、地不管"的自由生活、徜徉于琴棋书画的雅趣中,怡然自得、乐享尊严、人格独立,蕴藉着可贵的民主思想;鲍文卿虽为社会地位低下的戏曲班主,但却极富正义感、勇于仗义执言、乐于纾难解困、济人之危,他见因贫卖子的倪老爹而慷慨解囊、为真才实学却险遭弹劾的清官向知县向按察司说情,他"生意虽是贱业,倒颇多君子之行",品行远超当朝进士、翰林。吴敬梓之所以能超越封建士大夫对小市民的偏见,在《儒林外史》中创构出一批操"贱业"的市民人物意象,既写了他们的勤劳品格,又写了他们的敬业精神;既写了他们的社会地位低下,又写了他们高尚的情操;既写了他们甘于淡泊,又写了他们蔑视权贵,如此同情、赞美、钦佩、推重他们,正在于吴敬梓对士林中人的彻底失望,他敏锐地把握住封建模式社会关系的变迁,看出封建社会已近分崩离析,原有的士林精英均已整体堕落,即便少量独善其身的贤达一力扭转亦于事无补,改良社会、重塑道德的希望决然不在儒林、只能另有其人,而这些市民意象则成为他心目中未来社会的主人和新人的代表、显然承载着他未尽的理想。

据此可知,吴敬梓在《儒林外史》中所塑造的这些人物意象,主要涵括了两大意旨:一是对科举制度的严峻批判;二是对理想人生的热切追求。前者主要从对第一、二类七种人物意象的创构中直接或隐性传达,恰如闲斋老人所言:"是书以功名富贵为一篇之首;有心艳功名富贵而媚人下人者,有依仗功名富贵而骄人傲人者,有假托无意功名富贵,自以为高,被人看破耻笑者。"诸如周进、范进、梅玖、王举人、王惠、汤奉、杜慎卿、娄三娄四兄弟等人物意象分别为其最佳注脚,此外,也有如马二、鲁编修的女儿等为图功名富贵、社会认同而引导甚至逼迫朋友、家人专意于举业文章者,更有如牛浦郎、匡超人、权勿用等坑蒙拐骗、招摇撞骗、沽名钓誉的假名士、假道学;吴敬梓在这些人物意象创构中显在或潜藏的,是彼时广泛地影响到社会各个阶层、几乎渗透到社会生活各个方面的追名逐利、虚伪欺诈、吏治败坏、世风腐化的恶浊社会风气,而此恶风之源,却正是科举八股制度。后者则主要从对第三类三种人物意象的创构中得以实现,吴敬梓在这些人物意象创构中于不经意间呈现出自己不断探索和追求理想的心路历程,从王冕的人格自尊到市井奇人的自食其力,作者有追求、有发展,但最终以充满感伤的笔触收笔,"今已矣,把衣冠蝉蜕,濯足沧浪"、"江左烟霞,淮南耆旧,写入残篇总断肠"、"从今后,伴药炉经卷,自礼空王",一阕《沁园春》,既道出吴敬梓寄望市井百姓的精神能够薪火相传,也将他对彼时整个士林的失望悲空之感跃然纸上。

三、谐婉叙事模式:《儒林外史》叙事艺术的独特魅力

吴士余曾在《中国小说美学论稿》中指出,中国古典小说历来就有着高超的传统叙事技巧,并归纳出诸如"略貌绘形:神似的人物白描"、"勾画灵魂:经验性的心理描述"、"曲笔达意:迂回穿插的叙事思维"、"左右笔法:着墨正反的性格对比"、"细部浮雕:人物心理性格的呈现"、"环境设计:性格孕育的艺术场景选择"、"同中求异:小说的叙述角度"、"衬垫笔法:积蓄情节趋势的技巧"、"悬念夺势:独特的结构艺术"、"画中见色:视觉美感的景物描绘"等十大叙事传统。[①] 作为以自己的亲身经历和生活经验创作的旷世奇文,吴敬梓在《儒林外史》中承继古典叙事传统,主动将作者隐去,自觉借助极富个性的特殊虚拟人物群体即叙事者群,在叙事角度、叙事时间、叙事逻辑、角色模式、叙事结构、叙事修辞、叙事情境、叙事语言等诸多要件的情节推演中,创拓出"平淡无奇"、"真实见性"、"含蓄有力"、"深彻见骨"的讽刺艺术至境,呈现了足堪与曹雪芹《红楼梦》所言之"真事隐去"、"假语村言"比肩的叙事艺术才能,并最终实现了其"穷极文士情态"、鄙视"功名富贵"、"反科举"的创作思想。

吴敬梓《儒林外史》文本的叙事成就首先体现在叙事结构上。《儒林外史》叙事之妙,历为清季以来的文论家们所重视,尤以叙事结构引起的反响为大。清人于此少有关注,民国以降,诸多学人对此各抒己见、褒贬不一、辩难频仍。对《儒林外史》叙事结构的问难始于民国,尤其是五四

---

① 参见吴士余:《中国小说美学论稿》,复旦大学出版社 2006 年版。

前后。持非难立场的主要以《缺名笔记》、胡适、鲁迅、姚雪垠、冯至、何其芳等人的论点为代表,《缺名笔记》称"《儒林外史》之布局,不免松散"、"其弊在有枝而无干";①胡适则谓《儒林外史》"没有布局"、"没有总结构";②鲁迅亦称"全书无主干"、"虽云长篇,颇同短制"、"但如集诸碎锦";③此后,姚雪垠、冯至、何其芳诸君沿胡、鲁之说,或以为《儒林外史》不仅无完整之结构、且诸事不相属、情节不连贯,或以为《儒林外史》仅为诸多故事画了框、难免散乱,或以为《儒林外史》的结构仅在些微连缀人物而已,据此问难吴敬梓《儒林外史》叙事结构。持中立态度的则有吴圣昔等人,以为《儒林外史》结构之优长在于冶前人长短篇因素、融一己之整体构思、创全新结构形式,松散之不足皆因新创,既无需夸大、否定,亦不能无视和掩盖,颇有调和、骑墙之嫌。及至新中国成立,持肯定立场的观点渐成主流,不仅有吴小如、吴组缃、李汉秋、黄秉泽、章培恒、杨义、王明居、张锦池、苏建新、刘垣、张新江、刘汉光、徐又良、陈文新、陈美林等现代学人同称吴敬梓《儒林外史》匠心独运之不容抹杀,不仅充分肯定《儒林外史》叙事结构之妙,甚至还分别从集传统体例之大成、文本深层结构、作品思想线索、作品结构线索、时空思维模式、崇高美学结构等视角出发,在接续清人闲斋老人等"功名富贵为一篇之骨"的结构观的基础上,相继提出了诸如"连环短篇说"、"集大成说"、"功名富贵说"、"一线统摄说"、"时间顺序说"、"叶子说"或"旋风装说"、"纪传结构说"、"二十四幅花卉册页"、"笔记体说"、"意象式结构说"、"首尾完具的有机生长体说"、"解构主义说"、"内部联系说"等诸多新论,④甚至引发了于20世纪

① 李汉秋:《儒林外史研究资料》,上海古籍出版社1984年版,第278页。

② 胡适:《五十年来中国之文学》,见李汉秋编:《儒林外史研究资料》,上海古籍出版社1984年版,第273页。

③ 参见鲁迅:《中国小说史略》,人民文学出版社1975年版。

④ 参见吴组缃:《儒林外史的思想与艺术》,见《中国小说研究论集》,北京大学出版社1998年版,第187页;李汉秋:《〈儒林外史〉研究方法述评》,《文学遗产》1986年第1期;章培恒:《〈儒林外史〉原貌初探》,《学术月刊》1982年第5期;杨义:《〈儒林外史〉的时空操作与叙事谋略》,《江淮论坛》1995年第1期;王明居:《〈儒林外史〉艺术美新探》,《艺谭》1981年第3期;张锦池:《论〈儒林外史〉的纪传性结构形态》,《文学遗产》1998年第5期;周先慎:《中国古代文学专题研究之四:明清小说》,北京大学出版社2003年版,第223—234页。

90 年代开始由对《儒林外史》结构形式本身的研讨晋升为从文化思维、文化心理、美学、叙事学、时空意象等视角对其多样结构成因展开分析的学界集体转向,形成了蔚为大观的《儒林外史》叙事结构研究的洪流。细览文本可知,《儒林外史》文本结构松散之貌当是毋庸置疑的,但据此以为吴敬梓《儒林外史》无谋篇布局之思、在叙事结构上毫无可取之处的观点显然是与事实不符的;同时,现代学者诸君在《儒林外史》叙事结构方面的诸多新说虽显出直追吴氏本意的学术勇气,也难免有脱离作者时代、脱离文本背景,甚至刻意求新求变而产生的过度阐释、自说自话、失之于实的嫌疑。对吴敬梓《儒林外史》叙事结构的研究,还当重归作品所产生的时代、复归吴敬梓《儒林外史》文本、尽可能的贴近吴敬梓创作该文本之初的巧构之思,如斯,方可得吴氏本人之真意与《儒林外史》谋篇之原貌,进而获知、还原吴敬梓《儒林外史》文本所承载、所呈现的清季时代风尚与审美意识真相。实际上,与吴敬梓同时代的清代学人或因距吴较近而颇得时风之先、所论想亦应颇近吴氏《儒林外史》叙事结构创构之实。对此,李汉秋、周先慎诸君"功名富贵说"之论当属颇近事实的分析。那么,《儒林外史》的叙事结构究竟有怎样的奇思呢? 端看闲斋老人《儒林外史序》中的解题之论即可得窥一斑:"夫曰'外史',原不自居正史之列也;曰'儒林',迥异玄虚荒渺之谈也。其书以功名富贵为一篇之骨:有心艳功名富贵而媚人下人者,有依仗功名富贵而骄人傲人者,有假托无意功名富贵自以为高,被人看破耻笑者;终乃以辞却功名富贵,品地最上一层为中流砥柱。"[1] 诚如周先慎所析,作者自题"外史",不单因为它是小说而不入"正史"之列,还因"正史"为官修,不会也不敢写出社会生活中那些黑暗真实的面貌来;题为"外史",正表明作者要写的是"正史"所不愿写或不敢写的内容;而"迥异玄虚荒渺之谈"之论,则声明绝非毫无根据的凭空杜撰,而是社会生活的真实反映;作者虽假托故事发生的时代是明代,实际上小说所反映的正是作者所生活的清代中期的社会生活面貌。[2] 正

---

[1] 李汉秋:《〈儒林外史〉汇校汇评本》,上海古籍出版社 1999 年版,第 687 页。

[2] 周先慎:《中国古代文学专题研究之四:明清小说》,北京大学出版社 2003 年版,第 223 页。

是在这一前提下,吴敬梓创构了《儒林外史》以"总——分"形制反映彼时"功名富贵"为核心的社会病态审美观的叙事结构。《儒林外史》叙事结构的总纲在全书第一回。《儒林外史》第一回回目《说楔子敷陈大义,借名流隐括全文》中开宗明义,直以"隐括全文"为题,可见此回当为吴敬梓专设的体现全书主旨思想的总纲。此回开篇词称:"功名富贵无凭据,费尽心情,总把流光误。浊酒三杯沉醉去,水流花谢知何处?"开门见山地将"功名富贵"这一主旨立意点破,视之为毫无意义、不值追求的身外之物,并以王冕人物意象的创构,借由斯人斯口斯言斯行,礼赞寒士向学、认同"真儒""逃官"、标举"文行出处"、藐视权贵虚伪、憎恶"欺压百姓"、揭露科场黑暗、曝光官场腐败,寄寓了吴氏勘破功名、辞却富贵、反对科举、批判俗风的理想情怀。不特如此,吴氏还于"隐括全文"的此回中"数陈大意",亮明自己主张的儒家"德治"、"仁政"、"以仁义服人"、"以德化人"的政治理想,礼赞孝道、标举自己恪守儒家孝悌信条的社会理想,以及注重经史、天文、地理等传统学问的治经治学之道。单从作为总纲的此回,即可见出吴氏《儒林外史》全书的主旨,即在对封建末世种种社会黑暗与丑恶现象尤其是士林科场之腐朽的揭露与批驳。小说虽以"儒林"为题,描写和揭露的中心与焦点确乎是科举考试制度,但却绝不仅止于此,而是以士林读书人的生活为中心,旁及彼时社会生活的各个方面,将封建末世业已腐朽的种种怪相剖给人看。对此,卧闲草堂本于此回回末评得明白:"观楔子一卷,全书之血脉经络无不贯穿玲珑","'功名富贵'四字是全书第一着眼处,故开口即叫破,却只轻轻点逗。以后千变万化,无非从此四个字现出地狱变相",诚不欺也。《儒林外史》叙事结构的分支遍布一回之外的全书各章回。《儒林外史》的结构系迥异于西方小说结构理论的典型的传统古典小说的"缀段式"结构,表面上看,似乎散漫而杂乱、了无章法结构,实际上,它是中华民族古典文学传统乃至华夏思想文化民族传统的独特产物,只是不合西方小说审美之习惯而已。中华民族的审美习惯历来并不十分推崇"人为"而更喜"自然",落实到中国古典小说观念上,则是创作者并不十分看重情节的人为组织而多按事情自然发展形成文本,从而形成独特的"缀段式"结构和民族叙事特点。《儒林外史》叙事结构的"缀段式"结构和民族叙事特点主要表现在形式与内涵两个方面：一是"段"的形式，即《儒林外史》全书五十六回并无一人一事贯穿全篇，而是采取因事及人、人去事终的自然行文模式，呈现为由人物群像构建的各自独立又牵丝映带的故事情节模块结构，以人物意象的进场出场充当各个故事情节模块的连缀工具，表现出显性的零散型结构，这是《儒林外史》叙事艺术至为突出的文本结构风格；二是"缀"的内涵，即《儒林外史》文本表象中显在的片段化场景虽然确乎予人以凌乱、散漫之感，但若将其各段置于全书第一回所述主旨与总体构思中来探讨，则可窥见其文本深层所蕴藉着吴氏独创的有机连贯、浑然一体的高超叙事技巧，具体表现为故事情节模块与人物群像进退场的无缝连缀自然顺畅而无违和感、人物群像"表演"场景转换深蕴情节连贯演进与回环往复的层递逻辑关系、人物进场退场安排暗含设伏呼应与首尾照应等多种关联技巧等方面。由此二端，可以见出吴敬梓在创作中所严格遵循的一切皆统一于全书主旨、前后文上下文及首尾处处呼应、以小说家言为高士生民立传的创作原则，正是基于这一强力的主观自觉的结构构思，《儒林外史》貌似孑然孤立的诸多人物群像、故事情节模块方才在"反功名富贵"、"反八股科举"、"反礼教毒害"和"倡文行出处"、"倡传统孝道"、"倡真儒救世"等截然对峙又完美统一的两大主旨统摄中各自归位、各司其职，最终得以实现叙事结构与全书主旨、文本形式与小说内涵的连贯统一与彼此平衡。可以说，吴敬梓《儒林外史》的成功，恰恰得益于这种貌似"毒药"的中国古典小说"缀段式"结构所具有的独特魅力与形式价值，得益于此一传统叙事结构模式所承载的中国古典小说独有的创作观念和艺术技巧，以至于如蒲安迪之类西方学者也不得不服膺于中华民族这种颇具神秘色彩的自然天道宇宙观下独特的东方思维方式所涵养出的传统小说叙事结构的合理性。

吴敬梓《儒林外史》的叙事成就其次体现在叙事效果上。吴敬梓《儒林外史》为一部封建末世儒林士子生活史，并为一部直斥封建八股科举制度的讽刺文学经典，已成当今学界公认的定论。然而，这一地位的获取，却是借由吴敬梓巧妙的叙事技巧所赋予《儒林外史》的完美叙事效果

带来的。而《儒林外史》令人忍俊不禁的完美的写实讽刺的叙事效果则
主要源自吴敬梓两个方面的叙事艺术：一是写人、状物、叙事极重写实、尤
重"情理"的叙事态度；二是平静直述、不加点染、"是非自见"的叙事视
角。天目山樵以为《儒林外史》作为一部写实之作，"描写世事，实情实
理"；对此，卧闲草堂本回评也看得很明白，处处强调吴敬梓《儒林外史》
的写实与情理之优。譬如，第六回写严贡生谋夺兄弟产业，吴氏刻划严致
中时非常有分寸感，既突出其贪婪、蛮横，又表现其简单、愚蠢，而绝非老
奸巨猾、阴狠毒辣之人。这种严谨的分寸感与写实的叙事态度，放置于
《儒林外史》全书文本中来看，则又表现为反对脸谱化、以情理作为刻划
人物的基础、写出人物心理变化过程三个要点。

第二章

戏曲审美意识

第一节 清代戏曲审美概述

何谓"戏曲"？张庚曾在《中国大百科全书·戏曲曲艺卷》中如此解释："中国的传统戏剧有一个独特的称谓：'戏曲'。历史上首先使用这个名词的是元代的陶宗仪，他在《南村辍耕录·院本名目》中写道：'唐有传奇。宋有戏曲、唱浑、词说。金有院本、杂剧、诸官调。'但这里所说的戏曲是专指元杂剧产生以前的宋杂剧。从近代王国维开始，才把'戏曲'用来作为包括宋元南戏、元明杂剧、明清传奇以至近代的京剧和所有地方戏在内的中国传统戏剧文化的通称。"①可见，中国戏曲中蕴含着"戏"和"曲"两方面的内涵，即表演和音乐，具有广泛的延展空间和审美蕴藉。中国古代戏曲不仅是一门综合文学、音乐、舞蹈、绘画、雕塑、建筑等于一体的专门艺术，而且有一套独特的唱、念、做、打等完整的表演艺术手段。仅就表演艺术而言，中国戏曲既不同于以歌唱为主要表演手段的西方歌剧；也有别于用对话形式来抒发情感的现代话剧；更不同于以足尖舞技巧来表演的芭蕾。可以说，中国戏曲深深地根植于华夏五千年文明传统，堪称中国古代传统文化中弥足珍贵的精神财富。在其历经千年的发展嬗变史中，中国戏曲以其鲜明的民族性、群众性、时代性和独树一帜的审美诉求与理念方式，承载了中华文明最广泛受众的审美旨趣。作为中国古代最具代表性的群众文艺形式之一，戏曲更在清代发展至巅峰，并集中体现了彼时市民阶层的审美趣向。

---

① 张庚：《中国大百科全书·戏曲曲艺卷》，中国大百科全书出版社1983年版，第1页。

一、清代戏曲发展概观

中国古代戏曲品类繁多,历史悠久,源远流长。中国戏曲的文本文学呈现与表演艺术手段并非一蹴而就的,而是在漫长的发展过程中,不断吸收、综合其他各种艺术特点而逐渐形成的。关于其形成与发展,学界历来有四大代表性观点,即成于先秦说、起于汉代说、源自唐代说、成于宋代说。持论成于先秦说的以闻一多、姜亮夫、鲍文锋、孙常叙等学者为代表。闻一多以《九歌》为歌舞剧的雏形;①鲍文锋对此作了积极的响应,以为《诗经》"雅"、"颂"于屈赋中部分作品可视为古代戏曲原初作品之雏形;②孙常叙亦称《九歌》为中国戏曲史上"仅存的"、"最古老"、"最完整"的"歌舞剧本";③嗣后,陈多、谢明、唐湜等人承其余绪,均持此论;④前述诸家的研究主要集中于对《诗经》、《楚辞》两大中国古典文学传统源头中的戏曲因素发掘,却囿于臆测与演绎成分过甚而不为多数学者认同。持论起于汉代说的以许地山、郑振铎、孙楷第、杨公骥、赵逵夫、董每戡、马也、吴国钦等学者为代表。其中,许地山、郑振铎将中国戏曲诞生归因于印度马鸣菩萨创制的梵剧,将中国戏曲形成推至汉代;⑤孙楷第则以为中国戏曲源出汉末傀儡戏:"宋之戏文、元之杂剧殆由傀儡戏影戏蜕变而来。宋之戏文、元之杂剧,实即肉傀儡或大影戏也。"⑥杨公骥以西汉巾舞

---

① 参见闻一多:《什么是九歌》,《闻一多全集》(第一卷),开明书店 1948 年版,第 268、277 页;闻一多:《〈九歌〉古歌舞剧悬解》,《闻一多全集》(第一卷),开明书店 1948 年版,第 305—334 页。

② 参见鲍文锋:《古代戏曲民俗与中国戏剧的渊源——中国艺术和审美意识发生的民俗思考之一》,《郑州大学学报》(哲学社会版)1994 年第 3 期。

③ 参见孙常叙:《〈楚辞·九歌〉十一章的整体关系——楚辞九歌通体系解·事解》,《社会科学战线》1978 年第 1 期。

④ 参见陈多、谢明:《先秦古剧考略——宋元以前戏曲新探之一》,《戏剧艺术》1978 年第 2 期;唐湜:《民族戏曲散论》,上海古籍出版社 1987 年版,第 13 页。

⑤ 参见许地山:《梵剧体例及其在汉剧上底点点滴滴》,《小说月报》(第十七卷号外);郑振铎:《插图本中国文学史》,人民文学出版社 1957 年版,第 567—572 页。

⑥ 孙楷第:《傀儡戏考原》,上杂出版社 1953 年版,第 78 页。

为中国戏曲"祖型",①赵逵夫亦称巾舞《公莫舞》将我国最早的戏曲脚本"提前了一千多年";②周贻白、董每戡、马也、吴国钦等人均认可角觝戏《东海黄公》的故事性与表演性因素,但周虽视其为中国戏曲"形成的起点"却无意视其为首部戏曲,而董、马则认为其具备戏曲各要素、已是完备的真正的戏曲演出,吴则更进一步以其为最早的戏曲剧目;③前述诸家或以梵剧为源、或以傀儡戏为源、或以巾舞为源、或以角觝戏为源,虽源头各异,却殊途同归,均持起于汉代说,然终不为学界共识。持论源自唐代说的以任半塘、夏写时、许金榜、蒋星煜等人为代表。任半塘认为唐时已有"全能之戏剧",唐戏弄即为成熟之戏曲,而《踏摇娘》"实为真正戏剧也","堪称中国传统戏剧之已经具体、而时代又最早者";④夏写时将《踏摇娘》视为中国"第一出略具规模的歌舞剧",并据此认定中国戏曲成于隋唐之际;⑤许金榜亦称中国戏曲到隋唐终于开始形成,以《踏摇娘》与参军戏为主要表现;⑥孔谨则以为中国戏曲产生于唐,以歌舞戏、参军戏及"杂剧"词语的出现为标志;⑦蒋星煜也曾考证《唐人勾栏图》佐证戏曲源自唐代说;⑧尽管学界多认同前述学者对《踏摇娘》价值的论述,但对据此提出的戏曲源自唐代说则多有牵强之讥。较之前述三种观点,持论成于宋代说则为学界多数学者认同,尤以明人徐渭、祝允明、臧懋循、王骥德等诸位曲论家为代表。近人王国维、文众、欧阳予倩、王季思、周贻白、张庚、

---

① 参见杨公骥:《西汉歌舞剧巾舞〈公莫舞〉的句读和研究》,《中华文史论丛》1986年第1期。

② 参见赵逵夫:《我国最早的歌舞剧〈公莫舞〉演出脚本研究》,《中华文史论丛》1989年第1期。

③ 参见周贻白:《中国戏曲论集》,中国戏剧出版社1960年版,第13页;董每戡:《说剧》,人民文学出版社1983年版,第87页;马也:《戏剧人类学论稿》,文化艺术出版社1993年版,第136、140页;吴国钦:《中国戏曲史漫话》,上海文艺出版社1980年版,第7页。

④ 参见任半塘:《戏曲、戏弄与戏象》,《戏剧论丛》1957年第1期;任半塘:《唐戏弄》(下册),作家出版社1958年版,第420页。

⑤ 夏写时:《中国戏剧批评的产生和发展》,中国戏剧出版社1982年版,第1页。

⑥ 许金榜:《中国戏曲文学史》,中国文学出版社1994年版,第19页。

⑦ 参见孔谨:《论中国戏曲形成的新源起》,《戏曲研究》1993年第7期。

⑧ 参见蒋星煜:《"唐人勾栏图"在戏剧发展史上的意义——兼谈陈多、谢明"先秦古剧考略"》,《戏剧艺术》1978年第3期。

郭汉城、余秋雨、赵景深、俞为民、周华斌等人均持此论。① 无论是哪种观点，均足以表明中国戏曲的悠久历史，亦昭示着中国戏曲对传统的广泛承继。

中国戏曲的产生、发展与演变是与对各门类古典艺术养分始终一贯的主动汲取密不可分的。蔡元培曾言："我国戏剧，托始于古代之歌舞及俳优；至唐而始有专门之教育；至宋元而始有完备之曲本。"②约略道出中国戏曲漫长的萌生和发展历程。诚如吴伟业《北词广正谱序》所言："今之传奇即古者歌舞之变也。"③其萌芽最早可溯及华夏初民的原始歌舞、先秦巫术和古优、汉代百戏、隋唐歌舞；其成熟则多被认为始于宋代，尤以人的自身形体为表现工具、自由地再现生活为标志。王骥德更于《曲律·杂说》三十九上中称："晋人言：'丝不如竹，竹不如肉'，以为渐近自然。吾谓诗不如词，词不如曲，故是渐近人情。"指明了唐宋以降戏曲形成发展的基本趋势。在此期间，中国古代戏曲先后从百戏、乐府、舞蹈、诗词、杂剧中承继了优秀传统，汲取了丰富养分，由诗而词、由词而曲，形式一变而再变，循着"渐近人情"而沿波讨源，不断俗化、民化、活化，逐步演化为元明清传奇或戏曲，并于此基础之上不断增强自身表现能力，最终演成明清戏曲的辉煌。及至有清一代，更是出现专门的戏园，戏曲的声势与规模更呈蔚然大观之势。对此，范希哲《醉怡情杂剧序》曾谓："周歌乐府，汉歌乐府，流贷古乐府，唐绝句，宋诗余，元填词，而声音之变于是乎

① 参见王国维：《宋元戏曲考》，见《戏曲论文集》，中国戏剧出版社 1984 年版，第 55 页；文众：《也谈戏曲、戏弄与戏象》，《戏剧论丛》1957 年第 2 期；欧阳予倩：《怎样才是戏剧》，《戏剧论丛》1957 年第 4 期；王季思：《我国戏曲的起源》，《学术研究》1962 年第 4 期；周贻白：《中国戏曲论集》，中国戏剧出版社 1960 年版，第 28 页；周贻白：《中国戏曲发展史纲要》，上海古籍出版社 1979 年版，第 91、92 页；张庚、郭汉城：《中国戏曲通史》，中国戏剧出版社 1980 年版，第 77 页；余秋雨：《中国戏剧史》，上海教育出版社 2006 年版，第 74 页；赵景深：《中国戏曲丛谈》，齐鲁书社 1986 年版，第 1 页；俞为民：《南戏的产生及其是民性》，《戏剧艺术》2005 年第 3 期；周华斌：《中国戏剧史新论》，北京广播学院出版社 2003 年版，第 19 页。
② 蔡元培：《蔡元培美学文选》，北京大学出版社 1983 年版，第 55 页。
③ 吴毓华：《中国古代戏曲序跋集》，中国戏剧出版社 1990 年版，第 319 页。

极。"①指明了戏曲与乐歌、乐府、诗词间的渊源与关联以及戏曲作为声部艺术的发展演变过程。据此可知,中国戏曲乃是唐宋以降诗歌俗化、民化、活化发展的重大结晶。

除了在戏曲艺术本身表演性的"戏"和音乐性的"曲"两个向度对其他门类古典艺术养分的汲取与借鉴,在促成中国戏曲发展的诸多因素中,群众性是最为显著的另一个因素。中国戏曲之群众性,正在于其思想风貌、艺术风貌均受到社会各阶层、各种思想倾向、各类审美趣味的深刻影响,并作为各时代复杂的审美意识载体呈现于彼时乃至后世观者眼前,具体表现在从创作、演出、接受三个层面。从创作层面来看,中国戏曲的创作以文人为主,文人可谓古代戏曲创作的主力,流传至今的优秀戏曲作品几乎均出自文人之手,鉴于文人这一群体的政治取向、思想倾向、行文立场之不稳定,其作品时常出现明显的服膺与叛逆的对峙;从演出层面来看,中国戏曲的舞台表现以代表市民阶层价值取向的民间艺人为主,市民阶层则以个体价值认定的政治追求、袒露真情的艺术追求旗帜鲜明地站在封建集权势力的对立面上,却又囿于对物欲、肉欲的贪婪与迷恋表现出极大的局限性,鉴于纯然市民阶层作家并不多见的史实,为此,其政治向度、思想倾向和审美趣味时常通过与其社会地位相近的文人于戏曲创作中反映出来;从接受层面来看,中国戏曲最为广泛的受众当以农民为主,农民堪称地方戏曲基本思想风貌与艺术风貌的主要决定者,其刚健清新的戏曲艺术观赏旨趣凸显着他们朴素而执著的人生理想与精神追求。

清代戏曲正是在中国戏曲发展演变的历史进向中持续掘进的。总体而言,中国戏曲在清代持续发展乃至臻于巅峰有着独特的历史背景与内外动因。清军入关、南明灭亡、明清易代、理学再尊,清廷于一统中国后开始全面承继汉儒封建主义的统治经验,康雍乾诸帝再度尊崇程朱理学,遏制北宋以来已见端倪的新兴资本主义经济萌芽,延缓了中国社会发展的速度。清代戏曲艺术的思想倾向、艺术形态、发展态势乃至清代戏曲审美意识的流变,正是在封建皇权的频繁更迭、历朝文化政策的不断改变和各

---

① 吴毓华:《中国古代戏曲序跋集》,中国戏剧出版社 1990 年版,第 330 页。

种创作力量的此消彼长中起落沉浮、不断变革、一路走来的。在清廷延明余绪、大兴文字狱、推行文化专制政策、有过之而无不及,同时又组织古籍整理编纂、牢笼天下士人、使之"皓首穷经"入其彀中的历史背景下,清代传奇日渐式微、地方戏全面兴起,二者演成清代戏曲发展嬗变的总特征。清初戏曲承明余绪,获得了巨大的发展。以北曲为音乐基础的杂剧在明中叶南戏大盛之后即被挤出戏曲表演舞台,但其剧本创作却不绝如缕,延及清代,杂剧基本上成为供文人士大夫抒情言怀的文学体裁,例如,杨潮观曾著《发仓》、《二郎神》,洪昇曾著《四婵娟》,等等,均为寄寓了创作者情怀的剧目。杂剧于元代以降整体衰落的同时,南戏却在不断发展,并于明代演化为以南曲为主、兼收北曲成分并汲取杂剧长处的传奇,及至清初更盛极一时,出现了《桃花扇》、《长生殿》等杰出的传奇作品。清代中叶以降,戏坛思潮由明代至清初的昆弋争胜演变为花雅之争,并最终被京剧一统。一言以蔽之,清代戏曲经历了清初雅部繁盛、清中期雅部式微花部崛起、晚清京剧一统戏坛的演变历程。①

　　清初顺康年间,民族矛盾激烈,清廷采取严厉措施镇压人民的反抗,曾发生了满族上层统治者对汉民实行的著名的大屠杀惨案"扬州十日"、"嘉定三屠",嗣后又采取了一些缓和民族矛盾、恢复农业生产、笼络知识分子等政策,社会才渐趋稳定。在这种特殊的历史文化背景下,明末清初的戏剧家大都亲身经历了明代的覆亡,对明季由政治腐败所导致的亡国之因有深切的体验;或者有的年辈稍晚的作家虽未亲历其时,但从明遗民那里接受了由受异族统治带来的不平衡心态以及由于清初统治者残酷镇压而产生的反感与不平。所以揭露明季黑暗、探讨明代覆灭原因,婉曲抒发故国之思、抒写兴亡之感,表现家国飘零的失落和惆怅等,就成了此时期剧作的主流。一批表现重大社会问题、政治问题的戏剧接踵而出,如李玉的《清忠谱》、《万民安》、《一捧雪》,孔尚任的《桃花扇》等。承接传统题材,以写爱情面孔出现的作品也往往表现出对国家兴亡衰乱原因的深

---

　　① 按:所谓"雅部",是指以昆曲形式演出的传奇、杂剧;所谓"花部",又称"乱弹",是指以弋阳腔、梆子腔、秦腔、二簧调等为主的地方戏。

切关注与思索,如洪昇的《长生殿》等。吴伟业作品中流露出来的悲凉感伤和惆怅更透露出了鲜明的时代气息。与此同时,一些专业或半专业戏曲家在明末清初特殊的历史环境中应运而生,这些剧作家大都不仅重视曲词,也意识到了戏剧本身的审美特性,考虑到了舞台艺术特点;前代丰厚的戏剧创作遗产和理论著述为这一时期的作家提供了经验教训和从理论上进一步升华的条件,理论著述方面出现了具有集大成意义的戏剧专著——李渔的《闲情偶寄》。在清初的剧作家中,李玉、李渔、吴伟业、尤侗、洪昇、孔尚任是雅部戏曲最杰出的代表。李玉是明末清初之际重要的戏曲家,作品数量颇丰。他"以曲为史",进一步在戏剧领域发挥了中国文学所特有的言必称天下的泱泱气度,沿着明代《鸣凤记》开辟的道路,更为纯熟地驾驭重大社会政治题材,表现了鲜明的政治倾向和嫉恶如仇的品质。李玉一生共有剧作三十三种,目前整本留传于世的计十九种:《一捧雪》、《人兽关》、《永团圆》、《占花魁》、《牛头山》、《太平钱》、《眉山秀》、《两须眉》、《清忠谱》、《千钟禄》、《万里圆》、《麒麟阁》、《意中人》、《风云会》、《七国记》、《昊天塔》、《五高风》、《连城璧》、《一品爵》。另有散出《洛阳桥》、《埋轮亭》两种,《双龙佩》、《万民安》、《千里舟》、《武当山》、《长生象》、《罗天醮》等有剧情梗概的六种。其中,剑指明末社会黑暗、官场腐败、世风日下的批判恶浊世风的社会剧《一捧雪》和他与朱素臣、毕万后、叶雉斐等人合写的以明代真实历史为依据的时事政治剧《清忠谱》以及《占花魁》、《眉山秀》、《太平钱》、《千里舟》、《意中人》、《罗天醮》等婚姻爱情剧最有代表性、最值得注意亦最成功。李玉周围还团结了一批社会地位比较低微、彼此间有一定交往乃至合作创作的作家,如朱素臣、朱佐朝、叶时章、毕魏、张大复、丘园等,被称为"苏州派作家"或"吴县作家群"。其中,朱素臣作剧十余种,现存《秦楼月》、《翡翠园》、《未央天》、《聚宝盆》、《十五贯》等;朱佐朝著有三十余种传奇,今存二十一种,代表作为《渔家乐》;张大复有剧作三十余种,今传十余种,尤以《醉菩提》、《如是观》为代表;叶时章作现知八种,存《琥珀匙》、《英雄概》两种,尤以《琥珀匙》最有名。李渔是戏剧史上颇具争议的人物,他以戏剧取悦于人,又缺少作家应有的严肃态度;但其出众的才华、上乘的艺术使其作品在当时便流播海内,其极富价值的戏剧理论著作至今仍是值得珍视的宝贵遗产。李渔代表剧作是《笠翁十种曲》,包括传奇十种:《怜香伴》、《风筝误》、《意中缘》、《蜃中楼》、《玉搔头》、《比目鱼》、《奈何天》、《凰求凤》、《慎鸾交》、《巧团圆》,或美化士大夫风流韵事,或努力将文人狎妓与道学名教统一,或鼓吹、歌颂封建的婚姻道德,思想都很平庸;即或其较为动人的爱情戏,也不免被落后的思想所笼罩,因此,其剧作虽语言通俗生动、结构比较洗练,艺术成就较高,却并不十分引人入胜。李渔剧论主要见于作于晚年、凝结其一生实践经验的《闲情偶寄》中的《词曲部》和《演习部》,常合称《李笠翁曲话》。李渔论剧,比较全面,涉及编剧、导演、舞台演出、观众心理等许多方面,可谓体大思精。其词曲部,分结构、词采、音律、宾白、科诨、格局六部分;《演习部》分选剧、变调、授曲、教白、脱套五部分;每部分又各有分论,就某一侧面详加阐发。《闲情偶寄》中不乏"折肱之语",发语中肯,论证深透,至今仍颇具指导意义。吴伟业的剧作则多为"伤心痛哭之调",其传奇《秣陵春》、杂剧《通天台》、《临春阁》等,均为"案头之曲",以抒发情感为主,实际上都是有所寄托的。吴伟业戏曲成就远逊其诗,但因其在彼时文坛的地位和他于剧中所蕴藉的遗民情结,产生了一定影响,对戏曲案头化倾向起了推波助澜的作用。尤侗是与吴同时以写"案头剧"著名的剧作家,其作主要有杂剧《弔琵琶》、《桃花源》、《黑白卫》、《清平调》、《读离骚》及传奇《钧天乐》,均具现实性,且为有感而发、有为而作。此期另有王夫之《龙舟会》、嵇永仁《续离骚》、宋琬《祭皋陶》等杂剧亦各具风貌。此外,清初戏曲最具代表性的雅部剧作当属洪昇《长生殿》和孔尚任《桃花扇》。《长生殿》是洪昇积十余年之力创作的传奇剧本,上半部写唐明皇与杨贵妃事,下半部写唐明皇对杨贵妃的怀念,其魅力不仅在于将李、杨二人感情纠葛超越了帝妃局限,具有普通男女爱情悲剧的性质,还兼及揭露、抨击统治者的争斗和骄奢淫逸给百姓带来的痛苦与灾难,该剧甫一面世演出即引起轰动,"一时朱门绮席,酒社歌楼,非此曲不奏,缠头为之增价"。① 然而好景不长,洪昇旋以"国

① 参见徐麟:《长生殿序》,见洪昇:《长生殿》,人民文学出版社1983年版。

丧"期演唱获罪,牵连甚广。《桃花扇》则是孔尚任长期苦心经营、"凡三易稿"创作的有关南明王朝兴亡的"惩创人心"的历史剧传奇剧本,该剧"借离合之情,写兴亡之感",以侯方域、李香君爱情故事为线索,着意抒写南明一代的兴亡之感,使之高于一般爱情剧而能引发人们深沉的思考与感慨。该剧成书后即受到广泛关注,"长安之演《桃花扇》者,岁无虚日",但孔尚任次年却因文获罪被罢官。

清中期雍道年间,既是雅部昆曲持续发展、日渐走低与式微的时期,更是地方戏蓬勃发展并大放光彩的时期。

雍道年间,雅部昆曲虽已走向衰亡,但作为一个曾主宰剧坛风靡明清二百多年的大剧种,它的能量不是即刻就能消失的。所以,此时期雅部作家作品仍有不少;但它毕竟已趋向没落了,因此有成就者寥寥无几。总的说来作品日益脱离现实。从剧作家看,主要有张照、夏纶、桂馥、金兆燕、董榕、唐英、杨潮观、蒋士铨、张坚、沈起凤、黄燮清、李文瀚等。其中,尤以杨潮观、蒋士铨成就较高。例如,张照剧作数量可观,但佳作甚少,尤其是把剧作当成歌功颂德工具,更不可取;作有杂剧《九九大庆》、《法宫雅奏》、《月令承应》等,前者系讲"神仙赐福、黄童白叟、含哺鼓腹"诸事,以为祝贺皇家喜寿之用,包括杂剧四十余种;中者叙"祥徵、祥应之事",亦备内廷诸庆事时演之,包括杂剧三十余种;后者应各月令以演其故事,包括杂剧约二十种。此外,他还著有传奇《升平宝筏》演唐玄奘西天取经事,《劝善金科》讲目连救母事。夏纶作有传奇《惺斋乐府》六种,分别是:《无瑕璧——褒忠》、《杏花村——阐孝》、《瑞筠图——表节》;《广寒梯——劝义》、《花萼吟——式好》、《南阳乐——补恨》,从剧作题目,就可出其宣扬封建伦理道德的意图。桂馥《后四声猿》杂剧为模仿徐渭《四声猿》之作,一曰《放杨枝》,二曰《投溷中》,三曰《谒府帅》,四曰《题园壁》,分演白乐天、李长吉、苏子瞻、陆放翁一段情事,实乃作者借古代文人雅士之佚闻韵事而抒写个人胸臆,亦是"借他人之酒杯,浇自己之块垒"之属。金兆燕有传奇《旗亭记》传世,演旗亭画壁故事,曾得卢见曾之润色,亦为抒写个人胸臆之作。董榕有传奇《芝龛记》传世,全剧以秦良玉、沈云英二女将为主人公,并将明季万历、天启、崇祯三朝史事贯穿剧中;在情节上,因作者过于追求史料翔实而失之琐碎,内容上亦有不可取之处。张坚"娴于音律词调",曾入唐英幕中,著有《玉燕堂四种曲》,含《玉狮坠》、《梅花簪》、《梦中缘》、《怀沙记》四部传奇,尤以演绿苞、杜冰梅以梅花撮合事的《梅花簪》最为人推崇,实不出才子佳人窠臼。唐英曾作杂剧《十字坡》、《三元报》、《女弹词》、《英雄报》、《梅龙镇》、《虞兮梦》、《傭中人》、《面缸笑》、《芦花絮》、《长生殿补阙》、《清忠谱正案》、《笳骚》等;作传奇《天缘债》、《转天心》、《双钉案》等;另有《古柏堂传奇》行世。因注重向地方戏和民间传说汲取营养,其剧在描绘世相、讽刺官吏恶行上都不乏深刻之作,尤以《面缸笑》对贪官污吏的讥刺颇最为辛辣,被郑振铎誉为"谑而不虐,易俗为雅,厥功亦伟"。上述之外,另有一批如乾隆时的沈起凤那样有才华的剧作家被皇家聘去做应制戏。沈起凤精于词曲,石韫玉《红心词客四种曲序》称"其所著词曲,不下三四十种。当其时,风行于大江南北",乾隆南巡时曾两次召其写供御戏曲;传世《才人福》、《文星榜》、《伏虎韬》、《报恩猿》四种传奇,或"慰穷士"、或"惩隐慝"、或"警恶俗"、或"戒负心",内容多以封建道德为据,甚至被人称为"低级胡调",如斯昆曲渐趋末路,更加速了"雅部"的衰亡。及至嘉庆道光时期,李文瀚、黄燮清成为式微的雅部作家中的两位代表。李文瀚著有传奇《胭脂舄》、《紫荆花》、《凤飞楼》、《银汉槎》四种,或演张骞乘槎探河源、附汲黯开仓赈饥民事,或写黄河水灾,有一定现实意义。黄燮清著有杂剧《凌波影》、传奇《居官鉴》、《帝女花》、《茂陵絃》、《桃谿雪》、《鸳鸯镜》、《鹡鸰原》,合称《倚晴楼七种曲》;另有传奇《玉台秋》、《绛绡记》两种;尤以演司马相如、卓文君故事的《茂陵絃》和演曹植遇洛神故事的《凌波影》较为出色。较之前述诸君,杨潮观、蒋士铨是雍道时期较有成就的雅部剧作家。杨潮观有自集《吟风阁杂剧》行世,包括三十二种短剧,每种仅一折,类似如今的独幕剧,分别是:《穷阮籍醉骂财神》、《快活山樵歌九转》、《李卫公替龙行雨》、《黄石婆授计逃关》、《新丰店马周独酌》、《大江西小姑送风》、《温太真晋阳分别》、《邯郸郡错嫁才人》、《汲长孺矫诏发仓》、《贺兰山谪仙赠带》、《夜香台持斋训子》、《开金榜朱衣点头》、《鲁仲连单鞭蹈海》、《荷花荡将种逃生》、《灌口二郎初显盛》、《魏徵破笏再朝天》、《荀灌娘围城救父》、《信陵君义葬金钗》、《动文昌状元配瞽》、《感天后神女露筋》、《华表柱延陵挂剑》、《东莱守暮夜却金》、《下江南曹彬誓众》、《韩文公雪拥蓝关》、《偷桃捉住东方朔》、《换扇巧逢春梦婆》、《西塞山渔翁封拜》、《诸葛亮夜祭泸江》、《凝碧池忠魂再表》、《大葱岭只履西归》、《寇莱公思亲罢宴》、《翠微亭卸甲闲游》。这些短剧取材多源自历史传说或神话故事，或稍加点染、或再作增删、或重新编排、或稍作虚构；内容比较复杂，具有一定寓义，有些甚至是作者为官多年所历所得所感所思的形象再现，颇有积极意义，但也不乏内容消极者；艺术上虽因每出只一折而有情节失之于简单之顾虑，但仅以独幕剧视角看，在以短小形式呈现丰富主题、以历史题材重构刻划丰满形象等方面均提供了值得今人借鉴的经验。蒋士铨颇有诗名，与袁枚、赵翼并称三大家；蒋士铨同时也是一位对戏剧的社会作用颇为重视的剧作家，尝言："欲善国政，莫如先善风俗；欲善风俗，莫如先善曲本。曲本者，匹夫匹妇耳目所感触易入之地，而心之所由生，即国之兴衰之根源也。"其剧作与社会兴衰治乱联系紧密，亦因此备受推崇，王季烈称其曲"学汤显祖作风，而能谨守曲律，不稍逾，洵为近代曲家所难得"；其戏剧今存十六种，见于《红雪楼十二种曲》和《西江祝嘏》中。杨、蒋之外，清代戏坛还出现了一部著名的、至今仍上演不衰的爱情剧：方成培的《雷峰塔》。《雷峰塔》传奇写蛇仙白娘子与许仙的婚姻故事，十分曲折动人。同许多神话故事一样，《雷峰塔》传奇也是产生于民间、经历了漫长的发展演变而日臻完美的。现今可见到的、有关白蛇故事的戏剧是清代黄图珌的看山阁刻本《雷峰塔》传奇，此本大约写成于雍正、乾隆之际，黄本出现后，马上被艺人搬上了舞台。在传演过程中，依据观众的审美理想，故事又不断充实完善，到了乾隆中叶，又先后产生了两部较为有名的《雷峰塔》传奇：一是陈嘉言父女的梨园演出本；一是方成培的水竹居刊本。梨园钞本只在艺人中传抄，未付出版；方本是在旧钞本基础上改写的。值得注意的是，在《雷峰塔》剧的形成过程中，民间艺人起了重要作用，但今见多为文人对白蛇故事加以提炼、修改、增饰，并在艺术上取得了卓越成就的剧本，因此，也可视为此期雅部成果的一种。

雍正道光时期，是地方戏蓬勃发展并大放光彩的时期。从康熙末至道光末的一百多年,伴随着昆山腔与弋阳诸腔等雅部的式微与衰亡,梆子、皮黄、弦索、藏剧、壮剧、吹吹腔、兴化戏、潮调等民间地方戏开始蓬勃兴起、发展繁盛,①进而演为花部乱弹与传统昆曲争胜,并取得对雅部的压倒性胜利。可见,雍正到道光时期戏曲发展的总进程是,民间地方戏由蓬勃兴起、大获发展,进至与传统昆曲争胜,最后取得了压倒昆曲的优势。此期戏坛的概貌,是昆曲式微、雅部衰亡、地方戏兴起、花部繁荣,一言以蔽之,即花雅争胜。雍道时期地方戏的兴起与繁荣约略可分为两个阶段:一是康熙末年至乾隆中期,是全国各地地方戏遍地开花、陆续兴起的阶段;二是乾隆末年至道光一朝,地方戏诸腔竞陈、长足发展并争胜昆曲、雄霸戏坛的阶段。前一阶段,康熙末年至乾隆中期,清廷已在全国范围取得了绝对的军事胜利,整个社会渐趋稳定,开始采取多种有效措施,着力恢复农业生产、发展城市经济,显出一派相对安宁祥和的盛世之态。值此背景下,戏曲成为人们安放情趣爱好、借以休闲暇日的通俗消遣娱乐手段。然而,作为传统戏曲的雅部昆曲囿于内容陈腐、形式僵化,日渐悖离人们的观赏喜好与审美趣尚,形成文人雅士之调与民众审美兴趣的巨大落差,于是昆山腔、弋阳诸腔等虽持续上演却日趋式微,与之同时,贴近民众审美趣味的大量民间地方戏种迅速产生,并在世俗审美需求的推动下汲取古典戏曲优秀传统和各地民间艺术养分的基础上大获发展,无论是剧目、声腔,还是演出、传唱,均得到极大地发展,共同演为民间地方戏勃兴的盛况。② 仅以戏曲剧本文学而论,清代地方戏剧目就有三种主要类型:第一类是广泛吸收前代戏曲资料的改编戏剧目。既有对昆曲传统剧目的吸收、加工和改造,如地方化了的昆曲和吸收昆山腔的各种地方剧种;又有各地高腔剧种对明初著名南曲传奇和由弋阳诸腔"改调歌之"的昆山腔

---

① 按:所谓"民间地方戏",主要是指被人称为花部乱弹的梆子、皮簧、弦索等新兴剧种;藏剧、白族吹吹腔、壮剧等少数民族戏曲;也包括地方化了的昆、弋诸腔戏和一些地区固有的古老剧种,如闽广一带的兴化戏、潮调等。

② 按:此期民间地方戏的盛况在清人史料中多有记载,如董含《莼乡赘笔》曾载:"枫泾镇为浙江连界,商贾丛积,每上已赛神最盛。筑高台,邀梨园数部,歌舞达旦。"焦循《花部农谭·序言》中亦称:"郭外各村,于二八月间,递相演唱,农叟渔父聚以为欢,由来久矣。""天既炎暑,田事余闲,群坐柳阴豆棚之下,侈谭故事,多不出花部所演。"

传奇剧目的承袭和依据当地观众审美意向的进一步改编创造,如《琵琶记》、《荆钗记》、《白兔记》、《幽闺记》、《玉簪记》、《绣襦记》、《金印记》、《红梅记》、《金貂记》、《同窗记》、《织锦记》、《破窑记》等;也有各地高腔剧种从流行于时的历史演义小说及讲唱艺术(如弹词、鼓词、宝卷等)中提取素材编排而成的戏曲剧目,如长沙湘戏高腔的“七本大戏”《岳飞传》、《封神》、《目连》、《西游》、《南游》、《东游》、《中游》等;更有仍以大量演出昆弋传奇剧本折子戏为主的京腔戏剧目,如现存“百本张”钞本《高腔戏目录》就收录了《金印记》、《琵琶记》、《红梅记》等剧一些折子,及《倒铜旗》、《锦囊记》等二百余种整本大戏名目。第二类是昆山腔、弋阳腔之外的花部乱弹诸腔戏,如秦腔、梆子、弦索、皮黄等新兴地方剧种,在清代地方戏中占有相当重要地位,演出剧目很多。① 此类剧作多为民间艺人或与民间艺人接近的下层文人创作,或未录作者,或未曾刊刻,多以口传心授或梨园钞本形式传播,难见全本剧目;现存收录清代地方戏剧目最早的选刻本是玩花主人原编、钱德苍增补重编的《缀白裘》,收录三十余种、五十余出地方剧目;②《缀白裘》外,当时的《纳书楹曲谱》“外集”“补遗”(叶广明)、《扬州画舫录》(李艾塘)、《剧说》(焦循)、《燕兰小谱》(吴太初)、《日下看花记》(小铁邃道人)、《听春新咏》(留春阁小史)、《金台残泪记》(华胥大夫)等资料中,还提到二百来个剧目;此外,另有1949 年后陆续发现的十余种古老坊间刻本、梨园手钞本。通过上述资料,约略可见清代花部乱弹诸腔戏剧目概貌。第三类是由文人创作的地方戏剧本。例如,清初著名的文言小说家蒲松龄就写过《考词九转货郎儿》、《钟妹庆寿》、《闹馆》三出戏,但皆失传。道光、咸丰年间的余治(莲

---

① 按:此期上演的民间地方戏流行的种类亦不下二十种,昆山腔、弋阳诸腔戏外,民间另有梆子腔(包括弋阳梆子、安庆梆子、陇西梆子等)、乱弹腔(有扬州乱弹、四川乱弹等)、秦腔、西秦腔(一名琴腔、或名甘肃调)、襄阳腔(一名湖广腔)、楚腔(一名楚调)、吹腔(一名枞阳腔、石牌腔)、二簧调(一名胡琴腔)、罗罗腔、弦索腔(一名女儿腔,俗称河南调)、唢呐腔、巫娘腔、柳子腔、勾腔、宜黄诸腔、本地土腔(本地指河南,包括大笛翁、小唢呐,朗头腔、梆锣卷)、山东弦子戏、滩簧等新兴地方剧种上演。

② 按:玩花主人原编、钱德苍(沛思)增补重编的《缀白裘》六集(乾隆三十五年即1770 年刻印)的一部分、十一集(乾隆三十九年,即 1774 年刻印)的全部,曾收录当时流行的“梆子腔”、“乱弹腔”、“西秦腔”等地方剧三十余种(五十余出)。

村)也写过皮黄剧本二十八出,载在《庶几堂今乐》中;他还写有《苦节记》、《状元篇》、《巧还报》、《人兽关》、《五雷报》、《孝友图》六剧,已不传。尽管此期新兴地方戏的名称尚无规范、形态尚不稳定、剧种亦未成熟和完善,仅以观众之热情和剧种之繁多二者,即足见彼时地方戏后起勃兴、诸腔竞陈的势头和争奇斗艳、深得人心的程度。后一阶段,乾隆至道光年间,清代社会经过康乾盛世的百年发展,商品经济发达、手工业商业繁荣、商品流通畅达,康雍年间盛行于村圩集镇的民间土台子戏曲开始流向城镇、远播各地,大城市里甚至以本地商帮所设会馆为据点,出现了相对较为固定的戏班和戏园,经常是各地戏种八方荟萃,多个戏班常年演出,尤以北方的都城北京和南方的水运交通枢纽扬州为盛,①民间地方戏也在这种集中、交流、借鉴、丰富、提高的大氛围中得以全面发展成熟。在长期的民间演出过程中,清代地方戏对前代戏曲艺术形式进行了进一步的调整和发展:一是清代高腔剧种将明代弋阳诸腔的畅滚演化为无韵散文体曲文和放流,②进一步在传统的套曲分出形式内进行了表现手法的改革;二是清代梆子、皮黄等剧种在音乐结构上改变了南戏、杂剧及昆弋诸腔传奇所用的曲牌联套体形式,创造出以板式变化为特征的音乐结构形式,③引起了戏曲艺术的形式变化。"板式变化体"的音乐结构形式,

---

① 按:北京作为清廷的都城,演剧之盛自不待言;扬州则是南方枢纽城市,民间演剧更不输于北京,乾隆南巡时御前承应的"花雅两部"著名演员均曾荟萃于此。据《扬州画舫录》载,扬州"郡城"除演唱昆腔"堂戏"、本地乱弹"台戏"外,还有各地外来戏班,"句容有以梆子腔来者,安庆有以二簧调来者,弋阳有以高腔来者,湖广有以啰啰腔来者,始行之城外四乡,继或于暑月入城,谓之赶火班"。足见彼时民间地方戏进军城市势头之猛和风靡南北流波之盛。

② 按:所谓"畅滚",就是指在曲牌之外加唱大段的滚调。到清代的高腔剧种中,"畅滚"便进一步散体化为无韵的曲文,更口语化,较之弋阳诸腔的"畅滚"也应用得更普遍了。由于无韵散文体曲文可根据剧情选择适当语言,不必受韵律曲牌限制,无疑更有利于随心所欲地表现剧情。而将"畅滚"进一步融入原剧曲词当中,使之演化为一支曲牌本身的乐句、曲牌本身的有机组成部分,就是"放流"。"放流"的句数可按内容需要来增减,次数也不拘,自由灵活,比弋阳诸腔的加滚在艺术表现上也与全剧更为和谐统一。

③ 按:据《中国大百科全书·戏曲卷》所载:所谓"板式变化体",就是"以一对上、下乐句为基础,在变奏中突出节拍、节奏变化的作用,以各种不同的板式(如三眼板、一眼板、流水板、散板等)的联结和变化,作为构成整场戏或整出戏音乐陈述的基本手段,以表现各种不同的戏剧情绪"。

一方面突破了唱词上的局限,通常用七字或十字句为主的整齐排偶句,不受任何曲牌字数及联套形式的限制,可完全随剧情需要决定曲词的长短多少,伸缩自如,灵活简便,不必再用内容来迁就形式,念、做、打等其他戏曲表现手段也可依据情节灵活处理,不必再受以唱为主的套曲的制约;另一方面使得戏曲创作者不必再受套曲分出形式的限制,可以根据戏剧冲突、发展需要来安排场次,创造了分场的剧本结构新形式。这是中国古代戏曲史上的一次具有划时代意义的革新,它彻底解决了戏曲结构与音乐结构的矛盾,大大增进了戏剧表现生活的能力,进一步提高了我国古典戏曲的综合性能和戏剧化程度。正是基于上述调整和发展,此期地方戏取得了两大最为突出的显著成果:一是形成了各大声腔系统;二是产生了多声腔剧种。所谓"声腔系统",就是同一戏曲声腔在不同地区繁衍而形成的既具有当地特色,又是以这一声腔为基础而派生的在声腔、表演、剧目上具有基本相同特征的剧种群。彼时的声腔系统,除高腔腔系①、昆腔腔系②外,主要还有梆子腔系、皮簧腔系、弦索腔系和乱弹腔系。其中,以梆子、皮簧腔系流布最广、成就最高。同时,少数民族戏曲也受汉民族戏曲一些影响,在本民族表演风格基础上自成体系。所谓"多声腔剧种",则是不同戏曲声腔在同一地区融合后形成的包容着多种声腔的新剧种。这类剧种是不同声腔剧种演员合作同台演出的产物。其特点是能融合各声腔之长,既保持了原声腔的特征、成就,又能在适应当地观众审美心态上达到共识,取得风格上的一致。这两大显著成果堪称清代地方戏全面发展成熟的标志,至此,勃兴繁盛的花部乱弹开始取代逐步式微衰落的雅部昆曲成为清代戏坛的主流。

　　清代戏曲发展史上,"花雅之争"直接影响着清代戏曲的发展路向和审美趋势,是清代戏坛最不容漠视的主流思潮。某种程度上讲,花雅争胜可谓清代戏坛最为炫目的思想斗争、意识较量和审美博弈。花部的勃兴

---

　　①　按:高腔腔系由明代以来弋阳腔在各地所衍化的剧种构成。
　　②　按:昆腔腔系由昆曲传入各地与当地方言及民间音乐结合衍变出的具有地方色彩的各种昆腔戏构成。

与发展并不顺畅,其与雅部争胜的、持续近百年的、范围波及全国的数次竞争中甚至伴随着清廷统治极权的血腥干预与无情打击。从根本上讲,花雅之争主要是内容之争,是代表民间新兴自由思想、审美意识的花部叛逆性思想与清廷鄙视民间艺术、维护昆曲正音的封建保守思想之间的争斗。对此,清廷所颁的数次禁令已说得明明白白。① 可见,花部戏曲之所以遭受清廷及其士大夫阶层的一致持续强烈抵制,正在于其内容上对封建纲常伦理、统治秩序的叛逆触动了统治阶层脆弱的神经,以至于清廷不惜持续动用行政手段干预,甚至打击花部乱弹、扶植代表其审美取向和阶级意识的雅部昆曲。花、雅之争并不只是戏曲形式、唱腔剧种的竞争,同时也是思想意识或说审美理想的较量或斗争。于花部而言,这场斗争无疑是跌宕起伏、至为严酷的。仅以清廷首都北京戏坛观之,"花雅之争"便有三次激烈的交锋。② 首次交锋短暂而平缓,发生在乾隆初年的京、昆二腔之间,京腔"六大名班,九门轮转,称极盛焉",③远远盖过昆腔的声势,后以清廷利用、规范、分化、雅化,将京腔从花部中分化出来、雅化并延入宫廷引为御用而告终。第二次交锋充满火药味,发生在乾隆后期的秦、京、昆三腔之间,以秦腔艺人魏长生"大开蜀伶之风,歌楼一盛",④红极一时,使"京腔旧本置之高阁"、"六大班几无人过问",⑤以至"六大班伶人失业,争附入秦班觅食,以免冻饿"、"京腔效之(秦腔)"、"京、秦不分",⑥直接危及昆腔地位为开端,又以清廷强令禁演、魏长生惨淡离京告终。⑦

---

① 按:嘉庆四年五月禁令称:"(花部)所扮演者,非狭邪亵,即怪诞悖乱之事,于风俗人心殊有关系","川、楚教匪,借词滋事,未必不由于此"。道光十六年丙申四月《容山教事录》载《禁止演淫盗诸戏谕》亦称:"今登场演《水浒》,但见盗贼之纵横得志,而不见盗贼之骈首受戮,岂不长凶悍之气,而开贼杀之机乎?"

② 相关情况可参阅张之薇:《京剧传奇》,河北教育出版社 2014 年版。

③ 参见(清)杨静亭:《都门纪略》,同治癸酉年春木刻版。

④ 参见(清)天汉浮槎散人:《花间笑语》,见张次溪:《清代燕都梨园史料》,中国戏剧出版社 1988 年版。

⑤ 参见(清)吴长元:《燕兰小谱》,明文书局。

⑥ 参见(清)李斗:《扬州画舫录》,中华书局 1960 年版。

⑦ 按:《钦定大清会典事例》载:"乾隆五十年议准,嗣后城外戏班,除昆弋两腔仍听其演唱外,其秦腔戏班,交步军统领五城出示禁止。现在本班戏子,概令改归昆弋两腔。如不愿者,听其另谋生理。倘于怙恶不遵者,交该衙门查拿惩治,递解回籍。"

第三次交锋声势更为浩大,发生在乾隆末年徽班进京之后的京、昆二腔之间,徽班及嗣后相继进京的诸多地方剧种携手促成徽汉二腔的再度合流,为京剧的诞生奠定了坚实的基础;①这一次,清廷的禁令终究未能敌过民众的选择,以地方戏的全面胜利告终。② 总之,花部"乱弹"诸腔和雅部昆曲之间的炽烈较量中,民间地方戏抓住了昆腔、弋阳诸腔冷落式微的有利时机,乘势而上、博采众长、迅猛发展、走向成熟,最终形成各大声腔系统和含多种声腔的新型戏种,赢得了花雅之争的胜利。

晚清戏坛则是京剧一统江湖的局面。京剧俗称"皮黄戏",或称"京调",亦有"平剧"、"国剧"之谓。京剧与地方戏将清代戏曲乃至中国古代戏曲表演推向空前的高度,尤其是京剧,更在班社、绝活、戏园、名角、剧目等方面出现全方位的鼎盛。以演出班社与绝活论,早期著名的就有三庆的轴子(整本大戏)、四喜的曲子(昆曲演唱)、和春的把子(靠把等武戏)、春台的孩子(童伶的演出),嗣后更层出不穷;以剧目论,各班社、各名角均有自己的保留剧目,如程长庚的《群英会》、《战长沙》、《华容道》,谭鑫培的文武老生戏,梅兰芳的《一缕麻》、《宇宙锋》、《凤还巢》、《贵妃醉酒》、《千金一笑》、《邓霞姑》,尚小云的《摩登伽女》、《昭君出塞》、《双阳公主》、《失子惊凤》、《梁红玉》,荀慧生的《赛金花》,等等;以演剧名角

---

① 按:高朗亭所率徽班原本就是以唱二簧调为主,同时兼唱昆腔、吹腔、四平调、拨子、罗罗、梆子等各种腔调的戏班。到北京后,又吸收了京、秦二腔特别是秦腔的优长,使其在原有诸腔的腔调剧目外,又增添了秦腔(后来称为西皮调)的腔调和剧目。徽班这种善于博采众长、融为己用的特点以及高超的表演艺术,使自己获得了其他声腔剧种难与抗争的地位,所以,二簧调便作为一个剧种代表而独尊于京都剧坛。到了道光年间,汉调由湖北演员王洪贵、李六、余三胜等人带入北京,被二簧调吸收。徽汉二腔再次的合流,为道光末叶京剧的诞生奠定了基础。因此徽班进京一向被视为京剧诞生的前奏。
② 按:乾隆五十五年,借为乾隆皇帝祝寿之机,以著名艺人高朗亭为台柱的三庆徽班进京。之后,又有四喜、启秀、霓翠、和春、春台等安徽戏班相继入京。后来六班合并为三庆、四喜、春台、和春四大徽班。他们在原本兼唱多种声腔戏的基础上,吸收京、秦特别是秦腔精华,同时发展自己的专长,从而"四徽班各擅胜场",在京都剧坛大展才华,成为与雅部竞争的中坚力量。虽然清政府一再发令禁止:"除昆弋两腔仍照旧准其演唱,其外乱弹、梆子、弦索、秦腔等戏,概不准再行唱演"(见苏州"老郎庙碑记"),但收效甚微。徽班与京、秦诸腔戏在京城并行上演,以至后来全国各地都"竞相仿效,"苏州、扬州,亦有"以乱弹等腔为新奇可喜,转将素习昆剧抛弃"者(见苏州"老郎庙碑记")。

论,则有三庆班领班旦角高朗亭、三庆班生角程长庚、四喜班生角张二奎、春台班生角余三胜和李六、和春班生角王洪贵等,先后出现了著名的"老三鼎甲"(即程长庚、张二奎、余三胜)和"小三鼎甲"(即谭鑫培、汪桂芬、孙菊仙)以及"四大名旦"(即梅兰芳、程砚秋、荀慧生、尚小云)等戏曲现象,清末沈容圃绘《同光名伶十三绝》即反映了彼时戏曲行当发展的情况,也是画家为戏曲演员树起的第一块丰碑,名角之外,生旦净末丑各个行当有成就的演员亦不胜枚举,譬如,旦角余子云、时小福、陈德霖、王瑶卿,净角何桂山、金少山,老旦郝兰田、龚云甫,丑角罗百岁、萧长华,武生俞菊笙、黄月山、杨隆寿、姚增禄,老生卢胜奎、杨月楼,此外,更有高庆奎、言菊朋、余叔岩、周信芳、马连良、谭富英、孟小冬、李少春、尚和玉、杨小楼、盖叫天、王愣仙、叶盛兰、姜妙香、于连泉、赵桐珊、李多奎、郝寿辰、裴盛戎等人俱有佳声。

二、清代戏曲文献与表演及审美研究

学界关于清代戏曲作品的文献研究,堪称清代戏曲研究的重头,成果主要集中于戏曲作品的发现与著录、戏曲作品的搜集与刊行以及戏曲史料介绍与整理等方面。对此,李舜华《清代戏曲文献简述》一文曾有详细梳理,[1]提供了较为明晰的线索,可资借鉴。清代戏曲作品的发现与著录自清季当朝即已开始,清人黄文旸《曲海目》、支丰宜《曲目新编》、姚燮《今乐考证》、《乐府考略》、《传奇汇考》、《传奇汇考标目》等均为彼时有名的曲目著作。民国以降,王国维首开风气著《曲录》,收清人杂剧 82 种、传奇 809 种,[2]堪称当时最完备的曲目著作;大东书局排印《曲海总目提要》46 卷,考订元明清戏曲剧目 685种,清代剧目从简从略;北京大学影印姚燮《今乐考证》稿本 13 卷,辑录自宋迄清 512 家 2066 种杂剧、传奇,录有大量清人作品;此外,孙

---

① 参见李舜华:《清代戏曲文献简述》,《广州大学》(社会科学版)2006 年第 2 期。
② 参见王国维:《王国维文集》(卷二),中国文史出版社 1997 年版。此书较早版本有 1909 年广东番禺印本、1940 年上海商务印书馆《王忠悫遗书》本、增补曲苑本。

楷第①、吴梅②、杜颖陶③、王芷章④、周越然与齐如山、傅惜华⑤、叶德均⑥等人均曾著有曲目专书,辑录清曲颇详,叶德均⑦、严敦易⑧等更有考订清曲文献的专著面世。新中国成立后,傅惜华⑨、庄一拂⑩、郭英德⑪、李修生⑫、齐森华、陈多、叶长海⑬、叶德均⑭、罗锦堂⑮、周妙中⑯、曾永义⑰、阿英⑱、梁淑安、姚柯夫⑲等人俱有清代戏曲目录学成果问世,集中反映了清代戏曲目录学研究的成就。在前述众多著录成果之中,杂剧与传奇的发现与著录成果最为丰硕。有关清代杂剧剧目的创作,清人姚燮《今乐考证》、近人王国维《曲录》均有著录。新中国成立以后,傅惜华于60年代初完成了《清代杂剧全目》10卷本的编纂,清初时期2卷,分述明末

①　参见孙楷第:《戏曲小说书录解题》,人民文学出版社1990年版。

②　参见吴梅:《曲海目疏证》,见王卫民编:《吴梅戏曲论文集》,中国戏剧出版社1983年版。

③　参见杜颖陶:《曲海总目提要拾遗》,上海世界书局1936年版。

④　参见王芷章:《北平图书馆藏升平署曲本目录》,中华书局1936年版。

⑤　周越然、齐如山、傅惜华:《日本现存中国善本之戏曲》,《中国文艺》1939年第4期、1940年第5、6期。

⑥　参见叶德均:《曲目钩沉录》,见《戏曲小说丛考》,中华书局1979年版。

⑦　参见叶德均:《清代曲家小纪》,见《戏曲小说丛考》,中华书局1979年版。

⑧　参见严敦易:《清人戏曲提要》,见严敦易:《元明清戏曲论集》,中州书画社1982年版。

⑨　按:傅惜华自50年代末起开始全方位地整理元明清三代的杂剧、传奇目录,先后撰成《元代杂剧全目》、《明代杂剧全目》、《明代传奇全目》、《清代杂剧全目》;《清代传奇全目》(未完成)。

⑩　参见庄一拂:《古典戏曲存目汇考》,上海古籍出版社1982年版。

⑪　参见郭英德:《明清传奇综录》,河北教育出版社1997年版。

⑫　参见李修生:《古本戏曲剧目提要》,文化艺术出版社1997年版。

⑬　参见齐森华、陈多、叶长海:《中国曲学大辞典》,浙江教育出版社1997年版。

⑭　参见叶德均:《祁氏剧品曲品补校》,中华书局1955年版。

⑮　参见罗锦堂:《中国戏曲总目汇编》,香港万有图书公司1966年版;罗锦堂:《中国丛书综录》,中华书局1961年版。

⑯　参见周妙中:《江南访曲录要》,载《文史》第二辑,中华书局1963年版;周妙中:《江南访曲录要(二)》,载《文史》第十二辑,中华书局1981年版。

⑰　参见曾永义:《清代杂剧概论》(附《清代杂剧体制提要及存目》),载曾永义:《中国古典戏剧论集》,(台北)联经出版事业公司1975年版。

⑱　参见阿英:《晚清戏曲小说目》,上海文艺联合出版社1954年版。

⑲　参见梁淑安、姚柯夫:《中国近代传奇杂剧经眼录》,书目文献出版社1996年版。

至清顺治时、康熙雍正时作品,清中叶时期 3 卷,分述乾隆时、嘉庆时、嘉庆以前时之无名氏作品,系自昆曲繁盛以至衰微时期之杂剧作品,清末时期 1 卷,要述道光咸丰同治光绪宣统时,乃花部诸腔即地方戏勃兴以后之杂剧作品,另有 4 卷纯述清代宫廷所编制之承应戏作品,全书著录了清代杂剧约 1300 种,每种作品均列出其名目、版本、存佚、现藏地方、作家小传等,并附以引用书籍解题、作家名号索引、杂剧名目索引,其中有名可考者 550 种,无名氏作品 750 种,较诸姚、王所录增出数倍,①基本反映了清代杂剧遗存的全貌。有关清代传奇剧目的创制,傅惜华完稿于 1964 年的《清代传奇全目》已有详述,惜因未及出版原稿散佚,刘效民曾记其残稿 7 页,为该书"目录"、"例言"及"例言数据补充",据此亦可见出清代传奇总貌。据残稿所示,该书共 10 卷,清初时期 3 卷,分述明末至清顺治时、康熙时、雍正时传奇作品,清中叶时期 2 卷,分述乾隆时、嘉庆时传奇作品,系自昆曲繁盛以至衰微时期之传奇作品,清末时期 1 卷,要述道光咸丰同治光绪宣统时传奇作品,乃地方戏勃兴时期之传奇作品,无名氏传奇作品 2 卷,承应大戏 1 卷、承应传奇 1 卷,均为清代宫廷编制、重订之所谓"承应戏"作品。② 清代戏曲作品的搜集与刊行较之曲目著录更显重要,成果不断。清代戏曲创作远盛元明,民国时期,郑振铎选刊清人杂剧 80 种,③武进董氏诵芬室刊清人杂剧 19 家 34 种,④刘世珩⑤、吴梅⑥俱著书刊录清人传奇;新中国成立以来,《古本戏曲丛刊》刊录清人戏曲近 200 种。⑦ 阿英、梁淑安⑧、张庚、黄菊盛⑨等人十分注重晚清戏曲的汇集,尤

---

① 参见傅惜华:《清代杂剧全目》,人民文学出版社 1981 年版,第 1 页。

② 参见刘效民:《记傅惜华〈清代传奇全目〉手稿残页》,《文献》2002 年第 1 期。

③ 参见郑振铎:《清人杂剧初集》,1931 年刊行;《清人杂剧二集》,1934 年刊行。

④ 参见邹式金:《杂剧新编》(又名《杂剧三集》),武进诵芬室 1941 年刊行。

⑤ 参见刘世珩:《暖红室汇刻传奇》,1917 年合刊。

⑥ 参见吴梅:《奢摩他室曲丛初集》,1928 年刊行。

⑦ 参见郑振铎:《古本戏曲丛刊》,商务印书馆 1954 年版。

⑧ 参见梁淑安:《中国古典文学名著分类集成·戏曲卷五》,天津百花文艺出版社 1994 年版。

⑨ 参见张庚,黄菊盛:《中国近代文学大系·戏剧集》,上海书店出版社 1995、1996 年版。

以阿英《晚清文学丛钞·传奇杂剧卷》为代表。民国时期对单部作品的整理刊行主要集中于《桃花扇》、《长生殿》等重要作品上;①新中国成立以来,清代戏曲名作更被大量刊行,②此外更有大量改本、节本、曲谱、曲选收录本等珍贵文献刊行,③尤以清初即有多种选本的《缀白裘》④、姚燮编撰的《复庄今乐府选》⑤、车王府曲本⑥、及专收清内府承应剧本的曲集⑦为著。这些资料的刊行从根本上极大地推动了戏曲研究的发展。清代戏曲史料介绍与整理的成果则主要集中在戏曲史料的勾辑、考定与整理,尤其是清代燕都梨园史料编撰、几礼居戏曲丛书编撰、清升平署档案整理、地方志戏曲史料及各家戏曲序跋收集与整理等方面;民国迄今从事

---

① 按:梁启超《清代学术概论》以为清曲中除孔、洪以外,无足称者。据统计,民国期间《长生殿》先后有 5 种刊本,《桃花扇》有 8 种刊本,其中梁启超校注本可谓早期研究《桃花扇》的一部力作。

② 按:代表性的版本有王季思、苏寰中的《桃花扇》校注本(参见王季思、苏寰中:《桃花扇》,人民文学出版社 1959 年版),徐朔方的《长生殿》校注本(参见徐朔方:《长生殿》,人民文学出版社 1958 年版),[日]竹村则行与康保成的《长生殿笺注》(参见[日]竹村则行、康保成:《长生殿笺注》,中州古籍出版社 1999 年版),等等。

③ 按:曲谱、曲选等如《南词新谱》、《纳书楹曲谱》、《集成曲谱》、《缀白裘》、《节节好音》等,均录有大量传奇杂剧的数曲、数折,或数十折曲文。

④ 按:《缀白裘》自清初以来,就有多种同名选本。乾隆间,钱德苍在玩花主人旧本的基础上,于乾隆二十九年至三十九年(1764—1774 年)陆续编成《缀白裘新集》十二编(集),乾隆四十二年,又调整剧目,订为合刊本,即目前流行的《缀白裘》本。是书十二编,每编四卷,凡四十八卷,收录昆腔剧本 87 种 438 出,杂剧、高腔、乱弹腔等 57 出。此本今有 1937 年中华书局汪协如校订本,台湾王秋桂主编的《善本戏曲丛刊》也有影印本。

⑤ 按:此书是姚燮配合《今乐考证》编辑的一部大型历代戏曲选集,系手抄本,原为 192 册,现存 168 册,藏浙江图书馆(110 册)、宁波天一阁(56 册)、国家图书馆(2 册)。此书分衢歌、弦索、杂剧、院本、散曲、要词六类,共收录衢歌(集)5 种,弦索 1 种,杂剧 157 种,院本 247 种,散曲 18 种,要词 2 种,其中,清代作品杂剧部分 40 种,院本 174 种(佚 23 种)。另有 37 种子目,包括清杂剧 6 种,传奇 28 种。

⑥ 按:20 世纪 20 年代,孔德学校先后从北京书肆中收购到一批戏曲、曲艺手抄本,系传自清代北京蒙古车登巴咱尔王府,故简称车王府曲本。车王府曲本卷幅浩繁,所录为戏曲与曲艺(说唱)两大部分,约计 2000 多种,5000 余册。

⑦ 按:譬如,佚名编《节节好音》,清内府四色宋体字精抄本。凡 43 册,43 种,俱为内廷承应元旦、上元、燕九、赏雪、祀皂、除夕等节令的剧作。再如,吴梅所藏《南府钞曲稿十三种》,凡 34 册,收入《圣年寿征》、《百子呈祥》、《丰乐秋登》、《箕寿五福》、《太平有象》等内廷庆贺剧。

此项研究的著名学者良多,尤以蒋瑞藻①、钱静方②、董康③、陈乃乾④、任二北⑤、张次溪⑥、周明康⑦、朱希祖⑧、王芷章⑨、赵景深⑩、张景元⑪、邓长风⑫、陆树萼⑬等人为代表。

　　学界关于清代戏曲的表演研究,主要集中于演剧活动和演员、戏台及班社研究两个方面。其中,对演剧活动的研究又以对清宫戏的研究最为繁盛,且清宫演剧活动研究始终与剧本剧目文献研究相辅相成。⑭ 对此,吴书荫⑮、苗怀明⑯、李舜华⑰等人均有论著详述。清宫演剧频繁,又设有

————————

① 参见蒋瑞藻:《小说考证》及《续编》《拾遗》,商务印书馆1935年版;蒋瑞藻:《小说枝谈》,上海古典文学出版社1931年版。

② 参见钱静方:《小说丛考》,上海古典文学出版社1958年版。

③ 参见董康:《读曲丛刊》,诵芬室1917年刻本。

④ 参见陈乃乾:《曲苑》,古书流通处1921年10月影石印巾箱本。

⑤ 参见任二北:《新曲苑》,中华书局1940年聚珍仿宋排印本。

⑥ 张次溪:《清代燕都梨园史料正编》,北平邃雅斋店1934年排印版;张次溪:《清代燕都梨园史料续编》,北平松筠斋书店1937年排印版;张次溪:《清代燕都梨园史料正续编》,中国戏剧出版社1988年点校本。

⑦ 按:周明泰最具代表性的著述有几礼居戏曲丛书四种。此丛书刊于1932年,第一种《都门纪略中之戏曲史料》;第二种《五十年来北平戏剧史材》;第三种《道咸以来梨园系年小录》(又名《京戏近百年琐记》);第四种《清升平署存档事例漫抄》。

⑧ 按:朱希祖1924年购得清升平署档案及钞本1000多册,曾撰《整理升平署档案记》。

⑨ 参见王芷章:《腔调考原》,双肇楼图书部1934年版(载王芷章:《中国京剧编年史》,中国戏剧出版社2003年版);王芷章:《北平图书馆藏升平署曲本目录》,中华书局1936年版;王芷章:《清代伶官传》,中华书局1936年版;王芷章:《清升平署志略》,商务印书馆1937年版;另见王芷章:《清升平署志略》,上海书店1991年版。

⑩ 参见赵景深:《方志著录明清曲家考略》,载赵景深:《明清曲谈》,古典文学出版社1957年版。

⑪ 参见赵景深、张景元:《方志著录元明清曲家传略》,中华书局1987年版。

⑫ 参见邓长风:《明清戏曲家考略》,上海古籍出版社1994年版;邓长风:《明清戏曲家考略续编》,上海古籍出版社1997年版;邓长风:《明清戏曲考略三编》,上海古籍出版社1999年版。

⑬ 参见陆树萼:《清代戏曲家丛考》,上海学林出版社1995年版。

⑭ 按:清宫戏研究大致经历了文献搜集、整理、校勘,剧本剧目研究和戏曲史(包括专门史与断代史)研究以及文献综述几个阶段。而关于各种大戏小戏的演出形态研究,虽然零散,却贯穿始终。

⑮ 参见吴书荫:《论二十世纪戏曲文献的整理和研究》,《中国文化研究》2000年冬之卷。

⑯ 参见苗怀明:《二十世纪戏曲文献学述略》,中华书局2005年版。

⑰ 参见李舜华:《清代戏曲文献简述》,《广州大学学报》2006年第2期。

专门的戏曲管理机构,①管理演员、安排演出、保存戏剧文献,因此剧本与
档案资料颇丰。② 有关文献收藏与著录出版情况,前文已述及朱希祖、王
芷章、傅惜华等人的整理功绩,此外,另有朱家溍③、刘澄清④、吴晓铃⑤、
齐如山⑥、朱传誉⑦、林虞生⑧、丁汝芹⑨等人和故宫博物院文献馆⑩、中华
书局⑪、北京出版社⑫、海南出版社⑬等机构亦贡献良多,兹不赘述。有关
清宫演剧的研究成果,主要集中于管理制度的变革、机构设置的变化、戏
曲表演的要素等方面,约略梳理出清代宫廷演剧历史,尤以李宗白⑭、杨
常德⑮、张明芳⑯、么书仪⑰、丁汝芹⑱、郎秀华⑲、赵阳⑳等人的研究成果
为代表。在清宫演剧制度变革研究中,南府、景山及升平署等演剧机构的
设置时间、演变历程、规模、人数、机构性质极其微妙变化等均为重大核心

---

① 按:康熙设南府、景山,道光七年合二处为一,是为升平署。

② 按:相关文献主要保存在中国第一历史档案馆、中国国家图书馆、中国艺术研究院
戏曲研究所资料室、北京大学图书馆等单位。

③ 参见朱家溍:《清代乱弹戏在宫中发展史料》,北京出版社 1999 年版。

④ 参见刘澄清:《本学门所藏清升平署剧本目录》,《北京大学研究所国学门周刊》
1925 年第 12、13 期;刘澄清:《清代升平署戏剧十二种校刊记》,《北京大学研究所国学门月
刊》1927 年第 1 期。

⑤ 参见吴晓铃:《国立中央研究院历史语言研究所善本剧曲目录》,《图书季刊》1940
年第 2 期。

⑥ 见齐如山:《北平国剧学会陈列馆目录》,见齐如山:《齐如山文集》,河北教育出版
社 2010 年版。

⑦ 参见朱传誉:《清宫大戏十种》,台湾天一出版社 1986 年版。

⑧ 参见林虞生:《升平署岔曲》(外二种),上海古籍出版社 1984 年版。

⑨ 参见丁汝芹:《清代内廷演戏史话》,紫禁城出版社 1999 年版。

⑩ 参见故宫博物院文献馆:《故宫所藏升平署剧本目录》,见《故宫周刊》1933 年至
1934 年间第 276 期至第 315 期,上海书店出版社 1988 年版。

⑪ 参见《古本戏曲丛刊九集》,中华书局 1964 年版。

⑫ 参见《北京图书馆藏升平署戏曲人物画册》,北京出版社 1998 年版。

⑬ 参见《故宫珍本丛刊》(731 册),海南出版社 2000 年影印本。

⑭ 参见李宗白:《清宫演剧丛话》,《北京艺术》1982 年第 1 期。

⑮ 参见杨常德:《清宫演剧制度的变革及其意义》,《戏曲艺术》1985 年第 2、3 期。

⑯ 参见张明芳:《清代宫廷演剧述略》,《中华戏曲》1998 年第 21 期。

⑰ 参见么书仪:《晚清宫廷演剧的变革》,《文学遗产》2001 年第 5 期。

⑱ 参见丁汝芹:《清代内廷演戏史话》,紫禁城出版社 1999 年版。

⑲ 参见郎秀华:《中国古代帝王与梨园史话》,中国旅游出版社 2001 年版。

⑳ 参见赵阳:《清代宫廷演戏》,禁城出版社 2001 年版。

问题,诸多名家对此俱有探讨。① 余如温显贵《从教坊、南府到升平署——清代宫廷戏曲管理的三个时期》略述了清代演剧管理的分期及特点;②章宏伟《故宫博物院清朝宫廷戏剧文献收藏现状》概要介绍了清宫旧藏的 11491 册剧本,③为清宫演戏活动提供了翔实的实物证明,另文《光绪朝清宫演戏的经济支出》则依据《中国国家图书馆藏清宫昇平署档案集成》探讨了光绪朝清宫演戏的经济支出情况,④从中既可看出皇家审美取向和欣赏趣味、清代戏曲的创作演出和发展进程,也可视为清代兴衰的缩影,是研究清朝戏曲史、宫廷史的第一手资料;曾凡安《花部入宫及其戏曲史意义》详探了花部戏曲进入清宫内廷的重大历史意义。⑤ 此外,故宫博物院所藏万寿图⑥和大量清代笔记小说⑦中均保存了大量清宫演戏的戏曲史料,业已为学界重视。有关清宫戏的本体研究,始终是学界关注的焦点。比较而言,学界对承应戏关注尤重,傅惜华、齐如山等人较早撰文

---

① 如王芷章:《清升平署志略》,清逸居士:《南府之沿革》,张明芳:《清代宫廷演戏述略》,胡忌、刘致中:《昆曲发展史》,龚和德:《清代宫廷戏曲的舞台美术》,朱家溍:《清代内廷演戏情况杂谈》,郎秀华:《清代升平署沿革》,杨常德:《清宫演剧制度的变革及其意义》,李宗白:《清宫演剧丛话》,丘慧莹:《关于〈清升平署志略〉论及"南府"、"景山"的几个问题》,丁汝芹:《内廷演戏史话》,么书仪:《晚清宫廷演剧的变革》等。

② 参见温显贵:《从教坊、南府到升平署——清代宫廷戏曲管理的三个时期》,《湖北大学学报》(哲学社会科学版)2006 年第 2 期。

③ 参见章宏伟:《故宫博物院清朝宫廷戏剧文献收藏现状》,《中国戏曲学院学报》2011 年第 3 期。

④ 参见章宏伟:《光绪朝清宫演戏的经济支出》,《中国戏曲学院学报》2013 年第 2 期。

⑤ 参见曾凡安:《花部入宫及其戏曲史意义》,《四川戏剧》2010 年第 4 期。

⑥ 即《康熙六旬万寿图》、《崇庆太后八旬万寿图》、《乾隆八旬万寿图》。前者由时任兵部右侍郎的宋俊业、任户部侍郎的王元祁以及冷枚、邹文玉等著名画家根据当时的盛况绘制。"画卷上有四十多座戏台,除了有些是歌舞表演外,其中能够辨认的有《白兔记》《西厢记》《金貂记》《安天会》《浣纱记》《单刀会》《邯郸梦》《玉簪记》等剧的选场。"(参见丁汝芹:《清代内廷演戏史话》,紫禁城出版社 1999 年版。)这些都是元明流传下来的优秀传奇、杂剧的代表。而后二者描绘的分别是《群仙献寿大戏》和《南极呈祥大戏》的片段。(参见么书仪:《乾隆皇帝与戏曲》,《紫禁城》2001 年第 133 期。)图像与戏曲文献均基本相符。

⑦ 清人笔记小说如赵翼《檐曝杂记》、昭梿《啸亭杂录》、焦循《花部农谭》、小铁笛道人《日下看花记》、翁同龢《翁同龢日记》等均有不少记载清宫演戏情况的。

著书研究,①徐扶明②、朱家溍③等人延其波,相关成果层出不穷;较之承应戏,学界对清宫单出戏演剧研究略显寂寥,对宫廷演剧与民间演剧之间的版本差异的研究更是付诸阙如,亟待深化;对连台本戏研究的状况则要好很多,此类研究虽显零散却成果丰硕,赵景深④、李玫⑤、朱恒夫⑥、刘祯⑦等学者俱有佳著;具体到角色、声腔、表演、服饰等戏曲表演的细部研究,则更为分散,成果也更加不胜枚举,齐如山⑧、王芷章⑨、朱家溍⑩、范丽敏⑪、郑振铎⑫等学者分别对清宫戏的角色、声腔、表演详加考辨,董每戡⑬、朱家溍⑭、许玉廷⑮、

———————————

① 参见傅惜华:《内廷普通之承应开场剧》,《北京画报》1931 年第 178 期;傅惜华:《记"封神天榜"——清廷承应传奇之一种》,《北京画报》1931 年第 181 期;傅惜华:《内廷除夕之承应戏——如愿迎新》,《国剧画报》1932 年第 4 期;齐如山:《升平署月令承应戏》,《半月戏剧》1938 年第 4 期;齐如山:《升平署月令承应戏》,国立北平故宫博物院 1936 年版。

② 参见徐扶明:《明清应时戏》,《元明清戏剧探索》,浙江古籍出版社 1981 年版。

③ 参见朱家溍:《升平署的最后一次承应戏》、《南府时代的戏曲承应》,《紫禁城》1995 年第 1 期、1998 年第 3 期。

④ 参见赵景深:《〈忠义璇图〉与〈虎囊弹〉》,载赵景深:《读曲小记》,中华书局 1959 年版;赵景深:《劝善金科》,载赵景深:《明清曲谈》,古典文学出版社 1957 年版;赵景深:《谈清宫大戏〈忠义璇图〉》,《艺谭》1980 年第 2 期。

⑤ 参见李玫:《清代宫廷大戏三题》,《中国典籍与文化》1999 年第 1 期。

⑥ 参见朱恒夫:《目连戏研究》,南京大学出版社 1993 年版。

⑦ 参见刘祯:《中国民间目连文化》,巴蜀书社 1997 年版。

⑧ 参见齐如山:《升平署外学脚色》,《戏剧丛刊》1932 年第 3 期。

⑨ 参见王芷章:《中国戏曲声腔丛考》,见王芷章:《中国京剧编年史》,中国戏剧出版社 2003 年版;王芷章:《腔调考原》,见王芷章:《中国京剧编年史》,中国戏剧出版社 2003 年版。

⑩ 参见朱家溍:《升平署时代昆腔弋腔乱弹的盛衰考》、《清代乱弹在宫中发展的史料》、《清代内廷演戏情况杂谈》、《万寿图中的表演写实》,见《故宫退食录》,北京出版社 1999 年版。

⑪ 参见范丽敏:《清代北京剧坛花、雅之盛衰研究》,首都师范大学博士论文,2002 年。

⑫ 参见郑振铎:《清代宫廷戏的发展情形怎样》,原载《文学百题》1935 年 7 月号,后收入郑振铎:《郑振铎古典文学论文集》,上海古籍出版社 1984 年版,第 743 页。

⑬ 参见董每戡:《说剧》,人民文学出版社 1983 年版。

⑭ 参见朱家溍:《清代的戏曲服饰史料》,《故宫博物院院刊》1979 年第 4 期。

⑮ 参见许玉廷:《宫廷戏衣》,《故宫博物院院刊》1985 年第 4 期。

丁汝芹①、宋俊华②、龚和德③等人则对清宫戏服饰问题进行了集中研究，成果丰硕。演员、戏台及班社研究，则是清代戏曲表演研究的另一个重点。对清代戏曲演员的代表性研究有松崟④、王芷章⑤等人和大型戏曲丛书及名家传记丛书⑥研究成果。对清代演剧戏台的研究则以齐如山⑦、周华斌⑧、廖奔⑨、丁汝芹⑩、么书仪⑪等人的成果最具代表性。对清代演剧班社的研究则以朱恒夫的梳理较为全面，⑫然失之于简；朱秋娟《李渔家班与李渔戏曲创作、戏曲理论间的互动》⑬、李延贺《明清江南的缙绅家乐》⑭则从个案角度对清代家班与明清家乐分别予以探讨。

　　较之文献与表演研究，学界关于清代戏曲的理论研究稍显薄弱，有关清代戏曲审美意识的研究更显沉寂。已有的相关成果相对零散，主要集中在对清代部分重要戏曲理论家、评点家的重要曲论思想及表演理论梳

---

① 参见丁汝芹：《清代内廷演戏史话·戏装与砌末》，紫禁城出版社 1999 年版。

② 参见宋俊华：《中国古代戏剧服饰研究》，广东省高教出版社 2003 年版。

③ 按：龚和德是比较集中探讨中国古代戏剧舞台美术的学者。他在参与《中国大百科全书·戏曲、曲艺》和《中国戏曲通史》两书的写作中，比较系统地研究了古代戏剧舞台美术包括戏剧服饰的问题，先后写了《元明杂剧的舞台美术》、《明清昆曲的舞台美术》、《清代宫廷戏曲的舞台美术》、《戏曲人物造型论》、《戏曲穿戴规则》等文章，对古代戏剧服饰的形态、特点都作了比较深入的研究。他还与朱家溍探讨了《穿戴题纲》的年代问题。（参见龚和德：《〈穿戴题纲〉的年代问题》，《故宫博物院院刊》1981 年第 2 期）。

④ 参见松崟：《清末内廷梨园供奉表》，《剧学月刊》1934 年第 11 期。

⑤ 按：王芷章《腔调考原》曾为 13 位名伶立传；其《京剧名艺人传略集》分行当为晚清 196 位艺人立传。

⑥ 参见苏移：《京剧二百年概观》，燕山出版社 1989 年版；北京市艺术研究所与上海艺术研究所：《中国京剧史》，中国戏剧出版社 1999 年版；《京剧泰斗丛书》，河北教育出版社 1996 年版。

⑦ 参见齐如山：《风雅存小戏台志》、《南府戏台志》，《国剧画报》1932 年第 6、39 期。

⑧ 参见周华斌：《京都古戏楼》，海洋出版社 1993 年版。

⑨ 参见廖奔：《中国古代剧场史》，中州古籍出版社 1997 年版。

⑩ 参见丁汝芹：《清代内廷演戏史话》，紫禁城出版社 1999 年版。

⑪ 参见么书仪：《晚清戏曲的变革》，人民文学出版社 2006 年版。

⑫ 参见朱恒夫：《清代戏曲班社概论》，《江苏教育学院学报》（社会科学版）1997 年第 3 期。

⑬ 参见朱秋娟：《李渔家班与李渔戏曲创作、戏曲理论间的互动》，扬州大学硕士论文，2006 年。

⑭ 参见李延贺：《明清江南的缙绅家乐》，华东师范大学博士论文，2009 年。

理和对清代戏曲理论发展的环境、路向、趋势研究等方面。譬如,中国戏剧出版社20世纪50年代出版的10卷本《中国古典戏曲论著集成》中,第6至10卷收录了高奕、李渔、黄周星、毛先舒、黄图珌、徐大椿、笠阁渔翁、黄文旸、黄丕烈、李调元、焦循、梁廷枏、黄旛绰、王德晖、徐沅澂、刘熙载、支丰宜、平步青、杨恩寿、姚燮及两位无名氏等22位清代曲论家22部曲论著作。① 又如,吴毓华《中国古代戏曲序跋集》也收入了大量清代戏曲序跋,②天津古典小说戏曲研究会《古典小说戏曲探艺录》辑录诸多学者的清代戏曲论文。③ 再如,余秋雨《戏剧理论史稿》单列《李渔》一章评析李渔《闲情偶寄》戏剧理论及其与欧洲剧论差异。④ 张宇《错位——〈桃花扇〉原著与舞台演出的冲突》则以李渔戏曲创作理论剖析清初传奇《桃花扇》原著与舞台演出之间的冲突。⑤ 董上德《古代戏曲小说叙事研究》系统地梳理了戏曲叙事理论,⑥兼涉清代戏曲叙事的诸多方面。刘精瑛《中国文学史中的古代戏曲研究(1904—1949)》则对20世纪上半叶各个时期有影响的部中外文学通史中的戏曲状貌进行研究,以期发现更多有价值的戏曲内容;⑦文章认为,文学史中戏曲的变化影响着文学史著的变化,文学史著中戏曲形象的变化影响着文学史著形象的变化,戏曲和文学史著的结合,不是简单地在文学史著中加入戏曲内容,而是通过二者的结

---

① 参见《中国古典戏曲论著集成》,中国戏剧出版社1959年版。所辑清人曲论著作分别是:高奕《新传奇品》、无名氏《古人传奇总目》、李渔《闲情偶寄》、黄周星《制曲枝语》、毛先舒《南曲入声客问》、黄图珌《看山阁集闲笔》、徐大椿《乐府传声》、无名氏《传奇汇考标目》、笠阁渔翁《笠阁批评旧戏目》、黄文旸《重订曲海总目》、黄丕烈《也是园藏书古今杂剧目录》、李调元《雨村曲话》《剧话》、焦循《剧说》、《花部农谭》、梁廷枏《曲话》、黄旛绰《梨园原》、王德晖与徐沅澂《顾误录》、刘熙载《艺概》、支丰宜《曲目新编》、平步青《小楼霞说稗》、杨恩寿《词余丛话》《续词余丛话》、姚燮《今乐考证》。

② 参见吴毓华:《中国古代戏曲序跋集》,中国戏剧出版社1990年版。

③ 参见天津古典小说戏曲研究会:《古典小说戏曲探艺录》,天津人民出版社1983年版。

④ 参见余秋雨:《戏剧理论史稿》,上海文艺出版社1983年版,第182—202页。

⑤ 参见张宇:《错位——〈桃花扇〉原著与舞台演出的冲突》,《戏剧文学》2007年第6期。

⑥ 参见董上德:《古代戏曲小说叙事研究》,广东高等教育出版社2007年版。

⑦ 参见刘精瑛:《中国文学史中的古代戏曲研究(1904—1949)》,中国艺术研究院博士论文,2009年。

合,产生了一种新的"质",只有深入研究其"质"才能够真正认识戏曲的
"真面目",更好地撰写好今后的文学史著及其戏曲内容。上述之外,专
论清代戏曲家的成果相对较多,尤以对李渔的研究成果最为集中。朴泓
俊《李渔通俗戏曲研究》从通俗性角度系统梳理了李渔的人生道路、戏曲
创作和戏曲理论;①钟筱涵《李渔戏曲结构论》从李渔结构理论出发,以其
剧本为依据,以舞台效果为主要参照,联系李渔的文艺思想和人生观,系
统考察了李渔的结构思想、结构艺术和结构成因;②赵江南《论李渔的戏
曲本位思想在剧本中的表现》结合李渔的创作实践和理论,从其戏曲创
作本位思想切入,分别阐述了其舞台本位思想、娱乐本位思想、观众本位
思想以及在剧本中的表现;③卢寿荣《李渔戏曲小说研究》以娱乐性为中
心探讨了李渔戏曲创作的独特个性;④朱锦华《李渔戏曲理论解读》⑤、吴
清海《李渔戏曲舞台演出理论解读》⑥均梳理了李渔戏曲理论的剧本论、
导演论、演员论、演出论和观众论;秦琴《〈闲情偶寄〉雅俗共赏的戏曲语
言论研究》较为系统地分析了李渔《闲情偶寄》包括结构论、语言论、导演
论等内容的戏曲理论,⑦指出其语言论中极力主张雅俗共赏的思想意义;
谢新军《李渔戏曲的结构意识及其创作》从"立主脑"、"密针线"和"减头
绪"出发,并联系《笠翁十种曲》展开个案分析,探求李渔戏曲结构意识的
特点,力求将李渔置于明末清初戏曲发展的纵横坐标中,从历时性和共时
性的文本比较分析中还原李渔戏曲结构意识的原貌;⑧马倩茹《论李渔的
戏曲语言世俗化理论》从戏曲作品和小说、诗词作品出发,分析了李渔的

---

① 参见朴泓俊:《李渔通俗戏曲研究》,华东师范大学博士论文,1997年。
② 参见钟筱涵:《李渔戏曲结构论》,华南师范大学硕士论文,2002年。
③ 参见赵江南:《论李渔的戏曲本位思想在剧本中的表现》,湘潭大学硕士论文,2002年。
④ 参见卢寿荣:《李渔戏曲小说研究》,复旦大学博士论文,2003年。
⑤ 参见朱锦华:《李渔戏曲理论解读》,四川师范大学硕士论文,2002年。
⑥ 参见吴清海:《李渔戏曲舞台演出理论解读》,新疆师范大学硕士论文,2008年。
⑦ 参见秦琴:《〈闲情偶寄〉雅俗共赏的戏曲语言论研究》,青海师范大学硕士论文,2010年。
⑧ 参见谢新军:《李渔戏曲的结构意识及其创作》,湖南师范大学硕士论文,2010年。

世俗化理念等基本理论,对其戏曲语言世俗化理论进行整理和总结。①李渔之外,其他清代曲家亦为学者广泛关注。如上官涛《蒋士铨戏曲略论》指出蒋士铨的戏曲创作既有守故护雅的一面,亦有标新趋俗的一面;②谭寻《新发现的三位清代戏曲女作家》考订了张蘩、张令仪、许燕珍三位新发现清代女曲家的生平及演剧情况;③胡庆龄《吴梅戏剧美学思想研究》系统梳理了吴梅戏剧美学思想;④韩莉《论尤侗及其戏曲创作》联系尤侗明末清初的活动背景,细致梳理了其生平及交游情况,对他的系统审视和研读了其戏曲作品,具体分析了其戏曲创作主张以及杂剧和传奇的思想意蕴及艺术特色,并对其戏曲史地位作出客观的评价;⑤王甘浦《姚燮与戏曲》研究了姚燮的戏曲活动及其戏曲论著;⑥骆剑婷《论吴梅的戏曲创作与传播》通过对吴梅戏曲作品的文本细读,分析了其戏曲创作的特点和戏曲观,总结了他在中国戏曲发展史上的重要贡献;⑦李雯《汪笑侬戏曲研究》以京剧改良运动为背景,以汪笑侬的戏曲活动为研究对象,通过史料分析、文本解读的方法,从身世、创作与表演三方面对汪笑侬的思想变化和戏曲活动及其历史地位作出梳理;⑧王璋《吴伟业戏剧研究》梳理了明末清初著名的剧作家吴伟业的戏曲创作及其在清初戏曲发展史上的影响;⑨王延辉《从李玉的戏曲创作看他的思想》将李玉戏曲创作置于明末清初社会文化背景下重新审视和剖析其思想的驳杂性和深刻性;⑩张晓兰《清初名儒毛奇龄戏曲观探微》揭示了毛奇龄既重视戏曲抒写性情呈现风流自赏、又重视伦理教化和有裨于世的儒家传统的

① 参见马倩茹:《论李渔的戏曲语言世俗化理论》,中国石油大学硕士论文,2010 年。
② 参见上官涛:《蒋士铨戏曲略论》,华南师范大学硕士论文,2002 年。
③ 参见谭寻:《新发现的三位清代戏曲女作家》,《戏曲研究》第 65 辑,中国戏剧出版社 2004 年版。
④ 参见胡庆龄:《吴梅戏剧美学思想研究》,山东大学博士论文,2005 年。
⑤ 参见韩莉:《论尤侗及其戏曲创作》,西北师范大学硕士论文,2007 年。
⑥ 参见王甘浦:《姚燮与戏曲》,广州大学硕士论文,2007 年。
⑦ 参见骆剑婷:《论吴梅的戏曲创作与传播》,上海交通大学硕士论文,2008 年。
⑧ 参见李雯:《汪笑侬戏曲研究》,华东师范大学硕士论文,2009 年。
⑨ 参见王璋:《吴伟业戏剧研究》,山西师范大学硕士论文,2009 年。
⑩ 参见王延辉:《从李玉的戏曲创作看他的思想》,西北师范大学硕士论文,2009 年。

双重特质;①等等。清代戏曲评点在中国戏曲批评史上的地位举足轻重;近百年来,清代戏曲评点研究蔚为大观。对此,李克《近百年清代戏曲评点研究综述》曾做过较好的梳理,②该文以金批《西厢》专题研究的梳理为主,兼及其他清代戏曲评本之研究。此外,安葵《清代戏曲理论的趋向、成就和影响》一文,③从重视舞台演出、强调舞台与案头的统一,重视戏曲的娱乐性和通俗性、以雅俗共赏为理想标准,对古典编剧理论的总结和戏曲规律的研究,对戏曲资料的搜集、考证和戏曲史研究四个方面详细树立了清代戏曲理论研究的趋向、成就与影响,可资借鉴。

　　学界关于清代戏曲审美的研究成果虽总体上仍显单薄,但亦已出现颇多成果。譬如,王政《清代戏曲审美理论发展大势》④、陈芳《晚清古典戏剧的历史意义》⑤、陈竹《明清剧论中的悲剧美学》⑥、吴建国《十六—十八世纪文化思潮与小说、戏剧创作》⑦、苗怀明《〈长生殿〉、〈桃花扇〉与清初遗民心态》⑧、邹自振《论洪昇的〈长生殿〉》⑨及《论孔尚任的〈桃花扇〉》⑩、李艳《明清道教与戏剧研究》⑪、徐坤《论清代剧坛的雅俗之辨——以尤侗、李渔戏曲的不同毁誉为例》⑫、安葵《清代戏曲理论的趋

---

　　① 参见张晓兰:《清初名儒毛奇龄戏曲观探微》,《兰州交通大学学报》2012 年第 2 期。

　　② 参见李克:《近百年清代戏曲评点研究综述》,《中国戏曲学院学报》2010 年第 2 期。

　　③ 参见安葵:《清代戏曲理论的趋向、成就和影响》,《中华戏曲》2006 年第 2 期。

　　④ 王政:《清代戏曲审美理论发展大势》,《戏曲研究》1980 年第 8 辑。

　　⑤ 陈芳:《晚清古典戏剧的历史意义》,台湾学生书局 1988 年版。

　　⑥ 陈竹:《明清剧论中的悲剧美学》,《华中师范大学学报》1990 年第 5 期。

　　⑦ 参见吴建国:《十六—十八世纪文化思潮与小说、戏剧创作》,华东师范大学博士论文,1991 年。

　　⑧ 参见苗怀明:《〈长生殿〉、〈桃花扇〉与清初遗民心态》,《晋阳学刊》1997 年第 2 期。

　　⑨ 参见邹自振:《论洪昇的〈长生殿〉》,《福州师专学报》(社会科学版)2000 年第 2 期。

　　⑩ 参见邹自振:《论孔尚任的〈桃花扇〉》,《福州师专学报》(社会科学版)2000 年第 4 期。

　　⑪ 参见李艳:《明清道教与戏剧研究》,四川大学博士论文,2004 年。

　　⑫ 参见徐坤:《论清代剧坛的雅俗之辨——以尤侗、李渔戏曲的不同毁誉为例》,《华东师范大学学报》(哲学社会科学版)2005 年第 3 期。

向、成就和影响》①、陈刚《清代戏曲审美风格理论初探》②《华丽：元明清戏曲美学风格嬗变研究》③、杨飞《乾嘉时期扬州剧坛研究》④、赵青《清代"〈红楼梦〉戏曲"探析》⑤、温春蕾《清代珠江三角洲戏剧演出的社会史考察》⑥、孙立群《清人戏曲序跋研究》⑦、张宇《清初遗民戏曲文学研究》⑧、王永宽《清代戏曲的雅俗并存与互补》⑨、黄胜江《清代曲家剧作稽考》⑩、黄艳《以生命价值为视角看〈桃花扇〉的悲剧性》⑪、赵维国《论清代小说、戏曲的文化管理体制及禁毁形态》⑫、殷亚林《明清戏曲文学的家族传承现象》⑬、张晓兰《曲以存史——论清代戏曲的征实化与世教化倾向》⑭、王传明《清代山东古典戏剧研究》⑮、谢超凡《清代戏曲虚实观念研究》⑯、黄建军《康熙与清初戏曲》⑰、齐丽斯《浅论清初戏剧环境》⑱、黄义枢《清

───────────

①　参见安葵：《清代戏曲理论的趋向、成就和影响》，《中华戏曲》2006 年第 2 期。

②　参见陈刚：《清代戏曲审美风格理论初探》，《内蒙古社会科学》（汉文版）2006 年第 3 期。

③　参见陈刚：《华丽：元明清戏曲美学风格嬗变研究》，陕西师范大学博士论文，2006 年。

④　参见杨飞：《乾嘉时期扬州剧坛研究》，华东师范大学博士论文，2006 年。

⑤　参见赵青：《清代"〈红楼梦〉戏曲"探析》，华东师范大学硕士论文，2006 年。

⑥　参见温春蕾：《清代珠江三角洲戏剧演出的社会史考察》，暨南大学硕士论文，2007 年。

⑦　参见孙立群：《清人戏曲序跋研究》，兰州大学硕士论文，2007 年。

⑧　参见张宇：《清初遗民戏曲文学研究》，黑龙江大学硕士论文，2008 年。

⑨　参见王永宽：《清代戏曲的雅俗并存与互补》，《东南大学学报》2008 年第 3 期。

⑩　参见黄胜江：《清代曲家剧作稽考》，《重庆交通大学学报》（社科版）2009 年第 6 期。

⑪　参见黄艳：《以生命价值为视角看〈桃花扇〉的悲剧性》，《文学教育》2009 年第 18 期。

⑫　参见赵维国：《论清代小说、戏曲的文化管理体制及禁毁形态》，《中国文化研究》2010 年春之卷。

⑬　参见殷亚林：《明清戏曲文学的家族传承现象》，《四川戏剧》2010 年第 1 期。

⑭　参见张晓兰：《曲以存史——论清代戏曲的征实化与世教化倾向》，《殷都学刊》2010 年第 1 期。

⑮　参见王传明：《清代山东古典戏剧研究》，山东师范大学博士论文，2010 年。

⑯　参见谢超凡：《清代戏曲虚实观念研究》，华中科技大学硕士论文，2010 年。

⑰　参见黄建军：《康熙与清初戏曲》，《中国韵文学刊》2011 年第 1 期。

⑱　参见齐丽斯：《浅论清初戏剧环境》，《新世纪剧坛》2011 年第 3 期。

代节烈戏曲考论》①、张晓兰《论清代戏曲创作的三种模式:曲人之曲、才人之曲与学人之曲》②、王海阔《论孔尚任〈桃花扇〉中的幻灭思想》③、张晓兰《由情返理以礼正情——论晚明到清代戏曲观之渐变》④、周立波《清代戏曲思潮的演变》⑤、李世英《论清代初期尚情崇雅的戏曲艺术思想》⑥、张俊花《论清代戏曲发展的社会原因》⑦、吴民《从〈清稗类钞·戏剧类〉看清末戏曲生态及其流变》⑧、庞杰《略论清代对〈桃花扇〉的文学接受》⑨、董雁《清代南北园林演剧消长与南北戏曲嬗变》⑩等文,均直接触及清代戏曲审美意识研究的核心议题和关键问题,可资借鉴。再如,安禄兴《中国戏曲音乐美学辩证》⑪、费秉勋《戏曲写意性的历史分析和未来设想》⑫、徐良《论中国戏曲的美学特征》⑬、窦培德《戏曲舞美意象发展初探》⑭、钱久元《中国戏曲本体论质疑》⑮、易中天《中国戏曲艺术的美学特征》⑯、汪余礼《戏曲本体研究引论》⑰、杨再红《中国古典戏曲的悲剧性

① 参见黄义枢:《清代节烈戏曲考论》,福建师范大学博士论文,2011年。
② 参见张晓兰:《论清代戏曲创作的三种模式:曲人之曲、才人之曲与学人之曲》,《中国戏曲学院学报》2011年第3期。
③ 参见王海阔:《论孔尚任〈桃花扇〉中的幻灭思想》,《学理论》2011年第18期。
④ 参见张晓兰:《由情返理以礼正情——论晚明到清代戏曲观之渐变》,《哈尔滨师范大学社会科学学报》2012年第1期。
⑤ 参见周立波:《清代戏曲思潮的演变》,《浙江艺术职业学院学报》2012年第2期。
⑥ 参见李世英:《论清代初期尚情崇雅的戏曲艺术思想》,《中国戏曲学院学报》2013年第1期。
⑦ 参见张俊花:《论清代戏曲发展的社会原因》,《天津职业院校联合学报》2014年第1期。
⑧ 参见吴民:《从〈清稗类钞·戏剧类〉看清末戏曲生态及其流变》,《新疆艺术学院学报》2014年第1期。
⑨ 参见庞杰:《略论清代对〈桃花扇〉的文学接受》,《绥化学院学报》2014年第8期。
⑩ 参见董雁:《清代南北园林演剧消长与南北戏曲嬗变》,《厦门大学学报》2015年第1期。
⑪ 参见安禄兴:《中国戏曲音乐美学辩证》,《齐鲁艺苑》1986年第1期。
⑫ 参见费秉勋:《戏曲写意性的历史分析和未来设想》,《当代戏剧》1986年第4期。
⑬ 参见徐良:《论中国戏曲的美学特征》,《当代戏剧》1989年第3期。
⑭ 参见窦培德:《戏曲舞美意象发展初探》,《当代戏剧》1990年第6期。
⑮ 参见钱久元:《中国戏曲本体论质疑》,华东师范大学硕士论文,1997年。
⑯ 参见易中天:《中国戏曲艺术的美学特征》,《大舞台》1998年第5期。
⑰ 参见汪余礼:《戏曲本体研究引论》,武汉大学硕士论文,2005年。

研究》①、赵轶峰《中国戏曲话语模式特性及其成因探寻》②、龙旎《戏曲声乐音色研究》③、李晓春《戏曲文化与人格塑造》④、刘汉光《寓言 本色 意境——中国戏剧核心范畴研究》⑤、吕亚霞《中国古典戏曲角色研究》⑥、王娟《戏曲与乐舞》⑦、黄雪《戏曲与民族声乐的艺术情缘》⑧、肖冰《论中国传统戏剧审美观及近现代的嬗变》⑨、丁芳《中国古典长篇戏曲中的双线结构研究》⑩、齐晓晨《中国古典戏曲中"戏中戏"的发展研究》⑪、王美花《中国古代戏曲中梦意象的文化解读》⑫、濮擎红《中国古典戏剧的俗世化》⑬、邵宇《戏曲脸谱的意象性审美特征研究》⑭、许凌《论中国传统戏剧的晚成》⑮、姜帅《中国古典戏曲文采派、本色派质疑及辨析》⑯、杨蕾《戏曲脸谱色彩研究》⑰、姜华《戏曲审美趣味三探》⑱、高丽英

---

① 参见杨再红:《中国古典戏曲的悲剧性研究》,华东师范大学博士论文,2006年。

② 参见赵轶峰:《中国戏曲话语模式特性及其成因探寻》,中国艺术研究院硕士论文,2006年。

③ 参见龙旎:《戏曲声乐音色研究》,上海音乐学院硕士论文,2006年。

④ 参见李晓春:《戏曲文化与人格塑造》,首都师范大学硕士论文,2006年。

⑤ 参见刘汉光:《寓言 本色 意境——中国戏剧核心范畴研究》,华东师范大学博士论文,2007年。

⑥ 参见吕亚霞:《中国古典戏曲角色研究》,兰州大学硕士论文,2007年。

⑦ 参见王娟:《戏曲与乐舞》,兰州大学硕士论文,2007年。

⑧ 参见黄雪:《戏曲与民族声乐的艺术情缘》,辽宁师范大学硕士论文,2008年。

⑨ 参见肖冰:《论中国传统戏剧审美观及近现代的嬗变》,湖南大学硕士论文,2008年。

⑩ 参见丁芳:《中国古典长篇戏曲中的双线结构研究》,华东师范大学硕士论文,2008年。

⑪ 参见齐晓晨:《中国古典戏曲中"戏中戏"的发展研究》,中国海洋大学硕士论文,2008年。

⑫ 参见王美花:《中国古代戏曲中梦意象的文化解读》,山西大学硕士论文,2008年。

⑬ 参见濮擎红:《中国古典戏剧的俗世化》,《现代语文:文学研究》2009年第3期,第6—7页。

⑭ 参见邵宇:《戏曲脸谱的意象性审美特征研究》,苏州大学硕士论文,2009年。

⑮ 参见许凌:《论中国传统戏剧的晚成》,兰州大学硕士论文,2010年。

⑯ 参见姜帅:《中国古典戏曲文采派、本色派质疑及辨析》,兰州大学硕士论文,2010年。

⑰ 参见杨蕾:《戏曲脸谱色彩研究》,河南大学硕士论文,2010年。

⑱ 参见姜华:《戏曲审美趣味三探》,《戏剧之家》2010年第3期。

《戏曲艺术的道德教育功能及其实现》①、范淑敏《戏曲艺术的继承与创新》②等文，虽未直接针对清代戏曲审美展开研究，但其研究均为适用于涵括清代戏曲在内中国戏曲的基础性理论探究和中国古典戏曲美学特质的普适性剖辨。此外，除前引诸多名家关于清代戏曲研究的专论之外，尚有多部戏曲史论专著涉及清代戏曲审美研究。譬如，陈抱成《中国的戏曲文化》从中国社会、"礼乐"思想、政治、宗教、大众化等诸方面剖辨了中国戏曲的文化性征，③兼涉清代戏曲的审美文化性；姚文放《中国戏剧美学的文化阐释》设了两个专章，探讨清代曲论家金圣叹和李渔的戏剧美学思想，④并从逻辑发展、文化底蕴和中西比较三重视域展开了对中国戏剧美学体系的整体建构；郑传寅《中国戏曲文化概论》以"戏曲文化的特殊道路"、"古典戏曲的审美形态"、"戏曲文化的精神特质"等三编八章的结构，研讨了古典戏曲的一系列重大问题，⑤以比较方法贯通全书，史论交融、论述精当，许多观点均触及清代戏曲审美特质，切中肯綮；施旭升《中国戏曲审美文化论》从戏曲释义、本体、意象、形式、谱系、民间性、传播、受众、传统与现代等方面出发，力求建构涵括本体论、意象论、形式论、谱系论、智慧论、传播论、发展论的新体系，对中国戏曲的审美与文化展开了较为全面系统的考察与审视，⑥书中多涉清代戏曲审美意识特征分析；许并生《中国古代小说戏曲关系论》围绕古代小说戏曲之间的关系，就文化特征、发生机制和形成渊源、纵向和平行影响、内在联系进行综合考察，⑦从本体研究出发阐释渊源关系，从艺术本质研究出发阐释内在关系，从本体研究出发阐释建构关系，从创作思想研究出发阐释转换关系，并论及其独特的文化地位和文化艺术贡献；周华斌《中国戏剧史论考》重

---

① 参见高丽英：《戏曲艺术的道德教育功能及其实现》，河北师范大学硕士论文，2010 年。
② 参见范淑敏：《戏曲艺术的继承与创新》，《大舞台》2011 年第 4 期。
③ 参见陈抱成：《中国的戏曲文化》，中国戏剧出版社 1995 年版。
④ 参见姚文放：《中国戏剧美学的文化阐释》，中国人民大学出版社 1996 年版。
⑤ 参见郑传寅：《中国戏曲文化概论》，武汉大学出版社 1998 年版。
⑥ 参见施旭升：《中国戏曲审美文化论》，北京广播学院 2002 年版。
⑦ 参见许并生：《中国古代小说戏曲关系论》，文化艺术出版社 2002 年版。

在考释戏曲文物、古傩形态、假面脸谱、化妆切末、演剧场所、演出习俗以及元明清各代带有典型意义的若干戏曲文学作品,①几乎同时出版的另一部著作《中国戏剧史新论》重在宏观阐述中国戏剧及戏曲的基本特征,涉及起源与发生、原始戏剧及傩戏、假面与脸谱、声腔与剧种、剧场与戏曲载体等,并对20世纪的中国戏剧史研究进行了一些学术梳理;②王政尧《清代戏剧文化史论》对在清代文化史中占有重要地位、产生巨大影响的戏剧文化,特别是京剧文化作出了深刻的剖析,③该书按时序分述了满族入关与清前期戏剧文化、嘉道年间内廷戏剧文化的新发现、清初实学思潮与晚清戏剧文化的改革,按类别涵括了关公戏、包公戏、施公戏、状元戏等对中华传统文化的影响,着重考略了花部名家魏长生、刘赶三、张二奎等人,并梳理了与清同时期的外国文献对我国戏剧文化的记述,对本书的研究有着特别的借鉴意义;叶宇星《"俗"的胜利——清代戏曲的嬗变与成就》则概要梳理了民间、商业的环境中孕育发展的清代戏曲中"花部"戏曲催生、花雅争胜交融与京剧诞生的历程,指出清代戏曲的繁盛和成就是"俗"的胜利。④ 于本书的研究而言,这些有关清代戏曲审美的研究显然更具有特殊的指导和借鉴意义。

总体而言,学界有关清代戏曲研究的重要成果主要有:曾永义《清代杂剧概论》⑤、王政《清代戏曲审美理论发展大势》⑥、周妙中《清代戏曲史》⑦、傅惜华《清代传奇与子弟书》、陈芳《晚清古典戏剧的历史意义》⑧和《清初杂剧研究》⑨等清代专论,以及吴梅《中国戏曲概论》⑩、卢前《明

① 参见周华斌:《中国戏剧史论考》,北京广播学院2003年版。
② 参见周华斌:《中国戏剧史新论》,人民出版社2003年版。
③ 参见王政尧:《清代戏剧文化史论》,北京大学出版社2005年版。
④ 参见叶宇星:《"俗"的胜利——清代戏曲的嬗变与成就》,《大众文艺》2012年第20期。
⑤ 参见曾永义:《清代杂剧概论》,载曾永义:《中国古典戏剧论集》,台湾联经出版事业公司1975年版。
⑥ 参见王政:《清代戏曲审美理论发展大势》,《戏曲研究》1980年第8辑。
⑦ 参见周妙中:《清代戏曲史》,中州古籍出版社1987年版。
⑧ 参见陈芳:《晚清古典戏剧的历史意义》,台湾学生书局1988年版。
⑨ 参见陈芳:《清初杂剧研究》,台湾学海出版社1991年版。
⑩ 参见吴梅:《中国戏曲概论》,大东书局1926年版。

清戏曲史》①、青木正儿《中国近世戏曲史》②、赵景深《明清曲谈》③、周贻白《中国戏剧史长编》④、张敬《明清传奇导论》⑤、钱南扬《论明清南曲谱的流派》⑥、岩城秀夫《中国戏曲演剧研究》⑦、陈万鼐《元明清剧曲史》⑧、陆萼庭《昆剧演出史稿》⑨、郭亮《明清昆山腔的表演艺术》⑩、张庚与郭汉城《中国戏曲通史》⑪、庄一拂《古典戏曲存目汇考》⑫、严敦易《元明清戏曲论集》⑬、周贻白《周贻白戏剧论文选》⑭、黄天骥《冷暖集》⑮、傅雪漪《明清戏曲腔调寻踪》⑯、朱承朴与曾庆全《明清传奇概说》⑰、徐扶明《元明清戏曲探索》⑱、岩城秀夫《中国古典剧研究》⑲、王永健《中国戏剧文学的瑰宝》⑳、胡忌与刘致中《昆剧发展史》㉑、陈竹《明清剧论中的悲剧美学》㉒、康保成《中国近代戏剧形式论》㉓、郭英德《明清文人传奇研究》㉔、

① 参见卢前:《明清戏曲史》,商务印书馆1935年版。
② 参见[日]青木正儿:《中国近世戏曲史》,商务印书馆1936年版。
③ 参见赵景深:《明清曲谈》,古典文学出版社1957年版。
④ 参见周贻白:《中国戏剧史长编》,人民文学出版社1960年版。
⑤ 参见张敬:《明清传奇导论》,台湾东方书店1961年版。
⑥ 参见钱南扬:《论明清南曲谱的流派》,《南京大学学报》1964年第2期。
⑦ 参见[日]岩城秀夫:《中国戏曲演剧研究》,(东京)创文社1972年版。
⑧ 参见陈万鼐:《元明清剧曲史》(增订本),台湾文史哲出版社1974年版。
⑨ 参见陆萼庭:《昆剧演出史稿》,上海文艺出版社1980年版。
⑩ 参见郭亮:《明清昆山腔的表演艺术》,《戏曲研究》1980年第1辑。
⑪ 参见张庚、郭汉城:《中国戏曲通史》,中国戏剧出版社1981年版。
⑫ 参见庄一拂:《古典戏曲存目汇考》,上海古籍出版社1982年版。
⑬ 参见严敦易:《元明清戏曲论集》,中州书画社1982年版。
⑭ 参见周贻白:《周贻白戏剧论文选》,湖南人民出版社1982年版。
⑮ 参见黄天骥:《冷暖集》,花城出版社1983年版。
⑯ 参见傅雪漪:《明清戏曲腔调寻踪》,《戏曲研究》1985年第15辑。
⑰ 参见朱承朴、曾庆全:《明清传奇概说》,广东人民出版社1985年版。
⑱ 参见徐扶明:《元明清戏曲探索》,浙江古籍出版社1986年版。
⑲ 参见[日]岩城秀夫:《中国古典剧研究》,(东京)创文社1986年版。
⑳ 参见王永健:《中国戏剧文学的瑰宝》,江苏教育出版社1989年版。
㉑ 参见胡忌、刘致中:《昆剧发展史》,中国戏剧出版社1989年版。
㉒ 参见陈竹:《明清剧论中的悲剧美学》,《华中师范大学学报》1990年第5期。
㉓ 参见康保成:《中国近代戏剧形式论》,漓江出版社1991年版。
㉔ 参见郭英德:《明清文人传奇研究》,北京师范大学出版社1992年版。

康保成《苏州剧派研究》①、许建忠《明清传奇结构研究》②、郭英德《明清传奇史》③、华玮《明清妇女的戏曲创作与批评》④等论著中有关清代戏曲部分。作家作品研究尤以洪昇《长生殿》、孔尚任《桃花扇》为主要对象。对洪昇《长生殿》的研究主要有章培恒《洪昇年谱》⑤、胡晨《洪昇考略》、孟繁树《论洪昇》、吴梅《长生殿跋》和《长生殿或律》、邓绍基《洪昇的长生殿》⑥、宋云彬《洪昇和他的作品长生殿》、许可《论长生殿》⑦、黄琼政《李尔王与长生殿比较研究》、黄天骥《论洪昇的长生殿》⑧、王季思《长生殿的思想倾向与艺术特色初探》、孟繁树《洪昇及长生殿研究》⑨、许金榜《长生殿的艺术结构》、傅雪漪《谈长生殿在音乐方面的成就》、徐扶明《试论长生殿排场艺术》、孙小布《人类学性与长生殿》、曾永义《长生殿研究》⑩、钱静方《长生殿传奇考》以及中山大学的《长生殿讨论集》和《长生殿序跋辑录》及《洪昇与长生殿研究资料索引》等。后者有容肇祖《孔尚任年谱》、铃木虎雄《万古愁曲》、翦伯赞《桃花扇底看六朝》、袁世硕《孔尚任年谱》、赵景深《实事求是地评价孔尚任与桃花扇》、洪伯昭《桃花扇的思想评价问题》、周明燕《从〈桃花扇〉和〈羊脂球〉看孔尚任和莫泊桑的创作倾向》、郭凌《桃花扇和茶花女审美追求的异同》、张乘健《桃花扇发微》、黄天骥《略论桃花扇的艺术特征》、戴不凡《桃花扇笔法杂书》、廖全京《论桃花扇传奇的结构艺术》。此外,金圣叹和李渔的戏曲批评也受到了相当的关注。李玉及其剧作、朱素臣和《十五贯》、扬潮观及其剧作、蒋士铨及其剧作以及《雷峰塔》等也得到了研究,但总的来看,清代戏曲

---

① 参见康保成:《苏州剧派研究》,花城出版社 1993 年版。
② 参见许建忠:《明清传奇结构研究》,中州古籍出版社 1999 年版。
③ 参见郭英德:《明清传奇史》,江苏古籍出版社 1999 年版。
④ 参见华玮:《明清妇女的戏曲创作与批评》,台湾"中央研究院"中国文哲研究所 2003 年版。
⑤ 参见章培恒:《洪昇年谱》,上海古籍出版社 1979 年版。
⑥ 参见邓绍基:《洪昇的长生殿》,《复旦校刊》1954 年第 6 期。
⑦ 参见许可:《论长生殿》,《文学评论》1965 年第 2 期。
⑧ 参见黄天骥:《论洪昇的长生殿》,《文学评论》1982 年第 2 期。
⑨ 参见孟繁树:《洪升及长生殿研究》,中国戏剧出版社 1985 年版。
⑩ 参见曾永义:《长生殿研究》,台湾商务印书馆 1969 年版。

研究在深度和广度上均有进一步垦拓的空间。上述成果均为清代戏曲研究奠定了坚实的基础。

三、清代戏曲审美意识流变

戏曲根植于五千年中华文明之上,是最具华夏民族思维特质的宝贵精神财富和代表性艺术形式之一。在漫长而复杂的朝代更迭、社会演进与人文思潮背景下,清代戏曲全面承继了综合性、虚拟性、程式化等历经千年积淀的中华戏曲审美原则和精华所在,着重强化了重演轻戏、写意重内、重古轻今、程式守矩等一系列独树一帜的审美诉求与理念方式,呈现出通俗化、娱乐化、多元化的时代风尚和表现形态,承载着由雅向俗、由情向礼、由虚向实、由文向质等时代风气与社会思潮的基本精神趋向,迎来了中国古典戏曲发展的又一个巅峰。

其一,清代戏曲的审美转向是全面总结、系统强化中国古典戏曲传统基础上的新发展。

纵览中国戏曲史可知,中华戏曲萌生于东周时期的优孟衣冠,其血脉可追溯至上古歌舞、巫觋,自春秋时期滥觞,历千年酝酿与嬗变,发轫于蒙元之际的"关马郑白",作为完整而独立的艺术形态则始于永嘉杂剧(俗称"南戏"),迄至明清两朝臻于空前繁盛,成就与实绩举世瞩目。自宋金之际定型以降,中华戏曲虽历经多次重要演进,却始终不离时代变换与受众好恶的主轴,持续保持着贴近生活、贴近百姓的戏曲精神主潮与戏曲创演主旋律,形成了最具民族思维特质和华夏传统文化精神的独特审美观。在千年古典戏曲史上,中华戏曲逐步在气韵与程式、节奏与韵律、虚拟与写意、充实与空灵、抽象与单纯等要素范畴的不断探绎中相继形成了重演轻戏、写意重内、重古轻今、程式守矩等审美原则,构成古典戏曲多元综合化、虚拟写意化、意象程式化的传统审美内核。

多元综合化是中国古典戏曲最鲜明的美学特征。王国维曾称:"戏曲者,谓以歌舞演故事也。"①从美学的理论视野初步说明了戏曲的音乐

---

① 参见王国维:《宋元戏曲考》,东方出版社 1996 年版。

性、舞蹈性、表演性和文学性。梅兰芳亦谓:"(戏曲)不仅是一般地综合了音乐、舞蹈、美术、文学等因素,而且是把歌唱、舞蹈、诗文、念白、武打、音乐伴奏以及人物造型(如扮相、穿着等)、砌末道具等紧密、巧妙地综合在一起的特殊的戏剧形式。这种综合性的特征主要是通过演员体现出来的。"①以戏曲表演艺术家的视角和亲身体验对戏曲舞台表演中的多元综合性作了生动晓畅的解释。易中天则进一步将中国戏曲艺术视为"中国艺术审美意识的集中体现",并将"舞蹈、音乐、诗画、建筑和书法"视为中国艺术"美学结构的五个层次:首先最核心最内在最深层的是舞蹈的生命活力,它表现为气韵与程式;其次是音乐的情感律动,它表现为节奏与韵律;第三是诗画的意象构成,它表现为虚拟与写意;第四是建筑的理性态度,它表现为充实与空灵;最后是书法的线条语言,它表现为抽象与单纯。它们共同地构成了中国艺术的精神",进而从戏曲与舞蹈、音乐、诗画、建筑和书法的关系出发对中国戏曲艺术的美学特征作过较好的梳理和论证,②其论堪称精当。实际上,王著、梅论、易文所强调的均是中华戏曲的多元综合性特质。戏曲艺术既因其剧本创作的文本性征而饱含着思想内容、故事情节、好恶倾向等文学性因素,又因其舞台呈现的造型性征而蕴涵着演员的唱念做打、脸谱扮相、服装设计、灯光舞美、音乐伴奏、砌末道具等表演性因素,其美学内涵之深广、美学意蕴之丰富、戏美曲美型美情美之力度,远超单一的绘画、雕塑之造型艺术,远超单一的音乐、舞蹈的视听艺术,也远超静默无声的单一文学文本的语言艺术,其融汇造型艺术、视听艺术、语言艺术三者于一体的多元综合化艺术形式,使其兼具造型艺术的直观之美、视听艺术的表情之美和文学语言艺术的文学之美以及叙事传统的过程性与画面感,构成全部艺术美中尤为完善的高级形态。可以说,戏曲之美,正在其对多元艺术之美在整一舞台表演的综合呈现之中,恰如李渔《闲情偶寄》中所言之"不则好到绝倾之处,亦是散金碎玉"。

写意虚拟化是中国古典戏曲最基本的美学特征。写意虚拟化主要有

---

① 参见《梅兰芳论文集》,中国戏剧出版社 1962 年版。
② 参见易中天:《中国戏曲艺术的美学特征》,《大舞台》1998 年第 5 期。

文本和表演两个方面的内涵。从戏曲文本层面来看,戏曲之虚拟,指向戏曲文本题材的选择性,往往以历史的题材为主,即便是时事题材的戏文,也常常以梦境的形式出现,带有一定的陌生化效果;而戏曲之写意,则指向戏曲文本创作的风格,常以艺术的真实取代生活的真实,实现戏曲文本的审美张力。从表演层面来看,戏曲之虚拟,指向戏曲的舞台呈现方式,是本体论意义上的手法,与再现相对;而戏曲之写意,则指向戏曲的演员表演风格,是主体论意义上的选择,与写实相对。但无论是文本意义上,还是表演意义上,写意虚拟化显然已成为中国古典戏曲广为人知的最为基本的美学特征。以表演层面为例,戏曲虚拟化的美学特征主要表现在通过对舞台时空的灵活处理实现化有限为无限的目的上。戏曲表演的时间与空间往往是固定的,但其需要表现的戏文则是流动的、变迁的;戏曲舞台的道具往往比较有限,但其需要呈现的生活场景却是繁复多样的。这就形成两对矛盾,即有限的舞台与无限的时空的对立,有限的道具与无限的现实的矛盾。中国戏曲采取了一种迥异于其他艺术形式的特殊方式突破了固定舞台所导致的时空有限性和有限道具所导致的场景有限性,有效化解了这一矛盾,即通过预设的假定性,以更鼓声数喻具体时间,以场景转换喻时间流动,以移步喻换景,以马鞭喻骑马,以动作喻事件,以道具喻现象,等等,借此突破生活真实的时空观念、场景观念、现象观念对舞台表现的惯性束缚,令戏曲舞台不仅在时空上,而且在具体生活场景与现象真实的体现上,均有完美的突破,从而形成自身独特的审美尺度。同样以表演层面为例,戏曲写意化的美学特征主要表现在演员主体在唱念做打等传神达意的表演中的精湛技艺上,要之,以基于生活原型的夸张与美化和生动鲜活的表演把观众直接引入美的情境,激发观众艺术想象的广阔性,借此解放舞台表现的局限性,给予观众以更为自由的审美意境和更为深刻的审美享受。戏曲写意化所追求和传达的,恰如李渔所言之"传奇无实,大半寓言";汤显祖《答吕姜山》所言之"以意趣神色为主";王骥德《曲律》所言之"不即不离,是相非相"、"了然目中,却又捉摸不得",是清空灵动的传神之美,是酣畅淋漓的泻情之美,是得意忘形的意蕴之美。

意象程式化是中国古典戏曲最显著的美学特征。中国戏曲的意象程式化美学特征涵括意象与程式两类和文本与表演两层蕴涵,可谓渊源深远。其中,意象化特征兼具文本与表演两层,而程式化主要指表演层面。意象是中国美学至为重要的范畴,含主体之"意"与客体之"象"两端。意随象起,象寓意中。诚如袁行霈所称:"意象是融入了主观情意的物象,或者是借助客观物象表现出来的主观情意。"①据此可知,审美意象并非仅为物象,而是灌注了主体情思的"寓意之象"。具体到戏曲的意象化特征而言,如果说中国戏曲主要靠演员的虚拟表演、或者把它寄托在富有表现力的台词之中的话,那么意象的符号化则是其享誉世界民族艺术之林的重要标记。从文本层面来看,意象化是指在戏曲作品中借助象征、比兴、比喻、拟人、谐音、夸张、寓意、变形等方式实现的情景交融、寓情于境、物我互化的目的,达成至美之境,譬如,前述诸多戏曲作品所采用以史刺今、以情寓理、以鬼喻人等手法,均为主题思想的意象化表现。从表演层面来看,以戏曲舞美论,"出将入相"、"一桌二椅"、"门帘台帐"几乎是中国戏曲千年承传中一以贯之的固定装置;以脸谱扮相论,生旦净末丑各个行当均有其特定的脸谱图案和服饰扮相;以演员表演论,不同行当的唱念做打等也都有其固定程式。这些都成为中国戏曲的标志性表演式意象符号。中国戏曲的意象化特征源自从彩陶文化中生发出的中国艺术、中国审美意识乃至中国美学思想中的意象性,可追溯至华夏本土的道家哲学。道家哲学所推崇的虚空至境、有无相生和意象思想,在书法、绘画、音乐、舞蹈、诗文等中国艺术的几乎全部领域中均有不同角度的体现。而中国戏曲作为多元综合性艺术,更集合了上述诸类意象化表现之大成,既以虚、实、空、灵之法展现出更为广阔丰富的舞台场景,又以多样繁富、对比鲜明、虚实相间的脸谱妆扮呈现出更为鲜活生动的艺术形象,并形成"有无相生"、"虚实相伴"、"以一代十"等一系列戏曲意象的营构法则。这些意象性手法的一再使用,给中国戏曲带来了美轮美奂的审美效果,使之像"太极图"与"十字架"比肩一般与西方戏剧形成鲜明比照。较之意象化特征兼涉文本与表演两个层面,程式化特征则主要是戏曲表演层面的美

---

① 袁行霈:《中国诗歌艺术研究》,北京大学出版社 1998 年版,第 53 页。

学特征。中国艺术门类众多,但诗有格,词有牌,曲有谱,乐有律,书有式,画有法,无一不讲程式。戏曲也不例外。所谓"程式",实为一种固定的形式标准、一种稳定的美学规范;简而言之,即法度、即规矩、即格局、即范式、即样式。程式化则是将生活化的经验规范化、整一化、标准化、典型化,并使之更有意味而具有可鉴赏性、使之足以形成审美心理定势而更具感染力的过程,是一种兼具规范性与灵活性的美学手法;从某种意义上讲,程式化即是审美化。而戏曲的程式化则主要指向其表演、音乐、舞美、编导等表现形式的超模拟、非写实的整一、规范和独特意味的追求。戏曲演出中的舞台、行当、服饰、化妆、砌末、唱做念打、手眼身步、器乐伴奏、圆场、走边、起霸、亮相、唱腔、扮相、表演等无一不有特定规范,无一不深具程式化特质。不仅数百年程式固定不变,而且还能做到戏曲历演不衰。可以说,程式本身已成为中国戏曲中独具审美价值的重要构件,以至于发展到易中天所言"离开程式,就演不成戏;不懂程式,就看不成戏"的地步。这也从另一侧面佐证了前述"中国戏曲主要靠演员的虚拟表演,或者把它寄托在富有表现力的台词之中",是可以脱离情节观赏的艺术形式的观点。戏曲程式化特征的形成源自基于相对固定的受众人群而形成的稳固的社会审美心理和审美市场,其最具艺术魅力之处,正在于其面向观众精心营构的戏曲审美心理定势。

清代戏曲审美的演进与转向正是在对中国古典戏曲传统的上述审美内核的全面总结与系统强化中逐步实现的。

其二,清代戏曲审美的整体走向是与清代人文思潮的生发、涌动相互鼓噪、基本一致的。

总体来看,有清一代268年历史,从明清易代的社会鼎革、清初各帝的创业兴盛,到整个封建社会末世的走向衰亡,清代社会人文思潮随着时代发展的进程起伏变化,戏曲艺术也随着社会人文思潮的涌动不断更替。如前所述,明末清初以来,随着市场范围的扩大、新航线的开辟和手工业产品的增多,商品经济较快恢复并超越前代水平,迅速走向繁荣的城市商业经济严重冲击了传统农业经济,商人、高利贷者、地主三位一体,构成社会财富分配的基本结构,"弃本逐末"、"好货"、"好色"之风弥漫社会,加之战乱、政治鼎革、文字狱等政治因素穿插其间、起伏变幻，时代生活日渐混乱、紧张、富于刺激，造成愤激、焦躁、迷惘、感伤交互杂陈的知识阶层整体文化心态，心学为经学、实学取代，引领着彼时的文化思潮转向和思想解放运动。清初思想家在"挽救世道人心"为基本出发点的内在文化精神与传统一贯的前提下，纷纷将"人欲"与天理并提，倡导经世致用、转向求实，发展成经世致用的实学思潮。于是，面向现实与力求复古成为清代最为显著的两大时代精神，对文学艺术创作产生了史无前例的巨大影响。与诗文创作执著于复古不同，反映在戏曲艺术领域，则表现为因始终植根于现实生活而逐步走向繁荣的整体趣向。部分清代戏曲家继承宋元词曲"缘情"传统，将崇古意识融入现实感受，在作品中充分展示自我情感世界与价值取向；另一些清代戏曲家则专事戏曲，尤重戏曲舞台表演实效。由此，清代戏曲便主要分出杂剧与传奇两种不同的风格：前者以酣畅淋漓的自我情感抒写的现实感为主，后者则以典雅妩媚的风流自赏的恋古情结为主。两相补充，完整地体现着时代文化精神。尽管传奇作家多以追求"情至"为尚，但却并未漠视现实生活。但从整体来看，清代戏曲家既对社会现实强烈不满，又作出明显的观念调整，明显呈现出矛盾的价值取向：一方面始终坚持崇义弃利的传统价值观却无从为自身艰难窘迫的现实处境找到根本突破口而流向骂世与宗教，另一方面执著地追求突破礼教、至情和谐的风流浪漫却不愿正视现实人生悲观而满足于虚假的"大团圆"结局。及至清中叶，思想界出现性灵说与汉学对立的复杂局面，戏曲界则出现教化性剧本与更加注重舞台艺术实践的趋势，长篇传奇大戏日渐为单折短小杂剧取代，折子戏成为演剧活动的主导。乾嘉以降，清代封建末世的衰落与思想界的活跃激发了变革的人文主潮，洋务派、维新派相继登场，传统宗法受到西学与实务的极大冲击，波及戏坛的花雅之争，雅部衰落而花部尤其是京剧的兴盛直接引领了晚清戏曲改良思潮。

　　具体而言，清代戏曲审美的流变主要受到怀古思旧的民族思潮、经世致用的实学思潮、性灵主导的主情思潮、变革维新的改良思潮的影响，形成四个主要嬗变动向。一是受到怀古思旧的民族思潮影响而形成的以吴伟业、尤侗、洪昇、孔尚任等人为代表的表现故国沦亡忧思的戏曲创作主潮。吴伟业所作传奇《秣陵春》,杂剧《临春阁》和《通天台》分吊南唐亡国、陈亡、梁亡,寄托明亡哀思,抒写亡国之思;尤侗传奇《钧天乐》,杂剧《读离骚》、《吊琵琶》、《桃花源》、《黑白卫》、《清平调》等,假借沈白、杨云、屈原、王昭君、陶渊明、聂隐娘、李白之遭际抒写悲愤之情;洪昇《长生殿》则将李杨帝妃之情殇融入特定时代环境之中,寄寓国家兴亡之感;孔尚任《桃花扇》更借离合之情,写兴亡之感。这些戏曲创作均反映出清初文人和思想界历经改朝易代的家国劫波之后对故国的集体忧思,其势之大也使其最终招致了清廷恶感与残酷镇压,彼时"明史案"、"南山集之狱"、"汪景祺之狱"等接连不断的文字狱即为明证。二是受到经世致用的实学思潮影响而形成的以李玉、苏州派、李渔等为代表的注重戏曲功用、致力演剧实效的戏曲创作主潮。一方面,李玉及苏州派曲家们所作的《一捧雪》、《清忠谱》、《万民安》、《翡翠园》、《万寿冠》、《双和合》、《称人心》、《人中龙》、《胭脂雪》、《五高风》、《未央天》、《双熊梦》、《渔家乐》、《占花魁》、《快活三》、《艳云亭》等开始将关注的焦点锁定下层平民百姓的生活,朱素臣《十五贯》、朱佐朝《渔家乐》、丘园《党人碑》、李玉《千忠戮》等更直接将戏曲创作主题由儿女情长转向对时事的关注,李玉《清忠谱》、《万民安》还再现了明末苏州市民可歌可泣的抗暴斗争,孔尚任《桃花扇》也将南明兴亡系之于桃花扇底,显然承继了时事新剧的创作传统。另一方面,李渔则从实践与理论两个途径全面承继了沈璟开启的讲求戏曲功用、追求戏曲舞台实效的做法,其戏曲创作既有娱乐性又具教化功能,并隐逸市井、组建家班、自任教习导演、四处游历演剧,其戏曲理论则力主以观众口味需求为第一。这些戏曲创作导向的转变均源自黄宗羲、王夫之、顾炎武等为代表清初文人与思想界在痛定思痛之后倡导的以"修己之人"代"明心见性"、以经世致用之"实学"代于世无补之"空言"的实学思潮的影响。三是受到性灵主导的主情思潮影响而形成的以蒋士铨为代表的既重戏曲教化功用、更弃案头而尊舞台演出效果的戏曲创作主潮,折子戏、杂剧乃至"乱弹"诸腔均得到长足发展。从内容主题来看,蒋士铨所作杂剧《西江祝嘏》(四种)、《一片石》、《第二碑》,传奇《采樵图》、《藏园九种曲》,以及夏纶《惺斋六种曲》,董榕《芝龛记》,吴恒宣《义贞记》、永恩《漪园四种曲》等，均为以戏曲创作行教化之功、宣扬忠孝节义、为封建礼教卫道之作；从舞台表演来看，单折杂剧创作兴盛与折子戏的广泛演出成为清中叶剧坛主潮。单折短剧排场气势虽不及整本大戏，但更便于排练演出，这也是其受观众欢迎及其所以能广泛流行的独到之处，在此影响之下，花部也因其受众广泛的独特优势随着昆曲日渐雅化、衰落而登上清代剧坛、长足发展。这一戏曲审美转向恰为有别于清初实学思潮和戴震汉学思潮的袁枚"性灵说"与彼时已占主导地位的传统理学思想以及同时涌现的"格调说"、"肌理说"争胜的有力佐证。四是受到变革维新的改良思潮影响而形成的以梁启超等人的政治剧曲和汪笑侬等人京剧改良为代表的戏曲创作和改良运动主潮。梁启超《劫灰梦》、《新罗马》、《侠情记》，惜秋与旅生《维新梦》，孙雨林《皖江血》，浴血生《革命军》，湘灵子《轩亭冤》，华伟生《开国奇冤》，川南小波山人《爱国魂》，吴梅《风洞山》，雪的《唤国魂》，玉瑟斋主人《雪海花》，南荃居士《海峤春》，均为着眼政治现实、带有民族资产阶级民主意识的传奇戏曲创作，汪笑侬所作《党人魂》、《瓜种兰因》、《哭祖庙》、《博浪锤》等则托古寓今、影射时政，揭开京剧改良运动的大幕，嗣后，严范孙、李琴湘在天津演出时装戏《潘公投海》，黄吉安在四川成立致力于"改良戏曲，补助教育"的"戏曲改良公会"，潘月樵和夏月润、夏月珊兄弟在上海创建"新舞台"，王钟声在天津倡导演出《爱国血》、《浸海石》、《血手印》等新剧新戏，李桐轩、孙仁玉在西安创办易俗社，培养演员、编写剧本、振兴秦腔，大家纷纷起而响应北京的戏曲改良，与汪笑侬声气相同、遥相呼应。这些政治剧曲的创作与戏曲改良运动的勃兴，均为乾嘉以降龚自珍、魏源、包世臣、康有为、梁启超、严复、谭嗣同、杨度、张骞、邹容、陈天华、章太炎、孙中山等人不懈探寻治世救国之道的思想演进的戏坛体现，既反映了昆曲因守旧而近乎消亡、新剧尤其是京剧日渐风行、花部已代雅部主导戏坛的现实，也以戏曲新时代的来临彰显和标志着封建专制的旧时代的终结与民主共和的新时代的来临。

其三，清代戏曲审美呈现出鲜明的雅俗、情理、文质、南北等对峙与转向。

作为中国古典社会向近代社会转型的重要时代，清代即是对中国古典学术与艺术的集大成式的总结的时代,更是在全面承继前代重要理论与实践成果基础上,由被动而主动地向西学与民间智慧学习创新的时代。在这一大背景下,清代戏曲审美也在全面总结中国古典戏曲传统基础上艰难掘进、不断发展、臻于巅峰,并在这一进程中呈现出鲜明的多元、多样、多变的趋势,表现出雅俗对峙、由雅向俗,情理对峙、由情向理,文质对峙、由文向质,南北对峙、由南向北等路向特征。

雅俗对峙,由雅向俗,是清代戏曲审美的主要路向。

雅俗是中国文学传统中的一对重要范畴,雅俗并行不悖、相互补充历来就是中国文学发展中的重要现象和规律。雅,指知识阶层所创作的思想深邃、形式整饬、辞章合律、讲求文采的作品,代表着古代文化发展的主流、成就与水平;俗,则指民间所创作的体现大众生活情感、形式灵活、语言通俗、符合大众情调趣味的作品,是雅的源头和补充。总体而言,清代文学诚如郭绍虞所言,"是包罗万象兼有以前各代的特点的"。① 作为清代文学的重要一极,清代戏曲无论在内容上还是形式上均呈现出雅俗并存、互补、对峙的特点,并以俗的全面胜利告终。中国戏曲本属俗文学范畴,宋金时代的官本杂剧及元杂剧均在戏台、甌甄、勾栏之间演出供人欣赏的,其雅化趋势自明人始,汪道昆《大雅堂杂剧》、许潮杂剧《泰和记》均为其明证。此类被雅化的戏曲创作被王骥德称为"案头"。② 吴伟业、尤侗等清代戏曲家承前余绪,持续发展了这种戏曲雅化倾向,吴作《临春阁》、《通天台》,尤作《西堂乐府》、《吊琵琶》、《黑白卫》、《清平调》,嵇永仁《续离骚》,张韬《续四声猿》,裘琏《明翠湖亭四韵事》,杨潮观《吟风阁杂剧》,桂馥《后四声猿》,石韫玉《花间九奏》,叶小纨《鸳鸯梦》,廖燕《柴舟别集》,徐爔《写心杂剧》等杂剧,周皑《黄鹤楼》,方成培《双泉记》,顾森《回春梦》等传奇,俱为着力表现曲家主体意识的案头化文人雅化剧作的典型代表。民间俗剧创作也因文人雅士介入而涌现出蒲松

---

① 参见郭绍虞:《中国文学批评史》,上海古籍出版社 1979 年版。

② 按:王骥德曾谓:"以是知过施文采,以供案头之积,亦非计也。"此处首次使用了"案头"一词,即后世"案头之曲"的由来。(参见王骥德:《曲律·杂论第三十九》(上),见《中国古典戏曲论著集成》,中国戏剧出版社 1959 年版,第 54 页。)

龄《聊斋俚曲》①、钱德苍《缀白裘新集》②、吕公溥《弥勒笑》、瀛海勉痴子《错中错》传奇、观剧道人《极乐世界》传奇和余治《庶几堂今乐》(又称《劝善杂剧》)等大量趋向雅化的剧作。与此同时,清代戏曲创演的主流倾向却是以花部为代表的大众化的俗的高昂。李玉《人兽关》和朱素臣等苏州派曲家标记工尺谱、角色分配的众多梨园抄本剧作,李渔《闲情偶寄》和传奇《笠翁传奇十种》,唐英多改编自梆子腔的《古柏堂传奇》,清中叶以后的一些末流剧家为迎合市井观众而创作的大批市井趣味的地方戏曲等,均反映了明人徐渭、沈璟、王骥德等人所倡导的"本色论"的日渐盛行。在这种雅俗对峙、并行互补的总体生态环境下,清代戏曲审美在民间赏剧日盛、商业演出繁荣的影响中逐步实现了由雅向俗的整体转向,尤以花雅争胜、雅部衰亡、花部兴盛、京剧诞生为标志。如前所述,清代戏曲演出极其繁盛,不仅清宫皇家对戏曲演剧娱乐活动情有独钟,而且刺激了民间戏楼戏园的迅猛增长、演剧活动的高潮迭起、戏曲商演竞争的白热化,还加剧了昆腔、高腔、秦腔、京腔等诸多声腔的激烈竞争。与此同时,乾嘉以降的戏楼戏园蜂起为市井百姓、贩夫走卒观戏提供了便利,也吸引了大批豪绅、官吏、旗人、文人等参与其中,使得清代观剧群体较之前代大为扩展,各类不同观众群体的多元审美趣味和为吸引观众而采取的多种商业行为,均使得清代戏曲在思想内容、表演习惯、品评标准等审美要求和审美风习发生了俗化、大众化、色技为主等由宫廷向民间、由达官向百姓、由案头向演员、由言辞向技艺倾斜的显著变化,最终导致地方戏曲的胜出与京剧的诞生,以其高度严整和美化的表演规范、技艺精湛且名扬海内外的

---

① 按:今知蒲松龄撰作杂剧作品有《闹馆》、《钟妹庆寿》、《闱窘》(包括《考词九转货郎儿》)3 种,均为堪称雅品的案头之曲。而其《聊斋俚曲》具有独特的形式,则是通俗戏曲作品。《聊斋俚曲》共 15 种,其中《富贵神仙》、《磨难曲》、《姑妇曲》、《慈悲曲》、《翻魇殃》、《寒森曲》、《禳妒咒》7 种改编自《聊斋志异》故事,《墙头记》等其他 8 种则是根据社会现实生活或历史故事重新创作的。

② 按:胡适曾为民国整理刊行本《缀白裘》作《序》称:"《缀白裘》的编者也很能赏识当时流行的俗戏,所以这十二集里居然有很多的弋阳腔、梆子腔、乱弹腔的戏文,使我们可以考见乾隆以前的民间俗戏是个什么样子。这是《缀白裘》的一个很大的贡献。"(参见蔡毅:《中国古典戏曲序跋集》(第一册),齐鲁书社 1989 年版。)

优秀演员群体,以及明白晓畅、贴近市井、通俗易懂的程式之美代表了清代戏曲发展的最高成就,再创了清代戏曲的辉煌,其中,"俗"化是其最耀眼的因素。综上,清代戏曲审美的雅俗观念变迁,经历了清初的"崇雅黜俗"、清中叶雅俗对峙并存、晚清俗胜雅衰的嬗变历程,反映了清廷"崇雅归正"的政治文化统治策略随着中央极权的逐步衰落在戏坛日渐势微的社会现实转折,也反映了征实性、教化性的戏曲文人化进程在与观赏性、娱乐性的戏曲大众化本质的较量中日渐衰退的戏曲本体特征,呈现出清代社会审美变迁的多样化格局。

情理对峙,由情向理,是清代戏曲审美的思想路向。

较之明代戏曲以情致胜的主潮,清代戏曲审美转向了对儒家伦理道德及事理之"理"的复归和向以乾嘉礼复理学术思潮中礼学礼教之"礼"的归拢,在创作与表演两途均呈现出情理对峙、由情向理的整体态势。换言之,清代戏曲虽在清初时承明余绪仍强调"情",却更多地强调忠孝廉节等广义伦理,并到清中叶及其后更在推崇汉学、经学基础上强调以"理"为主的戏曲功能观。如前所述,清初戏曲虽仍有儿女情长之剧作,却多为以儿女之情起兴、表彰忠臣孝子、表现家国兴亡,高呼"理义"。孔尚任《桃花扇》、洪昇《长生殿》乃至吴梅村《秣陵春》、嵇永仁《续离骚》等名篇佳作,虽均有男女主人公儿女情长的表现,但情都被置于超越个人的广阔时代思潮背景之下,名为言情,实为理、节、义的抒写,蕴藉着丰富而深厚的历史思考与人生哲理,寄托着曲家浓烈的赤子之情与人生悲歌。检视清初曲作可知,纯然表现儿女情长的风情剧作已退出主导地位,家国兴亡、忠臣孝子、伦理风化之作则取而代之,这都是清初戏曲由"情"向"理"转向的明证。及至乾嘉之后,经历了清初宋学对晚明心学的清算,清代学术更发展至汉宋之学并存、汉学尤尊的阶段,随着心学的消歇,戏曲中的主情观更彻底被主"理"观取代。此期戏坛,既有被其后人杨恩誉为有"阐圣贤之风教"之功的杨潮观《吟风阁杂剧》,次有直以忠孝节义为题的夏纶《惺斋五种曲》(即《无瑕璧》、《杏花村》、《瑞筠图》、《广寒梯》、《南阳乐》),复有表彰忠臣良将的董榕《芝龛记》,还有主张情理交融互补的吕履恒《洛神庙》、张坚《梅花簪》、钱维乔《鹦鹉媒》等,均强调以"理"

为主。对此,时人杨恩、查昌甡、王步青、黄叔琳、石光熙等人均有明断,足见彼时儒势之大及其对戏曲观影响之深。此外,乾嘉以降,清儒对"礼"高度尊崇,凌廷堪倡导"以礼复理",①曾国藩主张"归之以礼"②,以"礼"为正。礼学在学界的再度复兴,强调"发乎情而止乎礼义",重视戏曲对礼乐、礼数、礼制、礼教的作用,导致戏坛涌现出"以礼复理"的戏曲观,主张以礼规情复理。对此,时人宋廷魁自序《介山记》、蒋士铨自序《香祖楼》、李调元自序《雨村曲话》、陈钟麟《红楼梦》传奇凡例、冯肇跂黄韵珊《居官鉴》、郭俨《青灯泪》传奇叙等亦皆有主"礼"正"情"之论。在清人的上述戏曲创制中,言情虽并未被彻底杜绝否定,但所言之情俱归于风化教化,情理互见、情礼交融观念中的理、礼日渐占据标准地位,处于上风,昭示了明代以来戏曲的主情观逐渐被主理主礼观取代,也显示了明季心学的衰微、清代理学的重振及式微、清中叶以后汉宋之争的思想学术轨迹在艺术审美嬗变中的强大影响。具体而言,清代戏曲审美的情理对峙、由情向理的转向主要源自三个方面的影响:一是清初实学思潮与朴学思潮,明清易代,学术思潮由空谈心性之虚向经世致用之实转向,顾炎武力倡文益天下儒学观,戏曲受此影响生发出强烈的教化倾向,学界的朴学思潮更使得戏曲题材选择向历史与时事倾斜,并呈现考据化趋势。二是源自清人对戏曲本质的认知,李渔、孔尚任承继了明人娱乐为主的较为本初的传奇观,夏纶、陈学震、吴家桕则主张以现实生活、真人真事为对象,远离娱乐观而强调戏曲移风易俗、补救世道人心的功用。三是源自我国儒家思想传统与古典文学咏史传统,儒家五经素以现实主义倾向的风格著称,历来被视为群言之祖,我国历代文学无不将"宗经"奉为圭臬,因此,以信而有征的正统观和温柔敦厚的诗教观为代表的现实主义思潮始终主导着中国文学的发展走向。正是在这些因素的影响下,清代戏曲一方面因日渐正统化、诗化、案头化而得以被清廷推尊为曲体;另一方面也因此而逐渐疏离了戏曲原初的娱乐性和通俗性,激化了雅部与花部的矛盾,加剧了清

---

① 参见凌廷堪:《校礼堂文集》,中华书局1998年版。
② 参见曾国藩:《曾国藩诗文集》,上海古籍出版社2005年版。

代戏坛花雅之争的残酷性。

文质对峙,由文向质,是清代戏曲审美的基本路向。

文质可谓贯穿中国美学发展史的一对基本的审美范畴。从审美的角度看,文即铺锦列绣、纤秾绚烂、雍容华贵的华丽之美,是气贯于内、神注其中的审美化、艺术化的文采格调;质即深沉醇厚、平淡自然、返璞归真的素朴之美,是不假藻饰、无须渲染的自然化、简约化的本色风貌。具体到中国古典戏曲审美,文质作为一对基本审美维度,关涉自然、社会、政治、经济、文化等诸多因素,关涉创作、呈现、表演、欣赏、接受等诸多环节,始终影响着历代曲家的创作与表演,主要表现在剧本创作与表演形式两个方面。从剧本创作的文学角度而言,戏曲创作的背景、主体、题材、原则、价值指向及其接受等文学活动均对戏曲剧本的思想内容、艺术形式、整体审美风格影响深远,使其文本具备或文或质或文质兼备的品格风范;从表演形式的艺术角度而言,戏曲演剧之中的语言艺术文学性与舞台艺术表演性、写实与写意、天然与人工、文人化与民俗化、雅与俗等诸多并存而对峙的关系及其饱满的张力也直接影响了戏曲演剧活动的格调风貌。清代戏曲作为古典戏曲发展史上的又一个高峰,其审美上承前代戏曲审美传统,也呈现出文质对峙、由文向质的基本路向。明清易代之际,承晚明余绪,侧重文美的戏曲剧作亦层出不穷、彪炳史册;与此同时,通俗浅显的戏曲语言风格也得到空前重视,侧重于质美的传奇作品如雨后春笋般涌现。及至清中叶以后,戏坛更出现改写中国戏曲史的重要文艺现象——花雅之争。降及晚清,京剧更于地方诸腔中脱颖而出,雄霸剧坛。综览清代曲坛,文质兼备的佳作辈出,其中,侧重文的格调的既有洪昇《长生殿》、孔尚任《桃花扇》,又有清代宫廷南府戏曲,更有蒋士铨、曹锡黼、孔广林、徐燨、张坚等人的戏曲作品,尤以洪昇、孔尚任为代表;侧重质的风貌的既有李渔《笠翁十种曲》,又有以李玉为首的包括朱素臣、朱佐朝、叶时章、毕魏等人在内的苏州派戏曲作家的作品,更有在花雅之争中最终胜出的花部乱弹。清代曲坛在文质审美观上的实绩,正在其理论的多元与实践的多向。洪昇的创作显然与汤显祖归于一途,既侧重于华丽之文,又兼有素朴之质;孔尚任则基于对戏曲创作的基本规律的深入认知,并出于文人立场而对戏曲"文"美更为青睐。较之洪、孔等人重"文"的戏曲创作,李渔、李玉、焦循等人则走向了文质对峙的另一端——对"质"美的张扬。兼有戏曲美学大家与著名戏曲作家两种身份的李渔,创造性地继承并发展了前人的思想观点,首先从戏曲发展的实际中概括出了富于个性的戏曲风格论。与之呼应,李玉、朱素臣等苏州派曲家亦将由浅见深、以质为美奉为自己的创作追求,形成与李渔美学思想相近的审美主张与自觉追求。随着花雅之争的渐次展开,硕儒焦循更在对元杂剧的爬梳考辨中发掘出最为贴近中国古典戏曲本质的戏曲本色审美风格论,这一理论建树在花部戏曲的创作和表演中一再得到验证。透过这些文质并存的戏曲作品和理论探索,不难见出,清代戏曲审美总体上呈现出由文向质的转向。这种文质转向经历了从李渔《闲情偶寄》在理论上对戏曲通俗性、娱乐性、大众化的系统总结,到李玉等苏州派曲家在实践上对以洪昇、孔尚任为代表的文人戏曲雅化创作的反动,再到焦循从审美风格角度对元杂剧等中国古典戏曲所具有的本色传统在花雅争胜历史条件下的发扬光大,最终确立了古典戏曲追求质美的自觉性和戏曲在中国审美文化传统资源中的地位。花雅之争中花部最终取胜,为中国传统戏曲的发展历程暂时划上了一个句号,正在于其对戏曲通俗性本质的张扬和表演性、娱乐性特征的强调与实践,其根本端在花部戏曲审美精神的返朴归真和美学风格的质美本色。扩大到整个戏曲发展史来看,花雅之争中花部的胜利,正如雅俗之争中俗的胜利、情理之争中礼的胜利一般,是中国古典戏曲审美中文质这对审美范畴中质美对文美的胜利,是在雅俗、情理、花雅、文质的此起彼伏、对峙并存、相反相成,相辅相成之中建构起来的戏曲美学的矛盾统一、融合辉映、色彩斑斓、绚丽多姿的审美体系。从某种意义上讲,正是雅俗、情理、花雅、文质之间的对峙与角力,成就了中国古典戏曲否定之否定的辩证的螺旋式上升,成就了中国古典戏曲各美其美、美美与共、魅力无穷的万千气象。

南北对峙,由南向北,是清代戏曲审美的区域路向。

中国艺术之美历来有南北之别。南北审美的趣味之别,源自我国辽阔的幅员、众多的人口、悠久的历史、多样的民族、复杂的环境、区域的差异、多元的文化等诸多因素。南北审美趣味的差异虽于历朝历代各擅胜场、此消彼长，却始终并存于中国美学发展史上，共同铸就了中国光辉灿烂的古典文明。具体到中国古典戏曲而言，审美趣味的判然有别、南北对峙以及由此带来的南北戏曲给予观众的迥然有别的审美感受，均由来已久且更显直观。明人王骥德曾简要概述了戏曲声调南北对峙的历史："（北曲）入远而益漫衍其制，栉调比声，北曲遂擅胜一代；顾未免滞于弦索，且多染胡语，其声近噍以杀，南人不习也。迨季世入我明，又变为南曲，婉丽妩媚，一唱三叹，于是美善兼至，极声调之致。始由南北画地相角，迩年发来，燕赵之歌童、舞女，咸弃其捍拨，尽效志声，而北词几废。……至北之滥流，而为《粉红莲》、《银纽丝》、《打枣杆》，南之滥流，而为吴之《山歌》、越之《采茶》诸小曲，不音郑声，然各有其致。"①此外，他还对南北戏曲的审美特点两相对比、加以剖辨："北主劲切雄丽，南主轻峭柔远。北字多而调促，促处见筋；南字少而调缓，缓处见眼。北辞情少而声情多，南声情少而辞情多。北力在弦，南力在板。北宜和歌，南宜独奏。北气易粗，南气易弱。"②"南词主激越，其变也为流丽；北曲主慷，其变也为朴实。惟朴实故声有矩度而难借，惟流丽故唱得婉转而易调。"③王氏之论非虚。对此，徐复祚、黄图珌亦均从不同角度详述南北戏曲审美趣味之别，徐复祚称："我吴音宜幼女清歌按拍，故南曲委婉清扬。北音宜将军铁板歌《大江东去》，故北曲硬挺直截。"④黄图珌则称："北曲妙在雄劲悲激，南曲工于委婉芳妍。"⑤南北戏曲的上述审美趣味之别，直接诱发了观众对其审美感受的巨大差异，诚如明人徐渭所言："听北曲使人神气鹰扬，毛发洒淅，足以作人勇往之志，信胡人之善于鼓怒也，所谓

---

① 王骥德：《曲律》，载《中国古典戏曲论著集成》（第四册），中国戏曲出版社 1959 年版，第 55—56 页。

② 邓长风：《明清戏曲家考略》，上海古籍出版社 1994 年版，第 304 页。

③ 王骥德：《曲律》，载《中国古典戏曲论著集成》（第四册），中国戏曲出版社 1959 年版，第 55—56 页。

④ 徐复祚：《曲论》，载《中国古典戏曲论著集成》（第四册），中国戏曲出版社 1959 年版，第 246 页。

⑤ 黄图珌：《看山阁集闲笔》，载《中国古典戏曲论著集成》（第七册），中国戏曲出版社 1959 年版，第 143 页。

'其声噍杀以立怨'是已;南曲则纡徐绵眇,流丽婉转,使人飘飘然丧其所守而不自觉,信南方之柔媚也,所谓'亡国之音哀以思'是已。"①正是南北戏曲的这种差异使得中国古典戏曲之美绚烂多姿、丰富多彩,始终保有鲜活的民族色彩与旺盛的生命力。不特如斯,及至清代,更发展出数量众多、丰富程度远甚于前代的地方戏剧种,在中国古典戏曲发展史中一以贯之的南北审美趣味之别基础上,更升级而演出花部乱弹的百花竞放、群英荟萃的火热局面,展现出鲜明的地域性特色。如前所述,早在康乾之际,高腔、秦腔、梆子腔、襄阳调、安庆梆子、二簧调、弦索腔、柳子腔等极具地方色彩的清代地方戏便已勃兴。尽管这些地方戏曲的前身多为农村社火种的草台班子的歌舞表演、民歌小曲和民间说唱,但它们往往既相互影响又各具特色,发展势头至为强劲,最终造成花部乱弹与雅部争胜的格局。值得注意的是,在清代戏曲史上著名的花雅争胜、花部胜利、京剧独尊的独特景观背后,潜藏着一条隐性的清代戏曲审美南北对峙、由南向北的嬗变轨迹。南北戏曲审美的对峙突出表现在彼时南北剧坛地方戏曲演剧活动的广泛兴盛和演剧剧种的缤纷繁富上。北方剧坛有山西晋中秧歌、河北定县秧歌、东北二人转与蹦蹦戏、河北落子、鲁南拉魂腔与二夹弦等今天评剧的前身剧种,南方剧坛则有湘鄂皖苏的花鼓戏、江西采茶戏、滇川花灯戏、苏浙滩簧等今天花鼓、黄梅戏、扬剧、淮剧、锡剧、沪剧、越剧、婺剧的前身剧种。南北剧坛戏曲演剧活动均十分兴盛,对阵叫板皆劲头十足,而演剧剧种却尤以南方演剧剧种为多。南北戏曲审美的由南向北则突出表现在彼时各地方剧种发展过程与波及区域之中。前述诸种地方戏中,高腔风格粗犷、流传甚广,是弋阳腔与各地民间音乐结合的产物,远播波及赣、皖、苏、浙、湘、闽、粤、川、鄂、冀、豫诸省;山东柳子戏、河南曲子戏与越调、河北丝弦戏等弦索腔起于豫、鲁,声势浩大,影响波及南至苏州、北至北京的南北各地;梆子腔、秦腔兴于晋、陕,流传鄂、赣、粤、闽、苏、浙、川、滇、黔诸省;皮黄腔则由西皮、二簧结合而成,鄂称楚调而皖称徽调,其

① 徐渭:《南词叙录》,载《中国古典戏曲论著集成》(第三册),中国戏曲出版社1959年版,第295页。

中西皮自梆子腔、襄阳腔而来,二簧则自弋阳腔而徽州腔、青阳腔、太平腔、四平腔再经吹腔与拨子而来,远播南北各地。尽管上述地方戏曲诸腔的影响波及海内南北各地,但都力图以自身的审美趣尚进京打擂、引领戏坛审美风尚,最终由京剧融合西皮、二簧、昆曲、京腔、秦腔诸腔定尊于清廷戏坛。可见,清代各地的地方戏曲正是在南北对峙中交相辉映、逐步融合,最终实现由南向北、主导戏坛的审美蜕变。

第二节　意象·叙事·思维:洪昇
《长生殿》审美之维

清代戏曲史上有两颗璀璨的明珠——《长生殿》与《桃花扇》,足称清曲成就之代表。两剧曲家洪昇与孔尚任同号"南洪北孔",并享清曲双星之誉。其中,洪昇《长生殿》更先于孔尚任《桃花扇》11 年创成,率先引领清曲走向古典戏曲的最后一个巅峰。该剧历"十余年,三易其稿而始成"(《长生殿·自序》),甫一问世,便以其"借离合之情,写兴亡之感"的宏大背景、丰富意象、悲情叙事、民族特质,艳绝梨园、为世所重,不仅彼时"梨园子弟,传相搬演"、[1]名满天下,且以其"逞侈心而穷人欲"的帝妃至情、完美曲律、匠心结构,久享青睐、唱演不衰,堪称"千百年来曲中之巨擘"[2]。对此,清人徐麟、吴舒凫等人俱有明断,徐麟称其"直可并驾仁甫,俯视赤水",[3]吴舒凫谓其"与《西厢》《琵琶》相掩映",[4]焦循亦赞其"为近代曲家第一"(焦循《剧说》)。今人刘辉亦据此赞其"在明、清传奇发展史上,可谓压卷之作"[5]。从美学意义上讲,洪昇《长生殿》的意象创

---

① 尤侗:《长生殿序》,见《中国古典戏曲序跋汇编》,齐鲁书社 1989 年版,第 1583 页。
② 参见梁廷枏:《曲话》卷二,见中国戏曲研究院编:《中国古典戏曲论著集成》,中国戏剧出版社 1959 年版。
③ 徐麟:《序》,刘辉校笺:《洪昇集》卷五《传奇〈长生殿〉》,浙江古籍出版社 1992 年版,第 742 页。
④ 吴舒凫:《序》,刘辉校笺:《洪昇集》卷五《传奇〈长生殿〉》,浙江古籍出版社 1992 年版,第 743 页。
⑤ 《前言》,刘辉校笺:《洪昇集》卷五《传奇〈长生殿〉》,浙江古籍出版社 1992 年版,第 1 页。

构、叙事成就及其民族特质均承载着戏曲作为中华民族优秀传统文化的杰出代表的民族基因,彰显着清代审美意识的丰富内涵与时代审美之维的嬗变轨迹。

一、洪昇《长生殿》审美研究小史

有关洪昇《长生殿》的研究早在清代当朝即已伴随该剧的火热搬演而悄然兴起。蔡毅曾述其盛况称:"一时朱门绮席,酒座歌舞,非此曲不奏,缠头为之增价。"①梁廷枏则称:"《长生殿》至今百余年来,歌场舞榭,流播如新。"②有清一代学者对洪昇其人其剧的研究主要集中于主题、曲律、音韵、艺术表现等方面,且多以眉批、评点、题跋、凡例、诗文乃至笔记等形式出现,兼及抄本、刊本的释义注音、赏鉴批评以及曲文体例的考订,多属即兴抒发的零散评价,尚未企及系统全面的整体研究。在清代未成体系的《长生殿》研究中,洪昇同窗好友吴舒凫的《长生殿》眉批点评尤为引人瞩目。吴舒凫曾效冯梦龙删戏将《长生殿》更定为二十八折,并受到洪昇本人的肯定。③ 吴舒凫对洪昇《长生殿》的评点有三大特色:一是极力推崇帝妃之情,且将其限制在"理"的范围之内,既称"汉以后,竹叶羊车、帝非才子,《后庭玉树》,美人不专两擅者,其惟明皇、贵妃乎",④又谓"无情者,欲其有情;有情者,欲其忘情。情之根性者,理也,不可无;情之纵理者,欲也,不可有。此曲明示升天之路,痴迷者庶知勇猛忏悔矣乎",⑤尽显其情理互见、以情制理的戏曲观;二是力辟"未深窥厥旨"的"诲淫"之疑;三是尊重洪昇《长生殿》文本原貌,尤重舞台演剧之功能,这

---

① 蔡毅:《中国古典戏曲序跋汇编》,齐鲁书社 1989 年版,第 1583 页。
② 参见梁廷枏:《曲话》卷二,见中国戏曲研究院编:《中国古典戏曲论著集成》,中国戏剧出版社 1959 年版。
③ 《长生殿例言》称吴舒凫的删改"确当不易",戏班演出"当觅吴本教习",而其评点"全本得其论文,发余意所含蕴者实多"。(洪昇著,徐朔方校注:《长生殿》,人民文学出版社 1958 年版,第 1 页。)
④ 吴舒凫:《长生殿序》,《中国古典戏曲序跋汇编》,齐鲁书社 1989 年版,第 1583 页。
⑤ 参见洪昇著,吴舒凫评:《长生殿传奇》二卷,见《古本戏曲丛刊》第五集,上海古籍出版社 1985 年版。

也是其评点深获洪昇首肯的重要原因。对此，今人叶长海①、曾永义②等学者均对此给予较高评价。此外，尚有各个《长生殿》刊本中的序跋、题辞以及文人诗文笔记中所载零星评价和演出情况记载。洪昇《长生殿》刊本众多，序跋、题辞亦有数十种之多。③ 这些序跋、题辞评论的角度虽各有不同、着力有别，或如洪昇④、徐麟⑤、吴舒凫⑥、朱襄⑦、王廷谟⑧、汪熷⑨等

---

① 参见叶长海：《中国戏剧学史稿》，上海文艺出版社 1986 年版。该书专设《〈长生殿〉批评》一节，高度评价吴舒凫所评的"无中生有"、"人定胜天"、"以讽为上"、"经纬巧织"、"妙在含蓄"、"侧写映衬"、"排场新幻"、"本色当行"、"注重搬演"、"比较分析"等评点观点。

② 参见曾永义：《〈长生殿〉眉批之探讨》，见章培恒、王靖宇主编：《中国文学评点研究论集》，上海古籍出版社 2002 年版。该文还原了吴舒凫评语本义，佐证了《长生殿》并非海淫之作的观点，强调其"虽传艳情"但"其间本之温厚，不忘劝惩"的主旨。

③ 按：光绪庚寅上海文瑞楼刊本中文前附有"吴序"、"徐序"两种，分别署名"同里弟吴人舒凫题"，"长洲同学弟徐麟灵昭题"。徐朔方 1958 年校注版本中除文前洪昇自序、例言外，文后附有"徐序"、"吴序"、"汪序"、"毛序"四种，文末署名分别为"长洲同学弟徐麟灵昭题"、"同里弟吴人舒凫题"、"同里门人汪熷拜识"。蔡毅编著《中国古典戏曲序跋汇编》录有序跋 18 篇、题辞 16 篇。1987 年《长生殿》讨论会后所编《长生殿讨论集》后附有《长生殿》序跋 16 篇、题辞 4 篇。综上，《长生殿》清人序跋当有：洪昇自序、例言，吴舒凫序、汪熷序、徐麟序、尤侗序、毛奇龄序、朱彝尊序、朱襄序、王廷谟序、容安序、苏伦序、王晫跋、胡梁跋、吴牧之跋、吴作梅跋、刘世珩跋。

④ 洪昇《长生殿·例言》称："棠村（梁清标）相国尝称予是剧乃一部闹热《牡丹亭》，世以为知言。"（参见洪昇著，吴舒凫评：《长生殿传奇》，见《古本戏曲丛刊》第五集，上海古籍出版社 1985 年版。）

⑤ 徐麟序称："（洪昇）重取而更定之"时"或用虚笔，或用反笔，或用侧笔、闲笔，错落出之，以写两人生死深情，各极其致。"（蔡毅：《中国古典戏曲序跋汇编》，齐鲁书社 1989 年版，第 1583 页。）

⑥ 吴舒凫《长生殿·禊游》称："行文之妙，更在用侧笔衬写。如以有人盛丽，映出明皇、贵妃之纵佚，以遗钿坠写，映出虢国夫人之奢淫，并禄山之无状，国忠之阴险，皆于虚处传神。"（参见洪昇著，吴舒凫评：《长生殿传奇》二卷，见《古本戏曲丛刊》第五集，上海古籍出版社 1985 年版。）

⑦ 朱襄序称："畴思是编，凡三易其稿乃成。故其文字有意以立句，句有意以连章，章有意以成篇；篇而章，章而句，句而字，累累乎端如贯珠。"（蔡毅：《中国古典戏曲序跋汇编》，齐鲁书社 1989 年版，第 1586 页。）

⑧ 王廷谟序称："何其多情也！多情而出于性，殆将有悟于道耶。然欢娱之词少，悲哀之词多，畴思其深情而将至忘情以悟情之即性、即道耶。噫嘻异哉！此所谓心合乎天，而发于真者耶？"（蔡毅：《中国古典戏曲序跋汇编》，齐鲁书社 1989 年版，第 1587 页。）

⑨ 汪熷序评《长生殿》为"今古情缘，非兹谁属"。（蔡毅：《中国古典戏曲序跋汇编》，齐鲁书社 1989 年版，第 1580 页。）

人从剧作思想艺术观、对情的肯定等文论角度展开，或如洪昇①、毛奇
龄②、尤侗③、徐麟④、胡梁⑤、吴舒凫⑥、汪熷⑦等人从演出记录评说、搬演
盛况、声律、音律等演出方面加以关照，或如洪昇、吴舒凫⑧、汪熷、尤
侗⑨、徐麟⑩等人着力对《长生殿》的主题展开评价，或如众人对洪昇本人
遭际的一致关照，特别是尤侗⑪、毛奇龄⑫对"可怜一曲长生殿，断送功名
到白头"的特别说明，均承载着不同时期、身份、立场的清人对洪昇《长生
殿》价值、功用、主旨、艺术特色的理解、观点和立场，亦可从中见出洪昇

---

① 洪昇《长生殿·例言》称："予自惟文采不逮临川，而恪守韵调，罔敢稍有逾越。盖
姑苏徐灵昭氏今之周郎，尝论撰《九宫新谱》，予与之审音惟律，无一字不慎也。"（参见洪
昇著，吴舒凫评：《长生殿传奇》（二卷），载《古本戏曲丛刊》第五集，上海古籍出版社 1985
年版。）

② 毛奇龄序称："一时勾栏多演之。"（蔡毅：《中国古典戏曲序跋汇编》，齐鲁书社
1989 年版，第 1584 页。）

③ 尤侗序称："一时梨园子弟，传相搬演。"（蔡毅：《中国古典戏曲序跋汇编》，齐鲁书
社 1989 年版，第 1583 页。）

④ 徐麟序称："一时朱门绮席、酒社歌楼，非此曲不奏，缠头为之增价。"（蔡毅：《中国
古典戏曲序跋汇编》，齐鲁书社 1989 年版，第 1582 页。）

⑤ 胡梁跋称："昉思此剧不惟为案头书，足供文人把玩。近时燕会家纠集伶工，必询
《长生殿》有无。"（蔡毅：《中国古典戏曲序跋汇编》，齐鲁书社 1989 年版，第 1593 页。）

⑥ 吴舒凫称："昉思句精字研，罔不谐叶。爱文者喜其词，知音者赏其律。"（蔡毅：
《中国古典戏曲序跋汇编》，齐鲁书社 1989 年版，第 1582 页。）

⑦ 汪熷称："声传水际，渊鱼听而耸鳞；响遏云端，皋禽闻而振羽。曲调之工，畴能
方驾。"（蔡毅：《中国古典戏曲序跋汇编》，齐鲁书社 1989 年版，第 1580 页。）

⑧ 吴舒凫称："汉以后，竹叶羊车，帝非才子；后庭玉树，美人不专。两擅者，其惟明皇
贵妃乎！倾国而复平，尤非晋、陈可比。稗畦取而演之，为词场一新耳目。……是剧虽传艳
情，然其间本之温厚，不忘劝惩。或未深窥厥旨，疑其海淫，忌口滕说。余故于暇日评论之，
并为之序。"揭示了《长生殿》的双重主题。

⑨ 尤侗序称："计其离合姻缘，备极人生哀乐之至。今得洪子一笔挥写，妙绝淋漓。"
（蔡毅：《中国古典戏曲序跋汇编》，齐鲁书社 1989 年版，第 1583 页。）

⑩ 徐麟序："以写两人生死情缘，各极其致。"（蔡毅：《中国古典戏曲序跋汇编》，齐鲁
书社 1989 年版，第 1583 页。）

⑪ 尤侗序称："亡何，以违例宴客，为台司所纠。天子薄其罪，仅褫弟子员以去。"（蔡
毅：《中国古典戏曲序跋汇编》，齐鲁书社 1989 年版，第 1583 页。）

⑫ 毛奇龄称："越一年，有言日下新闻者，谓长安邸弟，每以演《长生殿》曲，为见者
所恶。会国恤止乐，……言官谓遏密读曲大不敬，赖圣明宽之，弟只其四门之员，而不予以
罪。然而京朝诸官则从此有罢去者。或曰，牛生《周秦行》其自取也；或曰，沧浪无过，恶之
美，意不在之美也。"（蔡毅：《中国古典戏曲序跋汇编》，齐鲁书社 1989 年版，第 1584 页。）

《长生殿》审美意蕴之多元及社会影响之巨大。较之评点、序跋、凡例,有
关洪昇《长生殿》的笔记诗文则更是多如繁星、参差不齐,尤以梁廷枏①、
杨恩寿②、叶堂等人对《长生殿》优美文辞的点评和王应奎③、金埴④、徐
珂⑤、王友亮⑥、石韫玉⑦、厉鹗⑧等人对《长生殿》在清季演出情况的记
载为代表。综上,清季文人、曲家对洪昇《长生殿》的研究虽未成系统,
重心也基本放在肯定《长生殿》曲学楷模地位的曲体尊崇即对其曲学

------

① 清人梁廷枏《曲话》称:"钱塘洪昉思昇撰《长生殿》,为千百年来曲中巨擘。以绝好题目,作绝大文章,学人、才人,一齐俯首。自有此曲,毋论《惊鸿》、《彩毫》空惭形秽,即白仁甫《秋夜梧桐雨》亦不能稳占元人词坛之席矣。如《定情》、《絮阁》、《窥浴》、《密誓》数折,俱能细针密线,触绪生情,然以细意熨帖为之,犹可勉强学步;读至《弹词》第六、七、八、九转,铁拨铜琶,悲凉慷慨,字字倾珠落玉而出,虽铁石人不能不为之断肠,为之下泪,笔墨之妙,其感人一至于此,真观止矣!"梁氏此论在总体评价《长生殿》基础上,详细点评了《弹词》一出的文辞与表演艺术。(参见梁廷枏:《曲话》卷二,载中国艺术研究院编:《中国古典戏曲论著集成》,中国戏剧出版社1959年版。)

② 杨恩寿《续词余丛话》称:"古今填词家,动谓美人才子,所谓美者,姿色在其次,第一在风致也。风致,非姿色可比,可意会不可言传:虽以实甫之才,仅能写变文之姿,不能写变文之致。观其'弱弱婷婷',差有致矣!又加以'齐齐整整'。夫以齐整赞美人,不过虎丘泥美人耳,尚何致之有!余谓善写美人之致者,惟《长生殿》耳。《惊变》一出,醉杨妃以酒,以观其致,明皇真是风流欲绝。至曲之一语一呼,声情宛转,宛然一幅'醉杨妃图'也。"极力赞誉《长生殿》文笔之优美。(参见杨恩寿:《续词余丛话》,见中国艺术研究院编:《中国古典戏曲论著集成》第八集,中国戏剧出版社1959年版。)

③ 王应奎《柳南随笔》(卷六)载:"圣祖览之称喜,赐优人白金二十两,且向诸亲王称之。于是诸亲王及阁部大臣,凡有宴会必演此剧。"

④ 金埴称:"所著《长生殿》,亦入内廷,今优人多搬演之者。"(参见金埴撰,王湜华点校:《不下带编·巾箱说》,中华书局1982年版。)

⑤ 徐珂《清稗类钞·戏剧类》载:"圣祖览之称善,赐优人白金二十两。于是诸亲王及阁部大臣,凡有宴会,必演此剧,而缠头之费,较之御赏且数倍。"(参见徐珂:《清稗类钞》,商务印书馆1917年版。)

⑥ 王友亮《双佩斋文集》(卷三)载:"(山西平阳亢家)国初巨富,有'南季北亢'之称。……康熙中,《长生殿》传奇初出,(亢氏)命家伶演之,一切器用,费镪四十余万两。"(参见王友亮:《双佩斋文集》卷三,上海图书馆藏嘉庆十年刻本。)

⑦ 石韫玉《苏州府志》卷一百四十八引《顾丹五笔记》:"康熙三十一年,织造李煦莅苏……延名师以教习梨园,演《长生殿》传奇,衣装费至数万,以致亏空若干万……"(参见丁世良,赵放:《中国地方志民俗资料汇编》,书目文献出版社1995年版。)

⑧ 厉鹗《樊榭山房文集·书项生事》载:"项生故吴产,曾隶江淮大吏某家乐部,令习《长生殿》新声,为杨玉环。"(参见张次溪:《清代燕都梨园史料》下,中国戏剧出版社1988年版。)

价值的推崇方面,但却成为洪昇《长生殿》研究的先声,拉开了此项研究的大幕。

　　针对洪昇《长生殿》的现代意义上的学术研究始于民国时期。受西学东渐、印刷出版的兴盛和近现代各种思潮的影响,随着大量《长生殿》单行本的刊行和诸多公立戏院对洪昇《长生殿》的持续搬演、改编演出及有关演出的评论日益增多,该剧日益为观众熟知。罗懋五《读长生殿》以诗评形式论述《长生殿》主题与审美意蕴,率先开启了此项研究之门。①嗣后,学界对洪昇《长生殿》的研究分出两途:一面延续清季对《长生殿》的总体评价和曲学研究的主要成就,出现以殷溎深、王季烈、吴梅等人为代表的基于对其文字工丽、曲律严谨的推崇的曲律声韵研究;一面在戏曲研究与戏曲史料的勾辑、考订、整理相结合的大环境下另辟蹊径,开启了基于文献辑录、考订的本事考证研究。此期对《长生殿》曲律声韵研究的主要成就当推殷溎深《长生殿曲谱》(1924 年订谱)、王季烈《螾庐曲谈》②和吴梅《〈长生殿〉传奇斠律》③。此外,吴梅《顾曲麈谈》、《中国戏曲概论》、《瞿安读曲记》等著均对《长生殿》的主题、主旨、诗文、音律等作过总体评述,浦江清④、段天炯⑤诸现代学者对其功绩俱有佳评。对洪昇

---

　　①　罗懋五《读长生殿》:"承恩不及负恩真,只是江山误美人,未必禄儿因祸水,可怜天子制强臣。空将云雨思前梦,枉把鸳鸯誓后身。纵为情天能补恨,梨花春雨总伤神。"(罗懋五:《读长生殿》,载《月月小说》1908 年第 22 号,上海书店 1980 年影印版,第 186 页。)

　　②　参见王季烈:《螾庐曲谈》(四卷),商务印书馆民国十七年石印本。该书曾谓:"其选择宫调,分配角色,布置剧情,务使悲欢离合,错综参伍。搬演者无劳逸不均之虑,观听者觉层出不穷之妙。自来传奇排场之盛,无过于此。"极力推崇《长生殿》曲学成就与结构设置的精妙。

　　③　参见吴梅:《〈长生殿〉传奇斠律》(未完稿),载王卫民编:《吴梅戏曲论文集》,中国戏剧出版社 1983 年版。该文系吴梅在 1934 年应中央大学《文艺丛刊》之约所作,主要是对《长生殿》剧作逐出审核、审音协律,探讨其南北曲曲律之工,惜仅《传概》、《定情》、《贿权》、《禊游》、《旁讶》、《幸恩》六出,未完稿。

　　④　浦江清称:"近世对于戏曲一门学问,最有研究者推王静安先生与吴先生两人。静安先生在历史考证方面,开戏曲史研究之先路;但在戏曲本身之研究,还当推瞿安先生独步。"(王卫民编:《吴梅戏曲论文集》,中国戏剧出版社 1983 年版,第 1 页。)

　　⑤　段天炯称:"曲学之能辨章得失,明示条例,成一家之言,导后来之路,实自霜厓先生始也。"(王卫民编:《吴梅戏曲论文集》,中国戏剧出版社 1983 年版,第 1 页。)

《长生殿》本事考证研究则是此期至为重要的成果。随着学界对小说戏曲的持续关注和《长生殿》相关版本的陆续发现，钱静方《〈长生殿〉传奇考》、①徐珂《清稗类钞》中《昆曲戏》和《演长生殿传奇》条目、②叶德均《演〈长生殿〉之祸》、③觉盦《〈长生殿〉本事发微》④等，或勾辑比勘正史野史与私家笔记、追索《长生殿》剧情之渊源，或广搜博采清代及民国文人文集笔记札记报章等，力探《长生殿》演出盛况及罹祸之始末，均详考了文本之外的史料，为后人进一步研究提供了大量参考文献。

综上，民国文人、曲家对洪昇《长生殿》的研究，虽囿于资料的匮乏未能全面深入地展开，但也能曲学、本事、考证多径并举，于 20 世纪二三十年代掀起《长生殿》研究的首次高潮，为此后相关研究的蔚然兴盛拓宽了路径。

新中国成立后的洪昇《长生殿》研究，初以文学研究为主，涉及主题、生平、思想、评价等诸多议题，尤以主题之争为重；及至新旧世纪之交，研究呈现出多角度、多元化、宽领域拓展，尤以演出研究及改编创演的兴盛为标。文学研究方面，有关《长生殿》主题研究基本围绕李杨之情与兴亡之感展开，经历了 20 世纪五六十年代"爱情"与"政治"之争、20 世纪 80 年代对"情"的再审视再讨论和 21 世纪改编演出对"情"的突出三个阶段，前一阶段以关德栋⑤、袁世硕⑥、周来祥、徐文斗⑦、丁冬⑧、徐人忠⑨、周琪⑩、徐朔方⑪、

---

① 参见钱静方：《〈长生殿〉传奇考》，《小说丛考》（上下卷），商务印书馆 1927 年版。
② 参见徐珂：《清稗类钞》，商务印书馆 1917 年版。
③ 参见叶德均：《演〈长生殿〉之祸》，《戏曲论丛》1945 年第 5 期。
④ 参见觉盦：《〈长生殿〉本事发微》，《津逮学（季）刊》1931 年第 1 期。
⑤ 参见关德栋：《洪昇与〈长生殿〉》，《青岛日报》1954 年 3 月 23 日。
⑥ 参见袁世硕：《试论洪昇创作〈长生殿〉》，《文史哲》1954 年第 5 期。
⑦ 参见周来祥、徐文斗：《长生殿的主题思想究竟是什么？》，《文史哲》1957 年第 2 期。
⑧ 参见丁冬：《长生殿的主题思想到底是什么》，《光明日报》1957 年 4 月 7 日。
⑨ 参见徐人忠：《怎样正确评价唐明皇与杨贵妃的"爱情"——批判周来祥、徐文斗两先生的"'长生殿'的主题思想究竟是什么？"的修正主义观点》，《文史哲》1958 年第 12 期。
⑩ 参见周琪：《评〈长生殿〉研究中的"真挚爱情"说》，《光明日报》1964 年 12 月 27 日。
⑪ 参见徐朔方：《长生殿校注·前言》，人民教育出版社 1958 年版。

游国恩、程千帆①等人的研究为代表，中一阶段以黄天骥②、王永健③、张庚、郭汉城④、董每戡⑤、孟繁树⑥、李晓、康保成、宁宗一、罗斯宁⑦、王星琦、周旭庚⑧、叶长海、许可等人的研究为代表，后一阶段成果则主要集中于新世纪两次大型改编搬演后的研讨会文集中；有关洪昇生平的研究，诸如熊德基⑨、知任、陈友琴、陈光汉、李文初、胡晨⑩、陈光甫⑪、曾永义⑫、章培恒⑬、刘辉⑭、刘云、汪效倚、周明、王长友、刘荫柏⑮等人俱有著述；有关《长生殿》的文本审美研究杂错其中、日渐增多，譬如王宏健⑯、黄天骥⑰、黄南珊⑱、石育良⑲、刘彦君⑳、焦文彬㉑、江巨荣㉒等人的相关论著，

---

① 参见游国恩、程千帆：《论〈长生殿〉的思想性——对目前有关〈长生殿〉评论的商榷》，《文艺月报》1955 年第 4 期。

② 参见黄天骥：《论洪昇的〈长生殿〉》，《文学评论》1982 年第 12 期。

③ 参见王永健：《洪昇与〈长生殿〉》，上海古籍出版社 1982 年版。

④ 参见张庚、郭汉城：《中国戏曲通史》，中国戏剧出版社 1980 年版。

⑤ 参见董每戡：《五大名剧论》，人民文学出版社 1984 年版。

⑥ 参见孟繁树：《洪昇及〈长生殿〉研究》，中国戏剧出版社 1985 年版。

⑦ 参见中山大学中文编：《长生殿讨论集》，文化艺术出版社 1989 年版。

⑧ 参见洪昇著，刘辉校笺：《洪昇集》，浙江古籍出版社 1992 年版。

⑨ 参见熊德基：《洪昇生平及其作品》，《福建师范大学学报》（哲学社会科学版）1956 年第 1 期。

⑩ 参见胡晨：《洪昇考略》（附年谱），《文学遗产》1963 年增刊。

⑪ 参见陈万鼐：《洪昇研究》，台湾学生书局 1970 年版；陈万鼐：《洪稗畦先生年谱》，台湾文史哲出版社 1976 年版。

⑫ 参见曾永义：《洪昇生平资料考：附洪升年谱》，《幼狮学志》1966 年第 5 期；曾永义：《〈长生殿〉研究》，台湾商务印书馆 1980 年版。

⑬ 参见章培恒：《洪昇年谱》，上海古籍出版社 1979 年版；章培恒：《关于洪昇生年与其他——读〈洪升生平考略〉》，载《曲苑》（第一辑），江苏古籍出版社 1987 年版。

⑭ 参见刘辉：《洪昇生平考略》，载《戏曲研究》（第 5 辑），文化艺术出版社 1982 年版；刘辉：《洪昇集笺校》，浙江古籍出版社 2012 年版。

⑮ 参见刘荫柏：《洪昇散佚剧目钩沉》，《文献》1989 年第 4 期。

⑯ 参见王宏健：《命定与抗争——中国古典悲剧及悲剧精神》，三联书店 1996 年版。

⑰ 参见黄天骥：《〈长生殿〉的意境》，载王季思：《名家论名剧》，首都师范大学出版社 1994 年版。

⑱ 参见黄南珊：《洪昇〈长生殿〉的情感美学思想》，《学术季刊》1991 年第 2 期。

⑲ 参见石育良：《生命的悲剧：论〈长生殿〉的深层情感内涵》，《文史哲》1992 年第 2 期。

⑳ 参见刘彦君：《失落的同构：洪昇命运与〈长生殿〉主题》，《艺术百家》1995 年第 1 期。

㉑ 焦文彬：《历史的艺术反思：中国古典悲剧自觉意识到的历史内容》，《陕西师大学报》1998 年第 9 期。

㉒ 参见江巨荣：《古代戏曲思想艺术论》，学林出版社 1995 年版。

以及此间唐皛①、邹自振②、刘孝严③、孙京荣④、赵成林⑤、张哲俊⑥诸人有关《长生殿》与国内外经典戏剧文本的比较研究等。演出研究方面，自清迄今，对洪昇《长生殿》演出的评论伴随该剧的持久搬演和改编方面演不断深入，类同其文本文学研究的总况，清人的剧评多见诸序跋、题辞及笔记之中，近人的剧评发端自海上漱石生，⑦多见诸新兴纸媒如《申报》等报纸期刊，新中国成立后《长生殿》剧评等演出研究的成果集中出现在新世纪台北与上海召开的两次研讨会上，⑧主要讨论了该剧的戏曲文学与艺术成就、音乐艺术、舞台艺术价值、原著与改编、昆剧表演艺术、文化遗产、戏文情缘、曲律音韵、艺术品格、民俗信仰、流传历程等方面的问题，尤以曾永义、胡忌、李林德、洪惟助、唐葆祥、王安祈、王瑷玲、蔡正仁、张静娴、计镇华、刘异龙、顾兆琪、白先勇、邓绍基、王永建、齐森华、李晓、吴琦幸、杨云峰、谢柏梁、高福民、张炼红、蒋星煜、吴新雷、康保成、竹村则行、刘南芳、朱锦华、王燕、屈桂林等人的研究为代表。

---

① 参见唐皛：《〈沙恭达罗〉与〈长生殿〉创作方法之比较》，《国外文学》1990 年第 2 期。

② 参见邹自振：《生死梦幻的奇情异彩：汤显祖与洪昇剧作比较论》，《文艺理论家》1990 年第 2 期。

③ 参见刘孝严：《貌似而神离，形近而神远：〈牡丹亭〉与〈长生殿〉爱情描写的比较》，《东北师大学报》1991 年第 5 期。

④ 参见孙京荣：《〈梧桐雨〉与〈长生殿〉创作心理同构初探》，《西北师大学报》1992 年第 2 期。

⑤ 参见赵成林：《感伤时代的感伤文学：〈长生殿〉与〈桃花扇〉感伤主义浅论》，《社会科学家》1995 年第 3 期。

⑥ 参见张哲俊：《论〈梧桐雨〉和〈长生殿〉：两种悲剧形式》，《文学遗产》1997 年第 2 期。

⑦ 参见海上漱石生：《三十年来之伶界拿手戏——小金虎〈絮阁〉》，《图画日报》1910 年 5 月 1 日。

⑧ 按：第一场研讨会是 2000 年 12 月 10 日由台北中央研究院中国文哲研究所、中正文化中心主办的"案头与场上——《长生殿》的文学、音乐与表演艺术研究会"。此次研讨会主要是配合上海昆剧团新排的上、下两本串折戏《长生殿》的演出，属于"跨世纪千禧昆剧菁英大汇演"系列学术活动之一。会后，"中央研究院"中国文哲研究所主办的《中国文哲研究通讯》在第十一卷第一期中整理了"案头与场上——《长生殿》的文学、音乐与表演艺术专辑"。第二场研讨会是 2005 年 10 月 27 日至 28 日在上海交通大学闵行校区举行的"《长生殿》国际学术研讨会"。2006 年上海古籍出版社出版了由谢柏梁、高福民主编的此次学术研讨会论文集《千古情缘——〈长生殿〉国际学术研讨会论文集》。

上述之外,学界尚有颇多关于洪昇《长生殿》研究的述评佳作,譬如郑尚宪、黄仕忠①、李晓②、李舜华③、谢柏梁、屈桂林④、吴新雷⑤、朱锦华⑥、王丽梅⑦等人的成果,均对洪昇其人其作的研究状况有很好地梳理。总之,自《长生殿》问世迄今三百年来,学界、曲界、伶界等有关洪昇其人其事,《长生殿》主题、思想、曲律音韵、搬演改编等各方面的研究成果,汗牛充栋、不胜枚举,为下一阶段围绕《长生殿》文本展开深入系统的审美意识研究奠定了坚实的文献基础,拓展了广阔的研究领域,积累了方法论意义上的宝贵经验。

二、洪昇《长生殿》审美意象营构

戏曲《长生殿》自其诞生迄今就始终活在舞台上,一直以其入乎其内、出乎其外的独特审美文化存在于文人与百姓的日常生活之中,既富含足以寄托广大受众情感寄托的丰富的具象意义,又带有某种超越日常审美的文化色彩和精神指向,并在舞台上下、戏里戏外的审美交流中成为一种普遍的感性娱乐对象和方式。诚如叶朗所言:"艺术的本体是审美意象。"⑧众所周知,象是沟通和贯穿中国人的认知与审美的关键,是中国古老的审视、思维和创造的法式;意象则是中国古典文化中至为重要的美学和文化学的范畴,它既作为一种重要的认知和体验手段,也作为一种主要的主体感悟和品味对象,更作为一种审美和文化活动的

① 郑尚宪、黄仕忠:《建国以来〈长生殿〉研究综述》,载中山大学中文系编:《〈长生殿〉讨论集》,文化艺术出版社 1987 年版,第 159—186 页。

② 参见李晓:《二十世纪的〈长生殿〉研究》,《戏曲艺术》2000 年第 2 期。

③ 参见李舜华:《世纪回眸:洪昇与〈长生殿〉的研究》,《北京社会科学》2001 年第 2 期。

④ 谢柏梁、屈桂林:《万古不磨李杨情——20 世纪的〈长生殿〉研究》,谢柏梁、高福民:《千古情缘:〈长生殿〉国际学术研讨会论文集》,上海古籍出版社 2006 年版,第 571 页。

⑤ 吴新雷:《〈长生殿〉的讨论》,见韩兆琦等主编,李修生等:《中国古代戏剧研究论辩》,百花洲文艺出版社 2007 年版,第 209—264 页。

⑥ 参见朱锦华:《〈长生殿〉演出史研究》,上海戏剧学院博士论文,2007 年。

⑦ 王丽梅:《曲中巨擘——洪昇传》,浙江人民出版社 2007 年版,第 263—279 页。

⑧ 叶朗:《京剧的意象世界》,载《胸中之竹——走向现代之中国美学》,安徽教育出版社 1998 年版,第 186 页。

目的本身,普遍存在于中国先民的审美与文化活动之中,堪称中国传统审美文化的突出标志和中国艺术审美的核心要件。因此,意象之于中国艺术审美的重要性毋庸讳言,中国传统的戏曲审美也不例外。不仅戏曲审美需要借助意象的体验,而且戏曲的创作与表演也均需依凭意象的创构得以实现。《长生殿》所带给人们的正是这种丰富多彩的绚丽的意象世界和从中所得到的带有鲜明的中国文化印记的审美体验和感受。从这个角度讲,洪昇《长生殿》之美并不仅在其所要表达的思想主旨与观念倾向层面上的逻辑思辨的抽象,更在于与基于其上的戏曲艺术的意象世界相融汇、相辉映的感性层面的具象审美体验与生命价值感悟。综上,一言以蔽之,洪昇《长生殿》之美首在其意象营构。

洪昇《长生殿》意象营构的基本类型不出四类,即物象、事象、心象、境象。

《长生殿》的意象之美在其因人而生的物象之美,其物象之美是以人物形象的塑造方式直观地呈现出来的。有别于书法、绘画、园林、器物等艺术形式直观线条的物象表现,清代小说、戏曲的物象表现主要借助人物形象塑造呈现;有别于《聊斋志异》、《红楼梦》、《儒林外史》等清代经典小说的人物意象创构,《长生殿》于人物形象方面的意象营构之美在精不在多。诚然,洪昇《长生殿》将李杨情缘置于广阔的历史背景下层层展开,所涉人物关系错综繁杂,所及出场人物众多,然而,囿于演剧需要和剧本篇幅,《长生殿》必须于有限的时间内在有限的舞台上集中呈现故事主体演进过程,这一戏曲独有的特质使其势必导致文本语言表达的无限性与舞台艺术时空的有限性之间的冲突与矛盾,出现难以对众多人物均分笔墨、尽情展开的状况,但却也因此使其既对主要人物形象的表现非常集中、不吝笔墨而个性鲜明,同时也对次要人物形象的展示异常出彩、寥寥数语而跃然纸上,倍显洪昇超凡绝尘的语言驾驭与意象营构之功。杨玉环、李隆基两位主人公的形象塑造无疑是洪昇在《长生殿》中用力最深的一对物象。《长生殿》中的杨贵妃,堪称历代曲目中塑造得最为丰满、鲜明、完美、最具影响和艺术魄力的艺术形象。① 洪昇一反狐媚惑主、红颜祸水、秽乱宫闱、女色误国、大逆不道的史传旧论,将杨玉环重新塑造成一位天生丽质、品端貌美、光彩照人的绝代佳人;一位才华横溢、深明大义、个性鲜明的巾帼英雄;一位敢爱善妒、忠贞不渝、因情请死的最佳恋人;一位痴情动天、天国圆梦、超越生死的理想情人。颠覆了历史记载、历代诗文、小说戏剧、现代影视中的杨玉环的负面形象,平反了唐人白居易《长恨歌》、陈鸿《长恨歌传》、宋人乐史《杨太真外传》、元人白朴《梧桐雨》、王伯成《天宝遗事诸宫调》、明人吴世美《惊鸿记》等对杨玉环这一人物陈陈相因的形象丑化,创构出既合乎曲家证实的主体审美趣向、又迎合彼时征史猎奇的观众审美心境的成熟而丰满、全新而鲜明的正面物象,使得《长生殿》成为流传最广、影响最深的一部描写李杨帝妃故事的作品。洪昇笔下,李隆基的形象同样声口毕肖,兼具皇家风度与情人秉性,堪称普遍的帝王共性与浓郁的李氏个性完美结合的典范。尤值一提的是,《长生殿》中,李杨二人的形象塑造、性格呈现全部融汇在故事情节的发展演进之中,全无"全知"的第三人存在,足见洪昇情节架构手段之精微、状物描人技巧之高妙。除李杨感天动地的帝妃恋情之外,洪昇还以极其精审的笔墨于朝代更迭的危亡之际塑造了大批足以"感金石,回天地。昭白日,垂青史"的忠臣子孝群象。譬如,良将郭子仪甫一出场便先以念白表露心怀大志、效力朝廷:"壮怀磊落有谁知,一剑防身且自随。整顿乾坤济时了,那回方表是男儿。"获知外戚擅权、公卿奉迎时嫉恶如仇、怒火中烧,出任天德军使受命重整乾坤时高唱"纵有妖氛孽蛊,少不得肩担日月,手把大唐扶"、壮心不已,出任朔方节度使受命担负收京重任时更表"誓当扫清群寇,收复两京,再造唐家社稷"的壮怀、夺人耳目,特定场景、特定言行尽显赤胆忠臣、股肱良将的赫赫威名。又如,"梨园乐工雷海青,身份卑微几近于奴,"却笃定"那惜伶工一条命"的必死之心、于安禄山称帝的凝碧池盛宴上愤而骂贼,怒骂贰臣摇尾乞怜的恬不知耻、直斥安贼"兽心假人面"、并欲"将贼臣碎首

---

① 参见胡世厚:《绝代佳人的颂歌——论洪昇〈长生殿〉中的杨玉环》,《河南社会科学》2012 年第 4 期。

报开元",其忠肝义胆的血性更弥足珍贵、震撼人心。再如,李龟年、永新、念奴等一干宫中旧人,前者虽以琵琶唱曲勉强糊口,却于"唱不尽兴亡梦幻,弹不尽悲伤感叹"的唱词中盛满故国之思,后二者昔为宫女今入道,却身在化外心念旧主,思及"名花无恙,倾国佳人,先归黄壤"而"泪如泉,哭声放",其情真意切了然纸上。更如,民间乡野老汉郭从谨,竟以一介布衣当面直陈帝王之失,肝胆之心历历可见。通览洪昇《长生殿》,类如郭从谨、念奴、永新、李龟年、雷海青等戏份较少、地位卑微的次要人物不胜枚举,有论者统计称"占到文本角色的四分之三",[①]这些人物尽管戏份很少,但却各有个性,或如奸诈妄为的杨国忠、跋扈狡黠的安禄山、忠正刚直的郭子仪、威武不屈的雷海青、故国情深的李龟年、念主情切的永新和念奴、从容练达的郭从谨等,无一不令人难以忘怀。洪昇《长生殿》意象之美正是由上述人物塑造等物象层面的营构直观地扑面而来的。

　　洪昇《长生殿》的意象之美也在其因事成象的事象之美,其事象之美是通过"搬演古人事,出入鬼门道"[②]的故事意象创构呈现的。编事为剧乃戏曲的一般法则,此间有双重蕴涵:一是若无事件,即无戏曲;二是事件的展示必须借助具体的戏曲动作直接呈现,构成流动的审美意象。诚如明人孟称舜所言:"迨夫曲之危妙,极古今之好丑、贵贱、离合、死生,因事以造型,随物而赋象中。"[③]"事象"的展示才是戏曲动作的主要依据和艺术目标。戏曲必须要展示故事,舍"故事"因素而仅有"歌舞"表演必不足以称戏曲,也谈不上戏曲意象创构。对此,李渔曾一再强调"结构第一"、

---

　　① 参见胡楠芳:《试论〈长生殿〉他者叙事之小人物研究》,《青年文学家》2013 年第 23 期。

　　② 按:见清人焦循《剧说》卷一"丹邱先生论曲"条:"苏东坡诗有云:'搬演古人事,出入鬼门道。'"明人朱权《太和正音谱·词林须知》称:"构肆中戏房出入之所,谓之'鬼门道'。'鬼'者,其所扮者皆已往昔人,出入于此,故云'鬼门'。愚俗无知,因置鼓于门,讹唤为'鼓门道'。后又讹而为'古',皆非也。东坡诗云:'搬演古人事,出入鬼门道',正谓此也。"

　　③ 参见孟称舜:《古今名剧合选·序》,刊于明崇祯六年(1633),原刻本今藏上海图书馆,《古本戏曲丛刊》第四集据以影印。

"一人一事"的戏曲法则;①王国维亦有明断:"(戏曲)必合言语、动作、歌唱,以演一故事,而后戏剧之意义始全。"②吴梅亦基于此提出"事实"、"文字"、"音律"的戏曲评论三原则。③ 孟、李、王、吴四人所论均直指戏曲意象创构中"事象"的重要性。

纵览中国戏曲史可知,自唐宋迄清,无论是佛教"俗讲"还是民间"评书"、"说话"乃至傀儡和影戏,多取材于历史演绎和民间传说等故旧之事、"已成之事";受其影响,中国古典戏曲也多从历代稗官野史、传记文学、鼓词话本、通俗小说等故事中取材。换句话说,戏曲意象绝不仅止于静态的情景物象,也绝不仅限于生动的人物形象塑造,更是在戏曲艺术独特性舞台表现中所呈现出来的意趣之象、世态之象,即前文所谓之"事象";戏曲意象的创构绝不仅止于纯粹的抒情写意,也绝不仅止于简单的象征或隐喻,更是通过各种社会人生故事的演述及其在与观众的接受交流中呈现出一种具有独特时空品格与艺术旨趣的审美意象。据此,可以说,戏曲意象的营构与审美不仅关乎演员的活生生的舞台形象的创造,关乎演员的唱念做打及场面等表演技巧手段,更关涉到具体而微的剧情演绎与情境展示,关涉到受众对此情此景的领悟体会与审美体验。具体到《长生殿》而言,其事象之美便是通过对李杨帝妃旷世之恋等故事情节的相继演述而逐步延展的。有关李杨帝妃恋情故事的作品自中唐以降便于文坛梨园绵延不绝、常盛不休,白居易《长恨歌》、白朴《梧桐雨》等具为佳作。洪昇《长生殿》较之此类前代作品,体裁、角度、立意却各有不同,承载着彼时社会文化、现实生活和审美情趣的不同。白居易诗歌《长恨歌》以其明白晓畅、通俗易懂而不失高雅意境格调的文学世俗化为"时俗所重",呈现了中晚唐文坛及社会中对"中兴梦"破灭的缅怀与悲愤、对儒释道并存的兼容并蓄思想意趣的融合与追崇、对文学世俗化审美趣味的倡导与实践等代表性的时代审美风尚。白朴杂剧《梧桐雨》则以显露易懂

① 参见李渔:《闲情偶寄》,《中国古代戏曲论著集成》卷7,中国戏剧出版社1982年版。
② 参见王国维:《宋元戏曲考》,东方出版社1996年版。
③ 参见吴梅:《长生殿·跋》,《吴梅戏曲论文集》,中国戏剧出版社1983年版。

的题旨借助李杨旧事解自家心结,展示了彼时丰富多彩的社会生活和人物复杂微妙的精神世界,予人以酣畅淋漓的真切感受,渗透着深切的金元易代、国家兴亡之际的人世沧桑、人生悲凉之感,承载着彼时市民阶层崛起、通俗文学盛行的时代风气与崇尚通俗化趣味的审美风尚。洪昇传奇《长生殿》虽取材与中晚唐以来的《长恨歌》、《马嵬》、《长恨歌传》、《开元天宝遗事》、《杨太真外传》、《唐明皇秋夜梧桐雨》、《唐明皇游月宫》、《唐明皇哭香囊》、《杨太真霓裳怨》、《惊鸿记》、《彩毫记》等一脉相承,却能"荟萃唐人诸说部中事及李、杜、元、白、温、李数家诗句,又刺取古今剧部中繁丽色段以润色之"(焦循《剧说》),将李杨恋情置于明清易代之际广阔的历史背景之中,一面盛赞超越帝妃身份的男女之情,一面彰显历史理性与个人情感的错综纠结,一面深寓"垂戒来世"的文人意图,赋予其"言情"与"言政"及"劝诫"等丰富的内涵,通过曲折、隐晦的借古喻今手段,创构了截然不同的全新的戏曲事象,承载着彼时民族意识兴盛与亡国之痛蔓延的时风,也反映出明末清初曲体日尊、戏曲审美归于雅正、甚至逐步沦为道德说教工具的文人化案头趋势。

洪昇《长生殿》的意象之美还在其演事体象的心象之美,其心象之美是借由演员的场上敷演和观众的知音赏鉴来呈现的。诚然,戏曲意象少不了人物塑造,少不了故事情节。但戏曲之美与其说重在冲突之揭示,毋宁说更重在意象之呈现。因为戏曲之搬演故事虽不能离开冲突,却又绝不以剧情冲突悬念取胜,而是更注重其中所展示的人生万相,寄寓更丰富的人生体验,并显之以具有浓烈情感色彩的舞台意象。冲突之揭示不过是戏曲构造故事的手段,意象之体验方为戏曲演述故事的目的。与此同时,戏曲意象之美除了前述人物形象塑造的物象之美和故事情节的事象之美外,还需有心象之美。戏曲的"故事"展示又并不主要通过"讲述"往往通过"歌舞"的具体化"表演"呈现,所谓"以歌舞演故事",正是此意。故事的情节演进有其独特的构造,这个较好理解;但从表演角度而言,戏曲表演既有生、旦、净、末、丑等不同行当的演员分工,又有演员自身唱念做打之功和手眼身法步之法,各行当的演员需各擅其能、各专其事、相互配合、协作无间,方可成就一台戏;戏曲演出又有其程式,歌舞有程序,声腔有曲牌、板腔,唱念有韵律,做打有套数,美术有定谱,场面有守则,服饰有规制,脸谱有规定,演出更有定式。实际上,戏曲表演是"表现"与"体验"的完美统一。"体验"是戏曲表演中表达剧情的需要,敷演生活事件要求演员必须做到设身处地,获得真情实感;"表现"则是戏曲营造意象的必然,戏曲演员的表演必然要依凭具体的歌舞化和完美的程式化,而非对生活事件的亦步亦趋的摹仿。因此,身怀"四功五法"且注重角色体验的演员们在场上"装龙像龙,装虎像虎"的团团转式的表演便成为戏曲意象呈现的关键,也成为构成戏曲意象之美的"心象"的重要内涵。洪昇《长生殿》心象之美正是通过曲家和演员对生活事件的准确把握和深刻领悟之后的合规中距的敷演——呈现的。洪昇在该剧文本中极善把握主人公李隆基、杨玉环的身份、性格、心理,无论是恣情放纵的唐皇李隆基勾搭虢国夫人引发痴情善妒的贵妃杨玉环忤旨被遣,还是玉环事后登楼洒泪、献发寄情以及善察"圣情"的高力士"从旁参透个中机"、用计"打合鸾凰在一处飞",故事情节的铺陈展开无处不紧扣曲家主体脑内心中所体悟成型的李杨之象,体贴入微、生动传神地呈现出了帝妃独特的心理性格。尽管如此,洪昇《长生殿》所表现的"心象"之美,终究难以离开演员在舞台表演中的呈现。李隆基举手投足间的帝王风度、气质,杨玉环的超世技艺、灵心慧口、机智娇憨与宠妃的骄蛮,均在戏曲演员逼真而不失审美距离地摹写戏中情节、惟妙惟肖而独具戏曲表演形式美德身段、不即不离而暗合社会人群心理的神情之中得以酣畅淋漓地呈现。在《长生殿》注重传神写意的舞台表演中,人,即代表人物形象的演员,是舞台意象的核心,而演员的"手、眼、身、法、步"五法中的"眼",更是舞台表演中的"心象"之门,演员以目传情、声情并茂的演技无疑是舞台"心象"呈现和文本"心象"传达的关键。由此,文本表现与表演体验的完美结合便形成洪昇《长生殿》鲜明的戏曲"美的范式",即心象之美。洪昇《长生殿》心象之美还可从观众审美味象的参与、体验与品味中得到体现。戏曲意象的最终完成并不止步于曲家创构、演员传达,还须借助观众的欣赏。如前所述,戏曲之美并不仅在剧情冲突的构造,更在戏曲意象之展示,而戏曲意象的创构也并不建构于冲突构造层面,却在故事演述层面。因此,戏曲观众的欣赏就不能仅只沉湎于戏曲的故事情节之中,而应通过对故事情节的观赏进一步感受和体验蕴含其中的审美意象。换言之,戏曲欣赏的核心端在对戏曲审美意象的体味上。尽管趣味无高下之别,欣赏却有"外行"、"内行"之分。一般说来,外行的观众通常只能看到演员的形态、仪表、砌末、场景以至故事的大致情节和些微细节,获得某些局部的感性愉悦,或是沉湎于对故事本身的悲欢离合之中,而难以作整体的审视与玩味,更难以进入某种审美的体验与沉思,并不能代表真正的戏曲审美欣赏;内行的观众则常在十分熟稔剧情的基础上对戏曲产生"好戏不厌百回看,屡演不衰滋味鲜"的迷恋,其切入欣赏的角度自由灵活,欣赏的情境极具感染力,或于演员的声、色、艺中摇首拍板、低吟浅唱、反复回味、其乐无穷,或专门摘取表演的关键节点细加品味、于专注剧情之外独好某一口、寻求某种超然的韵味。于"内行"的欣赏者而言,"戏曲意象本质上成为对现实的人情事象的显微或放大,舞台也就成为一种感性的沉醉之所"①。洪昇《长生殿》的屡演不衰、常演常新正得益于懂行的欣赏者们对故事演述中活生生的审美意象的体味与体验,得益于曲家主体、演员媒介、观众客体"创——演——观"三者之间的真切实在的心灵对话与思想交流,得益于曲家主体与演员媒介、舞台表演与观众客体三者之间超越文本与表演本身的融通互见的心象重构。一言以蔽之,洪昇《长生殿》意象之美绝不仅在物象、事象之美,还在心象之美。

　　洪昇《长生殿》意象之美更在其虚实剧场建构的境象之美,其境象之美是透过舞台上下、剧场内外的多维空间建构与曲家演员观众之间心灵对话、思想交流的空灵意境追寻整体呈现。如前所析,戏曲意象所涵括的物象、事象和心象三重内涵,已然昭示了戏曲作为构成艺术剧场的综合型特质。由是观之,戏曲意象的建构已远超故事的代言叙述、矛盾冲突与情境场面的展示层面,必须通过场上敷演及其与观众的审美交流方能得以彻底实现。常规而论,戏曲意象是视听的结合体,戏曲意象创造关涉空

_____

① 施旭升:《中国戏曲审美文化论》,北京广播学院出版社2002年版,第108页。

间造型与时间表现双重因素,视听、时空的有机结合与整体把握须有"剧
场"充当实现这一过程的载体。此处的"剧场"显然具备物理的与多维的
双重特质:物理的剧场为实,是指戏曲演出的物理空间,多指舞台;多维的
剧场则为虚,是指融演剧、演员、乐师、美工、观众等要素于一体,综合了
歌、舞、乐、曲、演、服、妆、创、观等多层面的艺术创造所构成的基于一定物
质空间形式和戏曲表演自身规律法则的虚拟审美空间。《长生殿》运用
中国古典戏曲传统的舞台艺术造型法式成功地营造了一个貌似有限、实
则无垠的审美的空灵之境,其境象之美正是依凭着以演员表演为中心的
歌、舞、乐相融相生的特殊手段与方式的,完美地呈现了曲家主体于剧本
文本之中演述的核心剧情与典型人物形象,集合了诸多具有主体之意、客
体之象、媒介之艺、观者之感的意象符号材料的,诉诸于剧场内外、舞台上
下的曲家主体、演员媒介、观众客体的多维意象的空灵之境的虚实相生之
美。其中,歌、舞、乐的表演是沟通观众与表演、追溯观众与曲家、对应文
本与表演、贯通创作与欣赏、弥合虚实鸿沟、营构境象之美的至为关键的
直观载体、交流媒介和主导因素。《长生殿》之"歌",既延续了《西厢
记》、《梧桐雨》、《汉宫秋》等中国古典爱情名剧抒情色彩浓郁的共性特
点,又承继了明代戏曲曲牌交互、声腔繁富的典型特征,将昆曲、昆腔的独
具特色的声乐体系发挥至极至。明人王骥德曾言:"乐之筐格在曲,而色
泽在唱。"①《长生殿》之"曲"打破了传奇的南曲创作惯例,于剧中大量使
用北曲,南北合套,统一声情。无论是曲牌还是声腔,《长生殿》之"曲"均
直指特定情境中的表意与造型,提供了一种格律或谱式,并企及了前所未
有的高度成就;更为重要的是,《长生殿》之情态与韵味也因演唱者具体
的声情并茂之"歌"而得以完美呈现,恰如李渔所言:"(戏曲须)得其义而
后唱,唱时以精神贯穿其中,务求酷似。若是,则同一唱也,同一曲也,其
转腔、换字之间,别有一种声口;举目回顾之际,另是一副神情。"②惟其如

---

① 参见王骥德:《曲律·论腔调》,《中国古典戏曲论著集成》(第四册),中国戏曲出
版社1959年版。

② 参见李渔:《闲情偶寄·授曲·解明曲意》,《中国古代戏曲论著集成》(卷7),中
国戏剧出版社1982年版。

此,方能穷形尽相。譬如《闻铃》中一曲《武陵花》,①虽曲优词美,但剧中语词所蕴涵的深情意绪却极难传达,而舞台上的优秀演唱者却能以非凡的唱功将其表现得"缠绵哀怨,一往而情深",歌尽了杨玉环死后李隆基对她的思恋,令人产生审美共鸣、闻之动容、潸然泪下。《长生殿》之"舞",不仅善于借助优秀演员在一定节奏中的形体动作指事造型、表情达意,更注重汲取手势语、体态语等大量变形夸张的生活动作或装饰性动作创造出高度程式化的指法、台步、身段、表情等戏曲舞蹈语汇,极尽营造情境、抒情叙事、展示情节之能事。这些颇具难度指数的戏曲舞蹈表演技巧一方面营构了特定情境中的戏剧场面、烘托了气氛;一方面又与曲辞相配合直接呈现了具体的戏剧动作,使之不仅因其颇具舞蹈性、观赏性的技巧表演而具备相对独立的观赏价值,而且因其被巧妙地融合于具体剧情之中而显示出戏曲舞蹈所特有的丰富的指事造型功能,成为表情达意的有效手段。可以说,《长生殿》之"舞"正是在舞台音乐的配合下,运用服饰、冠靴、兵器及相关道具强化舞蹈表达意象的效果,人动景现、人走景迁,人物、场景、事件均在美化的程序中一一呈现,人间世态万象也于千锤百炼的舞蹈身段、高难度的舞台动作中逐次毕现。《长生殿》之"乐",即器乐、场面,堪称该剧戏曲意象呈现的总指挥,为其场景转换、时空流动、场次连接等提供连贯的整体氛围和鲜明的节奏筋骨,也为观众形成完整丰富的意象体验提供必不可少的气氛渲染和情感强化。《长生殿》之"乐"分文武,文以胡琴、二胡、三弦月琴、笛、唢呐等管弦乐为主,武以鼓、板、钹等打击乐为主,文武场面随人物活动、剧情发展、情感起伏的需要交替相间,尤以鼓板为其"筋骨"。由是观之,《长生殿》境象之美,既在如齐如山所言"有声必歌,无动不舞"之舞台表演,亦在如钱穆所称"把人生事象来绘画化、舞蹈化与音

① 《闻铃》出中[武陵花]唱词:"渐渐零零,一片凄然心暗惊。遥听隔山隔树,战合风雨,高响低鸣。一点一滴又一声,一点一滴又一声,和愁人血泪交相进。对这伤情处,转自忆荒茔。白杨萧瑟雨纵横,此际孤魂凄冷,鬼火光寒、草间湿乱萤。只悔仓皇负了卿!负了卿!我独在人间,委实的不愿生。语娉婷,相将早晚伴幽冥。一恸空山寂,铃声相应,阁道峻嶒,似我回肠恨怎平?"

乐化"之艺术抽象,①端在其歌、舞、乐相配相融而形成的集综合性、虚拟性、程式性为一体的歌舞化体式之中。

综上所述,洪昇《长生殿》所创构的意象之美,既有人物塑造的物象,又有故事情节的事象,既含演事体象的心象,又含剧场建构的境象;其意象创构不仅作为"按照美的规律来建造"的产品存在于剧场各要素的有机统一体中,维系着戏曲艺术三度创造,而且作为观众欣赏接受与品味的对象,显示出戏曲审美的特殊方式和效能。

三、洪昇《长生殿》叙事艺术之美

戏曲作为中国古典叙事文学的重要形式之一,其结构模式、情节设置、叙述语言、叙事效果等叙事艺术在数百年的发展中日渐成熟,降及清代,更臻至新的高度。南洪北孔的《长生殿》与《桃花扇》的叙事艺术成就是其标志性代表。通常来讲,中国古典的经典戏曲往往既有着文本表层的结构展示、情节线索、语言技巧、艺术效果等客观规律和本体特性,又有着意象创构、意象呈现、意象传达、意象审美的深层通约性和历史文化逻辑,呈现出与西方叙事模式迥然不同的东方古典之美。然而,纵览洪昇《长生殿》三百余年的研究史,较之洪昇其人其事研究、《长生殿》主旨思想研究、版本刊本研究、曲谱声律研究、李杨恋情研究、艺术成就研究等板块,学界关于洪昇《长生殿》叙事艺术的研究显得相对冷寂,关涉其叙事艺术的研究论文不过数十篇,成果主要集中于对其叙事结构三个方面的探讨:一是袁世硕②、董每戡③等人在品评《长生殿》后半部时兼及其叙事结构,立足点尚未脱离对主旨探讨的依附;二是有关学者在论及《长生殿》艺术成就时述及其叙事结构技巧,分涉双线结构、关目取舍安排、舞台表演性及悬念、停顿等叙事技巧分析;三

---

① 钱穆:《中国京剧中之文学意味》,《中国文学讲演集》,巴蜀书社 1987 年版,第124 页。

② 参见袁世硕:《试论洪昇剧作〈长生殿〉》,《文史哲》1954 年第 9 期。

③ 参见董每戡:《五大名剧论》(下),人民文学出版社 1984 年版。

是石育良①、侯斌②等部分学者对《长生殿》叙事结构的专门研究论文,前者借助西方结构主义理论,后者着眼于中国传统叙事理论中的意象之说。此外,另有少量关于其叙事语言方面的论述。因此,对《长生殿》的叙事研究尚待深入。总体而言,洪昇《长生殿》承继古典戏曲叙事传统,借助剧中人即叙事者之口,代人立言,在叙事角度、叙事时间、叙事逻辑、角色模式、叙事结构、叙事修辞、叙事情境、叙事语言等诸多要件的情节推演中,创拓出前所未见的独特叙事成就,至少突出表现在叙事结构、曲白语言两个层面。

　　洪昇《长生殿》的叙事成就首先体现在叙事结构上。结构作为思想内容与作品主旨的有效载体,不仅具有传情达意的媒介的形式意味,更承载着作者主体对题材素材的理解把握与安排处理的主观意图,本身就具有某种纯然的审美意味。从这个意义上讲,《长生殿》叙事结构之美,堪称作者审美意识的重要媒介。《长生殿》叙事结构主要体现为开放式结构和双线结构两种类型之美。一般说来,戏剧结构布局通常分为开放式③、展览式④、锁闭式⑤三类,其中,开放式结构较为符合戏曲舞台表现与观众剧场欣赏的规律,所以,中国古典戏曲通常采用开放式结构。《长生殿》"开放式"结构的叙事之美主要体现在表层文本情节与深层类型规则两个层面。前者为表层文本情节,主要指对作品内容、题材、时间、地点、人物、行动、事件、关联等的处置;后者为深层类型规则,主要指"隐在于文本结构背后而又超越于文本结构的深层类型和规则文化积淀而成的

---

①　参见石育良:《生命的悲歌——论〈长生殿〉的深层情感内涵》,《文史哲》1992 年第 2 期。

②　参见侯斌:《〈李尔王〉与〈长生殿〉之情节结构比较》,《东北农业大学学报》2004 年第 4 期。

③　按:"开放式",一般人物较多,剧情展开时间较长,场景富于变化,情节更为丰富、曲折;其剧情总是按故事发生、发展、高潮、结局的自然时间顺序展开,极少回叙成分,能够让观众非常方便地从头至尾原原本本地了解剧情的自然发展过程。

④　按:"展览式",是以片断方式展示众多的人物形象和社会风貌。

⑤　按:"锁闭式"又称"回顾式",出场人物较少,剧情展开时间、地点高度集中,基本符合"三一律"(时间、地点、情节一致)原则,剧情从临近高潮的地方开始,以前的事用回叙的手法融合到剧情发展之中。

心理形式,是叙事文本的深层通约性所在。"①从表层文本情节而论,洪昇
《长生殿》借由剧情发展时序、上下分卷结构、多元结构技巧和场景砌末
变化呈现李杨恋情的发生、发展、高潮和结局,表现帝妃超凡之恋与家国
兴亡之叹。通览《长生殿》文本可知,唐皇李隆基与贵妃杨玉环的恋情乃
是全剧的主线,长达五十出的剧本全部据此展开,并以《埋玉》即玉环之
死为界分出上、下两本,各二十五出,上本写其生前之爱,下本写其死后之
思。前三出为帝妃恋情之发生,其中,第一出《传概》更兼具导论性质,明
示全剧主旨:"借太真外传谱新词,情而已。"②第二出《定情》则分述唐皇
李隆基因开元政绩拟懈怠享乐、杨玉环被封贵妃获赠金钗钿盒、二人定
情。李杨爱情故事由此生发。第四出至第二十二出为帝妃恋情之发展。
此部分从第四出《春睡》极状结定"钿盒情缘"后李杨感情如胶似漆的蜜
月期,进入《禊游》、《傍讶》、《幸恩》、《献发》、《复召》等出李隆基因移情
梅妃与虢国夫人的左顾右盼、心猿意马而与杨玉环生隙的波折期,再到
《闻乐》、《制谱》、《舞盘》等出对玉环得以重获帝王恩宠的才艺的尽情展
示,《夜怨》、《絮阁》对李隆基多情而又钟情的详细描摹,并由此水到渠成
地引出《密誓》一出中二人情感高潮:"七夕节对双星盟誓,情重恩深,愿
世世生生,共为夫妇,永不相离,"③是为李杨爱情故事的发展。此后至第
二十五出为帝妃恋情之高潮,亦即全剧情节的高潮期。正当帝妃双双深
陷爱河无法自拔之际,政治危机也由《贿权》、《权哄》、《合围》、《侦报》等
出日渐加剧,甚至到了一触即发、无法收拾的地步,及至《陷关》、《惊变》
等出,危机更突然爆发,帝妃二人不得不由浓情蜜意中惊醒、并于幸蜀途
中突发的马嵬事变中造成玉环自缢、阴阳两隔的局面,帝妃恋情貌似戛然
而止、剧本冲突高度集中凸显,是为李杨爱情的高潮期。下本后二十五出
为帝妃恋情之结局。洪昇并未因玉环之死而令李杨帝妃之恋就此止步,
亦未如常规曲家一般就此将剧情停滞,而是巧妙借用"玉妃归蓬莱仙院、

---

① 张开焱:《文化与叙事》,中国三峡出版社1994年版,第5页。
② 洪昇著,徐朔方校注:《长生殿》,人民文学出版社1986年版,第1页。
③ 洪昇著,徐朔方校注:《长生殿》,人民文学出版社1986年版,第120页。

明皇游月宫之说"①,在下卷《闻铃》、《情悔》、《哭像》、《神诉》、《见月》、《改葬》、《雨梦》、《觅魂》、《补恨》等过半篇幅极状二人生死离别之痛,让阴阳两隔的恋人反省自己的人生,借其痛彻心扉的悔过消解仇恨、激发同情,以此继续延展剧作,生发二人人鬼、人仙之恋,并在结尾以李杨二人在双星和杨通幽的帮助下"直作天宫并蒂莲"的月宫相会、重圆旧梦的情感释放和《刺逆》、《收京》二出对政治危机的缓解,点缀出中国古代戏曲经典的大团圆结局。

在有关《长生殿》叙事结构的诸多研究中,对其下半部结构的探讨是非常集中的争议焦点。许可、董每戡、郭英德、袁世硕等诸多研究者均以为后半部分几乎可谓败笔。譬如,许可以为《长生殿》前二十五出已十分完整,月宫团圆之举违背"民意"和"悲剧精神",李杨"悔过"不足以化解前后部分之矛盾,后半部在结构上实属"完全失败";②董每戡则以为帝妃"生死不渝"、"钗盒情缘"均为不可能发生的虚假存在,《长生殿》结局团圆设置俗套,后半部多余拖沓,当自《私祭》或《弹词》腰斩,方"才庶几不愧为一代名作";③郭英德更力挺董氏之论,认为《长生殿》染有自明中叶以降传奇作品为求均衡而"或突添枝叶,或无理武断"等强行设置无用关目的弊病:"(《长生殿》)为使下卷与上卷对称,洪昇首先不得不致力于人生空幻的渲染,极写唐明皇与杨贵妃之间的怀念,安排了《冥追》、《闻铃》、《情悔》、《哭像》、《尸解》、《仙忆》、《见月》、《雨梦》、《补恨》、《得信》等主要出目,又在其间插入《神诉》、《觅魂》、《寄情》等以贯串情节。其次,洪昇又着意于借事抒情,抒发黍离之悲,敷衍了《献饭》、《骂贼》、《看袜》、《私祭》、《弹词》等出。不过这样还是不能和上半本的二十五出对称,于是洪昇又迫不得已地加入《剿寇》、《刺逆》、《收京》、《驿备》、《改葬》等记叙性的场子。这样一来,整个下半本难免冗杂散漫。"④袁世硕也认为《长生殿》后半部全然为"随心所欲"、"脱离现实"的支配人物、虚构

---

① 洪昇著,徐朔方校注:《长生殿》,人民文学出版社 1986 年版,第 1 页。
② 参见许可:《论〈长生殿〉》,《文学评论》1962 年第 2 期。
③ 董每戡:《五大名剧论》(下),人民文学出版社 1984 年版,第 443 页。
④ 郭英德:《明清传奇史》,江苏古籍出版社 2001 年版,第 462 页。

情节,是以"主观臆想"替代"客观现实",且认为李杨月宫团圆的结局"含有毒素",极大掩盖和损伤了该剧的"现实主义精神",前后结构极"不协调"。① 这些评论基于一个共通的逻辑起点,即对言情观的否定和对言政观的肯定,其产生无疑是有其特定的历史背景的,但却并不全然符合《长生殿》文本叙事结构的真相。诚然,《长生殿》下半部的确存在如袁世硕所言之言情过多、相对散漫、不够紧实的结构弊病,但却绝非如许可所言之全然无用之举。洪昇《长生殿》下半部实为曲家基于《长恨歌》、《梧桐雨》的继承与改编,符合作者对该剧主旨的呈现需求。如前所述,该剧前半部为观众展示了帝妃恋情的发生、发展与高潮,若如董每戡或郭英德所言就此腰斩,则与《梧桐雨》无异,无法显示出阴阳两隔的帝妃二人因自省悔过得到人神谅解与同情而终于仙界幻域再续前缘的结局,由此可见,《闻铃》、《情悔》、《神诉》等出并非如郭英德所言"迫不得已"、勉为其难地凑数之举,而是具有其特定蕴涵与特殊功用的曲家主体创作的自觉之举,更是符合"借太真外传谱新词,情而已"的曲家之意的合理选择。洪昇《长生殿》上下分卷之举貌似结构断裂,实则比对鲜明,艺术效果突出。细览《长生殿》文本即可发现,洪昇在上下卷之间至少埋下了发生场所、人物关系、情感基调、故事结局四个方面的鲜明对比,营造出大开大合、引人入胜的"悲"与"喜"、"真"与"幻"、"虚"与"实"的戏曲冲突与戏曲效果,上下卷、前后部之间共同构成了一个互相依存、互相补充、足以产生独特艺术张力的整体。从深层类型规则而论,洪昇《长生殿》在形式空间、时空意识、深层人物类型、故事情节的历史与文化逻辑、原始意象和意象结构形态等诸方面均带有显著的民族文化色彩,体现出强烈的时代审美风尚。其中,尤以对帝妃恋情中长期存在的"红颜祸水"观念的反驳和对李杨月宫团圆结局中深刻蕴藉的古典戏曲"大团圆"情结的皈依最具突出代表性,共同"指向一些共同的类型与规则"②。对此,曾有研究者做过

---

① 参见袁世硕:《试论洪昇剧作〈长生殿〉》,《文史哲》1954年第9期。

② 张开焱:《文化与叙事》,中国三峡出版社1994年版,第6页。

系统梳理和专篇研究,①颇具参考性,但仍有深入剖辨和进一步掘进的必要。

"红颜祸水"观源自《尚书·牧誓》②和《史记》③所载妲己之论,嗣后更有正史中的西汉吕雉、三国貂蝉、唐杨贵妃、明客氏、清慈禧等例,共同承载着美女误国的潜台词,散播着红颜祸水之论。以今之现代观念视之,这种论调实为"男尊女卑"观念的必然产物,显然失之偏颇。洪昇《长生殿》选取李杨天宝遗事这一历代文人骚客、市井闲人津津乐道的话题,正是要对正史《新唐书·玄宗本纪》所言"女子之祸于人者甚矣"④延续将国祸完全归咎于女子的红颜祸水观念加以澄清和反驳,以突破前代关涉"美女、帝王将相和江山"类型题材作品的庸俗史观与对女性与至情的一贯歧视与压制,此举无疑是洪昇暗合源自明季封建伦理松动、重审女性地位背景下的李贽徐渭等一力鼓噪的女性解放思潮的自觉选择,也展现了明清易代之际文人骚客对整个封建思想文化全面总结时期的自我批判精神。"大团圆"结局更是我国叙事文学中特有的一大奇观,大量出现于宋元以降的古典戏曲小说中。譬如,《窦娥冤》、《清忠谱》、《赵氏孤儿》等著名悲剧剧目就均以大团圆结局,曾有学者将其归为梦圆、仙化、复仇、再生、冥判、敕赐和调和七种"凤尾型"模式,⑤以至于中西方学界一度产生中国戏曲缺乏悲剧精神的误判,足见中国古典戏曲大团圆结局的普遍性。关于戏曲大团圆结局,近人王国维、鲁迅、胡适、朱光潜俱曾立足悲剧精神

---

① 参见郭延礼主编,孙之梅:《中国文学精神》(明清卷),山东教育出版社 2003 年版;曹爱:《〈长生殿〉叙事结构研究》,华中科技大学硕士论文,2008 年。

② 《尚书·牧誓》载:"王曰:古人有言曰,牝鸡司晨,牝鸡之晨,惟家之索。今商王受,惟妇言是用,昏弃厥肆祀弗答,昏弃厥遗王父母弟不迪。乃惟四方之多罪逋逃是崇是长,是信是使,是以为大夫卿士,俾暴虐于百姓,以奸宄于商邑。"

③ 《史记》载:"帝纣资辨捷疾……嬖于妇人,爱妲己,妲己之言是从。于是使师涓作新淫声,北里之舞,靡靡之乐。厚赋税以实鹿台之钱,而盈钜桥之粟。益收狗马奇物,充仞宫室。益广沙丘苑台,多取野兽蜚鸟置其中。慢于鬼神。大聚乐戏于沙丘,以酒为池,县肉为林,使男女倮相逐其间,为长夜之饮。"

④ 《新唐书·玄宗本纪赞》载:"呜呼,女子之祸于人者甚矣!自高祖至于中宗,数十年间再罹女祸,唐祚既绝而复续。中宗不免其身,韦氏遂以灭族。玄宗亲平其乱,可以鉴矣,而又败以女子。"

⑤ 李春林:《大团圆》,国际文化出版公司 1988 年版,第 1 页。

之有无的立场展开过深入研判。王国维将之归为"吾国人之精神在于乐天",故而"无往而不著此乐天之色彩";①鲁迅则进一步将其归咎于国人缺乏正视社会现象的勇气的国民性,视之为文人"自欺欺人"、"互相欺骗"式的眼不见为净的逃避手法;②胡适亦将之作为一种"团圆的迷信"、"说谎的文学"大加批判,直称"中国文学最缺乏的是悲剧观念","乃是中国人思想薄弱的铁证";③朱光潜更以美学家的严肃精神直斥大团圆结局所带来的中国古典戏曲"没有一部可以真正算得悲剧"的危害。④ 上述四人均认为大团圆削弱了悲剧色彩,并不同程度地揭示了大团圆结局在中国戏曲中的普遍存在与中国传统文化、华人民族审美心理间的密切联系。循着前贤的研究理路,可以说,洪昇《长生殿》仙化式大团圆结局实为关涉中国传统文化与中华民族心理积淀的自然选择,是迎合华人日常生活方式和审美习惯的自觉选择。正是表层文本情节和深层类型规则两个层面的上述努力成就了洪昇《长生殿》开放式结构之美。洪昇《长生殿》叙事结构的成就还源自其言情为主、言政为辅的双线结构之美。古典长篇戏曲"双线结构",是与前述开放型结构是紧密联系、并行不悖的一种戏曲结构,是在漫长的中国戏曲发展史中经历了明显的发生、发展、成熟、变化的轨迹,最终形成的覆盖深广、影响巨大的典型结构模式,既有其自身固有的按照时序事序平缓推进剧情、排斥强烈行为冲突等特征和规律,也赋予剧本"内敛叙事为主、开放叙事为辅"⑤的相对稳定的审美属性。诚如研究者所言,较之其他叙事结构,"(双线结构)能在容纳长篇古典戏曲情节容量的同时以清晰的线索避免观众接受上的混乱,在情节容量与戏曲接受间寻得一个协调,它能利用双线间的关系处理突出需要突出的场景、情感,从而突出主题,而双线的交叉对照又始终照顾了剧本的整一双

① 俞晓红:《王国维〈红楼梦评论〉笺说》,中华书局2004年版,第86—92页。
② 鲁迅:《论睁了眼看》,《鲁迅选集》(第二卷),人民文学出版社1983年版,第86—88页。
③ 胡适:《文学进化观念与戏剧改良》,《胡适古典文学研究论集》,上海古籍出版社1988年版,第761页。
④ 朱光潜:《悲剧心理学》,人民文学出版社1983年版,第218页。
⑤ 参见郭英德:《明清传奇戏曲叙事结构的演化》,《求是学刊》2004年第1期。

线结构又特别适合塑造典型的脸谱化人物,易于设置并不断强化悬念,能给舞台演出提供便利。"①《长生殿》对双线结构的运用无疑是成功的,这已是当今学界不争的共识。细读《长生殿》文本可知,洪昇在戏曲创作时主动地以事件本末为叙述线索,将由生旦统领的传统戏曲双线结构替换为帝妃之恋与安史之乱两条显性与隐在的平行线索,两线均涵括大量的人物事件并有完整情节、主题、冲突,组成情事与国事齐头并进、交融错综、交互影响、交相辉映的双线结构,既扩充了全剧的结构容量,又尽显了对重大历史背景舞台效果呈现的结构掌控功力。对此,王永健、董每戡、许卫全、孟繁树的相关论著均有述及,兹不赘述。洪昇《长生殿》双线结构的成功,既源自他对传统古典长篇戏曲结构模式的自主借鉴,又源自戏曲角色制对人物意象创构与情节线索设置的深刻影响;既源自"戏随人走"戏曲特色对舞台时空制约的巨大突破,又源自民间受众对婚恋题材的偏好与文人曲家对家国题材的钟爱,更源自彼时文人化审美趣味与社会化苦境偏好的时尚变迁。

洪昇《长生殿》的叙事成就其次体现在其曲白语言上。话语是叙事理论中最基本的概念之一,关涉视角、方式、时序等诸多叙事元素的安排并触及戏曲舞台演出与剧场交流特性,超越了传统叙事分析囿于文本内容与形式的局限。罗兰·巴特曾谓:"语言是文学的生命,是文学生存的世界。"②黑格尔亦称:"(于戏剧而言,)语言才是唯一的适宜于展示精神的媒介。"③蓝凡更于比较之中打破中西界限,提出"语言是戏剧艺术的第一要素和基本材料"④的论断。可见,语言之于文学、戏剧、戏曲的重要意义已成中西学界的共识。诚如明人王骥德所言之"并曲与白而歌舞登场"⑤和今人黄丽贞所言之"戏曲文本的曲词宾白,不但是构成戏曲篇章

---

① 参见丁芳:《中国古典长篇戏曲中的双线结构研究》,华中师范大学硕士论文,2008 年。

② 罗兰·巴特:《符号学美学·序》,辽宁人民出版社 1987 年版,第 4 页。

③ 黑格尔:《美学》(第三卷下册),商务印书馆 1981 年版,第 276 页。

④ 蓝凡:《中西戏剧比较论》,学林出版社 2008 年版,第 414 页。

⑤ 王骥德:《曲律》,载《中国古代戏曲论著集成》(卷四),中国戏剧出版社 1982 年版,第 150 页。

的基本形式,而且是文学语言的珍贵史料,更具有历史文献的价值"①,中国古典戏曲作为一门表演艺术和语言艺术,其融汇曲词、宾白二者于一有机整体的叙事语言实为剧本创作、情节演进、意象塑造、舞台搬演等戏曲要素的物质载体,更是后世从事戏曲审美研究的重要媒介和主要依据。较之西方戏剧对话为主、力求毕肖的舞台幻觉叙事追求,中国古典戏曲的叙事语言更以其以唱为主、直接交流的特有话语模式和超越舞台时空局限的广阔话语视野,形成足与西方戏剧话语对峙的极具东方曲美的古典戏曲话语模式。在中国古典戏曲丰富多彩的语言特色中,曲白相生堪称其最为鲜明的特质。纵览中国古典戏曲史,杂剧、传奇并生,南戏、花部竞艳,或如四折一楔子的元杂剧般短小精悍,或如动辄四五十出的明清传奇般洋洋洒洒,或如宋元南戏般以曲词为核心,或如清代花部戏曲般以宾白占主导,但无论戏曲样式何等多元,无论戏曲风格何等迥异,无论功能主次何等占比,无论篇幅繁简何等有别,均未曾脱逸于中国古典戏曲曲白相生之范畴。中国古典戏曲发展到清代,其曲白相生的语言艺术更近乎纯熟、臻于巅峰。洪昇《长生殿》尤因"曲"见胜,以其"宾白科目,具入元人阃奥"(清人王晫语)②的宾白特色成就了中国古典戏曲史上曲白语言成就的一个高峰,无愧于其"曲中巨擘"之誉。对此,《长生殿》甫一面世,清人汪熷即誉之"声传水际,渊鱼听而耸鳞;响遏云端,皋禽闻而振羽。曲调之工,畴能方驾"③、吴舒凫亦称"其词之工,与《西厢》《琵琶》相掩映矣""昉思句精字严,罔不协叶。爱文者喜其词,知音者赏其律"④、徐麟则谓之"直可并驾仁甫(白朴),俯视赤水(屠隆)"⑤;近人吴梅直称其"词句采藻,直入元人之堂奥,所作北词不在关、马、郑、白之下"⑥,盛赞其"集

① 黄丽贞:《中国戏曲的语言艺术》,暨南大学出版社 2010 年版,第 10 页。
② 蔡毅:《中国古典戏曲序跋汇编》,齐鲁书社 1989 年版,第 1593 页。
③ 蔡毅:《中国古典戏曲序跋汇编》,齐鲁书社 1989 年版,第 1580 页。
④ 蔡毅:《中国古典戏曲序跋汇编》,齐鲁书社 1989 年版,第 1582 页。
⑤ 蔡毅:《中国古典戏曲序跋汇编》,齐鲁书社 1989 年版,第 1583 页。
⑥ 吴梅:《顾曲麈谈》,载《吴梅戏曲论文集》,中国戏剧出版社 1983 年版,第 112—113 页。

古今耐唱耐做之曲于一传中"①的语言成就,王季烈更称其乃"古今传奇"中"词采、结构、排场并胜,而又宫调合律,宾白工整,众美悉具,一无可议者"②;逮至新中国成立以后,曾永义称其"文词之美妙,实不能以'绮丽'或'清秀'囿之"、"笔意所至,俱能出神入化"③,王永健则在厚重的文本分析基础上以"既典雅妩媚,婀娜多姿,又优美传神,扣人心弦"总括其语言特色④,余如顾兆琳⑤、张哲⑥等人均对洪昇《长生殿》曲白语言予以穷究详探、深入阐扬。细品《长生殿》文本可知,洪昇在该剧曲白上的语言成就无出曲词之崇雅、宾白之辅助、曲白之和谐三个方面。曲词,顾名思义,有"曲"有"词",涵括表演呈现之曲律和情节呈现之文辞及二者有效融汇之结合三层内涵。诚如刘奇玉所言:"戏曲是一种以曲为本位的综合性艺术,一种独具情节结构和音乐结构的复合体,这种双重构成的结合点是曲词。"⑦对此,黄玉贞也说得明白:"戏曲剧本本是以音律声调为经,以曲词文章为纬的'音乐文学';曲是合声谱和曲词语言的总称。"⑧可见,曲词既指故事情节结构之文辞即"词",又是舞台音乐呈现之曲律即"曲",更是无缝勾连中国古典戏曲故事情节结构与舞台音乐呈现即"词"、"曲"二者的重要载体和有效媒介。整体而言,《长生殿》之所以被近人吴梅誉为"尽善尽美,传奇家可谓集大成矣"⑨的"曲中巨擘",端在其曲词的大量运用、曲律的丰富多元、集曲与南北合套的活用上。仅从数量论之,据统计,《长生殿》全剧 50 出共用曲词 394 支,单出用曲词

---

① 吴梅:《中国戏曲概论》,载《吴梅戏曲论文集》,中国戏剧出版社 1983 年版,第 177 页。

② 王季烈:《螾庐曲谈》,商务印书馆 1928 年版,第 184 页。

③ 曾永义:《中国古典戏曲论集》,台湾经联出版事业公司 1975 年版,第 266 页。

④ 王永健:《洪昇和长生殿》,上海古籍出版社 1982 年版,第 91 页。

⑤ 参见顾兆琳:《昆曲唱腔的音乐特征——谈全本〈长生殿〉的曲》,《戏曲艺术》2009 年第 4 期。

⑥ 参见张哲:《〈长生殿〉与〈桃花扇〉语言比较研究》,集美大学硕士论文,2011 年。

⑦ 刘奇玉:《古代戏曲创作理论与批评》,中国社会科学出版社 2010 年版,第 238 页。

⑧ 黄丽贞:《中国戏曲的语言艺术》,暨南大学出版社 2010 年版,第 8 页。

⑨ 吴梅:《中国戏曲概论》,《吴梅戏曲论文集》,中国戏剧出版社 1983 年版,第 181 页。

超 10 支者达 16 出,占全剧篇幅近三成,《密誓》、《重圆》两出用曲最富、更均,达 19 支之多,足见《长生殿》用曲之丰富;《长生殿》在宫调与曲牌运用上亦十分丰富,全剧共用分属 12 个宫调的 270 余种曲牌,曲律之丰富多元罕有能与之相匹者;《长生殿》在曲的艺术表现方面上也灵活运用了包括"集曲"、"南曲"、"北曲"、"南北套曲"在内的多种形式,全剧共运用"集曲"43 支、"南北套曲"3 出。

综上可见,洪昇《长生殿》曲词之美,主要即在其以曲词结构全剧、并在曲律和曲式多元多样上集大成式的崇雅艺术追求上。分而论之,《长生殿》之"曲"学成就,可从其宫调、曲牌等曲谱曲律层面约略稽考;《长生殿》之"词"学成就,可从形、声、情等文学剧诗层面大略观之。据前引黄玉贞的说法,"曲"之研究必不能跨越曲谱即宫调与曲牌一环,它们是戏曲填词的尺度。宫调之于戏曲曲律的功用和地位,清人李渔早已述及:"从来词曲之旨,首严宫调。"(《闲情偶寄·音律第三》)近人吴梅亦称:"宫调者,所以限定乐器管色之高低也。"①中国古典戏曲的创作往往以"曲牌联套"模式呈现。基于这一传统,洪昇《长生殿》每出均详标所选宫调,全剧 50 出共用 12 种宫调,②且常出于明确的艺术表现意图于一出之内主动地频繁移宫换调。③ 中国古典戏曲理论中历来有"宫调声情说",元季《中原音韵》④、

---

① 吴梅:《顾曲麈谈》,《吴梅戏曲论文集》,中国戏剧出版社 1983 年版,第 7 页。

② 按:《长生殿》所用 12 种宫调均源自《中原音韵》所列"六宫十一调",分别是:仙吕宫、南吕宫、中吕宫、黄钟宫、正宫、道宫、越调、大石调、高平调、般涉调、双调和商调。

③ 按:《长生殿》有二十六出戏使用了两种或以上的宫调,尤以第五十出《重圆》"换调"最为频繁,一出戏内使用了双调、仙吕入双调、高平、黄钟等 4 种不同宫调;第二十二出《密誓》,首尾用[越调]之曲表现仙界牛郎织女的鹊桥相会,中间换用[商调]叙述人间李杨的七夕盟誓,不同人物便还他不同声口,使戏曲情境、人物性格与音乐节奏有机结合,达到相辅相成的表现效果。

④ 按:元代《中原音韵》对"六宫十一调"所表现的情感早有归类:"仙吕调清新绵邈,南吕宫感叹伤悲,中吕宫高下闪赚,黄锺宫富贵缠绵,正宫惆怅雄壮,道宫飘逸清幽,大石风流酝籍,小石旖旎妩媚,高平条物滉漾,般涉拾掇坑堑,歇指急并虚歇,商角悲伤宛转,双调健捷激袅,商调凄怆怨慕,角调呜咽悠扬,宫调典雅沉重,越调陶写冷笑。"(周德清:《中原音韵》,《中国古代戏曲论著集成》卷 1,中国戏剧出版社 1982 年版,第 231 页。)

明人王骥德①、近人吴梅②等均对此有过详细研讨,上述诸家之论均将宫调与声情间的密切关联视为曲家约定俗成之法,亦充分表明历代曲家对宫调作为曲牌统领和倚声填词基础地位的一致认同。洪昇《长生殿》昆腔音乐之"曲"学成就源自其"宫调谐和,谱法修整"③宫调的成功运用。王季烈曾指出洪昇《长生殿》宫调"绝不重复"、且宫调选择与角色分配及剧情设置均"务使离合悲欢,错综参伍"。④ 细览《长生殿》全剧各出戏的宫调选择,可知王氏所言不欺。譬如,[仙吕]是《长生殿》使用频率最高的宫调,《舞盘》、《重圆》等出对此调的选用为全剧奠定了李杨帝妃之恋"清新绵邈"的情感基调;《弹词》至《仙忆》三出对[南吕]宫调的连续选用,又尽显该剧"感叹伤悲"的无限伤情;《傍讶》、《埋玉》等出对[中吕]宫调的选用,则道尽"高下闪赚"的曲折哀婉;《定情》一出以[大石调]开场,唐皇"风流蕴藉"之志跃然纸上;《疑谶》一出则以[商调]为郭子仪塑形,"悲伤婉转"之曲描尽忠臣良将痛斥贼臣、痛惋国难的赤诚。每一宫调的选用均与优美典雅的整体曲风相合,尽显曲家对宫调的熟稔和善用宫调、并已臻信手拈来、应用自如化境的深厚功力。洪昇《长生殿》昆腔音乐之"曲"学成就还源自其多元配搭、新意迭出的曲牌运用的成功。曲牌为隶属宫调之下规范曲词格律谱式的最小音乐单位,曲牌的运用一定程度上决定了剧作全本的情绪变化与节奏更迭。如前所述,《长生殿》所用曲牌高达270余种,不仅每出少见重复,而且将北曲、南曲、集曲、南北套曲等交错使用,尤其是集曲与南北合套的活用上,更是不落俗套、新意迭现。对"集曲"⑤的活用是洪昇《长生殿》脱俗创新的重要手段。清人

---

① 按王骥德称:"又用宫调,须称事之悲欢苦乐,如游赏则用仙吕,双调等类,哀怨则用商调、越调等类,以调合情,容易感动得人。"(王骥德:《曲律》,《中国古代戏曲论著集成》卷4,中国戏剧出版社1982年版,第137页。)

② 按:吴梅称:"宫调亦有高下卑亢之异……各宫各调,部署甚严,如卒徒之各有主帅,不得陵越焉。"(吴梅:《曲学通论》,《吴梅戏曲论文集》,中国戏剧出版社1983年版,第265页。)

③ 吴梅:《顾曲麈谈》,《吴梅戏曲论文集》,中国戏剧出版社1983年版,第113页。

④ 王季烈:《螾庐曲谈》,商务印书馆1928年版,第115页。

⑤ 据吴梅所言:"集曲本名犯调,乾隆时修《大成谱》,乃改此名。盖取各曲中一二语,连缀合成一曲,而别立一名。自有此法,而新声乃日出不穷矣。"(吴梅:《曲学通论》,《吴梅戏曲论文集》,中国戏剧出版社1983年版,第292页。)

李渔曾将"集曲"视为"词人好奇嗜巧"之技,以为"变"则"新"、"活",
"不变"则"腐"、"板"①;黄图珌则以"集曲"为"知音者往往为之"以炫技
的最佳手段。②洪昇不愧为老于音律、技艺娴熟的填词者,《长生殿》不仅
集曲创作数量达 46 支之多,还在集曲定名上煞费苦心,更能将所集之曲
与全本剧情融汇一体、了然无痕。譬如,[十样锦]、[九回肠]、[榴花
泣]、[莺簇一金罗]等集曲牌名无不"有伦、有脊"、皆系"不厌其巧"之创
制;第十二出《制谱》先以一曲交代场景,次以贴合荷香藕韵的[新荷叶]
带出[刷子带芙蓉]、[渔灯映芙蓉]、[普天赏芙蓉]、[朱奴折芙蓉]等曲,
使得曲牌不拘为名称,更升格为辉映剧情的有意味的形式。此外,《长生
殿》集曲中的曲与词不仅个个虽名犯调、管色相同、合仄押韵、音韵相谐,
而且处处文理贯通、浑然一体、天衣无缝、无迹可寻。正是这些数量众多、
形式纷繁、自出机杼、创成新调的集曲曲牌的存在,使得《长生殿》曲词具
备了足以俯视他作的艺术感染力。对"南北合套"的活用是洪昇《长生
殿》迭出新意的又一法宝。中国古典戏曲素有南北之别,形成之初的杂
剧和南戏分用北曲和南曲,不得混用;对此,前引明人王骥德《曲律》曾辟
《南北之别》专章论之。及至南戏《小孙屠》始有南北合套之用,并随着昆
山腔的兴盛和南北交流的频繁而愈加成熟。及至《长生殿》出,虽仅于
《絮阁》、《惊变》、《冥追》三出使用,但南北合套之法却被洪昇运用得出
神入化、臻于至境。其中,《絮阁》一出既以[醉花阴]、[梅花酒]、[尾煞]
等七支激越的北曲尽显杨玉环的"情深妒真",反衬李隆基的"二三其
德",复以[画眉序]、[滴溜子]等数支婉转的南曲展现李隆基、高力士、永
新等人面对杨妃之怨时各个不同的独特心境;《惊变》、《冥追》亦以稍加
"变体"的南北合套演唱形式呈现,而其"变体"之由却皆源自剧情搬演之
需和关目设置使然,这种合于律法而又不拘于陈法的形式服从内容的
"变体"更显出曲家手法严密的超凡造诣、严整绵密的曲学功力和出入自

---

① 李渔:《闲情偶寄》,《中国古代戏曲论著集成》(卷 7),中国戏剧出版社 1982 年版,
第 76 页。

② 黄图珌:《看山阁闲笔》,载《中国古代戏曲论著集成》(卷 7),中国戏剧出版社
1982 年版,第 142 页。

如的通达之处。洪昇《长生殿》"词"学成就在其丽辞之"形"、婉转之
"声"、真挚之"情"的剧诗之美,暗合刘勰《文心雕龙》所言之"形、声、情"
三位一体的"立文之道",堪称形神兼备、尽善尽美,"深得风人之旨"。
《长生殿》文词极善用典、化诗入曲、喜为骈句,故能格式纷繁、形态各异、
骈俪工整、典雅清新,成就"丽辞之形",清人焦循誉之"为近代曲家第
一"①;《长生殿》声韵平仄错落、叠字频出、尤重声文之和,故能抑扬铿
锵、错落有致、回环往复、朗朗上口,成就"婉转之声",成就洪昇自傲的
"审音协律,无一字不慎也"的填词典范;《长生殿》服膺"从来传奇家非言
情之文,不能擅场""专为钗合情缘""义取崇雅,情在写真"的创作理念、
思路和理想,曲词皆"情文",为显独尊至情的内核,既有俗化的直抒胸臆
之词,甚至不惜直白地重复使用"情"字加以反复强化,酣畅淋漓,也有雅
化的寄情于景之语,景随情之、情由景生、避言心声而处处见情,含蓄蕴
藉,雅俗殊途而同归于真挚之情。综上,洪昇《长生殿》曲词之美端在其
源自崇雅审美追求的和谐完善、文质彬彬、尽善尽美。较之曲词,《长生
殿》的宾白之美则是在中国古典戏曲传统的曲本位观念之下、处于作为
曲词的补充与串联之用的附庸地位的,其曲白相生的特质之美也从属于
这一理念,兹不赘述。

四、洪昇《长生殿》民族思维特质

　　洪昇《长生殿》在创作与搬演两个层面无疑都取得了巨大成功。以
今之视角察之,当知这种成功,既源自创作主体洪昇的个人禀赋与后天努
力,也源自彼时时代审美风尚的变迁与转向,更与其人所深具的中国传统
文化基因影响和其作所深蕴的中华民族审美思维特质息息相关、密不可
分。因此,运用文艺学、民俗学、宗教学、审美心理学等多元方法,循着创
作、搬演、欣赏、影响诸途,对潜藏于洪昇《长生殿》三百年创演史背后的
时代审美意识、传统文化机理与民族思维特质详加探究,实属《长生殿》

---

① 焦循:《剧说》,《中国古代戏曲论著集成》卷 8,中国戏剧出版社 1982 年版,
第 154 页。

审美意识研究的应有之义和必然之举。

《长生殿》创演的成功首先源自其迎合了时代"闹热"审美趣味的雅俗并举、以雅化俗的创作观，即以文人雅化曲词传达时代俗化趣味。在时人对《长生殿》的诸多评价中，清人梁清标曾以一句"是剧乃一部闹热《牡丹亭》"深得曲家本人认同，①此处的"闹热"显然点破了洪昇所处时代的审美趣味，可谓一语中的。《长生殿》杀青的1688年，满人尚武质朴之风已伴随清廷统治的逐步稳固日渐渗入民间社会，迥异于明人绮靡柔丽的戏曲剧风、缠绵小家的才子佳人之气，清人对至为推崇元人杂剧的质野剧风②和蒙古铁骑的好战杀伐之气。统治阶层审美趣味的转向深刻地影响了彼时社会文化的方方面面，也使得清初戏坛曲苑弥漫着一股对"雅俗共赏"、"能感人"、"趣"的自发追求③和对元人杂剧质朴之气回归的真切渴求之风④，引发了清代戏曲注重满足大众审美心理的转向，尤以李渔的戏曲理论与创演实践为标。"闹热"之"闹"，实为中国传统文化中隶属于小传统的俗文化的一大特色，⑤或如闹洞房、闹别扭，好事、坏事均需"闹"；或如闹元宵、闹花灯，喜庆节日亦需闹。作为俗文化重要门类的戏曲，更与"闹"形影不离：专用词中有闹剧、闹场，演出场面更热闹，无论是否关涉剧情，观众对戏曲中的"热闹"场面从来都是非常欢迎的，更使得演剧效果则非"闹热"莫属。纵观中国古典戏曲发展史，无论是先民原始祭祀的娱神渊源，还是汉唐百戏散乐的娱人近亲，无论是唐代参军戏中

---

① 洪昇：《〈长生殿〉例言》，见吴毓华：《中国古代戏曲序跋集》，中国戏剧出版社1990年版，第394页。
② 按：可从清人将北杂剧四大名家奉为圭臬得见。朱彝尊《静志居诗话》"汤显祖"条目称："义乃填词，妙绝一时，语虽斩新，源实出于关、马、郑、白，其《牡丹亭》曲本，尤极情挚。"（参见朱彝尊：《静志居诗话》，载俞卫民、孙蓉蓉：《历代曲话汇编·清代编》，黄山书社2008年版，第627页。）
③ 黄周星：《制曲枝语》，见俞卫民、孙蓉蓉：《历代曲话汇编·清代编》，黄山书社2008年版，第224—225页。
④ 丁耀亢：《赤松游题词》，见俞卫民、孙蓉蓉：《历代曲话汇编·清代编》，黄山书社2008年版，第91页。
⑤ 按：中国社会大小传统之别由来已久。所谓大传统是由社会少数精英控制的文化传统；所谓小传统则是产生于日常生活，通过口耳相传、互相熏染而自然产生的、借由通俗文化活动得以传播的非文人文化传统。

"参军"、"苍鹘"的愚黠,还是宋金杂剧院本的滑稽讽谏,古典戏曲中处处是群体狂欢的盛宴,"闹热"元素不仅从未缺席,而且保持着旺盛的生命力,足见戏曲"闹热"特质之于中国百姓的魅力。及至元杂剧出现,中国古典戏曲伴随着文人不甘自弃、干预现实、立意高远的戏曲创作而迎来重大发展契机、彻底成熟,既有高台教化的传统剧作,亦有鬼神、水浒、忠烈等民间傩戏,一直影响到清代中期花雅之争,而元杂剧的"杂"、尤其是民间傩戏的"闹热"虽时隔数百年却成为决定清代花雅之争最后走向的重要因素;明代戏曲风格陡变,案头之作更兼场上之曲,文人雅化趋势明显,但却不乏对戏曲"闹热"内容与形式的理论梳理与总结,出现了王骥德于插科打诨的小处称其"亦是戏剧眼目"和吕天成于作剧之法的大处所言"闲处作得热闹"等戏曲观念。迄至清代,洪昇《长生殿》既通过跳出本色与辞采的"汤沈之争",融汇文采与曲律,关注舞台表演实效,实现了台上台下、剧场内外的多重闹热;①也通过对包括"空"、"无"本原思想、淡泊人生观念、自然人生态度、忠孝儒家道德、善恶轮回天道等民间社会世俗观念和文人士子共通心结的内容呈现,实现了对受众狂欢与审美心理需求的满足和对中国世俗文化小传统的激活,较之前代案头之作与场上之曲的创制无疑是重大的突破。对此,近人王季烈、吴梅曾给予中肯的评价。王氏称其"搬演者无劳逸不均之患,观听者觉层出不穷之妙。自来传奇排场之胜,无过于此"②;吴氏则称"昉思"《长生殿》"排场布置""远驾东塘之上"③。王、吴二君不约而同地抽出《长生殿》的"排场"问题,确为对该剧"闹热"特质的深具眼力的明断。今人曾永义更循着王吴之径进一步对该剧"排场"详加探究,④堪称对其"闹热"演出场景难能可贵的

① 参见黄天骥、徐艳琳:《"闹热"的〈牡丹亭〉——论明代传奇的"俗"与"杂"》,《文学遗产》2004 年第 2 期;陈劲松:《"闹热"及其背后的"冷清"——〈长生殿〉研究》,上海师范大学博士论文,2011 年。

② 王季烈:《螾庐曲谈》,见俞为民、孙蓉蓉:《历代曲话汇编·清代编》,黄山书社2008 年版,第 421 页。

③ 吴梅著,江巨荣导读:《顾曲麈谈·中国戏曲概论》,上海古籍出版社 2000 年版,第 187 页。

④ 参见曾永义:《〈长生殿〉研究》,台湾商务印书馆 1980 年版。

还原。如果说洪昇《长生殿》对"闹热"时代审美趣味的主动迎合体现了曲家主体在创作和表演上向受众贴近的艺术自觉,那么,其后艺人们以《长生殿》为艺术水准标杆、对《长生殿》舞台搬演上貌似"俱属荒唐,全无是处"、效果却出乎洪昇本人之料的好的改编与创造,则可视为戏曲本体面向观众集体无意识的"闹热"时代审美趣味时的自我调适。无论是洪昇本人,还是改编者,均由观众的审美心理出发、从或雅或俗两种路径、共同构筑了使得《长生殿》足以产生雅者观其雅、俗者观其俗的雅俗共赏的观众审美体验的艺术生命和永恒魅力。

《长生殿》创演的成功其次源自其承袭了传统儒释道思想的三教合一、以仙化圣的文化观,即以宗教仙化情节呈现现世人化追求。恰如洪昇《长生殿·自序》所言:"第曲终难于奏雅,稍借月宫足成之。要之广寒听曲之时,即游仙上升之日。双星作合,生忉利天,情缘总归虚幻。"《长生殿》作为一部承继前人艺术成果、熔铸曲家主体时代感受和历史认知、承载时代审美趣味与社会主流风尚的优秀艺术作品,既能"荟萃唐人诸说部中事,及李、杜、元、白、温、李数家诗句",又能"刺取古今剧部中繁丽色段以润色之",蕴涵着深厚的民族文化积淀。诚如吴光正所言,《长生殿》的主题和内容蕴含着儒释道三教思想:"下凡历劫,悟道成仙,成仙考验和济世降妖则是道教仙语的四大叙事母题,也是道教仙语的四大核心故事类型。色欲考验与因果报应是佛教佛语的两大叙事母题,也是佛教两大核心故事类型,分别是佛教禁欲思想和果报理论的神语——文字再现。"①在中国传统文化以儒释道三教合一为主的基本框架中,影响洪昇《长生殿》创作最深的当属道教文化。"道教"作为中国本土文化自孕而成的宗教信仰,"是中国母系氏族社会自发的原始宗教在演变过程中,综合进而流传下来的巫术禁忌、鬼神祭祀、民间信仰、神话传说、各类方技术数,以道家黄老之学为旗帜和理论支柱,杂取儒家、墨家、阴阳家、养生家等诸家学说中的自我修养思想、宗教信仰成分和伦理观念,在长生成仙、

---

① 吴光正:《中国古代小说的原型与母题》,社科文献出版社 2002 年版,第 13—14 页。

度世救人进而追求道和真的总目标下神学化、方术化为多层次的宗教体系,它是在汉代特定的历史条件下汲取佛教的宗教形式,逐步发展而成的具有中国传统文化的民众文化特色的宗教。"①文学创作需要一种全无羁绊、自由无待的虚静状态,力求物我交融、天人合一的心灵体验。道教外炼丹药、内炼胎息,以求长生的悟道方式,在一定程度上契合了文学创作需要;同时,道教神仙故事中,神秘莫测的仙境、神通广大的仙人、无所不能的道士、不可思议的法术又为文学提供了大量光彩照人、经久不衰的意象。② 具体到中国古典戏曲而论,王国维曾言:"后世戏剧,当自巫、优二者出","巫以乐神,而优以乐人;巫以歌舞为主,而优以调谑为主;巫为女为之,而优以男为之"。③ 可见,中国古典戏曲的萌生是由原始巫觋的娱神一变为娱人并逐渐从宗教祭礼仪式演变而来的,这就同渊源于古代巫术和鬼魂崇拜的道教在源头上产生了某种程度上的亲缘关系。于是,中国古典戏曲从诞生之初至发展成熟的演进历程便不可避免地受到道教文化的浸润和影响。《长生殿》所受道教文化的影响,至少表现为《长生殿》中所积淀的李杨神仙身份、仙乐《霓裳羽衣曲》、众多神仙灵人、大量道教戒规仪式以及"世事情缘终虚幻,长生殿里得长生"的仙化主题等大量融入游仙内容、强化"虚幻"境界的道教文化元素。其一,洪昇在全剧开篇即已设定的超越现世的神仙身份与现世帝妃身份的李杨双重身份,勾勒出"人世——鬼蜮——仙界"场景下的情节梗概,并以与道教渊源深刻的仙乐《霓裳羽衣曲》作为贯穿全剧始末的背景音乐,使全剧笼罩着浓厚的道教仙话色彩,为情节的次第展开营构了亦真亦幻的梦幻氛围,也为场下观众设置了缥缈神秘的审美场景和想象空间。其二,洪昇在全剧各出中密集营构了"太阴之主"嫦娥、"天孙"织女、"斗牛宫主"牛郎、牛头、夜叉、马嵬坡土地、东岳帝君、二门神等仙神、冥界诸多神灵意象,引入了术士李遐周的谶言、"太阴炼形"之术、羽化登仙、供养牌位、焚烧纸钱和奠

① 牟钟鉴、胡孚琛、王葆弦:《道教通论——兼论道教学说》,齐鲁书社1993年版,第323页。

② 葛兆光:《道教与中国文化》,上海人民出版社1987年版,第387页。

③ 王国维:《宋元戏曲史》,上海古籍出版社1998年版,第4页。

品,乃至招魂、斋醮、祈祷、诵经、礼草、超度、解禳、招魂、筮、圆梦等大量道教戒规和宗教仪式,既赋予全剧浓烈的神秘奇幻色彩,又以瑰丽而缜密的多神教系统为观众留足了比类遐想和情感释放的广阔空间。其三,洪昇《长生殿》对道教神仙意象、虚幻思想的借鉴与化用,既是曲家主体道教逃遁思想倾向的隐性寄寓,又是民间俗世长生、永恒信仰求索的直观表达,更是对彼时人生无常、现世空幻时代情绪的悲情哀鸣。尽管《长生殿》存在着上述道教文化的深刻积淀、极富道教文化意味,但其绝非纯然的神仙道化剧,它的旨向仍在现世人生。月中嫦娥、天界牛女、冥界诸鬼,均不过是曲家借以阐述佛道思想的具体可感的意象载体,皆为李杨帝妃恋情、家国兴亡之感的陪衬与工具。即便如此,《长生殿》中这些神灵意象也都被赋予或如土地虽位卑而古道热肠般的人间烟火气和浓浓的人情味;而释道思想传播中神道设教的道德规范思想亦将古典戏曲传统的高台教化职能巧妙地发挥到极致,成为便于民众接受的传播方式。诚如洪昇自序所言:《长生殿》实为洪昇"借天宝遗事,缀成此剧",目的在"垂戒来世,意即寓焉"。可见,该剧实为一部大唐王朝由盛至衰的历史画卷,人生意识才是贯穿全剧的主旨,堪称《长生殿》审美意识的基调。之所以有此佳构,主要源自洪昇由家学师承处所受的遗民文化思潮影响。洪昇出身钱塘望族,虽其本人并非遗民,然乃父乃叔皆为前朝遗民,与彼时"西泠十子"等钱塘名流交游甚密,故于耳濡目染间深受熏陶影响,尤以毛先舒"物欲格去"、"去欲复性"之说对其影响为巨。① 毛氏之说是对明末文化界或纵情享受多元活泼文化生态或竭力维系传统农耕生活形态两种思想分流与对峙的正面解答,集中体现了明代遗民对亡国之痛的深刻反省。受此影响,洪昇《长生殿》明显寓有彼时文士尤其是明代遗民对晚明士人风习和生活态度的追思与忏悔,②也与《谈往》、《遗事琐谈》、《陶庵梦忆》等清初兴起的"梦忆体"文风息息相关、遥相呼应,承载着中国传统知识分子直面惨淡的人生与冷酷的现实的人文精神和悲情使命。

---

① 参见冷桂军:《毛先舒对洪昇的教诲及对其创作的影响》,《苏州大学学报》2006 年第 6 期。

② 王汎森:《晚明清初思想十论》,复旦大学出版社 2008 年版,第 193—194 页。

《长生殿》创演的成功还源自其凝练了华夏民俗积淀与民间智慧的民族思维观,即以时代累积的多元艺术追求赢得不同观众的审美共鸣。如前所述,《长生殿》甫一面世即在有清一代取得巨大成功,赢得包括清廷帝王、公卿贵族、文人雅士乃至黎民百姓等各类观众的青睐与好评,足见《长生殿》所涵括的审美意识内涵之丰富、所满足的审美期待层次之多元。如此广泛的受众群体间文化素养、审美趣味的差异无疑是巨大的,一般说来,帝室贵胄、文人雅士、普通民众对戏曲的审美欣赏往往因文化素养差异呈现出不同特质,但无论哪一类型的观众,对戏曲的审美欣赏均无法超越对戏曲叙事文体、文本叙事本身、故事情节曲折性、演员舞台艺术表现可观性的审美期待。因此可以说,《长生殿》三百余年的创演成就毋庸置疑地源自其在以时代累积的多元艺术追求赢得不同观众的审美共鸣上。《长生殿》诸多受众可约略分为文人雅士与普通民众两类。一方面,《长生殿》以其对典雅曲词的追求、对音律的执著追求和对历史总结的热衷满足了文人雅士群体的审美诉求;另一方面,《长生殿》又以其时代累积的故事情节、新颖别致的传奇结构新创、打动人心的至情悲美和舞台表演中"闹热"的"机趣"满足了普通民众群体的审美诉求。

先说《长生殿》对文人雅士群体审美趣尚的满足。一是《长生殿》对典雅曲词的追求。迥异于西方话剧,中国古典戏曲语言涵括曲词与宾白两类,常以雅化的生活语言为曲词,而以原汁原味的生活语言为宾白,二者不可倒置淆乱。这一独特的语言艺术堪称中国古典戏曲得以风行宇内的重要法宝。以戏曲宾白论,明人王骥德曾有浅近说明,认为曲之宾白可分定场白与对口白:定场白须稍雅而"不可深晦";对口白须用"各人散语"且"明白简质"。① 尽管如此,戏曲宾白还是有别于日常生活语言的,所谓"散语"仍须经过文人加工提炼。以戏曲曲词论,中国古典戏曲的剧曲实为诗之流变,其雅化程度奇高。时至明清之际,戏曲剧曲更受明代"本色"与"文采"的"汤沈之争"影响而十分重视曲体雅化的追求,甚至

---

① 参见王骥德:《曲律》,《中国古典戏曲论著集成》卷4,中国戏剧出版社1959年版,第140—141页。

出现视曲体为诗体之一种的尊曲之论。《长生殿》显然以其曲词之雅、文采之富受到清季文人雅士群体的一致喜爱与集体追捧。对此,吴舒凫于《长生殿·序》中一面盛赞"其词之工,与《西厢》、《琵琶》相掩映矣",一面以"爱文者喜其词,知音者赏其律"描状时人受众对《长生殿》曲词词采之喜爱;①吴氏之外,另有徐麟、朱襄、王廷谟、容安②等清人纷以序跋或笔记形式极言对《长生殿》典雅文词的钟爱与激赏。实际上,清代文人雅士对《长生殿》等戏曲上品佳作典雅曲词的追崇至少可溯及明人,可谓由来已久,迄清则更甚。尽管包括《长生殿》在内的古典戏曲演出在清季中后叶已由案头之戏与场上之曲的文学性赏鉴逐步转向演员表演为主的观赏性追求,但彼时文人雅士群体在赏剧时却往往仍以曲词为主、崇雅为尚的案头文学赏鉴为宗,而其崇雅趣味的突出表现在其力崇曲词而不重剧事的审美倾向和宁以"诗三百"等诗词为祖而耻言"优孟衣冠"为曲祖的尊体心态。二是《长生殿》对音律的执著追求。曲律优美素为中国古典戏曲表情呈意的重要关窍。一如历代文士对戏曲曲词之雅的独好与尊崇,其对戏曲音律悦耳、旋律优美的典雅之美的喜好亦近乎痴,清代文士不仅亦不例外,反而更甚于前代。实际上,清人于戏曲音律上崇雅的好尚亦渊源久远,以宋人张炎"词以协音为先"③和元人胡祗遹"女乐之百伎,惟唱说焉"④的主张为代表,宋元文人戏曲审美皆趋向对音律之雅的追崇。明人沈璟、潘之恒等人更将对戏曲音律的崇尚高企至无以复加的地步,沈璟以"宁使时人不鉴赏,无使人挠喉捩嗓"的极端之法强调"名为乐府,须教合律依腔"的重要性;嗜曲如命的潘之恒更于其宴游、征逐、征歌、选伎、品胜、品艳、品艺、品剧的赏剧生涯中宣称"知声不知音,不能识

---

① 吴舒凫:《长生殿·序》,蔡毅:《中国古代戏曲序跋汇编》卷3,齐鲁书社1989年版,第1582页。

② 吴舒凫:《长生殿·序》,蔡毅:《中国古代戏曲序跋汇编》卷3,齐鲁书社1989年版,第1583、1587—1590页。

③ 张炎:《词源·音谱》,俞卫民、孙蓉蓉:《历代曲话汇编·清代编》,黄山书社2008年版,第205页。

④ 胡祗遹:《黄氏诗卷序》,俞卫民、孙蓉蓉:《历代曲话汇编·清代编》,黄山书社2008年版,第215页。

曲;知音不知乐,不能宣情"、"故为剧必自调音始"的主张。① 降及清代,
文人雅士对曲律之雅的苛求更远甚于前。有这样的文人雅士群体观剧、
品剧,洪昇对《长生殿》音律之雅的追求自不待言,已达到如临深渊、如临
大敌的严谨异常的地步,态度也端正到要与挚友一同"审协律,无一字不
慎也"。正是基于这种审慎态度,其对《长生殿》音律之雅的效果亦信心
十足到几近于自傲的程度,甚至有"文采不逮临川,而恪守韵调,罔敢少
有逾越"等自负之言。② 透过剧目满场火爆、长演不衰的演出实效和其后
论家的诸多点评,不难发现,洪昇《长生殿》力求音律之雅的努力显然取
得了清代文人雅士的认同与激赏。三是《长生殿》对历史总结的热衷。
《长生殿》并非纯然凭空的虚造,而是有其文献史料、民间传说与前代戏
曲底本基础的;虽非历史剧,却以李隆基、杨玉环、郭子仪、杨国忠、高力
士、李龟年、永新、念奴等于史有征的历史人物事件为对象;虽不以家国兴
亡为主线,却于帝妃恋情主线之下于《贿权》、《疑谶》、《权哄》等出中描
绘了波澜壮阔、惊心动魄的社会景象和历史画卷,更于《进果》、《陷
关》、《惊变》、《骂贼》、《弹词》等出中处处潜藏着"乐极哀来,垂戒来
世"的传统教化意图。洪昇在《长生殿》中以曲家巨眼将李杨帝妃恋情
置于广阔的历史背景下,融个人悲情与家国悲剧于一体,在全剧中宏观
立意、微观着墨,不动声色地植入了深切的有关朝代更迭的历史反思与
经验总结。洪昇的这一春秋笔法式的历史反思赋予《长生殿》以浓烈
的兴亡之感,更赋予帝妃之恋以厚重的历史色彩和反思情调,极大地满
足了清代文士于明清易代的社会大变局中反思前朝灭亡之故、探寻王
朝兴衰之因的历史总结热情,产生了诚如郭英德所言"历来的评论家对
此一直青睐独加,赞不绝口,甚至认为这是《长生殿》的真正价值所
在"③的文本效应和深远影响。上述三者均使得《长生殿》具备了足以吸

---

① 黄居中:《潘耜翁戊己新集序》,见《潘之恒曲话》,中国戏剧出版社 1988 年版,第
330 页。
② 洪昇:《长生殿·例言》,蔡毅:《中国古代戏曲序跋汇编》(卷3),齐鲁书社 1989 年
版,第 1579 页。
③ 郭英德:《明清传奇史》,江苏古籍出版社 1999 年版,第 461 页。

引清季文人雅士群体欣赏热情,满足其对戏曲剧目独特审美期待的趣味
和特质。

再谈《长生殿》对普通民众群体的审美趣味的满足。一是时代累积
的故事情节。《长生殿》剧情基本上是历代累积而成的故事情节,如前所
述,抛开白居易《长恨歌》、陈鸿《长恨歌传》等相对趋文尚雅的诗歌、传奇
小说文本,《长生殿》之前即已有白朴《梧桐雨》、南戏《马践杨妃》、《梅
妃》及吴世美《惊鸿记》等诸多戏曲作品相继流传民间。因此,即便是相
对缺乏文史知识的普通民众,也不会对李杨爱情故事感到陌生。对此,今
人徐朔方曾有详论①,兹不赘言。正是这种世代累积式的故事情节选择
赋予了《长生殿》以捕获普通民众亲近之心、促发其浓厚兴趣、赢得其审
美期待之力。二是新颖别致的传奇结构新创。《长生殿》故事情节取舍、
结构剪裁组织是其长久赢得普通观众的主要因素。尽管洪昇出于突出主
旨的考虑舍弃了杨玉环秽事、李白人物形象等原本颇具吸引观众眼球之
力的看点,但却丝毫没有因此略减普通民众的观剧热情,原因即在《长生
殿》故事结构之新颖所带来的出出受人喜爱的剧情剪裁。三是打动人心
的至情悲美。《长生殿》之于普通民众的吸引力还源自其立足普通民众
基点所营构的"动人"的情感效应。所谓"动人"之说,源出高明那部南戏
中兴的标志、被誉为"南曲之祖"的《琵琶记》:"论传奇,乐人易,动人难。
知音君子,这般另做眼儿看。休论插科打诨,也不寻子孝共妻贤。"嗣后,
力求"动人"、催人落泪成为诸多曲家奉为圭臬的创作动机。《长生殿》入
选《缀白裘》的八个折子戏中至少有五个极具动人的情感力量,极大地满
足了清季普通民众的情感释放需求与动情审美趣向。四是舞台表演中
"闹热"的"机趣"。所谓"机趣",实指舞台效果,尤其是娱人的戏剧效
果。清人李渔曾言:"'机趣'二字,传奇家必不可少。机者,传奇之精神;
趣者,传奇之风致。少此二物,则如泥人、土马,有生形而无生气。"②《长
生殿》之"机趣"源出二端:一为言语,即多由净、丑二角滑稽、夸张的插科

---

① 徐朔方校注:《长生殿》,人民文学出版社 1958 年版,第 23 页。

② 李渔:《闲情偶寄·词曲部》,见《中国古典戏曲论著集成》卷 7,中国戏剧出版社
1959 年版,第 23 页。

打诨中体现出来的舞台机趣；二为情节，即由入乎观众意料之内、出乎观众意料之外的故事剪裁和情节设置引发的无限机趣。上述四者俱为《长生殿》调动清季普通民众群体追捧激情，满足其对戏曲剧目俗化审美期待的趣味和特质。

第三章

书法审美意识

第一节 遗民书法：尚"真"求"趣"的生命情怀

先秦以降，自古及清，一代有一代之盛，一时有一时之尚。不仅每代各有不同风尚，且各代不同时期也呈现出不同风貌。中国书法作为人生境界和生命活力的迹化，是最具东方哲学意味的艺术，自然也不例外。有清一代 268 年间，清代书法不仅呈现出与明代以前截然不同的风尚，而且在不同时期展现出迥然相异的风貌。郭沫若说："甲申年（1644 年）总不失为一个值得纪念的历史年。"①是年，外夷代汉，明末入清士人均面临着三种选择：或为烈士；②或为贰臣；③或为遗民。④ 不同的选择源自各个人不同的内部原因，而急剧变化的政治时局与社会文化是其外部原因，二者都反映到"书为心画"的书法上，产生了一批个性鲜明、意趣迥异的书家书作，其中，贰臣书家以王铎为代表，遗民书家以傅山为标举。于是，在天崩地坼的明清易代乱局中，由明入清的士人书作便以线的分动、墨的润华、心手相合、抒情写意，划出了由明入清士人的深层精神轨迹。依此轨迹而行，可窥见清初士人文化生命的幽妙之境。

---

① 郭沫若：《甲申三百年祭》，见于《甲申三百年祭风雨六十年》，东方出版社 2006 年版，第 2 页。

② 据乾隆四十二年赐撰的《胜朝殉节诸臣录》载：崇祯帝死后自杀殉难的晚明官员达 2449 人之多。

③ 单 1644 年参加清政府的官员就有 50 名，大多数是京城行政官员，有进士身份的 36 名。（魏斐德：《洪业——清朝开国史》附录 B《1644 年的贰臣》，江苏人民出版社 2003 年版，第 399 页。）

④ 乾嘉间佚名朝鲜人所辑《皇明遗民传》收录明遗民 716 人，孙静庵所辑《明遗民录》收 800 余人，而近人谢正光的《明遗民传记索引》据明遗民传记资料 208 种，计得遗民共 2311 人。病骥老人序氏《明遗民录》云："尝闻之，弘光、永历间，明之宗室遗臣，渡鹿耳依延平者，凡八百余人；南洋群岛中，明之遗民，涉海栖苏门答腊者，凡二千余人。"（孙静庵：《明遗民录》，浙江古籍出版社 1985 年版，第 372 页。）

一、书体选择及其意象特征

清初由明入清士人对书体的自发或自觉选择中,蕴藉着独特的审美价值观。汉字是中国书法艺术产生的直接源头和唯一载体。中国书法经历了漫长的发展阶段,主要包括甲骨文、金文、篆书、隶书、楷书、草书、行书几种书体。清代近三百年书法史上,大致以隶书、篆书见长,草书却很不景气。然而明末清初,倪元璐自尽、黄道周就义、陈洪寿落发、王铎仕清,二人于顺治九年去世,惟有傅山引疾不仕且长寿,硕果仅存。晚明鼎盛的浪漫主义书风大潮也因此被生生腰斩。嗣后独善其身、相续此风者有游戏般缠绵的傅青主、烟雾迷濛的垢道人程邃、意外之趣的许友、奇异壮伟的八大山人朱耷等人,这些由明入清士人却几乎都钟情于草书的创制,在清初书坛独树一帜。

例如,王铎是由明入清的书家,名重书史,草书尤为不凡。其书法楷行草隶诸体兼擅,隶书古意盎然、韵味十足,小楷点画静穆古雅、沉稳方正,而成就最高、最为精绝、也最能体现其气魄雄大艺术风格的却是出入二王、杂糅怀素笔意与米癫结体的行、草,尤以雄奇诡谲书风震慑清初书坛。代表性草作有狂草《杜甫诗卷》、《行草自书诗》卷、《草书临帖》轴、《草书录语》轴等,其并不多见的《行楷王维诗》卷的跋,也以草书自题,足见其对草体之看重。再如,傅山书法诸体兼擅,其篆隶功力深厚,小楷古拙雄健、雍容丰伟,直追钟王。但其主要代表作《草书孟浩然诗》、《右军大醉诗轴》、《行草五律诗轴》、《草书立轴》等几乎均为草体,大幅行草尤重笔势的连绵缠绕,是典型的以才气为书、不计工拙的书家。余如徐杭"仿草书十七帖,为世所重"①;方以智"书法章草,亦工二王山水"②;张盖"或作狂草书累百过,至不可辨识乃已";归庄"工诸体书,壮岁所作行草,

---

① 参见(清)张庚、刘瑗:《国朝画徵录》,中国艺术文献丛刊,浙江人民美术出版社2011年版。

② 参见(清)秦祖永:《桐阴论画》,载《艺林名著丛刊·桐荫论画》,中国书店1983年版。

直逼两晋","草书虚和圆熟"①；王士祯《古惟录》称金俊明"以善书名吴中，画梅尤工"；顾梦游"善行草书，闲逸自喜"；②洪承峻"善草书"；③龚贤"性孤僻，为人有古风，工诗文，行草雄奇"；④彭睿埙"文品并高，工草书，筋节皆劲，至今传竹本派"。⑤ 而朱耷、许友、程邃、石涛等人，尤其是朱耷，亦可称为草书行家。作为明季皇族入清，癫狂和书法就成为朱耷发泄胸中愤懑的最佳渠道。邵长衡曾在《八大山人传》中记道："山人工书法，行楷学大令鲁公，能自成一家，狂草颇怪伟。"尤其值得一提的是其狂草，迥异于之前草家的狂肆激荡草风，其字幅中的大片布白和点线之间的虚空气韵鼓荡，极富画意，貌似平静的字幅作品中处处鼓荡着书家饱满的情绪和充沛的气韵，构成完美的审美时空，达到前无古人的狂草奇境，充分表现出其驾驭笔墨和创造艺术空间的超凡能力。程邃的书法贡献不亚于其篆刻成就，其草法颇得王铎草风。

综览清初由明入清士人书法中的草书佳作，大略可分两类：一类以王铎、傅山、许友等人为代表，其书境来自于磅礴的气势、雄浑的力感和激荡的线条运动节奏；一类以程邃、朱耷、石涛为代表，其书将人情化了的自然风采中的神韵化入书法，以期达到物我为一、天人和合的境界，故多画意。后一种类型所呈现的书境是由明入清的文人书画家们的新创，具有重要的审美意义。这些草书佳作无一不笔画勾连，飞动流美，"顿之以沉郁，奋之以奔驰，奕之以翩跹，激之以峭拔"，方不中矩，圆不副规，"随情而绰其态，审势而扬其威"，"每笔皆成其形，两字各异其体"⑥。草书意象之美尽显于斯，其特征可概括为：尚"真"求"趣"，书为心画。具体而言，即重真率，务求其真，自然天真；重创造，务求其趣，以画入书；重情性，崇尚

---

① 参见(清)杨宾：《大瓢偶笔》，中国艺术文献丛刊，浙江人民美术出版社2011年版。

② (清)施闰章：《顾舆治传》，见马宗霍：《书林藻鉴 书林纪事》，文物出版社1984年版，第197页。

③ 参见(清)孙静庵：《明遗民录》，浙江古籍出版社1985年版。

④ 参见程十发：《谈画录》，上海人民美术出版社2011年版。

⑤ 参见陈伯陶：《胜朝粤东遗民录》，上海古籍出版社2011年版。

⑥ 参见(明)项穆：《书法雅言》，中华书局2010年版。

个性,所谓"笔性墨情,皆以其人之性情为本。是则理性情者,书之首务也";①向内求,崇尚超越,拥有朴素、不加雕饰、浓烈的生命情怀,其根底实际上是对明末以来个性解放思潮和浪漫主义书风的延续,更是对清初正统书风的传统意识的反动。

项穆曾言:"夫经卦皆心画也,书法乃传心也。"②顾炎武亦称:"此物何足贵?贵在臣子心。"③刘熙载亦言:"扬子以书为心画,故书也者,心学也。"④清初由明入清士人书家对草书这一书体的群体性选择,即是书为心画的典型表现,展现出特定历史时期的独特意蕴。对王铎等贰臣书家和傅山等遗民书家而言,选择草体的根本原因有二:一是较之其他书体,草体的表现力最丰富,诚如张怀瓘所言:"然草与真有异,真则字终意亦终,草则行尽势未尽。……肃然巍然,方知草之微妙也。"⑤草书笔尽意未尽,把中国书法的写意性发挥到极致,用笔起抢收曳、化断为连,一气呵成,变化丰富、气脉贯通,是所有书体中最为奔放跃动、最能反映事物的多样动态美,也最能表达和抒发书法家的情感的一种书体。王铎等贰臣降清却不为清廷信任,使之政治上无所事事;加之失去大节、人格沦丧,儒家伦理规范使其内心备受自我煎熬,两方面的思想重压令其胸中郁积的块垒亟需释放。借助草体,他们可以真切地抒写自己的真情实感,疏泄萦绕于胸中的不平与愧疚,化解郁结于心中的苦闷与愁苦。傅山等遗民因明亡之后国破家亡的局面而一度陷入极度的痛苦与彷徨之中,他们激昂的情绪时时充斥在心中而无法排遣。于是便借由草体这一书技小道,在狂放恣肆的笔走龙蛇中,抒写不事二朝的高洁品格和特立独行的真实性情,寄寓高瞻远瞩的凌云志气和幽居之中的不已壮心。此亦如康南海所谓:"佛法言声、色、触、法、受、想、行、识,以想、触为大,书虽小技,其精者亦

---

① 参见(清)刘熙载:《艺概》,上海古籍出版社1978年版。

② 参见(明)项穆:《书法雅言》,中华书局2010年版。

③ 参见(清)顾炎武:《亭林诗集汇注·浯溪碑歌》,上海古籍出版社1983年版。

④ 参见(清)刘熙载:《艺概》,上海古籍出版社1978年版。

⑤ 参见(唐)张怀瓘:《书议》,见潘运告:《中国历代书论选》,湖南美术出版社2007年版,第169页。

通于道焉。"①二是草体具有相对固定的草法,包括笔画的简省、字间的勾连,这些笔画和勾连最易表现飞动气势,展现空间变化。诚如刘熙载所言:"张伯英草书隔行不断,谓之'一笔书'。盖隔行不断,在书体均齐者犹易,唯大小疏密,短长肥瘦,倏忽万变,而能潜气内转,乃称神境耳。"②这种空间变化除了物理意义上的位移变化,还有作为精神主体的自我对物质载体的空间变化,化为精神之旅的时间迹化。换句话说,草体的精细布算,实为书法自身的时间性绽出,更是主体精神的迹化过程。从这个层面来讲,清初由明入清士人书家大气磅礴、意趣超迈的草体书作中所呈现出的正是清初书法艺术最潇洒、最灵动的自由精神,所展示的也正是清初由明入清士人书家空灵的艺术趣味和精神人格价值。

二、法度变革及其实践新创

笔法、字法、章法、墨法,是中国书法的基本构成,是书法创作和欣赏的基本法则,也是书法艺术用笔、结体、布局、用墨以营造艺术意境的基本内容。四美兼具,方能洞悉书法艺术的审美奥秘。王铎、傅山、程邃、许友、朱耷等由明入清士人书家的书作在承继前人传统的基础上,着力展开了法度变革与实践新创,创制出笔法方圆转折、以势袭人,字法字形间架、任情自然,章法分行布白、挥斥八极,墨法浓淡枯润、知白守黑的尚"真"求"趣"之作,代表着清初书学的最新方向和最高成就。具体表现在:

第一,笔法:方圆转折,以势袭人。

"精美出于挥毫。"③书法用笔的方圆转折是构成书法形象美的关键部分,而笔法是其基础,讲究点画线条美。清初由明入清士人书家草书书作在笔法的方圆转折中极为注重笔势,尤以王铎草书为代表。王铎

---

① 参见(清)康有为:《广艺舟双楫》,图书馆出版社2004年版。
② 参见(清)刘熙载:《艺概》,上海古籍出版社1978年版。
③ 参见(清)笪重光:《书筏》,上海书画出版社1979年版。

延续了晚明张瑞图、黄道周等人强调个人艺术风格的浪漫主义书风,其书法名重当时,以用笔险劲沉着著称于世,秦祖永称其"魄力沉雄",①吴昌硕谓其"健笔蟠蛟螭"②,启功赞其"力能扛鼎"③,包世臣则在《艺舟双楫》中定其为"草书能品下",④这些都是对其笔法之美的赞誉之语。细观王铎草作可知,其笔法狂放而又精严,大气而又精美,用笔尤为精致传神:起笔以方笔为主,往往落笔成点,泼辣斩截,起笔和折点往往重按,毫端铺开于笔画中间,万毫齐力,真力弥漫;然后以张旭、颜真卿一系正锋行笔,提锋行笔折转交替,衄挫与直线并存,流畅迅捷,"用锋险劲沉著,有锥沙印泥之妙"⑤、"直追篆籀通其微"⑥,立体感极强;行笔间有时稍加顿挫,以求较丰富的笔画边廓和厚实的质感;收笔或纵或敛,方圆兼具,强调骨力、形态、速度,以求笔势;注重从线形、速度、轻重、断续乃至墨色等角度营造多种线质并构和对比的线条节律与节奏感。⑦值得注意的是,王铎草书最喜快速均匀的连绵线条,虽颇具大节奏的磅礴气势,却也间有缠绕太多、拖泥带水之弊。相较之下,傅山的行草用笔纵行高迈、锋颖翻腾,笔画勾连缠绕,大幅行草也尤重笔势的连绵缠绕,其体态的俯仰欹侧、变化莫测颇近于王铎,但王铎折笔直切、线条刚健,而傅山用笔虽也时具直折之意,但婉转圆润,线条飘逸缠绕,与王铎刚柔各偏一隅。所作《草书诗轴》,笔法收放自如,用笔雄浑而圆劲、纵敛结合,点画错综交织、缠绵勾连,线条盘旋牵引、柔中带刚,横勒微起

---

①　参见(清)秦祖永:《桐荫画论》,见《艺林名著丛刊·桐荫论画》,中国书店 1983 年版,第 9 页。

②　参见(清)吴昌硕:《孟津王文安草书卷》,见吴东迈:《吴昌硕谈艺录》,人民美术出版社 1993 年版,第 117 页。

③　参见启功:《论书绝句》,三联书店 1990 年版,第 172 页。

④　参见(清)包世臣:《艺舟双楫》,马宗霍:《书林藻鉴　书林纪事》,文物出版社 1984 年版,第 196 页。

⑤　参见(清)秦祖永:《桐荫画论》,见《艺林名著丛刊·桐荫论画》,中国书店 1983 年版,第 9 页。

⑥　参见(清)吴昌硕:《孟津王文安草书卷》,见吴东迈:《吴昌硕谈艺录》,人民美术出版社 1993 年版,第 117 页。

⑦　白砥认为,书法的节奏是指一种合乎一定规律的重复性变化的运动形式。(白砥:《书法空间论》,荣宝斋出版社 2005 年版,第 61 页。)

波折、转折抹去棱角。程邃草书点画多涩笔,常在波曲的干擦运笔中产生,笔势多横张、体多拙意。马宗霍认为:"明人草书,无不纵笔以取势者,觉斯则纵而能敛,故不极势而势若不尽,非力有余者,未易语此。"[1]《无声诗史》也称:"铎行草书宗山阴父子,正书出自钟元常。虽模范钟王,亦能自出胸臆。"[2]这些论述一方面肯定了王铎草书笔法中注重笔势的重要特点;另一方面也明确指出笔势的获取除了模范先贤,更在"力有余"而"自出胸臆"的新创。可见,王铎等清初由明入清士人书家草书笔法之美,既源于他们对唐宋名家的学习借鉴和博精张芝、二王、颜柳等诸家的深厚功力,又源于他们自出机杼的多样性临帖方法和对先贤笔法的独到悟解,更源于他们率意大气的丰富想象和变革出新的法度新创。

第二,字法:字形间架,任情自然。

字法是书法构成、作品风格和结字稳定的重要因素。书法的点画和结构中蕴藉着动态和气韵之美。历代书家均极为重视书法结体,唐有欧阳询《结体三十六法》,明有李淳《大字结体八十四法》,清代画家邹一桂也曾以"经营位置"为六法之首。清初王铎、傅山、朱耷等由明入清士人书家在承继并突破前人传统的基础之上,在字法的造型结体尤其是奇正、疏密方面作出了大胆而卓有成效的有益探索。奇正方面,传统书论讲求平衡对称与多样统一,[3]而清初由明入清士人书家则时有新创。王铎草作结体则在骨力强劲、结体端整的前提下,颇有"揭按照应,筋骨威仪"的风范,同时在形式上谋求险绝,靠偏旁依倚、错落、叠靠等处理出"奇",极尽欹侧、倚奇之能事,被康有为誉为"飞腾跳掷"。疏密方面,传统书论讲

---

① 马宗霍:《书林藻鉴 书林纪事》,文物出版社 1984 年版,第 196 页。

② (清)姜绍声:《无声诗史》,见马宗霍:《书林藻鉴 书林纪事》,文物出版社 1984年版,第 196 页。

③ (明)项穆在《书法雅言》中论述奇正要旨及关系时说:"书法要旨,有正与奇。所谓正者,偃仰顿挫,揭按照应,筋骨威仪,确有节制是也。所谓奇者,参差起复,腾凌射空,风情姿态,巧妙多端是也。奇即连于正之内,正即列于奇之中。正而无奇,虽庄严沉实,恒朴厚而少文。奇而弗正,虽雄爽飞妍,多话厉而乏雅。"(见《历代书法论文选》,上海书画出版社 1979 年版,第 524、525 页。)

求中庸均匀、大小整齐,①而清初由明入清士人书家则远离中庸。叶培贵认为,疏密能增强形式对比的层次和字象的多样化。② 疏密处理既与书家创作个性和审美趣味相关,也与放纵、攒捉技法相关。③ 草书史上,黄庭坚、倪元璐等人常用放纵与攒捉的手段增大疏密的对比度,造成字象的多样性与空间对比层次的强烈效果。降及清初,王铎、傅山、朱耷等人将此手法发挥到极致。王铎较之前人更注重度的把握,加之中锋和流畅线条的影响,仍能雄奇而大气。傅山往往纯依笔势、率意为之,结体跌宕欹侧、一气相包,亦有天成之效。傅山与王铎狂草均以笔势见称,二人取法、取势与章法都相近,但用笔、创作态度上的差别却很大,王铎任性情却相对较多理性把握,傅山则更多的是率意任性而为,自然真率。他在《霜红龛集·杂记二》中曾言:"写字忌作宽褊之形,即本等宽褊,如'西'、'而'、'四'、'皿'之类,亦径神行之,令不觉为宽褊乃妙。然此亦非专责之令窄长也。河东王孙抑甫学褚河南行书,专以窄长为诀,亦弄死蛇手段也。"又在《霜红龛集·杂记五》中说:"三复《淳于长碑》而悟篆、隶、楷一法。先存不得一结构配合之意,有意结构配合,心手离而字真遁矣。"④故傅作成功率较低,但其成功之作往往可达天造之境,透露着漫不经心、愉悦轻松的创作心态,可谓典型的以才气为书、不计工拙的书家。前文述及其所作《草书诗轴》中,"右"、"大"、"青"、"袍"、"逢"、"落"等字,处处逆锋入笔、藏锋蓄势,偶有出锋也不跋扈怒张。无论哪一种,都能达到"字画疏处可以走马,密处不使透风;常计白以当黑,奇趣乃出"的效果。⑤ 除奇正、疏密处理之外,对同一字形的多样处理也是清初书家们着力探索的

---

① (唐)徐浩在《论书》中论述结体疏密时说:"字不欲疏,亦不欲密,亦不欲大,亦不欲小。小长令大,大盛令小,疏肥令密,密瘦令疏,斯大经矣。"(见《历代书法论文选》,上海书画出版社1979年版,第276页。)

② 叶培贵:《米颠痴顽》,上海书画出版社2004年版,第72页。

③ (明)董其昌在《画禅室随笔》中说:"作书之法,在能放纵,又能攒捉。每一字中失此两窍,便如昼夜独行,全是魔道矣。"(见《历代书法论文选》,上海书画出版社1979年版,第540页。)

④ 参见(清)傅山:《霜红龛集·杂记二》,山西人民出版社1985年版。

⑤ (清)包世臣:《艺舟双楫》,见《历代书法论文选》,上海书画出版社1979年版,第641页。

领域,形成"或有重字,亦须字字意殊"的同形异态、同形异势的效果。①
清初书家在结体方面的创新举措,既突破了传统书论对结体的规范形式
要求,有效疏泄了书家个体饱受压抑的心志;又暗合了均衡、比例、和谐、
节奏、虚实等美的造型规律,没有沦入怪异的窘境。这都应归功于他们深
厚的功力和天然的悟性,归功于他们书法前贤、承继传统的学书方法,归
功于他们从前人书作中汲取到的丰富内涵和高雅品格,归功于他们敢于
变革、敢于新创的艺术勇气。

第三,章法:分行布白,挥斥八极。②

"违而不范,和而不同"是孙过庭对书法在章法上的形式美的典范总
结,也是清初士人书家革新章法、营造书法形式美的重要着力点。③ 与结
体相类,传统书论在章法上也讲求对称匀衡与欹正相倚,主张突出正文、
辅以款识、妙用印记。清代蒋骥曾言:"篇幅以章法为先。运实为虚,实
处俱灵;以虚为实,断处俱续。观古人书,字外有笔、有意、有势、有力,此
章法之妙也。《玉版十三行》章法第一,从此脱胎,行、草无不入毂。若行
间有高下疏密,须得参差掩映之迹。"④清初士人书家的草书创制也充分
注意到这一点的重要性。王铎草作的章法布白成就奇高,其总体特点
是:字法大幅倾摆,点画笔断意连,结体擒纵自如,疏密正奇比对,字间
奇异连接,线条频繁连带,意态隔空照应,字密行疏并置,款字衬印多
样,涨湿干渴墨色间杂,既明快、多变而大气,又不减雄浑气势。倪后瞻
评:"其字以力为主,淋漓满志,所谓能解章法者也。"⑤刘恒也称:"他
(王铎)对传统的把握和发挥,最主要的是在字形、章法、墨法等方面。这

---

① (唐)蔡希综在《法书论》中说:"每书一纸,或有重字,亦须字字意殊。故何延之
云:'右军书《兰亭》,每字皆构别体',盖其理也。"(季伏昆:《中国书论辑要》,江苏美术出
版社 2000 年版,第 284 页。)

② 刘正成:《中国书法全集·王铎卷》,荣宝斋出版社 1993 年版,第 19 页。

③ 参见(唐)孙过庭:《书谱》,中国书籍出版社 2015 年版。

④ 参见(清)蒋骥:《续书法论·章法》,上海书画出版社 1979 年版。

⑤ (明)倪后瞻:《倪氏杂著笔法》,见崔尔平:《明清书法论文选》,上海书画出版社
1994 年版,第 416 页。

些正是元、明以来死守刻帖者的短处。"①傅山草作章法极似王铎,字字连绵不绝,常用大节奏的对比造成章法上的气势,字与字之间、行与行之间的疏密、开合大起大落,行笔或生涩、或流畅,笔意恣肆,心中英雄刚烈之气酣畅淋漓地尽显于笔下,洋溢的真挚情感随着翻腾恣肆的点线呼之欲出,使得貌似苍茫乱落的字幅动人心魄。其所作《草书诗轴》,一字之内但见笔意飞动,字字之间却多无纠连;分行布白奇正相倚,"舞"字左重右轻、癫狂险绝,"蒸"字左轻右重、化险为夷;"右军"下布白空阔、英风洒落,"青篱"间紧实绵密无风、苍古老气;整轴草作狂放倔强而不荒疏粗野,行云流水更兼雄奇豪迈,凸显了书家啸傲不群的创新意识和狂傲倔强的个性特征。朱耷等则以画法入书,字形结体别有奇趣。再如其《草书临适得帖》,与原帖极为不同:王羲之的作品是典型的小草,许多字并不相连,笔划与结字严谨,带有令人赞叹的精巧与优雅;然而傅山此幅作品中,一改原帖章法,从点画形态到章法布局,都不受任何成法制约,单字多以横向取势,行间墨气淋漓,字与字之间的空间被压缩,纵横牵绕,笔画连绵不断,处处表现出随机应变的创造欲望和癫狂不羁的人格力量。许友行草泼辣、恣肆,笔法源自《阁帖》,用笔的转折、结字的俯仰在王铎、傅山之间,章法却迥异二人。其书线条刚柔相济,章法字距、行距皆无,随兴驱笔,因势利导,在信笔疾书中随意赋形,按需变换字形与布局,穿插安置全凭一时己意,貌似杂乱不齐,实则整体上能臻于恰到好处、出神入化的佳境,较之王铎与傅山的分行开阔、只在一行中求变化的做法,不仅难度加大了,也更平添了许多意趣。所书《七言绝句二首条幅》尤为典型,堪称代表。此幅之字大小悬殊,疏密松紧各不相同,横直变化幅度甚巨,首行"半"字通贯数字空间,末行与落款既无落笔空间,但他却能将后来的字越写越小,在紧促的空间中求安适,在东倒西歪中意外地连缀成幅,整幅字一气呵成、不可复制。其章法貌似不经意的随意为之,实具妙不可言的严密性,个性特征尤为突出。

---

① 刘恒:《中国书法史·清代卷》,江苏教育出版社 2002 年版,第 14 页。

第四,墨法:浓淡枯润,知白守黑。

烟云笼郁的墨法与灵动神奇的笔法、险夷敧正的字法、参差流美的章法一同,鬼斧神工地创构出浑然天成的书法形式美。明代的董其昌是中国书法史上将墨法置于笔法之上的第一人。① 清代书家则在此基础上更进一步地加以探究。沈宗骞《芥舟学画编》则称:"用墨秘妙,非有神奇,不过能以墨随笔,且以助笔意之不能到耳。盖笔者墨之帅也,墨者笔之充也;且笔非墨无以和,墨非笔无以附。"②对此,朱和羹也在《临池心解》中指出:"笔墨二字,时人都不讲究。要知画法、字法本于笔,成于墨。笔实则墨沉,笔浮则墨飘。倘笔墨不能深着,施之金石,尤弱态毕露矣。"③包世臣进一步指出:"墨法尤为艺一大关键。"④康有为也讲:"书若人然,须备筋骨血肉,血浓骨老,筋藏肉莹,加之姿态奇逆,可谓美矣。"⑤清初士人书家于墨法方面的革新独具匠心。王铎擅长用墨,嗜好涨墨,蘸重墨一笔多字,及至墨尽则用枯笔连书多字,喜欢并用浓、淡、涨、湿、干、渴墨,强调涨墨、湿墨和渴墨鲜明而强烈的对比,呈现出黑、灰、白三色比对又统一的独特布白风格。其《行草自书诗》卷中,"君"、"家"、"南"、"赠"、"官"、"萧"、"鹤"、"馀"、"古"、"远"等十余字,墨气淋漓、渗化成块,极为厚重,与同幅他字的灵动线条形成强烈对比,给赏鉴者带来强烈的视觉冲击和心理感受。清代王澍曾在《竹云题跋·颜鲁公东方朔画像赞》中指出:"东坡用墨如糊,云:'须湛湛如小儿目精乃佳。'古人作书,未有不浓用墨者。"⑥傅山承继了颜、苏的"涨墨法",造成丑中见美、奇中见平

① (明)董其昌:《画禅室随笔》中说:"字之巧处在用笔,尤在用墨,然非多见古人真迹,不足与语此窍也。"(见《历代书法论文选》,上海书画出版社1979年版,第541页。)

② (清)沈宗骞:《芥舟学画编》,见《历代书法论文选》,上海书画出版社1979年版,第541页。

③ (清)朱和羹:《临池心解》,见侯镜昶:《中国美学史资料类编·书法美学卷》,江苏美术出版社1988年版,第200页。

④ 参见(清)包世臣:《艺舟双楫》,北京图书馆出版社2004年版。

⑤ 参见(清)康有为:《广艺舟双楫》,北京图书馆出版社2004年版。

⑥ (清)王澍:《竹云题跋·颜鲁公东方朔画像赞》,见侯镜昶:《中国美学史资料类编·书法美学卷》,江苏美术出版社1988年版,第199页。

的逆向美感。① 正如沈曾植曾在《墨法古今之异》中所说:"自宋以前,画家取笔法于书。元世以来,书家取墨法于画。近人好谈美术,此亦美术观念之融通也。"②朱耷、程邃等人也尝试着贯通书画墨法、以画入书。朱耷狂草仅以秃笔和墨色即在点画线条中见出坚韧度、多变性和微妙性。作为诗书画印四全书家,程邃为书亦必求新意,突出情趣,其书惯以渴墨作书,又因其渴墨浓淡不一而使得线条多富内蕴,其墨色和运笔的独特之处可能源自其对烟雾迷蒙的自然景色的领悟时的灵感触动。

三、书学精神及其生命情怀

书法是中国文化的审美表征,也是中国美学的灵魂。它蕴藉着自然精神、人文精神和审美理想,营造着天人合一的艺术境界,集中精妙地体现着书家对人与自然、人与人之间和谐关系的无限向往与精神追求,也深刻反映着时代和社会的审美风向。杨春时曾指出:"审美意识不是人现成的意识形式,而是审美创造的产物,是人的意识的升华,达到了自由的境界;审美意识不是一种认识形式,也不是普通的情感,而是在普通意识基础上人类自我创造的产物,是一种更全面、更自由、更高级的意识类型。"③因此,深入挖掘书作背后所潜藏的书学精神,厘清其中所蕴藉的书家及其所处社会、时代的审美理想与审美风尚,是本书更为重要的主旨和任务。

前文已从书体选择及其意象特征、法度变革及其实践新创两个方面浅要分析了清初士人书家书作的物态化表征和风格新变。毋庸置疑,这些都是清初士人书家书作审美意识的重要方面。然而,这绝不是其全部

---

① 陈振濂曾言:"傅山、特别是王铎的'涨墨法',直接师承颜真卿与苏东坡而发展之,其特点即是利用夸张的墨的渗化,破坏掉原有的线型节奏,使之产生一种突兀感和崩溃感,下笔的沉重与墨水的渗晕都与线条基调不成比例。依靠这种不成比例来造成丑中见美、奇中见平的强烈动感。有时某一局部线条的粗重的晕化甚至淹没了空间的距离间隔,造成以线之'丑'去抵消人工的结构之美的效果,使结构中浓墨大块与细小穿插之间形成尖锐的抵抗。"(陈振濂:《书法美学》,山东人民出版社2006年版,第245页。)

② 参见(清)沈曾植:《海日楼札丛·海日楼题跋》卷八,辽宁教育出版社1998年版。

③ 参见杨春时:《论审美意识》,《求是学刊》1982年第3期。

内涵。在此基础上,清初由明入清士人书家的书法创制更以意趣超迈、以画入书的形式美,标举着他们尚"真"求"趣"的书学精神,寄寓着潇洒空灵的个性化艺术趣味和自由灵动的内向化审美理想,彰显着隐逸高蹈的人生格调和追求超越的生命情怀。

第一,重品格,反奴俗,书如其人。

明清易代、改朝易君、山河变色,面对满族代汉的"华夷之变"的独特政治背景和社会思潮,一方面,王夫之、顾炎武、黄宗羲等清初晚明士人无力抗拒而沦为遗民,丧失了政治优越感,心灵和民族意识遭受了重创,深感屈身异族的苦闷,为避世全身、忠于故国、坚守气节、维护传统,大多无可奈何地自觉选择不仕或不合作的归隐方式,即出世隐逸以彰显高蹈名节;另一方面,傅山、陈鸿寿、归庄、朱耷、程邃、许友、石涛等清初晚明士人们以强烈的个性和大胆的创新寄情文学、绘画、书法,挥洒国破家亡之痛、颠沛流离之苦、愤懑抑郁之气,成就了清初艺术领域对正统思想的反叛、乖奇的审美突破。

"书法往往表现出人格。"①书家笔下的点画线条,往往是书家在特定背景下对造化之美融入个人情感的特定产物,其中蕴含书家的道德修养、文化素质、思想品性、审美价值观念及理想,是其心灵世界的展示窗口,也是其人格精神的传达媒介。从这个层面讲,书作格调正在书家品格。对此,刘熙载有言:"杨子以书为画心,故书也者,心学也。心不若人而欲书之过人,其勤而无所也宜矣。"②朱和羹曾言:"学书不过一技耳,然立品是第一关头。品高者,一点一画,自有清刚雅正之气;品下者,虽激昂顿挫、俨然可观,而纵横刚暴,未免流于楮外。故以道德、事功、文章、风节者,代不乏人,论世者,慕其人,益重其书,书人遂并不朽于千古。"③此即所谓"书为心画"、"书如其人"。清初士人书家尤其注重这一点。

傅山作为名士、文人、书家的晚明入清遗民代表,以其堂堂耿介的民

---

① 朱光潜:《谈美书简》,上海文艺出版社 1980 年版,第 79 页。

② 参见(清)刘熙载:《艺概》,上海古籍出版社 1978 年版。

③ 参见(清)朱和羹:《临池心解》,见侯镜昶:《中国美学史资料类编·书法美学卷》,江苏美术出版社 1988 年版,第 22 页。

族气节和高洁品格令人肃然起敬。其书作书论中一以贯之的便是"字如其人"、"书如其人"的思想观念。在《作字示儿孙》诗中,傅山提出"作字先作人、人奇字自古"和字须"无奴俗气"的观点,始终强调书家人品当为主、不为奴,"奴"指为成法所缚,无主见,没骨气;"俗"指骑墙媚俗,缺独创,远高雅。"奴俗气"即"奴颜媚骨"。这种主张与其所处特定时代背景下坚守民族气节的思想密切相关。基于此,傅山主张内在精神是艺术优劣的先决条件,认为书法不单讲笔墨技巧,更要以拙朴之态、自然之势和阳刚之美,抒发真情实感,表现书家品格,展示精神气节,并从人品、书品出发极力崇颜薄赵:"予极不喜赵子昂,薄其人遂恶其书。近细视之,亦未可厚非。熟媚绰约,自是贱态;润秀圆转,尚属正脉。盖自《兰亭》内稍变而至,此与时高下,亦由气运,不独文章然也。"①傅山的崇颜情怀,绝不仅止于模范其书艺技巧,更在于感佩其为国捐躯的铮铮铁骨和肝胆狭义的人格魅力,对颜体中实则蕴藉着心灵依傍与精神榜样的深刻思想和独特个性。其后,王澍也说:"魏晋以来作书者多以秀劲取姿,攲侧取势。独至鲁公不使巧,不求媚,不趋简便,不避重复,规绳矩削而独守其拙,独为其难。"②蒋衡亦谓:"颜鲁公忠义大节,唐代冠冕,故书如端人正士。此《论坐位》严毅之气凛然在行墨间,当是时岂复存作书之见于胸中,而规矩悉合,盖学力精熟故也。余论书以立品、读书为始,本此。"③刘熙载则称:"写字者,写志也。故张长史授颜鲁公曰:'非志士高人,讵可与言要妙?'"又称:"书者,如也。如其学,如其志,总之曰如其人而已。""钟繇《笔法》曰:'笔迹者,界也。流美者,人也。'右军《兰亭序》言'因寄所托','取诸怀抱',似亦隐寓书旨。"④清道人李瑞清更直言:"书学虽小道,然实如其人耳。吾子学颜书,盍更师其人?则千古之学颜者莫如吾子矣!"都极力推崇颜氏书如其人,品自高洁。

---

① 参见(清)傅山:《霜红龛集·字训》,山西人民出版社1985年版。

② 参见(清)王澍:《竹云题跋·颜鲁公东方朔画像赞》,中华书局1991年版。

③ (清)蒋衡:《拙存堂题跋·争坐位》,参见侯镜昶:《中国美学史资料类编·书法美学卷》,江苏美术出版社1988年版。

④ 参见(清)刘熙载:《艺概》,上海古籍出版社1978年版。

同样，身为明宗室的八大山人朱耷，无力抗拒明清易代的社会变局，只能万般无奈地寄情诗画、铸情于书，抒写内心深处的家仇国恨，表达故国情感的跌宕起伏与挣扎。李瑞清在《临八大山人书黄庭经跋》中评其书作道："其志芳洁，故其书高逸如其人也。"即便是晚明贰臣王铎书作，也在飞动跌宕的线条律动中饱含着书家激越豪壮与凄厉苦楚的复杂心境。其他清初士人也大多和傅山、朱耷、王铎一样，强烈渴望改变处境、摆脱羁绊，施展才干和抱负，抒发胸中郁结的愤懑不平，其书作也大都融入了隐逸、高蹈、反叛、奇乖的人生体验、人格理想和书学精神。

第二，重真率，反雕饰，自然天真。

傅山明确标举"四宁四毋"这一新的审美法则，①其实质就是"拙"，即真率、自然。实际上，"拙"是对其所代表的清初士人书作重真率、反雕饰、自然天真的审美意识的最好总结。对此，傅山在《杂记三》中有明确表述："汉隶之不可思议处，只在硬拙，初无布置等当之意，凡偏旁左右，宽窄疏密，信手行去，一派天机。"②又在《字训》中称："吾极知书法佳境，……期于如此，而能如此者，工也。不期如此，而能如此者，天也。……神至而笔至，天也；笔不至而神至，天也。至于不至，莫非天也。吾复何言，盖难言之。"③其中蕴藉着两大意旨：一为昭示自己坚守气节、忠君爱国的信念和决心，深具民族意识；二为矫正清初书坛的腐朽、虚伪、奢侈和巧饰之气的主流流弊，具有创新意识。其后，梁同书称："予谓：天真烂漫是吾师。惟真故朴，惟朴故厚。"④翁方纲称："拙者胜巧，敛者胜舒，朴者胜华。"⑤何绍基认为作书若"机到神来，往往有之……有意为之，

---

① 全祖望《阳曲傅先生事略》载："宁拙毋巧，宁丑毋媚，宁支离毋轻滑，宁直率毋安排。"

② 参见（清）傅山：《霜红龛集·杂记三》，山西人民出版社1985年版。

③ 参见（清）傅山：《霜红龛集·字训》，山西人民出版社1985年版。

④ （清）梁同书：《频罗庵书画跋》，参见侯镜昶：《中国美学史资料类编·书法美学卷》，江苏美术出版社1988年版。

⑤ （清）翁方纲：《复初斋文集》，参见侯镜昶：《中国美学史资料类编·书法美学卷》，江苏美术出版社1988年版。

必成顿滞。"①刘熙载亦称："书当造乎自然。"又称："裴公美书,大段宗欧,米襄阳评之以'真率可爱'。'真率'二字,最为难得,陶诗所以过人者在此。"②朱和羹谓："意在笔先,实非易事。……安能如笔在意先之超超玄箸哉?"③周星莲则称："字有一定步武,一定绳尺,不必我去造作。右军书,因物付物,纯仍自然。到得自然之极,自能变化从心,涵盖万有。"④姚孟起亦谓："'水流心不竞,云在意俱迟',可通书法之妙。意到笔随,不设成心,是上句景象;无垂不缩,欲往仍留,是下句景象。"⑤这些言论都是对"拙"即重真率、反雕饰、自然天真的审美意识的不同角度的诠释与阐发。

傅山视"拙"为至高审美理想,并创制了大量"支离、丑拙、真率"的奇乖之书,创造了造型的时代风格,予人以强烈的心灵震撼。其书法追本溯源,返朴归真,被顾炎武誉为"萧然物外,自得天机"。力作《右军大醉诗轴》用笔流畅,"拙"意盎然,书家笔由意驱、意随心达,以行云流水、自然天成的书写,超脱重重囹圄的现世书风,交织人性生命与自然宇宙,创制出傲视当代、耽睨俗风的古朴阳刚之作,高扬人性自由的理想人格和时代新风。梁同书评价王铎书作时也有类似体悟："观此卷,乃知五觉斯于书法亦专骋己意而不知古法也。……夫惟率意行笔,乃见规矩,亦谓创草破正。"⑥

可以说,"拙"是明清以来书家在个性解放思潮的氛围中追求人生理想和人格的自我完善之"道";又是书家在"天人合一"的境界中求得精神超脱而合"天倪"的美学追求。它融合了儒家"自强不息"的处世思想与道、禅的审美意识,统一了书法社会性、伦理性和书家心理满足。傅山尚

① (清)何绍基:《东洲草堂文集》,参见侯镜昶:《中国美学史资料类编·书法美学卷》,江苏美术出版社 1988 年版。

② 参见(清)刘熙载:《艺概》,上海古籍出版社 1985 年版。

③ (清)朱和羹:《临池心解》,参见侯镜昶:《中国美学史资料类编·书法美学卷》,江苏美术出版社 1988 年版。

④ (清)周星莲:《临池管见》,参见侯镜昶:《中国美学史资料类编·书法美学卷》,江苏美术出版社 1988 年版。

⑤ (清)姚孟起:《字学忆参》,参见侯镜昶:《中国美学史资料类编·书法美学卷》,江苏美术出版社 1988 年版。

⑥ (清)梁同书:《跋王觉斯书》,参见侯镜昶:《中国美学史资料类编·书法美学卷》,江苏美术出版社 1988 年版,第 62 页。

"拙"的书作书论,是明末清初这个转折时期的时代精神、审美风尚的反映,是对清廷"清整、温润、闲雅"的主流审美标准和千年帖学重风韵流美、温文典雅的传统审美观念的大胆挑战,具有重大的书法美学意义。其实质是"尚自然"的哲学思想、"自然全美"的美学思想对中庸哲学、"以礼节情"的美学观的继续斗争,是对李贽"童心说"的发展和在书法批评上的具体化,是时代、社会、民族的理想、情感对书法风格提出的必然要求。他将书法美学的人格主义和自然主义统一了起来,将"残"、"拙"、"丑"、"支离"、"直率"转换和提升为中国书法的审美标准和审美理想,倡导了清初书家自觉和自由创造精神的发展,是合规律性(真)和合目的性(善)的统一。

第三,重个性,反中庸,任情任性。

情性是书法之本。自先秦至六朝完成文论生成以来,"情本论"始终在历代美学思想和艺术实践中辗转流播,影响甚巨。① 降及清代书法,王澍曾言:"情事不同,书法亦随以异,应感之理也。"②刘熙载亦谓:"笔性墨情,皆以其人之性情为本。是则理性情者,书之首务也。"③清初士人书家大多向往超然物外、无拘无束、自得天机的精神境界,崇尚人性自由、个性解放的思想,他们的书作多选择草书这一书体,往往信笔随心、率意恣肆,笔意连绵、笔势磅礴,蕴藉着书家追求自由和人性觉醒的精神,抒写着书家自身的情感意趣,实为其重个性、反中庸、任情任性的审美意识表征,也是其表达个性、追求变化、思想解放的理想载体。

傅山草书率意而为、任情任性,独具特性,其草作点画刚劲有力,字形纷繁变化,字体简洁洗练,线条恣肆奔放、盘绕穿插、千回百转,淋漓尽致地展示着书家开阔的心胸、激动的心绪、矛盾的心境和无限的故国之思,表现着其自由的思想和内心的冲动,充分发挥了书法抒写性情的作用与意趣。譬如《赠魏一鳌行草书十二条屏》、《桦树》等书作以"豪迈不羁、志在千里"之磅礴气势和丰富的感染力予人以强烈的视觉冲击和心灵震

① 参见拙作:《"情本论"由先秦至六朝的文论生成》,《理论界》2008年第5期。

② (清)王澍:《虚舟题跋》,见侯镜昶:《中国美学史资料类编·书法美学卷》,江苏美术出版社1988年版,第34页。

③ 参见(清)刘熙载:《艺概》,上海古籍出版社1978年版。

撼。再如《行草五律诗轴》，打破成法、正斜相倚，笔势雄肆、连绵飘逸，拙朴遒劲、个性鲜明，尽显"奇"、"怪"、"丑"、"拙"的真率、自然之美。

王铎草作亦极重性情表达。譬如其晚年书作《草书临帖》轴，笔势连绵，字间虽连带不多，但笔断意连，行气贯通，运笔流畅；且率意洒脱，虽系临摹古帖，但不拘泥于原帖之形，笔法上亦不受其束缚，而是挥洒自如，结字用笔，皆出己意；师原帖之意，得其大略，而于法度之外另辟蹊径，字形大小、欹侧相间，不拘一格，通幅观之，法度自蕴其中，显示出一种恢宏的气度。再如狂草《杜甫诗卷》，笔断而意未尽，行尽而势不绝，诡谲险绝欹侧多变，英风浩气雄姿勃勃，极尽自然之变；更以狂放的笔墨和不可遏止的气势，寄寓纵横之志、抒写郁结之怀，独具乱世怪杰的鲜明个性。

第四，重创造，反僵化，奇趣入书。

刘熙载曾说："东坡论吴道子画'出新意于法度之中，寄妙理于豪放之外'。推之于书，但尚法度与豪放，而无新意妙理，末矣。"①出新意和奇妙理是书家共同的审美追求。清初士人书家身处明清易代的社会大变局中，在书道创制中尤其注重新创，各出新意，力反僵化。

傅山亦致力书艺鼎革新创，在继承传统的基础上创造出了崭新的时代风格。一是敢于打破陈规，不以"法"行而由"气"运。《草书孟浩然诗》卷字与字间不相连缀，但笔断意连，卷中字字林立、苍劲大气，一腔自然豪气在笔墨间来回流淌。二是擅长借由字形描摹心境、穷尽灵悟、传神达性。《草书立轴》以旷达无迹的笔画缺省和缠乱线条，呈现出一派童真无忌的狂野和天真，尽显其自由灵动的书学精神。三是儒道入书，首推人品。傅山深研儒道，书法创制中以为字如其人，首推人品。《草书四条屏》章法布白从心所欲、全无规矩，"豪迈不羁，脱略蹊径"（郭沫若语）。

王铎的书法新创主要有四：一是广泛师承、根基深厚。据统计，其传世的草书临帖作品达 126 件之多，对传统的继承十分深厚。二是用笔上，融合张、颜和二王，"拓而为大"、"不规规摹拟"，抹去了前贤笔法粗率、失笔与柔弱的弊病。三是结体与章法上，疏密并置、正奇对比，独创"二重

---

① 参见（清）刘熙载：《艺概》，上海古籍出版社 1978 年版。

轴线连接"。四是用墨上,尤善"涨墨法",涨枯墨的比对鲜明,是其雄奇、豪肆艺术个性的重要表现。

程邃、许友、朱耷、石涛等人则主要致力于画趣入书。程邃诗书画印四全,为书必求新意,突出情趣,其墨色和运笔的独特之处可能源自其对烟雾迷濛的自然景色的领悟时的灵感触动。许友作书章法皆无,随兴驱笔,随意赋形,按需变换,貌似杂乱不齐,实则整体上能臻于佳境,较之王铎与傅山的做法,不仅难度加大了,也更平添了许多意趣。所书《七言绝句二首条幅》,在紧促的空间中求安适,在东倒西歪中意外地连缀成幅,整幅字一气呵成、不可复制。朱耷书法则以求奇见胜,结体、用笔务使长者更长、短者更短,作书如作画,借鉴画中的险绝取势,使字有奇态、笔有奇气,是以画入书的先锋人物;其狂草仅以秃笔和墨色以及大片布白虚空即可使整幅书作气韵鼓荡,极富画意。所作《草书卢鸿诗集》通篇豪放疏朗、巍峨跌宕,空间构成融入画意,为"八大书体"的精品力作。石涛精工书法,尤能以各体笔势互用,质朴天真,是书又似画。其书以画法入书,带画境入书境的新创之举,书作得山水画野莽气息感染和不拘细节、坦然率真的画笔风神,造就其书作的山野气,形成其独特的书法意境,显示出他融学识、技巧于山水情境,代山川立言的天人合一的书学精神境界。

正如六朝知音文化是对中古经典阐释的独立评价、对中古人文精神的自主选择和对人类主体意识的审美提升,由明入清士人书家的书体选择、法度革新和书学精神也正是他们对书艺革新的独立认知、对书学精神的自主选择和对书家主体意识的自觉提升。①

第二节 画家书法:尚"怪"求"变"的书学精神

在清初强大的帖学势力和清廷牢笼天下士人的政策夹击下,由明入清士人尚"真"求"趣"的书学主张一度沉寂。然而表现自我、彰显个性的

① 参见拙作:《中古人文精神的透析——从演绎中的六朝知音文化谈起》,《华中科技大学学报》(社会科学版)2011年第6期。

书学审美理想并未就此绝迹。雍乾年间,"扬州八怪"异军突起,郑燮、金农等人狂放狂狷的个性行为和离经叛道的艺术活动,与当时流行书画风格迥异,一扫书坛沉寂,开创一代新风,被当时的正统派目之为"怪"。①"八怪"之怪,一在思想行为,"扬州八怪"多为下层士人,经历曲折、生活不幸、思想复杂、思维逆向、性格怪僻、行为狂狷,处世多有箕山之志,性格傲岸不羁,嗜好异于常态;二在艺术创作,其书画艺术挑战传统观念,不囿于古人古法,背离"正宗"、"正派",出入碑帖,融合书画,以新奇独特的艺术创制、傲岸独行的叛逆精神和个性表现,强烈冲击着传统风格,极富浓郁而鲜明的反传统、反正统、立异标新、不附时流的强烈个性色彩。于是,清初尚"真"求"趣"的书法艺术思潮再次凸显,在雍乾善画书家反对时风、高扬个性、风格独具的书法创作中得以承继、延续和发展,演变为尚"怪"求"变"的书学精神。其中所表现出的审美意识,上承王铎、傅山、朱耷、石涛等人,受李贽、公安三袁、袁枚的影响,下启阮元、包世臣、康有为倡导的碑学先声,产生了深刻的影响。本书将透过"八怪"书作的书体创新、法度突破、书学精神三个层面,一探清代中期善画书家的艺术观、审美趣味、审美理想,寻绎深潜其里的清代人文精神内核及其嬗变轨迹。

一、书体创新及其意象特征

艺术贵求新变。作为清代书法史上独树一帜的书画家群体,"扬州八怪"得益于朴拙的学术思想、繁盛的金石考据和扬州独特的民俗文化、繁荣的经贸环境泽溉,以书画为道,承继傅山、石涛、郑簠等一脉相承的书学成就,融合自己对人生和艺术的独特感悟,以叛逆、狂怪、创新的独创精神,诗书画印一体化的形式,创新书体、多元取法、变革法度、书画市场化等途径,创就了迥异时风的思想和格调,突破了中和为美的正统艺术观和审美情趣,大开碑学风气,给予后世书学以无限启迪。

---

① 据刘恒《中国书法史·清代卷》载:"扬州八怪"之称最早见于清末汪鋆所著《扬州画苑录》,其后凌霞《天隐堂集》,李玉棻《瓯钵罗室书画过目考》、《爱日吟庐书画补录》,黄宾虹《古画微》,陈师曾《中国绘画史》等著作都有记述,但诸家所录"八怪"姓名不尽相同,共有 15 人之多。(刘恒:《中国书法史·清代卷》,江苏教育出版社 1999 年版,第 187 页。)

清初傅山、郑薰、程邃等人的书法创作已显出多体融合、书体杂糅倾向。"扬州八怪"自觉地继承了这一写法并向前迈进,他们以此为破体新变之途,打破常规,融会多种书体而创出新体。尤以郑燮"六分半书"和"柳叶书"、金农"漆书"等书体创新为标。

郑燮为"扬州八怪"之首,"其名之所列,辄渐加而不渐淡",原因即在其独自高标、别具风趣的艺术创制。其艺术成就主要表现在诗书画几方面。张维屏称:"板桥大令有三绝,曰画、曰诗、曰书;三绝之中有三真,曰真气、曰真意、曰真趣。"①周积寅认为此三真实为郑燮的艺术生命、灵魂与魅力所在。② 而其书法的最高成就,则在于"六分半书"即"板桥体"以及"柳叶书"的书体新创。

关于"板桥体",《清史列传·郑燮传》:"少工楷书,晚杂篆隶。"③郑燮在《行书板桥自叙》中自称:"善书法,自号'六分半书'。"《四子书真迹序》亦称:"板桥既无培翁之劲拔,又鄙松雪之滑熟,徒矜奇异,创为真、隶相参之法,而杂以行草。"④《刘柳村册子》称:"板桥书法以汉八分杂入楷行草,以颜鲁公《座位稿》为行款,亦是怒不同人之意。"⑤关于郑燮书法,书论史上评说纷纭。查礼评曰:"板桥工书,行楷中笔多隶法,意之所之,随笔挥洒,遒劲古拙,别具高致。"⑥郑銮则称:"板桥世大父,中年始以篆隶之法两入行楷,蹊径一新,卓然成家。"⑦蒋宝龄亦称其"书隶楷参半,自

---

① (清)张维屏:《松轩随笔》,周积寅:《郑燮书法评传》,见《中国书法全集》(金农·郑燮卷),荣宝斋出版社 1997 年版,第 25 页。

② 周积寅:《郑燮书法评传》,见《中国书法全集》(金农·郑燮卷),荣宝斋出版社 1997 年版,第 25 页。

③ 《清史列传·郑燮传》,见马宗霍:《书林藻鉴 书林纪事》,文物出版社 1984 年版,第 212 页。

④ (清)郑燮:《四子书真迹序》,见陈浩、卢建成编:《中国书画典库》(第 14 函第 83 卷),线装书局 2001 年版,第 40—41 页。

⑤ (清)郑燮:《刘柳村册子》(残本),见吴泽顺编:《郑板桥集》,岳麓书社 2002 年版,第 339 页。

⑥ (清)查礼:《铜鼓书堂遗稿》卷三二,见吴泽顺编:《郑板桥集》,岳麓书社 2002 年版,第 372 页。

⑦ (清)郑銮:《跋郑燮破格书兰亭序》,许莘农藏木刻本。周积寅:《郑燮书法评传》,见《中国书法全集》(金农·郑燮卷),荣宝斋出版社 1997 年版,第 28 页。

称六分半书,极瘦硬之致"①。《清代学者像传》评其为"书有别致,以隶楷行三体相参,圆润古秀;楷书尤精,惟不多作。"②郑方坤则称他:"雅善书法,真行俱带篆籀意,如雪柏风松,挺然而秀出于风尘之表。"③李斗亦称他:"以八分书与楷书相杂,自成一派。"④李玉棻则以为他:"书法《瘗鹤铭》而兼黄鲁直,合其意为分书。"⑤尽管大家说法不一,但均可在其书作中找到佐证,他们将板桥体"六分半书"与"汉八分"相关联,道出郑燮书体的真谛,即以汉隶为本,杂以行楷篆草,多体合一。《论书轴》、⑥《论兰亭序六分半书轴》⑦等均为"六分半书"的典型代表。实际上,郑燮的"六分半书"是篆隶真行草的集成,其书往往杂篆怪字,取隶扁形,用真楷笔,得行草势,"意之所之,随笔挥洒",兼具楷之谨严工稳、行之秀俊飘逸、篆之圆转厚重、草之潇洒奔放。这种书体,各体夹杂,结字滑稽,融会众多的体势和用笔,或墨饱欲滴,或枯笔瘦长,体态奇辟狂怪。

　　而"柳叶书",则是郑燮创制的另一种新书体。《柳叶书七绝》轴跋云:"板桥居士,以画笔戏作柳叶书,不知古人曾有此法否,要知古人无法,不备后人学,薄特未见耳。我辈耽情竭髓,只是上前贤圈套不得,或曰怪无法,呵呵。"⑧这一书体,以中锋放笔为之,有柳叶飘动之感,格高绝俗,使人耳目一新。⑨

---

　　①　(清)蒋宝龄:《墨林今话》,见马宗霍:《书林藻鉴　书林纪事》,文物出版社 1984 年版,第 212 页。

　　②　叶衍兰、叶恭绰:《清代学者像传合集》,上海古籍出版社 1989 年版,第 162 页。

　　③　(清)郑方坤:《国朝诗钞小传》,见马宗霍:《书林藻鉴　书林纪事》,文物出版社 1984 年版,第 212 页。

　　④　(清)李斗:《扬州画舫录》,见马宗霍:《书林藻鉴　书林纪事》,文物出版社 1984 年版,第 212 页。

　　⑤　(清)李玉棻:《瓯钵罗室书画过目考》卷三,周积寅:《郑燮书法评传》,见《中国书法全集》(金农·郑燮卷),荣宝斋出版社 1997 年版,第 28 页。

　　⑥　(清)郑燮:《论书轴》,纸本,纵 104.4 厘米,横 54.5 厘米。陈浩、卢建成:《中国书画典库》(第 14 函第 83 卷),线装书局 2001 年版,第 47 页。

　　⑦　(清)郑燮:《论兰亭序六分半书轴》,181.5 厘米×94.3 厘米,纸本,荣宝斋出版社藏。韩凤林、宫玉果编:《郑板桥书法集》,北京体育大学出版社 2009 年版,第 14 页。

　　⑧　韩凤林、宫玉果编:《郑板桥书法集》,北京体育大学出版社 2009 年版,第 9 页。

　　⑨　周积寅:《郑燮书法评传》,见《中国书法全集》(金农·郑燮卷),荣宝斋出版社 1997 年版,第 31 页。

除此之外,其楷、行、草也造诣颇深,成就很高。所书《欧阳修秋声赋》为楷书佳作,正草隶篆率意组合,工稳更兼法度,破格而又守法。

郑燮新创书体之举,源于其极高的艺术修养与胆略和愤世嫉俗、傲岸不驯的个性。无论是"六分半书"还是"柳叶书",相对于无出于格的馆阁体而言,貌似大胆放肆、无视法度、玩世不恭,实则外拙内秀、不甘屈辱、正气凛然;既是其绝不曲意讨笑、杜绝投人所好的书品的表现,更是其鄙视权贵、厌恶世事、桀骜不驯的人品的反映;既曲折地反映出书家遭遇不平的郁愤,又饱含着对清廷无端歧视和残暴打压的蔑视;既反映出书家反叛中和、抵牾馆阁的机智,又蕴藉着绝不与当权正统派合作的傲气;既直接给予清廷贵族以无情的嘲讽和一记响亮的耳光,又蕴藉着挑战皇家贵族审美观念的铮铮傲骨。

金农是"扬州八怪"中举足轻重的代表,蒋宝龄称其为"百年大布衣,三朝老名士"①。其诗书画均不落前人窠臼。金农书法分为"渴笔八分"、行草、隶书、写经体楷书、楷隶混合体等五大类,而最为世人瞩目的书法成就便是"漆书"这一最有特色的书体创制。杨岘、徐康二人首先将金农"漆书"与其分隶区别开来。杨称其:"工分隶漆书,精绘事,具金石气,不肯寄人篱下。"②徐亦称:"冬心先生墨,赝者最多,真者余廑见大半段,长方厚阔,边两面皆作漆书体。"③而金农则将此类书作视为自己独创的"渴笔八分"。④ 目前,可见金农最早的"漆书"代表作是《司马光佚事》

---

① 黄惇:《金农书法评传》,见《中国书法全集》(金农·郑燮卷),荣宝斋出版社 1997年版,第 1 页。

② 杨岘:《迟鸿轩所见书画录》,见卢辅圣:《中国书画全书》(第十二册),上海书画出版社 1998 年版,第 34 页。

③ 徐康:《前尘梦影录》,黄宾虹、邓实:《美术丛书》(第一册),江苏古籍出版社 1986年版,第 97 页。

④ 金农"漆书"作品《外不枯中颇坚诗轴》的题跋云:"予年七十始作渴笔八分。汉魏人无此法,唐、宋、元、明亦无此法也。康熙间金陵郑簠虽擅斯体,不可谓之渴笔八分。若一时学郑簠者,亦不可谓之渴笔八分也。乾隆丁丑正月杭郡金农记。时年七十有一。"[(清)金农:《外不枯中颇坚诗轴》,纸本,1757 年,故宫博物院藏。]可见,金农题跋自谓其所"独创"的横粗竖细且有倒薤长撇的变体八分,叫"渴笔八分"。其弟子罗聘《冬心先生画佛歌》中载:"冬心先生真吾师,渴笔八分……书绝奇。"[张郁明等:《扬州八怪诗文集》(三),江苏美术出版社 1996 年版,第 290 页。]

（又称《司马温公居雒轴》），①这是金农书风转型时期的代表作，其书师
法并兼容《国山碑》、《天发神谶碑》等名作，书用重墨，直笔多，曲笔少，字
形变长，横粗竖细，卧划横刷，笔画形同扁刷刷出。此后所作，或直以漆书
行之，或全以卧笔偏锋书写楷隶，其形构方整而偏长，状如木板刻字，俨然
如同今世之黑体美术字。如《记沈周叙事轴》、②《周伯琦传记六条屏》、③
《汲古处和四言联》、④《越纸古瓯七言联》、⑤《疏花片纸七言联》、⑥《相鹤
经轴》、⑦《漆书七言联》、⑧《漆书古谣一首》、⑨《漆书盛仲交事迹》、⑩《漆
书墨说立轴》⑪等，均为其知天命之后的老辣漆书作品。这种书体，于迟
涩中见畅达，于欹侧中见和谐，于诞怪中寓法度，于率意中见匠心，以质拙
朴厚为体、楷书中杂有隶意、个性极强，是金农在揣摩深研的基础上，入而
能化，为我所用，以截豪秃笔作横画粗短、竖画细劲、雄奇恣肆、斩钉截铁
之方笔字，为有意"骇俗"而一改寻常面貌，别开生面地创制而成。金农
"漆书"的诞生，源于他在书学上与正统思想笼罩下的一切行为的诀别，
也昭示着他对"字画端谨矫俗狞"观念的裂变式反叛；既是金农个性及书

──────────

① （清）金农：《司马光佚事漆书轴》，纸本，1738 年作，纵 95.5 厘米，横 31.5 厘米，台湾兰千馆藏。

② （清）金农：《漆书记沈周叙事轴》，纸本，1740 年作，纵 115 厘米，横 35.5 厘米，故宫博物院藏。

③ （清）金农：《漆书周伯琦传记六条屏》，纸本，1740 年作，每屏 67 厘米×22 厘米，上海朵云轩藏。

④ （清）金农：《漆书汲古处和四言联》，纸本，1744 年作，纵 63.5 厘米，横 14.2 厘米，广东省博物馆藏。

⑤ （清）金农：《漆书越纸古瓯七言联》，砑花笺，1744 年作，133 厘米×29 厘米×2，上海博物馆藏。

⑥ （清）金农：《漆书疏花片纸七言联》，纸本，1752 年作，纵 125.9 厘米，横 21.1 厘米，四川省博物馆藏。

⑦ （清）金农：《漆书相鹤经轴》，纸本，1752 年作，纵 156 厘米，横 37 厘米，故宫博物院藏。

⑧ （清）金农：《漆书七言联》，1757 年作，纸本，辽宁省博物馆藏。

⑨ （清）金农：《漆书古谣一首》，1757 年作，纸本，纵 58.5 厘米，横 24.5 厘米，广东省博物馆藏。

⑩ （清）金农：《漆书盛仲交事迹》，年代不详，纸本，纵 43.2 厘米，横 32.5 厘米，南京博物院藏。

⑪ （清）金农：《漆书墨说立轴》，纸本，纵 84.9 厘米，横 44.7 厘米，扬州博物馆藏。

艺之所在,更是对正统书法审美观念的大胆挑战。

李鱓、汪士慎、高凤翰、黄慎、杨法等人亦各有创体出新之处。异于郑燮、金农创体之变,"两举功名一贬官"的李鱓的书体新创则走"正变"之途:持法求变、变中守法。其书取法晋唐,融汇碑帖,书画互通,既重师承讲法度又不墨守成规,求险绝于平正,蕴奇趣于古朴,颇具金石气。"心观道人"汪士慎书作多行楷、行草,其行书杂颜体,运笔横势稍强,结体宽博横展;又工隶书,与郑簠一脉相承,行草有隶意,古拙生冷;间以画笔入书,韵致独特。如其《隶书咏牵牛花诗》轴,笔势寓巧于拙,结体纵势长方,貌若其画梅之笔,端庄郑重、清秀峻拔。① 失明后更作狂草,为金农等人盛赞。"丁巳残人"高凤翰以左手书画篆刻,其书生拙朴厚,独具天趣,首创左手书法新风。《行草书册页》即为左手书法杰出代表。② 黄慎书法以狂草见长,别开生面,自成一格。其笔意宗怀素,跳荡粗狂;笔法、笔力融汇孙、颜,布局严整,遒劲浑厚。更兼画意入书,尤重点画,点线连断,大小错落,豪宕奇肆;时杂异体字,韵味独特。清凉道人称其:"书法纵横,酷似其画。"③钱湄寿评其书:"忽而疏,忽而密,空际烟云指间出;忽而枯,忽而生,满林风雨皆秋声;笔一枝,墨一斗,兴酣笔跃墨亦走;笔有神,墨无痕,山重水复蛟龙奔。不以规矩非其病,不受束缚乃其性。"④所作《草书轴》为其狂草杰出代表。⑤ 李方膺书作早年师帖,后师碑版;其书多为行书,间杂草字,少见他体。杨法书体新创则主要体现在其篆隶创作与"以印入书"方面。其篆书融汇篆隶笔法,擅用曲笔、颤笔,结体夸张,形同草篆,笔意高古;其隶作则古拙冷硬,类同髹金"漆书";其行草兼融篆隶沉滞笔意,漫卷金石气。

---

① (清)汪士慎:隶书《咏牵牛花诗》,上海博物馆藏。陈浩、卢建成:《中国书画典库》(第14函第84卷),线装书局2001年版,第90页。

② (清)高凤翰:《行草书册页》,首都博物馆藏。为其65岁所书。

③ 参见(清)清凉道人:《听雨轩笔记》,重庆出版社1999年版。

④ (清)钱湄寿:《题黄瘿瓢慎山水障子》诗,见《潜堂诗集》卷六。

⑤ (清)黄慎:《草书轴》,见陈浩、卢建成:《中国书画典库》(第14函第84卷),线装书局2001年版,第37页。

二、法度突破及其书法实践

"扬州八怪"诗书画印兼工,书画家的双重身份,使他们对线条和造型的领悟以及把握更为细腻和丰富,对用笔、布局和笔墨的掌控能力也远超普通书家。其书作融会画学修养与画技画法,以画入书、以印入书,在笔法、字法乃至墨法诸方面突破正统书学规范的桎梏,极大地拓展了书法技法表现力,展现出崭新的审美追求与精神风貌,其笔法、字法、章法、墨法等方面的法度突破和影响在清代书法史上尤为显著。

第一,笔法:杂糅各体,自出新意。

"扬州八怪"书家的用笔一反正统笔法,有意混杂篆、隶、楷、草各体用笔,或行取隶笔,或篆用草法,运笔多用侧锋、扁笔,大量采用顿挫、轻重,各出新意,新奇生动。

郑燮书法用笔一反传统、特色鲜明。其笔法突出特点有三:一是长画醒目;二是摇波驻节;三是画笔入书。首先是长画醒目,郑燮书作常取法汉八分及黄庭坚、苏轼、徐渭等书家,故意将其要突出的撇、捺、横画和竖弯钩等主笔拉长。如《操存陶铸七言联》中"存"、"铸"、"若"、"金"等字的长撇;①《城隍庙碑记》中"之"、"过"等字的长捺;②《跋李鱓花卉蔬果册》中"册"、"益"等字的长横;"也、乙、己、七、几、九、元、气、色"等字的"竖弯钩";③《赠刘道士二首帖》中"琴"、"暮",④《草因燕为七言联》中"春"、"暮",⑤《山奔沙起四言联》中"沙"等,⑥则显出郑燮"撇捺双重"的

---

① (清)郑燮:《操存陶铸七言联》,见陈浩、卢建成:《中国书画典库》(第 14 函第 83 卷),线装书局 2001 年版,第 9 页。

② (清)郑燮:《新修城隍庙碑记》,见张守杰编著:《郑板桥新修城隍庙碑记》,潍坊市新闻出版局 1997 年版,第 11 页。

③ (清)郑燮:《跋李鱓花卉蔬果册》,见韩凤林、宫玉果编:《郑板桥书法集》,北京体育大学出版社 2009 年版,第 67 页。

④ (清)郑燮:《赠刘道士二首帖》,见陈浩、卢建成:《中国书画典库》(第 14 函第 83 卷),线装书局 2001 年版,第 48—49 页。

⑤ (清)郑燮:《草因燕为七言联》,124.8 厘米×28.4 厘米×2,扬州博物馆藏。韩凤林、宫玉果编:《郑板桥书法集》,北京体育大学出版社 2009 年版,第 58 页。

⑥ (清)郑燮:《山奔沙起四言联》,见陈浩、卢建成:《中国书画典库》(第 14 函第 83 卷),线装书局 2001 年版,第 44 页。

特征。此类用笔,强烈冲击着"横画不欲太长,长则转换迟"①的传统笔法理念,彻底打破了中和为美的正统书学审美观,予人以强烈的违和感和视觉冲击。其次是摇波驻节,频繁顿蹲、驻节,对长线条主笔笔画、短竖画、转折处着意刻画,反复提按涩阻颤掣,尤重点画运笔之力与线条摆宕之势。对此,翟赐履评其:"以分书入山谷体,故摇波驻节,非常音所纬。"②曾国藩亦称:"板桥善用蹲笔。"③周积寅亦称其驻节"多用于转折处,而且按得较重,有力透纸背之感。其蹲衄之处,撇在接近收笔之中间,而捺则收笔处,亦属隶书之隼尾波"。郑燮其隶书融合隶楷特点,气息近郑簠,其成熟书作点画敦厚粗壮,点、横喜用顿笔,转折处以偃笔翻过,纯以苏法,撇捺及长横化用黄法,斜昂取势,间用提按颤抖。如《隶书歌谣轴》杂入行书笔意,笔法凝练,运笔多提按起伏;④《跋李鱓花卉蔬果册》中"益"、"圆"、"册"、"爱"等字转折处亦笔笔顿按,力透纸背。其行书则师法苏黄,笔画杂隶意融画笔,独具特色。如《行书四言联》"为"字鳖脚夸张,"山"、"随"、"画"等字则用提按和颤笔;"诗"字"言"、"寺"二部粗细对比、层次鲜明。⑤ 其三是画笔入书。郑燮尤喜画作形象入书,其作字竖画类竹竿、横画类竹枝、撇捺类兰叶,瘦硬劲拔笔法源自兰竹画法。蒋宝龄称其书:"极瘦硬之致,亦间以画法行之。"⑥郑燮自己也在题《墨竹》中称:"至吾作书,又往往取沈石田、徐文长、高其佩之画以为笔法,要知书画一理。"⑦认为"以画之关纽透入于书"完全可行。郑燮楷书早年宗欧,

---

① (宋)姜夔:《续书谱》,见潘运告:《中国历代书论选》,湖南美术出版社2007年版,第375页。

② 马宗霍:《霎岳楼笔谈》,见《中国书法全集》(金农·郑燮卷),荣宝斋出版社1997年版,第30页。

③ (清)曾国藩:《求阙斋日记》,见《中国书法全集》(金农·郑燮卷),荣宝斋出版社1997年版,第30页。

④ (清)郑燮:《隶书歌谣轴》,纸本,中国国家博物馆藏。

⑤ (清)郑燮:《行书四言联》,73厘米×24厘米×2,纸本,湖北省博物馆藏。

⑥ (清)蒋宝龄:《墨林今话》,马宗霍:《书林藻鉴 书林纪事》,文物出版社1984年版,第212页。

⑦ (清)郑燮:《题墨竹图册页》,南京市博物馆藏。韩凤林、宫玉果编:《郑板桥书法集》,北京体育大学出版社2009年版,第75页。

用笔匀净秀劲,结体端庄紧密,小楷工整严谨如馆阁,由于担心"蝇头小楷太匀停,长恐工书损性灵",①中进士后便不再拘谨于整齐拘谨的楷书,而是从自己性情出发,转向对个人风格的探求和表现。如其楷书代表作《城隍庙碑记》中"庙"、"岁"、"月"、"在"等字,撇笔融画法,横笔、捺脚取篆隶笔法呈波挑状,已打破平正方严、开始出现欹侧结体和伸展撇捺特征。② 观其书作,某些点画时常或如兰、竹,或若叶、干,如《润格》中"纠"字竖如竹节,"也"字短撇如竹叶,长撇如兰叶。③《草书七绝诗》中"月"字的撇画如画竹,"来"、"芦"、"边"字借用画笔。④ 此类以画法直入书法的做法,完全迥异于传统笔法,在郑燮那里被运用得出神入化。蒋士铨誉之为:"板桥作字如写兰,波磔奇古形翩翩。"⑤

金农书法用笔熔古铸今、推陈出新。主要特点有三:一是扁笔刷字;二是倒薤笔法;三是颤笔涩进。其一是卧笔刷字,金农"漆书"作品用笔多为铺毫扁笔,笔毫如卧,笔锋取扁,其横画以卧笔刷行,而竖画则卧笔直拖,横粗竖细,对比悬殊,效果类似截毫作字。此法源自其"飞白书"创作体验与隶书创作实践。有其自作诗两首为证,《草书大砚铭》称:"榴皮作字筐帚书,仙人游戏信有之。磨墨一斗丈六纸,狂草须让杨风子。"⑥《郐阳褚峻飞白歌》则称:"我闻飞白人罕习,汉世须辨俗所为。用笔似帚却非帚,转折向背毋乖离。"⑦不仅道出"漆书"源自"飞白书",而且一再明示其用笔是"似帚却非帚"的扁笔刷字。"惟笔软而奇怪生焉",金农书作所营构的线条效果与飞白质感正源于其对"干墨渴笔"的活用和对扁笔

① (清)郑燮:《绝句二十一首》之方超然,见《郑板桥全集》,世界书局 1936 年版,第 97 页。

② (清)郑燮:《新修城隍庙碑记》,见韩凤林、宫玉果编:《郑板桥书法集》,北京体育大学出版社 2009 年版,第 112 页。

③ 《近代碑帖大观》(第二集),天津古籍出版社 2006 年版,第 38—39 页。

④ (清)郑燮:《草书司空曙七绝》,65 厘米×100.8 厘米,南京博物院藏。

⑤ (清)蒋士铨:《忠雅堂诗集》卷十八,见周积寅:《郑燮书法评传》,《中国书法全集》(金农·郑燮卷),荣宝斋出版社 1997 年版,第 29 页。

⑥ 张郁明等:《扬州八怪诗文集》(三),江苏美术出版社 1996 年版,第 257 页。

⑦ 张郁明等:《扬州八怪诗文集》(三),江苏美术出版社 1996 年版,第 139 页。

刷字的新创。其作《西岳华山庙碑轴》①和《题昔邪之庐壁上诗漆书卷》,②笔画均为横粗竖细且对比明显。其二是倒薤笔法,是一种竖画、撇画尾端以细尖收尾的笔法。此法本源自六国古文悬针、垂露笔法,收笔似尖峰,曹喜及汉末篆家多用此法,金农将其改造后不着痕迹地化为自己书法用笔的另一特色。如前文所举《西岳华山庙碑轴》和《题昔邪之庐壁上诗漆书卷》二作中多字,以及《隶书王彪之井赋》③作品中"仰"、"宿"、"飞"、"而"、"清"等字的竖画尾端明显收尖,为其倒薤笔法运用的典范。其三是颤笔涩进,这是金农以刀法入书的用笔新创,指其为书师法碑学、篆刻,用笔善用顿笔、颤笔以毛糙线条边缘,追求古朴斑驳的金石之气。如前述《西岳华山庙碑轴》和《题昔邪之庐壁上诗漆书卷》,渴笔蘸墨,竖画相背横画震颤,线条波势平直,锋尖至尾端轻挑,线条边缘毛糙,剥蚀苍茫,极具金石意味。

　　他如,华嵒主张"但能用我法,孰与古人量",其书用笔直入平出而不受法度拘束。高凤翰隶作用笔学郑簠,喜在转折处用断笔搭接之法,中年则学苏轼,用笔敦厚,晚年左手书作用笔生涩。汪士慎隶书点画沉稳,直师汉碑而不受郑簠影响,用意于运笔的迟滞凝重,不斤斤于波挑剔的夸张。李鱓行书用笔坚实果断、斩钉截铁,大字行草用笔放纵豪宕、突兀磅礴。黄慎草书行笔常往复回环缠绕,故以绞锋顿挫笔法为主,并经常杂以长线条调和空间布局。李方膺晚年用笔师法由帖转碑,脱去二王习气而以自成一格,其书用笔少圆笔多直笔,笔道坚硬刚强,碑学的味道渐浓。杨法"狂草恣逸,殆不可识,殊无笔法"(马宗霍语),行书师法六朝碑版墓志,字画方折劲挺,篆书用笔飘忽跳荡、曲直相参。

---

　　①　(清)金农:《西岳华山庙碑轴》,纸本,152厘米×45厘米,上海市博物馆藏。《中国书法全集》(金农·郑燮卷),荣宝斋出版社1997年版,第141页。

　　②　(清)金农:《题昔邪之庐壁上诗漆书卷》,见《中国书法全集》(金农·郑燮卷),荣宝斋出版社1997年版,第31页。

　　③　(清)金农:《隶书王彪之井赋》,见《扬州画派书画全集》,天津人民美术出版社1996年版,第2页。

第二,字法:多元结体,新奇多变。

"扬州八怪"书风多元,结字亦新奇多变。他们因书画双全而敏锐的空间感知力和超强的构图能力,将方正规整的字形塑造得千奇百怪、姿态万方,极富艺术生命活力,令人称奇。

郑燮书法书作结字主要特点有三:一是一字多写;二是结构夸张;三是以画入书。其一是一字多写。郑燮书作师法碑帖、多体相参、自成一格,为一字多写提供了变型可能和空间,其书作的常用字如书、画、天、地、有、无等,通常一字多写,丰富多彩,极尽变化。如"书"字,在其《论书轴》①中出现七次,字字写法不同。其书作落款"板桥"、"老人"等的写法更多达数十种。其二是结构夸张。其书作经常在字形本身长、窄、宽、斜等结构特点的基础上刻意加以夸张地放大,或加长、或加窄、或加宽、或加斜,使长窄的字更加长窄,宽的更宽,斜的更斜。其三是以画入书,郑燮善于将绘画中的意趣和修养用于书法中,下笔如写兰。郑燮草创的"六分半书"是以画入书的典型代表。实际上,在清代画家书法中,相比于八大、石涛和扬州画派其他诸家,"六分半书"可以说是一种最浓于画意的书体。郑燮的兰竹画,无一笔非隶楷笔法,而其"六分半书",则于竖笔、撇笔、点笔、捺笔中深蕴兰竹情态。这种浓郁的画意,给人以赏心悦目的和谐之感。不过,其书法也有矜才使气、发越太尽之弊,不如八大、石涛、金农等人高旷。郑燮结体的这些特点,既富于变化又和谐统一,充分反映了他突破成法、求新求变的创造力。

金农书作结字主要特点有三:一是变形夸张;二是偏旁错动;三是虚实相映;四是装饰性强。其一是变形夸张。变形是打破原有视觉与心理习惯予人以耳目一新的艺术体验的重要手段。金农书法创作尤其注重对传统结字的变形,"漆书"结字的夸张变形是其突破传统规范的典型表现。金农漆书多一反传统禁忌地将厚重横画并排放置,毫不避让,使字体变形为夸张纵长的长方形或扁缩的矮方形,提升了字体的重量感,让书法

---

① (清)郑燮:《论书轴》,纸本,纵 104.4 厘米,横 54.5 厘米。见陈浩、卢建成:《中国书画典库》(第 14 函第 83 卷),线装书局 2001 年版,第 47 页。

从笔墨线条的组合走进块面状的表现。他并非不懂规避近笔相犯的传统美感守则,这种异于古今的表现方式实为金农追求艺术效果的自觉的创造,也是他对传统法则的反叛和解脱。金农漆书结字还经常险中求变、变中求奇,刻意以倒薤笔法作貌似大头婴儿的头重脚轻字形,以抛却呆板僵化的世俗形象,其不平衡的视觉动感效果使其书作极富张力和紧张感,充满稚拙天真的奇趣。前引金农漆书作品均可见出这一结体特征。其二是偏旁错动。金农一反传统楷法结字的平直整齐的平衡法则,在细体楷书中常将左右偏旁挪移、缩放,尤以右高左低为多,有效规避了布若算子、丧失体势之美的危险,字体也因具有错落动感而突破了方块的局限,活泼生动,别具新意。其三是虚实相映,金农漆书因变形夸张与偏旁错动在视觉上造成了结字空间中疏密、黑白、虚实之间以及感官上的厚重与轻飘的强烈对比,令其结字分外抢眼,沉厚之中蕴藉着虚实相映的活泼动势。其四是装饰性强,迥异于漆书,金农楷隶书作如《相鹤经楷隶册》等,[①]刻意追求用笔用墨的严谨,线条粗细的一致,字内空间的匀称,墨块布白的均等,结字的爽朗疏松,结构的匀整平正,务使秩序井然、整齐清新,极似美术字,颇具美术装饰意味。不仅如此,更于同幅中同字同偏旁反复出现且写法完全一致,这种自觉而刻意的处理貌似刻板,却又以拙趣结字和空间挪移巧妙地规避重复叠加的弊病,更使金农书法类同于民间抄书与木刻版画书的美术字倾向,加重了装饰意味。其间也可稍稍窥见其由雅入俗的书法审美倾向。

　　他如,华嵒书作结体以朴实自然为主,字形稍长略近陈洪绶,小字从容自然似恽寿平,大字则洒脱奔放,奇趣横生。高凤翰隶作字形多取篆体,丰满敦厚,古朴静穆,行草书亦纵横瘦劲全出自运,中年学苏轼字形方扁,老年务求拙厚不求工整,古拙更兼奇趣,别开生面。其《隶书杂铭册》结尾的行书题诗和跋语均为苏体,丰腴遒逸,深得东坡三昧。汪士慎隶作字形方整雍容,前引《隶书咏牵牛花诗》轴,写于长方形乌丝栏内,体型变

---

① （清）金农:《相鹤经楷隶册》,见陈浩、卢建成:《中国书画典库》(第 14 函第 84 卷),线装书局 2001 年版,第 1 页。

汉唐横式扁方为纵式长方,端正庄重,清俊秀拔;笔势寓巧于拙,有屋漏痕、折钗股之遗意,与其画梅的出干行枝相仿佛;相比汉碑雄浑雅健的博大气象,别有一种"要将胸中清苦味,吐作纸上冰霜桠"的山林襟怀。李鱓行书结体茂密紧凑、洒脱自然,大字草书则字形大小错落,欹侧混杂。黄慎草书结体多通过经营字边笔画来张大字内空间布白,以外拓开张、内敛精修为基调,率性挥洒,随意赋形,险绝多变,使得单字结体遒劲、大气、夸张。杨法行书字形高低欹侧,篆书字形结构虽本于小篆,但方圆互用,面目奇诡怪异,变幻无端,风格近于汉缪篆。以《五言帖》①为代表的隶书作品更融合篆书结构,体势自由,胸无绳墨,能极尽变化出奇之能事。

第三,章法:违和统一,画意入书。

积字成行,累行成篇。章法便是整体空间布白安排,关涉基本的用笔、结字、用墨、行气,关涉字字、行行之间的疏密、呼应等问题。"扬州八怪"书作章法在整体布局下蕴藏着变化,处处存在着违、和这对对立统一的矛盾,极具意趣。

郑燮作书的章法主要特色有三:一是乱石铺街;二是纵有行横无列;三是画意入书。其一是乱石铺街,即线条随意、不守成规、融入画意,这是"板桥体"章法的重要特征。郑燮"六分半书"作品如《论书轴》、《论兰亭序六分半书轴》等,上下字间距与行间距大体相当,章法布局貌似"散"、"满",实则充满正变的张力,既变幻多端又整体和谐,其字形方圆、大小、长短、高矮、肥瘦等夸张变异,杂糅各体,变而不乱;点画、字间、行间的轻重、正斜、疏密、虚实等错落穿插,纵放有矩,挥洒自如,落英缤纷之态酷似"乱石铺街"。《读书必欲读五车轴》更是"乱石铺街"的典范作品。此作点线化用画法,点画有力,结体非行非草,字形古朴烂漫,用墨浓淡干湿并举,运笔轻重缓疾不一。为求新奇,他还常以多种异体字、自造字杂入书作,刻意经营章法布局,虽不免稍嫌涣散,亦可见其匠心之独运。其二是纵有行横无列。郑燮隶作较少,其隶书章法布局纵有行横无列,

---

① (清)杨法:《五言帖》,隶书,纸本,32厘米×23.5厘米,上海市图书馆藏。

突破了传统的工整奇稳模式,显得自然活泼。前引《隶书歌谣轴》①从"金"到"盘",结字服从布局,按需夸张变形字体,使之自然错落,合为一起。其三是画意入书,如《行书七律诗轴》②以隶入行,字体方扁,章法布局深谙画理,不仅行距整齐,严控列长,且每列自上而下呈阶梯状延伸,周密新颖。而《草书唐诗》③章法布白更极具画意,该书构图疏朗,全篇中锋用笔,浓点细线,单字独立,欹侧收放,笔断意连,杂以画笔,漫卷"活"趣,气贯全篇,颇具神采,被誉为"郑长题"的题画诗文更是章法布白中画意入书的典范。对此,郑方坤称其书:"如雪柏松风,挺然而秀,出于风尘之表。"④朱克敬评其书:"如秋花依石,野鹤复戛炳,自然成趣。"⑤郑燮这种掺杂不同书体、突破书画审美范畴界限的章法布局,既是对"布若算子"的馆阁体的有力抨击和反叛,也典型地反映了郑燮愤世嫉俗和怀才不遇的孤峭情怀,更展示出其敏锐过人的才华和不谐时俗的胆魄。

金农书作章法主要特色有二:一是对比鲜明;二是形式统一和谐。首先是对比鲜明。金农漆作的比对现象尤为显著,既有大小、长短、扁方的字体对比;也有布白空间的对比,更有墨色浓枯的对比。金农漆作字体大致呈方形,由于其卧笔横画宽厚且并置,横多的字形自然向纵势发展,横画少的则较扁,长扁大小差异悬殊。金农晚期漆作《相鹤经漆书轴》⑥中字形比对更甚,律动感十足。此类比对通常使人产生活泼、明快之感,于朴拙之外平添了巧妙构思、出奇布局的趣味,营造出浪漫的书风。其次是形式和谐统一。金农书风变幻莫测、分外夺目,其漆书作品往往在丰富的

---

① (清)郑燮:《歌谣轴》,纸本,中国国家博物馆藏。

② (清)郑燮:《行书七律诗轴》,1758年作,138.2厘米×74.4厘米,纸本,重庆博物馆藏。

③ (清)郑燮:《草书唐诗》,85.5厘米×35.2厘米,扬州博物院藏。

④ (清)郑方坤:《国朝诗钞小传》,见马宗霍:《书林藻鉴 书林纪事》,文物出版社1984年版,第212页。

⑤ (清)朱克敬:《雨窗清意录》甲部卷一,见《中国书法全集》(金农·郑燮卷),荣宝斋出版社1997年版,第30页。

⑥ (清)金农:《漆书相鹤经轴》,纸本,1752年作,纵156厘米,横37厘米,故宫博物院藏。见陈浩、卢建成:《中国书画典库》(第14函第83卷),线装书局2001年版,第63页。

笔法、字法、章法表现形式与变形夸张、悬殊比对的构思下,仍保有着横粗竖细、倒薤角度、方形结体、块状墨迹等相对一致的统一性元素;其细字楷作更以等整饬划一的用笔、用墨、结体、章法等形式保持着和谐统一的整体基调。金农书作正是在这种多元的变幻中将整体章法统一为和谐的佳作。

黄慎草作的章法特点有三:一是紧缩行距;二是画意入书;三是气贯通篇。其一是行距紧密,这是其草作章法的基本形式。黄慎结字外紧内松的特点往往从视觉上产生割裂书作整体空间的感觉,如果行距过大则势必使之更为疏解萧散,无法凝聚全书的饱满气势,所以有必要紧缩行距以构成字内外空间协调的疏密。此法的运用,配以行笔的顿挫,则营造出类同郑燮书法章法点画狼藉、字形萧散的乱石铺街之态和张力饱满、气贯全书之势。其二是画意入书。黄慎草作章法尤重画意入书,现存百余幅草作无不神完气足、畅达和谐。这都得益于其在章法布局上的自觉营构与奇思妙想,不仅字内字外高低肥瘦、各具情态,字与字之间也俯仰上下、顾盼左右,而且行与行间更是避让呼应、动静相得。种种书法意趣均展示了书家深厚的画学修养。草作《送汪瞻侯归姑苏诗轴》将绘画原理熟练运用于草书中,创造性地有效化解了结体疏密、行气强弱、运笔疾涩、墨色浓淡等矛盾,呈现出"书中有画"的艺术风貌;通观全作,古拙遒劲、别趣盎然,或如"潮水难"数字连绵,或如"平"、"员"等字字断开,或如"闻"、"生"以流畅线条凄恻成态,或如"迹""归"以粗重点画顿挫生态。《赠神皋坛长七言联》"中"字竖画纵情拉长至三字空间,"别向诗"、"开世界"三字只占到一字空间,"别向诗"笔法多圆转,"中"字用笔虚活,"世界"多用方折笔法,用墨凝重,看似信手拈来,实则独具匠心。其三是气贯通篇。黄慎草作十分注重气势贯通的艺术效果,一方面,其草作为解决字内行笔断而不连所导致的气息不畅问题,采取字间首尾相连的方式,于乱石铺街的满纸凌乱中气贯通篇;另一方面,为疏解空间与笔画的支离破碎带来的压抑感,经常适时妙用长笔以分明主次,匠心独具。如《草书七言别向长从联》的"中"字达三字位长,不仅营造了体势,活跃了章法,而且打破了对联字字左右对称的传统格局。

他如,华嵒书作章法匀称稳妥但不呆板,而时时以拖长竖脚来打破字距和调整节奏,其总体风格潇洒俊逸,轻松从容,在漫不经意地挥洒过程中往往由出人意表的奇趣和变化。汪士慎书作章法结构严谨。李鱓书画超拔脱俗,其画作长题,字形随机变化,错错落落写满画面,章法别具一格。此外,高凤翰、高翔、罗聘的隶书,李方膺的行草书,章法布局中也都或多或少地含有各自画笔的构思意趣,与一般书家书作风格迥异。可见,字中有画,书作章法布局中含有绘画构图技巧、画家布白匠意,这是善画书家群体书法的重要特色。

第四,墨法:笔情墨韵,气象万千。

中国书画墨气充盈,富于东方神韵与意象精神,墨法是中国书画造境的重要手段。不同书体有不同墨法,用墨优劣直接影响线条品质。自明代董其昌首次将墨法置于笔法之上以降,王铎、傅山、朱耷、石涛等清初士人书家于墨法方面的实践革新独具匠心。及至雍乾,"扬州八怪"自觉地对书法用墨上展开了更进一步的深入探究、大胆创新,基于其书画一家的特殊身份和对画法、墨法、水法的独到体悟,他们的墨法均以浓、密、实、厚为宗旨,多浓厚、古朴,偶尔兼以枯涩、"浓涨"之墨,书作则往往浓淡相间,干湿并用,轻重有节,虚实有度,水墨淋漓,明暗远近,笔情墨韵相互生发,极富意境之美。郑燮书法极重墨色,尤喜浓重笔墨,墨法异于他人。其"六分半书"墨色浓而不滞,枯而不薄,如《满江红》,[1]涨墨、浓墨、淡墨、涩笔等墨法并用,书写自然,用笔率意,墨色浓淡变化,甚至单字字内也有浓淡变化的层次感,如"孃"字,女旁浓墨,襄旁淡墨。金农书作墨法变化多样,其墨色变化与书作气势相辅相成。其行书用墨浓淡、浅淡、湿润、干涩自然变化,如其作《游禅智寺》[2],出手不凡,纯用己法,轻擦用墨,墨色浅淡,加之轻柔用笔、圆转结字,字距宽阔而行距紧逼,萧淡轻柔且孤高不群,细笔线条和粗糙字形全无"帖"相。其隶书用墨则浓黑为主杂以干涩飞白,浓墨作隶使其隶书厚重沉笃,颇具金石气。其晚年漆书如前引

①　(清)郑燮:《满江红》,行书,纸本,纵 109.7 厘米,横 48.3 厘米,香港黄君璧白云堂藏。

②　(清)金农:《游禅智寺五言诗》,纸本,1721 年作,故宫博物院藏。

《节临西岳华山庙碑》,①墨色浓黑,并以焦渴之笔刻意微颤轻刷,使得线条浓重漆黑如糊,产生飞白或边缘毛糙剥蚀的金石效果,少有淡雅之墨色。金农墨法所营造的浓重苦涩的墨韵,为其书作平添了方正朴拙的金石意味。这一墨法为后来的碑派书家包世臣、康有为等高度认同。黄慎书法墨法的创新集中表现在他对用墨技巧尤其是水墨法的拓展,丰富了水"墨"的表现性和线条特征的多样性。得益于书法艺术本体发展规律、文人画兴起和以画入书的趋势,以及书写工具材料变迁,"扬州八怪"对书法墨法的探索更为自觉,此后,书法借助水法、墨法、章法的精进而日趋绘画性,成为与当时由雅入俗的装饰性倾向并存共进的另一审美趋向。

三、书学精神及其审美意识

前文已从书体创新及其意象特征、法度突破及其书法实践两个方面浅要分析了"扬州八怪"书作的物态化表征和风格新变。毋庸置疑,这些都是"扬州八怪"书作审美意识的重要方面。然而,这绝不是其全部内涵。在此基础上,"扬州八怪"的群体书学新创更以新、奇、怪、异的书法形式美,标举着他们尚"怪"求"变"的书学追求和艺术精神,寄寓着他们的生命格调和审美理想,彰显着他们所处时代的艺术风尚与审美意识。

第一,重创新,反泥古,自立门户。

"扬州八怪"的群体书学新创首先反映了其重创新、反泥古、自立门户的艺术革新精神。

清代前期,宋明理学"存天理、灭人欲"被清廷延续为官方正统哲学,凡是有违这一正统思想的观念和行为均被视为异端,不仅不为清廷所重,甚至一再受到正统派的排挤、打压。表现在艺术领域,便是师古、拟古、泥古成风。在这种境况下,"扬州八怪"在承继前人传统的基础上,于书体和笔法、字法、章法、墨法等书技方面全面展开了前文所述的诸多艺术新创。这一群体性书学新创之举,既体现出书法本体自身发展的根本需求,

---

① (清)金农:《节临西岳华山庙碑漆书轴》,见陈浩、卢建成:《中国书画典库》(第14函第83卷),线装书局2001年版,第64页。

也体现出书家主体重创新、反泥古、自立门户的艺术创新精神，其深层内核中则蕴藉着中国古代传统哲学精神的泽溉和晚明以来思想解放潮流的影响。

从书法本体来看，"扬州八怪"自立门户的群体性书学新创，从取法上打破帖学独大、博采众家之长，首开师碑之先声，其实质乃是对贵族馆阁艺术的痛诋和革新，源自书法本身发展的需求。书法发展至清朝中期，书法艺术虽有清初王铎、傅山、朱耷、石涛等人的筚路蓝缕之功，却终因书学观念其不为清廷所重、难为主流认同而一度沉寂，导致其时帖学式微，馆阁泛滥，碑学未继，书法艺术亟须寻找新的出路。"扬州八怪"于此时异军突起，在书体、书技上开拓创新，实为时势所致。从这种意义上讲，与其说是"扬州八怪"的藐视权贵、独抒性情成就了其新奇怪异的书法艺术，毋宁说是其时的书法自身发展选择了代表上追秦汉、碑帖结合的发展新方向的"扬州八怪"。

从书家主体来看，"扬州八怪"自立门户的群体性书学新创主要源自三个方面：其一源自其相近的经历与趋同的心理，他们往往都经历了失败的仕途，过着拮据的生活，有着孤傲的性格，存着怀才不遇、渴望激赏、渴求自我表现的心理，因此，他们的书法创作实践和理论中都强烈地蔑视正统法度、勇于离经叛道、反对比附时风、崇尚高扬个性，而其作品也往往呈现出强烈而鲜明的个性风貌，具有惊世骇俗的视觉和思想冲击力；其二源自其强调创新、敢于创新、善于创新的共同艺术追求和崇尚自由与个性解放的艺术精神，他们在书法创作技巧上往往是既认真学习古人又绝不拘泥于古人，既敢于摆脱传统中某些束缚创新的因素，又擅长将自己的独特感悟与创意适时植入书法作品之中，进而创造出别具一格的独特艺术风貌；其三源自其作为书画兼工的书画家群体的共同身份，他们以画入书、书中有画的艺术创制，拓宽了书法和绘画发展的艺术领域，丰富了各自的艺术风格，有效推进了书画商品化、市场化的步伐，加速了书画艺术由雅入俗的转型进程，为书画艺术跨越式大发展更广阔的发展空间撬开了最具革命意义的潜在市场需求。

从深层内核探寻，"扬州八怪"自立门户的群体性书学新创潜藏着两种审美潮流:其一是传统哲学精神的泽溉。"扬州八怪"作为清廷统治下的布衣、寒士,受儒家影响,他们或以道自任,充满社会批判精神,郑燮、李鱓、李方膺居庙堂之高而心系黎民百姓,金农、黄慎、罗聘等处江湖之远而不忘民间疾苦;或修身明道,作品既平易近人、通俗易懂、富于生活气息,又个性鲜明、情真挚、饱含人文气息;受佛道影响,他们思想上往往仕隐交替,既胸怀修齐治平、荡平天下之志,又怀抱洁身自好、明哲保身之心,更时露出尘绝世、青灯古佛之想,充满矛盾。这些士人独具的特质无不彰显着儒释道传统人文精神对其思想行为和艺术创制的泽溉。其二是晚明以来思想解放思潮的影响。"扬州八怪"自立门户的群体性书学新创之举实际上是在清廷高压的文化政策下所爆发出来的书法艺术革新。明末以来,李贽、顾炎武、黄宗羲、傅山、石涛、朱耷等人就持续不断地挑战着宋明理学这一官方正统思想对思想解放的打压和艺术创造的禁锢。"扬州八怪"很好地继承了这一传统,并在师法古圣先贤基础上自立门户,郑燮称"学者当自树其帜",金农亦称"众能不如独诣",他们秉持融汇古今、尚怪求变的创造精神,以新奇怪异的书法创举,将自然的朴拙之美、社会的新奇之美、金石的历史之美、生活的世俗之美等现实之美,统统寓于笔端,由具体物象迹化为审美意象,展现了个体书家借由实践撷取美并进入自由状态的艺术创制过程,有力地震荡了其时临摹成风、无病呻吟、死气沉沉的书坛,具有深刻的思想解放和艺术突破意义。

第二,重人本,反桎梏,个性解放。

"扬州八怪"的群体书学新创反映了其重人本、反桎梏、个性解放的人文精神选择。

从书法本体来看,"扬州八怪"个性解放的群体书学新创必然与书法艺术发展规律及当时涌动的个性解放思潮密切相关。中国古代美学史上,缘情始终与言志并立发展着。自先秦至六朝完成文论生成以来,"情本论"始终在历代美学思想和艺术实践中辗转流播,影响甚巨。① 明清之际,李贽"童心说"以"赤子之心"的"真"高举自然人性论的反传统"异

---

① 参见拙作:《"情本论"由先秦至六朝的文论生成》,《理论界》2008 年第 5 期。

端"大旗,借由汤显祖"生可以死,死可以生"的情本美学理念和石涛"我之为我,自有我在"、"我自发我之肺腑揭我之须眉"以及袁枚"性灵说"反理学、反桎梏的艺术实践与理论探索,情本论得以在明清美学中再次彰显,形成与理学对峙的思潮。"扬州八怪"个性解放的群体书学新创正是基于这一理论背景。

从书家主体来看,"扬州八怪"个性解放的群体书学新创之举,为清代书坛送去缕缕清风,其书艺书作与清廷贵族及馆阁书派背道而驰,也与时流帖学书风格格不入,被其目为"偏师"、"怪物",却为民间争传、识者藏鉴。作为反礼教、反保守、反复古、反僵化的异军,其新创之举实为蔑视正统、挑战法度之举,挞伐桎梏、张扬个性之举,冲决束缚、解放思想之举,自觉为之、刻意探求之举,其旨归正在情本追求和人本精神。正如六朝知音文化是对中古经典阐释的独立评价、对中古人文精神的自主选择和对人类主体意识的审美提升,"扬州八怪"的群体书学新创也正是"扬州八怪"对书法艺术革新的独立认知、对情本书学精神的自主选择和对书家主体意识的自觉提升。① 以郑燮书作观之,其"六分半书"、"柳叶体"的创制及以兰竹之笔入书,均"领异标新二月花",昭示着其追求"真""情"的艺术鹄的、蔑视功名的人格境界和澹泊利禄的高风亮节。金农、李鱓等人书作亦然。可见,他们新奇怪异的抒情、写神、写意的书作自觉创制,无不闪耀着个性解放的书学精神和人文主义的光辉。

从深层内核探寻,"扬州八怪"个性解放的群体书学新创所呈现的尚"怪"求"变"的审美潮流与书学精神,这是由明入清士人书家尚"真"求"趣"的浪漫情怀在清代中期的承继与发展。若说王铎、傅山、朱耷、石涛等人的书学追求还停留在自发的模糊的审美追求与探索,那么,"扬州八怪"对书学精神的发扬光大则已成为他们自觉的有意识的明确的审美追求。自此,清代书学开始有意识地去探索新的形式和内容,清代书学审美追求也越来越走向自觉。从这个意义上说,这一演变不能不说是清代书

---

① 参见拙作:《中古人文精神的透析——从演绎中的六朝知音文化谈起》,《华中科技大学学报》(社会科学版)2011 年第 6 期。

学乃至整个中国古代书学发展历程中的又一次质的飞跃。而这一审美意识的嬗变在书法审美实践和书学审美理论上所彰显的表现自我、标新立异的主张再次掀起个性解放思潮的回归热潮，并得到了社会文化的广泛认可和推崇，对当时和后来的书画发展产生了深远影响。

第三，重现实，反正统，由雅入俗。

"扬州八怪"的群体书学新创还反映了其重现实、反正统、由雅入俗的市民美学追求。

从书法本体来看，"扬州八怪"由雅入俗的群体书学新创是书法商品化、世俗化的历史趋势的必然结果。"扬州八怪"所处的时代，商品经济发达，城市贸易繁荣，书画商品化、艺术功利化成为常态，书法成为一门普遍世俗化的艺术。随之而来的是新兴市民阶层的崛起和市民意识逐步形成，世俗的市民审美观也开始自觉。"扬州八怪"敏锐地觉察到这一新变及其间蕴藉的书法艺术世俗化新动向，紧扣时代脉搏，变雅为俗以迎合这一新兴阶层的审美需求，其由雅入俗的群体书学新创就成为觉醒的市民审美意识的世俗艺术代表。

从书家主体来看，"扬州八怪"由雅入俗的群体书学新创首先源自其作为首批以书画谋生的职业书画家的特殊身份，既是对恶劣的生存境遇的无奈屈就，也是对富商大贾和盐商等审美趣味的屈辱让步，更是由"书画自娱"到"书画娱人"的尴尬转变。而这种无奈、屈辱和尴尬的根源，则是商品经济大潮对"寒士"、"名士"的重农抑商、耻于言利的士大夫价值观和现实境遇的强烈冲击，重义轻利的儒家规范被全线突破。其次源自"扬州八怪"对商品经济所致书画世俗化以及自身职业书画家身份的自觉接受以及对当时新兴市民阶层颇具心灵觉醒意义的、带有浪漫主义精神的、反教条、反做作、喜新好奇的审美意识的精到把握。郑燮板桥体、金农漆书、汪士慎失明狂草、黄慎草题、高凤翰左手书，这些在正统观念看来怪诞奇异书学创制，既反映了买家审美趣尚和市民阶层审美观，也反映出他们的人格追求和市民文化需求。尤其是金农书法不仅以舍弃帖学直取碑版的精神奏响碑学前奏，而且借取民间写经、雕版木刻等传统书艺手法，是"扬州八怪"由雅入俗的书学创制和自觉探索的典范。

从深层内核探寻,"扬州八怪"由雅入俗的书学新创有着深刻的思想根源:一方面他们的出身、地位、处境乃至职业书画家的身份决定了他们与市民阶层之间的密切联系,也决定了他们对市民审美趣味的熟稔,更决定了其多数书作的市民阶层趣味;另一方面,其笔墨豪放、不受拘束的书学创制和所代表的书法艺术走向,反映了商品经济发展下新兴市民阶层反传统、反束缚、求个性、求解放的思想要求,完全符合资本主义的进步要求,颇具启蒙价值。正是基于这两方面的原因,尽管这种由雅入俗的书学创制因无法被清廷贵族和正统书派认同而在当时地位低下,但他们扎根现实生活并顺应历史潮流,最终以雅俗共赏的书法创作,在后世实现了自己的价值。

第三节　帖学:尚"雅"求"正"的经典传承

帖学之兴起自东晋南渡,已逾千载。降及清代,传统帖学面临经典继承与法度创新的严峻考验。清初帖学承晚明遗绪,宗董、尚赵;及至乾嘉两朝,帖学书家扩大了取法范围,突破和拓展了帖学技法原则和审美取向,涌现出大批帖学名家,官员书法亦徘徊于帖学范围内,各具风韵,达到清代帖学书法鼎盛时期;晚清帖学虽然式微,却也并未因康氏所言"碑学大兴、帖学大坏"而消歇,反而在碑学笼罩之下,仰仗皇家贵族推崇及科举馆阁干禄而始终盘踞在书坛正统地位上。可以说,清代帖学书法承继千年古法传统,延续经典书学技法,呈现出鲜明的尚"雅"求"正"之经典传承的审美意识,于清季书坛或盛或衰,一以贯之。

一、取法经典及其正统意识

由晋迄清,帖学已延续千年。自北宋淳化三年《淳化阁帖》刊刻至明,汇刻古人法书为丛帖的做法迅速普及,风气日盛,书家独尊南帖,几成习书普通文士临摹取法的唯一范本。截至明末,帖学书法从创作到理论均已达到史上最广泛的普及和繁荣程度,而独尊董其昌为帖学之集大成者。降及清代,虽有中晚期碑学之强势崛起,帖学传统却从未绝断:一是帖学经典体系不断完备;二是帖学取法渊源多自法帖;三是帖学正统意识不断强化。

首先是帖学经典体系不断完备。宋太宗刊刻《淳化秘阁法帖》是帖学书法史上首部大型官修刻帖,凡 10 卷 420 帖 2287 行,收汉魏至隋唐名家法书,后五卷为二王法书。宋哲宗刻《元祐秘阁续帖》,宋徽宗刻《大观帖》,宋孝宗刻《淳熙秘阁续帖》等。嗣后,刻帖之风盛行,学术者皆以此为登堂入室门径。据统计,宋代丛帖今存可信者十余种,明代丛帖约存70 余种,初步奠定了帖学经典体系的框架。清季正统书法,承历史遗绪,唯尊南帖,其时公私刻帖风行一时,亦达到帖学书法史上的顶峰。官方刻帖方面,清代帝王刻帖不仅远接宋君,得以恢复,而且刻帖频繁,在品种、卷帙、规模上均超宋代。康熙敕撰《佩文斋书画谱》、《懋勤殿法帖》,巩固了以集帖为主的帖学的学术基础;乾隆敕命编《石渠宝典》,又敕命刊刻《三希堂法帖》及续帖、《四宜堂法帖》、《朗吟阁法帖》、《敬胜斋帖》、《墨妙轩帖》、《钦定重刻淳化阁帖》、《兰亭八柱帖》,尤其是《三希堂法帖》,集中收入魏晋至明末书家 135 人、书作 340 种、题跋 200 余、印章 1200 余方,尤以王羲之《快雪时晴帖》、王献之《中秋帖》、王珣《伯远帖》为珍,总32 卷中赵帖 5 卷、董帖 4 卷,占四分之一强,亦可窥见清前期宗董尚赵的时代风尚。此帖于光绪间更有石印本行世,影响所及冠绝群帖。此外,私家刻帖方面,官员、富商积极参与,出现江浙、广东两大地域性刻帖中心,刻帖内容空前拓展,不仅于赵董之外大量收入晋唐宋元明诸家书作,还摹刻历代名碑、吉金文字、扇面楹联、书画合璧、题跋款识、图章鉴印等。代表性的有卞永誉《式古堂法书》,梁蕉林《秋碧堂法帖》,周于礼《听雨楼帖》,吴荣光《筠清馆法帖》、《岳麓书院法帖》,潘士成《海山仙馆藏真》、《海山仙馆摹古》、《海山仙馆藏真三刻》、《尺素遗梦》,潘正炜《听帆楼法帖》,伍葆恒《南雪斋藏真》、《微观阁摹古帖》,孔广陶《岳雪楼鉴真法帖》以及清末明初的《壮陶阁帖》、《蕴真堂帖》等,总计约三百余种。其中,《秋碧堂法帖》刻晋陆机、王羲之、唐杜牧、颜真卿、宋高宗、苏轼、黄庭坚、蔡襄、米芾及元赵孟頫等十家作品,集中《平复帖》、《张好好诗》、《颜真卿自书告身》等均为名世珍品。① 这些清代法帖刻帖遴选精审,收罗丰富,

① 仲威:《帖学 10 讲》,上海书画出版社 2005 年版,第 87—89 页。

可谓对传世法帖墨宝的全面整理,其流播也一再营建着帖学经典体系,巩固着帖学正统地位。这股延续至清末民初的刻帖之风,将束之高阁的历代先贤法书墨宝汇刻流传,不仅极大地拓宽了书家视野,也不断地丰富着帖学经典体系的框架,为帖学正统书风笼罩书坛奠定了坚实的基础。

其次是帖学取法渊源多自法帖。总的来看,清代前期帖学书作,多近董赵;中期书作,取法多样;晚期书作,虽多数步入僵化一脉,却也有乘碑帖融会之风而出的佳作。清代诸帝雅好书法,虽各有所尚,却都以法帖为宗,尊为正统。譬如,顺治皇帝特别喜爱王羲之的书作《黄庭经》,喜欢欧体;康熙皇帝酷爱明末董其昌疏淡秀逸的书法,曾遍临古帖而独钟董书;雍正书法亦循董氏一脉;乾隆皇帝则学书甚广,尤好元代赵孟頫圆润清丽的书法;嘉庆书法出自欧体;道咸同光宣各帝,亦都书宗法帖。皇族中精于书法者众,代表人物成亲王永瑆书宗欧赵。这些书作均以法帖为宗,中正平和而婉丽秀逸,秀美潇洒而珠圆玉润,堪称帖学佳作。帝王皇族好尚直接影响清代书坛风向。清初帖学书坛,人才鼎盛,竞呈才华。邵弥、程正揆、祁豸佳、查士标、沈荃、笪重光、王士禛、王鸿绪、查昇等人,多尊董书。邵弥书法晋帖,吴伟业称:"弥书得钟太傅法,逼近虞褚,仿宋元草书,出入大小米。"《画征录》亦称:"弥书得钟太傅法,圆劲多姿。"①程正揆书宗北海,《读画录》称:"青溪道人书法师李北海,而丰润潇洒,不为所缚。"②祁豸佳书法宗董,曹顾庵云:"止祥书不在董文敏右。"《大瓢偶笔》称:"止祥学董而乏其秀逸。"《昭代尺牍小传》亦称其:"书似董文敏。"③查士标书法阁帖,《思旧录》称:"二瞻书法得董宗伯神髓。"《昭代尺牍小传》亦称其:"书法襄阳,极似董文敏。"《桐阴论画》则谓其:"书法华亭,极超妙。"④

---

① (清)张庚:《国朝画征录》,见马宗霍:《书林藻鉴 书林纪事》,文物出版社1984年版,第197页。

② (清)周亮工:《读画录》,见马宗霍:《书林藻鉴 书林纪事》,文物出版社1984年版,第197页。

③ (清)杨宾:《大瓢偶笔》,见马宗霍:《书林藻鉴 书林纪事》,文物出版社1984年版,第197页。

④ (清)黄宗羲:《思旧录》,见马宗霍:《书林藻鉴 书林纪事》,文物出版社1984年版,第197页。

沈荃书法宗董,《大瓢偶笔》称:"绎堂学董而无其气韵。"《昭代尺牍小传》载其:"工书,继董文敏而为时所重。"①笪重光书法,《快雨堂跋》称其:"上至章草,下至苏米,靡所不习。"《昭代尺牍小传》称其:"出入苏米,其纵逸之致,王梦楼最所称服。"②王士禛书法河南,《隐绿轩题跋》称:"褚河南枯树赋,今人惟新城总宪学之极得其神。"《鹤征录》亦载:"阮亭楷书之精,逼真褚公枯树赋。"③王鸿绪书宗南宫,《大瓢偶笔》称:"俨齐师米而失其秀润之气。"④查昇书法学董,《国朝诗别裁集小传》称:"宫詹书法得董文敏之神。入值南书房,圣祖屡称赏之。"《大瓢偶笔》则谓:"声山一本于董,而灵秀亦相似。"《清史列传》亦称其:"工书,得董其昌神韵。"⑤康熙时,姜宸英字体摹法二王米董,莹秀悦目,《大瓢偶笔》称:"西溟少时学米董书有名。"《清史列传》亦称其:"书法钟王入神品。"《桐阴论画》则谓其:"楷法虞褚欧阳。"⑥陈奕禧遍临古帖,《分甘余话》称:"其书专法晋人。"⑦何焯书学欧阳询、文征明,得其神韵,《昭代尺牍小传》称其:"喜临摹晋唐法帖。"⑧乾隆时,香光告退、子昂代起。张照则从其舅王鸿绪得董派书法,参以赵体技法,于康乾之世独步一时;其馆阁书作更直接宗赵,脱离董法,成为馆阁一脉宗师;此外,其书作还在董赵之外取法颜体,成为帖学师唐的先声。《圣祖御制诗》赞其:"书有米之雄,而无米之

① (清)吴修:《昭代尺牍小传》,见马宗霍:《书林藻鉴　书林纪事》,文物出版社1984年版,第202页。

② (清)王文治:《快雨堂跋》,见马宗霍:《书林藻鉴　书林纪事》,文物出版社1984年版,第202页。

③ (清)李集:《鹤征录》,见马宗霍:《书林藻鉴　书林纪事》,文物出版社1984年版,第202页。

④ (清)杨宾:《大瓢偶笔》,见马宗霍:《书林藻鉴　书林纪事》,文物出版社1984年版,第203页。

⑤ (清)沈德潜:《国朝诗别裁集小传》,见马宗霍:《书林藻鉴　书林纪事》,文物出版社1984年版,第204页。

⑥ (清)秦祖永:《桐阴论画》,见马宗霍:《书林藻鉴　书林纪事》,文物出版社1984年版,第206页。

⑦ (清)王士禛:《分甘余话》,见马宗霍:《书林藻鉴　书林纪事》,文物出版社1984年版,第205页。

⑧ (清)吴修:《昭代尺牍小传》,见马宗霍:《书林藻鉴　书林纪事》,文物出版社1984年版,第207页。

略。复有董之整,而无董之弱。"《书画纪略》亦称:"得天书法初从董香光入手,继乃出入颜米。"《快雨堂跋》则谓:"文敏从欧阳率更入手,游历宋四家门径,而于黄米较深。"①蒋衡勤于临帖,朝夕不辍,书风亦在董、赵之间,《清史列传》称其:"书师杨宾,复博涉晋唐以来各家名迹。"②其时在朝的汪由敦、裘日修等书宗晋唐,同为帖学名家,钱陈群更称汪氏书法:"力追晋唐大家,兼工篆隶。"③而以袁枚为代表的在野文人书风也都近董赵。张问陶评袁枚书法:"雅澹如幽花,秀逸如美士。"④可见,这些人的书法均宗阁帖,尤尚董赵。时至乾嘉,书法艺术进入分化、发展时期,帖学、碑学分庭抗礼、双峰对峙,书作更丰,精品迭出。此期帖学名家们在书作取法上开始从纯粹取法赵董逐步转为师宗晋帖、唐碑,进一步拓宽了帖学视野。除刘翁成铁、三梁一王、钱氏四家均负盛名之外,尚有书宗赵体的状元宰相王杰、"时出华亭之外"的姚鼐、⑤书画神童奚冈等亦各具风格。迄至嘉道,虽碑学隆盛而帖学传人仍绵延不绝。吴荣光书法欧苏,李兆洛勤临阁帖,张廷济初学王颜、后法南宫,梁章钜书宗欧董,林则徐则专习欧体,他们的书作均于尊帖前提下取法多样。及至晚清,书法虽面临着来自业已剧变的本国文化主潮和汹涌而来的外来文化思潮的前所未有的冲击,却也因其远离现实、东方独有的实际及其自身作为艺术抚慰心灵伤痛的艺术魅力而继续向前发展。晚清帖学虽不再成为整个社会的艺术趣尚主流,但大多数书家幼时均有此根基,林则徐、翁同龢等人更精于此道,传统帖学未成绝响,仍在前中期帖学发展的基础上与崇碑、习篆、师隶的碑学并行,在刘熙载、何绍基、杨守敬、赵之谦、沈增植等人的倡导与实践中开始出现书家自觉融合碑帖的书学思潮和趋势。

---

① (清)易祖拭:《书画纪略》,见马宗霍:《书林藻鉴 书林纪事》,文物出版社1984年版,第207页。

② 参见《清史列传》,见马宗霍:《书林藻鉴 书林纪事》,文物出版社1984年版,第209页。

③ (清)钱陈君语,见马宗霍:《书林藻鉴 书林纪事》,文物出版社1984年版,第211页。

④ (清)张问陶语,见马宗霍:《书林藻鉴 书林纪事》,文物出版社1984年版,第215页。

⑤ (清)包世臣:《艺舟双楫》,见马宗霍:《书林藻鉴 书林纪事》,文物出版社1984年版,第220页。

其三是帖学正统意识不断强化。清代帖学书法是古代帖学书法的集大成，以其平整稳重、中正堂皇的盛世气象和以书载道、温柔敦厚的书学追求为清廷官方选中，尊为正统。有清一代，帝王皇族以其身体力行的帖学书法实践成为清代帖学的重要力量，更是帖学正统意识的源头。顺治对书法虽涉足不深却举手不凡，王士祯《池北偶谈》称其"游艺翰墨，时以奎藻颁赐部院大臣，真天纵也"，《清朝野史》亦载其"能濡豪作擘窠大字"，①故宫乾清宫"正大光明"匾即出自其手；康熙学书至勤，不但书法修养渊源有自，而且十分注重臣下学书之事，《清实录》《清史稿》《庭训格言》《清稗类钞》等史籍多有记载，曲阜大成殿"万世师表"、子贡墓"贤哲遗休"、国子监"彝伦堂"等墨迹大字均出其手，素绢本《驾幸太学赋》和《滕王阁序》、素娟乌丝栏《五柳先生传》和《乐志论》、素笺本临董书《兰亭帖》，以及素绫本《老人星赋》《舞鹤赋》《麒麟赋》等则为刻意临董之作；现存素绢本临董《登楼赋》，素笺本《骈字类编》《音韵阐微序》等作则出于雍正之手；乾隆雅好书画，曾集"兰亭八柱"，其书作宣德笺本《临赵书陶潜诗帖》《临赵书纨扇赋》《临董书颜帖》《临董书画合璧》等均为上品；《献岁祥霭图》所题诗则为嘉庆手迹；此后，道咸同光宣各帝，虽好书法而无大影响。皇族书家永瑆号为清中期四大家之一，其翰墨为馆阁诸贤追慕成风。后宫慈禧所题"云润星辉"匾端庄遒美、颇见功力。这些书作均以法帖为宗，中正平和而婉丽秀逸，秀美潇洒而珠圆玉润，堪称正统佳作。在帝王皇族好尚与实践的带动下，帖学正统意识弥漫朝野，秀逸姿媚之风笼罩书坛，并随着馆阁体的大肆流播而不断凸显、强化，这既是清廷统治思想的侧面反映，也是官方正统审美意识的集中体现。清初帖学书家书作多以董赵为标，魏裔介的行书笔意洒脱，查士标"书法精妙"，②杨宾书作"圆韵自然"，③赵执信书作秀逸多姿，查昇书作

---

① （清）王士祯：《池北偶谈》，见马宗霍：《书林藻鉴　书林纪事》，文物出版社 1984 年版，第 194 页。

② 参见《江南通志》，见马宗霍：《书林藻鉴　书林纪事》，文物出版社 1984 年版，第 197 页。

③ （清）梁巘：《论书帖》，见马宗霍：《书林藻鉴　书林纪事》，文物出版社 1984 年版，第 205 页。

含蓄有致,李光地书作疏散而有风神。康熙年间,姜宸英、陈奕禧、何焯号为"江南三书家"。姜氏临帖"妙在自己性情合古人神理",①书作用笔蕴藉、吻肩不露、结体高雅。陈氏善写大字条幅,《大瓢偶笔》称其:"专取姿致,然大书沈著浑融,绝无轻佻之态。"②何书更得欧体神韵。三人书作多近董赵,以婉秀胜出而劲挺乏力,代表了清初帖学的审美风貌。清代中期,由于长期受董赵影响,书法一度被讥为"馆阁体",但许多书家仍能勤研苦习,遍取帖长,或承续传统而力求精进,或变异传统锐意革新,别出机杼自立门户,出现以蒋衡、张照为标的继承和以王澍、金农、郑燮为帜的变异两分,以前一派为正统。蒋衡、张照继承帖学传统,书作为乾隆推重。同期的刘墉、翁方纲、永瑆、铁保、梁同书、梁国治、梁巘、王文治,以及钱大昕、钱伯坰、钱坫、钱沣等俱为帖学名家,以其书作不断光大着传统帖学的正统地位。其中,刘墉更将帖学书法发展到顶峰,被包世臣列为清代书家第二人,还被康有为誉为帖学之集大成者;③翁方纲更死守帖学正统,"以谨守法度,颇为论者所讥"。④ 与之同时的其他书家也多功力深厚,张廷玉书作笔意流畅、娴熟工稳、潇洒自然;汪由敦书作凝重之中出以冲和渊秀;裘日修书法超俗出尘,"似不食人间烟火";⑤袁枚书法则雅淡、秀逸,妙在神骨,颇具风趣;王杰书法灵秀雍容,有仙佛气、具富贵姿;姚鼐作书则酝酿无迹、横直相安,结体干净、章法恣肆,跌宕而内蕴;吴荣光的榜书神采雍容、气韵绝佳;李兆洛能以大篆参颜法作楷行书,朴拙雄浑,别趣盎然;梁章距书工行楷、笔法劲秀。这些书家书作中正端庄而以秀逸多姿见胜,虽或刚健、或婀娜,或雄浑、或平正,各具风格,但大都宗尚晋唐宋明以来的法帖,以儒家温柔敦厚、中和平正为标,均不脱正统帖学的畦町,成为

① (清)梁同书:《频罗庵题跋》,见马宗霍:《书林藻鉴 书林纪事》,文物出版社1984年版,第206页。

② (清)杨宾:《大瓢偶笔》,见马宗霍:《书林藻鉴 书林纪事》,文物出版社1984年版,第205页。

③ (清)马宗霍:《书林藻鉴 书林纪事》,文物出版社1984年版,第215—216页。

④ (清)马宗霍:《霎岳楼笔谈》,《书林藻鉴 书林纪事》,文物出版社1984年版,第216页。

⑤ (清)沈初:《西清笔记》,见马宗霍:《书林藻鉴 书林纪事》,文物出版社1984年版,第215页。

当时的主流,代表了清代中期帖学书法的审美风貌。清代晚期,帖学虽式微,却因皇家贵族的一力倡导而依旧在清代书坛维持其正统地位;不仅如此,更因科举馆阁在民间广泛流播而一再强化,甚至臻于被异化的境地。此期传统帖学的继承者仍有很大数量,尤以林则徐、翁同龢等人为代表。最值得称道的应是何绍基、赵之谦等融汇碑帖的书家书作,他们不固鄙、不偏激,充分尊重前人的经验成果,所作帖学书作不仅雅正端庄,而且遒劲古拙,是帖学正统意识在晚清书坛的潜在体现。

刻帖之风的隆盛、取法渊源的多元和正统意识的强化,营构了清代书法的帖学主流意识,体现了清代崇实复古的官方思想控制和信古求是的学术习尚风气,反映了当时社会人文环境及其变迁历史痕迹。

二、法度承继及其新创意识

二王书法标志着书法的成熟,确立了帖学的典范。嗣后,历代书家在笔法、字法、章法、墨法诸方面的法度传承与实践新创,不断丰富着书法本体的审美风貌,彰显着书家书作独立的艺术品格。及至清代,上至皇室贵胄,中及股肱重臣,下至民间士子,旁及在野书家,清代帖学在笔法、字法、章法、墨法上上承明代余绪,循着董赵书法、宋元碑帖、唐碑晋帖之途,直追二王高古神韵,既得传统神髓,又具创新之处,于法度承继之中蕴藉着书家新创巧思,营构出古代帖学最后一个高峰。

第一,笔法:点画持据,使转有度。

清代帖学在笔法上表现出明显的点画持据、使转有度的正统承续。一是讲究用笔潇洒自如,力求以圆润自然的点画效果实现轻、灵、妍的审美意趣,这一特点突出表现在清代顺康雍乾、铁保等皇室帖学书作中。此类书作多点画圆润遒劲,使转流畅自然,既凸显出皇族丰腴之态,又足见皇家中正之范。福临所题"积善延年"四字匾额,[①]点画厚重,运笔老练,笔势雄浑,笔法稳健,颇具正大之气。玄烨书法刻意临董,所书《临董其

---

① [日]黑泽礼吉编纂的《支那历代皇帝皇后亲王御笔书画目录》载:"清朝,顺治皇帝,积善延年(大字)横幅,绿青绢本,长五尺十一寸,阔二尺四寸。"别发公司1919年版,第84页。

昌书》轴,①行笔流畅,软美中涵寓着宏博气度;《柳条边望月诗》轴,②在学董的基础上融入了自己的审美意趣,笔画圆劲秀逸,平淡古朴;《行书五古诗》轴,③笔法婉转虚和,运笔流畅自如,风度舒展飘逸。胤禛承乃父好董之风,所书《行书夏日泛舟诗》轴,④草、行相间,笔墨饱满劲健,体势圆熟,气韵贯通。弘历书法主宗元代赵孟頫,点画丰圆肥润,使转圆润秀发,意趣潇洒飘逸,所书《临王羲之草书帖》轴,⑤虽为临帖之制,但多出己意,笔法遒劲圆润,使转流畅自然,体势秀逸,深得赵书之韵;所题"瞻园"二字,点画起笔圆润,使转运笔沉稳,一派雄浑朴茂、厚重沉稳的承平气象。铁保"楷书模平原,草法右军,旁及怀素孙过庭。临池之工,天下莫及。"(《铁公神道碑》)⑥所书《行书录语》轴,⑦用笔粗重,深具王书特色,精气内敛而劲力自寓其中;《行草临王帖》,⑧运笔精熟,使转圆润遒拔,笔法流畅自如,虽为临帖之作,但无涩滞之感,颇具晋人遗意。二是讲究用笔的风骨和个性,力求从董赵之外汲取营养以拯救清初帖学单一靡弱的书风。这一特点主要表现于康熙朝陈邦彦、周亮工、笪重光、沈荃、姜宸英、汪士鋐、何焯、王澍、蒋廷锡等股肱重臣和查士标、龚贤、宋曹、法若真等在野书家的帖学书作中。陈邦彦行书轻盈疏朗、雄秀端庄,所书《七绝诗》轴,⑨书体以董其昌为宗,笔墨沉着浑厚,又得颜真卿精髓。周亮工所

---

① (清)玄烨:《临董其昌书》轴,纸本,行书,纵151.6厘米,横56.3厘米,故宫博物院藏。

② (清)玄烨:《柳条边望月诗》轴,纸本,纵124厘米,横58.4厘米,行书,4行,故宫博物院藏。

③ (清)玄烨:《行书五古诗》轴,纸本,泥金,纵123厘米,横54厘米,故宫博物院藏。

④ (清)胤禛:《行书夏日泛舟诗》轴,绢本,纵140.3厘米,横62.2厘米,故宫博物院藏。

⑤ (清)弘历:《临王羲之草书帖》轴,纸本,纵92.5厘米,横39厘米,故宫博物院藏。

⑥ 马宗霍:《书林藻鉴 书林纪事》,文物出版社1984年版,第221页。

⑦ (清)铁保:《行书录语》轴,纸本,纵113.7厘米,横39.8厘米,故宫博物院藏。

⑧ (清)铁保:《行草临王帖》册,五开,纸本,纵16.3厘米,横26.5厘米,故宫博物院藏。

⑨ (清)陈邦彦:《七绝诗》轴,绫本,行书,纵145.7厘米,横47.6厘米,故宫博物院藏。

书《行书七律诗》轴,①风格独特,虽为行书而实近于楷,笔法怪异,多用侧锋,不似通常执笔法所能形成之态。笪重光十分注重用笔,其《书筏》称:"横画之发(起笔)笔仰,竖画之发笔俯,撇之发笔重,捺之发笔轻……"此论在其书作中即可得以印证,如其《五律诗》轴中,②"何"、"后"、"及"等字的捺撇笔各具俯仰、轻重之姿,整幅作品书写出入米、董之间,点画丰腴,于秀雅姿媚中显现出强健之笔韵;再如《拟白乐天放歌行》轴,③行笔工稳圆润,线条丰厚端丽,笔健姿媚。沈荃所书《行书浪淘沙词》轴,④笔法流畅自如,清劲秀雅,自具风神。姜宸英书法以摹古为根本,融各家之长为己用,书风清劲,其行草多以露锋起笔,行笔中及时内敛锋毫,减速蓄势,右下角多用重笔或顿笔作以调和,故能有效避免浮、滑、薄、寒俭尖刻之病,所书《行书勉斋说》轴,⑤上承晋人而多存董书韵致;《小楷洛神赋》册,⑥风格秀劲,取法唐代虞、褚、欧诸家,兼融汉魏之意。汪士鋐书法以行、楷见长,所书《东坡评语》轴⑦,点画波澜翻飞,笔笔送到,瘦劲挺拔,疏朗有致,被人誉为"瘦劲"、"老劲"、"书绝瘦硬"。何焯书法尤其工整,所书《七言古诗》轴,⑧点画粗细均匀,用笔流润秀美;《桃花源诗》轴,⑨笔力劲健,深得欧阳询意韵,功力深厚。王澍书学欧阳询,笔力劲健,所书《行书临帖》扇页,⑩用笔遒媚圆润,肌丰骨秀,格调闲逸古雅,优游朴厚。蒋

　　① (清)周亮工:《行书七律诗》轴,纸本,纵202.8厘米,横50.6厘米,故宫博物院藏。
　　② (清)笪重光:《五律诗》轴,纸本,行草书,纵242.8厘米,横52.5厘米,故宫博物院藏。
　　③ (清)笪重光:《拟白乐天放歌行》轴,纸本,行书,纵94.5厘米,横42.7厘米,故宫博物院藏。
　　④ (清)沈荃:《行书浪淘沙词》轴,绫本,纵178.2厘米,横44.3厘米,故宫博物院藏。
　　⑤ (清)姜宸英:《行书勉斋说》轴,纸本,纵174.2厘米,横64.7厘米,故宫博物院藏。
　　⑥ (清)姜宸英:《小楷洛神赋》册,纸本,纵24.7厘米,横28.8厘米,故宫博物院藏。
　　⑦ (清)汪士鋐:《东坡评语》轴,纸本,行书,纵91厘米,横50.9厘米,故宫博物院藏。
　　⑧ (清)何焯:《七言古诗》轴,绫本,楷书,纵171.2厘米,横42.8厘米,故宫博物院藏。
　　⑨ (清)何焯:《桃花源诗》轴,纸本,楷书,纵60.4厘米,横33.8厘米,故宫博物院藏。
　　⑩ (清)王澍:《行书临帖》扇页,纸本,纵16.6厘米,横46.6厘米,故宫博物院藏。

廷锡书作工率兼出,气韵超逸,所书《行书五言》联,①用笔苍劲,风神生动。较之股肱重臣的书学创制,在野书家的努力更见成效。查士标《行书华亭跋》,用笔谨慎、含蓄、凝重中规规矩矩,处处见法度,点画流畅圆阔,轻重粗细对比鲜明;所题《行书山谷跋兰亭》扇页,②虽保留了黄庭坚书法体势开张、纵伸横逸、着意顿挫的笔法特点,却抛开黄氏书法中的奇险之势,加入了自己书法娟秀姿媚的特性,于豪放中融入雅静的韵致。龚贤所书《七律诗》轴,③笔法纵放,又时见粗细变化,其变化多端的笔法源自米芾,而墨丰笔健的艺术追求又体现了自家风貌。宋曹所书《五律诗》轴,④用笔丰肥,墨色浓厚,笔力沉着,时出侧锋,沉着厚重;《临王献之帖》轴,⑤虽临古帖,却重意临,不囿于古人,不拘于形似,而能另辟蹊径,既存原帖疏朗潇洒的特点,又现自身沉着稳健之个性。法若真书《草堂诗》轴,⑥苍劲沉稳,点画多方硬侧锋,具苍古质朴之韵,与晚明黄道周、倪元璐等书法家硬倔、奇异的风格颇相似。尽管囿于时代与个人才力,他们并未能最终突破董书桎梏,但其努力值得肯定。三是着力于线条的使转,注重运笔的力感与气势,力求以晋帖唐碑的多元笔法重现帖学古雅苍劲的审美效果。这一特点主要表现于张照、刘墉、翁方纲、王文治、梁同书等乾隆朝及其后股肱重臣的帖学书作中。张照为书时常将颜真卿的精髓融入其中,点画圆劲雄厚,用笔气魄雄浑。所书《岳阳楼记》,前六行楷书学董,线条端庄舒朗,此后由楷转行,融入颜氏醇厚笔法,运笔流利劲爽,线条潇洒飘逸;再如《书李商隐东环诗》,行中有草,“华”字取董书的优美姿态,“动”字取颜书的厚重笔意,“常”字取米书的意态之势,线条活

① (清)蒋廷锡:《行书五言》联,纸本,纵125厘米,横27厘米,故宫博物院藏。
② (清)查士标:《行书山谷跋兰亭》扇页,纸本,纵19厘米,横56.6厘米,故宫博物院藏。
③ (清)龚贤:《七律诗》轴,纸本,行草书,纵123.3厘米,横54.2厘米,故宫博物院藏。
④ (清)宋曹:《五律诗》轴,绫本,行书,纵84.8厘米,横44.5厘米,故宫博物院藏。
⑤ (清)宋曹:《临王献之帖》轴,纸本,草书,纵156.4厘米,横50.8厘米,故宫博物院藏。
⑥ (清)法若真:《草堂诗》轴,纸本,草书,纵125.8厘米,横55.1厘米,故宫博物院藏。

泼爽利,气势圆浑雄强,枯笔夹杂其中,厚重之中尽显跌宕之势;《七律诗》轴,①行笔婉转流畅,偶出枯笔于牵丝回绕处,尽显颜氏淳厚敦朴的笔致;《武侯祠记》轴,②点画秀润,格调雍容,既存柳体之貌,又更趋规整,脱尽董氏纤弱之病。刘墉尤重运笔之法,其书起笔喜用藏锋,欲右先左,欲下先上,在逆锋折回后再行笔,转折处用倒卧的僵笔作折锋,骨力厚劲;线条欲行还阻,欲阻又顺,极尽波折,又能通畅,柔和饱满,又内含刚劲,含蓄蕴藉;强调下笔与收笔的提按变化与顿挫节奏,提按富有变化;用笔重而不钝滞,轻重匀称得宜,恰到好处;其字点画丰腴饱满,聚墨藏气,直点、横点、斜点均俯仰有势、遥相呼应,横竖撇捺笔画短促,常以点代画,回环取势、映带左右、粗细变化,纤巧之笔贯于纸上,筋骨之貌露于形中,生涩之势展于字外,形成筋骨粗壮、屈腿抱团、外柔内刚的显著特征。《小楷卷》点画讲究,笔画粗细交映,铁笔中实又放纵自如,既规整又活泼,显得大气恢弘;晚年书作《小楷七言诗》册,③吸收了北碑的某些特点,在原来圆润遒媚的书风中融入方硬刚健的笔法,点画朴实沉厚,有魏、晋人遗韵;《行书帖》点画浑厚丰腴,运笔圆、慢、沉、柔,笔画收锋内敛,含蓄深沉;《诗文》卷,④笔厚貌丰,骨力内藏,线条粗细相宜,笔意酣畅,生动活泼,颇具玲珑巧妙之韵;《送蔡明远叙》轴,⑤运笔圆劲,古朴飘逸,方圆兼备,苍润互见。王文治作书运笔注重提笔,使转重提多折,笔触灵动流畅;下笔果决,悬腕疾书,用笔挺健,力注毫尖,笔笔送到,内敛外纵,干脆爽利;线条流畅自然,轻巧圆转,气脉贯注,圆健滋润,骨力峻挺,质感极强。梁同书所作《苕溪渔隐丛话》轴,⑥出笔轻疾,柔中含刚,遒劲俊爽,毫无苍老之气;《汪安人传》册,⑦起笔点画一丝不苟,在徐疾有致、从容镇静的书写中

---

① (清)张照:《七律诗》轴,纸本,行书,纵143.7厘米,横54.8厘米,故宫博物院藏。
② (清)张照:《武侯祠记》轴,纸本,楷书,纵95.7厘米,横52.3厘米,故宫博物院藏。
③ (清)刘墉:《小楷七言诗》册,纸本,纵6.9厘米,横11.8厘米,故宫博物院藏。
④ (清)刘墉:《诗文》卷,纸本,行楷书,纵26.8厘米,横115.2厘米,故宫博物院藏。
⑤ (清)刘墉:《送蔡明远叙》轴,纸本,行书,纵76厘米,横45.4厘米,故宫博物院藏。
⑥ (清)梁同书:《苕溪渔隐丛话》轴,纸本,行书,纵130.3厘米,横34.5厘米,故宫博物院藏。
⑦ (清)梁同书:《汪安人传》册,纸本,楷书,纵26厘米,横11.6厘米,故宫博物院藏。

表现出温文尔雅的书卷气。翁方纲在"清四家"中尤以"守法"出名，所作《隶行二体书轴》、《行书书轴》、《隶书册》、《录苏轼论书题跋语》等点画坚实圆厚，使转循规蹈矩，运笔不激不厉。王文治主擅行楷书及行书，书作多重古法而笔力遒实，骨气充盈而潇洒自如。《行楷书临帖册》神、形力追古人，笔力遒润；《快雨堂诗翰》骨骼清秀，恣态自佳，颇具恬和圆润之气；《关圣帝君觉世真经》法度严谨，取法颜、赵，用笔厚重，而温润恬雅之气贯穿始终；"横画阁有寒艳，雪照书裔生夜明"行书七言联，运笔大胆奔逸，笔力外拓，遒润圆劲，提按转折处，圆劲雄厚，气润浑融，渗透"颜"法，有"折钗股"之意趣。其后，汪承需书承家学，以颜为骨，以赵为肉，而肉多于骨，所书《行书帖跋》扇页，①行笔遒劲，中锋为主，劲健有力。又如以"险劲"著称的张问陶，所书《七绝诗》轴，②峭厉方劲，点画出笔迅疾露锋，字体放逸自然，纵横处似米芾，古拙处又寓有金石气息；《七律诗》轴，③主宗米芾，又兼取徐渭之法，用笔行中带隶，出锋自由多变，点画均匀中具错落，书风别具自然平易之韵趣。再如张廷济所书《楷书临米芾帖》扇页，④虽称临米，实是自家书法，整篇笔势变化不大，节奏舒缓，书写认真，颇具古趣；郭尚先所书《黄庭内景经》卷，⑤以颜真卿为根底，又融"馆阁体"姿韵，笔力雄浑坚实；何绍基所书《行书自书诗》扇页，⑥以篆隶为底蕴，用笔方中见圆，精力内含，遒劲舒和，意态超然，拙中见巧，飘逸脱俗，显得文气十足；张裕钊所书《行书七言联》，⑦清劲洒脱，落墨沉实，折笔方劲处犹存北碑韵致，转笔处用提顿法，以方为圆，落墨含蓄。他们基于前人基础上的开拓一度扭转了清初单一靡弱的帖学书风。

① （清）汪承需：《行书帖跋》扇页，纸本，纵 15.5 厘米，横 46.3 厘米，故宫博物院藏。
② （清）张问陶：《七绝诗》轴，纸本，行书，纵 121.8 厘米，横 36.2 厘米，故宫博物院藏。
③ （清）张问陶：《七律诗》轴，纸本，行书，纵 102 厘米，横 31 厘米，故宫博物院藏。
④ （清）张廷济：《楷书临米芾帖》扇页，纸本，纵 16.3 厘米，横 48.8 厘米，故宫博物院藏。
⑤ （清）郭尚先：《黄庭内景经》卷，纸本，楷书，纵 36 厘米，横 268.5 厘米，故宫博物院藏。
⑥ （清）何绍基：《行书自书诗》扇页，纸本，纵 16.5 厘米，横 48.8 厘米，故宫博物院藏。
⑦ （清）张裕钊：《行书七言联》，纸本，纵 129.5 厘米，横 29.6 厘米，故宫博物院藏。

第二,字法:端整秀雅,时出巧构。

清代帖学字法的主要特点有三。一是端整秀雅,平衡匀称。这是清代书家对帖学传统基调的普遍承继。梁巘曾言:"结体不外分间布白、固体趁势、避让排迭、展促向背诸法。"又称:"方正端严,而法胜焉。"①刘熙载亦称:"书宜平正,不宜欹侧。"②周星莲则谓:"字内无短缺处,字外无长出处,总归平直中正,无他谬巧也。"③清代帖学书作多承续传统字法平正、端雅的特点。皇族书家如前引玄烨《临董其昌书》轴中"津"、"江"、"河"等字,点画俯仰呼应,结体秀润,得董书形神之妙;弘历《临王羲之草书帖》中,"至"、"乃"、"未"、"兄"等字线条轻盈得体,"得"、"胡"等字间架左右互映,结体秀媚,得赵书潇洒逸趣;铁保《行书录语》轴中,"黄"、"痴"、"童"、"霞"等字结字紧密,"大"、"十"、"仁"、"不"、"中"等字精气内敛,得王书秀逸之姿。股肱重臣书家如何焯《桃花源诗》轴结体工谨端秀,《七言古诗》轴则因是为他人祝寿之用,书法更为工整平正,结构端庄洒脱,尽显恬淡灵秀之姿;张照《武侯祠记》轴结体工稳,字形大小一律,是典型的清代"馆阁体"书风;刘统勋《行书苏轼四绝句》卷结体端秀,风致雅逸,颇具文人闲雅之情趣;刘墉《小楷七言诗》册结体干净"圆整,动中规矩"(邵松年语),秀丽劲拔;梁同书《苕溪渔隐丛话》轴结字严谨,遒劲俊爽,《汪安人传》册字体端庄,结构严谨;翁方纲书法尤重结构,曾于书论中多次强调:"正书未有不先讲结构者。"④其书严谨、平整、料峭出于欧、米,结体严谨匀均,于结构紧密收束欧书法度之外,时见跳荡的米书笔意,如《行书题画诗》轴中,⑤"神"、"论"的分部,"作"、"派"的相立,"著"

---

① (清)梁巘:《承晋斋积闻录》,见侯镜昶:《中国美学史资料类编·书法美学卷》,江苏美术出版社 1988 年版,第 185 页。

② (清)刘熙载:《艺概》,见侯镜昶:《中国美学史资料类编·书法美学卷》,江苏美术出版社 1988 年版,第 187 页。

③ (清)周星莲:《临池管见》,见侯镜昶:《中国美学史资料类编·书法美学卷》,江苏美术出版社 1988 年版,第 188 页。

④ (清)翁方纲:《复初斋文集·跋竹山联句》,见侯镜昶:《中国美学史资料类编·书法美学卷》,江苏美术出版社 1988 年版,第 184 页。

⑤ (清)翁方纲:《行书题画诗轴》,洒金笺,纵 130.2 厘米,横 30.6 厘米,上海博物馆藏。

的紧实,"玉"的中正,"秾"的相倚,笔笔不苟,字字右上倾斜取势,再以中锋主笔定型,谨遵"作字有主笔,则纪纲不紊"的帖学传统,①亦即姚孟起所谓"字宜上半右边敧,至末画放平。敧故峭,平故稳";②郭尚先《黄庭内景经》卷中,"人"、"八"、"天"、"玉"、"三"等字结体宽博秀雅;张裕钊《行书七言联》中,"沽"、"酒"、"船"、"青"等字结字谨严,"客"、"商"、"结"、"缆"等字内紧外拓,颇具高古浑穆之气。在野书家如查士标《行书华亭跋》,结体取势亦法度森严,大令之风隐现。余如泛滥清朝书坛的馆阁书作,更以平正端楷、严守法度为其准的。可见,端整秀雅、平衡匀称是清代书家承继帖学字法的基本风貌。二是变形错位,创新字形。这是对结字造型的个性化拓展。蒋骥曾言:"笔画无俯仰照应,则直画如梯架,横画如栅栏,了无意思。"③为此,清代书家往往变形字体、错位偏旁,乃至引画入书,以求出新。例如,姜宸英作书有机冶融二王、米、董三家字法,或得二王从容与潇洒,或习米芾左右跳宕、奇正相生,或取香光简捷与率意,然其结字或左放右敛,或上放下敛,变形字体,全出己意,变化多端且具节奏韵律,审美内涵丰富;观其书作,行书结字中宫紧收、重心下移,舒放、大小、敧正各依其势而又上下顾盼;楷书结字则或如《天愚先生诗稿序》结体趋扁、变化较多、端庄而不显拘谨,或如《谢君墓志铭》、《赵进士诗集序》,虽为小字却气象宏大,字形更扁而变化时出,率意而机心自现,《清稗类钞》赞其"结体疏密合度"④。如前所述,笪重光尤重笔法,其作往往藏头护尾,势必限制横画开张,加之字间时杂牵丝萦带之笔,使其结体纵势增强,字形自然变得修长,其《五律诗》轴中"此来"、"别去"、"秋与"、"故人"等处引带、游丝、飞白夹杂其中,回环往复、流动缭绕,即为明

---

① (清)朱和羹:《临池心解》,见侯镜昶:《中国美学史资料类编·书法美学卷》,江苏美术出版社1988年版,第188页。
② (清)姚孟起:《字学忆参》,见侯镜昶:《中国美学史资料类编·书法美学卷》,江苏美术出版社1988年版,第189页。
③ (清)蒋骥:《续书法论·笔画》,见侯镜昶:《中国美学史资料类编·书法美学卷》,江苏美术出版社1988年版,第188页。
④ (清)徐珂:《清稗类钞》,见马宗霍:《书林藻鉴 书林纪事》,文物出版社1984年版,第206页。

证,《昭代尺牍小传》赞其"出入苏米",达"纵逸之致"。① 又如刘墉作书字形往往中心紧凑,一角放宽,黑白相间,疏密有致;笔画之间绝少连笔,自成回合,无挤兑、越位之强;偏旁部首各自到位,独立成形,无突兀、矮化之病,随形赋势,恰到好处;其结体虽参差错落、对比悬殊,却夸张适度、颇具理趣,常于稚拙中见生动,于端严中蕴变化;其书大字不散,小字不肿,上下叠加,层次分明,左右互照,互不拥挤,静中有动,顾盼生情。其《小楷卷》结体爽洒,疏密有致,尽显庙堂高深之势;《行书帖》则结字轻松率意,墉怠静谧;《诗文》卷结字不求平齐,富有层次,互为递映,风格丰润中又具节奏感。值得一提的是,身为皇族的慈禧太后对结字造型的新探亦颇为出巧,所书《"福禄寿"三字》轴引入民间流行的书画手法,将"福、禄、寿"三字以字体组合成图像的手法组合在一起,"福"、"禄"两字借用同一偏旁"礻",而"录"、"畐"之间夹写一个"寿"字,中间空白部分经巧妙布局画成一个寿星拄着拐杖,仿佛一件绘画作品,虽显俗气却带新意,造型奇巧,与众不同。三是多元取法,率意欹侧。翁方纲曾言:"唐文有云'势似欹而反正'者,一言尽之矣。夫欹未有不衷于正者也,后世习姿媚而弊生者,知欹不知正也。"②清代书家于阁帖中多所取法,率意欹侧,造就了帖学书作貌工而实劲的丰富体势。周亮工《行书七律诗》轴,虽总体观之,仍是传统结构之法,然结字大小、欹侧率意无矩,颇具个性;龚贤《七律诗》轴,结体浑厚,又正欹相依;沈荃《行书浪淘沙词》轴,结字深得董其昌书法神韵,略参米芾中欹侧而险绝的结字体势;法若真《草堂诗》轴,结体欹侧错落,具苍古质朴之韵,与晚明黄道周、倪元璐等书法家硬倔、奇异的风格颇相似;张照《岳阳楼记》汲取米氏欹侧险峻结构,精彩动人;张问陶《七绝诗》轴字体放逸自然,《七律诗》轴结体圆浑中见拙朴,点画均匀中具错落,别具自然平易之韵趣;张廷济《楷书临米芾帖》扇页,虽临米帖,字体却更多地学自颜真卿和欧阳询。再如王文治,其书结体"体制整

---

① (清)吴修:《昭代尺牍小传》,见马宗霍:《书林藻鉴 书林纪事》,文物出版社1984年版,第202页。

② (清)翁方纲:《复初斋文集·宋人楷书论》,见侯镜昶:《中国美学史资料类编·书法美学卷》,江苏美术出版社1988年版,第184页。

实"(赵彦苒语),深得李北海倾侧绮斜之神髓,中宫紧缩而外部放逸、夸张捺脚、字形略呈扁势等结体特点更有效弥补了其作弱、细、巧的缺憾,如其《关圣帝君觉世真经》结体稍纵,以左倾取势,温润恬雅,再如"横画阁有寒艳,雪照书斋生夜明"行书七言联,字体结构左低右高,斜而不倒,侧而生姿,中宫紧结,四周开张,深得李邕神髓,颇具萧散深远的意韵。清代帖学书家通过对结字造型、欹正、疏密等方面的这些新探,呈现出积极推进帖学继续前行的不懈努力;他们注重创新与传统的和谐共生,致力于将字法新创融汇于帖学传统范畴之中,力求于传统承继的基础上见出个性。

第三,章法:流美舒畅,雍容合度。

流美舒畅、雍容合度可谓清代帖学在章法上的整体追求,主要表现在三个方面。一是间距疏朗,牵丝映带。清代帖学书作在章法上大多凭借上下字间纵向笔势的连绵节奏,由线及字、由字及行、由行及篇,将点画、线条、字字、行行有机联系,浑然成篇。例如,前引玄烨《柳条边望月诗》轴,字间、行间疏朗匀称,首行"雨过高天"齐头开篇,二、三、四行行首"山"、"寂"、"光"顺次略低,轴尾"关"、"风"、"寒"顺次压轴,尾款及两方钤印于尾行左下留白处填充,格局端整,闲适自然;二、三行中的"寂"、"中"、"月"等字竖画中锋用笔,更令全幅各字重心更稳;全幅作品虽字字独立、行行宽舒,但"雨"、"虹"、"月"、"明"、"吹"、"度"、"空"等字末笔收笔以及"关"、"风"、"寒"等行末几字末笔均见出明显映带笔意,且"雨"、"空"二字、"关"、"光"二字隔行倚角遥相呼应,浑然一体。又如铁保所书《行书录语》轴,亦行距宽疏,首行"黄"、"米"一上一下撑开全幅纵势,尾行首字"画"略低于"黄"字,尾款衿印则略高于"米"字,首尾呼应、气势沉雄;"神"字中锋用笔,居于整幅作品中心位置,明显大出全幅他字,体势笼罩全局;虽字字独立,但字内、字间乃至行间处处可见出明显的映带呼应之笔,颇具晚明书家倪元璐、黄道周书风遗韵。再如姜宸英《曹全碑》、《韭花帖》等书作,也是以宽舒行距与笔直行气营造简约有序、宁静内敛、清新娟秀、疏朗拔俗的布局之美。张照作书极重章法,曾称:"九成之台必自地起,未知分布而能纵横出奇者,非所闻也。"①其《岳阳楼记》和《七律诗》轴,深得董其昌疏朗闲逸的布白之法,《武侯祠记》轴则章法整齐划一,较之柳体更趋规整。余如前引龚贤《七律诗》轴,字紧行宽,疏密相生,虚实得宜;沈荃《行书浪淘沙词》轴,布局疏宕,清劲秀雅,自具风神;汪士鋐《东坡评语》轴,疏朗有致,分间布白分寸均衡;何焯《桃花源诗》轴,布局舒展明朗,深得欧阳询意韵;法若真《草堂诗》轴,字间牵丝、引带若断若连。这些书作均为深谙章法布局的佳品。二是长短参差,大小错落。笪重光曾言:"直行、大小、离合、正侧,章法之变,格方而棱圆,栋直而纲曲,佳构也。"②刘熙载亦谓:"书之章法有大小,小如一字及数字,大如一行及数行,一幅及数幅,皆须有相避相形、相呼相应之妙。"又称:"字体有整齐,有参差。整齐,取正应也;参差,取反应也。"③清代部分帖学书家充分意识到这一点,在他们的书学实践中注重依靠字的大小、行的长短、点画的变形、线条的粗细、用笔的疾速、笔意的收放、提按的轻重、飞白的效果、体势的连断、字形的缩放、着墨的枯浓、气韵的完缺等方面鲜明的对比效果来营造众横捭阖、气势雄强、极富韵律的章法布白之美。例如,查士标《行书山谷跋兰亭》扇页,整体上看,由右至左一行字多一行字少,"兰亭"、"得意"、"之略"、"不可"、"之肥"、"存之"等行字多,"右军"、"反复"、"笔一"、"写或"、"成妍"、"妙耳"等行字少,行行高矮对比、参差互现,结构开合变化、气势磅礴;具体到单字而言,"兰"、"叙"、"得意书"、"反复"、"笔"、"瘦"、"妙"等字写得较大且线条粗重有力,"亭"、"草"、"平生"、"一字"、"要若"等靠近上述大字的字则写得较小且线条纤细柔媚,全篇大小字错落有致,富有节奏感;"笔"、"耳"二字末笔竖画疾速顺势一笔滑下,造出精彩的飞白效果,笔酣墨畅,气韵登生;落款正居扇面左骨,融入全幅长短行、大小字的玲珑错落之中,和谐俊美;整幅作品分行布白避让有序,收放自如,一气呵成。

---

① (清)张照:《天瓶斋书画题跋》,见侯镜昶:《中国美学史资料类编·书法美学卷》,江苏美术出版社1988年版,第194页。

② (清)笪重光:《书筏》,见侯镜昶:《中国美学史资料类编·书法美学卷》,江苏美术出版社1988年版,第193页。

③ (清)刘熙载:《艺概》,见侯镜昶:《中国美学史资料类编·书法美学卷》,江苏美术出版社1988年版,第195页。

三是杂糅字体,违和统一。清代帖家书作往往谨守传统法度,讲求一幅作品书体精纯,刘墉书作却于此之外独辟蹊径,于同幅书作中糅入多种字体,楷、行、草相间,且忽楷忽草忽行,全无固定位置,字体大小、笔画繁简、笔意舒阻、笔速疾缓、提按轻重、线条粗细、笔力刚柔等全凭己意,貌似违和矛盾、毫不协调,实则诚如陈介祺所言:"古人作字,其方圆平直之法必先得于心手,合乎规矩,唯变所适,无非法者。是以或左、或右、或伸、或缩,无不笔笔卓立,各不相乱;字字相错,各不相防;行行不排比,而莫不自如,全神相应。"①刘墉杂糅各体、全凭己意的分行布白,及其所营造出的截流为断的别样的章法之美,是他在深入把握了书法"方圆平直之法"之后所做出的"合乎规矩,唯变所适"而又"莫不自如,全神相应"的合理创新,也是他对书法艺术时间、空间二维特性的新开拓。如其《送蔡明远叙》轴,通篇以行书为主,时杂楷书,如"命"、"良"等字,更时有草书出入其间,如"随"、"攀"、"至"、"始"、"终"、"际"等字,虽杂糅各体于一幅书作之中,却毫无突兀之感,反觉层次分明,变化万端,内涵丰富;整体来看,全幅作品端正工稳,布白匀称,娴静得体,大方自然;时杂"命"、"上"、"终"、"之"等飞白点缀其间,动感立显,生动活泼;细观局部,或浓墨重笔,如"既"、"于"、"淮"、"随"、"邢"、"追"、"不"等字,或枯笔轻提,如"奉"、"上"、"之"、"攀"、"埭"等字,比对鲜明,节律立显;同幅中三个"之"字写法各不相同,相映成趣;与"上"、"又"、"至"等字一同被书家明显缩小,穿插于篇中诸行各部,更反衬出相邻它字的厚重笔意;整幅作品行笔通畅,分间布白平淡空灵,看似平淡,实又深存玄机。这些活化谋篇的游刃有余的巧妙布置,蕴藉着书家"万物皆备于我"的超拔气势与深藏练达的过人艺术胆略,耐人寻味。

第四,墨法:浓淡相宜,一墨传神。

自晚明董其昌"墨气"论出,清代书家于墨法一途的理论探索与实践创制层出不穷。从墨法理论来看,王澍、蒋骥、朱彝尊、包世臣、朱和羹、周

---

① (清)陈介祺:《簠斋尺牍》,见侯镜昶:《中国美学史资料类编·书法美学卷》,江苏美术出版社 1988 年版,第 196 页。

星莲、沈曾植、康有为等人各有心得，妙论迭出；而从实践创制来看，尤以乾隆年间的帖学大家刘墉与王文治的墨法实践为范。刘墉作书喜用羊毫浓墨，用笔重、用墨厚，墨气浓厚，专取魄力，"书如绵里铁"（杨守敬语）；①王文治作书则用墨淡润，墨色以淡为主、浓淡相间，务求风神。对此，《两般秋雨庵随笔》曾载："国朝书家，刘石庵相国专讲魄力，王梦楼太守专取风神，时有浓墨宰相淡墨探花之目。"②可以说，刘王二人的用墨取向代表了清代帖学墨法的两大方向：一是以浓用拙，以燥用巧。这是包世臣在《艺舟双楫》中对刘墉书作用墨特点的中的之论。③ 观其书作可知，刘墉用墨既异于古人，又别于时人。其书尤其注重浓、重、黑的程度，字字貌丰而肥，由于用墨过于浓厚，以至部分点画线条常常板结为块状，甚至发生字如墨团的现象，因此，时人或"谓其肉多骨少"，更有甚者，讥为"墨猪"，实则如徐珂《清稗类钞》中所言之"不知其书之佳妙，正在精华蕴蓄，劲气内敛"。④ 实际上，刘墉作书用墨虽然浓厚凝重，但却绝不板滞，时常于浓墨之外兼施干墨，生出枯润互映、拙中见巧的奇效。例如，其《小楷七言诗》册中，"此"、"将"、"顶"、"相"、"生"、"老"、"中"、"下"等字的竖画，"何"、"屑"、"今"、"细"、"休"、"春"、"天"、"夕"、"牛"等字的撇画，均于字内结块，"生"、"已"、"混"等字更形同墨团，笔笔浓墨，墨意厚重，拙气四溢，是典型的以浓用拙之法；但与此同时，"一"、"之"、"非"、"与"、"子"、"好"、"扪"、"可"、"青"、"山"等字却时出枯笔，点缀其间，辅之以纵横开阖的结体、跌宕往复的用笔、骨力坚凝的线条，使全幅作品墨色枯润对比，粗细错落有致，于平正端整中见出明显的层次感与节奏感，创构出平中蕴奇、神味隽永、别具韵味的审美空间，亦即拙中见巧的明

---

① （清）杨守敬语，见马宗霍：《书林藻鉴　书林纪事》，文物出版社1984年版，第216页。

② （清）梁绍壬：《两般秋雨庵随笔》，见马宗霍：《书林藻鉴　书林纪事》，文物出版社1984年版，第219页。

③ （清）包世臣：《艺舟双楫》，见马宗霍：《书林藻鉴　书林纪事》，文物出版社1984年版，第215页。

④ （清）徐珂：《清稗类钞》，见马宗霍：《书林藻鉴　书林纪事》，文物出版社1984年版，第216页。

证。二是淡墨为主,间或浓溢。王文治作书擅学古人且不苛求己意,于墨法一途亦不例外。其作在用墨上尤重对古代传统墨法的承继,结合个人的性情秉性和书学创制的经验累积及"吾诗字皆禅理"的艺术追求,发展出淡墨为主、间或浓溢、假墨色之变求书艺效果的用墨技巧,与刘墉墨法形成并立清代帖学书坛的墨法双峰。如其《快雨堂题跋》轴,即以淡墨为主、间或浓溢,予人以清爽淡雅、超尘脱俗之感,独具神韵。此外,清代中晚期书法名家也各自展开了对墨法的探索与实践,在其作品中充分发掘焦、浓、涨、破、渴、淡等墨法技巧,创制出丰富多彩的墨色变化。尤其是晚清的沈曾植,更为强调墨法,他厘清了历代墨法的嬗变过程,指明了书画墨法的异体同势,并试图在于古今杂形和融汇碑帖观念的基础上拓展用墨之法。遗憾的是,囿于时代与个人趣尚,沈曾植并未于理论和实践上深入推进,使得这种新的书学追求仅仅停留在较浅层面,有待后人继续开掘。

正如六朝知音文化是对中古经典阐释的独立评价、对中古人文精神的自主选择和对人类主体意识的审美提升,清代帖学书家的法度承继及其新创意识也是他们对书法艺术发展趋向的独立认知、对传统帖学书学精神的自主选择和对书家主体意识的自觉提升。①

三、书学精神及其审美意识

前文已从取法经典及其正统意识、法度承继及其新创意识两个方面浅要分析了清代帖学书作的书法艺术基调和物态化意象表征。毋庸置疑,这些都是清代帖学审美意识的重要方面。然而,这绝不是其全部内涵。在此基础上,清代帖学书家的书学实践更以姿媚妍妙、漫卷诗书的形式美,标举着他们尚"雅"求"正"的书学追求和艺术精神,承载着清廷主导的雅正端庄、中庸合度的政治教化功能,寄寓着书家主体的生命格调和人文情怀,彰显着清代书学秀美圆润的主流艺术趣味和雍容闲适的群体

---

① 参见拙作:《中古人文精神的透析——从演绎中的六朝知音文化谈起》,《华中科技大学学报》(社会科学版)2011年第6期。

审美理想。

第一,重教化,尚中和,尊为正统。

从书学背景来看,清代帖学书家群体创制具有强烈的功利化倾向和政治教化意味,形成了帖学创制繁盛并被清廷尊为正统、中和之美的书艺基调被广泛认同的局面。在这一背景下,清廷割断了晚明革故鼎新的浪漫书风,将其重新拉回中和正轨:康乾二帝推尊无棱角、灭个性的赵董之书;道咸之前,书法守中和,主平和静穆。尽管董书偏禅而平淡雅逸,赵书师晋而古妙韵深,但却皆具姿媚秀妍的审美共性,符合皇家优容尊显的地位和身份,迎合了清廷入主中原、抚民安政、粉饰太平的政治需要和当时的社会气候,也就理所当然地成为政治教化的工具。

从书法本体来看,清代帖学承继晚明帖学余绪,崇尚空灵优雅、平正稳重,集中体现了中和为美的官方正统审美趣尚。如前所述,官方正统中和审美意识尚显然包蕴着强烈的功利性背景和政治目的,但却并不意味着它与书法本体的非功利的艺术本质完全相悖。实际上,它对书法本体的作用是具有二重性的。一方面,当这一审美趣在书法本体的非功利的艺术规律范围内发生作用时,帖学书作对法则、结构、章法等传统法度的承继、舍弃与革新就会呈现出显著的集大成的意味,形成精致古雅、法度谨严、细密博洽、平实雅正、渊雅醇厚、端整秀逸、漫卷诗书的雍容气象;另一方面,当这一审美趣超出书法本体的非功利的艺术规律范围发生作用时,过分地讲究法则、强调结构势必诱发书学创造精神的日渐缺失并进而异化出极端形式主义的倾向,最终使得书法艺术的创造力与感染力受到了极大地戕害与禁锢,书法创作走向穷途末路,导致方板呆滞、平排无势的馆阁体泛滥书坛。

从书家主体来看,清代帖学书家主要有两大类:一类为在野或下层文人,一类为皇族或股肱重臣。前一类帖学书家出于避祸自保、寓志于书的无奈心态,在清廷高压的思想控制与浓厚的复古氛围中,往往在表面上顺从书法艺术对道德、政治的依附关系,在书法审美倾向上既遵从官方正统中和意识,更注重将其与书法艺术非功利的本质规律完美结合,力求于整饬端严的书作中潜藏雄峻跌宕之势与沉着蕴藉之意,寄寓书家醇厚深邃的人格精神,整体风格上客观地实践并暗合着儒家"乐而不淫、哀而不伤"的中庸之美;后一类帖学书家则出于与统治集团保持高度一致的自觉卫道,在书学标准上以与儒家思想相一致的"书以载道"为鹄的,在书学创制中主动遵循中和为美的官方正统意识,创作时"收视反听,绝虑凝神,心正所降",作字大小合度、疏密得体、肥瘦适宜、骨肉兼具,分间布白"违而不犯,和而不同",整体风格"不激不厉而风规自远",时时处处彰显着"中和"为美的审美基调。例如,刘墉出生于世代官宦之家,自幼即受"修齐治平"思想熏染,深谙儒家"文以载道"、"温柔敦厚"的中庸之道,及第后位高权重却操守严苛,其书虽取法颜、苏却谨守中和标准,化苏字方折之笔为圆转,取颜书端严静穆而弃其横竖分明,创构出势圆劲敛、质沉笔柔的书法意象风格,其书法创制可谓帖学审美中和基调的杰出代表,不愧为清代帖学的集大成者。

从深层内核来看,中和为美的官方正统意识有其特定的审美心理与社会文化根源。之所以造成这一局面,主要是源自清廷统治需要,是清廷为寻求统治合法性、奠定并巩固思想正统地位的思想控制与政治教化需求在书法艺术领域的显著表现。满族入关主政以来,为寻求统治合法性、奠定并巩固思想正统地位,在思想上强化了温柔敦厚、中庸之道等官方控制,在学术上力倡信古求是、崇实复古的习尚风气,并将触角延伸至各类艺术领域,加大了控制力度。实际上,清廷在书法领域尊帖学为正统,主要是想倡导中和为美的书艺基调,此举绝非全为书艺,实则出于政治目的,其中包藏着统治者以科举之途、艺术之名和诛心之策为饵,牢笼天下、软化人心的险恶祸心和思想成分,企图以此弱化异族统治中可能普遍存在的民族对抗情绪。正是在这一前提之下,康乾二帝好尚董赵,帖学也得以成为清廷所倡导的书学主流,其正统意识也随着刻帖之风的隆盛、取法渊源的多元和科举制度的流播而一再强化,左右着当时的书学风尚及变迁轨迹,中和之美的书艺基调也随之日渐深入书家之心。

第二,重修养,尚雅致,有书卷气。

清代帖学书家群体创制具有雅人深致的书卷气,其中蕴涵着帖学书法作为文人书法的浓重的尚雅意识。它是清代帖学迥异于碑学书法的金石气的典型特质,远离现实、漫卷诗书。"书卷气",顾名思义,就是蕴藉于书法创作运笔过程之中、体现于成熟的书法墨迹之中、饱含着书法创作者主体本身在书法创作实践中的心境与情感的、潜藏于优美书法作品的审美特征;主要表现为一种不疾不徐、娓娓道来的从容大气,透露出一股云卷云舒、风淡云清的散漫萧疏之趣,蕴藉着一种简约闲淡、深远无穷之味,是不激不厉、间出奇笔、奥妙无穷的神来妙韵。

从书法本体来看,清代帖学书作雅人深致的书卷气必然与传统帖学书法艺术发展规律及当时特定的文化艺术思潮密切相关。一方面,如前所述,清代帖学所承继的是晋帖以降的千年帖学传统,所取法的经典多指名家书法刻帖,侧重于师法历代名家书作中点画线条的流畅、圆润、细腻、柔婉的"笔意","中锋"、"藏锋"、"逆势"、"一波二折"的笔法规则,纵向连贯性、字间牵丝映带的章法布局以及书作整体的"书卷气",清代帖学的书卷气及其蕴藉的尚雅审美意识古已有之;另一方面,清廷赋予帖学的官方正统地位和政治教化功能是清代帖学的书卷气及其蕴藉的尚雅审美意识的时代要求。可见,书卷气和尚雅意识可谓传统与时代对清代帖学书法的共同要求。

从书家主体来看,清代帖学书法所特有的书卷气绝非普通制作意义上的匠人之美,而是一种主体创作意念与神韵的流动之美,是一种自内而外、自然散发、自我流露的气质,既书家性灵的抒写、气质的外显、情趣的流露,更是创作主体在创作状态下与创作对象乃至大千世界的心灵交会、灵韵契合及思想碰撞的富于个性解放特性的文人之美。这一典型特质绝非随意而为、唾手可得。它首先源自作为书法创作主体的帖学书家自身的精神、气质、知识、阅历、修养、识见等综合修养积累。强烈的人格意识可谓中国古代书法的特质,由晋及清,名家名帖往往被视为内外一致、表里相合的个体化的道德表现,呈现为诚于中而形于外的经典范本,这与历代书家以人为本、道合于天的人文精神历史传统密切相关。对此,笪重光、刘墉等帖学名家都有深刻领悟。其次源自帖学书家不断地临摹研习历代名帖后所累积的较为深厚的书写功底。传统帖学名作往往植根于人文语境之中,蕴藉着"和而不同"、"道并行而不相悖"等深厚的人文精神内涵,书之美与德之神交相辉映,统一于帖学书作中。清代帖学书家无不自幼摹帖,临池不辍,练就了扎实的书法基本功。前引刘统勋、王文治等人的书学创制均为清新脱俗、文人气息的帖学书作的杰出代表。

就深层内核而言,清代帖学的书卷气和尚雅意识有着深刻的思想根源:一方面帖学书家的出身、地位、修养、境遇乃至朝臣身份决定了他们与清廷之间的密切联系,也决定了他们对清廷官方正统审美意识的认同,更决定了其多数书作的尚雅趣味与书卷气息;另一方面,其远离现实、漫卷诗书的书学创制和所代表的书法艺术雅化走向,客观上满足了清廷牢笼天下的政治目的,完全符合清廷软化人心的思想需求,反映了清廷官方的审美追求。正是基于这两方面的原因,这种雅人深致的书学创制被清廷认同,成为当时的正统书派,其中潜藏的尚雅意识也成为清代书法观念纯化的一种趋向,影响着当时及其后的书坛趣尚。

总之,清代帖学书法所呈现出的尚"雅"求"正"的鲜明审美意识,是对千年帖学书法正统的传承和发展,其中所展示的中和为美的审美意识基调和帖学为尊的正统意识思想也是对清廷文化政策在书法艺术创作与赏鉴领域的一种体现。尽管帖学的这些审美意识作为清代书法审美意识的基调在清代贯通始末、影响甚巨,但随着中晚期帖学的式微、碑学的崛起,一种新的审美意识开始成形,震荡并挽救了当时积弱已久的帖学书风,这便是尚"质"求"朴"之书法革命的碑学书法审美意识。

第四节　碑学:尚"质"求"朴"之书学革命

清代书道中兴,书法以碑帖二分,尤以碑学成就为盛。清代碑学萌芽于国运、书运的低谷,勃兴于乾嘉之际,而大盛于晚清。近人丁文隽曾言:"郑燮、金农发其机,阮元导其流,邓石如扬其波,包世臣、康有为助其澜,始成巨流耳。"[①]虽大略无虞,却尚未溯及郑簠、朱彝尊、傅山等人。通览清代书史,先有郑簠、朱彝尊等人复兴篆隶、师法汉碑,继有郑燮、金农等

---

① 丁文隽:《书法精论》(上编),中国书店1983年版,第69页。

人异军突起、上追秦汉,以援引甲骨、篆隶、碑石刀刻意趣入笔的师碑实践,首开碑学先声;嗣后,邓石如、伊秉绶等碑学书家广泛取法碑版,刘墉、钱沣等帖学书家也开始取法唐碑,创出崭新的书风,与晋楷、唐楷作为不同的创作风格而鼎足而立,阮元《北碑南帖论》更拉开碑学全面崛起的大幕,包世臣《艺舟双楫》推波助澜,将质朴、峻劲尊为书法审美新的至高标准,碑学书法在书论上占据了书坛主流的高峰,一度取代了传统帖学的时代话语权,书道发展为之一转,碑学自此勃兴;嘉庆以降,北魏碑铭大量面世,何绍基、吴熙载、赵之谦、翁同龢、吴大澂、杨守敬、吴昌硕、沈曾植等书家的碑学创制取法更趋向全面,由唐碑上溯六朝碑版、乃至商、周、秦、汉、魏、晋的各种金石文字,碑体风格日益完备,创就出蔚成晚清的碑学大盛局面。在历经百年的艰难蜕变之后,清代书法成功地冲破宋元以降的帖学樊笼,开创了完全迥异于帖学妍美之风的雄浑渊懿的碑学书风,挽救了日趋单薄靡弱的千年帖学,其篆隶北碑书法成就足自高标,堪与唐楷、宋行、明草相媲美;碑学书家们恢弘恣肆的新创精神和独抒机杼的个性书作,激活了沉闷的书坛,中兴了书道,开拓了书法继承与革新的广阔天地,一派峥嵘气象。潜藏于篆隶复兴、碑学崛起的书学盛况下的,是尚"质"求"朴"之书学革命的碑学审美意识,包世臣之"峻劲",论家之"方正浑厚"、"大刀阔斧"、"拙朴开张"等等,都是碑学书体的热情礼赞,也是对刚强峻健的书学之美的热切欢迎,既是对书法艺术"质"美回归的高度认可,更是对碑学审美意识的由衷肯定。清代碑学书家的书体选择及其取法变革、法度创新及其意象特征、书学精神及其审美意识集中体现了这种全新的时代之美。

一、书体选择及其取法变革

较之帖学,清代碑学是以革命者的姿态出现的。首先,千年帖学行至清代已成强弩之末,走向馆阁体的没落书风,亟待注入新鲜血液,书法艺术发展的自身规律与当时帖学发展的衰朽现状,为碑学革命积蓄了强大动能,这是碑学崛起的内在动因。其次,清廷思想控制的加剧激活了碑学革命的序曲,其时文人或为避祸保身、或为经世明道,学术上转向经史考证,致力于碑石访求、金石考据,形成朴学复古崇实、朴实无华的之风,直接影响了清季书家的书学观念与艺术趣尚,成为清代书家复兴篆隶的思想动因。其三,此期发现和挖掘出的大量金石故物与碑石佳拓也极大地拓展了书家取法视野与新创路径,客观上为篆隶复兴、碑学崛起的书学革命奠定了丰厚物资基础。在此基础上,清代碑学书家高扬尚"质"求"朴"的书学革命旗帜,在复兴篆隶的书体选择和师法北碑的取法变革等方面,展开了革命性的书学实践。

第一,复兴隶书是碑学书家群体在书体选择上的集体转向和首次革命。

清代碑学的发轫始于隶书的复兴。隶书源自先秦篆书,萌生于战国,发展于秦,大盛于汉。战国隶书古拙天真,两汉隶书成就辉煌。自魏晋二王帖学书风定于一尊,隶书沦为书坛附庸地位,千余年间少有书家专擅于此,"篆籀八分,几于绝迹",虽间或出现隶书书家,如唐李阳冰、韩择木等,但其书作多为碑额榜相等从属装饰之用,往往气格卑俗、气息靡弱,再未能出现两汉隶书的高峰。延至清代,书道中兴,众多碑学书家创制了大量个性张扬的隶书作品,隶书再次崛起,蔚成高峰,堪与汉隶媲美。清初郭宗昌、傅山、王时敏、郑簠、朱彝尊、石涛、金农、郑燮、万经等人不仅在理论上倡导尊碑,而且着力于隶书作品的实践创制,引领了隶书复兴的碑学革命先声。郭宗昌隶书为世所称,所著《金石史》则注重从书艺风格论述汉碑,极为精审,《池北偶谈》称:"宗昌善鉴别。书画金石分法,为当时第一。"《砥斋题跋》则谓:"征君分法,直逼汉人,不知有魏,无论唐宋。王孟津尝称为三百年第一手。又云,先生于书法各臻其妙。其昌明汉隶,当与昌黎文起八代之衰同功。"[①]将其推为清初隶书复兴的第一人。此外,王铎、傅山等以行草著称的书家亦倡导访拓学碑,并身体力行,时有隶作问世。王铎重视学碑,强调为书须参合古隶之法,曾言:"学不参古碑,书法终不古,为俗笔多也。"傅山则于《霜红龛集》中屡屡言及汉隶特点,旗帜

---

① （清）王宏:《砥斋题跋》,见马宗霍:《书林藻鉴　书林纪事》,文物出版社 1984 年版,第 195 页。

鲜明地提出"硬拙"、"篆隶一法"等审美要求和楷自篆隶八分来、"四宁死毋"等碑学观念,并称:"不知篆籀从来,而讲字学、书法,皆寐也。"极具反叛意识,其作虽以行、草名世,①却兼习隶书,拙朴真率。王时敏、郑簠、朱彝尊更被誉为"清初三隶"。王时敏虽为清初正统画派的代表,于书法一途却喜作隶书,其作上追秦汉,线条粗重,墨气灵动,苍涩浑润,古意益然。郑簠是清代早期以隶书著称的碑学名家,在清初极负重名,门下从者甚众,石涛、金农都曾受其影响。《莲坡诗话》称:"谷口善八分书。"朱彝尊亦谓:"谷口八分古今第一。"②其隶作溯流穷源,潜心汉碑,直追汉隶,师法《曹全》《史晨》,以圆润秀劲的汉碑笔法作隶,朴而自古、拙而自奇,创拓出飘逸秀美、圆劲古雅、天真烂漫、韵美气舒的独特风格,代表了清初隶书的水准,开清代碑学之先声。朱彝尊精研经学,深于考证金石,书法以隶书名世,《昭代尺牍小传》称其:"善八分书。"《桐阴论画》亦称其:"古隶笔意秀劲,韵致超逸。"《艺舟双楫》更将其书评为逸品下。③ 郑、朱二人以其复兴隶书的书学创制,堪称清代隶书复兴与碑学革命的先驱。遗民书家石涛在书法上也力倡个性解放,④其隶作"散朴有致、不格绳墨",气韵大开,别有情趣,是清初复兴隶书的重要书家。善画书家石涛的单独隶作少见,多散出于画跋,喜以隶书题长款,清秦祖永在《桐阴论画》中对其隶书大加赞赏:"大江之南,无出其右者。"⑤嗣后,"扬州八怪"适逢其会,眼界大开,随之掀起尚"怪"求"变"的书史变革,⑥郑燮隶作"高简古朴,风姿绰约";高凤翰隶书生拙苦涩、真率自然;金农隶作苍古奇逸、魄

---

① 参见拙作:《书为心画:尚"真"求"趣"的生命情怀——晚明入清士人书法审美意识》,《书法》2014 年第 7 期。

② (清)查为仁:《莲坡诗话》,见马宗霍:《书林藻鉴　书林纪事》,文物出版社 1984 年版,第 198 页。

③ (清)包世臣:《艺舟双楫》,见马宗霍:《书林藻鉴　书林纪事》,文物出版社 1984 年版,第 203 页。

④ 参见拙作:《书为心画:尚"真"求"趣"的生命情怀——晚明入清士人书法审美意识》,《书法》2014 年第 7 期;刘恒:《中国书法史·清代卷》,江苏教育出版社 2002 年版,第 71 页。

⑤ 刘恒:《中国书法史·清代卷》,江苏教育出版社 2002 年版,第 71 页。

⑥ 参见拙作:《尚"怪"求"变"的书学精神——扬州八怪书法审美意识》,《云南艺术学院学报》2013 年第 4 期。

力沈雄。余如万经工隶书,著有《分隶偶存》,其隶书受郑簠草隶书风影响,呈现出明显的郑书风貌;《昭代尺牍小传》称徐树丕"善八分书",①《江南通志》载陈醇儒"工汉隶八分";②《画舫录》称程邃"工隶书",《读画录》称:"道人诗字图章,头头第一。"《思旧录》则谓:"昔赵寒山作篆如草,一时推为独步,穆倩于分书亦然。后世必有知而论定之者。"③另有小学书家钱大昕、段玉裁等人,以碑法作隶,于朴学考据之外别创出学者书法的独特风姿。清初这些个性鲜明的隶书创制成就,不仅为其后书家冲决晋唐以来的帖学樊篱提供了崭新路径,也为稍后的隶书中兴奠定了坚实基础。乾嘉之际,阮元、包世臣先后在书法理论上高举"尊碑抑帖"的大旗,隶书承接清初碑学崛起之势,一路高歌猛进,迎来了创作的新高潮,臻于鼎盛之峰。此期隶书创制上成就最高的是邓石如、伊秉绶。邓石如为清代中期书坛巨擎,方廷瑚称其"精通六书,落笔皆本说文,绝无省文俗体混入",其书法不仅诸体悉备,且各体书均独具特色,所作隶书尤能兼融古法复有创新,体裁胎息、古意浓厚,波挑纷披、姣丽流美。包世臣《艺舟双楫》以为"其分书则遒丽淳质,变化不可方物。结体极严整,而浑融无迹,盖约峄山国山之法而为之",又称"山人移篆分以作今隶,与瘗鹤铭梁侍中阙同法",认为邓氏隶书已臻绝诣,"百年来书学能自树立者,莫或与参,非一时一州之所得专美也",并将其隶篆列入神品。赵之谦也称:"国朝人书以山人谓第一,山人书以隶为第一。"李瑞清则谓:"完白隶书,下笔驰骋,殊乏酝藉,但瞻魏采,有乖汉制,与正直残石差足相比。"④无怪李兆洛评其书:"手之所运,心之所追,绝去时俗,同符谷初,津梁后生,一代宗仰。"⑤邓氏隶书以篆笔入隶,雄健古茂,豪劲浑朴,足堪担当清

① （清)吴修:《昭代尺牍小传》,见马宗霍:《书林藻鉴　书林纪事》,文物出版社1984年版,第197页。

② （清)赵宏恩等:《江南通志》,见马宗霍:《书林藻鉴　书林纪事》,文物出版社1984年版,第199页。

③ （清)黄宗羲:《思旧录》,见马宗霍:《书林藻鉴　书林纪事》,文物出版社1984年版,第199页。

④ （清)李瑞清:《清道人遗卷》,见马宗霍:《书林藻鉴　书林纪事》,文物出版社1984年版,第222页。

⑤ 参见(清)马宗霍:《书林藻鉴　书林纪事》,文物出版社1984年版,第221页。

代隶书复兴的重镇。伊秉绶则被《国朝先正事略》"尤善隶法",善以颜楷入隶,隶作宽博伟岸、气度恢宏,是与邓石如同时代的又一隶书名家。《清史列传》称其"工分隶,与同时桂馥齐名";《墨林今话》则称其"以篆隶名当代,劲秀古媚,独创一家";《昭代尺牍小传》亦载:"墨卿书似李西涯,尤精古隶,独不喜赵文敏。"伊秉绶隶作,被《退庵随笔》评为"遥接汉隶真传,能拓汉隶而大之,愈大愈壮",具雄杰之势;隶书宽博伟岸、古穆深沉,焦循称其"如汉魏人旧迹",向燊称其"直入汉人之室,邓完白亦逊其醇古",颇有独到之处。① 邓、伊二人的隶书创制,均能出入周秦两汉以来隶书古法,既承汉隶传统,融汉隶古法入己书,涵蕴汉人风骨;又广取他书之长,超越传统,融会贯通,自立门户,颇具时代新意;他们以其独自高标的隶书杰作,康有为称其"分分隶之治而启碑法之门,开山作祖",树立起清代隶书复兴的典范大旗。嗣后,桂馥、黄易、奚冈、巴慰祖、钱泳、陈鸿寿等紧随其后,创制了大量隶作,成就斐然,造就了隶书中兴的鼎盛局面。《清史列传》称黄易"幼承家学,尤嗜金石",《湖海诗传》曾载:"易父工篆隶书,易传其业,雅好金石文字,所至山岩幽绝处,皆穷搜摹拓,多前人所未著录。"《墨林今话》亦称其"精隶书,尤得古法";其隶作大小隶俱佳,《枕经堂题跋》称其"大隶书摹校官碑额,小隶有似武梁祠题字",杨守敬以为其小隶"尤为绝伦";《桐阴论画》则对其隶笔出新评价甚高:"分隶笔意沉着,脱尽唐人窠臼。"②《昭代尺牍小传》评价与伊秉绶齐名的桂馥,"以分隶篆刻名,精于考证碑版";其隶书创制尤为世尊,《桐阴论画》称其"汉隶尤为时推重",《松轩随笔》更称:"百余年来,论天下八分书,推桂未谷第一。"《小沧浪笔谈》则谓其:"深于说文小学,诗才隶笔,同时无偶。"包世臣《艺舟双楫》评其隶书为"佳品上";桂馥隶作端严工稳、雄强朴茂、特点突出,一是如《退庵随笔》所言"能缩汉隶而小之,愈小愈精";二是如《国朝山左诗续钞》所言"尤长于说文之学";三是如《息柯杂著》所言"醇

① (清)梁章钜:《退庵随笔》,见马宗霍:《书林藻鉴 书林纪事》,文物出版社1984年版,第225页。
② (清)查慤桐:《枕径堂题跋》,见马宗霍:《书林藻鉴 书林纪事》,文物出版社1984年版,第220页。

古朴茂,直接汉人,零篇断楮,直可作两京碑碣观";四是与伊秉绶、陈鸿寿、黄易等人隶作一样,被杨守敬评为"皆根底于汉人,或变或不变,巧不伤雅,自足超越唐宋"。① 奚冈是清代隶坛中诗画兼工的传奇神童,《墨林今话》载其:"诗书画三绝,天分学力,悉异常流。九岁作隶书,及长工行草篆刻。"《清稗类钞》亦载:"铁生少年书法出入欧赵之间,晚岁专精绘事,书名遂为所掩。"《桐阴论画》评其隶作"笔意秀逸,高出流辈";王端履称其"字画端楷,寓婀娜于刚健中,视梁山舟学士有过之"。② 王中称巴慰祖"少好刻印,务穷其学,旁及钟鼎款识秦汉石刻,遂工隶书,劲险飞动,有甯延熹遗意。"包世臣《艺舟双楫》评其隶书为"能品下"。③ 载《墨林今话》钱泳"工于八法,尤精隶古"。④ 陈鸿寿酷嗜摩崖碑版,《昭代尺牍小传》称其尤"善古隶",《墨林今话》载其主张"凡诗文书画,不必十分到家,乃见天趣"。因此,其隶作虽时有精严古宕、人莫能及之作,但大多如《桐阴论画》所称"以姿胜",显得率意洒脱、简淡意远。对此,《枕经堂题跋》曾载:"开通褒斜道石刻,曼生司马心摹手追,几乎得其神骏,惜完白山人之千钧腕力耳。"《霋岳楼笔谈》亦称:"曼生八分书,率意拟古,豪无古法。"⑤嘉庆以降,经过康有为、刘熙载等人的理论鼓噪,碑学开始独占鳌头,笼罩晚清书坛,隶书乘碑学大盛之风,得以全面复兴,隶书创制盛况空前,莫友芝、杨岘、俞樾、杨沂孙、翁同龢、吴大澂、杨守敬、沈曾植、郑孝胥、李瑞清等隶书名家辈出,尤以何绍基、赵之谦、杨守敬、俞樾、吴昌硕等人为代表:何书泽润含敛、气清神凝,杨书涵容万有、气格超迈,俞书古拙淳朴、老辣苍劲,吴书圆浑苍健、质朴雄厚。通览清代碑学书家复兴

---

① (清)杨翰:《息柯杂著》,见马宗霍:《书林藻鉴　书林纪事》,文物出版社 1984 年版,第 226 页。

② (清)徐珂:《清稗类钞》,见马宗霍:《书林藻鉴　书林纪事》,文物出版社 1984 年版,第 223 页。

③ (清)包世臣:《艺舟双楫》,见马宗霍:《书林藻鉴　书林纪事》,文物出版社 1984 年版,第 225 页。

④ (清)蒋宝龄:《墨林今话》,见马宗霍:《书林藻鉴　书林纪事》,文物出版社 1984 年版,第 229 页。

⑤ (清)马宗霍:《霋岳楼笔谈》,见《书林藻鉴　书林纪事》,文物出版社 1984 年版,第 230 页。

隶书的隶书创制，无不清新儒雅、风格独具、个性突出、领异标新，深蕴其后的则是尊古复古、以古开新的革新思想，以及尚"质"求"朴"的审美意识。

第二，复兴篆书是碑学书家群体在书体选择上的集体溯源和二次革命。

篆书的复兴是清代"书道中兴"的重要标志之一。中国书法史上，篆书的发展情况与隶书情况相类，经历了兴盛之后的多年沉寂。篆书分大小篆，先秦大篆盛行，秦朝书同文，小篆为尊，以李斯篆作为代表。自汉隶兴起，篆书式微，迄唐李阳冰出始稍有复兴，嗣后书坛除元赵孟頫偶一为篆之外，再无书家以篆名世，两千年间几成绝响。清代是篆书史上的转折点，二李篆法首先借由专擅金石与书法的王澍、钱坫、洪亮吉、孙星衍等清初学者"玉筋"篆作重新进入书家视阈，并随着乾嘉之际的碑学崛起在邓石如、杨沂孙等书家篆风变革中得以复兴，嗣后又在碑学笼罩的晚清书坛涌现出吴昌硕等大批自觉求新图变的专业篆书艺术家，以大量尽善尽美的篆书创制使得篆书艺术重放异彩，蔚成大国。清初书坛习篆者虽寡，却已显出篆书复苏的迹象。沉寂多年的篆书首先在傅山、朱耷等清初遗民书家的篆作中复苏。他们虽不以篆书名世，却以鲜明的新创意识大胆展开篆书变革实践，傅山以草书笔法入篆，朱耷以奇古之气入篆，为嗣后的篆书复兴与篆法创新吹响了冲锋的号角，奠定了坚实的基础。清初篆书其次在清初画家书家篆作中复苏。《静志居诗话》称丁元公"书画俱臻逸品，兼精缪篆"，《昭代尺牍小传》亦载其"工书，精缪篆"；①《画徵续录》载黄宗炎亦"工缪篆"；②《读画录》称许仪"工篆籀"；③陈维崧评邵潜则"于周秦两汉六朝书无所不习，精篆籀，善李潮八分书，最攻

① （清）吴修：《昭代尺牍小传》，见马宗霍：《书林藻鉴 书林纪事》，文物出版社1984年版，第197页。

② （清）张庚：《国朝画征续录》，见马宗霍：《书林藻鉴 书林纪事》，文物出版社1984年版，第197页。

③ （清）周亮工：《读画录》，见马宗霍：《书林藻鉴 书林纪事》，文物出版社1984年版，第198页。

字学,点画不少舛";①《思旧录》称汤燕生"篆书古淡入妙,不在伯奇子行下。闻先生与谷口翁同究各体书学,无不透达壶奥。谷口专以分隶鸣,更不作篆,意不欲相掩";②《图绘宝鉴续纂》称许容亦"深究六书,熟写小篆";③余如《读画录》称沈树玉"工篆籀";④《图绘宝鉴续纂》顾彝"小篆佳绝";⑤王士禛评叶封"工于篆隶"。⑥ 这些书家的篆书创制也成为清代篆书复兴的先声。尤值一提的是,清代篆书主要在王澍、钱坫等清初学者篆作中复苏。例如,王澍为康乾年间著名的金石学家,曾明确标举"江南足拓,不入河北断碑"的尊碑抑帖观念;又是杰出的篆书名家,《清史列传》载其于:"康熙时以善书法,特命充五经篆文馆总裁官。"其篆作着力于对二李篆法的继承,《昭代尺牍小传》称其:"书入率更之室,篆书法李斯,为一代作手。"《退庵随笔》亦称:"王虚舟篆体结构甚佳。惟用剪笔枯毫,不足以见腕力。"⑦可见,其篆作虽能间出己意,笔势古雅俊逸,《履园丛话》载"非秦非汉,亦非唐非宋",但实为学者作书,总体上仍不出"玉筯"规矩,尚未突破清初帖学平淡、冲和、柔媚书风的牢笼。尽管如此,其对尊碑学碑的积极鼓吹和身体力行却有力地鼓荡着篆书复兴的劲风,颇具革命意义。钱坫精究《说文》,《墨林今话》载其"工篆书",《履园丛话》称其:"篆书宗少温,实可突过王虚舟吏部。"认为他的篆书成就超出王澍。《昭代尺牍小传》亦称其:"最精篆书,得汉人法。孙渊如称为本朝第

---

① (清)陈继崧:《邵山人潜夫传》,见马宗霍:《书林藻鉴　书林纪事》,文物出版社1984年版,第198页。

② (清)黄宗羲:《思旧录》,见马宗霍:《书林藻鉴　书林纪事》,文物出版社1984年版,第198页。

③ (清)冯仙等:《图绘宝鉴续纂》,见马宗霍:《书林藻鉴　书林纪事》,文物出版社1984年版,第199页。

④ (清)周亮工:《读画录》,见马宗霍:《书林藻鉴　书林纪事》,文物出版社1984年版,第200页。

⑤ (清)冯仙等:《图绘宝鉴续纂》,见马宗霍:《书林藻鉴　书林纪事》,文物出版社1984年版,第200页。

⑥ (清)王士禛:《蚕尾集》,见马宗霍:《书林藻鉴　书林纪事》,文物出版社1984年版,第200页。

⑦ (清)梁章钜:《退庵随笔》,见马宗霍:《书林藻鉴　书林纪事》,文物出版社1984年版,第208页。

一。"《清朝野史》评其为:"篆书空前绝后。翁方纲见之叹绝,以为神授。遂以篆书名天下。"包世臣《艺舟双楫》评其为"篆作佳品上,自负其篆为直接少温。"而他对自己的篆作也相当自负,《北江诗话》曾载其:"尝刻一石章曰:斯冰之后,直至小生。"然而,也有人对其篆法不以为然,如《霎岳楼笔谈》称:"献之作篆,知烧笔之非法,而仍未能合婉通之律。"杨守敬认为他和王澍的篆作"匀称处皆使尖豪,殊非古法"。① 实际上,钱坫篆书专攻李阳冰《城隍庙碑》,早年篆作多挺秀入古,但亦不出"玉筋"一脉,失于板滞;反倒是其后期左手作篆颇得奇趣,古茂生动,为世所推。洪亮吉、孙星衍亦为此期学者篆家,其作亦多为"玉筋"篆法,虽工稳流美,却失之于囿于二李束缚、缺乏创新力、日趋程式化之弊,面临着被淘汰出局的尴尬境地。如《北江诗话》称孙星衍"工六书篆籀之学",《履园丛话》则称其"观察守定旧法,当为善学者,微嫌取则不高,为梦英所囿耳"。② 可喜的是,紧随其后的碑学大兴为乾嘉之际的篆法变革及时指明了方向,有效地加速了篆书复兴的进程;邓石如、吴熙载、何绍基、杨沂孙等碑学名家汲取各体书法营养入篆,展开对篆书大刀阔斧的改革实践,开辟了篆书发展的新境界,拉开了篆书复兴、碑学昌隆的大幕。如前所述,作为清代中期书坛巨擘,邓石如不仅是清代隶书中兴的重镇,而且标举着篆书复兴的大旗,其于篆法变革和篆书复兴之功有四:一在锋毫,柔毫长颖,瘦劲精深,杨守敬称:"顽伯以柔毫作篆,博大精深,包慎伯推为直接二李,非过誉也。"屠寄亦称:"完白上窥斯翁笔妙,所用长颖,不加剪截,书成自然瘦硬,盖五指齐力,笔锋自正,毫端着纸如锥画沙。徐骑省而后,玉筋篆法绝而复续矣。"二在用笔,隶笔入篆,有康有为之言为证:"完白得力处在以隶笔为篆。吾当谓篆法之有邓石如,犹儒家之有孟子,禅家之有大鑑禅师,皆直指本心,使人自证自悟,皆具广大神力功德以为教化主,真灵庙碑阴之嗣音,盖完白生平写史晨礼器最多,故笔之中锋最厚,又临南北碑最

---

① （清）杨守敬语,见马宗霍:《书林藻鉴 书林纪事》,文物出版社 1984 年版,第221 页。

② （清）钱泳:《履园丛话》,见马宗霍:《书林藻鉴 书林纪事》,文物出版社 1984 年版,第224 页。

多,故其气息规模,自然高古,夫精于篆者能竖,精于隶者能画,精于行草能点画使转,熟极于汉隶及晋魏之碑者,体裁胎息必古。吾于完白山人得之。"三在字势,博取篆籀,参以隶意,风神自具,《艺舟双楫》载:"完白山人篆法以二李为宗,而纵横阖辟之妙,则得之史籀,稍参隶意,杀锋以取劲折,故字体微方,与秦汉瓦当额文为尤近。"康有为则谓:"完白山人尽收古今之长,而结胎成形,于汉篆为多,遂能上掩千古,下开百祀,后有作者,莫之与京矣。"《霎岳楼笔谈》亦称:"完白以隶笔作篆,故篆势方,以篆意入分,故分势圆。两者皆得自冥悟,而实与古合。然卒不能侪于古者,以胸中少古人数卷书耳。"四在篆风,杂糅各体,融会贯通,承古开新,《息柯杂著》曾载:"完白篆法直接周秦,继六书之绝学,片楮只字,世宝尚之。真书深于六朝人。盖以篆隶用笔之法行之,姿媚中别饶古泽,故非近今所有。"向燊亦称:"山人篆隶纯守汉人规矩,楷书直逼北魏诸碑,不参唐人一笔,行草又以篆分之法入之,一洗圆润之习,遂开有清一代碑学之宗。"有此四者,可知康有为誉其为"集篆之大成"之论不虚。① 此后的清代篆书出现了两大不同的取向和审美特色,一是以吴熙载、莫友芝、徐三庚、赵之谦等书家"以碑写篆"的篆书,他们用汉碑入篆,开篆书之新面貌,在篆书史上作出了重大成就;一是何绍基、杨沂孙、吴大澂、吴昌硕、李瑞清等书家"以金写篆"的篆书,他们取法广博、探源吉金,在篆书创作上均有不同建树,其篆作取法金文,是清代篆书的一大转折,对后世产生了深刻的启发。值得一提的是,晚清左宗棠篆书笔法亦精,康有为称:"文襄篆书笔法如董宣强项,虽为令长,故自不凡。"向燊亦称:"文襄小篆学李阳冰,卓然可传。"章太炎则谓:"宗棠篆书遒紧。"符铸亦云:"文襄好作小篆,笔力殊健。"《霎岳楼笔谈》更评其书谓:"北碑亦时凑笔端。故肃括森立,劲中见厚。篆书则得笔于窪尊浯台,有渟有峙,不矜姿作势,自然苍挺,清代专以篆名家者,未能或之先也。"②这些碑学书家在各自篆作中展开了多

---

① (清)康有为:《广艺舟双楫》,见马宗霍:《书林藻鉴　书林纪事》,文物出版社1984年版,第222页。

② (清)马宗霍:《霎岳楼笔谈》,见《书林藻鉴　书林纪事》,文物出版社1984年版,第240页。

种篆法变革尝试,使得篆书不仅承继清代中期隆盛的篆法变革之势继续发展,而且名家辈出,形成篆书尤其是大篆盛极一时的书坛格局,支撑起晚清碑学的半壁河山。通览清代碑学书家复兴篆书的篆书创制,无不高远古雅、凝重厚朴、意象新颖、气韵贯通,深蕴其后的则是提倡碑学、崇尚变化的革新思想以及尚"质"求"朴"的审美意识。

第三,取法碑版是碑学书家群体对传统帖学的又一重大突破与革新。

古书遗迹大致分两类:一为刻铸铭文,如甲骨刻辞、鼎彝款识、石刻、金印、砖刻等;一为手书墨迹,如甲骨、玉器、陶片上的朱书和墨书,竹简、木牍、帛书、纸书。清代书家则主要对前者有着近乎痴狂的特殊爱好,此风盛行源自朴学与金石学的兴盛。其时,访碑求碑之风盛行,为学术界和书法界提供了丰富的第一手资料,引发了清代书家对金石碑刻的极大兴趣与高度重视,开始在取法上由阁帖法帖为范转向以民间俗刻拓本为范,崇尚北朝碑版,师法古于羲、献帖学的秦篆、汉隶、魏碑以及金文小篆等碑版刻石,尤其以六朝碑版墓志、摩崖和画像记之属为重,汲取其古拙雄奇、新异意态,直指以金石气、质朴美为核心的方正劲健、拙朴险峭、紧结瘦硬、倔强硬朗的审美理想。较之取法阁帖经典的取向,碑学的取法对象主要是金石文字,这种取法上的尊碑倾向和审美上的"重"、"拙"、"大"倾向,明显突破了帖学书法的取舍范围和审美原则,可谓是一种质的转换,成为清代碑学书界区别于历代书坛的显著特征。

伴随着复兴篆隶的书体选择革命,清人取法碑版的书法实践创制与碑学经典体系建构取得了卓越的成就。

在书法实践创制方面,清代碑学名家们各体书作的个性创制中无不深烙着取法碑版的印迹。清代碑学书家皆重取法汉碑。被誉为清代隶书第一人的郑簠,在经过唐、宋、元、明几代的沉寂之后,见出前代隶作程式化的弊病,于是一改前人习气,遍摹《曹全碑》《礼器碑》《娄寿碑》《乙瑛碑》《熹平石经》《鲁峻碑》《郭由道碑》等汉唐碑碣,直接取法汉碑,冲破了植根刻帖隶书的樊笼,为当时隶书的取法和创作提供新途径,开清人做隶的法门,发清代碑学之先声。朱彝尊不仅隶作多得力于汉碑,主要取法《曹全碑》,而且首次在理论上对汉碑分为三类,一为方整(如《尹宙碑》、《鲁峻碑》、《衡方碑》),一为流丽(如《曹全碑》、《史晨碑》、《乙瑛碑》),一为奇古(如《夏承碑》、《戚伯著》)),而《华山庙》兼三者之长,当为汉碑第一,这在帖风浓郁的清初书坛意义重大,"后来的发展证明,清代隶书的成就正是建立在以朱彝尊为代表的这种对汉碑学者式的继承方式基础之上的"。① 万经隶书取法汉碑,尤醉心于《曹全碑》。朱岷隶作得力于汉《曹全碑》等。桂馥金石考据之学极受翁方纲、阮元推崇,篆刻、汉隶得力于此,雅负盛名,其八分书,论者以为百余年来第一。而邓石如作为清代碑学的开山祖师,则早在阮元尊碑理论出现以前就开始师法北碑了;邓氏少好读书刻石,仿汉人印篆甚工,乾隆三十五年经梁巘介绍客南京梅镠家,尽读梅氏家所藏秦汉碑拓及钟鼎、瓦当、碑额金石善本,遍临《史晨碑》、《张迁碑》、《受禅碑》等汉碑典范,又猎取《曹全碑》、《石门颂》、《衡方碑》等汉隶笔意,书乃大成;其篆书师法秦碑、唐碑,旁学汉碑篆额,楷书取法北碑,行草则自碑中衍变而出,其师碑之四体书作亦均被包世臣在《国朝书品》中尊为神品。伊秉绶则是此期另一位学碑巨匠,其隶作与桂馥齐名,直接取法《张迁碑》、《衡方碑》等汉碑笔法,并创新汉隶体势结构,创构出间架博大、方正古朴的隶风。阮元为碑学理论奠基者,亦工书法,篆、隶、行、楷皆精。包世臣则为邓石如入室弟子,早在嘉庆七年即师从邓石如学习以北魏碑体为根基的书法,得邓派真传,尤精行、草、隶书,为时所重。邓传密为邓石如子,守家学,篆、隶有家法,得乃父遗韵,何绍基曾有诗句赞其书法:"上客有邓子,法绍斯冰严",认为邓氏篆字不仅"有家法",且与秦代的李斯、唐代的李冰阳一脉相承。何绍基、赵之谦二人的碑学书作对清末书家影响甚巨。何绍基工经术辞章,尤精说文考订之学,其书取法颜体,尊崇唐碑,尤以《麻姑山仙坛论》为多,为书法史上最善于学颜体的书家之一;他从颜体入手,旁及金石碑版文字,书法遍摹周秦两汉古篆籀和南北朝隋唐碑版,尤喜北碑《张黑女墓志》;隶书以篆隶为根柢与内质,广泛吸收汉隶营养,颇具汉风,楷书有北碑气象,行草则融会颜体、北碑、篆隶,晚年更临遍《衡方碑》、《张迁碑》等汉隶名碑,力

---

① 刘恒:《中国书法史·清代卷》,江苏教育出版社 2002 年版,第 282 页。

求生动圆熟,出神入化,紧承完白高举崇碑旗帜。赵之谦精于书画篆刻、金石考据学,为近代金石书画大师,海派领袖人物近代六十名家之一;其书取法北碑,楷书颜底魏面,行草篆隶无不掺以北魏体势;其作中常有一方钤用较多的印"汉后隋前有此人",从中可知其书取法汉隋之间的魏晋碑石书法为多。吴熙载、莫友芝、杨沂孙、俞樾、张裕钊、徐三庚、翁同龢、吴大澂等人书作皆尊碑版。其中,吴熙载则以篆、隶成就显,作为包世臣的弟子,其篆书学习邓石如,浑雄不足而清逸过之,行草书纯学包世臣,均尊北碑。莫友芝精金石考据之学,工真、行、篆、隶书,以《禅国山碑》及汉碑额体势写篆书,人称其书"不以姿取容,具有金石气"。杨沂孙则擅长篆书,遍师碑版、尤参金文。俞樾终身从事学术研究,为俞平伯曾祖、章太炎之师,一代经学宗师,工书法,生平不作楷,非篆即隶,尤工大字。张裕钊以北碑为宗。徐三庚通金石,工篆隶,常以《天发神谶碑》笔法写篆书;精于篆刻,刻印上规秦、汉,能于吴熙载、赵之谦诸家而后,别树一帜,近时篆刻家多宗之。翁同龢为同治、光绪帝师,工书法;其书初习米芾,继学颜体,后入北朝,师法碑版,博采北碑结体,融会贯通,自成一家;晚年书风淳朴、宽博、超逸,寓朴茂于雄强,对清末民初书风影响颇大。吴大澂一生喜爱金石,富收藏,并工诗文书画,书法善作金文,以篆书最为著名,大小参差、渊雅朴茂,在当时是一种创造。余如杨守敬、吴昌硕、康有为、沈曾植等人的碑学书作在清末最为著名。杨守敬喜访碑藏碑,其书多能陶铸碑帖,寓汉隶之韵,法魏碑风规。吴昌硕篆书对石鼓文下工夫最深,隶书效法汉《三公山碑》、《裴岑纪功碑》,晚年"强抱篆籀作狂草"。吴昌硕为吴派篆刻的创始人,诗书画篆无一不精,近人向燊评其书云:"昌硕以邓法写石鼓文,变横为纵,自成一派。"黄士陵通六书,工篆刻,兼精绘事,其书法得六朝遗韵,素有"徽派盟主"之称,艺术成就与吴让之、徐三庚、赵之谦辈抗衡,为晚清艺坛一大家。张祖翼工书法、篆刻,篆学石鼓,隶师汉碑。沈曾植书宗锺繇、索靖,更熔铸汉、魏碑刻。康有为工书法,是清代碑学书法的殿军,其书法植根北碑,受北魏《石门铭》、山东掖县云峰山诸石刻影响至深,人称"南海体"。可见,碑学的取法对象主要是金石文字、碑版石刻。而上述这些书家师法碑版的书学创制,则是清代碑学书家们于帖学之外新辟一条书径的审美实践。

在经典体系建构方面，清代碑学书家在师法碑版的基础上创构出一整套全新的书法标准和经典体系，足以傲视千年帖学传统体系。一方面，清代碑学书家们先以乾嘉学派考古辩证之兴为契机，以尊古之名质疑帖学之"古"，追寻古法，复兴楷草行书体、笔法、风格的源头——篆隶书体，碑版广泛介入书家取法视阈，渐渐形成尊碑的书风；又以推尊古法为名，罗列上承古法之源、下启帖学一脉的碑学典范十家，标举瘦硬、奇古、雄重、飞逸、峻整、神韵、超爽、浑厚、雅朴等碑学审美风格和审美理想，①在字体、笔法、风格方面确立碑学所复之古；嗣后，更秉承以古为尊的书学思想全面重建书法新标准体系。另一方面，阮元借助新发现的汉魏六朝碑刻资料，在《南北书派论》《北碑南帖论》中重新梳理了唐前书风嬗变脉络，引入北碑概念，标举北碑体系，倡导学习汉魏碑刻，碑学理论自此正式确立；包世臣《艺舟双楫》则大张尊碑之说，并将其进一步具体化、系统化，明确提出倡导北碑、抑制唐碑的观念；康有为则著《广艺舟双楫》论书，发挥阮元、包世臣崇碑观点，全面继承并系统阐发了包氏尊魏卑唐思想，对近代书论影响极大。他们围绕碑学在各自书论中，探索碑刻迹"古"源流、追溯远古书家典范、确认今人学碑经典范例，以古为尚，剖析碑学笔法特征、架构碑学理论体系、论证碑学审美风格、确立碑学经典地位，最终建构起碑学这一全新的书法经典体系。

清代碑学的取法转向在客观上突破了传统帖学的牢笼，彻底否定了法帖的权威地位，撼动了官方正统书法取法的源头，实质上是对传统帖学书法的反叛。在此基础上，清代书家以大量充满金石气、富于质朴美的碑学书法创制，不仅在书写技法尤其是笔法上纠正了僵化时弊，创拓出全新的法度范型，而且树立了尚"质"求"朴"的碑学审美观，振奋了柔媚书风，

---

① （清）康有为：《广艺舟双楫·十家篇》，北京图书馆出版社 2004 年版，第 199 页。十家为："寇谦之《嵩高灵庙碑》、萧显庆《孙秋生造像》、朱义章《始平公造像》、崔浩《孝文皇帝吊比干墓文》、王远《石门铭》、郑道昭《云峰山四十二种》、贝义渊《始兴王碑》、王长儒《李仲璇修孔子庙碑》、穆子容《太公吕望碑》、释仙《报德像》。十家体皆迥异，各有所长。瘦硬莫如崔浩，奇古莫如寇谦之，雄重莫如朱义章，飞逸莫如王远，峻整莫如贝义渊，神韵莫如郑道昭，超爽莫如王长儒，浑厚莫如穆子容，雅朴莫如释仙。"

呈现出崭新的革命意识,为古代书法艺术继续发展开辟了一条新路径。

二、法度创新及其意象特征

碑学于清季中兴,虽不过三百余年,却取得了迥异前代、傲视帖学的碑学成就,但也由此引发了书坛上由来已久、迄今不绝的碑帖之争。对此,戴逸先生以为,碑帖技法、字体、风格各有长短:碑重点画,强调腕平掌竖,要求全身力到,用笔必逐步顿挫,行虚皆留,务平直而易成刻板,字体显得刚劲、具金石气,宜写大字、篆隶;帖重使转,执笔宽松虚灵,有时振迅疾书,勿任拘滞,务姿媚而易入偏软,字体显得潇洒流贯,宜书行草。故碑帖各有所是,不可以此家之标举量别派之短长。此论诚然中肯不虚,然却不免失之过简,更因未能见出碑帖嬗变中的革命性新创而失之于静。察考清季碑帖书作可知,碑学书家们不仅在书体上复兴篆隶,在取法上尊碑抑帖,而且在字法、笔法、章法、墨法等法度,尤其是笔法方面,亦颇多新创,其中既体现着清代书学由"妍"而"质"的审美嬗变轨迹,也蕴藉着碑学书家求"朴"出新的变革精神。

第一,笔法:沉劲厚重,不躁不滞。

清代碑学书家书作的笔法多源自碑版石刻,较其以前有很大突破,其突破帖学束缚之处,正是碑学笔法的精髓,显示出他们对质朴古拙的碑石书迹的深入理解和准确把握。其笔法新创具体表现在四个方面:

其一是注重执笔上的探索。徐谦曾言:"执笔为用笔之始,不解执笔而言用笔,必无是处。"[①]历代书家均十分注重执笔。一般来讲,受制于坐姿、书具、书写材料等形制因素,唐前执笔往往以斜执为主;其后因高案桌椅普及转为五指直执,即拨镫执笔法。包世臣、何绍基等清代碑学名家则打破常规、大胆创新。包世臣自创双钩执笔法,即食指高钩"如鹅头昂曲"、中指内钩、大指加食指中指之间相对、小指抵住无名指外拒,强调指实掌虚,五指齐力,同时将笔管向左后方稍稍倾斜并指向鼻尖,以取逆势。

① 徐谦:《笔法探微·执笔法》,《历代书法论选续编》,上海书画出版社1993年版,第778页。

尽管此法过于烦琐复杂,其书作也未因此取得较高成就,但其革新求变意识可嘉。较之包氏,何绍基的执笔新变则成就斐然。何氏作书"必回腕高悬",在传统"拨镫法"中加入"回腕"一诀,创出回腕执笔法。此法不仅指实、掌虚、肘悬、腕回,且须以脚跟为基,"通身力到",笔力内外回环旋转,故其书作往往于灵活中蕴涵钝拙之意,以独特书风尽显其功底之深、识见之远。

其二是讲究用笔沉劲厚重,力求以笔重墨实的点画效果实现重、拙、大的审美意趣。相对于帖学的流美,清代碑学书作用笔的主流特征是沉实厚重。这一特点在郑簠、万经、伊秉绶、包世臣、沙神芝、杨岘、赵之谦、杨守敬、吴昌硕、张祖翼、沈曾植等人的篆隶草行楷书作中均有明显表现。郑簠隶书笔法独树一帜,起笔往往重按,用笔粗重,点画圆厚,晚年隶风微变,在用笔上少了一些轻灵飘逸而增加了沉实厚重的气息,特别是一些出挑的用笔变化较大,在汉隶的基础上求新求变,反映了郑簠愈老弥坚的艺术追求。如其晚年佳作《隶书剑南诗》轴,①用笔也十分厚重;再如《隶书石室山诗》轴,②虽仍以《曹全碑》为宗,但去其俏丽而略增雄浑之气,用笔较为粗放,荡规逾矩,别具风采,具郑簠晚年书法的典型风格。万经隶书取法汉碑,尤醉心于《曹全碑》,然其所书《隶书六言诗》已去其纤秀而得其沉雄。伊秉绶隶书用笔圆浑,接近缪篆,笔画横平竖直,线条坚硬、粗黑、平淡,雄伟庄严,方正宽博,绚丽拙朴。所作《隶书立轴》四幅、《隶书格言》轴,笔划平直,用笔粗细变化不大,后人谓其书无唐后法,如汉魏人旧迹,颇有独到之处。包世臣作书笔法以北魏碑体为根基,所书《草书节临书谱》扇页,③为其晚年所临唐代孙过庭《书谱》,该作笔力雄浑,具有沉着与飘逸、刚健与婀娜的不同艺术特点,体现了书家晚年融会贯通、心手双畅、峻拔潇洒的书法风格。沙神芝《篆书画语录》,笔力雄健。杨岘

---

① (清)郑簠:《隶书剑南诗》轴,纸本,纵104厘米,横56.7厘米,故宫博物院藏。
② (清)郑簠:《隶书石室山诗》轴,纸本,纵200.2厘米,横98.8厘米,故宫博物院藏。
③ (清)包世臣:《草书节临书谱》扇页,纸本,纵19.3厘米,横53.2厘米,故宫博物院藏。

《隶书七言联》,①乃其76岁时为仲雅所书,笔力精到,较其中年书作愈见苍老古拙之气。赵之谦篆书极有成就,笔法独特。如其《篆书饶歌》册,②中锋用笔,沉实厚重,精气内敛,是赵氏早期篆书代表作之一;篆书《许氏说文叙》册,③为其中年以后的代表篆作,篆法精丽,笔力健劲,使转自如,将北碑书法融于篆书之中,起讫之处未用藏锋,其意为使弟子易见笔法之踪痕,却获得了一种意外的效果,使之不同于一般篆书之圆润流美,自具特色;《篆书急就章》轴,④则为其晚年书作,折笔由圆变方,笔势浑厚,但肥扁多于圆劲。赵氏楷书亦造诣极深,用笔风格独特。时人评之云:"行楷出入北碑,仪态万方。"如其《楷书心成颂》轴,⑤起笔处多用侧锋,锋芒毕现,极具特色,整幅书作峻逸挺拔,棱角分明;《楷书符瑞志四条屏》,⑥用笔劲健方硬,代表了赵氏宗法北碑书法初成时期的书法风貌;《楷书五言联》,⑦集前人句"猛志逸四海,奇龄迈五龙"为联,书风雄健,折笔方阔而墨气温润,为清代后期碑学书法的典型,也是赵氏中年楷书中之精品,被誉为邓派之三变。杨守敬所书《行书孟浩然诗》轴,⑧淳雅朴厚,能陶铸碑帖,寓汉隶之韵,法魏碑风规。吴昌硕《篆书临石鼓文》轴,⑨笔法沉厚浑朴,笔力雄健;其《行书五言诗》轴,⑩书法古拙遒劲,于法度之外别开生面,用笔时而厚重沉着,时而潇洒飘逸,起笔与横笔多沉实,撇笔多细长,有如其画梅之法,充分体现了吴氏书法"用笔遒劲,气息深厚"的书法特征,并可从中看到许多绘画的用笔特点。张祖翼《隶书节临汉孔彪碑》师

---

① (清)杨岘:《隶书七言联》,纸本,纵142.7厘米,横32.8厘米,故宫博物院藏。
② (清)赵之谦:《篆书饶歌》册,纸本,纵32.5厘米,横36.8厘米,故宫博物院藏。
③ (清)赵之谦:《许氏说文叙》册,纸本,纵32.4厘米,横57.5厘米,故宫博物院藏。
④ (清)赵之谦:《篆书急就章》轴,纸本,纵112.4厘米,横46.4厘米,故宫博物院藏。
⑤ (清)赵之谦:《楷书心成颂》轴,高丽笺纸本,纵128.5厘米,横36厘米,故宫博物院藏。
⑥ (清)赵之谦:《楷书符瑞志四条屏》,纸本,纵175.4厘米,横43.1厘米。
⑦ (清)赵之谦:《楷书五言联》,纸本,纵189厘米,横56.5厘米,故宫博物院藏。
⑧ (清)杨守敬:《行书孟浩然诗》轴,纸本,纵165.1厘米,横35.7厘米。
⑨ (清)吴昌硕:《篆书临石鼓文》轴,纸本,纵149.5厘米,横82.3厘米,故宫博物院藏。
⑩ (清)吴昌硕:《行书五言诗》轴,纸本,纵136厘米,横47厘米,故宫博物院藏。

汉碑,篆书扬雄《解嘲》学石鼓,点画厚重。沈曾植《行书诗》轴,①下笔有
力,多用侧锋,笔划劲利挺峭,有北碑书法意趣。

其三是讲究运笔不躁不滞,力求以使转多变的线条节奏实现雄浑苍
劲的审美效果。在创作上,碑学书家在运笔时尤重线条中段的厚重和变
化,往往用锋多变,提按明显,笔重线沉,不躁不滞,更显浑雄苍劲。这一
特点主要体现在郑簠、万经、朱岷、邓石如、杨岘、张裕钊、杨守敬、吴昌硕、
李瑞清、沈曾植、康有为等人的篆隶草行书作中。郑簠隶书用笔毫无摹形
画角之意,线条尤师《夏承碑》之质感,又兼得《曹全碑》之空灵圆润,短横
平铺直行,长横则重顿凝为墨斑后轻提至尾脚下压自然出锋,起收笔及转
折之处尤重沉着笔势,轻重主次分明,节奏变化强烈。如《韩愈诗轴》,②
"真"、"玉"、"呈"、"不"等字的横画起笔重按凝为墨点,然后轻提牵引顺
势出锋,一画之中,有轻重、主次之分,富有变化,显得流动、飘逸,又不失
古朴、浑厚;"来"、"未"二字的撇画、捺画,出锋、回锋左右舒展;"俱"、
"无"二字的点画回护呼应、形态各异,实为字内点睛之笔。再如《分书
诗》轴,③笔划的粗细及运笔却极富变化,舍汉隶之方正而求"盘盂跳荡"
之姿,代表了郑簠隶书的典型风格。万经《隶书七绝诗》轴,④书于郑谷口
草隶书风兴盛之时,用笔粗细轻重富于变化,横划多用细笔,竖划略粗,已
无蚕头雁尾之势,较郑簠隶书更具苍秀华美之气。朱岷《渔洋山人诗》
册,⑤磔、挑等笔法颇得郑氏神韵,但略为收敛,自具特色。邓石如书法篆
隶俱佳,笔法兼融古法复自创新,笔画特征独特,尤重使转运笔,其中既有
对秦汉碑书笔法的沿袭,又有风格上的自主创新。邓氏篆书笔法受《峄
山碑》及李阳冰篆法影响,呈现出对传统玉箸篆笔法的承继与突破。如
其《篆书文》轴,⑥为其嘉庆以前作品,用笔细匀,使用羊毫中锋,笔划圆

---

① (清)沈曾植:《行书诗》轴,纸本,纵 145.8 厘米,横 40 厘米,故宫博物院藏。
② (清)郑簠:《韩愈诗轴》,隶书,湖南省博物馆所藏。
③ (清)郑簠:《分书诗》轴,纸本,隶书,纵 202.2 厘米,横 96.9 厘米,故宫博物院藏。
④ (清)万经:《隶书七绝诗》轴,纸本,纵 132 厘米,横 52.5 厘米,故宫博物院藏。
⑤ (清)朱岷:《渔洋山人诗》册,纸本,隶书,12 开,纵 21 厘米,横 11.8 厘米,故宫博
物院藏。
⑥ (清)邓石如:《篆书文》轴,纸本,纵 117 厘米,横 74 厘米,故宫博物院藏。

劲,收笔处略出锋,呈尖峭状,尚属传统玉箸篆之范畴;而《四箴》四条屏,①则为其中年时期篆书精作,笔法洒脱自如,突破传统"玉箸篆"的风格,融入金石铭文的书法特点,复掺入隶书笔法,独具婉丽圆劲的魅力。邓氏隶作横画起笔粗重,嗣后轻提运笔,线条渐细,尾端收笔异于传统隶作的"雁尾"上挑笔法而自然横挑出锋,捺笔以北碑运笔出锋,笔断意连。近人李瑞清评其隶书云:"完白隶书,下笔驰骋,殊乏蕴藉,但瞻魏采,有乖汉制,与正直残石差足相比。"观山人隶书确与汉隶有别,更多呈现出魏碑的书法特征,这也正是邓氏书法所独具之特色。如其《隶书七言》轴,②为晚年隶书精品,用笔挺健,转折处方圆互见,而撇捺之笔复具北碑之形态,自成隶书一种新风格。如其书《沧海日长联》,③为龙门式对联,下联本幅右下有清康有为跋一段:"完白山人篆分固为近世集大成,即楷书亦原本南北碑而创新体,笔力如铸铁,画法尤厚。"此联书法古茂沉雄,体兼隶楷,法于魏碑,存隶书孑遗,有隶楷之谓;运笔浑厚,风格苍古质朴,体现出深厚的碑学基础。何绍基书法用笔独特,自创颤涩运笔法,提按缓慢,拗势行笔,线条或浑厚波荡,或瘦劲清晰,粗细对比鲜明,变化丰富。杨岘书《隶书七言联》,④多用颤笔飞白,每字之末笔,聚力磔出,健拔峭劲,奇姿宕逸,得汉碑隶体之神韵。张裕钊书《行书七言联》,⑤清劲洒脱,折笔方劲处犹存北碑韵致,转笔处用提顿法,以方为圆,是其书作中的精品。杨守敬所书《行书孟浩然诗》轴,⑥行笔略带滞涩之势,峭拔古劲。吴昌硕《篆书临石鼓文》轴,⑦线条粗细富于变化,既师原文之意,得其形,又独具风骨。近人向燊评其书云:"昌硕以邓法写石鼓文,变横为纵,自成

---

① (清)邓石如:《四箴四条屏》,篆书,纸本,纵206厘米,横31.3厘米,故宫博物院藏。

② (清)邓石如:《隶书七言》轴,纸本,纵134.7厘米,横62.6厘米,故宫博物院藏。

③ (清)邓石如:《沧海日长联》,楷书,纸本,纵137.2厘米,横28.3厘米,故宫博物院藏。

④ (清)杨岘:《隶书七言联》,纸本,纵142.7厘米,横32.8厘米,故宫博物院藏。

⑤ (清)张裕钊:《行书七言联》,纸本,纵129.5厘米,横29.6厘米,故宫博物院藏。

⑥ (清)杨守敬:《行书孟浩然诗》轴,纸本,纵165.1厘米,横35.7厘米。

⑦ (清)吴昌硕:《篆书临石鼓文》轴,纸本,纵149.5厘米,横82.3厘米,故宫博物院藏。

一派。"除此之外,李瑞清、沈曾植、康有为等碑学书家亦在书法创制实践中展开探索,如李瑞清沿着何绍基一途延伸出"颤涩法",沈曾植则注重方笔翻转的运笔之法,康有为则尝试重中带躁的用笔之法。例如,康有为《行书》轴,①取北碑之方硬,用行书中锋之笔法,顿挫有力,而转折多圆,显现出恢宏的气势。时人符铸评其书云:"盖纯以朴拙取境者,故能洗涤凡庸,独标风格。然肆而不蓄,矜而益张,不如其言之善也。"此论可谓恰如其分,指出了康氏书法虽富新意,但过分逾于法度,显得外露而乏含蓄。

其四是杂取各体笔意,力求以金石碑刻的多元笔意创构碑学质朴古拙的金石气象。清代碑学书家在笔法上尤其注重融铸古今、各体杂糅、终为己用,其书法创制常常行草入隶、篆意入隶、隶意入篆、篆隶入行、篆隶入楷。关于行草入隶,主要以郑簠、石涛隶作为代表。郑簠隶作常以行草笔法运用其中,笔势流动飞舞,书风绮丽飘逸。梁巘曾言:"郑簠八分书学汉人,间参草法,为一时名手。"②如其《分书诗》轴,③明显参入草书笔法,增加了全幅飘逸灵动之势,同时又不乏庄重沉实的气息。该轴书风虽然减弱了汉隶的博大与庄重,但对于开创清代隶书的新风格却具有十分重要的意义。而其另一精品力作《隶书五言诗》,亦在隶法中参以行书笔意,有迎风作笑,笔歌墨舞之趣,一改元明人隶书的板刻之习,显得活泼自然,天趣映发。朱彝尊亦赞曰:"绵如烟云飞欲去,屹如柱础立不移,或如鸟惊堕羽鹃,或如龙怒撑之而箕张。昂莘各异状,屏嶂大小从所施。"④石涛隶书取法于《曹全碑》、《礼器碑》和《史晨碑》诸汉碑,但于提按转折处却时参行草笔意,如其《题画诗》隶书题跋,用笔活泼生动,行笔快捷,"间"、"应"二字的撇画提按明显,具行草笔意,全幅作品既厚重凝练又不失流动飘逸。关于篆意入隶,主要以邓石如、伊秉绶隶作为代表。邓石如

① (清)康有为:《行书》轴,行书,纸本,纵132.3厘米,横64.7厘米,故宫博物院藏。
② (清)梁巘:《评书贴》,《历代书法论文选》,上海:上海书画出版社2006年版,第577页。
③ (清)郑簠:《分书诗》轴,纸本,隶书,纵202.2厘米,横96.9厘米,故宫博物院藏。
④ 转引自薛龙春:《郑簠研究》,荣宝斋出版社2007年版,第218页。

自谓"吾系未及阳冰,而分不减梁鹄",认为己书篆不及隶,其隶用笔独特,以篆入隶,笔画处处带有篆意,深沉蕴藉,"隶从篆入尤为突出"。如其书《隶书四箴》屏,①录胡山静《四箴》,以篆书的笔法写隶书,显得体方笔圆,沉雄朴拙。伊秉绶在笔法上亦常将篆书的笔意用到隶书当中,以篆书的笔意写隶书,他简化了汉隶横画一波三折、波挑燕尾,即使作也是意到笔止,线条无粗细变化,甚至稍显呆板,书写方法与传统汉隶有很大不同,于貌似单一的线条蕴藉着一种朴拙、古朴、憨厚的气韵,又处处透出奇巧灵秀的感觉,极具装饰意味,风格与金农相类,极具个性特征。关于隶意入篆,主要以邓石如、赵之谦篆作为代表。邓石如以隶作篆主要是把线条转角之圆角方折为锐角,前引邓石如中年篆作精品《四箴四条屏》,②融入金石铭文的书法特点,复掺入隶书笔法,独具风情。赵之谦篆作成就突出,其篆作进一步将北碑直入平出和折锋用笔引入,自成新貌;所书《篆书铙歌》册,③用汉篆法,又有隶书笔法融汇其中,起笔处多方隽,复具魏碑书法特色,由此可见赵氏书法融铸古今、各体杂揉、终为己用的独特书法面貌;《篆书急就章》轴,④书宗邓石如篆法,又融入魏碑笔意;篆书《许氏说文叙》册,⑤亦将北碑书法融于篆书之中。值得一提的是,清代篆书笔法除了融入隶意之外,融汇了先秦文字乃至汉魏笔法影响,如邓石如融汉碑,杨沂孙参碑碣,吴大澂法金文,均以碑风丰富了篆书笔法,为其注入生机。关于篆隶入行,主要以石涛、邓石如、伊秉绶、何绍基、杨守敬、沈曾植、康有为行书为代表。石涛首先于行书中自觉融入了汉隶古朴率意的意趣。"他把苏轼行书中点画圆厚丰满、结体方扁茂密的特点与隶书的左右开张、波挑分明的意趣结合在一起,使其楷、行书在浑朴率意的同时,又多了几分奇峭磊落的金石气。"⑥邓石如存世墨迹中以篆、隶、楷诸体最

---

① (清)邓石如:《隶书四箴》屏,纸本,纵 208.5 厘米,横 31.5 厘米,故宫博物院藏。
② (清)邓石如:《四箴四条屏》,篆书,纸本,纵 206 厘米,横 31.3 厘米,故宫博物院藏。
③ (清)赵之谦:《篆书铙歌》册,纸本,纵 32.5 厘米,横 36.8 厘米,故宫博物院藏。
④ (清)赵之谦:《篆书急就章》轴,纸本,纵 112.4 厘米,横 46.4 厘米,故宫博物院藏。
⑤ (清)赵之谦:《许氏说文叙》册,纸本,纵 32.4 厘米,横 57.5 厘米,故宫博物院藏。
⑥ 刘恒:《中国书法史·清代卷》,江苏教育出版社 2002 年版,第 71 页。

多,行书作品相对较少,其晚年行书《游五园诗》轴,[①]用笔沉实劲健,多有震颤之笔,一波三折,如锥划沙,复存古隶书笔意。伊秉绶行草出自晋唐,而于颜真卿书法致力最深,并能以古隶笔法入行草,兼收博取,自抒新意,更使书风独具特色;所书《行书临帖》轴,[②]节临唐虞世南《臂痛帖》,该轴书法行草相间,个别笔划尚存章草书意韵,与阁帖中所刻本有较大差别,更多地体现出伊氏自身的书法特征。何绍基以篆隶入行的尝试卓有成效,其行书笔画常自左下起笔、一笔到底,并强化了隶书横画笔法,加之特殊的执笔法与颤涩行笔,使得行书作品点画苍润奇崛,极富金石气;所作《行书自书诗》扇页,[③]以篆隶为底蕴,用笔方中见圆,精力内含,遒劲舒和,意态超然,可谓拙中见巧,飘逸脱俗。余如杨守敬《行书孟浩然诗》轴,[④]陶铸碑帖,寓汉隶之韵,法魏碑风规;沈曾植《行书诗》轴,[⑤]时有北碑书法意趣;康有为《行书》轴,[⑥]亦取北碑之方硬。关于篆隶入楷,主要以赵之谦楷书为代表。赵之谦书法常以篆隶笔法入楷,楷书融合北碑之硬健与颜书之浑厚。《楷书心成颂》轴,[⑦]魏碑书法特色极为明显,是清代晚期北碑书法的杰出作品;《楷书符瑞志四条屏》,[⑧]存隶书遗意,尽显魏碑书法外拓方整的笔法特征;《楷书五言联》,[⑨]折笔方阔而墨气温润,尚保留颜鲁公楷法遗意,但其潇洒流畅之势已具邓石如书韵,时人誉之为"邓派之三变"。

第二,字法:方正端严,整饬古朴。

古代书史上,不同书体结构相异,字法结体因体而异。一般来讲,金

---

① (清)邓石如:《游五园诗》轴,行书,纸本,纵159厘米,横42.2厘米,故宫博物院藏。

② (清)伊秉绶:《行书临帖》轴,纸本,纵93.6厘米,横43.8厘米,故宫博物院藏。

③ (清)何绍基:《行书自书诗》扇页,纸本,纵16.5厘米,横48.8厘米,故宫博物院藏。

④ (清)杨守敬:《行书孟浩然诗》轴,纸本,纵165.1厘米,横35.7厘米。

⑤ (清)沈曾植:《行书诗》轴,纸本,纵145.8厘米,横40厘米,故宫博物院藏。

⑥ (清)康有为:《行书》轴,行书,纸本,纵132.3厘米,横64.7厘米,故宫博物院藏。

⑦ (清)赵之谦:《楷书心成颂》轴,高丽笺纸本,纵128.5厘米,横36厘米,故宫博物院藏。

⑧ (清)赵之谦:《楷书符瑞志四条屏》,纸本,纵175.4厘米,横43.1厘米。

⑨ (清)赵之谦:《楷书五言联》,纸本,纵189厘米,横56.5厘米,故宫博物院藏。

文、大篆点画自然,结体古朴;小篆字形偏长,上紧下松,结体均匀严谨;隶字体形横扁,结体整饬,工整大方;楷书字形方正,结体严谨;行、草则结构由静而动,结体飘逸飞动。如前所述,清代碑学的主要成就集中于篆隶复兴与取法变革两端,具体到字法上,碑学书家们则从隶书、篆书及碑学笼罩下的行楷书三个方面创构出迥异于帖学字法的方正端严、整饬古朴的新特色。

　　一是从隶书创制来看,清代隶作结体呈现出明显方正化趋势。郑簠隶作字形取势扁方,方正有度;所作《隶书七言诗》,结字紧凑,结体多姿;《分书诗》轴,①字内左右舒展、高低错落,结体端秀雅逸,时显《曹全碑》灵动飘逸之风神;晚岁《隶书剑南诗》轴,②结字更趋紧凑,中宫紧收,字形稍扁,淳朴古雅又不失从容大方。万经《隶书七绝诗》轴,③笔画方直,结字扁方。朱岷《渔洋山人诗》册,④得力于汉《曹全碑》等,字内正险相宜,稳中求变,结字秀丽洒脱,篆意婉转。石涛隶书结体聚散有致、纵横相间、撇捺舒展,端庄古拙;如其《题画诗》隶书题跋,"老"、"客"等字结体不拘于传统隶字的横扁,大胆参于纵势,呈纵横相间自由舒展之势。邓石如隶作结体打破了隶书惯有的横势,略显偏长的体势,结字劲挺,锋芒老辣,朴拙凝整。如其《隶书四箴》屏,⑤录胡山静《四箴》,结体虽不改方正之势,字形却由传统的扁方朝纵向拉长,风格独特,整幅作品遒丽淳厚,颇具古意。伊秉绶对字的构成极为敏感,在结体上具有强烈的表现意识和奇特的艺术想象力,擅长因字赋形、随形赋势,常常根据字的本形发掘其可变之处,对其构架巧妙安排、大胆变化,可谓深得汉隶精髓后的字法新变,其自觉创新的审美意识令人感佩;其隶作结体别出心裁,一反汉隶扁平结构,造型貌似笨拙,实则齐而不板、整而不呆、厚而不满,字里字外疏密有致、收放自如,气韵生动,飘逸脱俗,极富内在意蕴;其大字隶作结字方正,

① (清)郑簠:《分书诗》轴,纸本,隶书,纵202.2厘米,横96.9厘米,故宫博物院藏。
② (清)郑簠:《隶书剑南诗》轴,纸本,纵104厘米,横56.7厘米,故宫博物院藏。
③ (清)万经:《隶书七绝诗》轴,纸本,纵132厘米,横52.5厘米,故宫博物院藏。
④ (清)朱岷:《渔洋山人诗》册,纸本,隶书,12开,纵21厘米,横11.8厘米,故宫博物院藏。
⑤ (清)邓石如:《隶书四箴》屏,纸本,纵208.5厘米,横31.5厘米,故宫博物院藏。

如其《隶书五字横幅》，①字形较大，且愈大愈壮，具雄杰之势。何绍基作书常有"横平竖直"之谓，故其隶作往往字中横画平行，整体结构奇中兼稳；结体以方为主，而字形稍扁；结字多上重下轻，字内疏密错落。杨岘《隶书七言联》，②亦结字方正，端严秀逸。

二是从篆书创制来看，清代篆作结体呈现出显著的整饬化趋向。邓石如篆书突破了王澍玉箸篆笼罩，吸取秦汉碑刻，风格雄浑厚重，臻于化境，开创清代篆书的典型。其篆字结构大体呈方形，体势拉长，内敛外放，呈现开放型结构；中年篆作如《四箴四条屏》，③结体谨严，字形长而方，笔致轻松流畅，飘逸舒展；晚年篆作如《白氏草堂记》，则渐趋奔放，字形愈加拉长，笔致粗重劲力，势猛气足。杨沂孙篆书则突破了邓派篆书束缚，取法金文、石鼓文，融金文、石鼓于小篆，刚柔相济、方圆并用，于小篆婉丽流美之外，平添了金文端整静穆、整饬古朴之美，醇和典雅、朴厚娴静、不饰浮华，别具一格。其篆字结体篆籀相融，创造性地变小篆长形结体为方形甚至扁方，横竖相交时多化曲为直，时有明显横折之笔，字内或上方下圆、或外方内圆，以方为体、以圆为用，不仅使字形更加端严整饬，而且繁简有变、奇正互用，寓和谐统一于变化中，得到徐坷、李慈铭、谭献等论家的肯定与赞许。如四联屏《东坡志林·纪刘原父语》，全篇以小篆为主间杂"有"、"德"等金文，"德"字更于字内篆籀并立，左半为小篆，右半则取金文；篆书八联屏《夏小正》亦为篆籀相融之作，篆字结体均作方形处理；篆书节录陶渊明《答庞参军》四条屏，字形方整，结体中正，形态整饬，字内上紧下松、内敛外放，疏朗开阔、气局宏大；所临西周金文《格伯簋》有意识地强化了作品的方形特征，将铭文略带长方的体势进一步整饬，形成更为方直、平正的形态，气息上也显得更为端严中正、温柔敦厚。这种有意识的篆籀融合与化圆为方，改变了邓派婉转流畅篆风，体现出对古意的追寻，开启篆籀相融之风，之后的吴大澂、吴昌硕等无不受其影响。吴大

---

① （清）伊秉绶：《隶书五字横幅》，纸本，纵 32 厘米，横 130.5 厘米，故宫博物院藏。
② （清）杨岘：《隶书七言联》，纸本，纵 142.7 厘米，横 32.8 厘米，故宫博物院藏。
③ （清）邓石如：《四箴四条屏》，篆书，纸本，纵 206 厘米，横 31.3 厘米，故宫博物院藏。

澂篆书则着重于金文的质直凝重,致力于将奇肆质朴的金文纳入篆书规范。其篆字虽取小篆长方形结体,但字内直笔、方笔为主,间杂圆弧形线,竖笔直下而不弯曲,折笔圭角方硬而不圆转,雄强坚实,较之杨沂孙篆字更近于金文意趣。吴大澂篆书大体有三类:或如《张华励志诗》等以小篆为本参以金文特征,亭匀、精到、严谨、坚实;或如临《散盘铭》等金文临作、联句,结体质朴奇纵,一扫其书风中的刻板沉闷之感;或如“古玺旧传大司徒,藏书富有小诸侯”等自书金文籀书,结体规范整饬,古质凝练。然其篆作常因过度谨守法度而伤及质朴自然之美,略显灵动不足,被马宗霍斥为“下笔却无一毫古意”。赵之谦篆书以北碑入篆,结体上常做曲折弯弧处理,呈长方形,但大疏大密之感较之邓篆有过之而无不及;如《篆书铙歌》册,①结字略长;《篆书急就章》轴,②结字严整,张弛有度,全幅给人以凝重沉劲之感;篆书《许氏说文叙》册,③结构谨严。吴昌硕篆书早年颇受邓石如、杨沂孙等人影响,后从《石鼓文》中获益良多,并自觉追求《石鼓文》,大胆变革,自成一派。其篆作结体熔冶三代钟鼎、陶器、刻石等文字的体势,独具特色。如其壮年小篆七言对联“司马名高文纪汉,愉麋光重字临王”,结体严谨,“麋”、“临”、“王”等字以及“纪”字左上部、“汉”字右中部,颇具《石鼓》气息;中年篆联结体常取纵势,字内上下舒展、左低右高,偏旁大小错落,内外疏密有致;偶临金文《散氏盘》,结体放逸,参差错落,富于变化,古茂雄秀,大气磅礴,所临虽为金文,但结体中仍见参用《石鼓文》迹象,字间处处浸透着《石鼓文》的韵味;所书《修震泽许塘记》,更以石鼓笔法信手成篆,其字中宫收紧,结体参差自然;晚岁《篆书临石鼓文》轴,结字以上下左右参差取姿,结体雅和凝重,返归平正,气息沉郁雄壮,显得沉雄古朴,苍辣深沉,逸气内蓄,自具新意,蕴藉着平中寓奇、奇中寓平的高远境界。

　　三是从行楷书创制来看,碑学笼罩下的清代行楷书结体呈现出古质

---

① （清）赵之谦:《篆书铙歌》册,纸本,纵 32.5 厘米,横 36.8 厘米,故宫博物院藏。
② （清）赵之谦:《篆书急就章》轴,纸本,纵 112.4 厘米,横 46.4 厘米,故宫博物院藏。
③ （清）赵之谦:《许氏说文叙》册,纸本,纵 32.4 厘米,横 57.5 厘米,故宫博物院藏。

朴茂的平民化倾向。行书如张裕钊《行书七言联》，①结字谨严，内紧外拓，颇具高古浑穆之气；翁同龢《行书七言诗》及《行楷处世论》二轴，博采北碑结体，淳朴、宽博、超逸，寓朴茂于雄强；杨守敬《行书孟浩然诗》轴，②结字秀丽，行笔洒脱，又具恣肆跳宕之势；吴昌硕《行书五言诗》轴，③结字多欹侧，但以笔划之粗细保持字形的稳定，无倾倒之势，充分体现了吴氏书法"结体以上下左右取姿势"的书法特征，面貌独具一格；康有为《行书》轴，④结体舒张。楷书则如赵之谦《楷书心成颂》轴，⑤结字方整，犹存隶书意韵；《楷书符瑞志四条屏》，⑥结体上呈多变之势。无论行、楷创制，结体均可见出明显的碑意，呈现出平民化、世俗化的审美趣向。

第三，章法：静穆高古，朴拙自然。

静穆高古、朴拙自然是清代碑学书家在章法上的整体追求，主要表现在三个方面。一是字字独立，体势统摄。迥异于帖学书作章法的回环往复、牵丝映带，清代碑学书作往往字字独立、毫无连笔，因此其章法全赖体势统摄，即：依托字间体势的欹侧呼应统摄独立单字，创构关联支撑、浑然一体的完整章法。如郑簠《隶书剑南诗》轴，取法汉代庙堂书作《曹全碑》，纵横有格，行列齐整，字形扁方，尤重横势，纵行齐稳，横势开张，上下宽疏，左右密结，字距宽疏，行距紧密，书风规整，法度严谨，自然古朴；再如朱彝尊书《隶书临曹全碑》卷，笔划瘦劲挺俏，单字尤重横势，浑然成章，虽与原碑相较略显纤弱而乏纵逸之气，亦风骨卓然；又如邓石如《篆书六朝镜铭》，亦横竖成行，有行有列，字行分明，平整匀齐，规整清楚，一目了然；而其《隶书七言》轴，⑦则纵向结体，横向取势，行距紧密，字距宽疏，疏而不散，淡而有致，随意挥就，不拘陈法，兼具《曹全碑》之秀丽、《石

---

① （清）张裕钊：《行书七言联》，纸本，纵129.5厘米，横29.6厘米，故宫博物院藏。

② （清）杨守敬：《行书孟浩然诗》轴，纸本，纵165.1厘米，横35.7厘米。

③ （清）吴昌硕：《行书五言诗》轴，纸本，纵136厘米，横47厘米，故宫博物院藏。

④ （清）康有为：《行书》轴，行书，纸本，纵132.3厘米，横64.7厘米，故宫博物院藏。

⑤ （清）赵之谦：《楷书心成颂》轴，高丽笺纸本，纵128.5厘米，横36厘米，故宫博物院藏。

⑥ （清）赵之谦：《楷书符瑞志四条屏》，纸本，纵175.4厘米，横43.1厘米。

⑦ （清）邓石如：《隶书七言》轴，纸本，纵134.7厘米，横62.6厘米，故宫博物院藏。

门碑》之态肆、《衡方碑》之淳厚、《夏承碑》之奇魂,臻于"平和简静,遒丽天成"的佳境。余如万经《隶书七言诗》、段玉裁《隶书节临汉碑》、桂馥《隶书立轴》、陈鸿寿《隶书五言诗》、姚元之《隶书立轴》、何绍基《隶书古文》、俞樾《隶书前贤句》、徐三庚《隶书摹张君碑》,以及洪亮吉《篆书立轴》、阮元《篆书五言诗》、程荃《篆书六言诗》、邓传密《篆书古名言》、莫友芝《篆书立轴》、袁宝璜《篆书魏弁兰座右铭》、黄士陵《篆书韩书外传修身论》等作,均能巧妙借助字间体势统摄互不相接的独立单字,创构出规整庄重的章法。二是活运笔墨,巧布黑白。章法虽为四法之一,却与笔法、字法、墨法密不可分,是点画轻重、线条粗细、笔画长短、字形结构、结字大小、运笔节奏、笔势开合、笔力强弱、墨色枯润等要素有机统一的整体。对此,清代碑学书家体悟至深。例如,郑簠隶作就十分注重在章法上将流动、洒脱的运动笔势与端庄的结体和厚重的点画的巧妙结合,产生了方与圆、润与枯、敛与纵、重与轻的丰富变化,创构出疏朗、密集两种不同的章法形态,前者如《谢灵运石室山诗轴》,章法疏阔,用笔灵动,空灵古朴;后者如《杨巨源酬于驸马诗轴》,字距行距都紧,率朴自然;而其《韩愈诗轴》,更通过行笔的收放、轻重、虚实安排,创构出气息高古又不乏自然活泼的章法之美。石涛《题画诗》隶书题跋章法,则纵势连贯,横不成列,大小参差,左右张扬,疏密得当,错落有致,随形布白,跌宕起伏,变化丰富,装饰感强,予人以散朴奇逸、天真潇洒之美。伊秉绶《隶书立轴》系列隶作,在章法上更全依布白,通过字内与字外空间的精心安排,以及错落有序的线条搭配,增强字内空间的趣味性及可读性,并以丰富的字外空间弥补单一线条的节律,呈现出与众不同、迥异时尚的特色。而阮元《篆书五言诗》,则行距整齐,字距疏密有致,洒脱自然,竖行中略有参差,于齐整中寓变化,在严谨中求灵动,意趣丰富。三是借用他体,别创新章。清代大量碑刻书作的出土令当时书家视界大开,并在创作中有意识地展开创新,为碑学章法注入了新鲜的血液。这一点在篆书作品的章法创新中表现尤为突出。如前所述,清代篆书创制有"以碑写篆"和"以金写篆"两派书家,无论是哪一派,都十分注重对其他书体的借鉴,这种借鉴不仅体现在笔法、字法上,在其篆作章法中表现亦极为突出。例如,邓石如篆书章法援隶入篆,突破了前人既定的行列等距、一字一格的篆书传统章法,其《篆书文句》《篆书临峄山碑》等作,采用行距大于列距的章法形式,气势纵横,开合有致,予人以规整茂密之感,令人眼前一亮。又如吴熙载则在邓氏基础上援籀入篆,其《篆书古文一则》中明显加入金文结构,古意盎然,章法为之一变。再如吴大澂则篆取秦诏版,其《篆书文屏轴》和《篆书汉史游急就篇》二轴,大小参差,寓静于动,渊雅朴茂,章法新奇。而吴昌硕《篆书临猎碣字》,则于笔法、字法、章法上均援《石鼓文》入篆,独自成家。由于这种书体借鉴是笔法、字法、章法全方位的融会,所以作品章法都能相得益彰、浑然一体,而丝毫未见突兀之感。可谓碑学书家的革命性精神的又一例证。

第四,墨法:浓密厚实,苍茫古朴。

金石气、质朴美始终是清代碑学书家群体的共同审美追求,如何将碑刻古厚朴拙的风貌与苍雄的金石气息现于笔端,是横亘在碑学书家眼前的一大难题。在这一背景下,碑学书家们不仅在笔法、字法、章法上展开实践探索,于是,浓密厚实、苍茫古朴就成为几代碑学书家自觉追求的墨法主流特征。一是喜用干墨,墨气浓厚。王澍曾言:"古人作书,未有不浓用墨者。晨兴即磨墨升许,以供一日之用。"[1]沈曾植亦谓:"本朝名家又有用干墨者。"[2]康有为亦称:"盖古人用墨必浓厚。"[3]因此,清代碑学书家墨法多以浓密厚实为旨,浓重的用墨辅之以此时盛行书坛、渗化功能强劲的生宣纸,凸显金石气息刚健敦厚、浑朴沉雄的特质。例如,金农漆作《节临西岳华山庙碑》用墨漆黑如糊,未见淡墨之笔;[4]邓石如《隶书七言》轴用墨浑厚,墨气浓重,《篆书临峄山碑》《四箴四条屏》等作墨色厚泽,墨韵清健,《行书古文》用墨苍浑自然,更显沉雄古朴;伊秉绶《隶书立

①　(清)王澍:《竹云题跋·颜鲁公东方朔画像赞》,见侯镜昶:《中国美学史资料类编·书法美学卷》,江苏美术出版社 1988 年版,第 199—200 页。

②　(清)沈曾植:《海日楼札丛卷八·墨法古今之异》,见侯镜昶:《中国美学史资料类编·书法美学卷》,江苏美术出版社 1988 年版,第 201—202 页。

③　(清)康有为:《广艺舟双楫》,见侯镜昶:《中国美学史资料类编·书法美学卷》,江苏美术出版社 1988 年版,第 202 页。

④　(清)金农:《节临西岳华山庙碑》,纸本,纵 152 厘米,横 45 厘米,上海博物馆藏。

轴》系列书作亦用墨雄厚,墨韵平实;包世臣《草书节临书谱》、《草书七言诗》、《行书争坐位帖》等作笔笔中锋,线条厚实,墨色浓重。二是笔墨兼济,金石气生。朱履贞认为墨依笔生:"故书以筋骨为先。"①沈宗骞《芥舟学画编》则谓:"用墨秘妙,非常有神奇,不过能以墨随笔,且以助笔意之所不能到耳。盖笔者,墨之帅也;墨者,笔之充也;且笔非墨无以和,墨非笔无以附。"包世臣亦谓:"尝见有得墨者矣,未有得墨法而不由于用笔者也。"②周星莲更称:"不知用笔,安知用墨? 此事难为俗工道也。"③清代碑学书家充分注意到笔墨相生对金石气息中苍茫特质的深刻影响,尤以吴昌硕体味至深。吴氏作书喜用存放多日的墨糊,用墨含胶量大,墨份浓重,墨法尤重笔墨兼济,使得其作点画密实厚重,线条重实苍古,墨韵古拙雄强,更兼运笔提按轻重、行笔疾速变化多端,时出中黑边枯之笔,甚至杂以飞白,墨韵层次多样,笔势更显苍劲老辣,金石气息臻于极致。如其临《石鼓文》立轴,以行草笔意及画法用笔入篆,辅之以篆刻点画的苍茫古趣,笔墨相渗,气息醇厚,尽显苍浑态肆、古茂雄强的金石韵味。三是间杂枯涩,润燥相宜。蒋骥曾言:"用墨,润则有肉,燥则有骨。"④清人碑作常在前人浓涨墨、枯涩笔等传统墨法基础上自觉革新,有意借助浓焦墨的特殊手法,以枯涩、"浓涨"之墨杂于笔端,营构点画的苍茫之感与剥蚀之趣,别具风神。何绍基、张裕钊、康有为等人书作墨色以浓黑朴实为主,但墨色变化也很丰富。何绍基隶书用墨浓重,转笔相接处常出涨墨晕化迹象,显得凝重拙朴;张裕钊《行书七言联》,⑤直笔处落墨沉实,转笔处落墨含蓄,诚如康有为所云:"故为锐笔而实留,故为涨墨而实洁。"康有为书作更时常并用浓涨墨与干涩笔,力求书作墨韵的金石气息。

① (清)朱履贞:《书学捷要》,见侯镜昶:《中国美学史资料类编·书法美学卷》,江苏美术出版社1988年版,第200页。
② (清)包世臣:《艺舟双楫》,见侯镜昶:《中国美学史资料类编·书法美学卷》,江苏美术出版社1988年版,第200页。
③ (清)周星莲:《临池管见》,见侯镜昶:《中国美学史资料类编·书法美学卷》,江苏美术出版社1988年版,第201页。
④ (清)蒋骥:《续书法论·用墨》,见侯镜昶:《中国美学史资料类编·书法美学卷》,江苏美术出版社1988年版,第200页。
⑤ (清)张裕钊:《行书七言联》,纸本,纵129.5厘米,横29.6厘米,故宫博物院藏。

三、书学精神及其审美意识

前文已从书体选择和取法变革、法度创新及其意象特征两个方面浅要分析了清代碑学书作的书学革命意义和物态化意象表征。毋庸置疑，这些都是清代碑学审美意识的重要方面。然而，这绝不是其全部内涵。在此基础上，清代碑学书家的书学实践更以金石气息、高古朴拙的形式美，标举着他们尚"质"求"朴"的书学追求和革命精神，消解着清廷主导的雅正端庄、中庸合度的政治教化功能，寄寓着书家主体的艺术格调和自由情怀，彰显着清代书学刚健雄强的艺术趣味嬗变和变革图强的群体审美转向。其所反映的清代整体俗化的社会风尚，则昭示着书法源自民间、亦必回归民间、植根民间才能不断发展的书学规律，代表着书学革命的正确方向。

第一，重复古，尚质朴，刚健雄强。

从书学背景来看，清代碑学书家群体创制具有强烈的反正统倾向和艺术叛逆意识，其矛头直指被清廷尊为正统的帖学书艺及其后潜藏的官方赋予书法艺术的功利化倾向和政治教化意味，表现为鲜明的书学复古倾向。碑学勃兴中始终伴随着反满、反清的民族情绪，涌动着反奴役、反压迫的朴素情感，从傅山等晚明遗民书家浪漫书风的承继到扬州八怪狂放怪诞、突破常格的创制，无不呈现出反抗清廷思想文化奴役的不屈不挠的民族情绪；从郑簠师法汉碑、复兴汉隶到邓石如上追秦汉、复兴篆书，从杨沂孙引金文入篆、篆籀相融到吴昌硕取法《石鼓文》、"强抱篆隶作狂草"，无不以书坛复古之举，张扬着反驳官方正统帖学标准的不趋时流的审美逆反心理；从傅山"四宁四毋"到扬州八怪"学一半，撇一半"，从阮元"南北书派论"到包世臣"肆力北魏"、"以六朝门户开迪后来"，[①]从吴昌硕"贵能深造求其通"到康有为"吾眼有神、吾腕有鬼"，碑学书家的群体创制与理论开掘中无不弃刻帖而求碑石，由唐碑而及北魏，由秦汉而溯商周，在取法新途、书体变革与审美转向三个方面的书学传统溯流中一古再

---

① 马宗霍：《书林藻鉴　书林纪事》，文物出版社 1984 年版，第 231 页。

古,不断探索、呐喊、发扬,其中既饱含着国运书运靡弱之际的变革图强的民族心理,更蕴藉着自主自觉、深沉郁结的书学革命精神。

从书法本体来看,书法艺术自六朝以降不断成熟,帖学妍美书风取代质朴之美始终盘桓于书坛主流地位,及至清代更被统治者尊为官书正统审美标准,并随着书艺创新精神被清廷思想文化钳制扼杀,逐步走向馆阁体程式化的死途。在书坛风气日渐僵死的氛围中,碑学书家乘清代学术复古之风,借助朴学、金石学、文字学的考古成果,以质朴美为标,全面梳理、重新品定了被历朝排斥于正统之外的书家书作,发起了一场旨在挑战清廷设定的妍美标准的碑学运动。从这个意义上讲,碑学之兴本身就深蕴着推动书学进步的时代精神;碑学的复古也绝非普通意义的复古主义,而是对刚健雄强的质朴壮美复归的呼唤与追求,包含着承继与创新的全新体验。一方面,碑学书法反柔靡、尚质朴、重阳刚的审美趣向是对日趋滑熟靡弱、圆润流便的帖学书法的革新与救赎。在实践创制上,碑学书家大力复兴篆隶书体,取篆、隶、北碑之雄强笔势入行、草书作,以其雄强、刚健、古朴、粗率以救帖学甜俗之弊,为书法作品注入了磅薄气势和刚健之美,使得书法艺术重放异彩,再次走上生机勃勃的发展路径;理论建构上,碑学论家不仅一力高扬复古尊碑的变革大旗,而且致力于探索碑刻迹"古"源流、追溯远古书家典范、确认今人学碑经典范例,并以古为尚,剖析碑学笔法特征、架构碑学理论体系、论证碑学审美风格、确立碑学经典地位,最终建构起碑学这一全新的书法经典体系,正是在这一新的书学思维方法指导下,清代书法艺术才找到新的艺术源泉,得以臻至新的高度。另一方面,碑学书法复古求新的书法创制是对清廷尊帖学为正统、变书法为思想钳制工具的隐性反叛与有力回击,某种意义上讲,碑学是以新奇多变的手法和刚健质朴的作品实践了变革图强的书学追求,以机智的非暴力不合作方式取代了帖学的主流地位,使得清廷寄寓帖学的功利化倾向与政治教化目的最终落空,成就了足与千年帖学并立的书法高峰。

从书家主体来看,清代碑学名家主要有三代:第一代为碑学先声期书家,以郑簠、傅山、朱彝尊、郑燮、金农为代表;第二代为碑学勃兴期书家,以邓石如、伊秉绶、阮元、包世臣、张裕钊、何绍基为代表;第三代为碑学大盛期书家,以吴熙载、赵之谦、杨沂孙、杨守敬、吴昌硕、沈曾植为代表。第一代碑学书家上追秦汉,郑簠、朱彝尊等人直接取法汉碑、复兴汉隶,首开碑学之先声;傅山则明确标举"四宁四毋"这一新的审美法则,①以强烈的个性和大胆的创新寄情书法,挥洒国破家亡之痛、颠沛流离之苦、愤懑抑郁之气,成就了清初艺术领域对正统思想的反叛、乖奇的审美突破;郑燮、金农等扬州八怪书家更异军突起,首开师法唐碑之风,其标新立异、狂捐不羁的创作实践和以疏野、怪癖、陋丑为美的书学理论中都强烈地蔑视正统法度、勇于离经叛道、反对比附时风、崇尚高扬个性,而其作品也往往呈现出强烈而鲜明的个性风貌,具有惊世骇俗的视觉和思想冲击力。第二代碑学书家取法秦汉魏碑石刻,邓石如一反帖学审美取向,勤摹碑版,创制出"上掩千古、下开百祀"的碑学名作,虽被京师帖学卫道者斥为"不合六书之旨"而被逼出都却仍不改初衷,"偏师争与撼长城",以沉雄朴厚、劲健磅礴的篆隶成就了碑学书法的勃兴局面,撼动了正统帖学的主导地位。第三代碑学书家更溯流至商周,杨沂孙醉心金文,吴昌硕钟情石鼓文,碑学书法蔚为大观。三代碑学书家均以复兴篆隶为己任,取法唐碑、师法北碑、上追秦汉、远溯商周、复古出新,形成与秦汉并立的清代碑学高峰。

从深层内核来看,书法是民族精神的迹化,清代碑学取法由唐碑而六朝碑版、由北碑而至秦汉刻石、由商周金文而至殷商甲骨,甚至原始陶文,体现着鲜明的复古意识与怀旧情绪。清代碑学书家对帖学当道、书风靡弱的局面无疑是不满的,然而让他们不满的却绝不仅止于此,更让他们不满的应该是造成这一衰靡局面的根源——满族代汉的"华夷之变"及其令人谈之色变的文字狱与思想控制。这种基于文人修齐治平的担纲意识的愤懑不平势必与清廷高压的文艺专制形成强烈的冲突。慑于清廷淫威,为保身避祸计,碑学书家们的不平则鸣被迫以智慧的、别样的,甚至扭曲的形式呈现。批判的矛头直指僵化的馆阁体,进而扩及被清廷尊为正

---

① 全祖望《阳曲傅先生事略》载:"宁拙毋巧,宁丑毋媚,宁支离毋轻滑,宁直率毋安排。"参见拙作:《书为心画:尚"真"求"趣"的生命情怀——晚明入清书家书法审美意识》,《书法》2014 年第 7 期。

统的帖学,甚至指向其师法源头——刻帖;批判的角度足以让清廷吐血,直接攻击正统帖学引以为傲的千年传统,称法帖不古、刻帖假古、汇帖翻刻,全无古法;批判的手法更直接以比帖学更古、更久远的经典碑石书法为师,复兴篆隶、北碑,并借助朴学、金石学、文字学所提供的广阔视阈与碑版实物建构新的碑学经典体系,以更古抑假古,复古出新,堪称高妙。可以说,在碑学书家那里,复古是反满、反清、反奴役、反正统的投枪匕首,充满着批判精神与革命意识。而这种追源溯流一路复古的书学现象,根源在中国古代文人一脉相承的尚古传统与崇尚经典的民族情结,源头在中华民族生生不息的农耕文化与根深蒂固的经验哲学。

第二,重碑版,尚朴拙,金石重光。

清代碑学书家群体创制具有苍茫朴拙的金石气,其中蕴涵着碑学书法浓重的尚质求朴意识,是清代碑学迥异于帖学书法的书卷气的典型特质,金石重光、苍茫朴拙。金石气这一术语最早由刘熙载在书论品评中使用,他在《游艺约言》中说:"书要有金石气,有书卷气,有天风海涛,高山深林之气。"所谓"金石气",顾名思义,是指出土的金石文字在当年制作时所留下的独特审美特征,是相对于帖学的书卷气而言的。

从书学背景来看,清代碑学苍茫朴拙的金石气与当时特定的学术文艺思潮密切相关。清代帖学式微,书坛渴求变革,而金石学兴盛则为碑学书家提供了大量字势雄强的金石范本,顺应了书法发展的创新要求,成为金石气及其蕴涵的尚质求朴审美意识风行书坛的时代诱因和直接原因。清代金石学滥觞于顾炎武《金石文字记》,继之则有钱大昕、武亿、洪颐煊、严可均、陈介祺的金石研究专著和王昶的类书《金石萃编》。自此,朴学兴起、金石学独立,金石碑版大量面世,在对古文字真实形态的认识和尊碑书风形成两方面启发了清代书家思路,促发了迥异于帖学和馆阁书风的碑学崛起,张扬了古朴沉雄、恣肆狂放的书法审美格调。出土金石、碑石上的北魏书和篆隶成就凌跨数代,并为行草书的发展注入了新的活力,成为清代书道中兴的标志。伴随其间的,就是苍茫、浑厚、朴拙的金石气在碑学书法中重放光芒。

从书法本体来看,清代碑学苍茫朴拙的金石气必然与书法艺术发展的内在规律密切相关。二王帖学在东晋以降的千年书坛中始终占据着主流地位,致使古朴、粗率的碑刻书风一度停滞,客观上也为碑学书法留下了广阔的开掘空间,成为清代碑学苍茫朴拙的金石气及其蕴涵的尚质求朴审美意识风行书坛的内在动因。作为一种全新的审美范畴,金石气给予了清代书坛新的美学启迪和思维新创,其特质实为南北朝及其以前的金石碑刻书法所表现出的审美特征或审美趣味,既包含金石书法形态的宏观格局和整体气象,又包括借由千年自然风化和风雨蚀变所造成的鬼斧神工的奇特美、笔墨之外的天然美,还包括借由能工巧匠们在奇伟诡谲的特殊自然环境里的巧夺天工、匪夷所思的人工创造,所欲彰显的则是以苍茫、浑厚、朴拙为特质的另一种审美风格。具体而言,这种金石之美的艺术源泉有三:其一源自视觉冲击的空间张力,碑拓的立体构图中,黑白反差强烈,内敛外拓的视觉张力中蕴藉着峭拔倔强的书学品格;其二源自风化斑驳的自然造化,风雨蚀变、金石残损使得碑拓线条粗率苍茫、文字奇拙含蓄,沧桑朦胧的意象之美中蕴藉着古朴雄强的书学追求;其三源自刀刻斧凿的巧夺天工,刀斧刻就的碑拓文字力感充沛、质美凝重,刚健方正的意匠之美中蕴藉着铮铮铁骨的金石神采。整体来看,金石气当是一种雄郁之象,一种浑穆之气,也当是一种粗犷之美,一种朦胧之美,一种天然之美。较之于有书卷气的帖学书风,金石气的碑学书风以其浑厚朴拙之力与金石重光之势而倍显超拔俊逸、雄壮崇高,代表了清代书学的最高成就,为古代书法的发展指明了发展的路径。

从书家主体来看,清代碑学的几代书家均十分注重书作金石气息的理论把握与实践获取。在理论把握上,三代碑学书家均认为,欲使书作具有金石气韵,务必使线条具备力度感、立体感和韵律感之美,予人以雄奇、壮伟、自在而又脱俗、超逸、峻劲之感,诚如傅山所言:"楷书不知篆隶之变,任写到妙境,终是俗格。"亦如包世臣所概括:"北碑字有定法,而也自在,故多变态","其结构奇逸丰茂,变化多姿而出之自然;其风格苍劲古朴,气象浑厚、骨肉丰美、烂漫天真、神气完足;其丰富的内涵,浪漫的气息,使人百看不厌。"书作金石气息被他们具象化为四个方面:既在点画线条之质朴厚重,又在结体章法之的峻峭稚拙,还在神采风格的飞扬灵动,更在气韵滋味的高古不群。而这些也都是清代碑学书法的审美理想风格的主要内容。包世臣曾总结过北碑的一些特点(如"极意波发,力求跌宕","茂密雄强","画势甚长,雍容宽绰","出之自在,故多变态"等),并对北碑雄奇、恣肆、古拙、生涩的美学风格展开了深度阐发;康有为也曾将清代北碑特征归为十条(即:"魄力雄强"、"气象浑穆"、"笔法跳跃"、"点画峻厚"、"意志奇逸"、"精神飞动"、"兴趣酣足"、"骨力洞达"、"结构天成"、"血肉丰满")。包康二人的这些阐发其实既是对碑学书法审美风格和审美理想的最佳总结和概括,又可视为对"金石气"具象内涵的最佳注脚。在实践获取上,如前所析,傅山、郑簠、金农、郑燮、邓石如、伊秉绶、何绍基、杨沂孙、吴大澂、吴昌硕、沈曾植等人均以金石气息为目标,在篆隶书体的复兴,取法碑版的变革,以及笔法、字法、章法、墨法等法度创新,诸多方面展开具体的书学创制与创新探索,一反帖学线条的柔媚规范,师法风化、斑驳的碑石拓片,改变执笔运笔方式,甚至改变调墨法与纸张,力求厚重、苍茫、浑穆的书法效果,取得了丰硕的成果。他们对金石气息的深刻把握与创制实践,无不体现着主流风尚的审美转折与审美心理的时代嬗变,既是对千年帖学正统审美的自觉反叛,也是对雅人深致的书卷气息的有力补充。

从深层内核来看,清代碑学萌兴于国运书运的低谷,其时国力积弱、民不聊生、矛盾激化,社会上蔓延着富国强兵、变革图强的呼声。在此背景下,碑学书家迎合了这一社会需求和时代要求,将民族求强的心理需求融入书作,创制出大批刚健雄强、高古质朴的碑学书作,在书坛广为流播,于是,刚健雄强、铮铮铁骨的金石之美逐渐取代柔靡甜滑、姿媚圆润的帖学之美成为新的时代风尚,苍茫朴拙的金石气及其蕴涵的尚质求朴意识随之成为新的书学审美趣尚。这种新的审美趣尚,不仅凸显着书家冲决专制、力求解放的人文精神,而且折射出当时西学涌入、维新在即的时代变局,是碑学书家变革图强的革命精神在书法艺术美上的凝聚与熔铸。

第三,重俗化,尚意趣,自由意识。

较之帖学,清代碑学书家群体创制植根于民间书学传统,重俗化、尚意趣,将书法拉下清廷所尊的正统圣坛,具有明显的去贵族化、去经院化、去功利化、去雅化倾向,蕴涵着深刻的自由意识,反映了清代整体俗化的社会风尚。

从书法本体来看,清代碑学的俗化意趣与自由意识首先表现在取法上的非名家化。如前所述,碑帖之别首在取法,帖学往往取法经典名家法帖,而碑学则如康有为所言,多取法乡间野处出土或发现的不知名者的碑石刻书,或得之于"山岩屋壁、荒野穷郊,或拾从耕父之锄,或搜自宫厨之石",或"流观汉瓦秦砖而得其奇",不仅三代碑学书家共同尊崇的北碑出自民间的"穷乡儿女造像",而且"江汉游女之风诗,汉魏儿童之谣谚"皆可入书,甚至"能择魏世造像记学之",即可自学成为书家。对此,碑学大家邓石如也不例外,其书力戒帖学专尚一家之弊,遍临秦金、汉印、碑额、瓦当、砖款等民间碑刻,取法多姿多彩,书风新奇多变,大张碑学书风。这一变革可谓碑学革命性的重要表现。

从书家主体来看,清代碑学的俗化意趣与自由意识突出表现在四个方面。书家结构方面,碑学书家群体以平民书家为主流,傅山、郑簠、金农、郑燮、邓石如、吴昌硕、李瑞清等碑学名家无不出身平民;书学追求方面,碑学书家群体往往远离庙堂、坚守品格,既不以书法干禄,也不迎合经院官书;书作临习方面,他们刻意搜求残碑断碣、墓志、画像石等难入正统法眼的碑石,终日临池不辍,以此为乐;理论建构方面,他们挑战帖学正统权威,为民间碑刻书法著书立说,谋求书坛地位。正是这种俗化意趣和自由意识将书法拉下圣坛,植根民间,走向百姓,使碑学书法得以拥有广泛的创作、赏鉴、传播群体,极大地推动了碑学的兴盛。

从深层内核来看,清代碑学的俗化意趣是对清廷官方正统帖学书法的贵族化、经院化、雅化的发动与叛逆,其所体现的去贵族化、去经院化、去雅化倾向,充分展示了碑学书家反满、反清的民族情感;清代碑学的自由意识是对清廷功利化的反驳与抵抗,其所体现的去功利化倾向,再次佐证了前述"碑学是传统帖学的匕首投枪"的论断,是在剥离清廷负载于书法之上的种种思想钳制、文化桎梏的政治教化功能之后对书法艺术的一次解放,充分展示了碑学书家反奴役、反压迫的革命精神。更进一步讲,清代碑学书家对碑学书法的美学探索及其蕴涵的俗化意趣和自由意识,标志着碑学书家群体的书学审美自觉,是晚明遗民书家尚真求趣浪漫书风、扬州八怪尚怪求变书学变革中重自然、崇性灵、尚质求朴的书学精神的一脉相承,实为书法复归于非功利艺术领域后个性化、人性化、人本化的回归,其所反映的清代整体俗化的社会风尚,则昭示着书法源自民间、亦必回归民间、植根民间才能不断发展的书学规律,代表着书学革命的正确方向。

第五节 馆阁体:正统书法"中和" 审美基调的异化表现

馆阁体为楷体变体,肇始于唐代二吴(吴通微、吴通玄兄弟)"院体"一派,①至明演为二沈(沈度、沈粲兄弟)"台阁体"一格,书体多为中、小楷,书家多师法欧、虞、赵。及清,书坛虽以帖碑分立、正变并存为主线,馆阁体却因迎合了清廷思想钳制的统治需要和办公修典的实用需要而被尊为官书正体,而成为清廷科举取仕的要途和士子干禄圆梦的门径,并随着清廷政权的逐步稳固和对思想文化控制的日益严厉,以及科举制、典籍修缮誊录的盛行而广为流布,臻于顶峰。作为官书正体和主流形态,清代馆阁体萌生于康熙年间,定型于乾隆年间,而盛行嘉庆之后,异化于道光以降,绵延至晚清灭亡。较之碑学,清代馆阁体远追钟繇、二王,师摹唐干禄书法,承袭宋代院体、明代台阁体传统,一方面法度谨严,继承和强化了"唐楷"之法,笔法娴熟、结体隽秀、章法严整、含蓄内敛,呈现出正体化、功利化的倾向;另一方面尤重实务,延展和改良了楷书笔法和基本功,主张以"乌、方、光"和大小一致为准,呈现出实用化、程式化的倾向。这种正体化、功利化、实用化、程式化倾向处处标举着清廷力倡的崇尚"中和"的官方审美基调,可谓帖学正统意识在清代书坛的异化呈现,在清代书坛一贯始末,影响甚巨。

---

① 注:宋人黄伯思称此种字体"学弗能至,了无高韵"。北宋沈括《梦溪笔谈》亦有"三馆楷书,不可谓不精不丽,求其佳处,到死无一笔是矣"之评论。

一、书体选择及其审美倾向

　　清代书坛有一个特殊的现象,无论帖学名家,还是碑学大家,无论是法帖,还是师碑,几乎所有书家均从习楷入手,练就了一手过硬的馆阁功底。例如,《霋岳楼笔谈》称王夫之"著述皆楷书手录,雍雍穆穆,见儒者气象";①《艺舟双楫》称顾炎武"正书逸品上";②汪琬称金俊明"小楷师曹娥","悉有法度";《清史列传》称冯班书法则"四体皆精,尤工小楷,有晋唐人风致",杨宾《大瓢偶笔》则以为其论书以馆阁书法为尚:"大概祖陈绎曾翰林要诀十二章。"③《读画录》称郭鼎京"精小楷";④《图绘宝鉴续纂》称张振岳"书法二王,尤工小楷";⑤《昭代尺牍小传》评沈荃"工书,继董文敏而为时所重",《艺舟双楫》称其"真书佳品上";⑥《快雨堂跋》称笪重光"小楷法度尤严,纯以唐法运魏晋超妙之致",《昭代尺牍小传》更称"王梦楼最所称服";⑦《大瓢偶笔》称陈奕禧"作小楷亦稳称";⑧《昭代尺牍小传》称姜宸英"书入晋人之室,长于摹古,小楷尤工,称重一代",《桐阴论画》称其"楷法虞褚欧阳",《清稗类钞》称其"素以行草擅长于康熙朝,登第后,乃善作小楷,以三指撮管端,悬腕疾挥,分行结体疏密合度",《频罗庵题跋》则赞其谓:"本朝书以苇间先生为第一,先生书又以小

　　① (清)马宗霍:《霋岳楼笔谈》,见《书林藻鉴 书林纪事》,文物出版社1984年版,第196页。

　　② (清)包世臣:《艺舟双楫》,见马宗霍:《书林藻鉴 书林纪事》,文物出版社1984年版,第196页。

　　③ (清)汪琬语,见马宗霍:《书林藻鉴 书林纪事》,文物出版社1984年版,第197页。

　　④ (清)周亮工:《读画录》,见马宗霍:《书林藻鉴 书林纪事》,文物出版社1984年版,第200页。

　　⑤ (清)冯仙等:《图绘宝鉴续纂》,见马宗霍:《书林藻鉴 书林纪事》,文物出版社1984年版,第200页。

　　⑥ (清)吴修:《昭代尺牍小传》,见马宗霍:《书林藻鉴 书林纪事》,文物出版社1984年版,第202页。

　　⑦ (清)杨宾:《大瓢偶笔》,见马宗霍:《书林藻鉴 书林纪事》,文物出版社1984年版,第202页。

　　⑧ (清)吴修:《昭代尺牍小传》,见马宗霍:《书林藻鉴 书林纪事》,文物出版社1984年版,第205页。

楷为第一,妙在自己性情合古人神理。初视之若不经意,而愈看愈不厌,亦其胸中书卷浸淫酝酿所致。"①《艺舟双楫》赞汪士鋐"真书佳品上",《霎岳楼笔谈》称其书"瘦劲中有疏朗之致,以此贤于覃谿";②《霎岳楼笔谈》载何焯"日事典勘,故小真行书不习而工,较之习而工者为雅,以其泽古即深,自有韵味也",《清史列传》称其"工于楷法",《文献徵存录》称其"楷法极工整,蝇头朱字,粲然盈帙,好事者得其手校本,不惜重价购之",《昭代尺牍小传》称其"所作真行书,并入能品",《艺舟双楫》称其"小真书佳品上";③《书画纪略》称张照书法"天骨开张,气魄浑厚,雄跨当代,深被宸赏",《石渠随笔》载其书于"内府收藏不下数百种",《茶余客话》亦载偶然"坠马伤右臂几折,时方进呈落叶倡和诗,遂用左手书楷,凝厚蕴藉,无一呆笔,真造化手也";④《艺舟双楫》称蒋衡"真书佳品上",《大瓢偶笔》称其"小楷冠绝一时",杨宾自谓不及;⑤钱陈群称汪由敦"书法力追晋唐大家",《西清笔记》称其"内府所藏小楷成册者数十";⑥《西清笔记》称梁国治"于唐人楷法真有得力,在直庐稍暇,即展临法帖",然洪亮吉讥其楷书为"昔人所云堆墨书也";⑦杨守敬称翁方纲"见闻既博,一点一画间,皆考究不爽毫厘,小楷尤精绝,但微嫌天分稍逊,质厚有余,而超逸之妙不足",马宗霍《霎岳楼笔谈》则认为"覃谿以谨守法度,颇为论

① (清)梁同书:《频罗庵题跋》,见马宗霍:《书林藻鉴 书林纪事》,文物出版社1984年版,第206页。
② (清)马宗霍:《霎岳楼笔谈》,见《书林藻鉴 书林纪事》,文物出版社1984年版,第206页。
③ (清)吴修:《昭代尺牍小传》,见马宗霍:《书林藻鉴 书林纪事》,文物出版社1984年版,第207页。
④ (清)阮元:《石渠随笔》,见马宗霍:《书林藻鉴 书林纪事》,文物出版社1984年版,第207页。
⑤ (清)杨宾:《大瓢偶笔》,见马宗霍:《书林藻鉴 书林纪事》,文物出版社1984年版,第209页。
⑥ (清)沈初:《西清笔记》,见马宗霍:《书林藻鉴 书林纪事》,文物出版社1984年版,第211页。
⑦ (清)沈初:《西清笔记》,见马宗霍:《书林藻鉴 书林纪事》,文物出版社1984年版,第215页。

者所讥。然小真书工整厚实,大似唐人写经,其朴静之境,亦非石庵所能到也";①《湖海诗传》称王文治"尤工书,楷法河南",《艺舟双楫》则称其"方寸真书能品下";②《艺舟双楫》评姚鼐"半寸以内真书,洁净而能恣肆,多所自得","小真书逸品下";③《墨林今话》称沈宗骞"早岁能书,小楷章草及盈丈大字,皆具古人神致魄力。尝见赏于曹地山钱辛楣诸巨公";④《铁公神道碑》称铁保"楷书模平原",《湖海诗传》载"北人论者,以刘相国石庵翁鸿胪覃谿及君为鼎足";⑤梁章钜称林则徐"最工作小楷";⑥《清史列传》称郭尚先"工书法,尝为仁宗赏识",对此,康有为释之为"便于摺策之体";⑦《霋岳楼笔谈》称陆润庠"真书,清华朗润,略近欧虞,然馆阁气重,干禄之书耳";⑧道光年间,牟所书法主攻楷书,丰润遒劲,格调清雅,时人誉为南何北牟;同治榜眼黄自元馆阁体楷书端庄秀蕴、文气蔚然,兼有《黄自元临九成宫》、《间架结构摘要九十二法》行世;此外,清代长达259年的科举选拔中,高中状元的114位举子的应制之作,也都毫无例外地以一笔出色的馆阁体书法示人。作为有清一代最后一位状元,也是中国科举史上末代状元,光绪状元刘春霖尤擅小楷,其馆阁书作光洁、整饬,以雍容秀美著称,素有"楷法冠当世,后学宗之"之誉,更有"大楷学颜、小楷学刘"之说,堪称清代举子馆阁书作的杰出代表,从其以

---

① (清)杨守敬语,见马宗霍:《书林藻鉴 书林纪事》,文物出版社1984年版,第216页。

② (清)王昶:《湖海诗传》,见马宗霍:《书林藻鉴 书林纪事》,文物出版社1984年版,第219页。

③ (清)包世臣:《艺舟双楫》,见马宗霍:《书林藻鉴 书林纪事》,文物出版社1984年版,第220页。

④ (清)蒋宝龄:《墨林今话》,见马宗霍:《书林藻鉴 书林纪事》,文物出版社1984年版,第220页。

⑤ (清)王昶:《湖海诗传》,见马宗霍:《书林藻鉴 书林纪事》,文物出版社1984年版,第221页。

⑥ (清)梁章钜:《退庵随笔》,见马宗霍:《书林藻鉴 书林纪事》,文物出版社1984年版,第230页。

⑦ (清)康有为:《广艺舟双楫》,见马宗霍:《书林藻鉴 书林纪事》,文物出版社1984年版,第231页。

⑧ (清)马宗霍:《霋岳楼笔谈》,见《书林藻鉴 书林纪事》,文物出版社1984年版,第243页。

"名"中试、以"书"显贵的经历亦可见出馆阁体书法因科举取仕而在有清一朝贯通始末的历史盛况。可见,清代书家对馆阁体书法的选择是群体性的。

馆阁体于清季大盛于世有着独特的书学背景:一是帝王皇族审美好尚之因,二是清廷规范官书的实用目的,三是科举制度和典籍修缮的推波助澜,四是民间知识传播的社会需要。因此,这种群体性的书体选择中蕴藉着四个鲜明的书学审美倾向,即:帝王皇权审美的正体化倾向,官家办文修书的实用化倾向,士子干禄晋职的功利化倾向,民书依赖字诀的程式化倾向。

第一,正体化倾向:帝王皇权审美取向。

帝王皇族好尚是清代馆阁体书法正体化倾向的导向性因素。满洲祖先素以游牧征伐为业,崇尚骑射之术。入主中原后,因稳固统治的政治需要和汉文化环境的陶染而迅速接受了汉文化传统,书法成为自顺治以降清廷十帝基本雅好之一。顺治对书法虽涉足不深却举手不凡,喜欢欧体,王士祯《池北偶谈》称其"游艺翰墨,时以奎藻颁赐部院大臣,真天纵也",《清朝野史》亦载其"能濡豪作擘窠大字",故宫乾清宫"正大光明"匾即出自其手;康熙学书至勤,不但遍临古帖而独钟董书,书法修养渊源有自,而且十分注重臣下学书之事,《清实录》、《清史稿》、《庭训格言》、《清稗类钞》等史籍多有记载,曲阜大成殿"万世师表"、子贡墓"贤哲遗休"、国子监"彝伦堂"等墨迹大字均出其手,素绢本《驾幸太学赋》、《滕王阁序》,素娟乌丝栏《五柳先生传》、《乐志论》,素笺本临董书《兰亭帖》,素绫本《老人星赋》、《舞鹤赋》、《麒麟赋》等则为刻意临董之作;雍正书作仍循董氏一脉,现存素绢本临董《登楼赋》、素笺本《骈字类编》、《音韵阐微序》等作出于其手;乾隆雅好书画,曾集"兰亭八柱",学书甚广,尤师子昂,其书作宣德笺本《临赵书陶潜诗帖》、《临赵书纨扇赋》、《临董书颜帖》、《临董书画合璧》等均为上品;嘉庆书法出自欧体,《献岁祥霙图》所题诗为其手迹;此后,道、咸、同、光、宣、各帝,虽好书法而无大影响。皇族中精于书法者众,代表人物成亲王永瑆书宗欧赵,号为清中期四大家之一,其翰墨为馆阁诸贤追摹成风。后宫嫔妃亦不乏善书者,慈禧所题"云润星辉"匾端庄遒美、颇见功力。上有所好,下必甚焉。一方面,康乾等清代帝王为维护纲常、束缚人心,在思想上推崇程朱理学,反映在书学上则一味强调平稳和润、摒弃个性笔法,宗法王系书风中平淡柔媚一格,赵董二家就成为其必然选择,这些都直接促成了清前期主流书风归为馆阁当道、帖学一统,呈现出明显的正体化倾向;另一方面,皇室贵胄对书艺的雅好、参与和倡导,激起了士人习书的热情,推动了当时书法艺术的发展,扩大了馆阁体的流播力度,加速了清代馆阁体书法正体化进程。馆阁体大张既是清帝皇权审美取向的结果,也是清代馆阁体书法正体化倾向的反映。

第二,功利化倾向:士子干禄晋职门径。

首先,科举考试和以"书"择录的人才铨选标准是清代馆阁体书法功利化倾向的制度性因素。清人致仕多循荐举、科举两途,尤以科举为主。科举基本因袭明制,自乾隆始定型,至 1904 年废止。内容主要是八股文与试帖诗;形制则突出进士科,分童试、乡试、会试、殿试四步。① 科举制仕是隋唐以降历代统治者选任官吏的重要手段,必然将其意志强行灌入其中。科举考试历来重视书法,唐有《干禄字书》为范,明有"台阁体"风行,均关乎科名。清代书法受此影响甚巨。一方面,清代科考对考生的书写能力有近乎苛刻的要求,由于科考阅卷标准本为"文、字兼取",但实际上阅卷大臣们对书法的推重远超前朝且逐次累加,常撇开内容深度而偏重形式的完整规范,道光年间甚至直以书法优劣论卷定次。其后,殿试抑文重字、不复以策论优劣、专重书法的流弊更重。殿试尚且如此,他如会试、乡试、童试更是等而下之,不堪想象。在这种尴尬境况下,不合馆阁体"乌、方、光"标准的断然难登高第。因此,清代书家如伊秉绶、郑燮、康有为等,凡能入仕途的,大都能善馆阁体;而清代文士也大都有较高书法功力,馆阁体更是其看家的基本功。于是,馆阁体书法便应运而张。另一方面,天下士子书法的师法对象追随时风不断更替。康熙崇董书,查士标、姜宸英等皆从而习之。雍正、乾隆好颜字而重赵、米,文士皆从。嘉庆变

---

① 参见商衍鎏:《清代科举考试述录》,三联书店 1958 年版。

为欧体,永瑆为之。道光再变为柳,祁寿阳等从之。咸丰以后不欧不柳不颜。道光以后多学北魏。① 天下士子均望风而变,以期得高第、求显通,馆阁体亦逐步流于险怪、千篇一律了。其次,以"书"取吏、以"书"拔擢的恩遇致仕之途是清代馆阁体书法功利化倾向的机制性因素。除了科举考试对馆阁体书法的独尊,清代帝王还经常出于一己私好格外重用某些书法见长的臣下,这种恩遇致仕特例更明显加重了清代书法的功利化倾向。有清一代,以书法受恩遇的例子很多,仅以康乾两朝为例。康熙好书法,在南书房中延揽了一批精于书法的朝臣,倍加恩宠,如高士奇、沈荃、沈宗敬、励杜讷、陈之龙、何焯、蒋廷锡等,高士奇甚至一度为康熙代笔;无独有偶,张照亦曾被乾隆延揽为御用代笔。清代科举考试得中高第者多入翰林院,翰林院为储才之地,其出路遍及中央和地方政府各大重要部门,一入翰林即可名利双收,但翰林官的职掌与升迁却都与馆阁体书法有着极为密切的联系。通过科举考试但未入翰林院的不可立即为官,必须经过考试方可到部任为一般官员,是为"考差",而"考差"也有阅卷大臣,仍以楷法作为考察士人能力的一大标准。才高志远如龚自珍这一文坛翘楚,会试得中,殿试却终因馆阁体楷法不佳而列三等,仅赐同进士出身,不入翰林,作《干禄新书序》一文以贻子孙,终生饮恨。由此亦足见馆阁体书法优劣对清代官吏仕进何其重要。所有这些都表明馆阁体书法实为清代士子干禄晋职的重要门径,也反映了清代馆阁体书法的功利化倾向之重。

第三,实用化倾向:官家办公修书之用。

公文缮写、内廷修书和典籍编纂是清代馆阁体书法实用化倾向的体制性因素。馆阁体书法以其"乌、方、光"的标准性、规范严整的实用性及其庄重严肃的官方性和政治性,在清廷官场广为流布。首先是公文缮写。《清会典》详细规定了清廷谕旨、官奏本章、衙署公文等必须敬慎书写以彰显政治活动的严肃性,并钦定章程、专设职位、优录书人、严苛程序、明令职司、严格格式,以确保官书规范无误和政令上下畅通。无奈官僚机构臃肿庞大、缮写人员良莠不齐,公文缮写或不得圣意、或不合制式,总体上

---

① 参见欧阳兆熊、金安清撰:《水窗春呓》,谢光尧点校,中华书局 1984 年版。

差强人意。加之清帝大权独揽又恐受蒙蔽,对臣下本章文字及书写百般挑剔,这些情况都在客观上促使了馆阁体书法的法度化和整饬化。时至康雍乾之世,文字狱频发,曲义构陷成风,政治环境严重恶化,朝野文士精工整饬严谨的馆阁体书法以避祸自保就成为必然趋势。其次是内廷修书。清帝多对内廷修书极为重视,仅以故宫所藏而论,清代内廷抄书除《四库全书》、《四库全书荟要》、《大藏经》外,尚有四类:一为历朝实录、玉蝶;二为专供皇帝阅览、赏玩或携带之便而精写刊刻的各号各式卷册,其中不乏名臣于敏忠、刘墉、曹文植等人手迹;三为臣工奉敕精写佛经;四为昇平署剧本。然而,印刷术虽于宋代已经广泛应用,但活字印刷到明清还很少使用,一则费用太高,一则效果不佳。因此,清廷修书,一靠雕版,一靠手抄,这也极大地增强了馆阁体书法的实用性倾向,拓宽了馆阁体书法的流播和影响。再次是典籍编纂。清帝尤重典籍编纂等文化盛事:一是设立专门部门。康熙年间,开设书局于武英殿,纂辑、刊刻经史子集,乾隆以后,更专司刊校而不废。乾隆三十七年,设置四库全书馆,以永瑢、纪昀总裁其事,历十年成书。均以馆阁体书法为标。二是人员选录高配,出于对修书的重视,誊录官的挑选极为谨慎。修书所用誊录官来源多样,既有来自内阁的中书、笔帖式等,也有从举监招考充任,还有会试落榜中择取充任。如康熙四十四年开始遴选起居注与清实录的誊录人员,有时皇帝还亲加考试。善书者虽不能入仕,亦有一席之地以效其能。此外,不仅所开笔润优厚,还对包括誊录在内的修书人员给予入仕出路,且叙议一向从优。三是缮写要求严格,对修书过程中的缮写错误也严惩不贷。上述举措的实施,一方面使得清代文化事业极为兴盛,武英殿所刊"康版"书籍为海内所重、天下所贵;另一方面也从客观上扩大了馆阁体书法的流播与影响,推进了馆阁体书法的实用化倾向。

第四,程式化倾向:民书依赖字诀入彀。

后人学书和民俗需求是清代馆阁体书法程式化倾向的社会性因素。首先是馆阁体速成字诀的产生。馆阁体书法被清廷尊为官书正体,即便是馆阁大家们在不断的书学创制中谨守法度,渐渐摸索出一整套馆阁书法标准。康熙年间馆阁大家姜宸英,书宗米、董,楷法虞、褚、欧阳,以摹古为本，融各家之长，笔墨遒劲，气味幽雅，惟其书拘谨少变化。与刘墉、王文治、梁同书并称"清四家"的翁方纲书学唐贤，谨守法度，点画之间，讲求规矩，虽格清而气厚，却囿于法则、了无新创。直到乾隆年间，身兼修书总裁官、科举主考、吏部铨选官的汪由敦，才以"黑、方、光"三字诀定型馆阁体书法，成为后学模范的标准，连梁国治、彭元瑞这两位乾嘉翰林中的馆阁名家也不例外。梁、彭二人皆以程式化的应制之书见长，但因只强调法则和厚重感，少创见、无突破、渐趋呆板，书作被洪亮吉讥为"堆墨书"。对此，《宝云堂随笔》曾载："廷试策遂有黑、方、光三字诀，又有黑、大、肥、满四字诀。"馆阁体书法的产生是为了满足应用的实际需要，因此，作为朝廷使用的官方正体书写方式，馆阁体书法必须将实用性与艺术性有效统一于限制性书写之中，其最基本和最稳定的要求就是必须以字画端楷为首要标准，即：工整严格，易于辨识。所谓"黑"，即美观，艺术化。换言之，即乌黑，墨迹均匀清晰。所谓"光"，即整洁、整饬化。换言之，即光洁，一笔一划，清晰易读。馆阁体书家要考虑的首要问题是要将点、画、线条交代清楚，让阅卷大臣和君上看得清楚明白，这就需有厚实的正楷功底做支撑，对此，馆阁体书法以楷书见长，较之行、草自有其优势。所谓"方"，即规范，法度化。换言之，即方正，端正大方齐整。馆阁体书家必须要考虑到，官方正体书写方式务必体现清廷大一统、集权化的特殊政治需求与文化意志，并将其由皇室贵胄而馆阁股肱的公文往来、由官学祭酒司业而私学塾师的教学活动，自上而下地逐级投射到官场、科场和书法教学及实践中，就是要取法历史，推宗唐楷用笔之法，中规中矩，规范书写，以统一的程式消弭散漫的个性。可以说，无论是三字诀，还是四字诀，均源自多质性的馆阁体书法的外在实用价值体现的需要。这些字诀精准地体现了馆阁体文字表义性审美特征，遂成科举士子与民间书法争相模范的金科玉律。其次是后人学书依赖字诀。汉魏以降，从钟王到颜柳欧赵，历代不乏楷书大家，而世人学书亦必自习楷始。清代科举士子更不例外。书法史上，篆隶真行草诸体发展到魏晋已大备，此后的变化主要体现于艺术风格上。诸体之中，楷书出于汉隶，历千年之递变与发展，由钟王呈汉隶体势、阔绰风韵，至隋唐取精正谨严、合于法度，至宋元求率性多姿、游于意中,至明清关注姿美、古雅少韵,因其严格的正规性与普遍的实用性而被广泛应用于诰文、经文、科举乃至印刷,使之升格为汉字的标准,占有绝对重要的位置。及至清代,由于当时的学校和书院教育均服务于科举考试,受制于清廷用人制度。因此,上至中央官办的国子监和八旗宗室官学,中及地方官办府、州、县学,下至民间设立的学塾,无论官学私学,无论清前期教育重经学还是后期重经世致用,无论是学问博洽的国子监祭酒、司业,还是学塾、私塾义塾中的教馆、坐馆、教师,都将修习馆阁体书法提升至与研习八股文同等的高度,作为对学童的基本要求,这些字诀就自然成为学童习字的临池法度。学童自幼便必须接受严格的馆阁体书法训练的举措,一方面普及了书法的教育,促进了书法的学习;另一方面也扩大了馆阁体优劣参半的影响,使馆阁体书法程式化倾向日渐明显。再次是民俗对书法多元需求一统于馆阁体。清代书法在山川名胜、园林和其他建筑、民居、文斋、民俗中往往有着重要地位。山川名胜是清代骚客文人览物咏怀、题咏泼墨的所在;建筑尤其是园林建筑也需书法装点,大至宫殿楼阁,中至名园佳苑、巨室豪宅,历来不缺匾额、楹联或其他书法佳作;清廷礼教所倡导的对节妇烈女的旌表、对宗庙祠堂、旌节牌坊等建筑,也有大量匾额的题跋;普通民居历来有悬挂中堂、对联的习俗,文人雅士更有斋名、堂名、匾额、中堂、对联等室内装饰;清代更有婚嫁、做寿、丧俗仪式中赠送或贺或吊的对联的民俗。这一切,都离不开书法。而馆阁体书法既字体圆润端庄,平和典丽,风格隽秀,中正大气,又尤能体现书家功力、学识、涵养和境界,独具其他书体所难以企及的别样境界,非常适用于匾额、楹联、园林、古建。尽管馆阁体所创造的书法美形式常因东施效颦、邯郸学步者功力不足、僵硬模仿、终成俗笔而殃及其身,被多数擅书者鄙薄非议,却仍然被视为众多民俗需求的最佳选择。无论是后学对字诀的依赖,还是民俗需求对馆阁体的选择,都有力地加速了馆阁体的社会化普及,在书法教育和训练实践中具有毋庸置疑的正向意义,与此同时,却也加剧了馆阁体书法程式化的程度,使之日渐趋同化、单一化、模式化、教条化,丧失了书法意象的丰富性、多样性、灵动性,抹煞了书法艺术的个性、创造性,逐步走向僵化、衰落的局面。

二、法度承继及其意象特征

清代馆阁体又称"簪花格"或"场屋之书",是一种"端雅正宜书制诰"的特殊楷风(王文治语)。"簪花格"之谓化用"插花美女,舞笑镜台"一语,"场屋之书"则特指士子科举应制之书。前者喻指馆阁体书法精丽秀媚、工整娟秀的主要特质;后者则暗含馆阁体书平正均匀、应规入矩的整体书风。广义的馆阁体并不仅限于楷书,上至帝王贵胄,下至股肱重臣,举凡毫无个性,平板圆匀的行楷书体,皆属馆阁之列,如玄烨、弘历、铁保、永瑆、沈荃、陈奕禧、张照、汪由敦等人馆阁之作,此外,笪重光、姜宸英、汪士鋐、何焯、刘墉、梁同书、王文治、翁方纲等人的帖作亦时现馆阁痕迹。狭义的馆阁体则专指文人士子用于科举应制的"大卷"、"白折",前者常以字形稍大、字体方正、点画饱满、笔力雄健为要,后者常以字形袖珍、结体疏朗、清秀遒美、气息通畅者胜,二者均须字形方正、点画光洁、结体匀称、章法整齐,整体上往往显得端正拘谨、呆板齐整、缺少变化。然而,无论广义、狭义,馆阁体书法在笔法、字法、章法、墨法尤其是笔法上都有着严格的法度规范,呈现出异化的意象特征和变态的皇权意志。

第一,笔法:用笔丰润,点画饱满。

一是执笔有法,悬腕运锋。清代书家将执笔法推到了至为重要的地位。宋曹尝言:"真书握法,近笔头一寸。笔在指端,掌虚容卵,要知把握,亦无定法。熟则巧生,又须拙多于巧,而后真巧生焉。但忌实掌,掌实则不能转动自由,务求笔力从腕中来。譬之足踏马镫,浅则易于出入,执笔亦如之。"又称:"大要执笔欲紧,运笔欲活。"①蒋和则谓:"有就余求讲执笔者,为畅厥宗旨:使悬笔中锋,臂指如铁石,尽一身之力作蝇头小楷,所谓芥子纳山河大地。非好为神奇,亦欲存竹简漆书之意于万一云耳。"②朱履贞亦称:"故学书第一执笔,执笔欲高,低则拘挛。执笔高则臂

---

① (清)宋曹:《书法约言》,见侯镜昶:《中国美学史资料类编·书法美学卷》,江苏美术出版社1988年版,第138—139页。

② (清)蒋和:《拙存堂题跋》,见侯镜昶:《中国美学史资料类编·书法美学卷》,江苏美术出版社1988年版,第139页。

悬,悬则骨力兼到,字势无限。虽小字,亦不令臂肘著案,方成书法也。"①
朱和羹谈其临池感悟曾言:"执笔贵紧不贵松。余执笔非不紧,每于竖画
常形屈曲。后悟一味紧执直下,未为融洽;须得起笔顿足,然后走下,中间
略提,至末回顾,庶几心手双畅。"②对此,馆阁体书家在书法创制时都十
分关注,领悟很深。例如,《啸亭杂录》载成亲王永瑆"尝见康熙时内监言
其师少时又见董文敏用笔,惟以前三指握管,悬腕书之。故王推广其语,
作拨镫法谈";③《大瓢偶笔》称姜宸英"至戊辰后方用第四指学晋人书,
丁丑后方用大拇指,专工小楷",《清稗类钞》亦称其:"登第后,乃善作小
楷,以三指撮管端,悬腕疾挥,分行结体疏密合度。"④梁巘《论书帖》称汪
士鋐更"得执笔法,书绝瘦硬,颉颃得天,诸子莫及,曾见其题沈凡民印
谱,自谓初学停云馆麻姑仙坛阴符经,友人讥为木板黄庭。因一变学赵得
其弱,再变学褚得其瘦,晚年尚慕篆隶,时悬阳冰颜家庙碑额于壁间,观玩
摹拟,而岁月迟暮,精进无几",《清史列传》亦载其:"论书谓不学古隶,不
知波折往复之理,不习晋帖,不知回环牵结之妙,不玩唐碑,不知古人各自
成家之法。去其短,集其长,毋矜奇,毋尚险,庶几归于正而合于古。"⑤此
外,也有因不得执笔之法而被诟病的书家,如陈奕禧虽"作小楷亦稳称,
但留心字样,而不知笔法,故媚而少骨";⑥何焯则因"未得执笔法,结体虽
古,而转折欠圆劲"。⑦ 可见馆阁体书家对执笔法的看重。

---

① (清)朱履贞:《书学捷要》,见侯镜昶:《中国美学史资料类编·书法美学卷》,江苏
美术出版社 1988 年版,第 146 页。
② (清)朱和羹:《临池心解》,见侯镜昶:《中国美学史资料类编·书法美学卷》,江苏
美术出版社 1988 年版,第 157 页。
③ (清)昭梿:《啸亭杂录》,见马宗霍:《书林藻鉴 书林纪事》,文物出版社 1984 年
版,第 195 页。
④ (清)杨宾:《大瓢偶笔》,见马宗霍:《书林藻鉴 书林纪事》,文物出版社 1984 年
版,第 206 页。
⑤ (清)梁巘:《论书帖》,见马宗霍:《书林藻鉴 书林纪事》,文物出版社 1984 年版,
第 206—207 页。
⑥ (清)杨宾:《大瓢偶笔》,见马宗霍:《书林藻鉴 书林纪事》,文物出版社 1984 年
版,第 205 页。
⑦ (清)梁巘:《论书帖》,见马宗霍:《书林藻鉴 书林纪事》,文物出版社 1984 年版,
第 207 页。

二是用笔丰润,飘逸秀润。康熙年间,馆阁前辈帝师沈荃用笔轻盈飘逸,被梁巘视为董书遗风延续的关键环节。馆阁名家查昇用笔突出轻重波挑变化,婉转流畅,书法秀逸精妙,深得董书飘逸秀润之致。何焯《七言古诗》轴,①书法尤其工整,点画粗细均匀,用笔流润秀美。姜氏《小楷洛神赋》册,②以摹古为本,取法虞、褚、欧诸家,兼融汉魏之意,书风清劲秀逸,黄易评之"为楷法正宗,不可多得也"。陈邦彦《嘉瑞赋》轴,③用笔圆润,清劲秀美,受董其昌影响,更增柔润、端丽之姿,为康熙朝"干禄"正书的典型风格。乾隆年间,张照为清代馆阁体书法第一位关键人物,其书受董氏"同乡先贤"的熏陶,所题《岳阳楼记》被镌刻于岳阳楼上,人称"岳阳楼三绝"(名楼、妙文、好字),此记前六行为端庄舒朗的楷书,体现了张照对董氏书法飘逸笔法的领悟与把握;另作《武侯祠记》轴,④存柳体基本面貌而更趋规整,点画秀润,属典型的清代"馆阁体"书风。汪由敦所作《孝经》手卷(休宁县博物馆藏)用笔丰润饱满,亦代表了馆阁体书法的面貌。王文治少时曾苦学赵孟頫,得古法至纯,书风多重古法而笔力遒实,习得一手隽美的馆阁体书法,亦为馆阁体书法的重要代表;其馆阁书作则用笔规范而洒落,转少折多,以折为主,显得果断有致;运笔轻柔,瘦硬的笔画略带圆转之意,显得干净利落,既妩媚动人又俊爽豪逸,钱泳称誉其书"天然秀发,得松雪、华亭用笔";所作《快雨堂诗翰》骨骼清秀,恣态自佳,一股恬和圆润之气顿生,得赵书精髓;所书《关圣帝君觉世真经》一碑,法度严谨,取法颜、赵,用笔厚重,而温润恬雅之气贯穿始终,亦得赵书温文尔雅之精髓,足见当时馆阁书法之端倪;晚年所作如《楷书自书诗册》,用笔取自张即之、唐经生书迹,但笔力多靡弱,横竖粗细单调,短横、点画单薄,失圆润之态,起笔露锋,行笔中、侧锋互用,收笔用力,以侧锋取妍使得线条过光洁、少质感,"未免流入轻佻一路",予人以故作姿态之

---

① (清)何焯:《七言古诗》轴,绫本,楷书,纵171.2厘米,横42.8厘米,故宫博物院藏。
② (清)姜宸英:《小楷洛神赋》册,纸本,纵24.7厘米,横28.8厘米,故宫博物院藏。
③ (清)陈邦彦:《嘉瑞赋》轴,绢本,楷书,纵51厘米,横22.9厘米,故宫博物院藏。
④ (清)张照:《武侯祠记》轴,纸本,楷书,纵95.7厘米,横52.3厘米,故宫博物院藏。

感。嘉庆年间，与翁方纲、刘墉、铁保并称"乾隆朝四大书法家"的成亲王爱新觉罗·永瑆，在嘉庆九年上谕中被皇帝褒奖："自幼精专书法，深得古人用笔之意"，①堪称一代馆阁名家，其《书论》作于嘉庆丁巳五月，含结字管见、用笔、书势约指诸篇，用笔圆转丰腴、爽利飘逸，《楷书节录岳阳楼记》《楷书观瀑诗》亦为经典馆阁书作，用笔俊逸，多袭赵体之圆润端美，又具欧体之转折方劲，更显笔韵飘宕圆润之致。梁同书馆阁书作的用笔亦圆转温润，所书《汪安人传》册，②起笔点画一丝不苟，在徐疾有致、从容镇静的书写中表现出温文尔雅的书卷气。道光以降，馆阁体书法逐步走向程式化的巅峰，但用笔圆转、书风秀润者亦大有人在。如洪钧《楷书岳阳楼记》用笔秀劲，点画精整；道光三十年进士俞樾所撰、同治十三年状元陆润庠所书《钱母蒯太淑人传》，用笔圆润，点画浑朴；光绪二年状元曹鸿勋所作《楷书嘉言一则》，光绪二十九年状元王寿彭所作《楷书李白诗》，光绪三十年甲辰科状元刘春霖所作《楷书苏轼论书》、《楷书田园诗》、《楷书五言诗》、《楷书七言诗》，光绪三十年末科榜眼朱汝珍所作《楷书孟庙诗》、楷书节录《杜工部草堂诗话》，1905 年乙未科进士、翰林院庶吉士潘龄皋所作楷书节录《四库全书·砚山斋杂记》以及《十六家翰林文集》所集高振霄、郭则沄、蓝玉屏、潘龄皋、商衍瀛、夏孙桐、邢端、张启后等人楷作，均用笔爽利，点画精审，疏淡娴静。

　　三是运笔沉鸷，点画肥厚。馆阁体源自楷书，楷书点画线条特点为其基本点画要求。首先，点画肥重、线条均匀是其点画线条的静态特点。从静态上讲，点须饱满圆聚，画须横平竖直，线条须丰富、饱满、含蓄、有厚度，务使其筋骨血肉齐备，具备立体感、力量感和节奏感。其次，笔笔藏锋、墨迹厚实，是馆阁体方折圆转的动态要求。由于馆阁体书法的线条粗细变化不大，用笔运笔稍不留意，点画线条就会达不到要求，甚至出现软弱无力、僵硬死板的毛病，必须注重提顿、藏露、方圆、快慢等书法用笔、运

---

　　① （清）嘉庆帝语，见马宗霍：《书林藻鉴　书林纪事》，文物出版社 1984 年版，第195 页。

　　② （清）梁同书：《汪安人传》册，纸本，楷书，纵 26 厘米，横 11.6 厘米，故宫博物院藏。

笔手法。因此，从动态上讲，馆阁体书法的运笔务求恪守含蓄内敛的准则，把握好点画线条运笔中的轻重缓急、枯湿顿挫、节奏衔接、转换交叉乃至强度、厚度、藏露、中侧等诸方面的问题，更进一步讲，还要将书家个人的情感内涵与深刻寓意不经意地渗入貌似乌亮简单的点画，涵泳于古拙粗笨的线条之中，必使其一点一画一线中深蕴升平格力的风流气韵，方为上品。清代馆阁名家的馆阁书作创制往往运笔沉鸷，点画肥厚。例如，陈奕禧馆阁书作稳称，大字条幅沉着浑融，绝无轻佻之态，有"用笔千古不易之正宗"、"翰墨妙当代，海内翕然"之称，号称"香泉体"。张照所书馆阁之作，笔画转折多变，因"强笔"、"魄力雄"、"笔力沉鸷"而为乾隆所重，梁巘赞其"得天天分高，魄力雄"，吴德旋称其书"笔力沉鸷"，被时人后辈奉为此期馆阁大家。刘墉醉心于笔画充实、字体充实、使其力厚骨劲气厚，追求浑厚的审美理想，颇见沉稳潇洒的意趣；其馆阁书作用笔使转浑成，笔画绵力带刚，骨力坚凝则从笔画中来；入锋洁净，行笔果断，回锋者多，从而筋力溢于画中；截流为断，外柔内刚，笔划肥厚而飘洒；字字独立，笔笔稳健，异于连绵直下的习俗；功力深厚，多种师承蕴涵于丰厚饱满的笔画之中，貌丰而内劲，异于传统帖作的轻柔与外露，予人以思索和回旋余地；其晚年力书《小楷七言诗》册，①吸收了北碑的某些特点，在原来圆润遒媚的书法风格中融入方硬刚健的笔法，朴实沉厚，使其书风为之一变，有魏、晋人遗韵，册后邵松年在题跋中称此册"锋发韵流，有一泻千里之势"。翁方纲则书学欧、虞，擅长楷书，谨守法度，在"清四家"中尤以"守法"而出名；所作《楷书五言诗》，用笔较之刘墉更为舒展，点画坚实圆厚，点画之间讲求规矩，整体风格循规蹈矩、不激不厉。郭尚先《黄庭内景经》卷，②以颜真卿为根底，又融馆阁体姿韵，笔力雄浑坚实。此后，许翰宗欧体、临《灵飞经》，用笔骨力洞达，运笔挥洒流畅；程颂璠更独辟蹊径，融冶欧、颜、李、苏，撷取魏碑笔法入馆阁书作；余诚格则师法褚书，用笔沉着灵动、笔断意连，以隶入楷、尤见神韵；光绪传胪杜本崇书宗欧体，

① （清）刘墉：《小楷七言诗》册，纸本，纵6.9厘米，横11.8厘米，故宫博物院藏。
② （清）郭尚先：《黄庭内景经》卷，纸本，楷书，纵36厘米，横268.5厘米，故宫博物院藏。

但笔法中竖钩之收笔兼有赵体装饰性的下坠；黄自元的馆阁书作则欧体赵面，点画清晰素净、静雅内敛。上述各家馆阁书作中均可见出馆阁体书法点画线条的静态特点和方折圆转的运笔笔法的动态要求。

第二，字法：结体平稳，间架匀称。

孙过庭讲"一字乃终篇之准"，字的结体与间架对书法意义重大。清代馆阁体书作字法以结体平衡、间架匀称见称，具体表现为三个方面。

一是字呈方形，平衡匀称。汉字是表意的方块，具有平衡、均匀、对称、稳定的方形造型，成为"楷如立"这一楷体书风的基础。作为楷书的变体，馆阁体书法亦以方型字体为基本特征，其中既中和了篆书长结构和隶书扁结构的形体之美，也蕴藉着楷书组织点画线条时的"中和"的空间意识。在此基础上，清代馆阁体书法结体力尊唐楷之法，讲究平衡匀称。对此，翁方纲在《真草千文跋》中曾言："自古书家，唐以前正楷若钟之《力命》、王之《乐毅》，皆笔笔自起自收，开辟纵擒，起伏向背，必无千字一同之理。直至宋以后，乃有通体圆熟之书。此亦犹宋以后文字，说理益加明显，而无复古意者耳。"又在《宋人楷书论》中称："夫欧阳（修）所云：'书必有法'，未明言何等法也。……唐文有云'势似欹而反正'者，一言尽之矣。夫欹未有不衷于正者也，后世习姿媚而弊生者，知欹不知正也。"①强调结体的匀称平衡：平衡非平正，乃欹中求平、斜中求正；匀称非均匀，乃散乱中求法则；其馆阁书作《楷书五言诗》结体严谨匀均。再如，何焯《桃花源诗》轴结体工谨端秀，《七言古诗》轴则结构端庄洒脱，透露出恬淡灵秀之美；陈邦彦《嘉瑞赋》轴结体亦疏朗匀称；张照书《武侯祠记》轴结体工稳，字形大小一律；刘墉《苏轼秋阳赋》，结字为较扁平型、重心偏低，蓄势沉静内敛，异于瘦长型的清瘦秀媚，兼具独立的结体和稳健的笔法，庄重而不严肃，化神奇为平淡，将丰富的表现技巧在平易通俗的形式中表露无遗；王文治所书《关圣帝君觉世真经》一碑，结体稍纵，以左倾取势。余如汪由敦馆阁书法结字平稳匀称；梁同书《汪安人传》册结字妍美柔媚，

① （清）翁方纲：《复初斋文集》，见侯镜昶：《中国美学史资料类编·书法美学卷》，江苏美术出版社 1988 年版，第 183—184 页。

行款整齐;许翰书作结体娴适秀雅;黄自元书作结体平正匀称、端庄秀蕴,更曾以《间架结构九十二法》名世。清代馆阁书家们对字的结体要求既参照欧阳询的结字三十六法,也暗合蒋和对间架、布白的要求;无论是馆阁大臣还是科举士子均力求在限制性书写语境中,于方块字形、平衡匀称的结体中透出秀雅端庄、温柔敦厚的书法风貌。

二是取法各体,多元结体。清代馆阁书家多宗欧、虞、褚、柳、赵等前代帖学名家。一般来讲,欧体正楷结体开朗爽健,如《九成宫醴泉铭》、《化度寺碑》等;虞体正楷,结体婉雅秀逸,外柔内刚,沉厚安详,如《夫子庙堂碑》等;褚体正楷,结体疏瘦劲练,看似非常奔放,却深蕴着静谧的风格,如《雁塔圣教序》等;柳体正楷,结体严紧,其字取均衡瘦硬,追魏碑斩钉截铁势,点画爽利挺秀,骨力遒劲,"书贵瘦硬方通神",如《玄秘塔》、《神策军碑》、《金刚经》等;赵体正楷则体势紧密,姿态朗逸。清代馆阁书作的结体中往往既有前代各体特色,也各具独特风貌。例如,沈荃《录陆平原燕居课轴》,结字以欹侧中求平正,且行距颇疏,笔法温润,结体优雅匀称,堪称一代馆阁前辈。再如,被何焯推崇为康熙年间馆阁前辈的汪士鋐,其书虽能大而不能小,但学赵得其弱,学褚得其瘦,且有奇势,纵横自放。又如,张照馆阁之作结字聚散适宜,书风秀润婉丽,继而又跳出藩篱,融合颜董,兼化赵体,变秀婉为厚重,成为乾隆时期书风转变的先导,奠定了馆阁体书风的基调;其馆阁小楷的用笔结体秀雅大气,而馆阁大字则天骨开张、气魄浑厚,既得颜、米之神韵,又兼董书之潇洒姿逸。再如,王文治《快雨堂诗翰》,结构紧密内敛,无论用笔、结体,还是风貌,均有浓郁的董书意味,虽忠实地秉承帖意,却风神萧散,全无传统帖书的流转圆媚与轻滑,笔端毫尖处处流露出其非比寻常的才情。又如,梁同书《汪安人传》册,结体师法颜董;而爱新觉罗·永瑆"博涉诸家,兼工各体",其《楷书节录岳阳楼记》等馆阁书作结体疏朗,端正俊美之余,尤显风格典雅。余如刘绎、冯桂芬、牟所、温绍棠等人书作,刘书欧底赵面,冯书宗法欧虞,牟作书宗颜体、临《勤礼碑》,温书师法右军小楷。上述各家的馆阁书作结体虽各有千秋,却都谨守着馆阁体书法结体平衡、间架匀称的结字特点。

三是结体满格,尤尊颜法。① 清代馆阁书家们在结体多元、取法各体之中,尤其推重颜体满格法。对此,王澍曾言:"魏晋以来作书者多以秀劲取姿,欹侧取势。独至鲁公不使巧,不求媚,不趋简便,不避重复,规绳矩削而独守其拙,独为其难。"②其后,梁巘于《学书论》中曾谆谆告诫后学:"慎勿早学米字,学之不善,恐其堕入恶道。"又在《名人法书论》中提出后学应首先取径唐法:"唐人书多碑版,凡碑版有格,欲取格之齐,故排兵布阵,方正端严,而法胜焉。"并进一步明确提出结体宜首尊颜体满格之法:"鲁公《东方像赞》,其骨从欧出,而结体则展促方正,大小合一,满格而止,不使行间稍留余地。夫'展促方正,大小合一,务期满格',此即颜法也。"并指出:"颜鲁公作书不拘字之大小,画之多少,俱撑满使与格齐,而古意已失,徒形宽懈,终非正格也。"③可谓后辈学书结体之便捷正途。清代馆阁体书家尤其是科举士子应制书作的结体,大多合乎其论,多为满格结体之作。这也是清代馆阁体书法较之前代馆阁书作的一个特色。

第三,章法:端雅严整,中正堂皇。

作为皇家御用、清廷官用、殿试专用的艺术形式,清代馆阁体书法较之其他书体在章法上的要求更为严苛,既要坚守讲求条理、严整一律、章法肃然的谨严法度,又必须在实用化、功利化的限制性书写中力求蕴含端方、清新秀雅、中正堂皇的内蕴气象,呈现出端雅严整、中正堂皇的总体特点,具体表现在三个方面。

一是字字独立,大小一致。清代馆阁体书作往往字字独立、大小一致,字间没有明显的牵丝映带,看似毫无联系、章法萧散,实则一如姚孟起

---

① 可参考拙作:《书为心画:尚"真"求"趣"的生命情怀——晚明入清士人书法审美意识》,《书法》2014 年第 7 期。

② (清)王澍:《竹云题跋·颜鲁公东方朔画像赞》,见侯镜昶:《中国美学史资料类编·书法美学卷》,江苏美术出版社 1988 年版,第 184—185 页。

③ (清)梁巘:《承晋斋积闻录》,见侯镜昶:《中国美学史资料类编·书法美学卷》,江苏美术出版社 1988 年版,第 184—185 页。

所言:"圣于楷者,形断意连。"①有着超高的章法追求。而要达到这种效果,就必须于单字之内掌握好力度大小、点线肥瘦,形成字间字形、笔势的连绵、跳宕。对此,刘熙载曾言:"字体有整齐,有参差。整齐,取正应也;参差,取反应也。"②又称:"笔画少处,力量要足以当多;瘦处,力量要足以当肥。信得'多少'、'肥瘦'形异而实同,则书进矣。"③道出了馆阁体书法单字独立、大小一致却内蕴联系、形断意连的个中奥妙。包世臣也指明了书法创制实践的九宫法技巧:"字有九宫。九宫者,每字为方格,外界极肥,格内用细画界一'井'字,以均布其点画也。"④这些章法认识都在馆阁体书家书作中得以体现。例如,成亲王永瑆《书论》中,单字均独立,无一字字间连笔;字与字个个大小一致,均呈九宫满格之势,整齐划一;同时,上下字间虽无笔划上的牵丝映带,却借助单字末划收笔与下字首划起笔的笔势,相互呼应、形断意连,如"有"、"短"、"文"、"狭"、"矣"等字首划起笔,"声"、"之"、"盛"、"以"、"为"等字的末划收笔,均能俯仰照应、左右相顾。再如,陆润庠《钱母蒯太淑人传》中,单字有界格,字字不相接,方整满格,大小一致;同时,十分注重字内笔划轻重及空间配搭,如"钱"、"蒯"、"庙"、"尝"、"书"、"传"、"当"等笔划多的字,尤重字内上下、左右偏旁、部首的匀称、均衡,重心稳沉,字势一贯,而"太"、"文"、"人"、"禾"、"不"、"内"、"之"等笔划少的字,则注重字格中的空间留白,于九宫字格中计白当黑,暗合刘熙载所言之"笔画少处,力量要足以当多;瘦处,力量要足以当肥",显得端正严整,章法谨然。

　　二是行列齐整,纵横均衡。清代馆阁体书法的章法无不体现出这一显著特征。这种经常被书论家讥为呆板、非书法的分行布白形式,貌似整

---

　　① (清)姚孟起:《字学忆参》,见侯镜昶:《中国美学史资料类编·书法美学卷》,江苏美术出版社 1988 年版,第 196 页。

　　② (清)刘熙载:《艺概》,见侯镜昶:《中国美学史资料类编·书法美学卷》,江苏美术出版社 1988 年版,第 195 页。

　　③ (清)刘熙载:《艺概》,见侯镜昶:《中国美学史资料类编·书法美学卷》,江苏美术出版社 1988 年版,第 195 页。

　　④ (清)包世臣:《艺舟双楫》,见侯镜昶:《中国美学史资料类编·书法美学卷》,江苏美术出版社 1988 年版,第 194 页。

饬而毫无变化,实际上却于行列之间蕴涵着细微变化,在齐整的行列、均衡的纵横中呈现出不同书家的迥异气象。正如张照在《天瓶斋书画题跋》中所言:"九成之台必自地起,未知分布而能纵横出奇者,非所闻也。"①行列纵横的齐整均衡即为馆阁体章法的台基,而迥异气象则是其纵横出奇之处。例如,清代科举士子的场屋之书均能行列齐整、纵横均衡,股肱重臣的馆阁书作亦都显露着深厚的馆阁章法功底。在此基础上,馆阁名家们更于书作章法中蕴藉着各不相同的章法特点,于单一布白之外彰显着独具风韵的书家个性。例如,汪士鋐馆阁书法分间布白,无分寸失;张照馆阁书作章法秀媚婉丽、平正圆润,气势贯通、浑朴雄健,全无刻板之弊,为世所范;汪由敦馆阁书作雄厚多姿,章法整齐均衡;刘墉馆阁书法章法明朗,骨力内蕴,体势沉厚,雍容大度;王文治馆阁书法则章法灵动;翁方纲馆阁书法间架稳健端庄,字势呼应自然;永瑆馆阁之作《词林典故序轴》,章法匀整秀润,体势精丽,法度卓然;许翰馆阁书作章法雍容大气;黄自元馆阁书作章法严整均匀、工整美观。可见,有清一代的馆阁名家书作无不于整饬中彰显着端雅严整、中正堂皇的气象。

三是间距疏朗,体势呼应。宋曹曾言:"凡作书要布置、要神采。布置本乎运心,神采生于运笔。"②清代馆阁体书作常常字距适中、行距宽疏,全幅作品气势贯通、雅正疏朗,于巧妙"布置"之中见出"神采"。例如,梁同书馆阁书作章法循规蹈矩、温良恭俭,一如江南园林般灵秀艳丽的精工细作,全无北方山河之激流冲撞的突兀魄力,漫卷秀媚书卷之气,鲁迅先生幼年读书处的"三味书屋"匾额即其手迹;翁方纲馆阁书作《苏轼论书跋语轴》,字势连贯柔和,不急不躁,循规蹈矩,无可挑剔,又独具特色,极具温雅的贵族书风,不失馆阁大家风范。及至道、咸、同、光之间,馆阁体书法章法布白更显出"端庄杂流利、刚健含婀娜"的体势风貌,代表书家有刘绎、冯桂芬、牟所、温绍棠以及许翰、程颂璠、余诚格、吴士鉴、

① (清)张照:《天瓶斋书画题跋》,见侯镜昶:《中国美学史资料类编·书法美学卷》,江苏美术出版社1988年版,第194页。

② (清)宋曹:《书法约言》,见侯镜昶:《中国美学史资料类编·书法美学卷》,江苏美术出版社1988年版,第193页。

杜本崇、黄自元、刘春霖等人。其中,刘书章法行云流水、灵动飘逸、脱尽铅华、气韵超然,漫卷文人气息,写尽闲情雅致;冯书章法则疏秀简淡,雅人深致,独树一帜。刘、冯之作中并未见为人深诟的馆阁体束缚书家个性之弊。牟所和温绍棠是此期馆阁书家中大雅书风的代表,牟作章法沉雄伟岸、体势疏朗、小中见大;温书章法温文尔雅、静穆平和、闲淡散适;馆阁之雅,连大批帖学的康南海也不得不盛赞"晋、唐以来,无其伦比"。余如许翰章法间距疏朗,书风神采飞扬;程颂瑶章法体势遥接,格调尤见高古;余诚格章法隶意入楷、体势贯通、尤见神韵;黄自元馆阁书作章法舒展、书风刚健、文气蔚然。上述各家馆阁书作章法均于宽博间距中呈现出风格雅正、生气盎然的大家气象。

第四,墨法:墨迹厚实,藏锋于墨。

如前所述,清初馆阁体多以董赵为尚,在墨法上以董氏淡墨一途为宗,及至乾隆年间,先有馆阁大家张照倡导"强笔"、"魄力雄"、"笔力沉鸷"而为乾隆所重,开馆阁书作墨迹浓厚书风之端;继有汪由敦以"黑、方、光"三字诀定型馆阁体书法,其中"黑"即乌黑,实指墨迹均匀清晰。于是,崇尚浓墨、以"乌"为美成为与董氏淡墨法并立的又一馆阁体墨法艺术观。馆阁大家刘墉树立了浓墨墨法的典范,刘墉入乎赵董、师法晋唐、兼习北碑,学古能化、自出新意,其书喜用羊毫浓墨,用笔重、用墨厚,墨气浓厚,专取魄力;而作为"清四家"之一的王文治馆阁体墨法则延续了董氏淡墨一途,其作用墨淡润,墨色以淡为主、浓淡相间,藏锋于墨,务求风神,时人将其与刘墉并提,号为"浓墨宰相、淡墨探花"。清代馆阁书作用墨多以刘、王为法,呈现出浓淡两派的趋向。例如,郭尚先《黄庭内景经》卷、张照《武侯祠记》轴、翁方纲《楷书五言诗》、和珅《楷书二程粹言》、洪钧《楷书岳阳楼记》、陆润庠《钱母蒯太淑人传》、曹鸿勋《楷书嘉言一则》、潘龄皋楷书节录《四库全书·砚山斋杂记》等皆为墨迹浓厚之作;而王文治《快雨堂诗翰》、永瑆《楷书节录岳阳楼记》、《楷书观瀑诗》、王寿彭《楷书李白诗》、朱汝珍楷书节录《杜工部草堂诗话》、刘春霖《楷书苏轼论书》等则为藏锋于墨之作。在实际创制方面,面对阅卷大臣与君上,应试举子无疑是绝对的弱势群体,他们无不希望以拘谨敬慎而又清秀隽永的书写打动考官,以工整匀称、圆润精细的书法博美于君上。为此,他们在书法本体和书家主体两方面展开了墨法探索。一方面,从书法本体而言,馆阁体书法骨追晋唐、师法先贤,既得颜体之雍容贵气,又得欧体之峭拔秀丽,复有柳体之骨力洞达,更兼王褚之灵动、赵体之行笔,不仅清秀而不张扬,而且使行文提速,寓艺于用、藏锋于墨,成为古代楷书的另一高峰,以满足了清廷官方对应试书写的美学诉求;另一方面,从书家主体而言,馆阁体书家必须在严格的法度限制内进行浓缩、精练、严密无懈的造型艺术创造,无论浓墨、淡墨,馆阁书作皆须均匀清晰,美观大方,处处显露出典重中正的清廷皇族审美标准。更进一步讲,馆阁体书法墨法中蕴藉着深刻的哲学思想内涵,体现着一阴一阳谓之道的中国古代传统的辩证观和宇宙观。老子尝言:"知其白,守其黑。"在这种充满辩证意味的民族思维传统中,馆阁体书家于墨法一途必须一面力尚雅正,堂皇厚重,"不激不厉,而风规自远";一面内求秀雅,清风扑面,"纵复不端正者,爽爽有一种风气",最终造就了其墨迹厚实、藏锋于墨的墨法特征,影响着馆阁书作的整体风格。

三、书学精神及"中和"的异化

前文已从书体选择及其审美倾向、法度承继及其意象特征两个方面浅要分析了清代馆阁体的书艺发展倾向和物态化意象表征。毋庸置疑,这些都是清代馆阁体审美意识的重要方面。然而,这绝不是其全部内涵。在此基础上,清代馆阁体成为清廷官方正统意识在书法领域的异化代言,其审美意识基调是"中和",实质却是中和的"异化"。其书学实践重普及、尚皇权,功能与形式均趋异化,一面以精丽秀媚、端雅中正的形式美,承载着清廷赋予的实用化、功利化的各项功能,标举着清廷崇尚"中和"的官方审美基调,强化着清廷对书法领域的正统思想控制;一面以日趋正体化、程式化的异化书写,妄图抹煞书家个性化的书学创造,扭曲书法艺术发展的正常轨道,实则为官方正统书学意志不断培育着掘墓力量。

从书学背景而言,作为异族代汉的政权,清廷为寻求统治合法性、奠定并巩固思想正统地位的思想控制与政治教化需求,加强了对文化艺术领域的皇权意志渗透和官方正统代言培植。而清代书法领域的大格局是：书道中兴，帖碑二分，引领主流；与帖学尚"雅"求"正"的正统书风、碑学尚"质"求"朴"的复古书风并行的，还有晚明入清书家尚"真"求"趣"的浪漫书风、善画书家尚"怪"求"变"的变革书风等。在这种背景下，出于利益的考虑，清廷一方面骑驴找马，迅速介入书坛阵地，尊帖学为正统，崇尚"中和"审美基调，启动官方对书坛的正统控制；另一方面另起炉灶，加紧培植自己在书坛代言人和代言书体的步伐，最终选定馆阁体作为官方正体书法。

从书法本体而言，清代馆阁体的大肆流行抹煞了晚明遗民书家那种生机勃勃、富有冲击力的风格，将书风导入靡弱、僵化。对此，清人洪亮吉曾言："今楷书之匀圆丰满者，谓之馆阁体。类皆千手雷同。乾隆中叶后，四库馆开而其风益盛。……窃以为此种楷书在书手则可，士大夫从而效之，何耶？本朝若沈文恪、姜西溟之在圣祖时，查詹事、汪中允、陈奕禧之在世宗时，张文敏、汪文端之在高宗时，庶几卓尔不群矣。至若梁文定、彭文勤之楷法则又昔人所云'堆墨书'也。"[1]周星莲更称它"其实不过写正体字，非真楷书也"。[2] 包世臣、康有为亦对之颇多非议、大加攻伐。此后论者更是一提及即嗤之以鼻、语多讥诮，或称其仅有实用性全无艺术性，或以为其要求过于严苛，虽形式很美，但却因走向工整化、程式化的极致而显得过于规整、流于呆板，鲜有新意，给人以千人一面之感，其流弊日益泛滥，既为士人仕进之途的障碍，又是牢笼书家手脚、阻碍书艺发展的罪魁，甚至将帖学大衰之责全部归咎于馆阁体。可以说，清代馆阁体几乎始终处于被人诟病批驳的境地。这些论点代表了碑学笼罩下书家对帖学书风的普遍非难，虽不免对馆阁体苛责太过，亦可从侧面窥见馆阁体在清代流播的盛况。在馆阁体于乾隆年间定型之前，被清廷尊为书坛正统的帖学书法创制表现出不激不厉、平和简静即"中和"的审美观，书法守中和，主平和静穆，具有强烈的功利化倾向和政治教化意味。随着馆阁体在

---

① （清）洪亮吉：《北江诗话》卷四，人民文学出版社 1983 年版，第 66 页。

② （清）周星莲：《临池管见》，《历代书法论文选》，上海书画出版社 1979 年版，第 725 页。

清代广泛普及、大肆盛行,这种中和为美的书艺基调被广泛认同,书坛走势亦日渐趋向正体化、功利化、实用化、程式化,这四大审美倾向既是"中和"这一超稳定审美趣味对清代书法艺术渗透的畸形异化,更是清廷借助馆阁体对书坛各种力主雄浑恣肆的新变力量、崇尚偏激的"异端"思想的强行打压。馆阁体已俨然成为承载皇权"中和"审美意趣的异化代言。

从书家主体而言,馆阁体书家主要有两类:一是皇族重臣,二是科举士子。前一类馆阁书家是馆阁体书法的倡导者和馆阁法度的立约人,出于抚民安政、粉饰太平的政治需要,他们不仅在自己的书学创制中谨守端严雅正、温柔敦厚的馆阁法度,而且将馆阁法度的严苛程度不断加码,甚至将一切不依从此法的书学创新均视为"异端",大加攻伐。比如,乾隆年间,汪由敦秉承皇权"中和"审美意趣,将馆阁体法度定型为"黑、方、光"三字诀,开启了馆阁体程式化的历程;又如复兴篆隶、开掘碑学的邓石如,由于在书学创制中坚决反对帖学传统和馆阁法度,受到了京师以翁方纲为首的馆阁书家的极度排斥,被迫愤然离京;再如,道光年间,曹振镛主持科考时,惯喜搜寻疵累忌讳,开启了晚清科场专重书法且百般挑剔的风气。尽管这些都只是特例,但却足以显露出皇族重臣一类的馆阁书家对皇权审美的卫道自觉。后一类则是馆阁体书法的实践者与馆阁法度的顺从者,出于求取功名、谋官干禄的个人需要,他们不得不屈从于严苛的馆阁法度,极力追摹时风,演练应规入矩、了无生趣的雕琢排列,生恐在科举应试的"大卷"和"白折"中因偏旁有误、使用碑帖别体、点画出格越界、卷面涂改不洁等影响录取结果,以求高中举业、光耀门楣。这种情形下的馆阁书作,自然也就成了既无颜骨、又乏欧韵的墨猪奴书,全无个性和创造力可言,至于书法艺术的审美自觉则更无从谈起,只能走向畸形异化一途。

从深层内核而言,馆阁体被选为清廷官方意志的书坛载体之后,始终配合着清廷的统治需求,惟皇权马首是瞻。清廷将皇家审美趣味全盘灌入馆阁体,强行普及流播,使之成为清廷政治教化的有力工具。一是与蒙童教育挂钩,在教育领域普及,对民间学童展开教育驯化,在推广书法的名义下,妄图将书法个性和创造力扼杀于摇篮,以实现其顺民培育自孩童抓起的天真乡愿；二是与科考官录捆绑，在人事领域普及，对科举士子展开利诱奴化，在铨选人才的名义下，妄图以功名利禄的诱惑将书法的独立品格全面抹杀，把书法发展的大势纳入清廷政治教化的体系中，实现其牢笼天下士子、奴役智识阶层的险恶用心；三是与公文典籍直通，在文化领域普及，对书美取向展开扭曲异化，在强化基本功的名义下，妄图以繁文缛节的书写规范和传之后世的文化典籍转移民众视线、转嫁深层危机，力求将书法艺术的多元取法、多样追求一统于堂皇中正的馆阁书风，实现其妆点盛世、粉饰太平的扭曲得近乎变态的正统渴求。正是在清廷皇权意志的强力介入下，馆阁体逐渐由独立沦为附庸，由艺术堕入实用，其书法艺术功能严重萎缩，甚至被异化为政治教化的帮闲。如果说清廷将馆阁体与书学教育关联还含有普及书法教育、为书法创制奠定基本功的正向意义的话，那么，将馆阁体与八股文并列、与科举制度捆绑、与公文典籍直通，则直接导致了馆阁体书法堕入程式化的恶途，使书法由艺术而退居实用，彻底沦为帮闲、附庸，更是书法艺术的悲哀和大不幸。

　　总之，清代馆阁体书法所蕴藉的审美意识是对清廷官方"中和"审美基调的"异化"。这"异化"迥异于帖学、碑学等并行其时的其他书体，一再为人诟病；但正是因着这种"异化"的存在，"中和"才得以在清代各类书体的衍变与发展中根深蒂固、一贯始终，成为名副其实的"基调"。从这个角度来讲，馆阁体对"中和"审美基调的"异化"有其历史意义。

第四章

绘画审美意识

第一节 烟客山水：笔墨与图式中的审美传达

清初画坛派别林立、名家辈出，既有复古严谨的"四王"，又有啸傲山林的"四僧"，也有积墨为法的"金陵八家"。尤以"四王"承袭董其昌影响，技法功力深厚，并因王公大臣甚至皇帝赏识而受到大多数达官士人的垂青，被目为官方正统，统治着画坛。"四王"之中，王时敏的山水画迹引领着清初对山水画艺的主流趣尚，成就了清初山水画坛的高峰。王时敏以其丰富经典的山水画作、多元旨趣的意象符号、渊源有自的笔墨技法、典雅和正的审美特征、观念高踞其首，堪称中国古代山水画的集大成者。其画迹遗存在思维基质、创作构思、作品呈现、精神传承诸方面均深具清廷官方特质，或显在于画迹图像中，或潜藏于其审美意识中，左右着清初绘画的本体发展进程、主体心理结构、时代风尚播迁和传统精神取向。

一、奠基：烟客山水画功画迹小考

学界对"四王"尤其是王时敏山水绘画的理论研究遍及整体研究和个案研究的各个领域，涌现出一大批以画家画派和画论为切入点的史论著作。陈师曾、潘天寿、俞剑华、傅抱石、王伯敏、薛永年、徐琛等人的绘画史著述及黄懋园、郭因等人的画技画论著述均对"四王"山水有精到阐发。① 但学者们的理论兴趣似乎更偏重于对画学体系的建构，或某一画

---

① 参见陈师曾：《中国绘画史》，中华书局 2010 年版；潘天寿：《中国绘画史》，东方出版社 2012 年版；俞剑华：《中国绘画史》，东南大学出版社 2009 年版；傅抱石：《中国绘画变迁史纲》，上海古籍出版社 1998 年版；王伯敏：《中国绘画史》，文化艺术出版社 2009 年版；薛永年、杜鹃：《中国绘画史》，人民美术出版社 2000 年版；徐琛：《中国绘画史》，文化艺术出版社 2012 年版；郭因：《中国绘画美学史稿》，人民美术出版社 1981 年版。

家、某一画派乃至某一地区的画风发掘，并未将研究的重点放在对山水画迹的深入发掘和系统分析上，研究成果也多秉承了以画家和画论为中心的研究模式。这些都使得以画作为中心的王时敏山水画迹审美研究成为短板。随着学界对宏大叙事的日渐疏离和对穷究底里的兴趣隆盛，全面稽核考索王时敏山水画作遗迹，深入发掘其意象符号与笔墨技法所呈现或潜藏的审美观念或审美意识，揭橥清初山水绘画的本体发展进程、主体心理结构、时代风尚播迁和传统精神取向，成为清初绘画审美研究亟待强化的一个方向，既有很大空间，也确有必要。

清人张庚《国朝画征录》、《国朝画征录续录》集列清初至乾隆中叶画家460余位，其中，《国朝画征录》三卷集列画家248位。民国赵尔巽《清史稿》有载："张庚……学于书，深通画理，著画征录及续录，自明末至乾、嘉中，所载四百余人。"① 考索张庚对王时敏的描述可知，《国朝画征录·卷上》称，王时敏"凡布置设施、勾勒斫抚、水晕墨彩，悉有根柢。于大痴墨妙，早岁即穷阃奥，晚年益臻神化"，"为国朝画苑领袖。平生爱才若渴，不俯仰世俗，以故四方工画者踵接其门，得其指授，无不名于时，海虞王翚其首也"。② 民国赵尔巽《清史稿·列传二九一·艺术三》集列画家104位，对王时敏称颂有加，推重尤甚，可窥一斑。"明季画学，董其昌有开继之功，时敏少时亲炙，得其真传。……于黄公望墨法，尤有深契，暮年益臻神化。爱才若渴，四方工画者踵接于门，得其指授，无不知名于时，为一代画苑领袖。"③清人秦祖永《桐阴论画》沿用逸、神、妙、能四品论画之法，别出新论，尊董其昌、王时敏等为神品。梁章矩亦曾慨叹："王烟客……髦龄老笔，尚能精丽如此，宜其为我朝画家领袖也。"④方薰《山静居论画》亦谓："国朝画法，廉州、石谷为一宗，奉常祖孙为一宗。廉州匠心渲染，格无不备；奉常祖孙，独以大痴一派为法。两家设教宇内，法嗣蕃

① 赵尔巽：《清史稿》卷五〇四，中华书局1977年版，第13908页。
② 张庚、刘瑗撰：《国朝画征录》，祁晨越点校，浙江古籍出版社2011年版，第19页。
③ 赵尔巽：《清史稿》卷五〇四，中华书局1977年版，第13900页。
④ 参见梁章矩：《退庵所藏金石书画跋尾》，见卢辅圣主编：《中国书画全书》，上海书画出版社2009年版。

衍,至今不变宗风。"《清史稿·列传第二九一》曾传王时敏称:"王时敏,字逊之,号烟客、江南太仓人,明大学士锡爵孙。以荫官至太常寺少卿。时敏系出高门,文采早著。鼎革后,家居不出,奖掖后进,名德为时所重。明季画学,董其昌有开继之功,时敏少时亲炙,得其真传。锡爵晚而抱孙,弥钟爱,居之别业,广收名迹,悉穷秘奥。于黄公望墨法,尤有深契,暮年益臻神化。爱才若渴,四方工画者踵接于门,得其指授,无不知名于时,为一代画苑领袖。康熙十九年,卒,年八十有九。"①可见,王时敏画学功绩与地位在其生前身后俱为当时的画坛和官方普遍认同。对此,后世的研究者都给予了应有的关注。近人陈师曾在概论清代绘画时称,清代山水画"承明末之余风,加以王烟客供奉内廷,沈、文、董、陈之势蔓延于画界,所谓文人画之思想趣味,翕然投合,盖亦运会使然也",直接将王时敏视为清代绘画之宗;嗣后,又在论清代山水画时沿《清史稿》之说,将王时敏尊为"画苑领袖"②。其后,今人潘天寿概论清画亦称王时敏与王鉴等人"承其(吴派)盛势而为当时画家之领袖,为明、清两代开继之功臣","清初山水,咸以王氏一门为盟主。虽当时承明季学风,盛尚门户,顾未有能夺王氏之席而代之者,亦有所因也。盖烟客运腕虚灵,笔墨之间,若含稚气,此种造诣,惟烟客独步,谓为冠冕诸王,谁曰不宜"③。俞剑华也以为"清初之画风","最足以代表清朝之画派而风行天下,且与清朝相终始者,实为软媚枯淡之吴派","此派以黄公望为远祖,以董其昌为近宗,以王时敏、王鉴为诸父";"明、清之际,画派虽如雨后春笋,极一时之盛,然或囿于数人,或限于一域,旋起旋灭,如昙花一现,转瞬即归乌有。惟王时敏、王鉴二人在明末已蒙董、陈二家之激赏,俨然为真源之嫡乳,画苑之领袖";"王时敏上继文、董,为清代山水画之开山"。④ 这些对王时敏画苑功绩与地位的评说,被傅抱石、王伯敏、薛永年、徐琛、郭因等研究者及美术界、学界广泛接受。选取王时敏山水画迹作为研究清代绘画审美的特

① 赵尔巽:《清史稿》卷五〇四,中华书局1977年版,第13908页。
② 陈师曾:《中国绘画史》,中华书局2010年版,第96、99页。
③ 潘天寿:《中国绘画史》,东方出版社2012年版,第205、220页。
④ 俞剑华:《中国绘画史》,东南大学出版社2009年版,第187、198页。

定研究对象,正是基于他在清初山水画坛的上述画学实绩和当世公认的盟主地位,无疑是站得住脚的。

稽考各类书画汇册文献所辑王时敏生平画作可知,烟客一生笔耕不辍,丹青不可胜数。徐邦达《历代流传书画作品编年表》引录王时敏画作149 幅,剔除合册 18 件,有明确画题的尚有 130 幅,其中以仿题名者众,仅仿黄子久的画作已达 20 幅。① 郭味蕖《宋元明清书画家年表》引录王时敏画作 11 幅。其中,作 7 幅,分别是《江山萧寺卷》(见《考槃社支那名画选集二》)、《秋山白云图》(藏故宫博物院)、《松鹤高士图》(藏故宫博物院)、《山水册十二页》(见《知鱼堂书画录》)、《晴峦暖翠图卷》(见《南画大成十六》)、《层峦叠嶂图》(见《晋唐五代宋元明清书画集》)、《午瑞图》(见《南画大成四集》);仿作 4 幅,分别是《仿董北苑山水图》(见《四王吴恽画册》)、《仿王维江山雪霁图》(见《支那名画宝鉴》)、《仿黄子久山水图》(见《域外所藏中国名画集八(一)》、《四王吴恽画集》)、《仿李营邱雪山图》(见《四王吴恽画册》),仿作对象为董源、王维、黄子久、李成。② 刘九庵《宋元明清书画家传世作品年表》中 91 处提及王时敏,引录其画作多幅。③

较之徐著、郭著、刘著及诸家图版,郑威作了更为细致的工作,其《王时敏年表》引录王时敏画作更为全面。郑表稽考《王奉常书画题跋》、《中国绘画总合图录》、《中国古代书画图目》、《古画大观》、《石渠宝笈》、《历代流传书画作品编年表》、《台湾故宫名画三百种》、《南京博物院藏古画选集》、《南京博物院藏画》、《世界美术全集》、《中国历代名画精选》、《晋唐五代宋元明名家书画集》、《明清名画选》、《国画苑名画大观》、《澄怀堂书画目录》、《过云楼书画记》、《吴越所见书画录》、《虚斋名画录》、《虚斋名画续录》、《瓯钵罗室书画过目考》、《书画鉴影》、《红豆树馆书画记》、《迟鸿轩所见书画录》、《外家见闻》、《东洋美术大观》、《支那南画大成》、《桥本收藏明清画目录》等数十种文献、图版,从中按年份辑录出烟

---

① 参见徐邦达:《历代流传书画作品编年表》,上海人民美术出版社 1963 年版。
② 参见郭味蕖:《宋元明清书画家年表》,人民美术出版社 1982 年版。
③ 参见刘九庵:《宋元明清书画家传世作品年表》,上海书画出版社 1997 年版。

客画作达 304 幅。其中，作 162 幅；仿作 104 幅；题画 38 幅。① 郑威在年表中提及烟客所作的 162 幅中，花卉 4 幅，《端午花卉图轴》、《瓶花图轴》、《端阳花卉轴》、《端午景图轴》各 1 幅；扇页 31 幅，《秋山图扇页》、《春溪泛艇图扇页》、《山静日长图扇页》、《茅屋云深扇页》、《仿黄公望山水扇页》各 1 幅，《山水扇页》26 幅；此外 127 幅均为山水，直以"山水"命名者达 61 幅，《山水卷》4 幅，《山水册》4 幅，《山水册页》5 幅，《山水横幅》、《浅绛山水大帧》各 1 幅，《设色山水轴》2 幅，《山水轴》33 幅；另有《夏山飞阁图轴》、《南山图轴》、《层峦秋霁图轴》等 66 幅。仿作 104 幅画作皆为山水，其中，《仿古山水册》16 幅，《仿古名家山水册》、《仿宋元各家山水合璧卷》、《仿古袖珍册》、《仿诸名家册》、《仿元人笔意图轴》各 1幅，《仿王维江山雪霁图轴》、《仿洪谷子便面》1 幅，《仿杨昇法没骨山水轴》、《仿米家山水册页》、《仿范宽山水册页》各 1 幅，仿董源 3 幅，仿赵伯驹 1 幅，仿赵孟頫 2 幅，仿高房山 1 幅，仿黄公望 58 幅，仿倪瓒 6 幅，仿王蒙 5 幅，仿吴镇 3 幅；仿作对象为王维、荆浩、杨昇、董源、米芾、范宽、赵伯驹、赵孟頫、高房山、黄公望、倪瓒、王蒙、吴镇等人。

此外，尚有《中国美术全集》、《中国书画全集》、《中国传世名画全集》等著中收录了大量的王时敏画作。前人的这些成果都为我们以画作遗迹为中心，稽考和研究王时敏山水画审美特征、发掘和揭橥其后潜藏的时代审美意识奠定了坚实的基础。

二、集成：烟客山水的意象符号

自晋迄清，中国山水画经历了"人大于山，水不容泛"的萌芽、"金碧山水"和"全景山水"的发展、"文人画"的独立、"元际四家"和"吴门画派"的巅峰，一路行来，蔚为大观。与此同时，也成就了一整套独立的山水画意象和话语体系。山水画的意象符号，可从历代名家画论中稽出清晰的脉络。萌芽时期的六朝山水意象，俞剑华曾有明断，山水画自顾恺

---

① 参见郑威：《王时敏年表》，《上海博物馆集刊》第六期，上海古籍出版社 1992年版。

之、宗炳、王微而后,孑然独立,完全从真实山水写生中得来。① 据顾恺之《画云台山记》所载,其山水之作中至少涉及山、云、天、水、日、石、冈、峰、崖、磵、桃、松、亭、路、泉、渊、凤、虎等自然物象。宗炳因遍游名山之感发,于《画山水序》发明山水画写生之方法,颇与现代透视学相合。王微《叙画》则称:"以一管之笔,拟太虚之体;以判躯之状,画寸眸之明。曲以为嵩高,趣以为方丈。……然后宫观舟车,器以类聚;犬马禽鱼,物以状分。此画之致也。……按图按牒,效异山海。"顾、宗、王三例俱可见出俞氏所论非虚,山水画的意象符号正是源自自然山水的模范。托名萧绎所作的《山水松石格》直论山水画中山、水、松、石、天、地、云、水、亭、林、草、泉、雾、观、桥、人、犬、兽、禽、霞、桂、路、鸟等诸意象之绘画笔法。高峰时期的唐五代山水意象,诸家亦有知言高论。杜甫曾作《戏题王宰画山水图歌》、《戏韦偃为双松图歌》、《奉先刘少府新画山水障歌》等题画诗数首,点破山水画之玄妙正在一水、一石、一松、一树、一舟、一亭、一寺的意象符号之中。王维《山水诀》直言:"夫画道之中,水墨最为上。肇自然之性,成造化之功。"道出山水画意象取自自然、造化的真谛;又在《山水论》中细数丈山、尺树、寸马、分人、目、枝、石、水、波、云、泉、楼台、道路、巅、岭、岫、崖、岩、峦、川、壑、涧、陵、坂、寺舍、小桥、岸堤、古渡、烟树、征帆、根藤、水痕、林木、风雨、早景晚景、春夏秋冬等具体物象。张彦远《历代名画记·论画山水树石》则称:"魏、晋已降,名迹在人间者,皆见之矣。其画山水,则群峰之势,若钿饰犀栉,或水不容泛,或人大于山。率皆附以树石,映带其地。"先论魏晋山水意象总貌;继称:"国初二阎,擅美匠学,杨、展精意宫观,渐变所附;尚犹状石则务于雕透,如冰澌斧刃,绘树则刷脉镂叶,多栖梧菀柳。功倍愈拙,不胜其色。吴道玄者,天付劲毫,幼抱神奥,往往于佛寺画壁,纵以怪石崩滩,若可扪酌。又于蜀道写貌山水,由是山水之变,始于吴,成于二李;树石之状,妙于韦偃,穷于张通……近代有侯莫陈厦,沙门道芬,精致稠沓,皆一时之秀也。"乃言唐代山水意象仍不出山水树石,但在各时期诸画家笔下各显所长、不守俗变。荆浩《山水

---

① 参见俞剑华:《中国古代画论精读》,人民美术出版社 2011 年版,第 252 页。

赋》、《笔法记》及托伪之作《画说》、《山水节要》皆为探讨山水的名篇，《山水赋》论及山水之法、式、诀，《笔法记》论画山水之要，《画说》品评作山水画的经验，《山水节要》杂涉山水笔墨之法，均涉山水要论，更于字里行间点破山水意象尽出自然。其后，李成《山水诀》、李澄叟《画山水诀》、沈括《梦溪笔谈·论画山水》、郭若虚《图画见闻志·论三家山水》、苏轼《东坡论山水画》、郭熙《林泉高致》、晁补之《无咎跋董源画》、米芾《海岳论山水画》、董逌《广川画跋·论山水画》、《宣和画谱·山水叙论》、韩拙《山水纯全集》、米友仁《元晖题跋》、汤垕《画鉴·论山水画》、饶自然《绘宗十二忌》、黄公望《写山水诀》、倪瓒《云林论画山水》、王履《畸翁画叙》、沈周《石田论画山水》、唐寅《六如论画山水》、文征明《衡山论画山水》、文嘉《文水题画山水》、莫是龙《画说》、董其昌《画禅室论画》、陈继儒《眉公论画山水》等由唐至明历代画论家的画论均一再印证此说。

作为山水画、文人画的集大成者，王时敏从历代前贤的山水画作及其画论中获益良多。作为董其昌的嫡传弟子，他对晚明画论中的山水画精义领悟尤深，尤以莫是龙、董其昌、陈继儒之论对其山水画创作的影响为大。莫是龙、董其昌、陈继儒俱为晚明画苑大宗。莫是龙论画以李成为北宗、王维为南宗，尤推王维之"无间然"，其《画说》称："画之南北二宗，亦唐时分也，但其人非南北耳。"又称："画家以古为师，已自上乘，进此当以天地为师。"董其昌则在《画旨》、《画眼》、《画禅室随笔》中标举画分南北宗，力倡源自王维、董巨李范米芾父子承继、黄王倪吴正传、文沈远接衣钵的文人画风。陈继儒称："山水画自唐始变，盖有两宗，李思训、王维是也。李之传为宋王诜、郭熙、张择端、赵伯驹、伯骕，以及于李唐、刘松年、马远、夏圭皆李派。王之传为荆浩、关仝、李成、李公麟、范宽、董源、巨然，以及于燕肃、赵令穰，元四大家皆王派。"又称："文人之画不在蹊径而在笔墨。"在这些理论的熏染下，王时敏的山水画创作学习主要沿着南宗的路子展开，并主要致力于对笔墨和图式的追求。如前所述，现存王时敏画迹中有百余幅仿作作品，这些作品的仿作对象有王维、杨昇、董源、范宽、米芾、赵伯驹、赵孟頫、高房山、黄公望、倪瓒、王蒙、吴镇等人，尤以仿黄公望作品数量为最，这些仿作对象俱为南宗的代表画家。以至于后世论家以"复古"评之,多加诟病。然而,事实上,王时敏的"仿"与简单的"复古"是不能等而视之的。王时敏在山水画意象创构方面学古而化的功力十分了得。在他创作与仿作的前述那些数量颇多的山水画迹中,王时敏为我们营构、呈现出自具机杼、足称繁复的烟客山水意象符号体系。

遍览烟客山水画迹,这一体系至少可见出三个层次:一层为眼中山水即物象;二层为胸中山水即心象;三层为笔下山水即墨象。物象层面的意象符号几乎涵括了自然界中所有的山川林峦、树石时景。如《南山图轴》、《武夷山图》、《长白山图卷》之写山,《溪亭山色图轴》、《秋峦双瀑图轴》、《溪山秋霁图轴》之状水,《浮岚暖翠图轴》、《松风叠嶂图轴》、《松岩静乐图轴》、《雪峰树色图轴》、《南山暖翠图轴》、《晴岚暖翠图卷》之写树石,《夏山飞阁图轴》、《夏山晓霁图轴》、《幔亭秋色图》、《层峦秋霁图轴》、《林壑清秋图轴》之状时景。心象层面的意象符号无处不在。如《杜甫诗意图册》之写意,《恺悌君子图卷》之高风,《虞山惜别图轴》之别情,《暝雪卧月图卷》之萧散,《夜读图轴》、《归邨图、农庆堂读书图合卷》、《溪山胜趣图卷》之雅意。无论是物象层面还是心象层面,烟客画迹中的意象符号均化为经其营谋布局、精雕细琢之后的笔下墨象,无一笔无来历的森严法度之中尽显烟客清真雅正的审美趣尚。

三、纯粹:烟客山水的笔墨功夫

笔墨是山水画的重要视觉媒介,更是清代山水的精魂,涵括笔法和墨法。笔法写物象的结构形体,墨法写物象的浓淡虚实。宗传统、尊笔墨,正是烟客山水的毕生追求,也是他于山水画史在画学理论与创作实践两方面的突出贡献。

然而,山水画宗传统、尊笔墨之美的审美境界并非至清方始。早在托名南北朝时期梁元帝萧绎所作的《山水松石格》中即有"或格高而思逸,信笔妙而墨静"、"或难合于破墨,体向异于丹青"、"高墨犹绿,下墨犹赪"、"审问既然传笔法,秘之勿宜于户庭"之语,揭开了山水画尊崇笔墨之美的序幕。有唐一代,王维《山水诀》亦于"春夏秋冬,生于笔下"句中以"笔"代画,并分画家为妙悟、善学二端,以为"妙悟者不在多言,善学者还从规矩",此处"规矩"之说当为山水画注重传统、强调笔墨之法的肇端。及至五代时期,荆浩《笔法记》绅绎"六要"时已将笔、墨视为其两大重要的形式要素;《图画见闻志》曾载荆浩品评画家语:"吴道子有笔而无墨,项容有墨而无笔。吾当采二子之所长,成一家之体。"既创出山水笔墨并重之论,又明确标举了"有笔有墨"的论画之法。降及宋元,山水画的传统与笔墨更得到了长足的进步。徐建融以为,中国山水审美境界约略可分为三:宋以丘壑尊物境之美,元以人品尊心境之美,清宗传统尊笔墨之美。① 显然,这些论点是符合画史实际的。即便在以丘壑尊物境之美的宋画和以人品尊心境之美的元画之中,对笔墨之美的锤炼与追求也达到了相当的高度。宋画之中,董北苑、巨然有落茄点、披麻皴之创;李成有淡墨卷云皴之法;范宽亦有雨点皴即豆瓣皴之创;李唐、马夏则有大斧皴之造;等等。元画之中,黄子久谓:"逸墨撇脱,士人家风。"倪云林则称:"逸笔草草,不求形似。"但是,无论宋、元,山水画中的笔墨都不能算作纯粹的形式之美,笔墨在宋元山水中均未具备独立的审美意义,只服务于并决定于特定的内容或目的。宋画的笔墨旨在刻画客观物象,实为工具;元画的笔墨旨在传达主体意兴,亦为工具。这一境况自晚明董文敏而一变,他将唐宋山水"重丘壑"的传统转向了"重笔墨",力图抽象之、提纯之并使之独立。董其昌《画禅师随笔》称:"画家当以古人为师已是上乘","以境之奇怪论,则画不如山水;以笔墨之精妙论,则山水决不如画","古人云,有笔有墨。笔墨二字,人多不晓,其有无笔墨者? 但有轮廓而无皴法,即谓之无笔,不分轻重、向背、明晦,即谓之无墨"。自此,笔墨独立于自然之外,成为形式技巧与画家功力的表征,承载画家品第的标准,走上了独自高标的时代。山水画笔墨意识亦在元明之际具备了独立性与纯粹化的品格。可以说,此论鼓励了文人山水画对"笔墨美"的发掘热忱,也开辟了山水画笔墨对自然物象不断取舍、提纯、精练的抽象化、程式化历程。无怪乎徐建融在其另一部专著中明示:明清绘画的主流即在

---

① 徐建融:《元明清绘画研究十论》,复旦大学出版社 2004 年版,第 266 页。

笔墨。① 但文敏却又将笔墨"气韵"之美的得来尽归于"读万卷书,行万里路"的物境与心境,未能在笔墨审美的独立上再进一步,是为一憾。

较之文敏,以烟客为代表的"四王"则更具革命性,他们抛却了读书、行路的物境之美与心境之美,将笔墨之美本身视为山水审美的全部内容,并在山水绘画中孜孜不倦地直奔主题,于画作中直接将笔墨之美作为纯粹的审美目标独立出来,努力追求笔墨的形式语言之美。

作为董文敏的高足,烟客于幼年即因祖父"属董文敏随意作树石,以为粉本"之故,得到董其昌"凡辋川、洪谷、北苑、南宫、华原、营邱,树法、石骨、皴擦、勾染,皆有一二语拈提,根极理要"的指点,因此,对山水画的传统和笔墨之美皆有心得。(恽寿平《瓯香馆画跋》)具体而言,烟客山水笔法尤尊黄子久,线条空灵、用笔涩润,画作干湿浓淡皴法相交,时见书法意趣,山石皴法尤以披麻皴后叠加迭皴、淡墨渴笔,明洁滋润、刚健苍老、丘壑浑成,画风颇得子久笔墨之妙;烟客山水"墨法之妙,主从笔出",画作笔墨多润中带干,画风苍润秀浑,一如其自谓"画不在形似,有笔妙而墨不妙者,有墨妙而笔不妙者。能得此中三昧,方是作家"。

早岁所作《为明翁作山水图》轴(1616年,藏上海博物馆)、《山水图扇》(1625年,藏北京故宫博物院)、《山水图扇面》(1627年)等画作,皆画群山、屋舍、柴门、水带、树石、水草,在笔墨上均取法元四大家之黄子久,却将黄子久之雄浑化为董文敏之尖细文雅,笔力稍嫌纤弱。《仿倪瓒山水轴》(1627年,藏北京故宫博物院),于笔墨上摹仿倪云林,获董文敏、陈眉公激赏。董题称:"遂能夺真,当今名手不得不以推之。"陈跋称:"启南老,征仲嫩,王尚玺衷之矣。"倪云林之画似嫩而苍,尤为难学。烟客此画,一水两岸、土坡拥树、空亭远山的意象布局,渴笔淡墨、中侧互见、折带皴的倪家笔法,出众之处正在学倪画而兼得其形、韵,不足之处则在用笔规矩有余而灵动不足。《仿云林春林山影图》(1633年,藏北京故宫博物院),较之前幅习作,变倪氏秀峭笔法为董氏之秀润,神、韵、气距云林皆远,更多的是董文敏所倡的笔墨精神。《仿董北苑山水轴》(1629年,藏上

① 参见徐建融:《传统的兴衰》,上海书画出版社2003年版。

海博物馆)意临董源,参以巨然、黄子久。《古木竹石图》(藏上海博物馆)则颇得黄鹤山樵王蒙笔意。《长白山图卷》(1633 年,藏北京故宫博物院)虽非摹古之作,然山形水势、云林漫树、芳草苍苔却无一笔无来历,处处可见由董文敏而上溯南宗诸大家的笔墨痕迹。

壮岁所作《秋山白云图轴》(1649 年,藏北京故宫博物院),取法子久,笔墨秀润,披麻皴与横点皴相间,淡墨湿笔,细密润媚,画秋山雨后、浮云流泉,尽显萧疏气象,虽自题:"虽曰摹仿大痴,实未得脚气也,愧绝愧绝。"实则得其神而不再其迹似之间。《丛林曲涧图》(1650 年)类《云山书斋图》(1658 年),笔墨师法黄子久,又间杂董文敏,另融董北苑、巨然、黄鹤山樵及云林的山石树木画法,尽得子久布局、气势,又变子久的雄壮、遒丽为浑厚、秀媚及儒雅。《为卫仲叔画山水图》(1658 年)与《松鹤高士图》(1661 年)及前两幅仿黄公望的作品相类,用笔求"毛"而达"暗",所谓"山水非毛不厚"是也,即淡墨渴笔皴擦山体石面,令人倍觉浑厚苍茫。《仿古山水图册》(十二开,藏北京故宫博物院)为其壮岁杰作,力摹董北苑、巨然、米友仁、赵令穰、赵承旨、赵孟頫、黄子久、倪云林、吴镇、王蒙诸家,妍而不甜,艳而能典,精谨严整,恪守法度,深得诸家要旨。此十二幅者,虽面貌各异,但不论山势、峦头、坡脚、水口,还是丛木亭屋、苔点皴法,笔墨技法均一以贯之,实已化诸家为一家:温润如雅、温柔冲和、平淡沉稳、法度森严、求"毛"达"暗"。无怪乎尽管烟客自谦"软甜疥癞,不足为法",吴大澂仍将之视为所见王画"第一神品"。

《放黄公望山水图》(1663 年)、《山水图扇》(1665 年)、《峰峦华茂图》(1669 年)、《仿黄公望浮岚暖翠图》(1672 年)、《松岩静乐图》(1671 年)等则俱为烟客晚岁仿子久佳作。《仙山楼阁图》(藏北京故宫博物院),与《松鹤高士图》相类,明润苍洁,风流蕴藉,吴伟业称之:"苍深高远,尺幅间恍见仙真栖止,出入于烟云缥缈间。笔墨之奇,非仅得子久三昧也。"《虞山惜别图》(1668 年)更见功力,淡墨渴笔皴擦山体石面,加以淡湿墨笔渲染,用笔"毛"而达"暗","暗"而"不明",浑厚苍茫。《山楼客话图》(1673 年)笔墨与布局均异于惯常、力求突破,于子久之外,更见黄鹤山樵气象,且有烟客自己的创构,独具空灵飘逸之气。《仿古山水册》

（1662年，藏北京故宫博物院）和《作杜甫诗意图册》（1665年，《石渠宝笈初编》著录）①更是代表王时敏山水创作水准的晚岁佳构。《仿古山水册》分题仿董北苑、倪云林、黄子久、赵承旨、吴镇、王蒙、张中、赵令穰、陆广、徐贲等。较之壮岁所作《仿古山水图》，差异立显：后者求形似而儒雅文秀；前者师其意而从己心，不在其迹。尤其是干笔皴擦的大胆广泛运用，已冲破诸家藩篱，自成一家；山水树立形态也不再谨守各家面貌，时出己意。《作杜甫诗意图册》（十二开）更是烟客晚岁最杰出的画作。晚岁所作的这两套册页，或曰仿古、或曰画杜，实则均为冲破樊笼、自出机杼、自成一家的写意创造和典型代表，令人耳目一新。

纵观烟客一生画迹，不难见出王时敏山水画独特的笔墨风格：注重笔墨，用笔圆润、笔法求毛，嫩处如金、秀处如铁、卓然成品，墨法醇厚、色墨融通，淡墨干笔皴擦，淡墨湿墨渲染，干湿浓淡富于变化，笔致老辣。这种笔、形、意、情浑然一片而气脉贯连的笔墨风格的形成有其特有的嬗变轨迹：早岁从董文敏直追先贤，尽肖各家山水风貌，奠定传统笔墨的深厚根底，并以清润文柔的笔墨得董氏神髓；中岁渐脱文敏牢笼，直接元季子久之风，并于临摹传习之上，干笔皴擦力求用笔之"毛"、画风之"暗"，尽得浑茫苍厚之势；晚岁笔墨更从心所欲而臻至高庙之境，卓然成家，宗主海内。细读烟客一生各时期的山水画迹，其摹古实为化古融变，笔法由文秀而儒雅更进于老辣；墨法由清润而浑厚更进至苍茫，可谓融诸家之法随机发生。总之，无论是早岁、壮岁画作，还是晚岁画作，王时敏无不对笔墨之美倍加关注，在学习古人笔墨之法的同时，既重笔法，又重墨韵，于笔墨的

---

① 十二开册页所绘杜诗分别是：第一开，《九日蓝田崔氏山庄》："蓝水远从千涧落，玉山高并两峰寒。"第二开，《南邻》："白沙翠竹江村暮，相送柴门月色新。"第三开，《客至》："花径不曾缘客归，蓬门今始为君开。"第四开，《七月一日题终明府水楼》其一："断壁过云开锦绣，疏松隔水奏笙篁。"第五开，《涪城县香积寺官阁》："含风翠壁孤云细，背日丹枫万木稠。"第六开，《登高》："无边落木萧萧下，不尽长江滚滚来。"第七开，《暮登四安寺钟楼寄裴十迪》："孤城返照红将敛，近寺浮烟翠且重。"第八开，《严公仲夏枉驾草堂兼携酒馔得寒字》："百年地僻柴门迥，五月江深草阁寒。"第九开，《秋兴八首》其二："请看石上藤萝月，已映洲前芦荻花。"第十开，《送李八秘书赴杜相公幕》："石出倒听枫叶下，槽摇背指菊花开。"第十一开，《七月一日题终明府水楼》其二："楚江巫峡半云雨，清簟疏帘看奕棋。"第十二开，《题张氏隐居二首》其一："涧道余寒历冰雪，石门斜日到林丘。"

情、力律动中呈现出烟客主观心性特征,其宗传统、尊笔墨的艺术追求随处可见,悟深而随出,对古人笔墨展开炉火纯青的化古师法和集大成式的总结性推进,成就了画论与实践的双重高峰。

四、经典:烟客山水的图式风格

"山川之美,古来共谈。"(南朝陶弘景《答谢中书书》)图式是山水的法典,涵括笔墨、色彩、构架、意蕴诸要素。笔墨当随时代,图式亦然。不同时代自然有不同的语言符号和审美图式。它是各朝各代借由迥然相异的话语形式营造的承载不同精神蕴涵的生态语境,尤以语言程式和审美内涵为要,同时又与彼时彼代的时代精神紧密关联,承载着迥然相异的精神追求和审美意趣。因此,笔墨的纯然求索与图式的形态转换,是时代变迁背景下山水画发展的必然趋向,也是山水画发展的内在需要。烟客山水图式以"重笔墨轻丘壑"著称,是清代山水的典范,几成其后三百年间山水绘画的笔墨程式。

综览烟客山水画迹,烟客山水丘壑的布置多取一层坡、二层树、三层山的固定程式开合而成,树丛的组织穿插、山峦的结构堆垒也是大同小异,几乎都恒定不变地选择于左上方或右上方的天际空白处,从而使所描绘的物象,纯粹成为一种平面构成式的设计,成为他继承传统之法、展现笔墨之美的框架。可以说,烟客山水画迹的文笔雅秀,章法端严,进一步完善了古代山水画的经典图式。总体来看,其图式均为平面化的小石布排而成山,堪称概念的、程式的经典样式。这一经典图式源自中国山水画的传统笔墨样式,成为纯然独立的笔墨形式语言之美的奠基,是烟客笔墨功力的具体落脚点。如前所述,在王时敏看来,笔墨之美是山水创作的准则和评判的标准,传统之法是笔墨之美的起点和归宿。正是因着这些经典图式的完美追求,烟客山水的笔墨之美才不至于沦入无所依托的尴尬境地。

具体而言,烟客代表性山水画迹无一不既深具纯然之笔墨,又颇有匠心之图式。纯然的笔墨之美在烟客山水画迹中处处可见。例如,《山水册》①

---

① (清)王时敏:《山水册》,纸本墨笔,纵23厘米,横31厘米,故宫博物院藏。

是烟客众多山水图册画迹之一,其笔墨取法子久,干皴湿染,莽苍深邃。《仙山楼阁图》①为贺寿之作,笔法亦宗子久,干湿皴擦,勾线空灵,浓淡点染,苔点细密,墨法则宗文敏,明洁苍润,气厚力陈。《南山积翠图》②亦为祝寿之作,繁复用笔,气势雄伟,行笔缜密,墨气酣畅,清润自然。《秋山白云图》③以大小披麻皴显山石之阴阳,辅以密点为苔,树木或勾点,或直以横竖点法写意,更以赭石、花青为树石着色,用笔隽秀沉厚,水墨雅淡清丽,颇得文敏推崇之南宋画风。《落木寒泉图》④渴笔淡墨,折带间杂披麻,清劲平淡,温雅宽和,颇得云林笔意。《杜甫诗意图》⑤用笔潇逸。《丛林曲涧图》⑥笔法文秀。这些力作均可见出王时敏超出常辈的笔墨功夫,与此同时,这些笔墨功力的显现却又绝非毫无依傍的空中楼阁,它们都巧妙地借助烟客匠心独运的图式布局彰显出来,形成以烟客为核心的"四王"山水的典型样式。例如,《山水册》写山野景致,幽雅静穆。《仙山楼阁图》写松岭溪村,功力深厚;远眺为层叠的峰峦山岭和覆顶的林树,中观是溪出高山低汇成河,山林环抱中间置绰约的楼阁,压轴近景为两株巨松,层次分明,布局得当。《南山积翠图》主峰踞正,众峰烘托,密树浓荫,云气浮生,以高山苍松寓"寿比南山",是烟客山水的经典佳构。《秋山白云图》全景布局,远山以尖峰为主、孤峰相辅,中景山林密布、屋舍掩映,近景泉流自屋旁急出,山石阴阳分明,丛树横竖勾点,薄施淡彩,显出明显的一层坡、二层树、三层山的章法布白的雏形。《落木寒泉图》写太湖秋岸,寂静秋凉,近为铺满碎石的湖边坡地,中为右侧高峰,远为一带横山展于空旷水面之间,一派潇疏荒寒、平和温雅之气。《杜甫诗意图》十二幅册页或状绝壁高峡,或写山乡春景,或绘松石云林,或题藤荻花月,或

---

① (清)王时敏:《仙山楼阁图》,纸本墨笔,纵133.2厘米,横63.3厘米,故宫博物院藏。

② (清)王时敏:《南山积翠图》,绢本设色,纵147.1厘米,横66.4厘米,辽宁省博物馆藏。

③ (清)王时敏:《秋山白云图》,纸本设色,纵96.7厘米,横41厘米,故宫博物院藏。

④ (清)王时敏:《落木寒泉图》,纸本墨笔,纵82.8厘米,横41.5厘米,故宫博物院藏。

⑤ (清)王时敏:《杜甫诗意图》,纸本设色,纵39厘米,横25.7厘米,故宫博物院藏。

⑥ (清)王时敏:《丛林曲涧图》,纵100厘米,横52.8厘米,天津市艺术博物馆藏。

画弈棋之兴,兴致盎然,墨韵生动。《丛林曲涧图》写物实而不死,造景繁富庄雅,远眺以高岭为主,环护群山,辅以密林,点缀屋舍,中观一水自山涧深处曲转流出,近岸山脚,亭树卓然,一派虚和至境。《答赠菊作山水图》①是烟客描画崇山峻岭深处叠峦山色的以布境见胜的另一佳构,全画构景繁复,远山、密林、腾云、浮雾、山谷、深涧、庭院、楼阁、山道、清溪,意象集中,秩序井然,布局精妙,温厚博大。

诚然,烟客山水在今天的我们看来,似乎既缺少了天造地化的自然生气,又少有空灵寂照的禅意哲思,以至于受到了近世画坛的集中批判,甚至因其在山水"程式化"的成就而被视为牢笼桎梏后世山水发展的一大罪端,其于山水艺术笔墨图式精进方面的功绩进而被全盘否定和全面抹煞,这显然是不符合画史的实际的。实际上,中国山水画自早期独立于画界成为一个画种开始,就离不开对笔墨纯化和图式经典等抽象程式的不懈追求,以此强化山水画种的专业排他性。从荆浩、关仝到董浩、巨然,从李成、范宽到郭熙,所有的山水画家都在自己的山水画创作实践中致力于营构自己的抽象程式。荆浩、郭熙更在《笔法记》、《林泉高致》等著作中从理论层面开启了对山水画笔墨图式的抽象程式的探索。较之前人,南宋马远、夏圭在山水画的笔墨程式和图式经典方面率先取得了可见的成果和实绩。笔墨程式上,斧劈皴成为马夏二人组织线条的标志性绘画语汇;图式造境上,"马一角"、"夏半边"打破了北宋长松大壑的全景山水构图模范,以鲜明的个性倾向和主体意识著称于世。为此,当代学者陈振濂以为南宋"马远、夏圭是山水画走向程式化的第一次明确尝试"。② 时至元代,对山水画抽象程式的探索随着黄公望、吴镇、倪瓒、王蒙的崛起成为画界潮流,子久披麻皴和黄鹤山樵牛毛皴更昭示着山水画创作注重绘画线条语言本体表现力、致力于画家主体对客体山水体悟的新兴模式的诞生。随着画家主体集体性地对绘画的笔墨语言和图式造境等形式本体展开自觉地干预与改造,抽象程式探索取得了长足进步,山水画的形式也更

---

① (清)王时敏:《答赠菊作山水图》,纵128.4厘米,横57.2厘米,南京博物院藏。
② 陈振濂:《清初"四王"的程式与山水画发展主客观交叉诸问题》,见朵云:《清初四王画派研究论文集》,上海书画出版社1993年版,第331页。

加独立起来。延及明末,董文敏根据极富模式化特征的风格分类首倡"南北宗论",并力尊南画,视工细、柔软、清淡、文人气等南画特征为山水画必备的"固定格式",直接促成了山水画笔墨图式等语言形式本体的独立,客观上造成了山水画艺术本体对艺术功能的胜利,在绘画理论上赋予山水画的抽象程式探索以合法性,从而将山水画的程式化推到极致。降及以烟客为核心的清初四王,进一步巩固和强化自荆关董巨开启、至董文敏而极致的山水画本体化、程式化倾向,就成为源自中国文化传统和山水画发展趋势的必然性的行为。因此,仅就"程式"这一点而言,它既是烟客基于总结前代南宗山水画笔墨程式和图式经典的实践而对后世山水画学的突出贡献,更是中国山水画本体发展的必由之路。

中国文人画和山水画史中始终交错、互生、演绎着五组貌似对立实则统一的艺术理念,呈现出循环往复、此起彼伏的艺术图景,即写真与写意、对景与传心、丘壑与笔墨、自然与抽象、再现与表现。烟客山水所营构的经典图式正是源自他对中国文人画和山水画史的熟稔,源自他对古代山水传统的集成式承继与发扬。这些经典图式既是他经过长期临摹传写、提炼而成的一种几近程式化的稳定绘画样式,又饱含着他寓笔墨、色彩、构架、意蕴为一体的山水体验与笔墨凝练,寄予着他荒率苍莽的精神状态,更是他借由"笔墨程式"体现古代传统文化蕴涵的视觉模式。从烟客现存山水画迹的精致笔墨与完美图式中,我们不难见出,漫长的农耕文明背景中的水墨山水,不仅是古代传统文人娱情遣兴、卧游骋怀的一种存在方式,更是他们面对时代变迁所带来的全新价值观念和审美趣尚时的美学旨趣选择。

五、化成:烟客山水审美观念

自董文敏"画分南北"之说行世,南宗山水画在玄宰全面、系统地选择、整理、总结、重组下,开启了独立于画坛的传统理论建构与笔墨图式净化两大历程。以烟客为首的四王两代人接力续棒文敏,在近百年的画学创作实践中展开了对文敏的南宗山水画理论和笔墨图式新规的继承、展开和推进,形成了一种既直接传统山水画写景造境精妙之处的笔墨图式风格，又深中儒家美学规范和清廷官方宣传需要的审美趣味——"清真雅正"，突出表现为"尊正统、崇南宗"、"尊传统、崇摹古"、"尊法统、崇化成"三大审美观念。而这三大突出的理念，在清代画学实践中均始于王时敏。

一是尊儒学、尚中和、崇南宗的正统意识。探究烟客山水的正统意识，难以脱离他所处历史时期的独特语境和社会背景。烟客及其孙王原祁主导的娄东、虞山被尊为清初"山水正宗"，被清廷视为"正统"，是清代画坛的一大格局。对此，自清迄今的研究者们均达成了共识。有清一朝，张庚《国朝画征录》首先论证了"四王"的正宗地位，唐岱《绘事发微》单列"正派"一章对此加以明确，沈宗骞《芥舟学画编》的论述则更为系统全面。降及近现代，诸多美术史论专著和教材乃至多数学者均对四王正统之说持认同意见。刘纲纪《"四王"论》称："四王一派在当时的画坛上，处于统治者所认可的正宗地位。"王伯敏《中国绘画通史》亦称："四王山水画，得到清代统治者的最高推崇，被尊为山水的正宗。"洪再新《中国美术史》也认为："正统派……不仅见重于朝廷，而且左右了清初百余年的画风。"烟客山水正统地位确立之因，端在内在理路和外缘影响两端。其内在理路，实为中国山水画自然发展的自我需要，是山水画本体发展的必然选择。烟客及其门下诸徒，上承董文敏于"画分南北"、尤尊南画背景下重构的山水文人画传统，职志复古，标榜正传，致力于章法布境的图式结构美与笔墨的纯粹之美，集传统山水画之大成而变化之，将清代山水笔墨与结构之美推至巅峰。其外缘影响，则出自清廷在画坛等文化领域推尊儒学、掌控舆论的宣传需要。满清代汉，清廷出于笼络和牢笼汉族文士以巩固朝纲的目的，顺应历史形势的发展调整文化管理政策，于康熙一朝开始给予烟客为核心的"四王"所继承、发展和推进的南宗山水画图式经典和笔墨程式以官方认可与推崇，加之清帝康熙对董文敏书画的个人偏好，更使得与玄宰有过密切关系、在理论和实践上恪守玄宰主张的烟客一派得其荫蔽。因为这两重原因，以烟客等四王为代表的画派顺理成章地成为"正统"画派，其所推崇的笔墨程式与图式经典也自然成为风靡朝野的楷习模范。

　　二是尊传统、尚经典、崇摹古的历史意识。作为"国朝画苑领袖",王时敏引领清初四王逐步成为得当时画坛和清廷官方双重公认的正统地位,其根柢端在烟客山水创作与画论中浓厚的历史意识上。《西庐画跋》是集中反映烟客绘画思想的论著。在这部专著中,王时敏重点强调了山水画创作中尊传统、尚经典、崇摹古的历史意识,标举"得古人神髓"、"与古人同鼻孔出气"、"与诸古人血脉贯通"等核心观念。以烟客为核心的四王在清代被尊为正统的事实证明:存在于画家和观者中强烈而自觉地历史意识,是清初文化发展中较之前代更为突出的一大特征;彼时,历史传统不仅被人们作为一个承继的对象,且已成为衡量文化艺术的重要价值尺度。烟客绘画创作和绘画思想中尊传统、尚经典、崇摹古的历史意识源自董其昌。董文敏可谓烟客学画的正式蒙师。早在少年时代,烟客的祖父王锡爵即"属董文敏随意作树石,以为临摹粉本,凡辋川、洪谷、北苑、南宫、华原、营邱,树法、石骨、皴擦、勾染,皆有一二语拈提,根极理要"。(恽寿平《瓯香馆画跋》)董文敏亦将王时敏视为嫡传弟子,教授起来十分尽心尽力:他采用传统的粉本教学法,列出自己推崇的南宗大家作为临摹对象,为王时敏亲作粉本画册示范,迄今尚有《唐宋人诗意图册》、《小景山水册》两卷传世;他敦促王时敏不断仿作自己的画作,如王时敏《仿董北苑山水图》轴笔法构图皆酷似董文敏《仿北苑山水》轴,烟客《仿董北苑山水图》轴笔墨图式亦直通文敏《仿董北苑溪山樾馆图》轴;他还提出"树法石骨、皴擦钩染"的技法和"随笔率略处、别有一种贵秀逸宕之韵"的意趣两大习画要求,将自己毕生追求的山水画学价值判断贯注于对王时敏的教授之中。这些学画开蒙的宝贵经历都为师事玄宰的烟客奠定了崇尚传统的坚实底蕴和取法传统的师古倾向。烟客的历史意识还突出表现在他山水创作中取法对象的广泛性和师古方式的多元化。在取法对象上,在董文敏之外,王时敏还以自唐迄明的历代诸多山水大家为师。如前所述,烟客传世山水画迹的取法对象至少有王维、荆浩、杨昇、董源、米芾、范宽、赵伯驹、赵孟頫、高房山、黄公望、倪瓒、王蒙、吴镇等人,既有单幅取法作品,又有颇具规模的取法合册,既有笔法、墨法、设色的技巧取法,又有取景、构图、布境的韵味师法,可谓实至名归的集大成。在师古方式上,王时敏也是"临"、"仿"结合、手段多样。"临"作较为强调客体性,注重客观真实,突出相"像"。王时敏对照原本描绘的此类作品较少,仅见《临大痴浮见烟嶂图》轴、《临大痴良常山馆图》轴等卷。较之"临"作,"仿"作则更为强调主体性,注重主体意会,突出"意"到。王时敏参考诸家精品的此类"仿"作颇多。如前所述,徐邦达所引录王时敏画作149幅中,剔除合册18件,有明确画题的尚有130幅,其中以仿题名者众,仅仿黄子久的画作已达20幅。总之,烟客于山水画统中所汲取的养分堪称一绝,其取精用弘之功亦足堪彪炳画史。可以说,王时敏山水画中的历史意识,一方面与其在理论和实践上恪守董其昌的主张有直接的关系,以至于吴伟业曾将其与董其昌并列于"画中九友";另一方面,也与其在传统选择方面师法诸家而不偏废、致力于子久云林而尤重自家风貌不无关系。因着这层关节,方薰《山静居论画》曾言:"国朝画法,廉州、石谷为一宗,奉常祖孙为一宗。廉州匠心渲染,格无不备;奉常祖孙,独以大痴一派为法。两家设教宇内,法嗣蕃衍,至今不变宗风。"

三是尊法统、尚融通、崇化成的现代意识。近世以来,世人常以为宋画写实,元画抒情,明清画则复古保守守旧,而对烟客山水的批驳更集中在他的"复古"和"程式化"上。关于"程式化",前已述及,兹不赘言;关于"复古",似可细辨。诚然,烟客山水风格确乎成于"摹古","复古"而使后人有法可依想来也确乎烟客本意,但由此而导致后来鄙陋画手学而不化乃至走向呆板僵死想亦未必是烟客的初心。后之论家强以鄙陋后学的过失加之于前已作古的烟客乃至四王,恐非公允之论。实际上,烟客作画亦常有借他人酒杯浇胸中块垒之作。王时敏曾自述:"每当烦懑交并,无可奈何,辄一弄笔以自遣。"又在《西庐画跋》中称:"坡公论画,不取形似。则临摹古迹,尺尺寸寸,而求其肖者,要非得画之真。吾画固不足以语此,而略晓其大意;因以知不独画艺,文章之道亦然。山谷诗云:'文章最忌随人后,自成一家始逼真',正当与坡公并参也。"①细读烟客山水墨

① 周积寅:《中国画论辑要》,江苏美术出版社1985年版,第347页。

迹,细品烟客画论之语,均不难见出烟客尊法统、尚融通、崇化成的现代意识。烟客山水尊法统的现代意识源自乃师董文敏,但已臻青出于蓝而胜于蓝之境。董文敏《画禅师随笔》中提出"画家当以古人为师已是上乘",开辟了中国山水画注重"笔墨美"的审美境界,所谓"以境之奇怪论,则画不如山水;以笔墨之精妙论,则山水决不如画"。但其"师古"力求学习、规范、修正前人图式以自成一家,尚且停留在创作法则层面。而烟客则不仅将"学古"视为创作准则,传统山水画的笔墨图式均由一套约定俗成的构图章法和笔墨技巧的程式组成,而这些章法和技巧便是以烟客为核心的清代"正统派"山水创作的规则;更将"学古"发展成评判标准,以为"毋论蹊径,宛然古人"、而笔墨神韵"仿某家则全是某家,不杂一他笔,使非题款,虽善鉴者不能辩",强调"学富力深,遂与俱化,心思所至,左右逢源,不待摹仿,而古人神韵自然凑泊笔端者",指向"同鼻孔出气"、"血脉相通"、"夺神抉髓"、"重开生面"等与古人"神遇迹化"的至高画境。如果说,宋人山水的评判标准是客观的真实,元人山水的评判标准是主观的真实,那么,清初"正统派"山水的评判标准便是前人的图式,所谓"画不以宋元为基,即如弈棋无子,空枰何凭下手"。(吴历《墨井画跋》)烟客再三慨叹"迩来画道衰矣,古法渐灭,人多自出新意,谬种流传,遂至衰诡不可救挽",其旨正在确立全新的山水画创作法则和评判标准。这就把山水画创作中的历史意识和笔墨美的境界又向前推进了一步,较之乃师明显更进一筹。烟客山水尚融通的现代意识突出表现在其对造化自然和笔墨图式的贯通上。尽管烟客山水常以"临"、"仿"、"摹"、"拟"题画,但却绝无全然翻版复制古画原作之举。非特如斯,烟客"学古"之外并未似俗论之抛却造化之师;相反,烟客青壮年时足迹半天下,名山大川、自然奇观的经历颇为丰富,与此同时,还经常追随乃师董文敏遍赏历代名迹。《国朝画征录》称其:"家本富于收藏,及遇名迹,不惜多金购之……每得一秘轴,闭阁沉思,瞪目不语,遇有赏会,则绕床大叫,推掌跳跃,不自知其酣狂也。尝择古迹之法备气至者二十四幅为缩本,装成巨册,载在行笥,出入与俱,以时模楷,故凡布置设施,勾勒斫拂,水晕墨彰,悉有根柢。"可知,烟客是在胸中自有丘壑的基础上对前贤巨手的笔墨图式心摹手追的,尽管他的山水创作并未以模范自然山川为目标,但其追摹前贤笔墨图式之美的力作无不潜藏着对造化自然的潜移默化的师法追求。烟客崇化成的现代意识集中反映在他的学古能化和对山水画境的不懈追求上。从总体上来看,烟客山水用功最深的当推黄子久。张庚《国朝画征录》称其"于大痴墨妙,早岁即穷奥,晚年益臻神化,世之论一峰老人正法眼藏者,必归于公"。青年王时敏受乃师启发,认为"子久画冠元四家……盖以神韵超轶,体备众法,又能脱化浑融,不落笔墨蹊径,故非人所企及。此诚艺林飞仙,迥出尘埃之外者也"。(《西庐画跋》)到了晚年,他更认为子久画功神明变化不可端倪。然而,子久笔墨在烟客山水中绝非唯一之法,在他的创作实践中,烟客始终以子久为中心,"沿波讨源"、"见过于师",上追董巨、旁及倪瓒、泛滥诸家,既能与子久"血脉贯通",又能"使之重开生面",达到秦祖永《桐阴论画》所评的"运腕虚灵,布墨神逸,随意点刷,丘壑浑成"。这一特点,越到晚年越为明显。从存世作品来看,子久之外,对于宋元大家,烟客亦均能学古而化。其《仿古山水图》册中,既仿黄公望,也仿董源、赵令穰、米友仁、赵孟頫、王蒙。虽然每一幅都使用了某一家的某种语言范式,但在创造山水画笔墨美的境界方面,有着他自己鲜明的艺术追求,表现出了非凡功力和精湛造诣。其中,仿小米一幅,运用积墨、破墨技法来表现厚重的画面肌理效果,皴笔不多,而点、擦、染层层积累,却绝不沉滞板结,而是在厚重的、多层次的墨色叠合中,抒写出一种轻清、虚和、萧散的韵致。仿赵令穰、赵孟頫的两幅小青绿,虽然用笔设色轻清浅淡,却有沉厚恢宏额气度。综观全册,他荟萃诸家之长而陶冶出之,"浑厚之中仍饶逋峭,苍莽之中转见娟妍,纤细而气益宏,填塞而境愈廓",充分反映出他对于山水画意境创造中化成体悟,也反映出他对运笔、落墨、布色、皴擦点染等传统的技法规则的历历分明而又变幻无穷的不懈追求。

第二节 南田花卉:没骨与简逸中的审美诉求

谢稚柳《清代绘画概论》称:"清代绘画,以山水、花鸟最为发达,人物画次之。"①此论对清代绘画总貌的概述堪称精审。清代山水画最为发达,以烟客为核心的"四王"承袭董其昌影响,技法功力深厚,并因王公大臣甚至皇帝赏识而受到大多数达官士人的垂青,被官方目为山水正统,统治着山水画坛。清代花鸟画亦臻于高峰,工笔重彩、水墨写意均不乏大家,尤以恽寿平最显。恽寿平因诗书画俱佳的"南田三绝"著称于世,朱季海称其"乃一代完人,譬如圭璧有质,其见于诗书画者,其英华自外可知者欤"②;又因既承古意、又开新风的没骨花卉被目为"写生正派"的宗主,地位堪与"四王"吴历比肩,号为"清初六家"。没骨花鸟自北宋徐熙勃兴以降,式微衰弱乃至几近消亡长达六百年之久。及至南田,则承前启后地创出别开生面的"没骨花卉",于明清之际的花鸟画坛实有"起衰之功",引领着清代花卉画艺的主流趣尚,影响笼罩清代始末。因此,选取南田花卉遗迹作为特定对象,旨在借由南田花卉丰富经典的画作遗迹、多元旨趣的意象符号、渊源有自的没骨技法、意情简逸的审美观念,窥视南田在花卉创作中的思维基质、创作构思、作品呈现、精神传承,揭橥清代花卉绘画的本体发展进程、主体心理结构、时代风尚播迁和传统精神取向,准确把握清代写生正统画派的审美基调。

一、花坛杠鼎:南田花卉画迹画功及研究小考

欲从画迹出发研究南田画学,首当其冲的即是对南田画迹尤其是花卉画迹的遗存稽考。整体来看,南田一生画作"繁富",并被广为收藏。乾隆曾于宫内藏有大批南田画作珍品,部分甚至还有御笔题跋。据统计,目前国内博物馆和美术馆藏有南田画迹的有 14 家,国外有博物馆和美术馆藏有南田画迹的有 5 家(美国 4 家,日本 1 家),国内外私家珍藏者亦不在少数,估计传世恽画当不下 600 幅。③ 以《瓯香馆集》为据统计,南田画

---

① 参见中国美术全集编辑委员会编、杨涵主编:《中国美术全集·绘画编9·清代绘画》(上),上海人民美术出版社 1988 年版,第 1 页。

② (清)恽格著,朱季海编:《南田画学》,古吴轩出版社 1992 年版,第 87 页。

③ 米娜:《恽寿平与现代没骨画》,中央民族大学硕士论文,2005 年,第 33 页。

作共计396幅,其中,山水152幅,占40%,花卉杂画244幅,占60%。①
另据故宫藏恽画统计,院藏恽画共计346件,剔除伪作110件,尚有236
件。② 王霖在《恽南田年谱》卷首中曾述及:"南田事迹,旧有蔡星仪《恽
寿平年谱稿略》(以下简称"蔡谱")、杨臣彬《恽寿平年谱》(以下简称"杨
谱")及承名世《恽寿平年表》(以下简称"承表")等,诸先生筚路蓝缕,从
事于南田研究,厥功不细,而蔡谱于早年事实,考辨尤多。温肇桐《恽南
田先生年表》,虽成之最早,搜罗事迹,失之太简,其中谬误,又十居二三;
郭味蕖《四画人评传》所附《恽南田年表》,则仅列南田前后十三载共计二
十余条事迹,陋略又过前者。所以蔡、杨诸谱,均未提及,或缘未见,抑由
无甚参考价值也。然蔡、杨三家,编撰较早,资料蒐集,艰于今日,故南田
中年以后行实,阙略仍多。本谱于蔡、杨二谱及承表颇有采录,以视各家,
增修逾半,凡与诸家略同者,不更注出,非欲攘美,恐不胜文烦耳。其有互
异而必待辩证始明者,则附按语,商较于后,聊示取舍之由。若夫讹谬滋
深,事关重大,难于谱中详加讨论者,则有拙撰《南田事迹丛考》,拟附谱
后,或从单行。"③尽管王霖《恽南田年谱》尚未见出版,但却和蔡谱、杨
谱、承表等一同为我们提供了稽考恽氏画迹的另一条线索,即将前述诸种
年谱中所集列的南田画作相互补充,并与各地博物馆(院)等处典藏恽氏
画作相参证,即可大致著录出基本完整的恽氏画迹遗存来。对此,徐邦
达、郭味蕖、刘九庵、蔡星仪、杨臣彬等学界和画苑前贤、乃至邻邦日本的
相关学者如铃木敬等人均做了大量奠基性工作。徐邦达《历代流传书画
作品编年表》曾引录恽南田书画遗存多幅,其中既有书法作品,也有绘画
作品;绘画作品中,既有山水画迹,也有花鸟画迹,全面地反映了恽南田书
画双绝、山水、花鸟兼善的实绩。④ 郭味蕖《宋元明清书画家年表》引录恽
寿平画作14幅。其中,山水画迹7幅,如《富春山图》(《支那名画宝

①　王朝闻:《中国美术史·清代卷》(上),齐鲁出版社、明天出版社2000年版,第
51页。

②　参见潘深亮:《恽寿平书画及其鉴识》,《收藏家》2003年第3期。

③　参见王霖:《〈恽南田年谱〉卷首》,《中国美术学院学报》2013年第12期。

④　参见徐邦达:《历代流传书画作品编年表》,上海人民美术出版社1963年版。

鉴》)、《古翠蒸云图》(《四王吴恽画册》)、《临流赋诗图》(故宫博物院藏)、为唐匹士作《天池石壁图》(《四王吴恽画册》、故宫博物院藏)、《松风涧泉卷》(《南画大成》十六)、与王石谷合作《树石图》(《神州国光集》)、《万壑秋声图》(考槃社《支那名画选集》三)等;花鸟画 7 幅,如《落花游鱼图》(上海市博物馆藏)、《三友图》(《神州大观》续十一)、《写生花卉十种》册(故宫博物院藏)、《丛菊图》(《神州国光集》)、《国香春霁图》(《伟大艺术传统图录》)、《芙蓉白鹭图》(《宋元明清名画大观》)等。①较之郭味蕖,刘九庵、杨臣彬在南田画迹遗存稽考方面更为详细。刘九庵在《宋元明清书画家传世作品年表》中 78 处提及恽寿平,引录恽南田书画作品 69 幅。② 其中,书法及题画作品 5 幅,画作 64 幅。画作中,山水画迹 33 幅,花鸟画迹 31 幅。杨臣彬在《恽寿平早年事迹及年谱简编》的"说明"部分中曾言:"本谱按谱主行年编入有明确纪年的诗文或书画作品,或虽无明确纪年、但有旁证可考的诗文和书画作品一并编入。"又称:"凡见著录,未见存世、不知其真伪的书画作品暂行编入,俟考;凡见其存世作品原件或影印本、有年款并可断定其真伪者,亦编入本谱;伪者,一概舍弃。"③可见,杨氏所作恽寿平年谱中基本集列了见诸著录的南田画作。杨臣彬《恽寿平早年事迹及年谱简编》后附《恽寿平年谱简编》,详览年谱可知,杨氏在谱中引录的恽寿平书画遗迹达 201 幅之多。④ 其中,书法及画作题跋 32 幅,书法 6 幅,画作题跋 26 幅;绘画作品 169 幅,山水画作 64 幅,花鸟画作 92 幅。进入 21 世纪,方忆曾参阅中国古代书画鉴定组《中国古代书画图目》⑤《中国美术分类全集·中国绘画全集 25·清 7》⑥、杨臣彬《恽寿平》、《恽寿平年谱》、承名世《恽寿平书画集》⑦、蔡星仪《恽寿

① 参见郭味蕖:《宋元明清书画家年表》,人民美术出版社 1982 年版。

② 参见刘九庵:《宋元明清书画家传世作品年表》,上海书画出版社 1997 年版。

③ 参见杨臣彬:《恽寿平早年事迹及年谱简编》,《故宫博物院院刊》1983 年第 3 期。

④ 参见杨臣彬:《恽寿平早年事迹及年谱简编》,《故宫博物院院刊》1983 年第 3 期。

⑤ 参见中国古代书画鉴定组编:《中国古代书画图目》(全 22 册),文物出版社 1997 年版。

⑥ 参见中国古代书画鉴定组编:《中国美术分类全集·中国绘画全集 25·清 7》,文物出版社、浙江人民美术出版社 2001 年版。

⑦ 参见承名世:《恽寿平书画集》,文物出版社 1987 年版。

平研究》等前贤成果,详考恽寿平纪年没骨花鸟画迹,并编制出中国大陆馆藏有明确纪年的恽寿平没骨花鸟画年表。该表共收录恽寿平的纪年没骨花鸟画 65 幅,就绘画形式而言,扇页 29 幅、轴 22 幅、册页 12 幅、卷 2 幅。① 这一成果为当今恽寿平花卉画研究的深入展开提供了方便。海外学者也非常关注中国古代画人画作的稽考辑录工作,日人铃木敬就是其中在中国绘画的稽考辑录方面用力至多的一位。早在 1957 年,他就专门著有《恽寿平》一书,书中曾引录大量南田画迹。② 1982 年至 1983 年,他又主持编纂《中国绘画总合图录》,分为东南亚地区收藏、日本博物馆收藏、寺院收藏、个人收藏和索引等,是全方位研究中国绘画的综合性资料书籍。③ 在他的影响下,嗣后,《中国绘画总合图录续编》于 2001 年出版,续编则是继正编之后,由东京大学东洋文化研究所主持调查编制的大型中国书画图录,内分道释、人物、宫室、番族、龙鱼、山水、禽兽、花鸟、杂画、书迹共 10 部分,依各博物馆所藏分类编列,并收录有许多日本寺院与个人所藏的书画艺术品。④《图录》及其《续编》中均集列有部分恽画详目。此外,尚有《中国书画全集》、《中国传世名画全集》等著中收录了大量的恽寿平画作。前人的这些成果都为我们以画作遗迹为中心,稽考和研究恽寿平花卉画审美特征、发掘和揭橥其后潜藏的时代审美意识奠定了坚实的基础。

稽考南田画功,有一个基本事实无法回避:恽寿平的画学功绩与画学地位在清代当朝即已受到清廷官方和画苑内外的双重肯定,后世论家对此也都予以认同。清人邹一桂《小山画谱》称:"国初恽寿平全用没骨法而运以生机,曲尽造物之妙,所题诗句,极清绝,书法得河南三昧。洵空前而绝后矣。"⑤所论客观反映了南田画功与地位的实际情况,即工书、能

---

① 参见方忆:《对恽寿平没骨花鸟画"三期论"的再思考——以恽寿平纪年没骨花鸟画题跋为中心》,《杭州文博》2007 年第 1 期。

② 参见[日]铃木敬:《恽南田》(小八开),(东京)平凡社 1957 年版。

③ 参见[日]铃木敬:《中国绘画总合图录》,(东京)东京大学出版会 1983 年版。

④ 参见[日]戶田、祯佑・小川裕充:《中国绘画总合图录续编》,东京大学出版社 2001 年版。

⑤ 参见(清)邹一桂:《小山画谱》,王其和校,山东画报出版社 2009 年版。

诗、善画,且山水、花卉兼长,而尤以没骨花卉名世,与四王、吴历合称为"清初六大家",或称"四王吴恽"。诗文、书法姑且不论,仅就其绘画而言,有两大方面尤值一提。具体来说,一方面,南田山水秀逸隽雅,深得元人冷幽、寒澹之致。南田山水既师古法又师造化、遍学前贤且重写实,力避了文人画不重写实之弊,在四王笼罩山水画风的清初画坛别树一帜、独具一格,然其山水的影响在当世却不及四王之一的石谷。关于南田山水,画史上还有一段公案。尽管南田一再自谦山水不如石谷,但论家多以为南田山水不特不逊石谷,甚至时有超出石谷之论。譬如,黄崇惺《草心楼读图集》称"其所为山水,视石谷无不及",以为正叔山水不弱于石谷;①盛大士《溪山卧游录》亦称其"花卉写生,空前绝后,然其山水飘飘有凌云气,真天仙化人也";②方薰《山静居论画》谓其画"乱头粗服,草草而成,一种笔墨真与元人争胜",赞誉南田山水之高逸直追元人,并进一步比较石谷南田山水,认为"石谷青绿近俗,晚年尤胜,南田用淡青绿,风致萧散,似赵大年,胜石谷多矣";③吴修《青霞馆论画绝句》更称"南田山水,浸淫宋、元诸家,得其精蕴,尤深于大痴,每于荒率中见秀润之致,逸韵天成,非石谷所能及也",直接标举石谷不如南田的观点;④更有甚者,范玑《过云庐画论》尝言:"人谓:南田力量不如石谷,特高逸过之,故工细之作,往往不脱石谷之法。但取境之超,安知石谷非亦得南田之益多也耶?"⑤认为石谷画境得益于南田,直接发声为南田抱打不平。这一观点在今日美术史界几成公论,当代学者郑午昌就曾指出:"南田一丘一壑,超逸高妙,不染纤尘,其气味之隽雅,实胜石谷。"尽管南田对自己的山水有"吾与足下正以千古自命,亦何肯让之"的高度自信,但却仍有对石谷

① (清)黄崇惺:《草心楼读画集》,见《美术丛书》(初集第一辑),江苏古籍出版社1997年版,第32页。
② (清)盛大士:《溪山卧游录》(卷二),见《画论丛刊》,人民美术出版社1962年版,第411页。
③ (清)方薰:《山静居论画》(卷下),丛书集成初编。
④ (清)吴修:《青霞馆论画绝句》,见《美术丛书》(第二集第六辑),人民美术出版社1962年版,第220页。
⑤ (清)范玑:《过云庐画论》,见《中国画论辑要》,江苏美术出版社1985年版,第310页。

称"君独步矣！吾不为第二手也"的高逸之风与转行佳话传世。① 另一方面，南田没骨写生花卉没骨写意兼融，技法深湛，提振了由北宋居宁、南宋於青言、元代於务道、明代孙龙一脉相承的常州画派，独创"恽派"，影响深远。四王之首王烟客激赏恽南田，评其谓"别开生面，令人耳目一新"；②南田挚友王石谷则谓其"真能得造化之意，近世无与敌者"；③奚冈曾上溯北宋，比较徐恽之得失，品评二者之高下，认为"北宋徐氏，斟酌古法，定宗没骨，去勾勒之迹，成傅染之工，发造化之灵，抉先匠之秘，研思吮毫，极妍尽态，考其规制，妙绝古今，黄荃赵昌，皆为俯首……我朝恽先生出，而为写生一派，有所宗也，然亦从徐氏研究而来，洵称近代之高手耳"；④秦祖永称其"天资超妙，落墨尤具灵巧秀逸之趣，为当代第一，学之正不易也。……花卉斟酌古今，以北宋徐崇嗣为归，一洗时习，独开生面，为写生正派"；⑤方薰亦称"南田氏得徐家心印，写生一派，有起衰之功"；⑥张庚《国朝画征录》亦称"武进恽南田出，凡写生家俱却步矣。近日无论江南江北，莫不家南田而户正叔，遂有常州派之目"；⑦胡敬则谓"当代以恽寿平为第一"；⑧赵尔巽《清史稿》单列《恽格传》更评论其"人品极高，写生为一代之冠"。⑨ 有鉴于此，南田画风于四王之外笼罩清代画坛三百年，南田画法在康雍乾三朝传习摹写者甚众，从其学者遍布清代社会各个阶层，其高逸之风一如张庚《国朝画征录》中所录石谷题赠诗所述："墨花飞处起灵烟，逸兴纵横玳瑁筵。自有雄谈倾四座，诸侯席上说南田。"其传习之盛更有"江南江北，莫不家家南田而户户正叔"之论。综览画史可知，南田身后追仿者甚多，画史有载者已破二百，仅恽家族裔即达四十余

① 参见(清)恽格：《恽寿平全集》，人民文学出版社 2015 年版。
② 刘治贵：《中国绘画源流》，湖南美术出版社 2003 年版，第 387 页。
③ 刘治贵：《中国绘画源流》，湖南美术出版社 2003 年版，第 387 页。
④ 《欧香馆集一附录评》，见《丛书集成初编》，中华书局 1985 年版，第 271 页。
⑤ 《欧香馆集一附录评》，见《丛书集成初编》，中华书局 1985 年版，第 269 页。
⑥ 俞剑华：《中国古代画论类编》，人民美术出版社 2005 年版，第 1193 页。
⑦ 参见(清)张庚：《国朝画征录》，浙江人民出版社 2011 年版。
⑧ 杨臣彬：《恽寿平》，吉林美术出版社 1996 年版，第 96 页。
⑨ 《恽格传》，见赵尔巽：《清史稿》第四十六册，中华书局 1977 年版，第 13907 页。

人。对此,俞剑华曾于《中国绘画史》"常州派画家"一目中集列缪椿、朱济源等一百余从学者;①杨臣彬《恽寿平早年事迹及年谱简编》集列武进唐子晋、常熟马元驭、常州范廷镇、恽甥张伟、董瑜、华嵒、蒋廷锡、邹一桂及其子孙恽源浚、恽源清、恽馨生、恽怀娥、恽如娥、恽冰、恽青等从学者名单,②并称:"恽寿平的影响,非限于一时一地,而波及清朝一代,乃至近代从江南江北,从民间到宫廷,甚至一些工艺品图案也以恽寿平的没骨花卉作为蓝本。"③这些均可见出南田绘画功绩在其当世及后世画坛中的显赫地位,也足以解释南田画学研究自清迄今长达三百余年的持续高热现象。

自清迄今,学界对恽寿平的理论研究遍及生平家传、诗文题跋辑录、艺术评品散论、山水画艺术、花卉画艺术、《南田画跋》、常州画派等各个领域、诸多方面,涌现出大量的理论成果,取得了可喜的实绩。早在清代,有关恽寿平的研究即已开始,并一直绵延至今,始终未曾间断。清代南田研究主要集中在三个方面。其一是南田生平研究,此类研究主要集中于清代当朝,多出自恽氏族人门生笔下。譬如,族人恽敬、恽鹤生均曾作《南田先生家传》,前者见于《大云山房文集》,后者见于《瓯香馆集》;恽敬、汤修业还曾分作《逊庵先生家传》和《恽逊庵先生传》,前传见于《大云山房文集》,后附《恽格传》,后传亦述及恽寿平生平,见于《赖古斋文集》;赵尔巽亦在《清史稿》卷五〇四单列《恽格传》一节,记载南田家世经历。其二是南田诗文题跋辑录,此类研究亦在南田当朝,多出自武进同乡后学。诗文辑录方面,先有庄令舆、徐永宣率先于康熙五十六年选刊《南田诗抄》五卷,继有蒋生沐据此增辑南田诗文刊成《瓯香馆集》;画跋辑录方面,先有蒋生沐辑录《瓯香馆集》后附三卷画跋,继有叶钟进于道光十一年所辑《南田画跋》。其三是南田艺术品评散论,清代对南田画艺的品评往往散见于当朝画论著作和时人论画作品之中,例如张庚《国朝画征录》等,曾简要述及南田画艺及常州派,但尚无研究南田花鸟画、山水画艺术的专门论述。民国以来,陈师曾、潘天寿、俞剑华、傅抱石、王伯敏、薛永

---

① 俞剑华:《中国绘画史》(下册),上海商务印书馆 1992 年版,第 222 页。
② 杨臣彬:《恽寿平早年事迹及年谱简编》,《故宫博物院院刊》1983 年第 3 期。
③ 杨臣彬:《恽寿平》,吉林美术出版社 1996 年版,第 98 页。

年、徐琛等人的绘画史著述及黄憩园、郭因等人的画技画论著述均对南田花卉成就有精到阐发。① 譬如,陈师曾称其"与石谷友善,山水让石谷,遂专攻花卉,斟酌古今,以北宋徐熙为归。学其体者甚多,遂目为常州派",又称"南田天机超妙,题句清新,与南沙抗手";②潘天寿亦称山水"与石谷同时,驰驱艺林,而能独树一帜于四王之外者,有吴历恽寿平","武进恽南田寿平,有子畏天仙之姿,遥承衣钵,别开毗陵。惟亲炙娄东,不能尽存子畏面目。然虢国淡妆,铅华净尽,与六如可称二绝。继起者殊少有人耳",又称"清代绘画,以绘画为最有特殊光彩;专门作家亦特多。擅山水画者,亦多能兼画花卉","康熙间,恽南田以写生称一代大家,其法斟酌古今,以北宋徐崇嗣为归,一洗时习,独开生面,为纯没骨派。盖徐氏没骨画,先以墨稍勾框子,而后掩添色彩;恽氏则全以颜色泠染,如今之水彩画然,世称常州派",又称恽氏"于是舍而学花竹禽虫,以徐崇嗣为归,简洁清致,设色明丽,天机物趣,毕集毫端,大家风度,于是乎在。论者比之天仙化人,不食人间烟火,洵超绝古今,为写生正派";③俞剑华以为"及恽寿平起,以天纵逸才,斟酌古今,以北宋徐崇嗣为宗,而创纯没骨体,清秀妍雅,工整艳丽,于姿态生动之中,尤富气韵书卷之趣,遂为花鸟画正宗,从之学者极众,号为常州派",又称"恽寿平以天纵逸才,驰骋于四王之间,秀丽天成,独标一格",更称"恽寿平虽以花卉名家,而其山水高旷秀逸,妙绝等伦,实非四王所能企及,而又虚怀若谷,以与王翚同时,交谊甚笃,虽以山水让之,别画花卉";④此外傅抱石、王伯敏、薛永年、徐琛等人亦有嘉论。可惜的是,由于上述成果多为点到即止的零星描述,所以,仅就对恽寿平的研究而言,这些成果的深度和广度略显欠缺。毕竟,学者们的理

---

① 参见陈师曾:《中国绘画史》,中华书局 2010 年版;潘天寿:《中国绘画史》,东方出版社 2012 年版;俞剑华:《中国绘画史》,东南大学出版社 2009 年版;傅抱石:《中国绘画变迁史纲》,上海古籍出版社 1998 年版;王伯敏:《中国绘画史》,文化艺术出版社 2009 年版;薛永年、杜鹃:《中国绘画史》,人民美术出版社 2000 年版;徐琛:《中国绘画史》,文化艺术出版社 2012 年版;郭因:《中国绘画美学史稿》,人民美术出版社 1981 年版。

② 陈师曾:《中国绘画史》,中华书局 2010 年版,第 105、106 页。

③ 潘天寿:《中国绘画史》,东方出版社 2012 年版,第 223、224、230、231 页。

④ 俞剑华:《中国绘画史》,东南大学出版社 2009 年版,第 219、198、200 页。

论兴趣似乎更偏重于对中国画史的贯通和对画学体系的建构,或某一画家、某一画派、乃至某一地区的画风发掘,并未将研究的重点放在对画家某类画迹的深入发掘和系统分析上;研究成果也多秉承了以画家画派和画论为中心的研究模式,多为以画家画派和画论为切入点的史论著作,以宏大叙事见长,缺乏对恽寿平花卉画迹的具体分析。这些都使得以画作为中心的恽寿平花卉画迹审美研究成为短板。可喜的是,当代部分学者已充分注意到这个问题,开始围绕恽寿平及其画艺展开整体研究和专题研究等个案研究,并取得了部分成果。其一是南田整体研究,成果以蔡星仪《恽寿平研究》①和杨臣彬《恽寿平》②及承明世、承载《恽南田》③最为深入,另有马斐的硕士论文《恽寿平绘画艺术研究》。其二是南田专题研究,成果以政协武进县委文史资料研究委《恽南田专辑》最具代表性。④其三是南田画论研究,成果以朱季海《南田画学》为著,⑤共收录《南田画跋》458 条,另有谭玉玲《论恽寿平"逸"的审美理想》。其四是南田花卉研究,成果主要有张勤《逸格 高标 一代没骨新风——恽南田没骨花卉艺术》、陈友谅《脱落畦径 洗发新趣——恽南田没骨画艺术研究》、王敏《恽寿平的没骨法对当代拓展水墨画语言的启发》等硕士论文。其五是南田山水研究,除散见于前述南田研究专著之中的零星成果外,尚有潘茂《浅谈恽南田的山水画》、房师田和江可群《恽南田的山水画与花鸟画》等。其六是南田画派研究,代表性成果为潘茂《常州画派》。⑥ 事实证明,这些成果均已在学术界占有一席之地。可以预见,随着学界对宏大叙事的日渐疏离和对穷究底里的兴趣隆盛,全面稽核考索恽寿平花卉画作遗迹,深入发掘其意象符号与笔墨技法所呈现或潜藏的审美观念或审美意识,揭橥清代花卉绘画的本体发展进程、主体心理结构、时代风尚播迁和

① 参见蔡星仪:《恽寿平研究》,天津人民美术出版社 2000 年版。

② 参见杨臣彬:《恽寿平》,吉林美术出版社 1996 年版。

③ 参见承明世、承载:《恽南田》,江苏人民出版社 1983 年版。

④ 参见政协武进县文史资料研究委员会:《恽南田专辑》,政协武进县文史资料研究委员会 1988 年版。

⑤ 参见(清)恽格著,朱季海编:《南田画学》,古吴轩出版社 1992 年版。

⑥ 参见潘茂:《常州画派》,湖南美术出版社 2003 年版。

传统精神取向,成为清代花鸟绘画审美研究亟待强化的一个方向,既有很大空间,也确有必要。

二、写生集成:南田花卉的意象符号

如前所述,恽寿平是清初画坛上以诗书画并举、以"南田三绝"名世的大家。山水画方面,较之"四王"、"四僧"对清初山水典雅正统与野逸萧散平分秋色的对立格局,南田山水虽与"四王"吴历并称清初六家,亦曾致力学古,却未一味复古,明确主张学古当"不为古法所拘"、宜"全以己意而化之",以恽家湿尖对三王渴笔,空灵妍妙、着纸欲飞,创出迥异于烟客祖孙风貌的格高境逸又别开生面的山水韵味。不特如斯,花卉画方面,南田花卉尤其是其没骨花卉创作,更于师古之外明确祭出师造化、"发新趣"的新论,竭力为写生张目,开常州画派之恽画一宗,独步天下,不输同期的"四僧"、"金陵八家"花鸟创制,被清廷官方及画苑诸家尊为"写生正派",堪称清初花鸟画坛独自高标的重要一极。

历史悠久、源远流长的中国花鸟画,发端于魏晋六朝而极盛于五代两宋,历经不断的革新变异和丰富积累,成就了精工细丽的"工笔"、洒脱洗练的"写意"、纯以色彩为图的"没骨"、"运墨而五色具"的水墨、洗尽铅华的"白描"等诸多姿态,幽情远思之盛独树一帜于世界艺坛。自中华民族远古先民的原始彩陶始,意象便始终是包括花鸟画在内的中国绘画创造的活水源头,而意象造型的创构也伴随着中国绘画萌芽、发生、发展、极盛、流播的全程成为绘画创作的基始性目标。中国花鸟画的意象符号体系作为一个完整的文化体系正是在这样一个漫长而璀璨的历史进程中逐步成型、固化、发展、演变的。远古先民的原始彩陶上丰富多彩的花鸟虫鱼纹样,青铜器皿中的花鸟禽鱼纹饰,造型稚拙天真,着色沉稳古雅,以其简洁朴拙的物象造型承载着华夏先民谋生图存的实用指归和对美的朦胧向往和执着追求。战国帛画《夔凤人物图》、《人物御龙图》等中的夔凤、龙、白鹭、鲤鱼等花鸟禽鱼形象均为中国早期花鸟画常见的意象符号。秦汉花鸟画遍布于帛画、壁画、画像石、画像砖、漆器、陶器等多种载体,意象广涉鹤、龙、鱼、神鸟、嘉禾、牛马等类,千姿百态、丰富多彩。魏晋六朝花

鸟画已具相当规模,不仅出现了卷轴画,而且涌现出大批专擅某一意象的专门画家,如专精画龙的曹不兴、尤擅画走兽的戴逵,再如顾恺之的鸭、史道硕德鹅、顾景秀的蝉雀等。及至隋唐,画学鼎盛,花鸟携人物、山水两科同趋成熟,意象符号的创构亦突破功能性的实用目标而日趋繁盛。唐代画学更企及华夏古代文明的高峰和典范,于花鸟意象符号创构一途取得了长足的进步和历史性突破,仅据《历代名画记》《唐朝名画录》等唐人著述统计,唐时能画花木禽鸟走兽者达八十余人,专画花鸟者近二十人,足见当时花鸟之盛。花鸟意象符号的样式拓展方面也涌现出大批专门画家。如初唐薛稷创"鹤样",傲视天下;中唐边鸾善花鸟,精妙至极;肖悦擅竹,独步一时;韩干、韦偃、韩滉擅作牛马,号为"神气磊落、稀世名笔",真迹《五牛图》《照夜白》《牧马图》"足为后人百代私淑";滕昌佑工花鸟、蝉蝶,刁光胤善石竹,滕刁二人影响甚巨,实为五代"徐黄异体"的源头;余如戴嵩之牛羊,李渐之虎马,张旻、李察之鸡,强颖之芦荻、水鸟,方著作、张立之墨竹,李逖之昆虫,陈庶、沈宁、郑华原之松石等,各呈其妙,蔚然可观。可见,唐代花鸟尤以极难表现的现实物象图写最为出色,为中国花鸟意象创构立下千古典范。延及五代两宋,花鸟、人物、山水三科一道步入全面发展的快车道,花鸟意象符号创构呈现出争奇斗艳的缤纷景象。五代十国花鸟大盛,宫廷画院肇始于五代,西蜀、南唐均曾设置。其间也涌现了大量各有专擅的花鸟画家,如唐希雅之翎毛草虫,钟隐之花竹禽鸟,孔嵩之孔雀等,更有西蜀黄筌的"黄家富贵"与南唐徐熙的"徐熙野逸"标志着五代宫廷画风与文人清趣的分野,其中,徐熙布衣终生、"以高雅自任"、有"落墨花"之誉,黄筌则服膺画院、勾勒重彩并举、精彩气韵兼及、有《珍禽图》传世,"徐黄异体"直接导致了后世花鸟的两大流派,影响深远。北宋花鸟正是在徐黄二氏草创的"勾勒法"、"没骨法"基础上完成了自觉表现"登临览物之有得"的重大变革、形成影响至今的花鸟画传统技法系统的。北宋花鸟"若论佛道、人物、仕女、牛马则近不及古,若论山水、花竹则古不及近",①花鸟画科更被分为花鸟、蔬果、墨竹、畜兽、龙鱼

---

① 参见(北宋)郭若虚:《图画见闻志》,江苏美术出版社2007年版。

五门,载入史册的花鸟作品两千七百余件,①可谓洋洋大观、规模空前。先有黄筌父子画风笼罩宋初画坛近百年,继有赵昌自号"写生赵昌"、"尚敷彩之功,旷代无双",创设"刻画工丽"、靡丽清俊的没骨法,林椿、易元吉均师其法;崔白则一改黄氏父子为标的北宋院体画风、突破"黄氏体制",以《双鸟戏兔图》、《寒雀图》、《竹鸥图》名世;余如马麟琼花碧玉、层叠冰绡的"宫梅"与扬无咎孤高自标、自负清瘦的"村梅",更昭示着宋人花鸟中富丽华贵的宫廷画风与野逸清高的士大夫情操的鲜明对峙,均为当世花鸟意象符号的创构大开别具风情的新径。值得一提的是,北宋是文人画勃兴之时,这一新兴画学思想直接影响到文人花鸟画的意象创构方向,使得托物言志、借物抒怀成为此期花鸟画旨归鹄的重要一支,花鸟意象开始日趋集中在梅兰竹菊等被文人士大夫视为花中君子、足堪托寓的题材上,墨竹、墨梅自此成为独立的画科,标志着花鸟画题材的专门化和花鸟意象的复杂化。墨竹始于唐代,史载吴道子、王维、肖悦皆负画竹盛名;及至北宋,则有文同、苏轼、赵宗闵、刘明仲、刘延世、李昭、黄与追、田逸民等各得其趣、为世所重,尤以文同《墨竹图》、《墨竹单页》、《枯木竹石卷》(与苏轼合作)中的墨竹为最。墨梅亦始于唐代,但却仅以人物或花鸟配景示人,直至画梅技巧成熟之后方才出现;五代徐熙、滕昌佑皆以勾勒着色画梅,北宋徐崇嗣则用没骨法丹粉点染画梅,陈常则以飞白写枝干、以色点花,直至华光僧仲仁始创墨点画梅之法;跨越南北宋的扬无咎则致力于墨梅技法的完备,以《雪梅》、《墨梅图》、《四梅花图》名世,其甥汤正仲、禹功、赵孟坚等南宋诸家皆从其法作墨梅,汤正仲更于家法之外,别创"倒晕"法,有出蓝之誉。与此同时,北宋宣和画院的花鸟画受其影响兵分两途:一在黄氏父子门下精工妍丽而意出画外,一在崔白门下熔铸生活与水墨、极求象外之画的意境。南渡之后的花鸟画坛,兴盛不减北宋,被康有为誉为"物体不备,无美不臻"。李迪、张茂、张记、王安道、卫光远、曹莹、李安忠诸家,画风突转,不归徐黄,各逞所能。尤以梁楷的禅思入画、僧人法常的写意花鸟、宗室文人画家赵孟坚的白描花卉各领风

---

① 参见《宣和画谱》,俞剑华注,江苏美术出版社 2007 年版。

骚。此外,赵孟坚更以《赵子固墨兰图卷》传世,别开墨兰一科,后世誉为
"古今第一",堪称墨兰鼻祖;南宋末年的郑思肖紧承其后,专画墨兰,并
于入元后作"露根兰"以彰其志。时值元季,曾经风规天下的"宋之徐
黄"、"古今规式"的院体花鸟,虽未中断,却已式微,而宋人花鸟中仅为支
流的文人花鸟画成为元代花鸟变格转向的总体趋势。钱选、王渊是元季
院体变法的标杆,"吴兴八俊"之一的钱选虽师法赵昌,却于工笔花鸟一
途力求"士气",并创制了大量水墨写意花鸟,致力于推进墨花、墨禽的发
展;王渊自称师法黄筌,却能学黄而化,其《竹石集禽图》、《桃花春禽图》
"墨写桃花似艳妆",将元人花鸟墨彩画韵发挥至极致;钱、王之后,沈孟
坚、周自珏、杨维桢、毛伦从习,俱有类品传世;与钱、王同期的南宋遗民画
家更直弃繁丽的宫廷工笔花鸟而锐意盎然生气的水墨写意花鸟,郑所南
寓兴抒怀的墨兰、墨菊兼善,温日观尤以书法入画的水墨葡萄名世,呈现
出元季水墨花鸟的发展趋势。元代花鸟沿袭两宋以降业已开端的文人画
传统,集中指向隐逸与出世的用意,花鸟意象符号的创构也集中落墨于
梅、兰、竹、菊等文人生活情趣的寓意物象中,一时间,墨花、墨禽盛行,墨
竹、墨梅、墨兰勃兴。元季墨梅、墨竹流行,墨竹更盛。元人夏文彦《图绘
宝鉴》曾集列当世画家 170 余人,70 余人专擅墨竹,善画水墨梅兰者亦
众。元人墨竹师法前代文同者众,尤以李衎、高克恭、顾安、柯九思为最。
李衎先师金人王庭筠,后法文同,曾深入竹乡、遍察竹变,其《修篁竹石
图》《双勾竹石图》等直接文同,代表了元季画竹的最高水平,另著《画竹
谱》、《墨竹谱》、《竹态谱》阐发画竹之法,被誉为"写竹之圣者";高克恭
亦同宗王庭筠、文同,但却经由王庭筠接续苏轼以意为之的传统,其《墨
竹坡石图》、《雨竹图轴》中竹叶虽工却匠,略逊李衎,有符号化之病;顾安
生平专作墨竹,其《新篁图》、《竹石图》代表了经李衎上溯文同的墨竹派,
堪称元人墨竹中文人遣兴"逸笔"风致之标;柯九思《竹石图》、《双竹图》
等则竹韵苍秀,生趣盎然,荣枯稚老,别具情态,经由高克恭直承苏轼的传
统。此外,山水大家吴镇、倪瓒也视画竹为雅事,吴镇墨竹苍率润泽、清丽
明畅,倪瓒墨竹则萧散清秀、古淡天真,各具风貌。管道升墨竹独立一格,
其《竹石图》、《水竹图卷》等作笔疏墨秀、清雅典丽,"晴竹新篁是其始

创"(《图绘宝鉴》)。墨竹之外,墨梅、墨兰亦为元人宗尚。墨梅以王冕、陈立善齐名,以王冕为最;王冕墨梅直承南宋扬无咎一路,其《墨梅图轴》《梅花卷》繁枝密花、万蕊千花,笔法健劲、自成一家;陈立善墨梅亦工写结合、饶有别趣。墨兰一属,则以赵孟頫管道升夫妇和普明和尚为标;元人写兰,以松雪为最,其《兰蕙图卷》堪称墨兰法则;普明墨竹则得法松雪,潇洒清新,遍传民间,其《画兰笔法记》极写自家画兰笔势及撇叶技法,甚至远传东瀛。当然,元季花鸟花坛除上述诸家主导的水墨写意主流,尚有任仁发、张舜咨、雪界翁等沿袭的院体遗风,王迪、张逊等别开蹊径的白描花卉以及张中的墨花墨禽和设色、没骨点簇花鸟等。总体来看,无论是王冕不囿陈法、孤傲正直的"野梅",还是赵孟坚寥寥数笔、清韵极具的幽兰,无论是柯九思清雅傲霜、高风亮节的墨竹,还是松雪一门或幽雅或飘逸或浓郁的心象之竹,均在花鸟意象符号创构方面取得了可观的成就,共同组成元季花鸟意象符号创构的群体性高原和标志性高峰,则范后世。降及明清,明人沈周、陈淳、徐渭以泼墨写意之创一开吴门之盛,清人八大、石涛革故鼎新、一变三重四叠传统之法,八怪锐意沿袭、推波助澜,大写意花鸟势成洪流。余风所及,画作中花鸟虫草已无不廓及,花鸟意象符号体系至此更已颇具规模。

综上,时至恽寿平所处的清初,花鸟画坛的格局一如李希凡、谭霈生、陈绶祥等诸位先生所概述的那样:"题材更为广泛普及,面貌丰富多彩,手法千变万化,常有怪、险、奇、巧的各类手法突出于画坛,总体上更重视文化层次,强调画家的人品与学养,个性成为绘画中强调的主流。"[1]正是这种渊源有自的野逸与富贵、在野与在朝、新创与传统、革新与承继的对立与统一的花鸟画发展演变的独特格局,成就了南田花卉意象符号创构的丰富繁复之貌、跌宕起伏之姿、款曲深蕴之意、清空雅逸之韵。对此,我们据前贤考录之南田花卉画迹遗存所示,约略可察南田花卉于意象符号创构之奇思妙想。

例如,方忆《对恽寿平没骨花鸟画"三期论"的再思考——以恽寿平

---

① 参见李希凡、谭霈生、陈绶祥主编:《中国艺术》,人民出版社2002年版。

纪年没骨花鸟画题跋为中心》所附《中国大陆馆藏恽寿平纪年花鸟画作
品一览表》中所录 65 幅花鸟画中,写木本花卉的有《松梅图轴》(吉林省
博物馆藏)中的梅花,与唐宇昭合作《兰荪柏子图轴》(广州美术馆藏)中
的玉兰,《石榴图扇页》(上海博物馆藏)和《石榴花图扇页》(故宫博物院
藏)中的石榴,《桃花图册》(故宫博物院藏)、《临唐寅蟠桃图轴》(广州市
美术馆藏)、《桃花蝴蝶花图扇页》(天津市艺术博物馆藏)和《张中桃花
山鸟图轴》(上海博物馆藏)中的桃花,《樱桃图扇页》(上海博物馆藏)中
的樱桃,《仙桂新枝图扇页》(安徽省博物馆藏)中的桂花;画草本花卉的
有《松柏灵芝图轴》(天津市艺术博物馆藏)中的灵芝,《鱼藻图轴》(吉林
省博物馆藏)和《藻影鱼戏图扇页》(上海博物馆藏)中的水藻,《菊花图
扇页》(故宫博物院藏)、《菊石图轴》(中国历史博物馆藏)、《菊花图扇
页》(上海博物馆藏)、《菊花图扇页》(上海博物馆藏)、《菊花图扇页》(天
津市艺术博物馆藏)、《菊花图扇页》(首都博物馆藏)、《菊花图扇页》(故
宫博物院藏)和《菊花图轴》(广东省博物馆藏)中的菊花;绘灌木类花卉
的有《天香图扇页》(上海博物馆藏)《国色春霁图轴》(南京博物院藏)和
《牡丹图扇页》(故宫博物院藏)中的牡丹;《仙杏图扇页》(上海博物馆
藏)中蔷薇科的杏花;画藤本花卉的有与唐荧合作并补荇藻的《红莲图
轴》(故宫博物院藏)中的莲花;写生蔬果类的则有《蔬果图扇页》(故宫
博物院藏)、《蔬果图扇页三开册》(首都博物馆藏)、《西瓜图扇页》(首都
博物馆藏)、与王武合作《松石花果图卷》(《松石图》与《木瓜香园图》合
一,山东省青岛市博物馆藏)、《蔬果图四开册》(江苏省常州市博物馆
藏)、《花果图卷》(上海博物馆藏)、《花果蔬菜六开册》(天津市艺术博物
馆藏)中的西瓜、芋头、笋、莲祸、石榴子、松子、毛栗子等;另有《吉祥杵图
扇页》(上海博物馆藏)、《野草杂英图扇页》(上海博物馆藏)、《山水花鸟
十开册》(第七幅为南田花鸟画,辽宁博物馆藏)、《山水花鸟十开册》(第
1、2、4、8、9 号共 5 册为南田花鸟画,故宫博物院藏)、《九华佳色图扇页》
(上海博物馆藏)、《花卉十开册》(上海博物馆藏)、《双凤图扇页》(上海
博物馆藏)、《三薇图扇页》(上海博物馆藏)、《五清图轴》(水月松竹梅,
广西壮族自治区博物馆藏)、《锦石秋花图轴》(南京博物院藏)、《蒲塘真

趣图轴》(上海博物馆藏)、《锦石秋花图扇页》(上海博物馆藏)、《秾华柏枝图扇页》(上海博物馆藏)、《仙圃丛华图轴》(江苏省无锡市博物馆藏)、《寒香晚翠图扇页》(上海博物馆藏)、《竹石图扇页》(天津市艺术博物馆藏)、《竹石丛花图扇页》(天津市艺术博物馆藏)、《秋花猫蝶图轴》(上海博物馆藏)、《仿徐崇嗣东篱佳色图轴》(中国历史博物馆藏)、《仿古山水花卉十二开册》(首都博物馆藏)、《写生花卉十种十开册》(故宫博物院藏)、《春花图八开册》(上海博物馆藏)、《双清图轴》(故宫博物院藏)、《花卉八开册》(上海博物馆藏)、《花卉八开册》(故宫博物院藏)、《东篱秋影图轴》(广东省博物馆藏)、《仿沈周加冠图轴》(广东省博物馆藏)、《满堂春色图轴》(沈阳故宫博物院藏)、《花鸟十二开册》(故宫博物院藏)、《半篱秋图轴》(上海博物馆藏)、《落花游鱼图轴》(上海博物馆藏)等画卷图轴册页,其中尚有山茶、绣球、木瓜、杨柳、荔枝、芙蓉、海棠、枇杷等木本花卉,水仙、芍药、鸢尾、首草、射干、蚕豆花、石竹、凤仙、百合、锦葵、罂粟花、虞美人、荷花、鸡冠花、瓜叶海棠、水黎等草本花卉,紫藤、葡萄、牵牛花、扁豆、秋萝等藤本花卉,月季、蔷薇、杜鹃、南天竹等灌木类花卉。此外,南田花卉画面中时常出现竹石野草等点缀,更有燕子、鸿鸟、鸭、鹭鸳、松鼠、游鱼等动物意象符号穿插其间,意趣横生。

又如,郭味蕖《宋元明清书画家年表》所载录的 7 幅花鸟画中,《丛菊图》(《神州国光集》)单写草本菊意象;《三友图》(《神州大观续十一》)右上有二樵山人黎简题曰:"竹疏而秀,石文而丑,树老而寿,是谓三益之友。"可谓竹、树、石的完美意象组合;《落花游鱼图》(上海市博物馆藏)、《芙蓉白鹭图》(《宋元明清名画大观》)则组合了落花与游鱼、芙蓉与白鹭,是草本植物与雨、鹭等动物配搭的动静交融的意象组合;《写生花卉十种》册(故宫博物院藏)为纯然写生的代表作,亦是没骨花卉的上佳绘制;《国香春霁图》(《伟大艺术传统图录》)则以一丝不苟的端严笔墨与独家精制的锦绣设色将为稻粱谋的市场应景之制与坚守画家画格的没骨艺术之作有效且完美地结合在一起。

再如,刘九庵《宋元明清书画家传世作品年表》引录的南田花鸟画迹31 幅中,《桃柳图》扇(上海博物馆藏)、《山水花卉图册》(美国普林斯顿大学美术馆藏),为梅翁作《游鱼图》扇(上海博物馆藏)、《凤仙花图》扇(上海博物馆藏)、《五清图》(台北故宫博物院藏)、《春花图册》八开(内樱桃一开为现代张大壮补绘,上海博物馆藏),为健夫作《探梅图》卷(上海博物馆藏)等,为方忆纪年作品表、郭味蕖年表所未录,分别描画了桃花、柳叶、凤仙花、梅花、游鱼等多种意象符号。

再如,杨臣彬《恽寿平年谱简编》引录的 92 幅南田花鸟画迹中,另有《花卉竹石》册六帧(与另外六帧晚年之作合装一册,均有自题;《虚斋名画录续》卷三著录)、《幽草图》扇(《支那南画大成》续集三·四)、《百合花》扇(题二则,《支那南画大成》续集三·五)、《双松三秀图》轴(自识,天津市艺术博物馆藏)、《蔬果》扇(自识,故宫博物院藏),对花临写作《紫薇秋葵图》扇(自题五绝一首,《书画鉴影》卷十七著录),为唐荥《荷花图》轴补荇藻并题贺(又有王时敏、王鉴题贺,故宫博物院藏),拟宋人《碧桃杨柳图》(自题诗并识,《书画鉴影》卷十七)、《百龄图》扇(自识,《书画鉴影》卷十七、《故宫扇面集》二·二、《支那南画大成》续集三·七影印)、《禹穴古柏图》轴(自题,《石渠宝笈三编》延春阁著录,现藏台湾,文物出版社 1965 年出版《中国历代名画集》第五卷影印),为个菴画《摹古花卉》册十帧(每帧均有自题诗或题记,《石渠宝笈初编》卷二十三)、《天竺腊梅图》扇(自题,《书画鉴影》卷十七),临元人《墨梅》(依和六如梅花诗句戏题,《瓯香馆集》卷四),为良士二兄画《南山真想图(菊花)》扇(同年冬雪夜秉烛重题,故宫博物院藏),为瑞翁拟唐寅《浓花柏子图》扇并识(《听枫楼书画记》卷下),为烟翁画《红榴葵花图》扇并识(《书画鉴影》卷十七),戏用唐寅法为正声画《菊石图》轴(自题七绝诗一首并识,首都博物馆藏)、《古柏竹石图》扇并记(《书画鉴影》卷十七),设色《花卉》卷(长题,《南田画跋》),与王翚各为王乃昭画《槐隐图》册一帧并识(寿平与王武题诗于另一帧,故宫博物院藏),为乃父好友唐献询画《洁菴图》轴(图成赋五言诗九章索同人共和之,诗前长题;《吴越所见书画录》卷六著录)、《桃花鱼藻图》轴(自题五绝一首并记,《别下斋书画录》卷三·七),为鹤尹作《柳图柳诗八宝册》(笪重光题诗二首,《吴越所见书画录》卷六·九),为孙母郭太夫人六十寿作《桃花》册一帧(故宫博物院藏,

《清初八家寿郭太夫人册》之一），为王武《墨花》长卷赋色（《瓯香馆集》卷十二），与王翚、笪重光、杨晋为圣老合画《岁朝图》轴（寿平画天竺，王翚画水仙、松枝，杨晋补山茶，笪重光补梅，恽、笪二家题识；《石渠宝笈初编》卷四十，现藏台湾），摹宋人《折枝果》轴（《吴越所见书画录》著录），与笪重光等合作《岁寒图》轴、《松》（自题诗并识，《吴越所见书画录》卷六著录），戏拈徐崇嗣没骨图意画《花卉》扇并识（《支那南画大成》续集三·八、《故宫扇面集》二·六），拟徐崇嗣没骨图法画《罂粟花图》轴（自题七绝一首并识，《石渠宝笈重编》御书房、《三秋阁书画录》九十著录），为鹿白画《石菴图》卷并识（《书画鉴影》卷九），拟唐寅法写《西番莲》扇并识（《石渠宝笈三编》延春阁四十一著录）、《芍药绣球图》扇（《书画鉴影》卷十七）、《松石图》一帧并识（与王武《香圆木瓜图》一帧合成一卷，青岛市博物馆藏），摹赵孟頫、管仲姬《坡石丛篁图》扇并题识（天津市文管处藏），拟柯九思《古木竹石图》轴（自题七绝一首并识，《吴越所见书画录》卷六·六）、《芦汀双鸭图》轴并识（《石渠宝笈初编》卷四十），为荣老画《竹笆松茂图》扇并识（《听枫楼书画记》卷五），临宋人《桂花兔子》轴并识（《古缘萃录》卷九），为王翚之子留耕作《写生十种花卉》册（除四、六、九帧无题跋，其余均有自题诗或识；故宫博物院藏）、《松兰图》轴（自题五绝诗并识，《吴越所见书画录》卷六·六）、《桃花蝴蝶花》扇（天津市文管处藏）、《松树葡萄》轴并识（《爱日吟庐书画续录》卷四著录）、《秋芳图》轴并识（《自怡悦斋书画录》卷五著录）、《修竹远山图》（均见《十百斋书画录》著录），为其表兄紫居画《新篁朱草图》扇（自题五绝一首并识，《听枫楼书画记》卷五著录），为徐乾学之子仲章作《北园看桂图》轴（自题看桂七绝诗五首，《吴越所见书画录》卷六）、《新篁图》（王翚为补溪亭远山并为润色，寿平自题五绝一首，王翚题识；《瓯香馆集》卷十）、《千叶桃花》一帧并识（《石渠宝笈三编》延春阁四十一著录、《名人书画合册》影印），临摹沈周《花鸟》一轴（自识，有王翚丙戌年七十五岁时题记；《爱日吟庐书画续录》卷四著录），拟徐崇嗣设色《四季花卉十种》卷（自题七绝一首并识，《梦园书画录》卷十九），设色《桂月》图页一帧并识（《石渠宝笈续编》宁寿宫二〇一著录、《瓯香馆写意册》之四），临扬无咎《墨梅》

轴(自题五绝一首并识,《十百斋》已三十三著录),临陈道复《竹梅兰》轴(自题七绝并识,《梦园书画录》卷十九),临北宋人水墨花画《牡丹》扇(自题诗并识,故宫博物院藏)等 56 幅未见录于方忆纪年作品表、郭味蕖年表和刘九庵年表所引南田花鸟画目。

综上可知,南田花鸟画迹中物象层面的意象符号几乎涵括了自然界中所有的花鸟虫鱼。然而,南田花鸟画所创构的意象符号体系又绝不仅限于此一层面。综览南田传世花卉画迹,其花卉意象符号几近百种,类型层次多元多样。其意象符号体系至少可见出三个层次:一层为自然花鸟即物象;二层为时目花鸟即世象;三层为心中花鸟即心象。南田花卉画迹所创意象符号的第一层次,首先是自然花鸟虫鱼的物象。其中既有随四季时节变迁而各个不同的单本草木入画,亦有随人喜好变换而风格迥异的多元花草虫鱼组合造景;既有"以极似师其不似"的纯然写生之制,亦有辅以没骨的写意之作。南田花卉画迹所创意象符号的第二层次,则是时人眼中、众人目下的花鸟世象。既有迎合"时目"、雅俗共赏、寓意吉祥的花鸟虫鱼创制,亦有南田为家人生计、为稻粱谋的市场应景之花。众所周知,南田生于世乱积离、以满代汉的历史动荡期,一生坎坷、穷困潦倒。因此,为了解决家人的生存问题,他不得不以卖画为生。既然涉及买卖,就成为纯然的市场行为,自然有个供需关系问题。为此,他不得不时常为了实现销售目标而迎合当时市场上买家的审美需求,经常选取牡丹、百合、石榴、松子、莲花、莲子、菊花等寓意吉祥的对象作为绘画题材,只因在世俗时人眼中,牡丹意指荣华富贵,百合寓指姻缘美满,石榴、松子、莲花、莲子意在多子多福,菊花旨向长寿有年……这一些列寓意吉祥的绘画对象均是世俗人群最为喜闻乐见、能够雅俗共赏的意象,也构成了南田笔下、时人眼中、众人目下、名目繁多的花鸟世象。较之前述百合、石榴、松子、莲花、莲子、菊花等意象符号,牡丹是南田最为得心应手的一种题材,也是南田花鸟画世象层面的意象中最为著名的意象,以至于当世时人均以"恽牡丹"誉之,南田本人也曾经在画作题跋中自称经常"多买胭脂画牡丹"。然而,尽管生计所迫导致南田不得不在题材选取方面将照应世俗"眼目"审美趣味和迎合市场买方需求作为标准之一,但作为一位身兼思想家、诗人、书家、画家等多重身份的艺术家,谨严慎行、不断进取的南田绝不会因此而降低自己的艺术标准去粗制滥造,也绝不会为了迎合世俗大众的庸俗审美意趣降低自己的画学格调,更不会因此而放弃乃至悖离自己一生坚守的艺术主张与审美追求。南田花卉画迹所创意象符号的第三层次,则是画家胸中、主体心内的花鸟心象。南田花鸟画迹中,心象层面的意象符号无处不在,既有梅花之坚贞傲骨,又有兰花之高古气节,既有杂草之聊以解忧,又有紫薇之淡泊明志。南田心象层面的花鸟意象符号的寓意,主要集中于对怀才不遇、无以报国的百无聊赖的排遣和对热爱生活、抗争命运的不屈志气的张扬两途。总之,无论是物象层面世象层面还是心象层面,南田花鸟画迹中的意象符号均化为深深触动他真情实感的花鸟心象和经其营谋布局、精雕细琢之后的笔下墨象,一丝不苟的森严法度之中时有不囿时俗、聊寄情怀、抒写"胸中萧寥不平之气"的意气风发之境,尽显南田清空雅逸的审美趣尚。

三、师古出新:南田花卉的没骨技法

在以线条为主、以骨法用笔为精髓的中国绘画传统之中,南田所再次高扬的居于工笔与写意之间的没骨技法,堪称异类,却又殊放异彩,被清廷与画坛共同目为"写生正派"。然而,正如常州画派绝非南田草创(他开创了其中的恽派),没骨技法也非南田首创。实际上,自南齐谢赫《古画品录》"六法"出,"骨法用笔"即成中国绘画的传统画法和重要品评标杆。与之相对,作为中国传统绘画技法之一的"没骨法",渊源有自,由来已久;采用此法所作的"没骨图"也是中国画的典范样式之一。惜因诸多因素,中衰良久。降及清初,南田以别具一格的没骨花卉独树一帜,方才重开没骨生面,一开清代花卉画新局面。

何谓"没骨"?《辞海》"没骨"条记曰:"中国画技法名。不用笔线为骨,直接以彩色或水墨描绘物象,'没'作'没有'解。五代后蜀黄筌画花钩线较细,着色后几乎不见笔迹,因有'没骨花枝'之称,'没'作'掩没'解。北宋徐崇嗣效学黄筌而不加钩线,所作花卉只用彩色画成,名'没骨图',后人遂称这种画法为'没骨法'。另有用青、绿、朱、赭等色,染出丘

墼树石山水画,称'没骨山水',亦称'没骨图',相传南朝梁张僧繇所创,唐代杨昇擅此画法。今人也将明清文人写意画的点埵法称为'没骨法'。"①据此可知,所谓"没骨",即指不以线条勾勒轮廓,直以彩料或水墨赋形造象的绘画技法;从中亦略可考出"没骨法"自南朝梁张僧繇、唐代杨昇的"没骨山水"、五代后蜀黄筌"没骨花枝"至北宋徐崇嗣"没骨图"的内涵生成轨迹及其在明清的外延演化线索。

　　"没骨"源出何处?"没骨"一词最早见载于北宋文献。北宋郭若虚《图画见闻志》卷六中率先使用该词:"李少保(端愿)有图一面,画苟药五本,云是圣善齐国献穆大长公主房卧中物,或云太宗赐文和。其画皆无笔墨,惟用五彩布成,旁题云:'翰林待诏黄居寀等,定到上品'。徐崇嗣画没骨图,以其无笔墨骨气而名之,但取其浓丽生态以定品。"②嗣后,沈括《梦溪笔谈》卷十七亦载:"徐熙以墨笔画之,殊草草,略施丹粉而已。神气迥出,别有生动之意。筌恶其轧己,言其画粗恶不入格,罢之。熙之子乃效诸黄之格,更不用墨笔,直以彩色图之,谓之'没骨图'。"③郭、沈二著所载俱道出"没骨"于五代宋初成型、并以徐崇嗣为"没骨"代表人物这一画史公论。值得注意的是,郭著尚有夹行小字称:"愚谓崇嗣遇兴偶有此作,后来所画,未必皆废笔墨。且考之六法,用笔为次,至如赵昌,亦非全无笔墨,但多用定本临模,笔气羸懦,惟尚傅彩之功也。"④可见,郭氏认为,"没骨"之谓,只为强调敷彩之功,绝无全然否定笔墨之意。而沈著所谓"熙子"似为"熙孙"之误,此处"熙子"当指徐崇嗣,而徐崇嗣实为徐熙之孙。元人夏文彦《图绘宝鉴》所载与郭著略同,称黄筌父子入驻北宋画院后,徐熙落墨之法流播日衰,故其孙徐崇嗣"又出新意,不用描写,止以丹粉点染而成,号'没骨图',以其无笔墨骨气而名之。始于崇嗣也"。⑤夏著此段前论中的,惟将没骨画定为"始于崇嗣"之断则过于武断,有失

① 参见《辞海》(第六版),上海辞书出版社 2010 年版,第 1327 页。
② 参见(北宋)郭若虚:《图画见闻志》,俞剑华注,上海人民美术出版社 1964 年版。
③ 参见(北宋)沈括:《梦溪笔谈校证》,胡道静校注,上海出版公司 1956 年版。
④ 参见(北宋)郭若虚:《图画见闻志》,俞剑华注,上海人民美术出版社 1964 年版。
⑤ 参见(元)夏文彦:《图绘宝鉴·卷九·徐崇嗣传》,中国书店 1983 年版。

史实。穷究画史可知,没骨法最早可追溯至南北朝张僧繇在建康一乘寺以朱青绿三色涂花的"凸凹花"。今人童书业《童书业说画》曾称,南梁张僧繇凸凹花"纯以色彩渲染而成之,实'没骨画'之祖也"。① 实际上,张僧繇对印度佛教绘画敷色遗法"凸凹法"的借鉴和新创仅限于佛教绘画领域而并未能引起广泛关注,故童氏据此直称张僧繇凸凹花已为没骨画之定型,似有言过其实之虞;但尽管如此,张僧繇此举实已开中国画没骨法的先声,从这种意义上讲,张僧繇亦可视为没骨法的先驱。至唐,杨昇、王洽将此法引入山水画创作中。楼观曾言:"梁天监中,张僧繇每于缣素上不用笔墨独以青绿重色图成峰岚泉石谓之抹(没)骨法,驰誉一时,后惟杨昇学之,能得其秘。"王洽则喜醉后泼墨山水,时人称为"王墨"。杨、王二人均可谓没骨法写山水的早期探索者。花鸟、山水于唐时分科独立之后,"没骨法"在唐代花鸟画中的尝试亦见端倪;及至五代宋初,更有了花鸟画中"徐熙野逸,黄家富贵"两种不同审美风格的"徐黄异体",也酝酿了"没骨"技法的成熟和徐崇嗣"没骨画"的开宗立派。南宋赵希鹄《洞天清禄集》称黄筌画作"真似粉堆而不作圈线"②,以为黄筌曾作没骨画,此论非虚;对此,明人张丑《清河书画舫》亦载:"黄筌善为没骨画,凡花果多不落墨,皆用五彩布成。"③认同赵著观点并略记了黄筌"没骨"之法。清人张庚《国朝画征录》则称:"花鸟有三派:一为钩染;一为没骨;一为写意。钩染黄筌法也;没骨徐熙法也。后世多学黄筌,若元赵子昂、王若水,明吕纪,最称好手;周之冕略兼徐氏法,所谓勾花点叶是也⋯⋯其写意一派,宋时已有之,然不知始自何人。至明林良,独擅其胜,其后石田、白阳辈,略得其意,若其全体之妙,非大有力者学之必败。"④更将黄筌法定名为"钩染",将徐熙法定名为"没骨"。究其实,当是张庚观黄徐画法之主流所断。如史所显,黄筌虽曾作"没骨"于徐崇嗣前,总体创作仍以"黄家富贵"的整丽钩染为主;徐熙虽作"没骨",所作《来禽花图》"花上设色

---

① 童书业:《童书业论画》,上海古籍出版社 1999 年版,第 88 页。

② 参见(南宋)赵希鹄:《洞天清录集》古画序集,浙江人民美术出版社 2016 年版。

③ 参见(明)张丑:《清河书画舫》,上海古籍出版社 1991 年版。

④ 参见(清)张庚:《国朝画征录》,浙江人民美术出版社 2012 年版。

古淡,以没骨法为之",但总体上仍以"落墨为格,杂彩副之,迹与色不相隐映"的"落墨"为主,纯以敷彩为之的"没骨画"并未出现。因此,"没骨画"的成熟当以北宋徐崇嗣为标,宋人郭若虚"至崇嗣始用布彩逼真,故赵昌辈效也"①和清人王翚"北宋徐崇嗣画没骨花,远宗僧繇傅色之妙"②之论诚不虚矣。徐崇嗣"没骨画"甫一面世,便与黄氏画派形成对峙,受到当时乃至后世院画或江湖画派的追捧,沿习者中名家辈出。前有北宋赵昌、刘常、费道宁辈传其法,继有南宋林椿、李迪等沿其波,虽于元季突遇寒潮、却仍有钱选诸人逐其尘,嗣后经明代孙隆、徐渭、蓝瑛、董其昌重振,至清代恽南田方才重开"没骨"生面,再企花鸟画坛巅峰。

如前所述,中国画史上,自花鸟画独立分科以来的历代名家均于花卉、花鸟画技法有颇多探索与经验,形成了中国花卉花鸟绘画的传统技法系统。其间,唐人擅勾勒、填色,兼取墨、彩、线、绘之用;五代人长于运笔、用墨,更有写生之好,既有后蜀黄筌之墨粉五彩,复有后唐徐熙之落墨为格、杂彩副之;宋人则自徐崇嗣始,专尚设色,号为没骨,文同、苏轼、扬无咎、赵孟坚则大开文人水墨一途,余风所及、所向披靡;元明画人承规袭旧,游疑于线条与赋彩之间,疲于奔命,间出张中、王渊、林良沿袭水墨之雅韵,复有青藤"无法中有法,乱而不乱"和白阳"浅色淡墨之痕俱化"的泼墨、飞白大写意之风致,更有孙隆等人提振没骨之举。可以说,南田之前的历代花卉花鸟名家,已将花卉花鸟画技巧和艺术发展到相当的高度。作为继往开来的一代名家,南田在继承和发扬中国传统花鸟绘画方面做了很多独开生面的探索和有目共睹的贡献。

穷究南田没骨花卉画迹遗存可知,南田花卉的没骨技法既承往代前贤,又别开恽派新径。

总体来看,无论是较之黄筌父子勾勒填色法的工笔重彩,还是较之徐熙、赵昌落墨花卉画法的"未脱刻画",还是较之青藤、白阳大写意画法的法无定势,南田花卉花鸟技法显然都迥乎不同。南田花卉花鸟画法,常以

---

① 参见(北宋)郭若虚:《图画见闻志》,俞剑华注,上海人民美术出版社 1964 年版。
② (清)王翚:《清晖画跋》,参见《王翚画论译注》,俞丰译,荣宝斋出版社 2012 年版。

"粉笔带脂,点后复以染笔足之"、"粉笔从瓣尖染入,一次未尽腴泽匀和,再次补足之",是典型的"色染水浑"、"没骨加写意"之法。所作之画既深得雅俗共赏的色彩风韵,又足具恽画超凡脱俗的内蕴和韵味,神完气足,独开生面。究其实,南田所创的这种深受各界喜爱、令"海内崇之"的花卉技法,乃是以元笔对院笔、以文气对院格、以平淡对绚烂的智慧之举。换言之,即以幽淡、逸宕、秀雅的元人之笔反驳讲求工整、刻意典丽的院体工笔;以修养、气度、至美之求等文人士大夫之雅涤荡拘谨、刻板、纤巧、艳俗的院体花鸟之弊;以虚和、雅妍的平淡设色之风倡导九九归一、万象复归的人生雅韵。分而论之,南田没骨花卉技法的成熟经历了一个逐步形成、日臻完善的过程,呈现出明显的早期、中期、晚期三个阶段的嬗变轨迹。南田不惑之前,仅以花卉为余兴,画法取径徐崇嗣、沈周、陈道复,杂糅黄、徐技法,笔法工谨细秀,设色清新淡雅,形神兼备,写生之外而能与花传神,初显没骨、写意合参的雏形。《牡丹图》(25岁作,《书画鉴影》卷十七)、《红莲图》(39岁作,与唐荧合绘)、《古松图扇》(40岁作)为此间花卉代表作,颇具新貌。尤其是其《红莲图轴》,于略显拘谨的笔法设色中传达出池荷的清致。不惑至知天命间,始以花卉为主,尤以"粉笔代脂,点后复加以染笔"的写生见长,画作清逸秀雅、飘逸潇洒、不见笔痕,设色醇厚鲜艳,形态真实多姿,没骨之法渐成,色、光、态、韵俱佳,恽画风格凸显。《山水花鸟图册》十开(43岁作,故宫博物院藏)、《锦石秋花图》(50岁作,南京博物院藏)等为此间代表作,均达"维能极似,乃称与花传神"的花卉至境。知天命而后,专意致力花卉,画格沿袭并发展了此前的流畅无痕,敷彩自鲜丽而清逸淡雅、设色更重光、态、韵之和谐,更趋没骨技法臻至炉火纯青的完美老境,苍劲放逸而不失秀润、规矩。《花卉册》十开(53岁作,故宫博物院藏)、《双清图》(54岁作,故宫博物院藏)、《花卉图册》八开(55岁作,故宫博物院藏)、《桃花图》(55岁作,故宫博物院藏)、《蓼汀鱼藻图》(55岁作,故宫博物院藏)等均为此间代表作。尤其是《牡丹扇面》(57岁作,故宫博物院藏),笔墨简率苍劲,画面明润秀丽,文人墨戏意趣十足。

具体来说,南田花卉技法主要有三大突出特点。

第一,师造化,重写生。

南田花卉十分重视取径自然、师法造化、对物写生。造化自然是南田花卉创制最好的老师。中国画史中,张璪早有"外师造化、中得心源"之论,深得历代画家之心,南田亦然。南田虽极重摹古,以为师古可得古人笔墨技法之精髓,但他亦能于摹古之外意识到囿于摹古之弊,以为造化自然之摹写较之师古更能毕现花卉虫鱼自然万物之神韵。南田花卉非常注重对绘画取法的新创,其花卉、花鸟画择善元法,尤重写生,师法造化,参酌古今,曾反复标榜"写生之技,即以古人为师,犹未能臻至妙,必进而以师造化……"并于画跋中明示写生之要:"余与唐匹士研思写生,每论黄筌过于工丽,赵昌未脱刻画,徐熙无径辙可得,殆难取则。惟当精求没骨,酌论古今,参之造化,以为损益。"这一点,仅从《南田画跋》中"出入风雨,卷舒苍翠,走造化于毫端,可以咂洪谷,笑范宽,醉骂马远诸人矣"之论,即可窥见一斑。为此,南田花卉将写生推至极为重要的地位,常以日常花草禽鸟为对象,细察周遭万物以觅其神,融汇花鸟山水用笔以显其韵,即兴写生,倍显自然造化各个不同之趣。南田写生的对象从梅兰竹菊到奇花异草、从瓜果蔬菜到池塘鱼藻、葱松鼠新笋到家禽鸟兽,无所不包、应有尽有,擅长以笔墨设色传达物象神韵,生动别致、清新雅致,时出耐人寻味的寄寓之作。例如,《墨菜》状写青菜、芹菜等日常蔬果,洒脱用笔,淡雅设色,水墨泼洒间尽显蔬叶水润、果实鲜嫩之态。《锦石秋花图》轴临写湖石、秋棠、雁来红,用笔弃纤弱而取秀逸,设色弃华靡而取淡雅,尽显秀丽明快的无边秋色。《蒲塘真趣图》轴摹写破泥出水的池塘新荷,数片老叶婀娜舒展、几支新叶尖角摇曳、莲蓬花苞分居上下、一朵红花夺目居中,叶以墨铺,花以彩敷,笔法飘洒,设色清妍,尽显生气勃勃之趣。最显南田写生功力的当属其晚年佳构《恽寿平花鸟册》(甘肃省图书馆藏)。册页之一摹写晚秋景色,画作以海棠、竹叶、红果、小鸟四重物象组合构图,金秋硕果寓意自然天赐,鸟雀点染烘托盎然生趣,数枝竹叶意指高洁节操,四象交融显出丰富层次,大片留白启人无限遐想,全幅作品紧致与疏放相辅、艳丽与淡雅交互,妥帖得当。册页之二状摹晚秋香桂,秋桂朵小色平难媚时人,极难入画,少见留真,南田此作则极状老干、新枝、香花、艳朵,花朵点染而成,聚散成度,散适自然,浓淡天成,全无匠意,尽显三秋桂子生命之美及坚贞高品。册页之三描绘罂粟花,画作中的花朵明暗分明、浓艳得当,立体感极强烈、色彩度极精准,花朵与枝叶配搭相宜,风姿绰约而不俗媚。册页之四尽肖高洁的菊花,大片繁而不挤的菊叶烘出四朵竞相吐艳的娇菊及数朵含苞待放的菊蕾,传达出晚秋清雅之美和绝美永续之意,尤以布白章法之胜尽显南田写生画功。此外,《禹穴古柏图》、《北园看桂图》、《拙政园图》等亦均为其取径自然、师法造化、对物写生的上品佳作。

第二,师传统,重没骨。

南田花卉十分重视取径前贤、师法传统、别开生面。南田非常注重对传统画法的承继,尤重没骨。如其《出水芙蓉图》(故宫博物院藏),花叶果实均以色染、不以钩填,迥异于水墨写意,故称"没骨"。由于直接用色点染,一瓣之中浓淡相映,匀称调合,生动而微妙地表现出荷花、荷叶鲜活水灵的绰约风姿,亦使人感到空濛湿润之气生于之上,清香阵阵,韵味无穷。① 如前所述,南田花卉技法取法多元,师事甚众。南田没骨花卉、花鸟画,直接徐崇嗣,远宗张僧繇,曾一再自称:"徐家传吾法,春风桃柳霜天梅菊助我神。"北宋徐崇嗣以下,宋人院体工笔与元人水墨,乃至明人沈周、孙隆、文征明、唐寅、陈淳、徐渭、周之冕、陆治等人画法,皆有师法。其一,师法徐崇嗣"没骨花"。这是南田自己在《南田画跋》中一再承认的事实。他在《南田画跋》中称:"惟崇嗣创制没骨为能,深得造化意,尽态极研,不为刻画。"直言对徐崇嗣法的推崇。为此,他常在自然花卉的写生摹写之中"自学没骨写生,以北宋徐崇嗣为归",以徐崇嗣的没骨画法作为自家花卉笔墨技法之基。在其创制的诸多花卉图作中,他也毫不讳言地直接题以"橅"或"拟北宋徐崇嗣设色"等字样。南田自谓徐崇嗣"没骨花"技法的传承者,对徐氏画法的继承和发扬自不待言,恽徐二人花卉有着明显的师承痕迹。恽徐花卉均取不用勾勒、直以色涂的没骨之法,作画皆以敷彩染就,虽时见墨痕、却难见骨线;恽徐二人均力主写生,以自然

---

① 参见徐改:《中国古代绘画》,商务印书馆 1996 年版。

造化为艺术美之源头活水。与此同时,南田还对徐氏画法多有新创,恽徐二人花卉亦有迥然相异的不同之处。南田没骨花卉取法甚众,既能集徐熙祖孙、黄筌父子、赵昌、王冕、沈周、孙隆诸家画法之大成,又能习同代四王、笪重光、程邃等人出色画技,且受宋元以来文人水墨花卉影响颇深,没骨之色以淡雅一途为主;徐崇嗣则取径较窄,虽融冶乃祖徐熙"野逸之风"与黄筌父子黄家富贵之风,但却囿于院体及俗风影响,没骨之色主宗富贵浓艳一途,甚至时有俗气之讥。南田对徐氏没骨画法的新创集中于设色和骨法二端。设色上,徐画常以较重的赭石为底色,花、叶之色尤其艳丽,胭脂晕染之花必为其画抢眼之先的部分;恽画虽花之瓣边亦常以浓重的胭脂色敷成,但底色较之徐画更为淡雅、朴素,更能凸显画作主体之姿。骨法上,徐画虽被后人号为"不见墨笔",但仍留有墨笔痕迹;恽格后期画作则直接隐去墨痕笔迹、只见颜色、不见墨笔骨法。其二,取法宋人院画。花鸟画自唐代独立门户,迄至宋代,院体工笔臻至鼎盛,临摹宋院工笔成为此后花鸟画家习画的必由之路,南田已不能外。察考南田传世的诸多花卉册,其中往往不乏重粉设色、浓艳亮丽的取径宋画之作,虽亦有清丽雅致之韵,却总有零星俗气侧漏。此类画作中的花卉均用"没骨法",以工整严谨的浓绿没骨写出每片花叶的形态、走势,以红白粉或蓝白粉晕写、辅以深红或深蓝色勾染之法绘出艳丽之花,以浓淡纯色显层次、辅以淡色渲染之法写花瓣,画作背景则皆用赭石等色作古,极似宋代院体工笔之风。其三,取径元人墨画。唐宋花鸟多用湿笔,以色彩层层晕染显物象神态,元代画家则多用干笔。元人干笔摒弃了宋代院体工笔花鸟有形无神的呆板模式,尽得"墨分五色"的奇效与风致,创出了突破唐宋风格的元人水墨花鸟画。与此同时,元画院的取消和文人画的勃兴促使元人花鸟审美呈现出诗画融合的趋向,"梅兰竹菊"等寓情于物的创制日渐盛行,影响甚远。为此,南田花卉时有取径元人之作,如其《梅石图》便有师习元人王冕《墨梅图》的痕迹。二人均用"没骨法",墨笔顿挫、不加勾勒,纯用墨色、不加艳彩,所作之梅均穿插有致、生机盎然、动人心魄、挺拔秀丽。当然,王之梅为横向折枝梅,恽之梅为石中逸出梅,二者构图有别,而恽梅有寓情于梅之意,突破了王梅平庸之制;王之梅用浓墨,恽之梅用淡墨,二者用墨有别,而恽梅更具诗意"逸"格。其四,师法明人技法。南田没骨技法还从明人沈周、孙隆处汲取了许多养分,沈孙二人直以颜色点染花卉,孙隆更在沿袭赵昌"没骨画"基础上杂糅徐熙、徐崇嗣祖孙画风,南田没骨花卉集众家之长,更见"逸"味。

第三,师时人,重多元。

南田花卉十分重视取径时人、师法多元、融通雅俗。南田花卉于师造化、师古之外,更能师法娄东、虞山、新安等派的时人名法,与王翚、笪重光、程邃等人切磋扶持、交相砥砺、共同进步。南田与新安程邃有忘年之交,曾以松雪笔法精绘《群仙图》贺其八十寿诞;程邃习袭元画,常将临习元画经验授予南田。南田与虞山王翚为生平至交,王翚虽以山水名世,亦常与南田合作花鸟、交换绘画经验,当日画坛曾有"王画恽题"之美谈。南田亦与笪重光交善,笪氏《画筌》曾给予南田花卉创制许多帮助。此外,唐荧、王武、顾祖禹等人虽画技和名声均不如南田却也被南田列为学习对象。这种虚心学习的态度造就了南田花卉别样技法风格。例如,南田点花头的方式明显与他人以传统平涂渲染、从瓣根染出、"薄施粉泽"的方法不同,他利用粉质与水质两种不同类型的颜料在笔根上的互相排挤融渗、自然过渡,以白粉笔带少许胭脂、点后再以胭脂渲染,较之纯用水色渲染更快捷、更自然、效果更好。此类既融汇各家又独出心裁的恽家画法,使得南田没骨花卉突破了古板陈旧、匠气十足的花鸟画风,呈现出兼具工整富贵、清新淡雅、野逸气韵的耐人寻味的艺术风貌,尤以令人耳目一新的雅俗共赏之作更为独具特色、别开生面,不仅为王烟客等画苑领袖赞誉首肯、而且为宫廷贵胄、富商大贾钟爱青睐,流传甚广。可见,南田花卉技法巧妙汲取了处于对立对峙状态的徐黄两派技法之长,追踪前人、技法精深、表现工致,注重技法意识的发挥、传统功力的显示,其作工稳典雅、精湛华美,功力技巧表现完善,①破除了百余年间繁冗的花鸟画风,将之引向典雅秀丽一路新途,掀起没骨花卉新高潮。值得一提的是,南田雅俗共赏没骨花卉之作,在技法上主要有三大特色:一是擅长用水冲撞,二

---

① 参见王琪森:《中国艺术通史》,江苏文艺出版社 1998 年版。

是设色雅净脱俗,三是色光态韵齐备。首先,对水的妙用无疑是南田花卉的突出成就,其孙恽南林曾以"善用水尔"为乃祖南田花卉的主要成就。南田没骨花卉发展了自宋迄明的撞水、撞粉技法,一面以水调色,取其艳而弃其俗,一面以水调墨,妙用清墨。如前文所引南田所作《荷花图》便是水色相渗的上品。该图以花青加墨写荷花正叶,却以汁绿大笔一笔写出反叶,皆以少水干笔渴墨为之,荷叶残边则以水分饱和、色相饱满的汁绿加赭石小笔点出,荷花则调和淡赭石和胭脂一笔点成、复以饱水白粉冲撞,水草则以清墨划出几笔、清雅秀润,全幅色彩鲜明、层次丰富、节奏感强、风韵流动、生趣盎然。再如,《牡丹扇面》、《牡丹图》、《桂花图》、《豆花图》等则是水墨交融、清润秀逸的清墨佳品。其二,对色的精研堪称南田花卉的另一绝技,其画作设色常能艳而不俗,逸出侪辈。南田曾言:"前人用色,有极沉厚者,有极澹逸者。其创制损益,出奇无方,不执定法。大抵橄丽之过,则风神不爽,气韵索矣。惟能澹逸而不入于轻浮,沉厚而不流为郁滞,傅染愈新,光晖愈古,乃为极致。"为此,南田极力精研设色技法,力求艳而不俗。南田没骨花卉素以色调淡雅著称,其画色彩鲜明而不俗艳,格调清新而不冷寂。南田中年没骨花卉设色大都艳丽清新、明净华滋,晚年则多用沉厚浓重的石色,且思路愈加放逸、技法愈加纯熟,更于厚重之中见萧散、显凝练。如其《牵牛图》,堪称沉厚凝练的设色佳作。该画以没骨法写牵牛花叶,花瓣、蒂、梗、粤等俱以厚重石青平涂并分染胭脂少许,花叶以暖色渍积、冲撞而成,花头则以冷色蓝紫烘出,层次分明,有条不紊,对比鲜明,主体突出,凝重而不失飘逸、艳丽而不失生动。南田花卉设色幽淡、明净的特点,既源自对宋元以来文人画家们尚"雅"求"逸"、弃绝"俗"陋的审美传统,也源自文人画注重雅趣、崇尚淡雅的色调传统。"绚烂之极,归于平淡",是古典文人追求的至美境界,延及绘画一途,既呈现出"错彩镂金"与"出水芙蓉"的鲜明比对,又昭示着绚烂之美与纯净之美的融汇,演化为明艳照人与清刚脱俗的合体。身为文学家与书画家的南田骨子里仍是清刚绝俗的正统文人秉性,充满着对纤尘不染的"逸"格追求,正因如此,方才使得南田最终定宗足以淋漓尽致地展现斯美的没骨技法,而其花卉或淡逸或浓重的设色亦总能浓淡相宜,绝无

"脂粉华靡"的"俗"态。其三,对色光态韵的谐和的追求当是南田写生的卓绝技法。作为一代写生大家,南田在对临花卉中极重以色、光、态、韵传达自然生趣与万物神韵,尤其注重画作的光感,曾于《南田画跋》及画作题跋中数次提出花卉写生中光感的重要。可见,南田作画既力主形之极似,尝谓:"白阳、包山写生以不似为似,予则以极似师其不似矣。"又注重以形写神,力求"笔外之意"和"生动有韵",即所谓"此花有光、有态、有韵"。换句话说,南田花卉追求的是色、光、态、韵四者兼具的物象表达,尤以"韵"为关键。如其《安石榴》扇面(上海博物馆藏)中榴实饱满、霜皮剥裂、榴子晶莹,熟态毕显。再如其《兰花图》以粉笔蘸汁绿及赭石色图写兰花,率性洒脱,运笔自如,所作之兰丰厚圆润、清逸散淡,色、态、韵毕现,并于貌似无心漫笔中以色彩差异和运笔之别巧妙凸显了幽兰微妙的光感变化,全幅画作堪称色光态韵、四美齐备,宛若"天仙化人",粲然有神。

综上可知,南田花卉技法渊源有自,无论是取材、用墨、设色,还是构图、笔墨、造境,均极见其承继传统的虔诚、严肃认真的态度与锐意新创的功力。总之,南田花卉花鸟画独特技法的形成及其对中国花卉花鸟画艺术的贡献主要源自他个性鲜明的画学自觉意识和自成系统的画学审美思想。

四、意情简逸:南田花卉审美观念

明清易代之际,文艺在整体上既承接明末余绪,又充斥着对明末文化的反驳。南田身处其中,自不能免于此风影响,因此,其绘画审美远承宋元文人画论,近接明末董文敏之风。与此同时,他又能于家学、师友交游之中涵养了深厚而广博的艺术素养,摆脱当时甚嚣尘上的"南北宗说"的苑囿,形成了独自成家的审美风貌。总体来看,南田花卉审美观念集中表现出写"意"、传"情"、宗"简"、尚"逸"的鲜明特点。南田花卉的写"意"性、传"情"性、宗"简"性、尚"逸"性,并不纯然仅为他个人的独造,更堪称中国花鸟画乃至整个中国画的独特艺术观。中国画作为中华文明的重要组成部分,与华夏民族独特的哲学观念、文化素养、审美意识、思维方式和美学思想共同形成一个完整的艺术体系。因此,以南田花卉的这些特点为代表的中国画审美特征的形成,是与华夏民族在历史发展中形成的审美意识和审美习惯上的独特性息息相关、一脉相承的。全面地了解、深入地剖辨这些具有鲜明中国气象、中国精神、中国风貌的艺术特质,对于全球化背景下揭橥中国画典型的民族风格、民族特征和独特的艺术规律,对于中华文明传统在当代的伟大复兴,均具有典型的现实意义。

第一,南田花卉推崇写"意"性的艺术审美观。

南田被世人誉为"诗书画三绝",具有精湛的笔墨技巧和传统的哲学思想,对自然万物有着独特的感悟理解。写意性艺术审美观,正是源自于他从传统中国画中所汲取的对艺术本质的深刻领悟和对艺术规律的灵活掌握。

其一,南田花卉的写意性艺术审美观集中表现在其渊源有自的基本内涵中。写"意"性的艺术审美观在中国画史上历史悠久。早在两晋时期,此论已成,诸如"以形写神"、"形神兼备"、"迁想妙得"、"外师造化,中得心源"、"缘物寄情,物我交融"等理论精华,均为早期画人对写意性的理论升华,其思想内涵与审美取向直接构成传统中国画的基始性根底。此后,写意性几乎贯穿于此后中国画创作思维的始终,覆盖中国画创作的全程。此处的写"意"性,并非与工笔相对的技法表现形式,而是已逾千年、贯穿画史的一种观念、一种意识、一种精神、一种极度凝练的情感、一种地道的中国艺术观,是建立在画家主体对民族文化、时代精神、自然物象深刻体察之上的"天人合一"的至高境界,它使得人、社会、自然三者通过画作创制融为一体。单以花卉画而论,画家主体、花卉客体以及与之相关的自然或社会背景,共同触发了画家主体的创作意兴,皆有主体的绘画创作,使得画中花卉既能通过临摹写生呈现自然之美,又能超然物外地传达主体的思想情感、审美意趣和内在气质,主体精神通过花卉的载体得以体现。这也是南田花卉创制所寄予的写意性艺术审美观的基本内涵。

其二,南田花卉的写意性艺术审美观主要表现于其名目繁复的花卉意象符号创构中。如前所述,南田花卉遗存中创造了几乎涵括自然界所有花卉的意象符号体系。究其实,南田花卉的诸多意象创构主要源自华夏民族独特的意象思维方法。意象,作为思维形式,是人的意志与自然形态的统一；作为审美意识，则是审美感受形成的根源，是在人的主观意识作用之下自然的人化。因此，意象，可以构成作为主体的人与作为客体的物象之间的交融，使得画家主体在感知自然时，不仅可以实现清人戴熙《习苦斋画絮》中所言的"吾心自有造化，静而求之，仁者见仁，智者见智可也"似的推己及物式的审美判断，而且可以令画家主体于亲近自然中反观自身，实现宋人郭熙所言的"登山则情满于山，临海则意溢于海"的精神升华。而意向性绘画则使得作为客体的自然物象借由作为主体的画家的情感禀赋的熔铸，演化为既源于客观物象、又承载主体审美思想的绘画意象。南田花卉创制中近百种林林种种的花卉意象符号皆属此类。

其三，南田花卉的写意性艺术审美观还突出表现在其追求"极似之似"又不囿于"形"的写生之法上。通过前面的分析可知，南田虽重写生，但其花卉意象创构却并不十分拘泥于花卉自然形态的视觉真实，也不特别执著于花卉物象的自然属性，他是把眼中的花卉物象视为缘物寄情以表达自己意念的笔下媒介，从而使得南田花卉摆脱了时空概念限制、实现艺术表现的主体自由。因此，我们能在南田花卉画中看到他"穷天地之不至，显日月之不照"和"天地与我并生，而万物与我为一"的宇宙自然观，也能从南田花卉画迹中检视出他超越自然表象、默契自然法则的绘画时空观。在这一艺术审美观指引下，南田笔下的花卉创制不仅超越时空地表现了常人难以企及的审美幻象，而且借由现实物象充分展现画家主体丰富细腻的心灵世界，促发观者生发联想与共鸣的知音之感，最大限度地赋予画中花卉以最佳的艺术效应。

第二，南田花卉推崇传"情"性的艺术审美观。

南田在绘画理论与实践中均十分强调传"情"。他曾在《南田画跋》中明确标举"摄情"的作画原则。所摄之"情"既有文人闲情逸致之意，也寄寓着主体内心的真情挚感。画家以情入画，方能产生一如其后郑燮所言"墨点无多泪自多"般动人心魄的艺术效果，令观者同情、共鸣而成为画家的知音。可以说，南田花卉推崇传情性艺术审美观，是与他作为明遗民的经历、思想、情怀和他作为集大成的书画家对传统画艺的领悟、继承、发扬、新创密不可分的。

其一,南田花卉的传情性艺术审美观源自对"外师造化,中得心源"的传统绘画创作基本原则的准确把握。南田花卉的写意性是以自然花卉的客观物象为基础的。只有把造化自然与心源之情有机地融为一体,才能在画作中实现以景抒情、以情表意、物我两化、天人合一的传情效果。综览南田花卉遗存,不难发现,其花卉画作均以自然、生活为师,不仅重写生,还十分注重对生活、对自然的观察、研究和体悟,并将由此得来的素材通过集中、概括、提炼、筛选、构思后,在心中营构出承载着主体独特感受的意象,并在画作中实现极富传情性功能的笔墨传达与章法表现。作为诗书画三绝的大家,他还曾对比诗书画艺的异同,认为:"诗意须缥缈,有一唱三叹之音方能感人,然不能感人之音非诗也。书法画理皆然,笔先之意即唱叹之音,感人至深者,舍此亦并无书画可言。"并曾在画作题跋中称:"'草草游行,颇得自在,因念今时','六法'未必如人,而'意'南田则不让也。"这些都与他一贯强调的"笔外之意"、"笔先之意"、"笔中之笔,墨外之墨"和一贯主张的"笔墨本无情,不能使运笔者无情;作画在于摄情,不可使鉴画者不生情"完全吻合。的确,笔、墨为物,本来并无感情可言,但画家却有,当他带着感情作画并将之倾注画中,笔下万物更生出灵气、平添了审美的价值,令人回味无穷、生出共鸣。南田在花卉创制中,把自然造化中的物与主观精神世界的"我"有机统一起来,使其画作既反映客观生活的真实,又传达出主体情感色彩和鲜明个性。如其《虞美人图》,运笔造墨设色章法中极其重视情感投入,将自己的充沛情感灌注毫端笔墨色彩,一扫庸手苍白无力、缺乏内涵之弊,更于笔墨之外尽显造化自然之灵韵,一如其画中自题所言,"此卉之极丽者,其花有光、有态、有韵,绰约便娟,因风拂舞,乍低乍扬,若语若笑",足令观者生情。画中虞美人于色、光、态等外部形态的书写之外,传达出绰约娟秀、意态万千、灵动有神的生趣,令人如身临其境、备受感染。这种鉴赏者与创作者临画观花时的共鸣正是源自南田于笔墨之中所倾注的浓情厚谊和于画中花卉之外所营构的情景与意境浑然一体的强烈艺术场力。

其二,南田花卉的传情性艺术审美观源自其学识修养、人品素质、审美情趣及艺术技巧。

南田家族,世代宦儒。因此,南田自幼便接受了良好的传统教育,十分注重传统文人精神的承继,其艺术天赋也很早便被发现。然而,身处明清鼎革之际,政治变革、朝廷更替迫使他放弃了读书登仕之途,选择不与当朝合作的"高蹈"态度和隐逸方式。南田曾赋《杂感》以明此志:"耻作伶官态,徒癫鼓吏狂。从来事高洁,岂忍更蹇裳。"①有清一代,书画等艺术虽与政教联姻,但却仍然保有着传统的作为"无用之用"的独立性,使文人得以在绝意仕进之后仍可于艺术领域为主体精神找到安身立命之所,永葆卓然独立的批判姿态。迥异于当朝时人,南田独特的人生遭际与人文境遇使得他身上既有着传统文人的精神与情怀,更兼具遗世隐者的自律和自知;从而促成了其寓诗情画意于日常花鸟虫鱼之作的显著特性。也正是因着这些内在的、独特的人文寄寓,南田花卉才于清季另辟蹊径、鹤立画坛。然而,较之东晋陶潜恬淡、旷达之隐,身处明清易代之际的南田与其他当时隐者相类,高蹈之举与隐逸之选均多了一份无奈与悲苦。南田甚至曾因不事科举、度日艰难致信友人称欲"焚弃笔砚,决策为农以没世",但却最终不改诗画之志,以为"逆境之来,一气勇往,便欲胜之,差堪无懼耳。倘为疾苦所扰,神志沮丧,岂能复有所为"②。可见,南田是将书画视为个人涵养修身的方式的。南田命途多舛的经历与传统文人的气节操守使他内心充满着忧与乐、彷徨与坚守、困顿与孤傲的矛盾与对立,更使其画作中浸透着一种跨越时空、穿越时代、难为世俗生计消解的真实、质朴和傲骨。无怪乎南田曾于画作题跋中一再提及"意贵乎远,不静不远也,境贵乎深,不曲不深也"、"倘能于所谓静者,深者得意焉,便足驾黄王而上矣"和"如此荒寒之境,不见有笔墨痕,令人可思"等论断,足见其对传情性艺术审美观的坚守与追求。透过南田花卉遗迹,观者常能从他那学古不泥古、师古师其意的脱去町畦、洗发新趣的借古抒怀、借物咏怀之作中体味出他深寓其中的独立人格、自由精神,以及他移我之意、情、境的摄情、生情、移情之论。

———————————

① 参见(清)恽寿平:《瓶香馆集》,道光二十四年海昌本,道光二十六年蒋光煦辑,光绪七年重刊,西泠印社 2012 年版。

② 参见(清)恽格:《恽寿平全集》,人民文学出版社 2015 年版。

第三,南田花卉推崇宗"简"性艺术审美观。

简约真率、萧散简远,堪称南田花卉的重要表征,也昭示了南田花卉的宗"简"性艺术审美观。"简",即简约、简远,既是中国画的一种重要艺术表现手法,更是中国画尤其是文人画所力追之真率、萧散的一种意境。南田花卉创制常以简约之法对取材于自然造化与日常生活的原型进行集中、鲜明、概括的表现,并在花卉画迹以传情之笔墨设色尽肖花卉之意象、尽显画家主体萧散简远的文人性情。

其一,南田花卉的宗简性艺术审美观源自对中国文人画尚"简"传统的自主选择与自觉承继。自北宋苏东坡始,"简"即依凭其利于写意的优势而随着文人画自宋元以降声势浩大、波及甚远的勃兴,逐渐盖过写实一跃成为文人画家及论家一致认同和追宗的文人画格,并成功升格为中国画的重要艺术表现手法,也成为中国画论中至关重要的画风和审美范畴。画坛宗"简"之风由苏轼首倡。他曾于诗画互证中称:"论画以形似,见与儿童邻,赋诗必此诗,定知非诗人。诗画本一律,天工与清新。"①力主文人画自然浑成、简约真率的诗意韵味,力求简古、清新的萧散简远之境。此论一出,即为画苑准的,则范宋元以降的文人画艺。自此,"高简"和"简淡"亦成为中国画史中最受尊崇的气象,以至出现了"宋人画繁,无一笔不简,元人画简,无一笔不繁"的熟语。元人倪瓒及其画作则集中而典型地体现了这一宗"简"风习,其画立意、笔墨、章法均以简胜,堪称文人士大夫清高、超逸、简淡理想的画作典范。静观细品"逸笔草草,不求形似,聊以自娱耳"的云林画作,②不难发现云林满纸漫卷中所深蕴着一股莫可名状的深沉愁绪与哀叹,以及他在世乱积离、退隐太湖时于万般愁苦、心念茫然之际灌注笔端、溢满画卷的崇道礼佛的出世之想。降及明清鼎革之际,倪瓒宗"简"画艺引发了此间文人画家们的共鸣,并被不断崇习、追摹。南田更是诸家习倪的个中胜手。南田花卉追宗云林宗"简"画艺的自主性与自觉性主要源自他与云林极其相似的人文境遇与郁结心

① (宋)苏轼:《苏轼全集》,上海古籍出版社 2000 年版,第 351 页。
② 俞剑华:《中国古代画论类编》,人民美术出版社 2005 年版,第 706 页。

境。明清更迭、满汉易帜的时代变迁,使得饱读诗书、深信儒学的南田成为恪守志节却报国无门的遗民,遭遇了家国剧变的双重磨难和意欲匡时济世而不得的身心煎熬。豪宕、激越的壮怀在残酷的现实面前如此无力,更使他陷入了无尽的无奈和无解的哀痛之中。这种凄凉、寂寥与无奈,恰同于三百年前的云林。于是,直接东坡崇简画论、紧追云林宗简画风即成南田花卉画格的自然之选。他曾直言:"画以简贵为尚。"又曾在《瓯香馆集》中称:"古人论诗曰,诗罢有余地,谓言简而意无穷也。如上官昭容称沈诗,不愁明月尽,还有夜珠来,是也。画之简者亦然。东坡云,此竹数寸耳,而有寻丈之势。画之简者,不独有其势,而实有其理。"①以为画之"简"中既含无穷之"意",且兼具"势"、"理",从而确立了中国画的宗"简"性审美追求,并进而将之升华为一种艺术理念和审美理想。

其二,南田花卉的宗简性艺术审美观源自其对佛禅的独特领悟和对"意"、"情"的不懈审美追求。南田宗简性艺术审美观的源头在佛教对中国画的影响上。中国画学审美受儒道佛影响至深。自唐代以降,禅宗顿悟成佛论更甚嚣尘上,流风所及,几乎波及整个思想文化界,引得无数文人士族浸淫其中。此风延及宋元则更甚,文人士子们无论是生活态度,还是人生理念,乃至艺术观念,无不受其影响。元人倪瓒就曾有"据于儒,依于老,逃于禅"的名断,从其旷远空灵的画作亦可窥见元代美学宗简潮流之一斑。及至清初,南田本人的传奇人生遭际亦与佛结缘,他年少时曾有短暂的入寺为僧经历,其后又与苏杭二寺主持过从甚密,因此对佛教教义及佛学典籍异常熟稔,这些都直接影响到他的画论和绘画创制实践。在画论上,南田论画多涉佛学思想,表述亦常用佛教术语,如其关涉笔墨繁简之论:"维摩诘卧毗邪,惟设一榻,岂厌其少?"又称:"不可以笔墨繁简论也。"②以佛教史上的大乘佛教人物维摩诘虽少却精为例来证明绘画笔墨之简的妙处,可见一斑。在绘画实践中,南田花卉绘画所力追的正是元人倪瓒等人的宗简画格。于他而言,"笔墨简洁处,用意最微",③"简"

---

① (清)恽格:《瓯香馆集》,见《丛书集成初编》,中华书局1985年版,第173页。
② (清)恽格:《瓯香馆集》,见《丛书集成初编》,中华书局1985年版,第172页。
③ (清)恽格:《瓯香馆集》,见《丛书集成初编》,中华书局1985年版,第186页。

是挣脱形似束缚、吐露主体意想的最佳手段;在其花卉画迹中,"高简、非浅也,郁密、非深也",①所求的乃是类同南唐徐熙没骨牡丹那般"犹写山水取意到"②。于他而言,"简"又是脱略于笔墨之外的情致和意趣,追崇的是所谓"清如水碧,洁如霜露,轻贱世俗,独立高步"的画品。③ 细览南田花卉画迹可知,南田所欲呈现的是清幽洁净、静谧恬淡之极美至境,所欲寄寓的是凄苦、悲凉、寂寥的无奈之感,此境此情正是南田花卉创制的艺术基调。由是观之,南田宗简性绘画创制既是对当时画界中绮艳、淫靡之风的反对,也是他于简淡画格中寄寓深厚意趣的尚意性艺术审美观的体现,更是他于简单抽象的绘画意象中托寓明晰强烈的情感和记忆的传情性艺术审美观的表征。

第四,南田花卉推崇尚"逸"性艺术审美观。

南田对"逸"的追求贯穿一生的诗书画艺之中,在其画学与绘画创制中体现得尤为突出。《南田画跋》曾言:"高逸一种,盖欲脱尽纵横习气,淡然天真,所谓无意为文乃佳,故以逸品置神品之上。"南田在画论中,还四十余次直接以气论逸、以趣论逸,并于画跋中将"逸"细分为奇、纵、高、秀、劲、清、超、神等多种类型;其花卉绘画创制也十分推重清新高雅、超凡脱俗,力求高标出尘、美仑美奂之"逸"品画格。清人方薰品评南田画作为"逸笔高韵",秦祖咏亦称南田画作"天姿超妙,落墨独具灵巧秀逸之趣,为当代第一",更称其画"比之天仙化人,不食人间烟火,列为逸品"。尚"逸",堪称南田花卉标杆性审美追求。

其一,南田花卉的尚逸性艺术审美观源自他对传统文人画"逸"格理论的深刻领悟与自觉光大。在中国画史上,"逸"是一个重要的画学传统和美学范畴。尽管画史中对"逸"品风格的实践追求自魏晋即已开始,但以"逸"论艺却肇端于初唐李嗣真《后书品》之论书,惜其论不详;经盛唐张怀瓘《书断》、《画断》以神、妙、能论书画启发,晚唐朱景玄《唐朝名画录》以志向、情性、法度、自然之选品断画格,开以逸论画之先声;宋人黄

---

① (清)恽格:《瓯香馆集》,见《丛书集成初编》,中华书局 1985 年版,第 176 页。
② (清)恽格:《瓯香馆集》,见《丛书集成初编》,中华书局 1985 年版,第 256 页。
③ (清)恽格:《瓯香馆集》,见《丛书集成初编》,中华书局 1985 年版,第 205 页。

休复《益州名画录》阐发朱景玄画品四格,以"逸"格为尊,以为"画之逸格,最难其俦,拙规矩于方圆,鄙精研于彩绘"①,可视为注重笔墨之简、象外之意的文人审美意趣的初步反映;待苏轼"诗画本一律,天工与清新"的论画诗出,"逸"即开始成为文人画论中的奠基性画格;元人更将"逸"品之格全面贯彻到山水与水墨花卉创制实践之中,大开画中尚"逸"之风,山水之"逸"以"元四家"为最,既有云林之简逸,又有大痴之密逸,既有王蒙之繁逸,又有吴镇之重逸,花鸟之"逸"则以梅兰竹菊等文人水墨创制为标,无不借由以虚代实、以无为有的笔墨构建和沉静冷寂、孤高清逸的无声之叹昭示着文人画家们对道法自然的"逸"境追求;明末董文敏堪称文人画史中追宗"逸"品的另一位里程碑式的标杆人物,他进一步将"逸"的标准明确表述为萧散简远、古淡天然、荒率苍古、天真秀润、不尊畦径、超逸绝尘、味外有味的绘画风格。② 至此,自魏晋画人绘画创制中萌芽、唐人李嗣真肇端、朱景玄开先声、宋人黄休复阐发、苏东坡提升、元人绘画实践贯彻、明人董文敏集中总结的中国画"逸"品理论业已成熟。可以说,尚"逸"之风是对状物之"能"、达趣之"妙"和合律之"神"的又一次审美超越;它再次彰显了不拘成法、纵横驰骋的画法的地位,既是宋元以降中国画发展的整体趋势,更是自明人董文敏提出"画分南北"后文人画竭力追尚的审美主潮。及至南田,这一理论更有了长足的进展。南田将"逸"明确为四种标准:一是"脱尽纵横习气,得其幽淡天真";二是"不刻意求工、求似,得其自然天趣";三是"不论繁简,得其精神气韵";四是"轻贱世俗"。南田花卉尚逸性艺术审美观的形成,正得益于他对这一趋势与主潮的敏锐察觉、准确把握和自觉广大。细品南田画迹,其花卉创制虽不似其山水创制那般直接而充分地演绎着"逸"风,却也以不落畦径、不入时趋的清简笔墨和古淡设色、洗却铅华的没骨花卉,呈现着他清如水碧、洁如霜露的文人画风,抒写着他自然真率的艺术理想。

---

① 俞剑华:《中国古代画论类编》,人民美术出版社 2005 年版,第 405 页。
② 参见潘运告:《明代画论》,湖南美术出版社 2002 年版,第 184 页。

　　其二，南田花卉的尚逸性艺术审美观源自他独特的身世遭际、崇高的品格操守和对清初画坛时弊的严肃反驳。"逸"含超逸、闲放之意，更有打破常规、超越理法、臻于自由境界之意。南田花卉的尚"逸"之选，应与其独特的人生遭际、宽博的国学熏染和尴尬的人文境遇密不可分。如前所述，南田自幼饱读诗书、浸淫国学胸怀匡时济世之志，却身处明清更迭、满汉易帜、家国剧变的乱世，成为报国无门的遗民。尽管遭遇残酷现实的磨难与煎熬，他却始终恪守志节。于画中寄寓壮怀、疏解苦闷、消解愁绪、澡雪精神，展现主体自由超脱的生活意趣和精神境界，当是南田上佳的精神超越方式。或许，这也正是南田花卉尚"逸"高格的人文境遇之根。由是观之，南田那些别有神采、独自高标、直入"逸"品的花卉创制，无一不是其心灵、思想、情感、寄托的完美表达，无一不是其人生理想、艺术追求、美学精神的个性呈现。这些花卉创制，既体现着南田对宇宙、自然、生命、艺术的深切感悟，又呈现着南田坚贞的操守、高洁的品格、深厚的学养、强烈的个性、高标的精神。正所谓画如其人，南田花卉画中"逸"格，正是南田人格修养的画学表征。

第三节　八大花鸟：水墨写意之法
与险空悲逸之境

　　清季晚明遗民画家以弘仁、髡残、朱耷、石涛号为"四僧"。其中，花鸟当推八大山人为第一。正如谢稚柳《清代绘画概论》所称："明末清初之际，是社会动乱、民族矛盾和阶级斗争都极为激烈的时代，给当时文人和艺术家的心灵带来强烈的冲击，引起他们思想上的矛盾和感情上的种种波澜和痛苦。他们隐逸山林，醉心翰墨，有的抱消极避世的态度，也有的带着怀念旧明江山的反抗意识或悲痛无奈的情绪，其中作为典型代表的是八大山人。"[1]朱耷本为明宗室，在天崩地坼的明清易代之际，他胸怀

―――――――――

　　① 参见《中国美术全集·绘画编·清代绘画》（上），人民美术出版社、上海人民美术出版社1988年版，第1页。

孽子孤臣之心遗世独立,花鸟画作沉郁深挚、曲折隐晦、个性特出、大异时风,清人郑燮曾以诗论其画曰:"国破家亡鬓总皤,一囊诗画作头陀。横涂竖抹千千幅,墨点无多泪点多。"①八大花鸟进一步发挥了中国传统文人画寄情遣兴的重要功能,直接影响了乾隆年间"扬州八怪""嬉笑怒骂皆文章"的画风,呈现出与正统主流画派迥然相异的花鸟意趣和遗民意识,堪称清初花鸟画坛流光溢彩、靓丽炫目的别样奇观。因此,选取八大山人花鸟画迹作为特定对象,旨在借由八大花鸟丰富经典的画作遗迹、旨趣奇异的意象符号、自出胸臆的写意技法、险空悲逸的审美观念,窥见八大在花鸟创作中的思维基质、创作构思、作品呈现、精神传承,揭橥清初写意花鸟绘画的本体发展进程、主体心理结构、时代风尚播迁和传统精神取向,准确把握清代写意花鸟在野画派的审美基调。

一、八大花鸟画迹画功及研究小考

欲从画迹出发研究八大画学,首当其冲的即是对八大画迹尤其是花鸟画迹的遗存稽考。王朝闻主编的《八大山人全集》第五集单列有《总目次·总图录》一章;②齐渊也曾编著《八大山人书画编年图目》,③二著均对今传所见八大画迹作过详细梳理,可作参阅。概观而论,八大一生艺术创制浩繁,有学者称其存世书画应在 2000 幅以上,其中流传至今的画迹尤丰。王朝闻曾称,八大山人在大约五十年左右的艺术生涯中,创作了无数绘画作品,迄今传世者亦在五百幅以上。④《石渠宝笈》曾著录其 34 岁时创作的《传綮写生册》,⑤所作《古梅图》、《杂画册》等,亦藏于故宫。然

---

① (清)郑燮:《题屈翁山诗札石涛、石溪、八大山人山水小幅并白丁墨兰共一卷》,参见傅陛云编:《郑板桥全集·题画编》,北京出版社 2003 年版。

② 参见王朝闻主编:《八大山人全集总目次·总图录》,江西美术出版社 2000 年版。

③ 参见(清)八大山人书/绘,齐渊编著:《八大山人书画编年图目》,人民美术出版社 2006 年版。

④ 王朝闻:《中国美术史·清代卷》(上),齐鲁出版社、明天出版社 2000 年版,第 138 页。

⑤ 胡海超:《论清初四画僧的绘画艺术》,参见中国美术全集编辑委员会编、杨涵主编:《中国美术全集·绘画编 9·清代绘画》(上),上海人民美术出版社 1988 年版,第 12 页。

而，八大山人画迹散见于故宫博物院、国家博物馆、沈阳故宫博物馆、南京博物院、台北故宫博物院、首都博物馆、天津市艺术博物馆、天津历史博物馆、上海博物馆、重庆博物馆、浙江省博物馆、浙江省图书馆、湖北省博物馆、广东省博物馆、云南省博物馆、安徽省博物馆、贵州省博物馆、旅顺博物馆、青岛市博物馆、烟台市博物馆、无锡市博物馆、苏州灵岩山寺、江西修水县黄庭坚纪念馆等各大文博机构，中央美术学院、中国美术学院、四川大学博物馆等高等院校，西泠印社、荣宝斋等专业书画出版机构，美国纽约大都会艺术博物馆、美国普林斯顿大学美术馆、美国佛利尔美术馆、美国辛辛那提美术馆、日本泉屋博古馆等国外收藏机构以及傅申等诸多海内外名家私藏中，虽以上海博物馆藏八大山人画迹为富，但整体来看，八大画作的真迹分布异常分散。加之，徐邦达《历代流传书画作品编年表》①、郭味蕖《宋元明清书画家年表》②、刘九庵《宋元明清书画家传世作品年表》③等画坛经典的权威著述对八大山人画迹辑录甚少（这与三人辑录与八大同期的"四王"、吴历、南田画迹的热忱形成了鲜明的对比，④反映出八大山人画风在清代流播不远的实况，从中也可见出八大绘画是疏离于主流正统画派而作为野逸派的面貌流传下来的）。这些情况无疑都增加了研究的难度。好在改革开放以来出版的许多综合类、专门类画集往往收录了八大山人的代表性画迹，江西南昌更专门建有江西省八大山人纪念馆，汇集了诸多八大山人研究的最新成果，有效缓解了研究者们东奔西周、搜求劳顿之苦。细览今见辑有八大画迹的目下图册，辑录比较权威、相对全面的有如下几种。上海人民美术出版社出版的中国美术全集编辑委员会编、杨涵主编的《中国美术全集·绘画编 9·清代绘画（上）》中收入八大山人画作 9 幅，其中，山水 2 幅，花鸟 7 幅。⑤ 文物出版社与

---

　　① 参见徐邦达：《历代流传书画作品编年表》，上海人民美术出版社 1963 年版。

　　② 参见郭味蕖：《宋元明清书画家年表》，人民美术出版社 1982 年版。

　　③ 参见刘九庵：《宋元明清书画家传世作品年表》，上海书画出版社 1997 年版。

　　④ 参见拙作：《没骨与简逸：南田花卉的画学审美意识》，见朱志荣主编：《中国美学研究》第七辑，商务印书馆 2015 年版。

　　⑤ 参见中国美术全集编辑委员会编，杨涵主编：《中国美术全集·绘画编 9·清代绘画》（上），上海人民美术出版社 1988 年版，第 59—68 页。

浙江人民美术出版社联合出版、中国古代书画鉴定组编的《中国美术分类全集·中国绘画全集 23·清 5》中收入八大山人画作 161 幅,其中,山水 62 幅,花鸟 115 幅,书法 17 幅。① 人民美术出版社出版的《八大山人》则以上、中、下三卷的篇幅汇集了八大山人所作书画作品 373 幅,其中,书法 27 幅,绘画 246 幅;画迹中,山水 84 幅,花鸟 162 幅。可谓品类齐全、辑录权威。② 北京工艺美术出版社出版刘冠良主编的《中国十大名画家画集》中单列《八大山人》一卷,收录八大山人画迹 144 幅,其中,山水 16 幅,花鸟 128 幅。③ 荣宝斋出版的《中国书画名家全集》中亦曾单列《八大山人画集》(两卷),收录八大山人山水与花鸟画迹多幅。④ 上海书店出版社根据库藏全套《南画大成》精选重编的《历代名画大观》中,⑤分册辑录八大山人画迹 53 幅,其中,山水 14 幅,画鸟 39 幅。分卷来看,《花鸟人物册页》卷收录八大山人花鸟册页 17 幅;⑥《花鸟人物轴》卷收录八大山

① 参见中国古代书画鉴定组编:《中国美术分类全集·中国绘画全集 23·清 5》,文物出版社、浙江人民美术出版社 2001 年版。

② 参见(清)朱耷绘,人民美术出版社编:《八大山人》(上、中、下),人民美术出版社 2003 年版。

③ (清)朱耷绘、刘冠良主编:《八大山人》,参见刘冠良主编:《中国十大名画家画集》,北京工艺美术出版社 2003 年版。

④ (清)朱耷绘:《八大山人画集》(全二册),参见《中国书画名家画集》,荣宝斋出版社 2003 年版。

⑤ 参见[日]河井荃庐、日下都寿、原田尾山、藤原楚水监修:《南画大成》,(东京)兴文社 1935 年版。该书为吴昌硕弟子、西泠印社社员河井荃庐等监修的中国南画代表作之集大成。全书正编共 16 卷,收入唐代王维至清扬州八怪、赵之谦、吴昌硕等历代文人画近 4000 幅,乃有史以来第一部中国绘画作品大全;书中不少为日本个人收藏家的珍品,诸如石涛、八大山人、文征明和吴昌硕的名作,首次在此公之于众;有些画作虽属北宗,但在南画发展史上或不可缺,故出于参照之目的也收载其中;画作均保持原画式样,并留存历代名家题识之墨迹;全书按兰竹、花卉、人物、山水、长卷等分册,道林纸珂罗版印制,绢面封装。其收录之浩瀚,编选之精当,论断之权威,至今仍无出其右者,故被誉为收藏鉴赏中国名画的座右宝典。《中国国家图书馆外文善本书目》(北京图书馆出版社 2001 年版)第 229 页有录,将其指定为善本书。现已绝版。1997 年,上海书店出版社据该社库藏《南画大成》精选重编,更名为《历代名画大观》出版;2004 年,广陵书社据《南画大成》原书(含附册及题跋集共 22 卷)胶版平装重印出版,重印后共分 12 册。

⑥ 上海书店出版社编:《历代名画大观·花鸟人物册页》,上海书店出版社 1997 年版,第 77—94 页。

人花鸟轴 22 幅;①《山水册页》卷仅收录八大山人山水册页 12 幅;②《山水轴》卷则仅收录八大山水轴 2 幅。③ 此外,尚有《八大山人画册神品》④、《八大山人石涛上人画合册》⑤、《八大山人画撰》⑥、《清朱耷山水花鸟册》⑦、《八大山人画集》⑧、《八大山人画册》(荣宝斋版)⑨、《八大山人画册》(朝花版)⑩、《八大山人花鸟册页》⑪、《八大山人画册》(江西版)⑫、《八大山人书画册》⑬、《八大山人书画集》⑭、《八大山人书画集》⑮、《中国历代花鸟画选》⑯、《渐江·髡残·石涛·八大山人四僧画集》⑰、《历代花鸟画精品集》⑱、《八大山人全集》⑲、《八大山人书画集》⑳、《明清花鸟画集》㉑、

---

① 上海书店出版社编:《历代名画大观·花鸟人物轴》,上海书店出版社 1997 年版,第 164—184 页。

② 上海书店出版社编:《历代名画大观·山水册页》,上海书店出版社 1997 年版,第 126—136 页。

③ 上海书店出版社编:《历代名画大观·山水轴》,上海书店出版社 1997 年版,第 253—254 页。

④ 参见(清)朱耷作:《八大山人画册神品》,(京都)小林写真制版所 1919 年版。

⑤ 参见(清)朱耷等人作,美术研究会审定:《八大山人石涛上人画合册》,上海有正书局 1924 年版。

⑥ 参见(清)朱耷作,秋叶启鉴编:《八大山人画撰》,(东京)聚乐社 1949 年版。

⑦ 参见《清朱耷山水花鸟册》,上海博物馆新中国成立初出版,50 年代上海博物馆藏大开本珂罗版精印。

⑧ 参见(清)朱耷作,上海人民美术出版社编:《八大山人画集》,上海人民美术出版社 1958 年版。

⑨ 参见(清)朱耷作:《八大山人画册》,荣宝斋出版社 1959 年版。

⑩ 参见《八大山人画册》,朝花美术出版社 1961 年版。

⑪ 参见(清)朱耷作,上海人民美术出版社编:《八大山人花鸟册页》,上海人民美术出版社 1963 年版。

⑫ 参见《八大山人画册》,江西人民出版社 1979 年版。

⑬ 参见(清)朱耷作:《八大山人书画册》,西泠印社 1982 年版。

⑭ 参见汪子豆编:《八大山人书画集》(第一、二集),人民美术出版社 1983 年版。

⑮ 参见(清)朱耷作:《八大山人画集》,江西人民出版社 1985 年版。

⑯ 参见袁烈州编著:《中国历代花鸟画选》,河南美术出版社 1986 年版。

⑰ 参见《渐江·髡残·石涛·八大山人四僧画集》,天津人民美术出版社 1991 年版。

⑱ 参见上海博物馆编:《历代花鸟画精品集》,上海书画出版社 1998 年版。

⑲ 参见王朝闻主编:《八大山人全集》(全五册),江西美术出版社 2000 年版。

⑳ 参见《八大山人书画集》,天津人民美术出版社 1999 年版。

㉑ 参见徐湖平、刘建平主编:《明清花鸟画集》,天津人民美术出版社 2000 年版。

《中国历代花鸟画经典》①、《中国传世名画全集》②、《中国古代名家作品选粹：八大山人》③、《八大山人》④、《南画大成》⑤、《八大山人书画编年图目》⑥、《八大山人小品花鸟画》⑦、《八大山人真品集（花鸟卷·山水卷）》⑧等众多画册中均收录了八大山人的代表性画作。这些成果都为我们以画迹为中心，稽考和研究八大花鸟画审美特征、发掘和揭橥其后潜藏的时代审美意识奠定了坚实的基础。

　　八大山人的绘画艺术奇特而雄健，在清初画坛别开生面，卓然而立。八大山人在约五十载的艺术生涯中奉献给世人的大量传世名作，奠定了他在中国画史乃至中国艺术史上的不朽盛名与光辉地位。综览八大上述传世画迹可知，八大超越前人的成就涵括花鸟画、山水画和书法艺术等诸多方面，约略与其同时的大涤子石涛曾以"书法画法前人前"盛赞他。然而，八大传世最多、成就最突出、影响最深远的主要是他的花鸟画。八大山人以其超绝时人的花鸟画成就堪称中国写意花鸟画史上的一座重要里程碑。写意花鸟画在我国画史上始于五代徐熙，惜其画迹不传。迄今可见最早的写意花鸟画迹当属梁楷、牧溪"意思简当、不费妆缀"的花鸟创制。⑨元季文人墨客大倡写意之风，寄寓"士人家风"的梅兰竹菊四君子成为入画甚多；明人林良、沈周，或师法南宋传统，或取径元人风调，承继并发扬了写意花鸟画风；嗣后，陈淳、徐渭一改林良、沈周写意花鸟画虽简

---

① 参见高云策划：《中国历代花鸟画经典》，江苏美术出版社 2000 年版。

② 参见刘人岛、唐璐主编：《中国传世名画全集》，国际文化出版公司、中国戏剧出版社 2001 年版。

③ 参见（清）八大山人绘：《中国古代名家作品选粹：八大山人》，人民美术出版社 2002 年版。

④ 参见（清）八大山人绘，刘墨：《八大山人》，河北教育出版社 2003 年版。

⑤ 参见（明）董其昌等绘：《南画大成》（全 12 册），广陵书社 2004 年版。

⑥ 参见（清）八大山人书/绘，齐渊编著：《八大山人书画编年图目》（上、中、下），人民美术出版社 2006 年版。

⑦ 参见（清）八大山人：《八大山人小品花鸟画》，人民美术出版社 2011 年版。

⑧ 参见陈传席主编：《八大山人真品集》（花鸟卷·山水卷），江西美术出版社 2011 年版。

⑨ 薛永年：《论八大艺术》，见（清）朱耷绘，人民美术出版社编：《八大山人》（中卷），人民美术出版社 2003 年版，第 9 页。

洁洒脱却仍较写实、颇具平面化趋向而无变形追求的画风,或增抽象因素而显出半符号化倾向,或"不求形似求生韵"、以草书入画直抒胸臆、陡增狂放抽象。及至八大山人,则于多元绘画创制中呈现出明显的四大特征:一是心随笔运、取象不惑,不拘形似、意象为主;二是山水、人物多样兼能,花鸟游鱼尤具特色;三是用笔千变万化,画境迷幻简逸;四是诗书画并佳,相得益彰。尤其是在笔墨与造型双赢的写意花鸟画创制中,既重以书入画,善以篆书式含蓄有力的笔法入画,讲求书法式抽象因素的吸收,又重"应物象形",善以夸张变形的造型强化高度浓缩、精气内敛而又直观可视的个性思想和情感表达,使简括而富含内蕴的笔墨与形象完美结合,尽显绘画造型形象的具象功能和高强造诣。至此,我国写意花鸟画不仅以其洗练简括且极富表现力而与工笔花鸟画平分秋色、各擅胜场,而且呈现出后来居上的趋势。对此,李旦《画家八大山人》①、左海《纪念我国古代十大画家》②、郭味蕖《明遗民画家八大山人》③、谢稚柳《朱耷》④、俞兆鹏《八大山人的生平与艺术》⑤等学者均对八大艺术成就有精当的阐发,杨新曾以"少、圆、水、白、奇"概论八大绘画成就,⑥亦可谓弘扬八大画功的有益视角。可见,八大花鸟绘画继承了宋人开辟的中国文人画传统,既多元取法,师承石恪、梁楷、牧溪的减笔及元人水墨花鸟、明人青藤白阳的写意等画法;又转益多师,深受林良、吕纪、吴门四家、浙派及董其昌的影响,可谓"集众家笔墨之大成,借古开今,自出性灵,为我所用,奇谲诡异,博大精深"。⑦ 对于八大山人写意花鸟画成就的肯定与认同,自清季即已不绝如缕。邵长蘅《八大山人传》称其画作"颇怪伟";龙科宝《八大山人画记》评其画为"奇劲";陈鼎《八大山人传》则认为其画"笔墨豪雄";谢堃

---

① 参见李旦:《画家八大山人》,《江西日报》1961 年 4 月 2 日。

② 参见左海:《纪念我国古代十大画家》,《人民日报》1961 年 3 月 4 日。

③ 参见郭味蕖:《明遗民画家八大山人》,《文物》1961 年第 6 期。

④ 参见谢稚柳:《朱耷》,上海人民美术出版社 1979 年版。

⑤ 参见俞兆鹏:《八大山人的生平与艺术》,《江西社会科学》1982 年第 5 期。

⑥ 参见杨新:《故宫博物院藏文物珍品全集·四僧绘画》,上海科学技术出版社、香港商务印书馆 2000 年版。

⑦ 胡海超:《论清初四画僧的绘画艺术》,见中国美术全集编辑委员会编、杨涵主编:《中国美术全集·绘画编 9·清代绘画》(上),上海人民美术出版社 1988 年版,第 13 页。

《书画所见录》更称其"写生花鸟,点染数笔,神情毕具,超出凡境,堪称神品";石涛则评其画为"淋漓奇古";郑燮曾对比八大与石涛笔法,以名之小大极言八大花鸟简括洗练,连大涤子亦有不逮:"八大名满天下,石涛名不出吾扬州,何哉?八大纯用减笔,而石涛微茸耳。"张庚《国朝画征录》载:"八大山人,有仙才……画擅山水花鸟竹木,笔情纵态,不泥成法,而苍劲圆晬,时有逸气,所谓拙规矩于方圆,鄙精研于彩绘者也,襟怀浩落,慷慨啸歌……"又载:"余游南昌,袭孝廉曰菊谓余曰:'山人画笔固以简略胜、不知其精密考尤妙绝,时人第不能多得耳。'"①饶宇朴、何绍基二人极力推崇八大画作中的雪个精神,饶称其"画若诗,奇情逸韵,拔立尘表",何亦题其《双鸟图》称"愈简愈远,愈淡愈真,天空壑古,雪个精神"。清末民初赵尔巽则于《清史稿·列传二百九十一·艺术三》中载:"其书画题款'八大'二字每每联缀,'山人'二字亦然,类'哭'类'笑',意盖有在。画简略苍劲,生动尽致,山水精密者尤妙绝,不概见。慷慨啸歌,世以狂目之。"②然而,尽管八大山人花鸟画超逸时人、卓然有成,但其花鸟画风在当时的影响和辐射范围却不算很大。对此,近人潘天寿曾在《中国绘画史》中明言:"除牛石慧能得其神趣者外,虽有罗饭牛牧等继起,号江西派,皆非后劲焉。"③可见,在清初,八大山人的绘画虽然取得了很高的成就,但当时师其画风者寥寥,知名者仅牛石慧一人而已。《中国美术分类全集·中国绘画全集23·清5》中曾收录牛石慧花鸟画作1幅,即《冬瓜芋头图轴》(首都博物馆藏),并载:"牛石慧,号行庵,生卒年不详,约活动于清代前期,据其传世作品可知,他75岁时尚在世。"该图轴中,硕大的冬瓜用断续之笔勾括,略皴,芋头则以浓墨写出,一浓一淡,相映成趣。画风虽首八大山人影响,而用笔稍觉稚弱。图中自识"菩萨曾有言,无刹不现身。东瓜芋头处,岂非观世音。七五老人牛石慧写",钤"法慧"、"亡

---

① 胡光华:《八大山人》,吉林美术出版社1996年版,第338、98页。
② 赵尔巽:《清史稿·列传二百九十一·艺术三》,中华书局1977年版,第13903页。
③ 潘天寿:《中国绘画史》,上海人民美术出版社1983年版,第255页。

学氏"二印。李凯称其"擅长花鸟,画风受八大山人影响最大"。① 然而,
对清代中期的"扬州八怪"、晚清的"海派"等后世画坛而言,八大的影响
却相当深远。降及近现代,花鸟画坛专擅或兼工写意的一众名家无不在
不同程度上借鉴八大山人。对此,薛永年《论八大艺术》认为:"吴昌硕、
陈师曾、齐白石、潘天寿、张大千、朱屺瞻、李苦禅、丁衍庸等均为明显取法
八大而终成大器者。"②吴昌硕19世纪末开始借鉴八大,《缶庐集》《缶
庐别存》曾录题画诗数首,曾有"八大昨宵入梦,督我把笔画荷"之句;又
有多条涉朱画跋,如"画多奇趣"、"古淡萧寥,如野鹤行空"、"高古超逸,
无溢笔,无剩笔"、"画中有诗,诗中有禅,如此雄奇,世所罕见"等,还作过
许多《效八大山人画》。齐白石则于1907年左右自《葡萄》《雏鸭》开始
借鉴八大,曾作涉朱题画诗跋20则,晚年曾自称:"予五十岁后之画,冷
逸如雪个。"更有诗直称:"青藤雪个远凡胎,缶老当年别有才。我愿九泉
为走狗,三家门下转轮来。"甘当泉下八大狗。潘天寿则从画理上评价:
"八大山人的画,不光鸟是活的,花是活的,山与石头也是活的,一笔一墨
无不生动。这不仅是一个技巧问题,也是艺术旨趣的不同。"又称其画:
"简笔出之,老辣果断,添一笔则多,减一笔则少,可谓炉火纯青,臻善完
美矣。"③并于《中国绘画史》中认为八大山水"出于子久,能拙规矩于方
圆,鄙精研于彩绘,使学者,每觉可望而不可即",八大花卉则"承明代林
良、徐渭写意之长,运以天资学力,独开蹊径","笔简而劲,无犷悍之气",
"卓然为后世法,为清代大写派之大斗",开江西派之先河。④ 李苦禅也曾
称:"八大山人的笔墨清脱,他把倪云林的简约疏宕、王蒙的清润华滋推
向更纯净、更醋畅的高度。那是一种含蓄蕴藉、丰富多彩、淋漓痛快的艺
术语言。"不仅如此,诸家画史论著亦均对八大写意花鸟画成就盛赞不

① 中国古代书画鉴定组编:《中国美术分类全集·中国绘画全集23·清5》,文物出版社、浙江人民美术出版社2001年版,第24页。
② 薛永年:《论八大艺术》,见(清)朱耷绘,《八大山人》(中卷),人民美术出版社2003年版,第2页。
③ 八大山人纪念馆编:《八人山人研究》(第二辑),江西人民出版社1988年版,第167页。
④ 潘天寿:《中国绘画史》,上海人民美术出版社1983年版,第255—256页。

已。如王朝闻先生就曾直接以《我爱八大》为名撰文,并以"不务虚名、通俗不俗、笔墨清脱、有待发现、鸟息危樯、间接暗示、我才是我、各有千秋、恬适天然、非暴发户、咫尺千里、松在舞蹈、一低一昂、柳得春风、并不同调、有待自悟、质朴也美、不得不高"等十八小节的篇幅逐一剖析八大山人的画作遗迹。① 范曾亦谓:"天不生仲尼,万古如长夜。中国美术史苟无八大山人,绝对也会黯然失色。八大山人对中国画的贡献几乎是不可计量的,而随着历史的推移,他的艺术将使千秋蒙庥,恩泽无以数计的后之来者。"此外,海外中国画论家也对八大画功给予了高度评价。如美国当代著名东方美术史教授高居翰就曾细致分析过八大画迹"怪"风:"八大早期绘画有趣的怪味主要来自其中的构图,尤其是表现在将描写之物推到画面边缘甚至推出画外,而使得物体只有部分可见的技法上","八大另一怪味则来自八大使直线组成的枝杆,将画面分割成有趣的几何形状……并且是他最持久的风格特征之一。"② 由此足见八大绘画不仅享誉中国画坛,而且已蜚声国际美术界。

自清迄今,学界对八大山人的理论研究遍及生平家传、诗文题跋辑录、艺术评品散论、山水画艺术、花鸟画艺术、书法艺术、江西画派等各个领域、诸多方面,涌现出大量的理论成果,取得了可喜的实绩。早在清代,甚至朱耷有生之年,有关八大山人的研究即已开始,并一直绵延至今,始终未曾间断。清代的八大研究多出自与八大有过交谊或直接、间接了解,并撰写了八大生平传记、书画题跋的邵长蘅、陈鼎、龙科宝、饶宇朴、裘琏、石涛、吴埴、黄砚旅等人,其人其画的品评则散见于各类画史、综论与评介中。此期研究主要集中在两个方面。其一是八大生平研究。譬如,邵长蘅《八大山人传》③、陈鼎《八大山人传》④。另有《清史稿》、《国朝耆献类

① 王朝闻:《我爱八大》,见(清)朱耷绘,人民美术出版社编:《八大山人》(上卷),人民美术出版社2003年版,第1—34页。

② [美]高居翰:《八大山人研究》(第2辑),江西人民出版社1988年版,第77页。

③ (清)邵长蘅:《八大山人传》,见《青门旅稿》卷五。另见王朝闻主编:《八大山人全集》(第五集),江西美术出版社2000年版。

④ (清)陈鼎:《八大山人传》,见《虞初新志》卷十一。另见王朝闻主编:《八大山人全集》(第五集),江西美术出版社2000年版。

徵》、《碑传集》、《国朝先正事略》、《清画家诗史》、《国朝画家笔录》、《国朝画识》、《国朝书人徵略》、《国朝画徵录》、《桐阴论画》诸书见载,但详略不等。其二是八大绘画题跋及艺术品评散录。清代对八大画艺的品评往往散见于当朝画论著作和时人论画作品之中,如龙科宝《八大山人画记》①、饶宇朴《个山小像》题跋②、裘琏赠传綮诗、石涛《大涤堂图》诗跋③、吴埴《题八大山人杂画册》、李元度《题邓溪少人家图册》、黄砚旅补题《山水册》、张庚《国朝画征录》、赵尔巽《清史稿》等,均曾简要述及八大画艺及江西派。民国以来,陈师曾、郑午昌、潘天寿、俞剑华、傅抱石、王伯敏、薛永年、徐琛等人的绘画史著述及黄懋园、郭因等人的画技画论著述均对八大花鸟画成就有精到阐发。④ 可惜的是,由于此期学者们的理论兴趣似乎更偏重于对中国画史的贯通和对画学体系的建构,或某一画家、某一画派、乃至某一地区的画风发掘,并未将研究的重点放在对画家某类画迹的深入发掘和系统分析上;研究成果也多秉承了以画家画派和画论为中心的研究模式,多为以画家画派和画论为切入点的史论著作,以宏大叙事见长,上述成果多为点到即止的零星描述,尚无研究八大花鸟画、山水画和书法艺术的专论,遑论对八大花鸟画迹的具体分析,使得此期学者们以画作为中心的八大花鸟画迹审美研究付诸阙如。迄今可见的仅有前引郑秉珊《八大与石涛》一文。可喜的是,与学术界的相对冷寂相较,八大画艺在近代画坛名家的花鸟画实践中取得了应有的声誉和地位,清末民初专擅或兼攻花鸟画的艺术家们已在自己的画艺中主动、自觉地取径和师法八大技法。新中国成立迄今,八大山人更逐渐步入学者的研

---

① 参见王朝闻主编:《八大山人全集》(第五集),江西美术出版社 2000 年版。

② 《个山小像》,今藏江西南昌青云谱八大山人纪念馆。

③ 参见郑秉珊:《八大与石涛》,原载《古今》1943 年第 32 期,今见《中国文化报》2011 年 12 月 13 日。另见郑秉珊:《艺苑琐话》,海豚出版社 2011 年版。

④ 参见陈师曾:《中国绘画史》,中华书局 2010 年版;郑午昌:《中国画学全史》,上海书画出版社 1985 年版;潘天寿:《中国绘画史》,东方出版社 2012 年版;俞剑华:《中国绘画史》,东南大学出版社 2009 年版;傅抱石:《中国绘画变迁史纲》,上海古籍出版社 1998 年版;王伯敏:《中国绘画史》,文化艺术出版社 2009 年版;薛永年、杜鹃:《中国绘画史》,人民美术出版社 2000 年版;徐琛:《中国绘画史》,文化艺术出版社 2012 年版;郭因:《中国绘画美学史稿》,人民美术出版社 1981 年版。

究视域,围绕八大山人及其画艺展开的整体、专题和个案研究成果不断,海内外先后有桥本关雪《支那画人研究·八大山人传》,永原织治《石涛·八大山人》①,米泽嘉圃《八大山人·扬州八怪》②,周士心《八大山人及其艺术》③,石川淳、梅原龙三郎、小林秀雄、神田喜一郎监修《文人画粹编·第六卷·八大山人》④,谢稚柳《朱耷》⑤,汪子豆《八大山人诗钞》⑥,王方宇《八大山人论集》⑦、《八大山人书画系年研究》,八大山人纪念馆《八大山人研究》(第一集、第二集、第三集)⑧,谭天《非哭非笑的悲剧:八大山人艺术评传》⑨,胡光华《明清中国画大师研究丛书——八大山人》⑩,萧鸿鸣《八大山人生平及作品系年》⑪,卢辅圣《八大山人研究》⑫、刘墨《八人山人》⑬、何平华《八大画风和楚骚精神》⑭,崔自默《为道日损:八大山人画语解读》⑮,乌力吉《八人山人画传》⑯,萧鸿鸣《八大山人研究:八大山人的王室家学》⑰、《八大山人研究:八大山人现存诗辑》⑱、《八

① 参见[日]永原织治:《石涛·八大山人》,(东京)圭文馆1961年版。
② 参见[日]米泽嘉圃、鹤田武良:《水墨美术大系·第11卷·八大山人·扬州八怪》,(东京)讲谈社1975年版。
③ 参见周士心:《八大山人及其艺术》,台湾华冈书局1970年版;台湾艺术图书公司1974年版。
④ 参见[日]石川淳、梅原龙三郎、小林秀雄、神田喜一郎监修:《文人画粹编·第六卷·八大山人》,(东京)中央公论社1970年版。此套画集限量发行980部。现市面常见的只是同社于1986年出版的新装收藏版,初版原装实属罕见。
⑤ 参见谢稚柳:《朱耷》,上海人民美术出版社1979年版。
⑥ 参见汪子豆编:《八大山人诗钞》,上海人民美术出版社1981年版。
⑦ 参见[美]王方宇:《八大山人论集》,台湾"国立"编译馆1984年版。
⑧ 参见八大山人纪念馆编:《八大山人研究》(第一、二、三集),江西人民出版社1986、1988年版。
⑨ 参见谭天:《非哭非笑的悲剧:八大山人艺术评传》,湖南美术出版社1990年版。
⑩ 参见胡光华:《明清中国画大师研究丛书——八大山人》,吉林美术出版社1996年版。
⑪ 参见萧鸿鸣:《八大山人生平及作品系年》,北京燕山出版社1997年版。
⑫ 参见卢辅圣:《八大山人研究》,上海书画出版社2000年版。
⑬ 参见刘墨:《八人山人》,河北教育出版社2003年版。
⑭ 参见何平华:《八大画风和楚骚精神》,江西美术出版社2004年版。
⑮ 参见崔自默:《为道日损:八大山人画语解读》,人民美术出版社2005年版。
⑯ 参见乌力吉:《八人山人画传》,中国广播电视出版社2006年版。
⑰ 参见萧鸿鸣:《八大山人研究:八大山人的王室家学》,北京燕山出版社2006年版。
⑱ 参见萧鸿鸣:《八大山人研究:八大山人现存诗辑》,北京燕山出版社2006年版。

大山人研究：八大山人与"江西派"开派画家罗牧》①、《八大山人研究：八
大山人研究论文集》②，周时奋《八大山人画传》③，朱良志《八大山人研
究》④、《生命清供——国画背后的世界》⑤，陈世旭《孤独的绝唱：八大山
人传》⑥等数十部重要著述先后出版，李旦《八大山人丛考与牛石慧考》、
《个山小像的发现》，李叶霜《八大山人与石涛的一些关键性问题》，汪世
清《八大山人的世系问题》，谢稚柳《八大山人取名的含义和他的世系》，
蔡星仪《关于八大山人研究的几个问题》、《八大山人绘画艺术续论》，叶
叶《读朱道朗跋臞仙〈筮吉时后经〉后——再论八大山人非朱道朗》、《论
"胡亦堂事变"及其对八大山人的影响》，王凯旋《口如扁担——闲章不
闲》，饶宗颐《禅僧传綮前后期名号之解说》，黄苗子《八大山人传》，吴子
南《漫将心印补西天——八大山人禅思维蠡测》，万兆凤《释八大山人题
画诗〈河上花歌〉》，孙宜生《"哑"人意象》，李德仁《八大山人的艺术哲
学》，单国霖《浑无斧凿痕，不是惊魂鬼》，班宗华《八大山人书画析义》，王
朝闻《我爱八大》，王伯敏《浑无斧凿良——释八大山人诗五章兼论其山
水画》，郭味蕖《明遗民画家八大山人》⑦，俞兆鹏《八大山人的生平与艺
术》⑧，何平南《八大对二十世纪绘画之影响》，傅申《八大石涛的相关作
品》，张子宁《八大山人山水画的研究》，王方宇《八大山人书画的赝本》和
《朱耷〈孔雀牡丹〉补释》⑨，张年《八大山人花鸟画中的意象符号》⑩，张
冬卉《和之以天倪：八大山人山水画研究》⑪和陈昭《八大山人花鸟画"空

① 参见萧鸿鸣：《八大山人研究：八大山人与"江西派"开派画家罗牧》，北京燕山出
版社 2006 年版。
② 参见萧鸿鸣：《八大山人研究：八大山人研究论文集》，北京燕山出版社 2006 年版。
③ 参见周时奋：《八大山人画传》，山东画报出版社 2007 年版。
④ 参见朱良志：《八大山人研究》，安徽美术出版社 2008 年版。
⑤ 参见朱良志：《生命清供——国画背后的世界》，北京大学出版社 2008 年版。
⑥ 参见陈世旭：《孤独的绝唱：八大山人传》，作家出版社 2014 年版。
⑦ 参见郭味蕖：《明遗民画家八大山人》，《文物》1961 年第 6 期。
⑧ 参见俞兆鹏：《八大山人的生平与艺术》，《江西社会科学》1982 年第 5 期。
⑨ 参见[美]王方宇：《朱耷〈孔雀牡丹〉补释》，《中国画》1983 年第 2 期。
⑩ 参见张年：《八大山人花鸟画中的意象符号》，《美术大观》1997 年第 10 期。
⑪ 参见张冬卉：《和之以天倪：八大山人山水画研究》，中国艺术研究院博士论文，
2007 年。

白"研究》①以及刊载于《文物》、《朵云》、《艺苑掇英》中的数百篇重要学术论文相继发表,可谓成果丰硕、蔚为大观。八大山人研究热潮波及中国大陆、香港、台湾和美国、欧洲、日本、韩国等海内外诸多国家与地区,涌现出大批八大山人研究的海内外专家;八大山人研究亦日渐隆盛,逐步发展为近乎独立的门类,几成显学,以至于有学者称"八大山人学"已经兴起。对此,王朝闻《八大山人全集》、薛永年《论八大艺术》、胡迎建《书法画法前人前,眼高百代古无比——近四十年来八大山人研究综述》②和《五十年来八大山人研究综述》③、何鸿和何如珍《近五十年〈八大山人研究〉论纲》④等著述均作了较为全面的梳理和总结,兹不赘述。

　　纵观三百余年尤其是近 55 年来的八大研究可知,尽管当代的八大山人研究已经由宽泛到专门、由笼统把握到具体认知,涵括了八大山人的家世(世系)、生平(年表)交游、身份、宗教、哲学、思想、名号画押、书画美学、书法、诗文、画风和分期、印文、款题、比较、艺术影响、作品真伪鉴定等几乎所有方面的内容,尤其是在史料考据和材料梳理上更是厥功至伟,对八大艺术及代表作的探讨也日益具体而微。但正如薛永年所言:"以今天的高度,通过艺术分析揭示八大山人承前启后的意义进而阐发艺术规律者亦尚不多。有必要参照 20 世纪画家在八大山人问题上对艺术本体的关注和对古今联系的重视,重新思考八大山人的独特成就及其继往开来的历史地位。"⑤可以预见,随着学界对宏大叙事的日渐疏离和对穷究底里的兴趣隆盛,全面稽核考索八大花鸟画作遗迹,深入发掘其意象符号与笔墨技法所呈现或潜藏的审美观念或审美意识,揭橥清代花鸟绘画的本体发展进程、主体心理结构、时代风尚播迁和传统精神取向,成为清代

---

　　① 参见陈昭:《八大山人花鸟画"空白"研究》,中央美术学院硕士论文,2013 年。
　　② 参见胡迎建:《书法画法前人前,眼高百代古无比——近四十年来八大山人研究综述》,《江西社会科学》2001 年第 2 期。
　　③ 参见胡迎建:《五十年来八大山人研究综述》,《江西科技师范学院学报》2010 年第 1 期。
　　④ 参见何鸿、何如珍:《近五十年〈八大山人研究〉论纲》,《荣宝斋》2014 年第 4 期。
　　⑤ 薛永年:《论八大艺术》,见(清)朱耷绘,人民美术出版社编:《八大山人》(中卷),人民美术出版社 2003 年版,第 1—2 页。

花鸟绘画审美研究亟待强化的一个方向,既有很大空间,也确有必要。

二、八大花鸟的意象符号

作为清初花鸟的"艺术怪才",八大山人以其独特的身世、诡逸的行踪、怪奇的言行孕育出一种别样的画格,尤以狂放夸张、怪癖冷逸的意象营构和幽隐晦涩、奇特奥僻的题跋,将中国写意花鸟画推向一个新的高峰。综览八大花鸟画迹即可见出,八大花鸟画所描绘的题材多为日常生活中最为常见的物象,然而画中却深深蕴藉着他那孤独荒寂、痛苦悲愤的人生遭际和爱恨情仇,而这众多的感悟又无一不以一种怪奇的造型融入其花鸟意象创制中,其中的一花、一鸟、一草、一石,无不匠心独运、清冷空灵。概览诸家所集八大山人花鸟画迹,即可约略梳理出八大山人花鸟画所呈现的丰富题材和意象群体,尽显八大写意花鸟在意象符号体系创构上的功力。

其一,八大花鸟意象符号体系的素材均源自自然、生活中的诸多物象。八大山人花鸟画的题材广泛,有荷花、松、竹、梅、石、葡萄、水仙、鹌鹑、雀、孔雀、芦雁、鹤、鹰、鱼、鸭等。无怪乎邵长蘅《八大山人传》称其:"亦喜画水墨芭蕉、怪石、花、竹及芦雁、汀凫,俪然无画家町畦。人得之,争藏卉以为重。"龙科宝《八大山人画记》亦称其:"又尝戏涂断枝、落英、瓜、豆、莱菔、水仙、花兜之类……最佳者松、莲、石三种。有时满大幅只画一石,曾过友人书屋见之。又于北兰寺壁间见其松枝奇劲、莲叶生动、稍觉水中月影过大。且少莲而多石,石固挂也。"[1]例如,《中国美术全集·绘画编9·清代绘画(上)》中所收八大山人花鸟画作少而精,虽仅见7幅,所涉意象已达数十种之多。其中,《牡丹松石图轴》(旅顺博物馆藏)题写虬枝老干、挺拔而立的松树及依次叠错其间的湖石、牡丹;《双鸟图轴》(浙江省博物馆藏)描画两只单足对立的小鸟;《柯石双禽图轴》(烟台市博物馆藏)中巨石鼎立、旁生枝柯、双鸟兀立;《花鸟图册》(上海博物馆藏)十四开,画十开,《萱花图》写萱花一枝三叶,《拳石栖禽图》状一鸟拳足缩颈于孤石之上,另有柳树小鸟、桃花小鸟、兰花、菊花、水仙、鹡鸰等多幅;《河上花图卷》(天津市艺术博物

---

[1]　刘墨:《八人山人》,河北教育出版社2003年版,第111页。

馆藏)则主写河边荷花盛开情景,大笔水墨荷叶,以线钩花,近有山崖坡石、兰竹垂柳及瀑布流水;《花鸟图卷》(镇江市博物馆藏)画十种各不相同的花鸟,辅以湖石,简练用笔,构图奇特;《荷花水禽图轴》(旅顺博物馆藏)则以墨笔画湖石临塘,疏荷斜挂,两只水鸭或昂首仰望,或缩颈独立。再如,《中国美术分类全集·中国绘画全集23·清5》中所收八大山人花鸟颇丰,小计115幅,所涉意象更逾六七十种。其中,《杂画册》6幅(故宫博物院藏)分写墨竹、荷花、水鸟、茶花、竹枝双鸭、荸荠和猫;《荷石图轴》(云南省博物馆藏)描画坡石、荷叶、花苞;《眠鸭图轴》(广东省博物馆藏)描绘鸭子的睡态;《鱼鸭图卷》4幅(上海博物馆藏)绘写鱼鸭河中漫游的情景,鱼群、鲢鱼、群鸭、孤鸭,形态各异;《花鸟图卷》4幅(镇江市博物馆藏)写兰、荷、榴等重阳花果和鸦、鹌、雀等;《湖石双鸟图轴》(上海博物馆藏)写圆浑不稳的湖石尖或旁边空地上各自蹲立的小鸟;《鸟石图轴》(上海博物馆藏)绘顽石兀立坡上、旁临小石上相对嬉耍的两只小鸟;《花鸟图屏》4幅(上海博物馆藏)分写湖石葡萄、松树、猫石、湖石双鸟;《书画册》16幅(上海博物馆藏)中花鸟7开,分写湖石、芙蓉、雏鸡、荷花、小鸟、鲈鱼、竹石等;《山水花鸟图册》8幅(上海博物馆藏)中花鸟,6开,分写湖石八哥、雏鸡、芙蓉、鹌鹑、荷花、芙蓉等;《双雀图轴》(浙江省博物馆藏)精绘双雀羽毛、体态、眼睛和嘴;《鱼鸟图轴》(湖北省博物馆藏)描绘巨石斜出、二鸟踞于石头、石下双鱼对游;《书画册》(西泠印社藏)20开中辑入12开,其中花鸟3开,主要描画白眼向天、冷峻孤独的小鸟;《水木清华图轴》(南京博物院藏)作荷花、芙蓉;《湖石鱼鸟图轴》(上海博物馆藏)写巨石、鲑鱼、八哥;《杂画册》(苏州灵岩山寺藏)12开皆为花鸟,分绘水仙、荷花、芙蓉、葡萄、菊花、松树、鹌鹑、秀石等;《荷鸭图轴》(上海博物馆藏)写荷梗、荷叶、巨石;《桃石双禽图轴》(上海博物馆藏)写桃树、岩石、八哥;《猫石杂卉图卷》2幅(故宫博物院藏)写野草、杂卉、荷叶、荷花、山石、卧猫;《河上花图卷》8幅(天津市艺术博物馆藏)描画荷花、荷茎、岩石、兰、竹、坡石、流泉;《书画册》14幅(上海博物馆藏)中共有花鸟,10开,分为菊花、小鸟、荷花、白头翁、水仙、兰花、柳岸小鸟、八哥、枝上小鸟、萱花等;《松柏同春图卷》9幅(上海博物馆藏)以松、柏、桐、椿为主,杂穿坡石、灵芝;《松鹤图轴》(上海博物馆藏)绘松下立鹤,松、鹤俱为八大晚年所绘典型形象;《杨柳浴禽图轴》(故宫博物院藏)绘枯柳、湖石、八哥;《松石牡丹图轴》(旅顺博物馆藏)写古松、湖石、牡丹;《花卉图册》10幅(上海博物馆藏)分写莘荑、芙蓉、水仙、牡丹、荷花、桃花、玉簪、兰花、石癖、藤月;《芙蓉湖石图扇页》(重庆市博物馆藏)绘芙蓉、湖石、苔藓;《荷石图轴》(安徽省博物馆藏)绘满塘莲荷;《瓜果草虫图页》2幅(浙江省图书馆藏)写纺织娘、草叶、秋瓜、莲蓬、螳螂;《缙霁图轴》(原藏故宫博物院)写顽石虬松;《树石双禽图轴》(烟台市博物馆藏)写顽石、小树、小鸟;《松树图轴》(故宫博物院藏)写老松;《鲤鱼图页》(上海博物馆藏)仅画鲤鱼一尾;《石榴图页》(上海博物馆藏)写细枝挂榴;《荷花水鸟图轴》2幅(故宫博物院藏)写池塘、怪石、水鸟、荷花;《鲤鱼图轴》(江西省八大山人纪念馆藏)写崖壁、芙蓉、双鱼;《芙蓉双凫图轴》(四川大学博物馆藏)写岩石、芙蓉、卧石、枯枝、双凫;《盘瓜图轴》(重庆市博物馆藏)写盘、带蒂之瓜;《瓶梅图轴》(无锡市博物馆藏)绘陶瓶、瘦梅;《山水花果图册》(南京博物院藏)中花鸟1开,为意笔花卉;《山水鱼鸟图册》(苏州灵岩山寺藏)有花鸟3开,分绘张嘴且眼睛上视的鳜鱼、翘尾张嘴亦仰视上方的小鸟;《芦雁荷花图轴》(青岛市博物馆藏)写临溪峭崖、荷花、芦枝、芦雁、溪石;《芦雁图轴》(上海博物馆藏)写芦塘、群雁、湖石;《双鹰图轴》(江西省八大山人纪念馆藏)写坡石、丛竹、枯枝、苍鹰;《芙蓉芦雁图轴》(上海博物馆藏)绘崖壁、芙蓉、大雁;《空谷苍鹰图轴》(上海博物馆藏)写山谷、溪流、巨石、苍鹰;《芦雁图轴》(故宫博物院藏)绘群雁嬉戏于陡坡耸立、芦荻倒垂的河岸。再如,《历代名画大观》中分册辑录八大花鸟画迹39幅,其中,《花鸟人物册页》卷涉及《竹》、《兰》、《梅花》、《水仙二幅》、《荷花》、《枇杷》、《石榴》、《鸟二幅》、《凫》、《鹰》、《鱼狗》、《鱼》、《蚱蜢》及《菊》等16种题材;《花鸟人物轴》卷分涉《岁寒三友》、《画松》、《荔枝图》、《荷花图》、《画鱼》、《双凫图》、《鸂鶒图》、《莲塘鸂鶒图》、《花鸟》、《苍鹰图》、《疏树栖鸟图》、《莲塘野鸦图》、《莲塘图》、《喜占春魁图》、《松鹤遐龄图》、《画猫》、《鹿图》、《松鹿图》及《画鸟》等二十余种意象。总体来看,上述这些物象构成八大花鸟意象符号体系中最为庞大的基础物象群体。分而论之,则不难见出,八大早期花鸟画迹中,题材主要集中于梅、兰、竹、菊、荷花、芙蓉、石榴、绣球、牡丹等前代常规花鸟画题材;八大中期部分花鸟画迹如《个山人屋花卉图》之《绣球花》、《玉茗》、《芙蓉》和《海棠春秋图》等不脱明代花鸟痕迹,仍以兰竹等常规题材为主,但一些花鸟画迹中却出现了燕子、螺蟹、螃蟹、虾、白头翁、兔子、鱼等空前绝后的物象,另一些画迹中的八哥、鸭子、鱼等物象甚至成为其后花鸟的重要题材。

其二,八大花鸟意象符号体系的独特造型源自对日常生活物象的夸张变异。八大花鸟庞大的意象符号系统中最为显著的一类,是极尽夸张之能事的变异造型意象。如前所述,八大花鸟的素材和题材多为自然、生活中的平常物象,其惊人的艺术感染力却恰恰源于他对这些普通物象的夸张变异和多元组合。仅据刘冠良《中国十大名画家画集·八大山人》所录八大花鸟画迹 128 幅,细品八大花鸟画迹中形象洗练、韵味独特、独绝千古的古怪意象,可知八大对上述意象素材和题材的处理无疑是空前的、别开生面的典范。八大以"遗貌取神"之法,扭曲乃至丑化日常物象,创出前所未见的怪诞意象。八大花鸟画迹中的禽、鸟、虫、鱼、树、石、花、果,无一不是活态的、人化的,无一不经过画家匠心独运的陌生化、弱化或锐化了的,无一不是寓意深邃、感情浓烈的,无一不是反复出现、已然固化甚至程式化的个性表达。八大花鸟画迹中的鱼,几乎全是眼眶硕大、白多黑少、眸子上翻、白眼向世人的;如《鱼鸭图》(上海博物馆藏)、《游鱼图》(南京博物院藏)、《鱼鸟图》(江西修水县黄庭坚纪念馆藏)、《鲤鱼图》(上海博物馆藏)、《鱼鸟图》(上海博物馆藏)、《鱼石图》(上海博物馆藏)、《鱼鸟图》(天津历史博物馆藏)等,上述画迹中的游鱼造型,多涨肚弓背,而鱼的眼睛,则或夸张地浓墨黑点,或变异为框内加点,呈现出疑虑、惊恐、迷惘、无奈的丰富蕴涵。八大花鸟画迹中的鸟,几乎都是孤高傲然、冷气逼人、兀立危石枯枝、方眼白人的;如《鸟石图》(故宫博物院藏)、《花鸟图册》(私人藏)、《荷花翠鸟图》(中国美术学院藏)、《湖石双鸟图》(上海博物馆藏)、《双莺诗画》(贵州省博物馆藏)、《花鸟图》(美国佛利尔美术馆藏)、《莲房小鸟图》(上海博物馆藏)、《花果鸟虫图册》(私人藏)、《孤鸟图》(云南省博物馆藏)、《双雀图》(浙江省博物馆)、《山水花鸟图册》(上海博物馆藏)、《安晚图册》(日本泉屋博古馆藏)、《枯木寒鸦图》(故宫博物院藏)、《荷花翠鸟图》(上海博物馆藏)、《花鸟图》(私人藏)、《芙蓉芦雁图》(上海博物馆藏)、《芦雁图》(上海博物馆藏)等,在上述画迹中,八大笔下鸟的造型,或凸胸驼背,或白眼问天,无不呈现出警觉之失望和不平之敌意。八大花鸟画迹中的禽,几乎都是巨框白眼、佝偻缩颈、骨梗傲立、惊厥欲飞的;如《荷塘禽鸟图》(美国辛辛那提美术馆藏)、《荷花双禽图》(天津艺术博物馆藏)、《莲塘戏禽图》(美国纽约大都会艺术博物馆藏)、《松石双禽图》(青岛市博物馆藏)、《柯石双禽图》(烟台市博物馆藏)、《松鹿飞禽图》(无锡市博物馆藏)、《杨柳浴禽图》(故宫博物院藏)等画迹中诸多禽类的造型均经过了特殊的夸张变形,突出放大了某一特征。八大花鸟画迹中的石,几乎全是上粗下细、斜歆横行、光怪陆离、阴森可怖的;如《荷石图》(云南省博物馆藏)、《鸟石图》(故宫博物院藏)、《孔雀竹石图》(上海刘海粟美术馆藏)、《湖石双鸟图》(上海博物馆藏)、《松石双禽图》(青岛市博物馆藏)、《葡萄大石图》(南昌八大山人纪念馆藏)、《柯石双禽图》(烟台市博物馆藏)、《鱼石图》(上海博物馆藏)、《猫石杂卉图》(故宫博物院藏)、《松鹤芝石图》(中央美术学院藏)、《秋花危石图》(泰州市博物馆藏)以及其他画迹中的湖石、崖石、坡石、岩石等,无不予人以超强的紧张感和压迫感。八大花鸟画迹中的荷,几乎都是虬曲盘枝、一贯而上、超拔轩昂、逸不近人的;如《传綦写生册》(台北故宫博物院藏)、《花卉图册》(上海博物馆藏)、《个山人屋花卉图册》(美国普林斯顿大学美术馆藏)、《杂画册》(花鸟,故宫博物院藏)、《荷石图》(云南省博物馆藏)、《荷花翠鸟图》(中国美术学院藏)、《荷塘禽鸟图》(美国辛辛那提美术馆藏)、《荷花图》(安徽省博物馆藏)、《荷花双禽图》(天津艺术博物馆藏)、《莲房小鸟图》(上海博物馆藏)、《安晚图册》(日本泉屋博古馆藏)、《荷鸭图》(上海博物馆藏)、《河上花图》(天津艺术博物馆藏)、《荷花芦雁图》(私人藏)、《荷花翠鸟图》(上海博物馆藏)、《芦雁荷花图》(青岛市博物馆藏)、《荷花图册》(私人藏)等画迹中的荷,无不透出画家孤傲倔举之气。八大花鸟画迹中的梅,几乎全是瘦硬如铁、奇古挺拔、根不着土、泪痕点点的;如《传綦写生册》(台北故宫博物院藏)、《梅花图》(南京博物院藏)、《古梅图》(故宫博物院藏)等画迹中的梅无不枝疏花少,虽仅有一二朵,却变异奇崛、简约古拙。八大花鸟画迹中的瓜,绝少见于其他古代画家的花鸟创制,西瓜本非国画传统题材,然八大爱画,或"青门瓜",或"东陵瓜",别具深意;如《瓜果草虫图页》(浙江省图书馆藏)、《盘瓜图轴》(重庆市博物馆藏)、《瓜月图》等画迹中的瓜,均脱我们平常所见西瓜之相,产生一种难以置信的陌生化效果。上述这些古怪造型和离奇画境的创构,都将平常物象以漫画式手法人格化、符号化,从而将平淡无奇的物象夸张变型为拟人的、隐喻的、符号化的意象,成为八大花鸟最突出、最独特、也最具标志性的意象符号。

其三,八大花鸟意象符号体系的摄人魅力源自其为象造境时的构图程式。八大花鸟多元的意象符号系统中尤为突出的一类,是与卓绝立意、怪诞造型相适应的构图程式和题款花押的独特意象。八大花鸟的造型组合、章法布白具有十足的韵味,堪称八大花鸟程式。一是单体对象孤悬兀立。《莲房小鸟图》中,一莲孑然空出,一鸟爪扣花瓣,单足兀立其上,羽毛蓬松,挣扎欲坠,窘态毕现。此类构图不胜枚举,例如《传綮写生册》及其他册页中,芋头、水仙、蔬果、鱼、鸟、梅、荷、石等,时常单体出现在画面之中,没有任何其他物象配搭,予人以孤单、冷寂、沉凝之感。二是双体对象毫无呼应、兀自独立,陪衬物点缀更显主要对象的形单影只。例如《双禽图》以两只小鸟为双体对象,虽相向而立却毫无交集,似各怀心事;画面右下斜立危石一块、下端横亘枯枝一条,以意欲倾倒之势与枯木难支之状倍显双体对象孤独无助之感。整个画面物象构图呈现为正三角形,既动感十足又稳固异常,造险之胆大与化险之艺高无声地蕴藏于自出机杼、别具匠心的花鸟布局之中。三是压缩对象,重心下移。例如《眠鸭图轴》中,造型上扭曲物象比例,将鸭变形压缩为扁平体型、脖颈紧缩、浮于水面,用墨上强化视觉冲突,以浓墨染鸭体上端、以淡墨写鸭体下部,分量集中于鸭体上部,全画的重心却已顺着重力下坠之感在不知不觉中下移,打破了常规的空间视觉关系,予人以气势迫人的压抑感。四是头重脚轻,静中寓动。八大花鸟常以在画幅上端或垂悬或横贯地置入硕大墨荷或巨石,造成泰山压顶之势,复以比例奇小、几何形态的鸭、鸟等孤寂无助地兀立其下。例如《秋花危石图轴》中的巨石,上部硕大、底基窄细,复有左倾欲倒之势,予人以极不稳定的险状;石下秋花一枝却全然不知,毫无知觉地顽强生出、傲立于危石之下;静态的画面中蕴涵着不平衡的险势和满满的动势,活力、张力十足,呈现出流动的美感和卓然的艺术感染力。五是边角着笔、运思奇险。这种构图之法被王朝闻先生称为"中断"之法。例如《湖石双鸟图》中，一石危竖，似欲随时坍塌，一鸟俯首拱背、单足支身立于石巅，另一鸟兀自于石下觅食，二鸟命悬一线，惊心动魄。又如《芦雁图》、《松鹿图》将雁、鹿布于画幅上角或对角，中央兀自横插枯枝、芦草、荷叶，成为分界天地、分割上下空间的象征物，予人以咫尺天涯的阻隔与惆怅。再如《枇杷小鸟图》中，取画幅底端由角为基点画枇杷树干，干分两枝、分插左上、二向延展，枝头缩立简笔白描小鸟一只、缩颈佝偻，这种弃中央、取边角的独特布白构图更使全画流出无限凄凉之感。六是淆乱时空、散点布景。例如《荷鸭图轴》活用山水画散点取景之法，于同一水平线上同时呈现仰视或俯视双重视角的荷叶物象，而高、低两处鸭体则与观者视线抵平，这种空间交错的意象式组织打破了时空局限和画法限制，予人以别样的画"味"。七是计白当黑，留白造境。八大花鸟善用空白造境，摄人心目，也是其花鸟构图的重要标志。八大早期花鸟画迹中对留白的处理既有对前人的取法，更有自己大胆分割空白的敏锐且独特的创造。例如，《墨花图卷》(故宫博物院藏)的留白明显含有对徐渭留白方法的继承，《传綮写生册》(上海博物馆藏)之十二开中左上的留白对玲珑石的凸显，同册之九开中左侧、右下、中上三处留白对白菜茎叶的突显，同册之十一开左右两大留白对梅枝的凸显，《花卉图卷》(故宫博物院藏)中四围的留白对花卉的突出，《花卉册》(藤月)中月的留白和对藤的突出，等等，画中的留白均以凸显主体物象造形为目的。八大中期花鸟画迹中对留白的理解和运用已日见强烈的个人风貌和主观自觉。例如，《蕉竹图轴》(故宫博物院藏)以蕉、竹的错杂将画幅分出左中、左下、右上、右中、右下五块形状各异、大小不等的空白，从中约略可以窥见八大留白有意为之的一丝刻意。八大晚期花鸟画迹中的留白则全然脱略形迹、绝无刻意之痕，已臻化境。此期画迹常将物象独置于大片留白中，此类佳构占到八大花鸟九成之多。例如，《书画册》(故宫博物院藏)之三《双鸟》中右鸟头部留白、腹背俱黑，左鸟腹部和头下部留白、背部和头上部为重墨，双重比对效果明显；《墨笔杂画册》(美国普林斯顿大学美术馆藏)之五《石榴图》中两只石榴集中于画幅左侧、余皆大面积留白，两只石榴中右侧墨榴与左侧石榴下部均以墨显,右侧石榴籽和左侧石榴上部皆为留白呈现;《石榴图册》(上海博物馆藏)中石榴则集中于画幅左下,左上、右下俱为对角留白;《墨梅图》(私人藏)自右下角浓墨起笔、侧锋出纸,复自右上侧起笔右下行笔,全幅气息贯通,较之右下重墨实笔、右上笔墨虚入虚出,对比鲜明,章法完美;《茉莉花图册》(美国王方宇旧藏)、《柳禽图轴》(广东佛山博物馆藏)等布白与之类同。再如《双禽图》(上海博物馆藏)更将笔墨集中于画幅右下,左上为大面积留白,对比强烈却整体平衡;《鸡雏》、《枯槎鱼鸟图轴》、《芦雁图轴》(故宫博物院藏)也集中体现了这种笔墨与留白的对比。可见,八大花鸟画迹中的留白已纯然化为八大标识的视觉语言符号,其点线分割、留白形制、疏密虚实俱臻佳构,无墨处亦见画外之意,境界空旷深邃,俨然予人以于无墨处见真意、于无声处听惊雷之震撼观感。这些匠心独运、置阵布势的独创,常造成虚实杂处的浑然之境,呈现出气势迫人的压迫感、冲突感和怪诞特质,堪称简括、疏野、险怪、奇绝,不愧为八大花鸟标志的构图程式。此外,"名满天下"的八大(郑燮语),一生名号过百,或"传綮"、或"刃庵"、或"雪个"、或"个山"、或"驴"、或"个山驴"、或"人屋"、或"驴屋"、或"良月"、或"个相如吃"、或"八大山人"等等,不一而足。八大花鸟的这些题跋、花押、钤印、款识具有迥异他人的个性,既蕴藉着深沉郁结的无奈,又巧妙且有效地弥补了章法中因简而生的些许缺憾,亦成八大花鸟意象标识性的符号。对此,自清迄今的诸多学者已有十分精到的论述,兹不赘言。

其四,八大花鸟意象符号体系的深层寓意源自其隐喻的、符号化的主体心象系统。八大花鸟多元的意象符号系统中尤为突出的一类,是寄寓主体精神的内在心象。八大十分专注于创制合乎己意的意象符号,这类意象将"缘物抒情"的花鸟传统臻于极致,并直接升华为寄寓深沉思想内涵的主体心象系统。几乎可以说,八大画中笔下的一切花、叶、虫、鱼、鸟、兽,均关其目下心内的理、事、情、气。对此,王朝闻曾说:"八大山人的艺术意象一旦转入画面时,也有特定以为的抽象性和主体化。"(王朝闻《我爱八大》)并称八大山人画迹中"有些作品的形象往往非常单纯,但它的意蕴却很丰富,所以很耐看",又在谈八大山人画的荷花时,述及八大条幅《荷花水鸟图轴》不及《安晚册》十三中的荷耐看,以为"小幅画荷,构图和造型虽很单纯,所表现的情调却不单调,形态和画意都不雷同"。崔自默更在品评其画成因及历史地位时直称:"八大山人依靠自己心性的真善,揭示自然之大美,阐发艺术之本质,他传统而现代、极古而极新,是中国文人画的最高峰,是纯粹艺术的先行者,当之无愧的中国画现代的开山鼻祖。他以自己卓越的实践才能,把中国画艺术推至一个空前的高度。"①诸如此类的表述均是基于八大花鸟意象创制的隐喻特点的切中肯綮之论。综览八大花鸟画迹,可知八大花鸟意象符号体系创制,主要由寄寓主体精神的夸张塑形、独特构图与多元款识构成。如前所述,八大花鸟意象的素材虽均源自现实生活中的平常物象,但却无一不极尽夸张、变异之能事,以此来表现自己孤傲不群、愤世嫉俗的性格:依人的小鸟或化为白眼向人的瞪目或变作瞑目单足的兀立,平凡的雏鸡化为缩颈佝偻的丑态,美艳的孔雀化为丑陋不堪的三毛,灵活的游鱼化作鼓腹瞠目的怪相,无言的芭蕉化作古拙怪异的形态,挺拔的苍松株株是萧疏不堪的凄冷,坚固的巨石个个是危危倒立的险状,……一系列超乎常形、荒诞不经的怪相中无处无时不透着肃杀荒凉之气,既饱含着画家主体身遭家国巨变的乱世不得不委身禅林以偷生的深沉反叛情怀,又激荡着不甘于被遏制虐杀的波澜壮阔的激烈碰撞和残酷扭曲,蕴藉着画家主体疏离外界、逃禅世外的无奈心结和愤世情感。前述八大花鸟构图的七大标志性程式和款识花押的标识性符号,已非闲情逸致的消遣,而是画家强烈思想感情的直接表达,其格调之冷逸、意境之高深、笔墨之简括、情致之奇特,无一不深蕴着画家主体豪放倔强、奔放不羁的外表下掩藏着苦涩的内心情感。八大笔下的鱼鸟禽等物皆已人格化,被缘物抒情地融入八大个人的感悟,其立意、为象、造型均有着强烈而明显的政治寓意。例如,八大笔下的危石孤立,象征着身为明宗室遗胄的画家对清廷的忿恨,而石上兀立的小鸟则寓指自己,既是危险气氛的有意营造,更是流亡生活体验的真实流露,画里画外,不经意间,遗民窘境呼之欲出,遗民心绪漫卷横溢。又如,八大笔下的牡丹,全无常规富贵之象,却生于无土之崖壁,暗咒清廷无根基。又如,八大笔下的梅,一如郑思肖的露根兰,故国之思沉郁而厚

---

① 崔自默:《为道日损——八大山人画语解读》,人民美术出版社 2000 年版。

重,画幅中更直题"梅花画里思思肖,和尚如何如采薇"之句,无法舍命追随伯夷叔齐之恨溢于言表。又如,八大笔下的荷,往往比例失调、茎叶凌乱、视角古怪、邪气压抑,以此暗喻清廷残败之想与清政权日益稳固之实的巨大冲突,描画自己备受压抑的现实生存窘境、希望破灭乃至最终绝望的无奈与痛苦。又如,八大笔下的西瓜,更是别有深意,此处的瓜实为八大心目中的"青门瓜",寄寓着身处清朝的八大对前朝的怀念。又如,八大笔下的眼睛,时常白眼朝天,冷漠与孤傲之外,更深藏着明宗室遗胄对清廷的鄙夷和不满。再如,《牡丹孔雀图》中的三毛孔雀,辅以题画诗一首:"孔雀名花雨竹屏,竹梢强半墨生成。如何了得论三耳,恰是逢春坐二更。"诗画巧妙结合,直刺清廷走狗,讽刺入木三分,趣足而意深。此类个性鲜明的八大花鸟意象,均是客观物象经由八大独特情感活动在画幅中的烛照,其中的"意"是八大内在的抽象的心意,其中的"象"则是画幅中外在的具象的物象;"意"源自八大内心世界却借由经过八大精心加工过的外在现实物"象"来表达,"象"却是"意"的宿主或称寄托物。由此观之,八大花鸟意象貌似可知可感的典型物象,实为表现主体心意的主观之象。尤为突出的则是八大那些为后世津津乐道、争论不休的个性款识,更是直白无误地向观者直诉画家主体内心深处的落寞与悲凉。例如,王方宇就曾评八大画迹花押称:"八大山人本身就是一个谜,用有根据而不常见的古人草法,写平常人难认的草字,用僻典以及省略词字的句法作隐晦的诗,创造有寓意而不显明的花押花字。"(王方宇编《八大山人论集》)①点明了八大花押花字的隐喻性特征。这些隐喻的主体意象符号系统,实为八大以血泪凝成的卓绝千古的心象与思绪,既不囿于极目所知的自然物象的具象描画,又不妄言非目所知的内在心象的抽象表达,单个意象或群体意象的主体性、隐喻性、符号化、程式化已臻于无以复加的地步,其中寄托了自己的身世之感和孤傲情怀。诚如陈望衡所言:"这种心绪隐喻画与确有所指的政治隐喻画有所区别,它是更富有美学意味的。"②正是这种传达八大主体"心绪"的"隐喻"

① 参见朱良志:《关于"八大山人"名号的相关问题——八大山人事迹征略之一》,《荣宝斋》2009年第2期。

② 参见陈望衡:《八大山人与"黑画"》,《书屋》1998年第4期。

的"美学意味",构成了八大花鸟画迹卓然不凡的整体意境。

三、八大花鸟的水墨写意技法

清代花鸟画发展得比较充分,高潮迭起,并时出创见,各时期均有名家名派。而八大山人更是清初花鸟画的天才人物,尤以水墨写意花鸟著称于世。其作艺术形象奇诡,感情色彩强烈,笔触简括传神,墨韵变化丰富,极富个性,开创了文人水墨大写意花鸟画的又一高峰。

"水墨"画,顾名思义,即纯以"水"、"墨"为材质,借毛笔将水墨在宣纸或绢素上晕染成黑白效果各异的画作。它是传统中国画多样化施色方式中最基础的一种,自古及今,传统水墨画已然形成独特的民族审美特质,蕴藉着视觉广度与文化深度两个维度的性征。水墨画有意笔、没骨、工笔三类表现形式中,尤以意笔为显,且有大小意笔之别。写意水墨画因其工具与材质的特性,表现方式具有极强的伸缩性和自由度,加之千年来被历代文士不断附着其上的诸如人生笃守、人性崇尚、境遇超脱、境界追求等传统文化内在精神品质,具有丰富多样的绘画语境。水墨本为传统画苑中设色画之一部,促成水墨画独立于设色画之外、逐渐成熟滥觞的主因有四:一是笔墨纸砚等工具与材料的技艺发展与普及流传;二是视觉审美需求的时代嬗递与人文环境的历史流变;三是文人士大夫心性回归与学脉沉积引发的文化传承与融合;四是图像对文字在文人寻求精神归属与释放个性情感时的别样作用。由是观之,"水墨"与中国书画艺术之间有着深远的历史渊源,不仅蕴藉着深邃的中国传统文化底蕴,而且表现为独特的技艺创造法则和民族审美体验。传统中国画历来以线造型、以水墨造线,这种独特的艺术创造与表现手法,既基于华夏传统审美文化内核之根底,又具备画家主体情性表达与人文关怀之便利,可谓中国画的至高境界。然而,在世界绘画谱系中,中国水墨却在西方主导的评价体系中价值被严重低估。所幸,随着业已到来的中华文化复兴,水墨的神韵将再次彰显。

水墨写意花鸟画有着一条明晰的逐步确立、成熟和发展起来的嬗递轨迹。纵观画史画迹,水墨画在中国的发端虽至少在汉代以前,但水墨画的发轫当在两晋南北朝隋唐五代之间。如山西平陆和河北王都的汉墓壁画中均已出现水墨创制的画作;东晋顾恺之等人画作中虽曾出现禽鸟意象,却未独立;及至南北朝,方才出现陆探微、顾宝光、萧绎、刘杀鬼、顾景秀、刘胤祖、丁光、陈代、顾野王等专司花鸟的画家,花鸟画自此开始日趋独立;萧绎则于《山水松石格》最早提出水墨画法,虽未获时人重视,但画论史中自此始有水墨之一席。入唐以后,更出现水墨描画花鸟的技法,直到唐人吴道子出,水墨画才得以确立;但此期水墨花鸟主要以写实为主,如史载初唐李元昌、李元婴、李绪、李湛然皆以禽鸟闻名,另有薛稷画鹤、姜皎画鹰、周昉画鹤,殷仲容更被誉为水墨花鸟的先驱,中唐张星、于锡、李察画鸡、李逖蝇蝶、卫宪雀竹、邱元莲荔、裴辽鹭鸶、白旻画雕、陈恪草虫、萧悦画竹,边鸾更被誉为花鸟画走向繁荣的重要标志。鉴于唐代水墨花鸟画迹不传,所以,从现存画迹而论,中国画史上的水墨写意花鸟画,仅可追溯至五代。作为水墨花鸟的过渡时期,五代水墨花鸟在审美上由刚柔并济转向了阴柔之美,追求蕴藉多变的审美风尚,画法上由写实转向写意,色彩上更趋向水墨一路,画意上由外在物象转向内在心像。代表性画家画作则是南唐徐熙《雪竹图》(上海博物馆藏)和李坡《风竹图》(台北故宫博物院藏)。徐熙素以"落墨为格,杂彩副之"著名,是最早的水墨花鸟创制者之一,《雪竹图》主以水墨为之、敷以淡赭浅绛、画境幽远静谧;李坡画承唐风、潇洒灵动,墨竹与刘彦济、施璘、丁谦齐名,《风竹图》浓墨点竹、因风起势、竹叶出梢、竹竿稍匠,竹枝技法已有北宋文同《墨竹图》之象,似为迄今存世最早的墨竹佳作。延及两宋,水墨花鸟不断成熟,画风日渐多元,逐渐分由院画、禅画、文人画三个路向向前掘进。整体上看,北宋画艺主要以院体设色工笔为主,意笔水墨略逊一筹,这一态势迄至南宋方得以逆转。具体而言,两宋水墨花鸟画异军突起,尤其是以岁寒三友、松石、梅兰竹菊四君子为题材的水墨写意画,开文人花鸟墨戏画之先河,并在儒释道三教合流共融的文化背景下,经由苏轼等人倡导的文人画理论鼓噪开始盛行,出现了文同、苏轼、扬无咎、郑思肖、赵孟坚、廉布、王清叔等大批墨写兰竹梅的文人画家和牧溪等人的意笔水墨花鸟画风,共同以绘画语言的文学化和绘画题材的人格化倾向将传统绘画由院体设色工笔转型为文人水墨写意,就此促发了水墨写意花鸟画的发展完善,开辟了水墨写意花鸟画史的新格局。水墨写意花鸟的迅猛发展则在宣纸推广后的元代以后,元代独特的政治形势、宣纸的广泛运用等外部原因,均使得水墨画渐成强势,在实践与理论两个层面都取得了长足进展。在赵孟頫"书画同源"、钱选"士气"、黄公望吴镇"墨戏"等说指引下,元人花鸟画境由意转趣,文人画发展迅猛,写意画与水墨画随之勃兴,尤以没骨写意画最为盛行,画论家汤垕更率先明确提出画学上"写意"说。及至明清,水墨写意花鸟更成为画界主流、国画代表。明代画风流变分野、多元异彩,水墨画和写意画愈加多样,写意水墨设色画亦独撑一格,不仅墨戏画十分普及,水墨写意花鸟画技也成就卓著,四君子花鸟画亦极多见,以水墨见长的名家辈出,如戴进、吴伟、蓝瑛、边景昭、吕纪、林良、沈周、文征明、仇英、唐寅、董其昌、陈继儒、陈淳、徐渭、周之冕等,尤以林良、吕纪、陈淳、徐渭为标,陈淳、徐渭更开启了大写意花鸟画风,周之冕则另创小写意花鸟画法(勾花点叶法)。徐渭继陈淳之后将水墨写意花鸟画臻于极致,其画远袭宋元牧溪之风,博采沈林陈诸家之长,画法上大胆突破物象拘囿缘物抒情、直出胸臆,形式上用生宣纸、肆意泼墨、不拘成法、随意点染,直接影响了后世八大、石涛、扬州八怪、海派乃至齐白石等人画格,堪称大写意水墨花鸟画的鼻祖。嗣后,清代水墨写意花鸟尤以八大山人的不朽创制为标,更在前朝诸贤成就基础上臻至高峰。

综上,以迄今可见画论画迹而言,南朝萧绎《山水松石格》出,水墨画法即在中国画史上首次被明确提出。自花鸟画独立分科以来,历朝历代均有画苑名家于水墨花鸟画技法有颇多探索与经验,形成了中国水墨花鸟绘画的传统技法系统。其间,唐人擅勾勒、填色,兼取墨、彩、线、绘之用,至吴道子出,水墨画才正式得以确立;五代人长于运笔、用墨,更有写生之好,既有后蜀黄筌之墨粉五彩,复有南唐徐熙之落墨为格、杂彩副之,更有徐熙、李坡自出机杼的水墨写意花鸟和梁楷、牧溪"意思简当,不费妆缀"的意笔花鸟;宋人则于院体工笔与徐崇嗣设色没骨之外,经文同、苏轼、扬无咎、赵孟坚等人先后鼓噪,大开文人水墨一途,余风所及、所向披靡;元明画人承规袭旧,游疑于线条与赋彩之间,疲于奔命,间出张中、王渊、林良沿袭水墨之雅韵,复有青藤"无法中有法,乱而不乱"和白阳"浅色淡墨之痕俱化"的泼墨、飞白大写意之风致。尤其是青藤白阳之后,水墨写意花鸟方由平面写实一变而为草书入画、追崇写意、狂纵抽象。可以说,八大之前的历代花鸟名家,已将花鸟画水墨技巧和写意艺术发展到相当的高度。然而,作为继往开来的一代名家,八大在继承和发扬中国传统花鸟绘画方面做了很多独开生面的探索和有目共睹的贡献。

穷究八大水墨写意花鸟画迹遗存可知,八大花鸟的水墨写意技法既承往代前贤,又别开自家蹊径。总体来看,无论是较之徐熙的"未脱刻画",还是较之青藤白阳的法无定式,八大水墨写意花鸟技法均在题材选择、表现技巧、情趣营造、意境表达、题跋钤印等方面显示出独自高标、自出机杼之妙。八大水墨写意花鸟画法,常常笔墨圆熟、"纯用减笔"、苍老泼辣、墨法醋畅、老辣含蓄、"愈简愈远,愈淡愈真"、平静如水,是典型的"画若诗,奇情逸韵,拔立尘表"的水墨、写意之法。所作之画既深得雅俗共赏的水墨清韵,又足具八大超凡脱俗的内蕴和韵味,神完气足,独开生面。究其实,八大所创的这种深受画人追崇、饱含"雪个精神"的花鸟技法,乃是以元笔对院笔、以文气对院格、以平淡对绚烂的智慧之举。换言之,即以幽淡、逸宕、秀雅的元人之笔反驳讲求工整、刻意典丽的院体工笔;以修养、气度、至美之求等文人士大夫之雅涤荡拘谨、刻板、纤巧、艳俗的院体花鸟之弊;以虚白、怪型、奇构的水墨淡雅之风倡导九九归一、万象复归的人生雅韵。分而论之,八大水墨写意花鸟可分早期、中期、晚期三个阶段,①其技法明显经历了一个逐步形成、日渐成熟、终臻完善的发展过程,呈现出明显的嬗变轨迹。八大34岁至56岁之间,一意主攻水墨写意花鸟。此期画作多为花卉奇石,但用笔较为方硬,题材未脱前人窠臼,造型则以写实为主,画风亦以模仿塑形为主,画法既幼承家学,又博采众长,但整体上未能超出前人规

---

① 方闻依据八大思想、画风与书风等方面将八大的花鸟画分为三个时期:一、出家为僧期——23至55岁(1648—1680);二、心理矛盾期——55至65岁(1680—1690);三、艺术造诣成熟期——65至80岁(1690—1705)。(参见方闻著,冯幼衡译:《八大山人生平与艺术之分期研究》,《故宫学术季刊》第四卷第四期,1987年夏季号)。单国强基本认同三期说,又据名号款署分为三期:一为礼佛期,23至55岁;二为情绪危急期,55至65岁;三为艺术成长期,65至80岁。薛永年亦将八大花鸟画分三期:一为萌芽期,34至56岁;二为突破期,56至66岁;三为成熟期,66至80岁。本文从薛永年说。(参见薛永年:《论八大艺术》,《收藏家》2002年第6期。)

范。据《画史会要》载,其父"山水花鸟兼文沈周陆之长,而好以名走四方",这无疑为我们寻其渊源指出了一条家学踪迹。细研八大此期画迹,亦可窥知其日后成熟期笔墨造型中呈现的坚实的造型能力和雄健劲锐的笔墨方法是源自于从沈周、陈淳、徐渭、周之冕等诸名家处汲取的充足养分,以至其早期画迹中常明显见出诸家痕迹,甚至在笔墨形迹上露出刻意模仿、缺乏变化、功力欠缺、无力统一之象。如其34岁时所作《传綮写生册》(1660年)十五开,所绘花卉俱为水墨写意,画法主要沿袭了沈周、陈淳、徐渭的传统法则,用笔落寞严肃规整、刚劲生硬,画作情调冷静清醒,画风追宗陈淳、徐渭画格,尤以《石榴》、《牡丹》二开更得青藤神韵;但《水仙》、《奇石》则明显笔力失控、线条虚浮、分散孤立,该册页之菜松芋、《墨花卷》之松蕉均现笔触呆板、缺质少变之象。再如《花果卷》则勾花点叶之法源自周之冕、勾叶墨花之技源出徐渭。然其"截枝"、"中断"的结构处理却迥异前朝诸贤,初显八大自家风貌,如其《墨花图卷》(1666年)、《花卉图卷》等作俱如此。八大56岁至66岁之间,仍然专意浸淫水墨写意花鸟,兼制山水。此期画作造型怪诞、笔墨奔肆、不囿法度,技法和章法布白均已出现自我自主倾向,物象逐步夸张变形并开始具有象征意义,呈现对前期写实塑形的蜕变风貌,时常信笔狂涂、情遏乃止,较之早期画风显得极不和谐平静。如《梅花图册》(1677年)笔墨不羁、截枝布局,全然逸出常规;《古梅图轴》(1684年)则以硬毫钉头鼠尾法连绵转折,墨线方挺犀利,并用干笔横排皴擦梅干质感,再以积墨填充梅下缝隙和根部四陷处,用笔愈加奇峭泼辣、棱角具见,奇崛不平之气迫人心目;《个山杂画册》(1684年)更为其此期重要代表作,呈现出放松的笔墨与开张的气势;《瓜月图》、《牡丹孔雀图轴》(1690年)则纯然政治讽刺画法,颇受八大愤世嫉俗情绪支配。此期画作总体来看则是笔法渐趋简率、意境渐趋和谐,物象描摹大胆夸张变形、造型奇古、出人意表,笔墨表现偶见前贤蛛丝马迹而愈加奔放有力、简洁淋漓、"苍劲圆晬、时有逸气",章法布局更大胆剪裁辅以空间分割、天骨开张、气势博大,已然呈现出夸张造型风格的雏形。然较之晚期则虽简率而含蓄不足,略显急促躁动。八大66岁以后步入艺术成熟期,此期八大开始力追书法入画,常以饱满得软毫笔笔藏锋且以中锋运转,倍显凝重沉着;与此同时,还广泛接受传统滋养,甚至对林良、吕纪的院体花鸟也兼收并蓄。其作造型简括夸张,用笔逐渐易方为圆,透露出强烈的抑郁感,更演化为一种"象征性"符号,个人风格已然成熟。此期作品流传下来的最多,《鸟石图轴》(1690 年)、《杂画册》(1691 年)、《杂画卷》(1693 年)、《鱼鸟图》卷(1693 年)、《书画册》(1693 年)、《瓶菊图轴》(1694 年)、《花鸟山水册》(1694 年)、《安晚册》(1694 年)、《水木清华图轴》(1694 年)等均为此期代表作。尤以 70 岁左右的作品渐老渐熟、日趋平淡,最为精彩。如《山水花鸟册》(1695 年)、《桃实双鸟图轴》(1696 年)、《河上花图卷》(1697 年)、《秋树八哥图轴》(1701 年)、《杨柳浴禽图轴》(1703 年)等,更以秃笔挥洒凝重清润、凝蓄内敛之墨韵,无不莹然傲骨、迥出尘表,凝冻成一派空寂宁静的化境。可以说,正是上述这物象与心象合一、具象与情感交融、书法与画法相参、笔墨与造型双赢的诸多成就,才使得八大在中国水墨写意花鸟画史上独自高标、成为一座里程碑。

具体而言,八大成熟期的水墨花鸟画技较之前贤与时人的技法至少有两大突破性特点。

第一,不拘成法,自成画格。

如前所述,八大花鸟画风与前朝青藤花鸟同属水墨大写意。整体来看,二人的水墨写意花鸟画均以不拘常形、法无定式著称,但若细品八大、青藤的水墨写意花鸟画迹中的水墨技法,即可见出二人之间的明显差别。八大、青藤的水墨写意花鸟画法至少存在着笔墨、造型、构图等诸多方面的微妙的细部差异。具体而言,首先是笔法墨法的差异,即青藤之法放而能收,于信笔中显不羁;八大之法则内容隐涩、收而能放,于严整中见狂放。青藤花鸟画法较之前人新创叠出。他一改前人干笔淡墨之习,纯以水墨、巧用黑白灰、强化视觉落差感;革新材料工具,首次大量以生纸作画,并于水中掺胶,着力控制水分比例,充分借用水墨自渗获取奇效;此外,青藤用笔大胆、奔放洒脱、率意恣肆、运笔雄健,辅以泼墨技法、笔随墨动、墨由笔生,使得线条粗细、运笔快慢、提按轻重富于变化,赢取了行云流水、怡然自得的闲适画境。如其《黑葡萄》等经典画作中创造的葡萄、八角、牡丹、石榴、荷花、螃蟹等,均以至简之笔、活用水墨,以狂放起笔又以戛然而止猛收,活泼生动地表达出物象的形态、空间、气韵、情趣,开创了大写意的先河。然其画作常减笔草草,于狂放不羁之外稍显脱离具象、难以捉摸的险象。较之青藤,八大花鸟画法则将他从林良、徐渭等处脱出的刻露、奔放化为一股含蓄、悲凉、凝重之风,将水墨写意花鸟技法向前推进了一大步。八大花鸟用笔狂而不躁、怒而不张,多用减笔、静穆清雅,善用秃笔、含锋行气、沉着冷峻、苍劲圆润、张力十足,喜用淡墨、干湿相宜,墨线回环脉动、虚实相应、疏密合度、韵律错落、笔简意丰。如其《荷花翠鸟图》作荷叶荷梗时,急速运笔、笔力劲健而毫端求韧;作荷茎时,则以中锋运笔、笔势凝重而注重变化;作鸟身时,则刻意迟滞运笔、便于水墨渗入画纸、追求栩栩如生的鸟毛效果。其二是造型的差异。青藤水墨写意花鸟在造型上敢于大胆创新,多用勾叶墨花之法高度凝练,减笔勾勒多变物形、大笔泼墨直接墨花,舍弃细节、只取形廓、随心泼墨、率意点染,不止步于形似而力追神韵,力求"逸笔草草"、"舍形悦影"、"不求形似求生韵"的效果。较之青藤,八大水墨写意花鸟在造型上则更胜一筹。他采用了符号化的绘画艺术语言,活用几何图形中对点、线、面的表现手法,大量采取轻重、疏密、浓淡、留白等运笔力度、空间比较、墨色对比的手法,注重简洁、含蓄、藏而不露、耐人寻味的表达方式,更十分注重夸张、变型、改变比例等诸多方式,使得笔下物象简洁凝练,且均具有蕴涵深刻的寄寓和深沉蕴藉的情感。关于八大造型特色的相关画迹已于上节多有分析,兹不赘述。其三是构图的差异。青藤水墨写意花鸟画迹的构图承传了前代文人画诗书画印合而为一的传统,几乎每幅均为四绝合体的典范;仅就构图形式而言,多用"之"形构图,如其《荷蟹图》、《榴石图轴》等均为"之"形构图;再如其《梅花蕉叶图》,以枯墨写芭蕉,以重墨勾出蕉叶纹理,并自觉地以书法的线条与书写的方式入画,使得梅花、芭蕉均具备了物象的轮廓形貌、又以多变的线条和大块墨色相交,造成笔墨的独立性与物象的抽象性的鲜明比对,形成独出心意、泼墨淋漓的大写意风格。较之青藤,八大水墨写意花鸟构图则更显个性。八大花鸟构图巧布点线面,大胆剪裁物象、巧妙分割空间,使得画幅不复有边际、画内画外融为一体,造成天骨开张的博大气势,且画面构图必求其"极",别出心裁而极富意趣,一幅誓将天、地、大、小、多、少、高、低、疏、密等写尽的劲头。仅以构图形式看,八大花鸟构图多用太极图式,暗合西方"S"型构图,呈现出黑白相生、虚实相映、动静相宜、前后贯穿、上下穿插、变化无穷的曲线运动趋势,予人以气韵贯通、灵动活泼、画简意丰之感。如前引《杂画册》之一《荷花》、《眠鸭图》、《鱼》等画迹均为八大极简构图的典范,使得画面冷静、细腻、传神,并借由水天不分的构图方法把观者带入一个没有边际的无限空间,造就一种阔大无垠的宏观气势;《水木清华图》则是八大画迹中少有的极繁构图个例,该图画幅貌似杂乱无章,细品则无不合规中矩、处处可见画者匠心,整个画面构图有放有收,即向外扩张以造情感奔肆的外放之势,又精细雕琢以求严整不紊的内敛之象,一放一收之间尽显画家心游万仞、精骛八极之思绪,亦见画作笔尽意未绝的画外之音、象外之象的寄托;《鱼鸟图轴》是八大画迹中活用对角线构图的精品,整个笔墨都集中于画幅一角,危石斜出左上,石顶单足兀立一小鸟,下方则写特大游鱼两条,题款孤悬右上,以维持画幅平衡,貌似散点实则呈现三角与对角线的构图,凸显了画家的主体意兴与个性情感;另如《鱼鸭图卷》则跌宕构图、动静起伏、疏密有致,各项物象和元素,或点、或线、或面,巧妙组合、完美搭配,于貌似随心之处尽显构图之奇崛。此外,八大水墨写意花鸟画法尚有许多迥异前贤及时人之处。八大对自成一体素来有着自觉主动地追求,他曾题跋《山水图轴》称:"倪迂画禅,称得上品上生。迨至吴会,石田仿之为石田,田叔仿之为田叔,何处讨倪迂耶? 每见石田题画诸诗,于倪颇倾倒,而其必不可仿者,与山人之迂一也。"八大在跋中以倪迂自况,传达出自己在创作中坚守"必不可仿"性的个人风貌的执著。在《写兰册》对题诗跋中又称:"南北开宗无法说,画图一向泼云烟。如何七十光年纪,梦得兰花淮水边。禅与画皆分南北,而石尊者画兰,则自成一家也。"八大于诗中明示,无论南宗北宗,自成一家方可贵。正是八大独有的艺术感知力、艺术创造力和艺术语言的表达力,造就了前述这些独具匠心的新特点、新创造和新体验,成就了八大花鸟自成一格、卓然成家的花鸟画格。

第二,篆书入画,书画相参。

纵观画史,书画同源之说由来已久,书法画法相参之举古已有之。绘画的书法化更是自苏轼等人倡导文人画以来的文人画艺根本性特点。水墨写意花鸟画史上,青藤已在八大之前将书法的笔法引入了花鸟画中。以草书入画堪称青藤大写意画法的标志,使得画作即狂纵而抽象,又能直接抒写画家主体的心意,这种极富创见的改进无疑增加了抽象的因素、强调了写意性,扩大了阔笔写意花鸟画对主体心意的直接表现力,一改自徐熙、李坡、梁楷、牧溪以降的历代花鸟画的写实倾向,实现了水墨写意花鸟画由平面写实向变型写意的巨大转折。然而,仅将这种转变落实到草书式的纵横捭阖、狂放恣肆之中,仅仅追求"不求形似求生韵",固然利于情绪的抒发、利于画作的视觉冲击力的营构,但却有个度的问题,一旦过于草,势必难以懂,无法实现"生韵"与抒情的功效,显然并不适于精神升华的表达和纯然绘画性的图像可读性。好在青藤造型功力深厚,其画作选择笔墨奔肆的草书入画,尚未伤及"生韵"呈现与心意抒写,但却已将书法式抽象发展到临界的写意极限。较之青藤,八大是晚明入清遗民书家的重要代表人物,于书法的笔法、字法、章法、墨法等法度探索方面浸淫甚久,其书学成就更是卓著非凡。甚至有学者指出,八大的书学成就要高于其画学成就。的确,邵长衡曾在《八大山人传》中记道:"山人工书法,行楷学大令鲁公,能自成一家,狂草颇怪伟。"而且,作为明季皇族入清,癫狂和书法堪称八大发泄胸中愤懑的最佳渠道。尤其值得一提的是其狂草,迥异于之前草家的狂肆激荡草风,其字幅中的大片布白和点线之间的虚空气韵鼓荡、极富画意,貌似平静的字幅作品中处处鼓荡着书家饱满的情绪和充沛的气韵,构成完美的审美时空,达到前无古人的狂草奇境,充分表现出其驾驭笔墨和创造艺术空间的超凡能力。八大还曾尝试贯通书画墨法、以画入书,其书将人情化了的自然风采中的神韵化入书法,以期达到物我为一、天人和合的境界,故多画意。其狂草仅以秃笔和墨色即在点画线条中见出坚韧度、多变性和微妙性,而且字形结体别有奇趣。八大书法的这些用笔、结体方面的创举,既突破了传统书论对笔法结体的规范形式要求,有效疏泄了书家个体饱受压抑的心志;又暗合了均衡、比例、和谐、节奏、虚实等美的造型规律,没有沦于怪异的窘境。其书作所呈现的书境更是八大在文人书画上对精神升华方式的新创,具有重要的审美意义。这都应归功于他深厚的功力和天然的悟性,归功于他书法前贤、承继传统的学书方法,归功于他从前人书作中汲取到的丰富内涵和高雅品格,归功于他敢于变革、敢于新创的艺术勇气。① 然而,尽管前有巨匠名家青藤引草书入水墨写意花鸟的成功先例,后有八大本人对草书、草法自出机杼的超凡感知力、体悟力和掌控力,但八大为了增强画作写意性、抽象性而引书入画时,却并未选取他成就最高的草书这一书体,而是选择了含蓄有力的篆书笔法入画。他首先是意识到书法中的抽象因素入画对于抒写心意的重要功效,其二是进一步意识到草书笔法对于表达精神升华和不脱离造型具象的缺憾不足,其三是为着画面效果而敢于舍弃自己最值得称道的草书技艺,一切围绕画意表达与画境呈现这一中心。这恰恰正是八大的难能可贵之处,也是八大超出青藤的关键之处。在此基础上,八大在《书法山水册》中曾有两段题跋称:"昔吴道元学书于张颠、贺老,不成,退,画法益工,可知画法兼之书法","画法董北苑已,更临北海书一段于后,以示书法兼之画法",明确强调"画法兼之书法"和"书法兼之画法",指出书法、画法在审美视角而言实为一事。八大画迹尤其是晚年成熟期画迹的技法出神入化,与其自觉实践这一主张密不可分。这也就无怪乎石涛在品评其人其作时即不无感慨地称誉其:"书法画法前人前。"此言不虚。从现存画迹的实效来看,八大以含蓄有力的篆书笔法入画的选择无疑是成功的、准确的。八大的成功在于他既讲求青藤所求的写意性"生韵",即对书法式抽象因素的引进和对抒写心意的变型追求,又讲求超越青藤"不求形似"的武断与粗糙,即不主张过度脱离绘画造型的具象功能,使得具象与抽象、形似与变型、笔墨与形象、画内与画外、画者与观者五对关系融合自洽、合作双赢,使得高度凝练、神韵内敛的感情、思想、个性、希冀等"生韵"得以成为能引起观者理解、体悟、共鸣的直观可视与目击道存。八大的准确则在于,篆书的笔法较之草书的笔法,更能予人以直观的力度和简赅的形象,使得情绪与心意的"生韵"表达功效不至于因草书的"不求形似"而受到折损,也不至于因草书的笔走龙蛇而流于直白、浅陋;相反,篆书的笔法可以赋予画作以"应物象形"又夸张变形的具象,使得画家

① 参见拙作:《书为心画:尚"真"求"趣"的生命情怀——晚明入清书家书法审美意识》,《书法》2014 年第 7 期。

主体的心意与情感有一个可资依凭的媒介或载体,使得观者的欣赏与品鉴有一个可资依循的线索或原型,促成个性表达与情感传递的真实有效。

四、八大花鸟的审美观念

明清之际,夷族代汉,天崩地坼的政治时局促使清初社会文化急剧变化。当此满汉易代之际,持有不同人生哲学的明末入清士人,在具有象征意义的甲申年(1644 年)①作出了不同的人生选择:或为烈士;②或为贰臣;③或为遗民。④ 以"四僧"、"金陵八家"、傅山、担当、梅清等为代表的晚明入清遗民,坚决不仕新朝。此期的文艺界,则在整体上呈现出既承接明末余绪,又充斥着对明末文化的反驳的局面。投射到绘画领域,则以个性鲜明、意趣迥异、心手相合、抒情写意的群体画作傲立于清廷正统画派之外,尤以八大为代表的清初"四僧"为标举,成就卓然,引人瞩目。整体上看,这些清初遗民绘画在主体选择及其审美倾向、法度变革及其意象表征、画学精神及其审美意识等方面均呈现出独具时代风貌的特征,其中既标举着深沉的民族意识与鲜明的艺术革新意识,又深蕴着清初遗民的深层精神轨迹与文化生命的幽妙之境。具体而言,八大等清初"四僧",均为明亡出家,他们虽迫于形势不得不或遁迹空门、或埋名山野,却都潜心艺事、以艺为道;他们一方面,感于时,哀于身,借绘画以抒其抑郁不平之气;另一方面,通禅学、晓佛理、寄情书画,于绘画各有独创造诣;总之,都在道袍袈裟、苍莽山野掩护之下疏解着王朝易祚、山河破碎的家国之痛,在线的分动、墨

① 郭沫若在《甲申三百年祭》中曾言:"甲申年(1644 年)总不失为一个值得纪念的历史年。"见《甲申三百年祭风雨六十年》,东方出版社 2006 年版,第 2 页。

② 据乾隆四十二年赐撰的《胜朝殉节诸臣录》载:崇祯帝死后自杀殉难的晚明官员达 2449 人之多。

③ 据魏斐德《洪业——清朝开国史》附录 B《1644 年的贰臣》载:单 1644 年参加清政府的官员有 50 名,大多数是京城行政官员,有进士身份的 36 名。(魏斐德:《洪业——清朝开国史》附录 B《1644 年的贰臣》,江苏人民出版社 2003 年版,第 399 页。)

④ 乾嘉间佚名朝鲜人所辑《皇明遗民传》收录明遗民 716 人,孙静庵所辑《明遗民录》收 800 余人,而近人谢正光的《明遗民传记索引》据明遗民传记资料 208 种,计得遗民共 2311 人。病骥老人序孙氏《明遗民录》云:"尝闻之,弘光、永历间,明之宗室遗臣,渡鹿耳依延平者,凡八百余人;南洋群岛中,明之遗民,涉海栖苏门答腊者,凡二千余人。"(孙静庵:《明遗民录》,浙江古籍出版社 1985 年版,第 372 页。)

的润华之中无声却有力地对抗着清廷专制驭华的思想迫害。八大作为"四僧"乃至遗民群体的杰出代表,更以卓尔不群的水墨写意花鸟创制和隐而未发的绘画审美观念独造,傲然屹立于中国古典画史的最后一个高峰上。

鉴于八大于清初艺坛和古典画史上的特殊地位,全面了解八大艺术思想体系,准确把握其审美观念内核,并借由八大一窥清初画苑、艺坛、乃至整个时代的审美意识发展走向,是我们研究清代绘画审美意识史乃至清代审美意识史的一条蹊径。遗憾的是,纵观八大一生,我们虽可寻绎出其思想成熟的脉络,却未见八大本人的专门艺术论著,甚至有关艺术的题跋也绝少见到。我们只能根据八大遗存的零星题跋及诗文、依托与之同时代人的记载甚至直接通过品读八大丰硕的绘画遗存遗迹,梳理、总结、归纳出八大的艺术思想与审美观念来。

综览八大丰硕的画迹遗存,辅以诗文题跋款识及相关画史画论记载,约略可知,八大的绘画审美远承宋元文人画论,中继前明徐文长大写意、董文敏南北宗之说,近接程邃、石涛诸遗民之想,下开扬州八怪、海派乃至近现代国画之风,可谓画苑画史中承前启后一巨人。他于家学、师友交游、个人独造之中涵养了深厚而广博的艺术素养,历经逃禅、避世、癫狂、还俗之苦厄,最终形成了自成一家的审美风貌。

第一,语言观:崇意尚险,笔沉墨畅。

在对八大画迹如前所述的剖辨中,不难见出八大绘画崇意尚险、笔沉墨畅的语言艺术观。其一,八大画迹始终注重意象对画作视觉冲击力与艺术感染力的重大作用。如前所述,八大在毕生所作的大量水墨写意花鸟画作中已然营构出一个庞大的花鸟意象符号体系,足以显示他对"意"的看重。其二,八大画迹始终注重画中每个意象符号的雕琢与呈现。如前所述,八大画迹中几乎每一个意象的造型均为物象与心像的合一,几乎每一个意象的组合都是具象与抽象的延展,几乎所有意象组合乃至意象群体都深蕴着八大主体之情,都是经过了八大匠心独具地精心变型之后的象之摄取与意之传达完美结合的产物。对此,鉴于前文已有详尽阐发,兹不赘述。其三,八大画迹的用笔十分注重对力度美的追求。"苍劲圆晬",是张庚对八大绘画用笔之美的美誉。"劲"乃有力,"苍"为老苍,"苍劲"即指内蕴、含蓄、深沉、凝重、浑厚的笔墨内劲。表现在画作中,则是力度与质感的交融,既有强大、外在的强度,更具力透纸背、入木三分的内蕴。"圆"重形式,"晖"重意态,"圆晖"即指丰满、圆润、灵动、活泼、和谐的笔墨形意。表现在画作中,则是形态与意态的交融,既有和谐、隽永、立体的视觉形态之美,又具圆满、润泽、浑厚的意韵之美。其四,八大画迹的用墨非常关注节奏美的表现。"淋漓奇古",是石涛对八大绘画用墨之美的赞誉。"淋漓"既蕴涵舞蹈的动态的节奏之美,又富于音乐的声音的韵律美,八大画迹用墨情感充沛、如倾如泼、意兴酣畅、富含动感,足以激荡观者心灵、唤起同情之美感,痛快、自由、舒畅。类同张庚所言之"时有逸气"。"逸气"作为传统绘画美学高层审美范畴,特指画家主体的情感兴发、个性抒写和自由超脱的心理节奏,堪称八大画迹显著标志。综上,八大绘画的崇意尚险,主要源自八大独特的人生遭际与刻骨的生命体悟及其近乎天才的艺术感知力与领悟力,具有极强的画家主体的个性色彩和主观动因;八大绘画的笔沉墨畅,则除了源自八大个人深厚的艺术涵养和画学底蕴之外,还有着特定的画史背景和时代特征。明清之际的文人画较之前代最为显著的群体性差异,即是对绘画语言本体的复归与转向,尤其是笔墨语言的独立。此期,绘画的文学意味明显让位于视觉图像等形式意味的审美直感,绘画审美的主轴开始由描述与再现的功能性转向画作本身在笔墨、造型、构图、布白等艺术语言本身,回归绘画本体的相对独立的审美价值。这一特点在八大水墨写意花鸟画中的体现尤为明显。

第二,时空观:崇寂尚空,虚灵充实。

八大彻悟了书法艺术"计白当黑"的时空美法则,其画迹构图所呈现的时空之美无与伦比,无论巨幅大轴还是短册横卷,或大开大阖,或截枝斜插,或一角半边,点线面、黑白灰、虚实间皆能停匀布白得出奇制胜,常能获得出人意表又自然天成的效果,臻于"虚实相生,无画处皆成妙境"(笪重光《画筌》语)的视觉佳境,是千年画史中唯一一位敢于在画面不到十分之一位置上描绘实体形象而留下百分之九十以上空白背景的画家,堪称中国画史上最具画面"虚白"领悟力、掌控力、表现力的典范性高手。其画作中无际的虚空,在形式上源自他对木刻笺谱等民间工艺美术的研究和养分汲取,在思想上则既源自老庄对涵泳万物的无穷宇宙的奇幻设想,也源自禅宗美学物质无常、虚空永恒的空相根底。在八大笔下,墨迹与空白之间一如物质与虚空,不仅同样实在,而且标示虚空的空白较之指代物质的墨迹更为实在。在空白与墨迹、虚空与物质的并立之中,八大画迹所凸显的正是画家主体虚以待物、回归本我、返朴归真的静观与烛照。八大画迹中标示虚空的空白所营造的静寂氛围极具暗示性,足令观者收视反听、重新聚焦内在生命意识,画幅中点染的物象墨迹极富平淡天真之感,亦足以唤起观者对画家主体萧条寂寥、孤绝苦闷的知音之想。

第三,悲美观:崇野尚悲,悲怆奇特。

八大笔下的物象显然是迥异甚至背离于传统花鸟画"顾盼有情"原则的,呈现出突出的反常、怪异、丑陋和不协调。其造型多奇特怪诞甚至丑陋,或白眼向天或耸肩缩颈;其表情多孤独、悲愤、冷漠、凄凉、惊惶不安、傲慢不羁。如斯造型、如斯表情,共同营造出神秘而压抑的气格。然而,这种奇怪仅为表面浮象,其由来正源自八大悲剧色彩的人生遭际。八大画迹中这些莫可名状的怪诞奇诡的物象造型与表情下遮蔽的,正是画家被异化、被畸变的人格心理,其中既有孤臣逆子的隐痛,更有自我放逐的悲怆。一如郑燮所言"墨点无多泪点多"。这种孤独心理内涵与其他形式美感相匹配,共同铸成八大艺术森严肃穆、大气磅礴、超拔奇诡的悲美品格。

第四,超越观:崇简尚逸,自由超脱。

八大山人晚年留给我们的艺术充满了返朴归真、简约含蓄、奇情异趣、天真活泼的艺术风格,如雁过无痕、缥缈如影、不着痕迹。其画迹之中所蕴藉的意、寂、野、简,险、空、悲、逸等审美风格无一不显露出八大崇简尚逸、自由超脱的超越观。

总之,八大水墨写意花鸟审美观念集中表现在其艺术语言观、时空观、悲美观、超越观四大方面,呈现出崇"意"尚"险"、崇"寂"尚"空"、崇"野"尚"悲"、崇"简"尚"逸"的鲜明特质。八大花鸟画艺崇"意"尚"险"的语言观、崇"寂"尚"空"的时空观、崇"野"尚"悲"的悲美观、崇"简"尚"逸"的超越观,并不纯然仅为他个人的独造,更堪称中国花鸟画,乃至整个中国画的独特艺术观。中国画作为中华文明的重要组成部分,与华夏民族独特的哲学观念、文化素养、审美意识、思维方式和美学思想共同形成一个完整的艺术体系。因此,以八大花鸟审美的这些特质为代表的中国画审美特征的形成,是与华夏民族在历史发展中形成的审美意识和审美习惯上的独特性息息相关、一脉相承的。全面地了解、深入地剖辨这些具有鲜明中国气象、中国精神、中国风貌的艺术特质,对于全球化背景下揭橥中国画典型的民族风格、民族特征和独特的艺术规律,对于中华文明传统在当代的伟大复兴,均具有典型的现实意义。

第五章

继承・潜变・转型：清代审美意识嬗变小考

　　审美意识是认识人类社会的重要媒介。如前所析,清代诸如小说、戏曲、书法、绘画等方面的文艺创作非常丰富,所蕴藉的审美意识和美学思想异彩纷呈。清代审美意识在其涵括意象类型、叙事模式、思维特征、审美走向等诸多元素的嬗递演进历程中所展现的,是乱中经世、稳中求实、衰中变革等历史变迁的纵向轨迹,是包孕朝野之别、雅俗之变、南北之交、中西之会等多元内涵的横向特质,是蕴涵着变革的动态的清代社会生活场景和充满着活力、洋溢着激情的时代审美场域:纲常礼教日渐式微,理性人文盎然兴起;破理学经典之权威,倡人性自由之追求;集传统文化之大成,孕近代理念之先声。可以说,清代不仅是中国古代审美意识与美学思想的集成总结期,也是中华古代审美意识向近现代审美意识演进、中华传统美学走向近现代美学的重要转型期,更是中国近代各类审美意识与美学思想的集中迸发期。诚然,在漫长的中国古代史中,清代审美意识的变革是缓慢的,清代审美意识的演进是凝重的,但清代审美意识并未止步不前,仍然充满着希望,并为后世的社会变革和近代化的全面起步奠定了原始而不可或缺的民族思维基础,其嬗变轨迹所呈现出的正是华夏民族历史所独有的缓慢而持续、深沉却稳健的姿态。

　　从本质上讲,人的审美观念、美学思想源自物质生产、社会活动、日常生活,并回归社会、回归生活,影响和改变生产方式和社会生活。由于人类的物质生活、政治环境、生活方式在不同历史时期均存在巨大的差异,这就使得审美意识的嬗变不仅成为可能,而且成为必然。清人凌廷勘曾谓:"天地之气,一废一兴,一盛一衰,学术之变迁亦若斯而已矣。"①凌氏此言虽专论学术,但于古代中国乃至清代审美意识的变迁而言,同样适用。从历史的纵向粗略考察可知,清代审美意识经历了初期的乱中经世、中叶的稳中求实、晚期的衰中变革三大变迁,这一嬗递演进历程深刻地影响着时人的思维和行为方式,使得清代审美意识在整体上形成了集成式继承、渗化式潜变、跨越式转型三大总体特征。

第一节　集成式继承

在前文对清代小说、戏曲、书法、绘画等遗存文艺作品的具体论述和分析中,均可发现清代审美意识的一条重要特征,即集大成式继承的"融通"特色。

一、文艺传统:文学艺术的繁荣昌盛

作为清代审美意识的重要载体和有效媒介,清代文学艺术的繁荣昌盛源自对中国文艺传统的集大成式继承。

清代小说、戏曲、书法、绘画等丰富多元的文艺遗存所企及的艺术成就与所承载的审美意识,均建立在对中国古代传统的意象类型、法度程式、叙事模式、思维方式等诸多元素的历史梳理、全面总结与经验承继的基础之上。

小说是清代最具成就的文学样式,清代小说上承晚明余绪、下开近代先河、中历封建帝国最后的盛世,跨度甚大、波澜起伏,审美意识变迁轨迹鲜明且嬗变影响因子丰富,堪称清代审美意识史研究中最富于含金量的研究对象之一。以《红楼梦》、《聊斋志异》、《儒林外史》为代表的经典作品,均在思想性和艺术性上完美结合,在意象创构、叙事模式、思维方式等审美意识开掘上各擅胜场,并企及中国古典小说史的巅峰,堪称清代审美意识最为集中的呈现载体。其中,《红楼梦》融诗词、戏曲、绘画、园林、建筑、医药、饮食、茶道、服饰、年节、礼俗、佛道、巫术等各种传统文化、文艺

---

① 参见凌廷堪:《辨学》,见《校礼堂文集》卷四,中华书局 1998 年版。

形式为一炉,体现出鲜明的集传统文化之大成的融通特色,被誉为中国传统社会、传统文化的"百科全书";《聊斋志异》则在艺术手法上构思奇妙、情节曲折、人物活脱,融各种传统文艺形式为一炉,且语言随处可见《诗经》、《楚辞》、《左传》、诸子、汉赋、唐宋诗文、古代小说、戏曲、野史杂著之影响,体现出集大成的融通特色;《儒林外史》更继承和发扬了自《诗经》"美刺"思想依赖的批判现实主义传统,代表了中国古典文化讽刺艺术的最高水平,奠定了我国讽刺小说的基石。可见,清代小说审美意识集中国古典小说审美意识之大成,前代小说审美意识在这一历史时期有着集中体现或映射,研究清代小说审美意识不仅能够揭示这一历史时期特有的小说审美意识,而且还有利于理解整个中国古代的小说审美意识。

戏曲是清代俗文学发展的缩影,更是唐宋以降诗歌俗化、民化、活化发展的重大结晶。清代戏曲根植于五千年中华文明之上,是最具华夏民族思维特质的宝贵精神财富和代表性艺术形式之一。清代经济繁荣,国家统一,戏曲艺术获得长足发展,到乾隆时期,戏曲、杂技、评书、弹词、鼓儿词、打盏儿、音乐、舞蹈等一应俱全。嗣后,地方百戏兴起,京剧形成。北京剧坛荟萃了"南昆、北弋、东柳、西梆"各大剧种,各地声腔融合形成黄梅、越剧、豫剧、川剧等种类。戏曲创作尤以"南洪北孔"的《长生殿》、《桃花扇》为标,承载着彼时多层多元审美意识。清代戏曲先后从百戏、乐府、舞蹈、诗词、杂剧中承继了优秀传统,汲取了丰富养分,由诗而词,由词而曲,形式一变而再变,循着"渐近人情"而沿波讨源,不断俗化、民化、活化,逐步演成清代戏曲蔚为大观的声势与规模。清代戏曲的发展不仅足以表明中国戏曲的悠久历史,亦昭示着中国戏曲对传统的广泛承继。在漫长而复杂的朝代更迭、社会演进与人文思潮背景下,清代戏曲全面承继了综合性、虚拟性、程式化等历经千年积淀的中华戏曲审美原则和精华所在,着重强化了重演轻戏、写意重内、重古轻今、程式守矩等一系列独树一帜的审美诉求与理念方式,呈现出通俗化、娱乐化、多元化的时代风尚和表现形态,承载着由雅向俗、由情向礼、由虚向实、由文向质等时代风气与社会思潮的基本精神趋向,迎来了中国古典戏曲发展的又一个巅峰。可见,清代戏曲的审美转向是全面总结、系统强化中国古典戏曲传统基础上的新发展。

　　书法在清代发展到极致,相对于唐后崇尚临帖的千年帖学,清代书坛另辟蹊径,崇尚临碑的碑学异军突起,多有建树,演成篆隶真行草五体兼备、碑帖双峰并峙的盛况。通览清代书法史则不难发现,在貌似两分的清代书学发展历程中,还有着与帖碑相异的其他成就。书体发展方面,篆、隶、真、行、草五体书法具有书家承袭演创;抛开成为清代书法短板和薄弱一环的草书不论,单就篆隶两体在清代所取得的书学成就而言,隶书大家郑簠、桂馥、黄易、陈洪绶、尹秉绶等,篆书大家杨沂孙、钱坫、李瑞清等人,均负盛名,其篆隶书作直接秦汉,水平之高、名家之多,足以弥补唐宋以来的不足。书论研究方面亦成果斐然,傅山《字训》,王澍《论书賸语》,冯班《钝吟书要》,笪重光《书筏》,宋曹《书法约言》,梁巘《积闻录》、《评书贴》,梁同书《频罗庵论书》,梁章钜《学字》,吴德旋《初月楼论收随笔》,朱履贞《书学捷要》,钱泳《书学》,阮元《南北书派论》、《北碑南帖论》,包世臣《艺舟双楫》、《答熙载九问》、《安吴论书》,刘熙载《书概》,周星莲《临池管见》,朱和羹《临池心解》,康有为《广艺舟双楫》等相继问世,在大量富于新创精神的书法创作实践基础上,对古代书法的品格、形象、神采、情性、气质、灵感、意境、书风、用笔、结体、布局、墨韵、通变、教化等各个方面展开了深入研究。此外,王铎、傅山等晚明遗民浪漫主义书风继续浸淫,善画书家新创书风持续探索,职业书家雅俗相交书风逐渐兴起……书家之众、书作之盛、书风之广、书论之深,凡斯种种,无不呈现出一派集大成的勃勃生机,昭示着有清一代书道中兴的恢弘气象,蕴藉着清代不同时期书法的迥然相异的审美意识。拨云见日,则可在有清一代晚明遗民书家书作、前中期善画书家书作、前中期帖学书家书作、中晚期碑学书家书作所营造的勃勃生机和恢弘气象下,发掘出一条由尚"真"求"趣"之浪漫情怀到尚"怪"求"变"之书学精神,经尚"雅"求"正"之正统传承再到尚"质"求"朴"之取法变革的轨迹,而其间一以贯之的则是中和为美之书学基调。这一潜藏于大量书法创作实践和丰厚理论研究成果之下的清代书法审美意识嬗递演变史,实为一部清代书家、书论家对中国传统书法艺术精华的集大成式继承与发扬史。

清代堪称中国古代绘画史上的集大成时期,清代绘画尤其是山水画与花鸟画均在对前代画学成就的承传与发扬中攀上了北宋以降的又一个高峰。清初画坛派别林立、名家辈出,既有复古严谨的"四王",又有啸傲山林的"四僧",也有积墨为法的"金陵八家",尤以"四王"承袭董其昌影响,技法功力深厚,并因王公大臣甚至皇帝赏识而受到大多数达官士人的垂青,被目为官方正统,统治着画坛。王时敏的山水画迹引领着清初对山水画艺的主流趣尚,成就了清初山水画坛的高峰。王时敏以其丰富经典的山水画作、多元旨趣的意象符号、渊源有自的笔墨技法、典雅和正的审美特征、观念高踞其首,堪称中国古代山水画的集大成者。其画迹遗存在思维基质、创作构思、作品呈现、精神传承诸方面均深具清廷官方特质,或显在于画迹图像中,或潜藏于其审美意识中,左右着清初绘画的本体发展进程、主体心理结构、时代风尚播迁和传统精神取向。清代花鸟画亦臻于高峰,工笔重彩、水墨写意均不乏大家,尤以恽寿平最显。南田承前启后地创出别开生面的"没骨花卉",于明清之际的花鸟画坛实有"起衰之功",引领着清代花卉画艺的主流趣尚,影响笼罩清代始末。借由南田花卉丰富经典的画作遗迹、多元旨趣的意象符号、渊源有自的没骨技法、意情简逸的审美观念,即可窥见南田在花卉创作中的思维基质、创作构思、作品呈现、精神传承,更可准确把握清代写生正统画派的审美基调。

二、思想传统:学术思潮的高峰迭现

作为清代审美意识的思想渊源和思维基础,清代学术思潮的高峰迭现源自对中国学术传统的集大成式继承。

清代小说、戏曲、书法、绘画等丰富多元的文艺遗存所企及的艺术成就与所承载的审美意识,是与清初顾炎武、黄宗羲、王夫之、颜元、阎若璩、胡渭、毛奇龄和清中叶惠栋、袁枚、戴震、阮元及晚清沈垚、龚自珍、魏源等学者和思想家对整个中国古代思想一脉相承、各有取舍的系统历史总结和集大成式的继承密不可分的。

清初的经世致用进步思潮由顾炎武、黄宗羲、王夫之这清初三大家所高倡,唐甄、傅山、陈确等著名学者所鼓噪,是清代审美意识转向的思想动因。其核心内容有四：一在政治上对专制皇权的批判；二在学问上对经世致用实学的倡导；三在哲学上对朴素唯物主义的继承和发展；四在伦理学上对"存天理、去人欲"的批判。这些进步思想均建立在对中国传统思想成果的集大成式继承的基础之上。不仅如此，他们还在学术上首开考据学先河，倡导以提倡经世致用学风为主的理学批判和以实事求是的考证方法治学。其中，"经世致用"学风以颜李学派为代表，此派于彼时力学独尊的时势下独树一帜地继承和发扬了清初进步思想家"经世致用"学风尤显难能可贵，及至李塨将精力转向编注群经方才消歇；考据学风以阎若璩、胡渭、毛奇龄为代表，阎若璩以考订伪书《古文尚书》而被尊为清代考据学的开山宗师，胡渭以系统批判宋《易》先天的图书象数在疑古、辨伪上厥功至伟，毛奇龄更以考证表彰汉学、全面批判既往经学学说，为后世学者开拓了学术研究的诸多路径。当然，同为治学，顾炎武、黄宗羲、王夫之等人着眼于通经致用，而阎若璩、胡渭、毛奇龄等人则由"经世"而转为"避世"，着眼于由经籍考辨入手的纯学术考证。阎若璩、胡渭、毛奇龄等人代表了彼时学术发展的主流倾向，标志着由考辨入手对古代学术进行全面总结和整理的时代已经到来。清中叶，随着清廷统治的鼎盛，以朴实考据的汉学取代空言心性的理学获得当时学者的追崇和清廷的优容提倡，考据学风最终主宰了清代学术界，汉学取代理学成为清代官方学术，乾嘉两朝，经学、史学、语言文字学、金石考古学、天文历算学、舆地诗文等各学术分野几乎全部笼罩于汉代经世所倡导的朴实考据学风之下，朴学得以形成和发展，尤以惠栋、戴震、阮元、焦循、汪中、全祖望、章学诚诸人为代表的吴派、皖派、扬州牌、浙东派为代表。阎若璩、胡渭、毛奇龄诸家之后，惠栋首张汉学大旗，欲以讲求对儒家经典章句的训诂考据的汉学与旨在阐发儒家经典所蕴含的义理的宋明理学一争高下、一较长短。此举受到乾隆为首的清廷认同和优遇，借编纂四库全书机会延揽大批汉学人才整理研究古代典籍，演成举国上下齐心协力共襄古代传统文化整理的盛况，为彼时集大成式继承古代传统奠定了坚实的基础。惠栋以下，吴派尚有江声、王鸣盛、钱大昕等知名学者，然钱大昕之外皆有嗜博、泥古、佞汉之弊，曾引发梁任公"凡古皆真，凡汉皆好"之讥。戴震、段玉裁、王念孙、王引之等皖派学者则倡导了训诂以明义理的新学风,强调训诂、考据与义理的结合,纠正了吴派泥古佞汉之弊,被梁任公视为真正的清代学术。戴震更集古代音韵学之大成、注重由声音探求字义,并以天文、算法、史地、水利诸多方面的成就成为一代学术发展高峰的标杆。[①] 阮元、焦循、汪中等扬州派学者则直接吴皖二派,却多弃皖派戴学探求义理思想而多求文字音韵之学,成为清代汉学高峰之余绪,又导出其衰落之势,成为传统学术走向近代的转折点。

降及中晚期,在文化专制高压政策之下、汉学日趋极盛之时,学术界更出现了涵括今文经学复兴、边疆史地学发轫、经世务实治世主张风行等内涵的新的经世思潮。其中,今文经学复兴远接西汉古文经学与今文经学之争,渊源久远。西汉今文经学以"微言大义"的阐扬结合阴阳五行灾异和刑名学说,以天人感应、三纲五常提倡大一统,以尊君抑臣、正名分论证君主专制合理性,争得统治者支持和"罢黜百家独尊儒术"的地位;东汉迄唐,古文经学随着学术风气和政治形势的变化转向取得优势地位;宋明理学则一反古文经学之重训诂而重阐发经书义理,被尊为正统官学,却又因走向反面、空疏无用、盛极而衰,为清代乾嘉学派取代。前述乾嘉学派实为清代的古文经学派,经过乾嘉学派的鼓噪,古文经学在清中叶达到鼎盛。与之同时,庄存与、刘逢禄等学者在乾嘉古文经学极盛之时便积极酝酿着今文经学的复兴。庄存与由汉学入手、学贯群经,并接纳了部分宋学观点,他摒弃汉宋之争、突破汉宋之别,既除汉学为术之浅近,又弃宋学之不审是非,主张"研经求实用"、"独得先圣微言大义于语言文字之外"。刘逢禄继承家学,精研公羊之学,借《春秋》微言大义阐发经世变革思想,使今文经学异军突起、重彰大义,成为后世文人经世变革的有力思想武器。嘉道年间,魏源、龚自珍、康有为等学者力倡今文经学、主张变法,今文经学始得复兴。无论是"我注六经"的古文经学还是"六经注我"的今文经学,两派均为对中国古典学术传统的集大成式总结继承,共同促成社

---

① 参见余英时:《论戴震与章学诚——清代中期学术思想史研究》,三联书店 2000年版。

会哲学、政治哲学、文字学、考古学等中国古代传统文化的兴旺发达。

边疆史地学发轫涵括边疆纪闻于边疆史地研究论著二者,与清代百年征战一统全国和有效管辖边疆民族息息相关,尤以纪昀、洪亮吉等派驻或谪戍边疆文人和祁韵士、松筠等人所著边疆诗词和《钦定外藩蒙古回部王公表传》、《卫藏通志》、《新疆识略》、《西陲要略》等文献为代表性成果。此学之发轫和形成均基于对前代边疆地理、物产、风土、人情、自然景象、边地联系记载和研究成果的集大成式继承基础之上,并成为彼时经世思潮的重要组成部分,为后世边疆危机后蓬勃发展的边疆学研究奠定了基础。经世务实治世主张风行尤以洪亮吉、包世臣、魏源、龚自珍诸人的创见为代表。洪亮吉在传统范畴内对人口问题的思考代表了当时先进的中国人对中国古代人口学说所作的突出贡献;包世臣留心经世、勤于军政、名满江淮,思想与学术均迥异于乾嘉以降的学人,开嘉道新兴经世文派"言事之文"、"记事之文"之风;魏源编《皇朝经世文编》、著《圣武记》、《海国图志》,俱为言学、言治、言兵的经世佳篇,朴实晓畅、犀利严整、影响巨大;龚自珍学近魏源,主张文与政通。洪、包、魏、龚等人的观点、言论虽俱从实际、实践出发,但其思想、主张无一不出自其深厚的古代传统学术思想根基和修齐治平的传统人文精神修养,堪称中国古代知识分子兼济天下观念的集大成式继承。综上,前述清代学界诸派的发展和精髓,无一例外地均建立在对中国古代学术传统的集大成式继承基础之上。

三、文化传统:典籍整理的巨大成就

作为清代审美意识的文化奠基和集中呈现,清代典籍整理的巨大成就源自对中国传统文化的集大成式继承。

清代小说、戏曲、书法、绘画等丰富多元的文艺遗存所企及的艺术成就与所承载的审美意识,是建立在对古代传统文化进行全面清理与总结的自觉意识和以康熙朝对《古今图书集成》、乾隆朝对《四库全书》等百科全书式典籍及历史、文艺、工具书、药学植物学、历象数理学等各类总结性书籍的编纂行动为标志的集大成式继承古代传统文化的基础之上的。关于清代康熙朝与乾隆朝时期内廷修书与典籍编纂情况,前文曾略有述及。

如前所述,清帝多对内廷修书极为重视,仅以故宫所藏而论,清代内廷抄书除《四库全书》、《四库全书荟要》、《大藏经》外,尚有四类:一为历朝实录、玉蝶;二为专供皇帝阅览、赏玩或携带之便而精写刊刻的各号各式卷册,其中不乏名臣于敏忠、刘墉、曹文植等人手迹;三为臣工奉敕精写佛经;四为昇平署剧本。

清帝尤重典籍编纂等文化盛事:一是设立专门部门。康熙年间,开设书局于武英殿,纂辑、刊刻经史子集,乾隆以后,更专司刊校而不废。乾隆三十七年,设置四库全书馆,以永瑢、纪昀总裁其事,历十年成书,均以馆阁体书法为标。二是人员选录高配,出于对修书的重视,誊录官的挑选极为谨慎。修书所用誊录官来源多样,既有来自内阁的中书、笔帖式等,也有从举监招考充任,还有从会试落榜中择取充任。如康熙四十四年开始遴选"起居注"与"清实录"的誊录人员,有时皇帝还亲加考试。善书者虽不能入仕,亦有一席之地以效其能。此外,不仅所开笔润优厚,还对包括誊录在内的修书人员给予入仕出路,且叙议一向从优。三是缮写要求严格,对修书过程中的缮写错误也严惩不贷。上述举措的实施,均体现了清帝、清廷对古代传统文化全面整理和总结的自觉意识,使得清代文化事业极为兴盛,武英殿所刊"康版"书籍为海内所重、天下所贵,也反映了清代文化集大成式的巨大成就。以《古籍图书集成》的编纂而论,是书由清廷耗时16年修成出版,共5020册、1万卷、1.7亿字,是中国历史上保存至今最为完整的一部类书。《古今图书集成》分为历象、方舆、明伦、博物、理学、经济六编,编下分典,典下分部,分类摘编先秦至康熙朝的大量文献,是中国古代存留至今的最大的百科全书。以《四库全书》的编纂而论,是书由清廷耗时15年修成抄出,共近8万卷、8亿字,分经史子集四部收入先秦至乾隆朝的各类图书共计3503种,是中国历史乃至世界历史上最大的一部丛书。《四库全书》第一次全面整理和抄录了中国古代各种典籍,内容浩瀚,包罗万象,成为中国传统文化的文献总汇。作为对古代传统文化的全面清理和总结,《古今图书集成》、《四库全书》只是清代官修类书与丛书的典型代表,其他官修私修、规模或大或小、内容或全或专的类书与丛书还有许多,形成了蔚为大观的修纂时风。譬如类书,仅

《清史稿·艺文志》及补编即收入类书目录146种,官修类书以乾隆时农书《授时通考》为代表,私修类书以陆耀《切问斋文钞》、魏源《皇朝经世文编》等为代表,清末更有《皇朝经世文编续编》、《皇朝经世文三编》、《皇朝经世文四编》、《皇朝经世文五编》、《皇朝经世文新编》、《皇朝经世文新编续编》、《皇朝经世文统编》、《皇朝经世文新编时务续编》等十余种体例相近的经世文编。再如丛书,大型全面丛书有《学海类编》、《昭代丛书》、《知不足斋丛书》、《抱经堂丛书》、《粤雅堂丛书》等,专门丛书则有经学领域的纳兰性德《通志堂经解》、阮元《皇清经解》、王先谦《皇清经解续编》等,史地学领域的王锡琪《小方壶斋舆地丛抄》、《补编》、《再补编》共收入有关著作1366种等。清代还继承了我国古代盛世修史的传统,纂修了大量史书,成为历史上史书出版最多的朝代。史学的兴盛最为直接地说明了清代文化总结意识的大大强化。

清代修史的成就集中体现在前代历史纂修与研究、本朝历史纂修、方志纂修与边疆史地学、史学理论等四大方面。一是前代历史纂修与研究,清廷初享国祚时便谨遵隔代修史传统,特开明史馆,组织众多著名学者,历康雍乾三朝数十年光景,官修明史,完成较高质量的明朝正史;私人撰著的明史则数量更多、内容更富,如谈迁《国榷》,夏燮《明通纪》,查继佐《罪惟录》,谷应泰《明史纪事本末》,吴伟业《绥寇纪略》,计六奇《明季北略》等;明前史纂修则有徐乾学、万斯同、阎若璩《资治通鉴后编》,毕沅《续资治通鉴》,辽夏金元专史,各种纪事本末等;典章制度则有《续通志》、《续通典》、《续文献通考》、《清通志》、《清通典》、《清文献通考》等问世。纂修之外,尚有万斯同、钱大昕等为代表的学者对前人所著史籍展开广泛的增补辑佚与考订,另有王夫之《读通鉴论》与赵翼《廿二史劄记》等前代史学研究名著。二是本朝历史纂修,分官修私修两种。前者内容广泛,数量庞大,分四类:一类是以专门机构、专门人员和相应制度作保障的皇帝起居注、实录、圣训、谕旨;二类是会典、则例、志书、方略等各类政书,其中,会典记载国家各政务机构行政规章、实行事例,则例记载户部、理藩院等政务机关行政细则,志书记载赋役、漕运、盐法、律例等政务机构政策制度,方略记载重大战事;三类是设国史馆按正规纪传体体例纂修的本朝史,修已故皇帝本纪,为已故大臣修传及年表;四类是开八旗通志馆专修八旗专史。与官修相比,私修十分兴盛,尤以李元度《国朝先正事略》、软院《畴人传》、李恒《国朝耆献类征初编》、唐鉴《国朝学案小识》、江藩《国朝汉学师承记》、钱仪吉《碑传集》、魏源《圣武记》、王之春《国朝柔远记》、朱寿朋《光绪朝东华录》等最为著名。可以说,官私并修共同促成了清代本朝史纂修的繁荣。三是方志纂修与边疆史地学、世界史地学的兴盛与发展。清代是纂修方志的鼎盛时期,据《中国地方志联合目录》所载,现存民国前所修方志 8200 余种中,清人所修占七成达 5680 种之多,足见彼时方志纂修之兴盛。清修方志种类繁多,既有国家级大清一统志,又有省级通志,还有府、州、厅、县、乡土、里镇诸志,更有记载山川、寺庙、名胜的山志,所涉内容遍及地方历史、地理、政治、经济、军事、民俗、任务、文化、大事等方面。清代边疆史地学的发展前已述及,此外尚有张穆《蒙古游牧记》、何秋涛《朔方备乘》等边疆史地学名著和卢坤《广东海防汇览》、俞昌会《海防辑要》、姚文栋《东北边防》等边防史地著作。清代世界史地学的发展,起于前中期,有《异域录》、《安南杂记》、《缅事述略》、《海录》、《英吉利记》、《英吉利夷情纪略》等外国史地研究的代表性著作;盛于清后期,先有魏源、徐继畬等经世学派学者所撰《海国图志》、《瀛环志略》等向国人详尽介绍世界各国地理历史的、影响巨大的世界史地著作,继有王韬《法国志略》,黄遵宪《日本国志》,沈敦和《英法俄德四国志略》,曾纪泽《出使英法日记》,薛福成《出使英法意比日记》,崔国因《出使美日秘日记》,李圭《环游地球新录》,傅云龙《游历美利加图经》、《游历日本图经》等国别史,外交官出使随笔游记和《各国政艺通考》、《万国近政考略》等综合性介绍世界各国政治、经济、军事、宗教情况的史地文献汇编。四是史学理论,尤以章学诚、梁启超等史学理论大家的研究为代表。章学诚治学略别于彼时考据之风,其于史学理论的贡献杰出,主要体现在主张以史学救正汉学考据积弊、力倡"六经皆史"的独到史识与对传统史学的继往开来的开创性总结两个方面。梁启超力倡新史学、提出"史学革命"口号,批判传统史学为帝王做家谱、为尊者讳、以死人为本位、"史外无学"、泥沙俱下、春秋笔法、空疏无用、晦涩难懂之弊,奠定涵括宗旨、内容、学科分野、研究与纂修方法、读者对象在内的新史学框架,除其史学理论与思想整整影响了一代治史学人,为中国近代新史学的建立起到开创性作用。

上述类书、丛书、史学之外,清人还于文艺、工具书、药学植物学、历象数理学等方面大量编纂了具有总结性意义的重要书籍。其中,文艺类有《古文渊鉴》、《御定全唐诗》、《御定全金诗》、《御定四朝诗》、《御定佩文斋咏物诗选》、《历代题画诗》、《佩文斋书画谱》、《三希堂法帖》、《律吕正义》、《律吕续编》、《律吕后编》等,工具书类有《康熙字典》、《五体清文鉴》、《佩文韵府》、《骈字类编》、《子史精华》、《词谱》、《曲谱》等,药学植物学类有《本草纲目拾遗》、《植物名实图考》、《广群芳谱》等,历象数理学类有《历象考成》、《数理精蕴》、《月令辑要》等。据郭成康①、黄爱平②、张研、牛贯杰③等学者对《四库全书》与法国《百科全书》所做比对可知,《四库全书》堪称中华传统文化最丰富最完备的集成之作,中国与世界文明史上最宏伟最博大的宝藏之一。进一步讲,以《四库全书》为代表的清代对古代传统文化典籍的集大成式继承和总结,无论在编纂主体、时间、形式、规模、宗旨、着眼点上,还是在内容与分类、分类方法、编纂方法、侧重学科、标准、社会影响上,均以取得举世瞩目的卓越成就。清代文化集大成式的巨大成就不仅保存了大量古籍,使得中国文、史、哲、理、工、医等几乎所有传统学科都能够从中找到源头和血脉,所有新兴学科都能从中找到生存发展的泥土和营养,从而成为中国古代传统文化的一次重要的全面总结,对弘扬民族文化作出了厥功至伟的杰出贡献;而且在古籍整理方法上,尤其是在辑佚、校勘、目录学、汇刻丛书等方面给后世留下了宝贵的文化遗产,更在清代审美意识史研究上有着独特的重要意义。可见,作为清代审美意识的文化奠基和集中呈现,清代典籍整理的巨大成就源自对中国传统文化的集大成式继承。

----

① 参见郭成康:《康乾盛世历史报告》,中国言实出版社 2002 年版。

② 参见黄爱平:《四库全书纂修研究》,中国人民大学出版社 1989 年版;黄爱平:《18世纪的中国与社会·思想文化卷》,辽海出版社 1999 年版。

③ 参见张研、牛贯杰:《清史十五讲》,北京大学出版社 2004 年版。

综上,集大成式继承的"融通"堪称清代审美意识嬗变的重要特征。这一重要特征源出四因:一是涵括小说、戏曲、书法、绘画等文学艺术在内的古代中国传统文化,迄至清代才得以最终完成,并因西方武力的强行介入和本国革命的蜂拥四起而趋于终结,处于旧的古典文明与新的近代文明的接榫处,这就使得惟有清代才真正具有集大成的资格和条件。二是明清易代在传统汉人本位文化思想中属于以夷代汉的异族统治,清廷曾因初期蔑视汉族文化传统和生活习俗而激起强烈反抗,出于巩固政权、强化统治的需求,迫切期待汉人体认其"文治"功业和"正朔"的合法继承性,便一面承明余绪、因势利导、崇儒重理,文举钱大昕、艺奉"四王",树正统、立楷模,高倡集大成的创作方式,一面密植文网、开科纳士、牢笼士人,促成朴学、金石学、碑学和通俗文学的兴盛,加之西方文化随列强武力强势侵入,集大成更成为保卫民族传统、标举爱国主义的旗帜,广受朝野推崇。三是文化艺术的创造发展历来以温故知新为基点和起点,迄至清代,涵括小说、戏曲、书法、绘画等内涵的古代中国传统文化已历经数千年发展,已在意象创构、叙事模式、法度程式、思维方式,乃至语汇范式、制作技艺等诸多方面积累了空前的丰富经验和优秀成果,集大成无疑是作家、曲家、书家、画家等创造主体破门而入、窥其堂奥、融会贯通、自出机杼的最佳选择。四是由于文化艺术发展至清代已逾千载,诸多门类品种、题材样式、风格流派已于前代臻至巅峰、几无逾越可能,另辟蹊径的可能性极小且极难,因此,在审美意识的古今转型完成之前,清代创造主体惟有以集大成手段于既有的有限格局中去整理、总结、综合、演绎前人已铸就的传统文化成果,以期有所斩获、超越前人。

第二节　渗化式潜变

小说、戏曲、书法、绘画等文艺作品、器物和创造物是作家、曲家、书家、画家在特定时代的心灵标本,是人类精神世界的绚烂折光。真正的文学艺术来源于社会生活和人生苦难,也源自作家、曲家、书家、画家等创造主体的心灵与情感。因此,文艺史、器物史、创造史就绝不仅仅只是思想史、文化史,更应当是创造主体的心灵史与情感史。任何创造主体都生活在特定的时代氛围之中。社会现实塑造了创造主体的心态,并由此形成造物者主体个性的差异性与创造物客体形态的多样性以及时代审美意识的多元化。据此可知,任何时代的审美意识的嬗变历程,当是清人尤其是作为作家、曲家、书家、画家等清代文艺作品、器物和创造物的创造者存在的创造主体,将其借由对社会现实影响而形成的情感、心态通过或酣畅淋漓,或深含不露的方式寄寓在小说、戏曲、书法、绘画等创造物之中,进而影响和促成时代审美风尚变迁的过程。显然,我们可以从历代丰富多样的文艺作品、器物和创造物中看到彼时多姿多彩的时代生活画卷,也可以从中窥见造物者主体所寄予在创造物中的主体心灵与审美旨归。据此,对审美意识嬗变历程的研究就无法逾越对创造物的创造主体的情感和心态变迁的考察。由于人的情感和心态的变迁往往是渗化的、潜变的,审美意识的嬗变也就自然具备了渗化式潜变的特质。基于这一思考,循着这一理路,以创造物为载体,以创造主体为中心,以揭橥创造主体的心灵世界和情感经历为主旨,将文艺、历史、思想、文化、经济、社会、生活融为一体,就不难发现,清代审美意识的嬗变亦具备这一渗化式潜变的特质。

一、文学审美:由典雅向世俗

清代文学审美意识的嬗变呈现出显著的由典雅向世俗的渗化式潜变特质。

小说、戏曲堪称清代文学的杰出代表。如前所述,中国传统小说、戏曲发展至清代达到了巅峰,使得清代文学审美意识丰富而多元,尤以世俗为尚。然而,由典雅向世俗的审美转向却非一蹴而就的,而是一个渗化式潜变的过程。这一特质既可从传统小说、戏曲发展的历史稽考中得以体察,亦可从清季小说、戏曲自身的演进方向中得以呈现。仅以小说为例而论,清代小说作品数量众多,文言之外,尚有大量白话小说和层出不穷的笔记小说,或反映清代波澜壮阔的社会生活,或细腻表现青年男女儿女情长,或记载彼时社会各种逸闻趣事,漫卷世俗情怀,皆为普通百姓普遍接受、津津乐道,其势之盛乃至文人雅士也受波及、手不释卷,成为清代文娱生活的靓丽景观,足见世俗审美在清代之风行。然而,无论是从清代还是从整个中国文学史来看,小说世俗审美取代典雅审美都经历了曲折而复杂的渐变历程。从中国文学史来看,"小说"一词在中国已有两千余年历史,首次出现于先秦《庄子·外物》"饰小说以干县令"。庄子眼中的"小说"即"琐屑之言",虽与后世"小说"内涵颇有差别,但却长期影响了后世对"小说"属性的认知:一是内容多为"寓言异记",价值较低;二是文体重要性难与诗词相匹,难登大雅之堂。小说源自口头文学,汉置稗官,专集"街谈巷议,道听途说",唐宋传奇虽多以文言写就,却被称为"说话",依然是主要反映市民阶层与贵族豪门矛盾和市民阶层愿望要求、并以娼优婢妾匠人等生活在社会底层的人物为正面人物的市民文学,极具民众性。明清以前,小说一直为士大夫阶层鄙视,未登大雅之堂,以至小说作者均不署真名。及至明代中后期,新的小说观念渐显端倪:一是小说地位逐步提高,小说审美价值开始为文人称赞,李贽、冯梦龙、公安三袁、金圣叹等俱为倾心拥护小说的明达之士,冯梦龙从激发感情、感动人心的效果出发直称"不通俗而能之乎",金圣叹六才子书更将小说戏曲与《史记》、《庄子》、《楚辞》相提并论、置于儒家经典之上,以为"言非小道,实有可观";二是小说功能逐渐多元,小说的娱乐消遣作用高扬,成为区别于儒家经典对文学作品"成教化,助人伦"功效要求的另一审美期待,打破了将小说贬为"闲言语"的诋毁,清人更明确标举"小说者何,别乎大言言之也"、"最浅易、最明白者,乃小说最正宗也"的新型小说观念。

正是这种新型审美期待和审美观念的演进,促成了小说文体在明清两代的崛起,及至清代更受到众多士人的严肃对待。一是小说文体地位提升。有清一代,不仅大量文士参与小说创作,而且理直气壮地署名。《聊斋志异》、《红楼梦》、《儒林外史》之外,或如李渔创作《十二楼》、《连城璧》等小说,或如沈起凤创作《谐铎》,或如李海观创作《歧路灯》,或如李百川创作《绿野仙踪》,或如李汝珍创作《镜花缘》,或如文康创作《儿女英雄传》,或如陈森创作《品花宝鉴》,或如魏秀仁创作《花月痕》,出现鲁迅所言"盖传奇风韵,明末实弥漫天下,至易代不改也"的繁盛现象。近代梁任公等人更据此称"小说为文学之最上乘",将小说地位抬至文学殿堂之巅。二是小说形式转向浅近。清人李渔对小说受众与小说形式的关系曾有明确定位:"传奇不必文章,文章作与读书人看,故不怪其深;戏文作与读书人与不读书人同看,又与不读书之妇人小儿同看,故贵浅不贵深。"他更进一步对诗文与词曲的形式之别作了比较:"诗文之词采贵典雅而贱粗俗,宜蕴藉而忌分明;词曲则不然。"可知清人已对小说形式有了向浅近转向的审美预设。由此,清代小说便在小说语言和意象创构等小说形式上具备了两大突出特征:小说语言由文言而白话、日趋通俗化;创作方法由类型向典型、日趋复杂化。小说语言上由文言向白话的转向和所呈现的"谐于里耳"的鲜明征候,反映了明清之前文人重雅轻俗的传统审美观念在清代的松动与变化,也意味着文学为读者、观众等大众服务的意识已深入清代文人心脑。意象创构上由类型向典型的转向和所呈现的"杂色"、"独特"、"反复循环"的多元特点,反映了清代文人突破单一化与类型化的传统写法、不囿于善恶两极简单定性、注重人物性格刻画、以缀段式结构表现人间经验的细致关系的审美表现新创,也意味着意象的丰富、多元、复杂、饱满等意识在清人创作中的普遍认同。三是小说内容转向世情。较之之前的传奇小说,明清以来出现的小说多以商人、手工业者、小贩、艺人、妓女、医卜星相、书办衙役、三姑六婆、和尚道士、流氓乞丐等普通人物为主人公,而不再仅仅集中在帝王将相、达官贵人、英雄豪杰、神仙鬼怪上,反映的也多为百姓喜闻乐见之事、社会人情物理、民众日常生活、凡人各类琐事,描写的重点着重在饮食男女的人情与世情上,呈现的范围也由男女之情扩展到各种复杂的社会关系和新兴的突破程朱理学的思想内容,其中尤为突出的便是对女性的讴歌与赞美,颇具世俗情怀,俗称"世情小说"。清代世情小说的繁盛,反映了清代文学审美意识对彼时思想领域中盛行一时、居于官方正统的程朱理学的反动与突破,以女性形象的正面提升为代表的小说创作更承载着清代冲击传统陈腐之见的新兴审美观念。四是小说创作方法趋向多元。清人小说在写作手法和主题结构等方面的小说创作实践与理论总结上均取得重大成就。以写作手法论,既有金圣叹等清人对前代小说创作的方法总结,又有曹雪芹《红楼梦》等清人名著对小说写作手法的开拓。金圣叹在点评《水浒传》时，已经意识到其成功源自其多元写作手法，以为"是书之用笔千变万化，未可就一端以言其妙"、"有许多文法，非他书所有"，并总结出诸如"夹叙法"、"草蛇灰线法"、"大落墨法"、"绵针泥刺法"、"背面铺粉法"、"弄引法"、"獭尾法"、"正犯法"、"略犯法"、"极不省法"、"极省法"、"欲合故纵法"、"横云断山法"、"鸾胶续弦法"等写作手法，点明了这些写法对丰富人物意象营构、调动读者想象力、强化读者审美情感、增强小说可读性与趣味性的突出作用。曹雪芹《红楼梦》、吴敬梓《儒林外史》等则在创作实践上采用丰富多彩的笔法，赋予小说文本以波澜壮阔、言有尽而意无穷的美感，予人以丰富深邃的审美感受。以主题结构论，清代小说尤以长篇小说见胜，不仅主题明确、着眼世情，而且布局谋篇无不成竹在胸、从容不迫，堪称标杆。吴敬梓作《儒林外史》"如匠石之营宫室，必先具结构于胸中，孰为厅堂，孰为卧室，孰为书斋灶厩，一一布置停当，然后可以兴工"，"书中之有泰伯祠，犹之乎江汉之有敷浅也"。曹雪芹《红楼梦》则于丰富多彩的写作手法之外，既有鲜明主题，"全部最要关键，是'真'、'假'二字"，"虽是说贾府盛衰情事，其实专为宝玉、黛玉、宝钗三人而作"；复有完满结构，一百二十回可分作二十一段看，大段落套小段落，夹叙别事、补叙旧事、埋伏后文、照应前文，"福祸倚伏，吉凶互兆，错综变化，如线穿珠，如珠走盘，不板不乱"，内在结构严密，主题结构俱呈登峰造极之势；所写对象包罗万象，"上自诗词文赋，琴理画趣，下至医卜星相，弹琴唱曲，叶戏陆博诸杂技，言来悉中肯綮，想八斗之才，又被曹家独得"，堪称一部文化艺术的百科全书；所现审美意境丰富异常，或繁华富丽，或缠绵悱恻，或口吻毕肖，或景随身转，或尽吐牢骚，或因色悟空，或章句有法，或深入浅出，令"阅者各有所得"。凡此种种均铸就了其亦"真"亦"新"亦"文"的鲜明特色，既具时代思想性，又无雷同之弊，更兼语言文字雅俗共赏。综上，清代小说对人情世故、百姓生活的关注无以复加，其着眼市民需求的世俗情怀促成了其语言、写法、结构、主题等方面的世俗转向，彰显出强大而独特的生命力。

二、艺术审美:由正统向野逸

清代艺术审美意识的嬗变呈现出典型的由正统向野逸的渗化式潜变特质。

书法、绘画是清代艺术成就的标志性门类。书法、绘画是造型艺术,以笔墨形式直观表现书家、画家的感官体验,又是审美活动,饱含着"心灵在审美活动中所表现出来的自觉状态",①与文学、建筑、园林、器物等文艺形式密切相连又迥然相异,也是综合性意识形态;既蕴涵政治、经济、风俗乃至宗教等多种意识内容,更蕴藉着丰富的审美意识内容,"具有时空上的广阔性和社会因素上的复杂性与丰富性,因而它能在更广阔、更深刻的意义上给不同类型的观赏者以启示"。② 书法、绘画作品则是书家、画家艺术经验和精神活动的结晶,蕴含着书家、画家深层的审美心理体验。当书家、画家开始展开书法、绘画活动时,其中所蕴含的审美心理体验就开始转变为审美意识而被保存下来。无论是交流需求、审美诉求,还是情感表达,这些体验均为书法、绘画艺术的存在与发展提供情感动力和心理支持,并在书学、画学思维的主导下渗透到篆、隶、真、行、草、山水、花鸟、人物等各种书迹、画迹资料中。从这种意义上讲,书法、绘画作品是审美意识的视觉载体和传承媒介。具体到清代书法、绘画,源自清代书家、画家意象创制和表现法度的审美经验势必凝聚在清代书法、绘画作品中,作为独特的审美意识被保存下来,并作为精神财富"在不同的时间和空间中得以传承",③奠定了民族审美传统和清代美学思想基础,并不断地被再创造,被赋予新内涵,展现新理想。较之其他艺术形式,清代书法、绘画作品作为清代审美意识的视觉载体和传承媒介,其意象创制和法度表现所蕴含的审美意识,更为直观、本原,理应成为清代审美意识研究的重点所在。清代书法、绘画审美中存在着鲜明直观的渗化式潜变特质。与

---

① 朱志荣:《中国审美理论》,北京大学出版社 2005 年版,第 129 页。

② 参见陈隆金:《中国书法魅力与其人文精神》,《吉首大学学报》(社会科学版)1998年第 2 期。

③ 朱志荣:《中国审美理论》,北京大学出版社 2005 年版,第 129 页。

正统书画成为清代书画主流同时,世俗美术和独抒个性的审美思潮也在渐进中成为一股有生力的潜流。这一潜流滥觞于明中叶,及至清代而发展的更为瞩目。中国书画史上有两种身份不同的书画家,一种是文人,一种是行家(职业美术家)。明中叶以降,思想文化界异端观点频现。与之相对应的市民文艺思潮和独抒个性的审美意识随之兴起。清季美术界承明余绪,书画中的世俗审美虽受占统治地位的思想文化影响,但在不同程度上接受了明末独抒性灵的个性解放思潮,直承徐渭的艺术风范和审美趣味。随着大批文人沦为职业书画家,在供求关系的引导和制约下,接近了世俗的审美好尚。尽管他们的艺术也有扎实的传统功底,但相比于正统书画的集大成,更善于择取传统、变化传统,大胆地取舍扬弃,便促成了传统书画的潜变:一方面是俗美术的雅化;另一方面是雅美术的俗化,从而改变了传统书画雅俗之分判若泾渭的局面。嗣后,书画中雅的成分衰减,俗的成分递增,从清初经中晚期到清末,日趋明显而自觉。郑燮、吴昌硕等以陶冶性情的书画用作谋生手段,使得大雅者大俗。仅以书法论,康有为说得好,清代的书法有四变:康熙、雍正时,专仿董其昌;乾隆时,都竞相模仿赵孟頫;欧阳询的书法盛行于嘉庆、道光时期;北朝碑派又萌芽于咸丰、同治时期。这一观点虽不十分准确,但大体上符合清代书法因世推移的风尚,这种风尚的推移显然是清代书法审美意识嬗变的主流轨迹。与此同时,清代书法审美意识的这种潜变轨迹,又具有明显的书画渗化的表征,突出表现在清代书迹尤其是扬州画家书法家书迹的书画相通性征上。清代书画关系迥异于前代之处有二:一是不仅以书法入画法,更以画法入书法;二是变诗书画三绝为诗书画印四全。关于画法入书,清季书坛从八大、石涛到扬州八怪、赵之谦、吴昌硕,不再满足于传统的书家书法,而是在汲取碑学之长的基础上糅合绘画的意境情趣和造型观念,开创了前所未有的书家书风,同时也就使以书入画被赋予新的内涵,呈现出以画入书的新风貌。前文曾述及郑燮草创的"六分半书",就具有浓浓的画意,是以画入书的典型代表。郑燮的兰竹画,无一笔不是隶楷笔法,其"六分半书"的竖笔、撇笔、点笔、捺笔中处处可见竹节、竹叶、兰花的形态。较之于八大、石涛和扬州画派其他诸家,"六分半书"作为最浓于画意的书体,其画意不仅仅体现于个别字的结体和用笔中,更反映在其整体的章法行款之中。以如此书法题画,笔情纵逸,随意挥洒,苍劲绝伦,更给人以赏心悦目的和谐之感。汪士慎的书法也具有以画入书的特色。汪书多为行楷、行草,常见于题画中,又工隶书,写行草时含有隶意,又见画笔韵致,形成以画入书的独特风格。黄慎的书法更是以画入书的重要典范。黄慎以草书著名,更能以一己绘画之长渗入书法,于传统狂草中别开生面地创构了自己开朗跌宕、奇诡别致的独特风格。由于他是功力深湛的画家,对于布局的虚实、向背、疏密关系极为讲究,所以施之于书法,也就绝不类于一般书家之作,而是"书从画入、画从书出"。黄慎书法用笔多顿挫,笔笔、字字之间断而不连,意态活泼飞舞。从来狂草一路,大多连绵不断,一气呵成,所强调的是线;而黄慎一变传统,引入画意,所强调的是点。种种书法意趣均展示了书家深厚的画学修养。余如较年长的李鱓,作画时有长题,字形随机变化,错错落落写满画面,其书画超拔脱俗,别具一格。此外,高凤翰、高翔、罗聘的隶书,李方膺的行草书,也都或多或少地含有各自画笔的意趣,与一般书家书作风格迥异。关于诗书画印四绝,清代不少画家、书家兼为印人,借助金石学的成果,使画风、书品、印格一脉相通。譬如,清人程邃诗书画印四全,为书必求新意,突出情趣,其书法贡献不亚于篆刻成就。其书点画多涩笔,常在波曲的干擦运笔中产生,笔势多横张、体多拙意,且惯以渴墨作书,又因其渴墨浓淡不一而使得线条多富内蕴。作为四全书家,其墨色和运笔的独特之处可能源自其对烟雾迷蒙的自然景色的领悟时的灵感触动。实际上,明代以前虽流行行草书,却无法被容纳在以刀代笔、以石为纸的方寸天地中,书法与篆刻的发展是相分裂的。而清代以后,帖学趋于式微,篆隶北魏书大盛,与以刀代笔、以石为纸的玺印艺术正是一种本质上的契合。从某种意义上说,碑版是放大了的玺印,玺印是缩小了的碑版,这就使得书与印达到更融洽的契合,同时也就使得书画达到更有机的契合。书画之外,出现了书画工艺化、工艺书画化的现象。可见,字中有画,即书作中含有绘画技巧、画家匠意,诗书画印会通,这既是善画书家群体书法的重要特色,也意味着清代书法、绘画审美意识潜变的互通性与渗化性。

三、社会审美：由庙堂向民间

清代社会审美意识的嬗变呈现出迟缓的由庙堂向民间的渗化式潜变特质。

清代社会虽居于整个中国封建社会的末世，但其社会经济、文化艺术乃至思想观念仍然处于向前推进的缓慢进程之中。在这一历史进程中，清代社会审美意识也划出一条鲜明的由庙堂向民间的迟缓的嬗变轨迹，呈现出渗化式潜变的特征。仅以清代文人生活这一独特视角出发，即可见出清代社会审美中的庙堂之雅逐步为民间之俗所取代的渐进。文人日常生活实为社会时代审美意识最集中、最直观的表征。总体来看，清代文人生活一面延续着千百年来中国古代文人生活传统，有着自己鲜明的庙堂之雅的特质；一面又开始向新兴的市民阶层生活情趣慢慢靠拢，逐步显现出对民间之俗的认同。这种介乎庙堂之雅与民间之俗的审美转向无疑是迟缓的，但同时也是全面而细致的，几乎波及从观念、审美到创造等一切环节的方方面面。一是观念的渗化式潜变，关乎义利观、人欲观、士商关系等方面。从义利观来看，清代文人摒弃了中国古代传统中"君子喻于义，小人喻于利"的义利截然相对的武断观念，不仅不反对言利，而且极其看重"治生"、毫不忌讳求利。对此，袁枚、唐甄、全祖望、陈确、顾炎武、杭世俊、黄宗羲等人不仅俱有名言，而且均身体力行。袁枚主张文人必须要懂"经济之道"，否则无以保持独立人格，而其本人也极善理财；唐甄亦称"我之以贾为生者，人以为辱其身，而不知所以不辱其身也"，颇具代表性；全祖望更借乃父之口直称"为学亦当治生"；陈确亦明确指出"唯真志于学者，则必能读书，必能治生"；顾炎武一代大儒，却也生财有道、治生有术，家财百万；杭世俊贬职在家"买卖破铜烂铁"亦可为生；黄宗羲更提出"工商为本"的观点。前述诸例足见清代文人不以仰事俯育为耻、俱以重视治生为要的义利观念转变，显示出清代社会重视保全人格独立、思想自由的经济基础的时风。从人欲观来看，清代文人一反中国古代传统中"寡欲"、"禁欲"、"绝欲"乃至"存天理，灭人欲"的理发思想，承继明代李贽等人主情主欲的进步思想，主张复归"欲"的人性本质。对此，陈确、毛奇龄、袁枚、王夫之、戴震、钱大昕、李调元、纪昀等人均有明断。循着对人欲理解的这一观念转变,清代文人对情的肯定与张扬、对淳美社会风俗的向往与赞美、对节妇的网开一面都形成一股强劲的社会时代风潮。清代小说戏曲中所塑造的李隆基、杨玉环、贾宝玉、林黛玉等诸多情痴、情种,均表明以清代文人为代表的时人并不以情、欲为耻;反而认为情、欲正是人之为人的人性表征,情欲之有无在某种程度上甚至堪称是社会时风淳美与否的风向标。从士商关系来看,迥异于前代对士商关系的绝对区分和士首商末的固化认同,清代文人眼中的士商关系呈现出截然不同的转变。或如王阳明、沈垚等人所揭示的那样,认为四民不分,即清季士农工商之间已无明显界限,这一对士商界限的有意模糊极大地拉近了士商的思想和心理距离;或如沈垚、赵吉士所指出的那样,认为士商相混,即士商之间在思想、身份上均可互通互化,"天下之士多出于商"的现象在彼时不胜枚举;或如江氏、程氏、刘氏、吴氏等徽商家庭那样,直接"亦儒亦贾",即"贾为厚利,儒为名高"的兼得二者的儒商传统;或如归庄、刘于义、重田德、洪亮吉等人所指出的,认为"士不如商"甚至"弃儒从商"。可见,清代社会审美已彻底打破了彼时文人"万般皆下品,唯有读书高"的学而优则仕的唯一传统,义利兼论、情欲合理、儒商互通等观念的转变乃至滥觞直接促成了整个清代社会审美由单一的庙堂之雅慢慢向民间之俗的渗化式潜变,恋世、适世、娱世的世俗化人生观也逐步取代超世、出世、厌世的雅化人生观。二是审美的渗化式潜变,关涉以俗为美、以雅为俗两个路向。清代文人在义利观、人欲观、士商关系上的观念转变,直接诱发了其审美标准、审美趣味的转向,而其生活情趣的追求也由庙堂之雅趋向民间之俗,表现为其日常生活审美的世俗化趋势。从审美标准来看,清代文人显然摒弃了中国古代文人传统中自视甚高的单一的以庙堂之雅为美为高的崇雅避俗之好,摒弃了单一的吟诗作画、赏玩山水、把玩文玩的生活结构,开始在柴米油盐、衣食住行等万千俗事琐事中寻求诗情画意的赏心乐事,使得日常生活的民间之俗亦成为绝妙好词般的审美对象,极大地拓展了清人的审美视野和清代社会审美范畴,其恋世爱世之心已令传统庙堂之雅日渐俗化,民间之俗也随之日渐成为足与庙堂之雅比肩、相提并论的时代风尚和审美标准。清人从日常生活中发现的美,遍及琴棋书画等雅好之外日常生活的方方面面。或如金圣叹所领略的拔簪估酒待友、夏日拔刀切瓜、佳瓷破损抛却、县官击鼓退堂、背地资助寒士等日常生活三十三件快意之事,或如李渔眼中读书、清闲、交友、论道、旅途、家居等日常生活的无处不乐、无事不乐,或如汪价所悟的泉声、丝竹声、小儿读书声、月色、雪色、淡妆真色、三分酒色等日常声色雅趣,或如张岱所言的精舍、美婢、娈童、鲜衣、美食、骏马、华灯、烟火、梨园、鼓吹、古董、花鸟、茶桔、诗书等生活爱好,或如袁枚所言的九大好,无一不是清人对日常生活的审美观照,无一不是清人由庙堂向民间的视野转向,无一不是清人由雅向俗的自觉体验。正是清人于闲暇而优越的日常生活中所体悟到的民间之俗之美,使得清代社会普遍存在着美在现世、美在此岸、美在当下的审美标准,也导致清代社会审美趣味随着清季文人雅集的密集传播普遍趋向世俗化。也正因着这种审美标准的逐步确立和这种审美风尚的日渐风行,才使得清代小说、戏曲等俗文化的欣赏盛极一时、登峰造极,也使得清代书法、绘画等雅事开始频繁地走进市井百姓的日常生活,客观上促成了清代小说、戏曲、书法、绘画等文学艺术的繁荣与成就。从审美心态来看,古来文人向来趋雅避俗,一般而论,雅即艺术、即美,俗即生活、即实,雅俗之别在历代文人眼中心底总有一条艺术与生活之间的难以逾越的鸿沟。然而,这条鸿沟在清人那里却逐渐消弭以至不复存在。从傅山到郑燮,从晚明遗民到碑学书家,清人承明余绪,一面主张日常生活审美化,将俗雅化;一面主张审美日常生活化、将雅俗化,在弥合雅俗鸿沟、倡导雅俗相合的基础上对前述传统的雅俗之别勤加修正。这一修正的最为直接的成果即是,以艺术商品化、艺术家职业化为标志的庙堂之雅向民间之俗的普遍转向。伴随着这种转向,清人的日常生活审美趣味几近于市井百姓,彻底完成了缓慢的由雅向俗的转变。三是创造的渗化式潜变,关乎饮食起居等诸多方面。如前所述,清代文人在日常生活中发现了现世的此岸的美,更在其衣食住行等日常生活的竭力讲求中从将俗雅化、将雅俗化两种路径努力践行其日常生活审美化、审美日常生活化的生活化、世俗化的审美主张。从服饰角度看,清人服饰呈现出由朴素向华美的转向,清代中叶以降更以新为美、以奇为尚,实用之外,不仅款式日新月异,而且局部变化也变化多端,尤以江南苏州、扬州、南京三地引领新奇潮流之风、引导服饰演变趋向,李渔曾谓"扬郡着衣,尚为新样";款式之外,清人服饰还以色彩上的独到眼光著称,清人对色彩的细腻感觉既源自彼时染色工艺的发展,又源出时代风尚的变迁;款式、色彩之外,材质、用料、配饰乃至发型等也都备受清人关注。这一点在清代小说、戏曲、绘画等文学艺术中均有精彩呈现,反映了清人对于服饰之美的明确追求。从饮食角度看,清人尤好口食之欲,文人尤甚;张汝霖曾在杭州组建专论饮食的"饮食社"并著《饕史》,其孙张岱亦曾著《老饕集》,李渔也曾作《饮馔部》,袁枚则有《随园食单》,余如李化楠《醒园录》、朱彝尊《食宪鸿秘》、薛宝辰《素食说略》、顾仲《养小录》、王士雄《随息居饮食谱》、周亮工《闽小记》、钱泳《艺能篇》等专司饮食之论的专门之书,深究饮食之美。从居室角度看,清代文人追求自然、朴素实用、曲折别致,竭力使自己的居室处处赏心悦目、时时心旷神怡。自然的追求是首要的,山石、清水、草木、花鸟皆为必备之物,诚如朱锡绶所言,清人居室大多"梅绕平台,竹藏幽院,柳护朱楼,海棠依阁,木犀匝庭",力求与自然融为一体,"深柳读书堂"、"绕屋梅花"、"梨花院落"、"柴扉傍水"、"蕉窗桐屋"最受他们中意;实用且朴素是必需的,所谓"土木之事,最忌奢靡","无论精粗,总以能避风雨为贵";因地制宜、曲折别致则是文人宅第的重要特征,在朴素实用之外,一切皆以雅趣为尚。清人对居室之美的重视,正是其关注现世生活的世俗之美的创造性落实。以装饰角度看,清代文人更于实用舒适和富于个性两方面倾注大量心血,力求居住环境的匠心独运。清人屋宇或作斗笠状,砖面或磨光或自糙,窗栏亦透光灵龙、简单自然,更有借景娱己娱人之想;厅壁则浓淡得宜、错综有致,华素相间、虚实相宜;室内陈设既求实用且图舒适,桌、椅、床、柜等往往既别致又适用,李渔曾以床生花、帐有骨、宜加锁、床着裙四法论床饰,处处见其用心;箱子、花瓶、香炉等生活器具亦求"斋无俗供",别出心裁之巧构层出不穷;围屏、书卷画轴、茶具、笺筒、笔砚等更为文人骚客居室必备之物,林林总总、不一而足,其器雅且精,其摆设方位亦十分讲究,无一不精、处处见美。可见,清代文人对生活之美的追求几近于痴狂,其中既反映出彼时市井社会和宫廷之内盛行的奢华之风、华奢之美、富贵之美、繁复之风的影响,也呈现着彼时因商品经济发展、市民阶层壮大、市民生活情趣受到普遍认同的时风所带来的社会生活时尚由简朴向奢华的剧烈转变,更显示出文人雅俗结合的生活美学对彼时日渐奢华的时风的纠偏意义。

综上,清代小说、戏曲等文学审美意识由典雅向世俗转变,清代书法、绘画等艺术审美意识由正统向野逸转变,清代衣食住行等社会审美意识由庙堂向民间、由朴素向华美转变。这些转向既源自清代教育普及与思想传播的平民化与世俗化,又源自清代思想界、民间教育对儒释道三教合流及日渐明显的世俗化趋向的回应,也源自清代商品经济与城市经济繁荣所带来的商人市民阶层增大、城市市民文化发展与商业文化兴盛,更源自清代文士及新兴市民阶层在矛盾而又和谐地存于一身的三教文化中的生命形态、心路历程。无论是文学、艺术审美意识,还是日常生活、社会各阶层审美意识,清代审美意识的嬗变均由来已久且有其具体的时代背景,划过一道道迟缓而浅显的痕迹,呈现出渗化式潜变的显著特质。

第三节　跨越式转型

清代是中国传统社会从繁荣逐步走向衰落的重要时期,也是中国传统社会由古代向近代转型的关键时期。此间,空前统一强大的中央集权的多民族国家逐渐形成,传统社会经济达到鼎盛,尤以康乾盛世为标。作为以汉民族为主体的多民族王朝,清代蒙藏回维等诸多兄弟民族的喇嘛教、伊斯兰教等文化均备受重视、长足发展、空前繁荣,在各民族文化交汇融合发展的历史文化背景下,不同民族的文学艺术形态相互跨越、相互趋近,成为传统文学艺术新变和审美意识转型的一大契机。鸦片战争前的二百余年间,清代政治、经济、文化、民族、宗教、军事及外交诸多方面取得颇多建树和许多遗产,不仅影响着近现代中国的发展,更左右着彼时的审美意识变迁。自道光朝至辛亥革命推翻帝制,列强的坚船利炮打开了中国门户,中国由封建社会沦为内乱外患交困的半封建半殖民。随着新的经济因素成长发展,西方文化强势介入,中西文化在冲突中不断融合,晚清社会显露出显著的中西冲撞、古今转型的复杂情状。在这样的形势下,清代城市市民阶层、农村底层百姓的生活、生存环境也面临着千古未遇之变局的大震荡,清代小说家、戏曲家、书法家、画家等文学艺术家们的创作、生存条件发生了旷世未有的剧变,整个社会的审美意识嬗变开始与反帝反封建的革命局势和民族危亡之际的时代精神密切相关,时人亦开始从早期鄙夷西法,至多以猎奇心理认为"参用一二、亦具醒法",到后期"中学为体、西学为用",共同勾画出传统文学艺术革命性的跨越蓝图,造成了清代审美意识向近现代跨越、趋近的更重大的新变契机。传统文学艺术形态之外,西方文学艺术形态大量涌入,并因其与政局民生或商业经营的密切关系和对现代传媒或技术手段的运用,较之传统文学艺术形态更加深入人心,也拥有更多的读者观众,随着西学的兴起,对外派遣留学生和实行学校教育制相辅并行,更加速了传统文学艺术形态向近代文学艺术形态的转型,也使得清代审美意识呈现出迥异于前代的跨越式转型的独特风貌。

若说转型是清代审美意识至关重要的标识,那么,跨越则是对其转型的跨度与强度、深度与广度的最佳概括。交流是实现跨越的基本前提。总体来看,清代审美意识的跨越式转型既源自传统中国的内部交流,又源自中西审美的外部交流。仅以文学艺术观之,清代文学艺术的交流之错综复杂、丰富多彩超出前此任一朝代,既有小说、戏曲、诗文、书法、绘画、园林、器物、日常生活等诸多门类的交流,亦有汉族与其他兄弟民族的交流。然而,仅有自身内部的交流是远远不够激发出类似晚清审美意识那样的跨越式转型的。无论是清代小说、戏曲、诗文、书法、绘画、园林、器物、日常生活等诸多门类的交流,还是清代汉族与兄弟民族在政治经济、军事文化、文学艺术的交流,其意义在实质上均未超出传统中国的内部交流的范围。从这个意义上讲,中西文学艺术的外部交流才算是真正进入近代审美意识交流范畴的跨越式交流,才能称得上是取得了革命性的跨越意义的外部交流。而这一点,却正是清前历代所不具备的时代环境和历史背景。更进一步讲,由于功能不同,跨越的特点反映在不同文学艺术门类中具有难以等量齐观的可能和效应。小说、戏曲、诗文、书法、绘画、篆刻、园林、器物等文学艺术乃至日常生活的发展和时代审美意识的嬗变是无法完全摒弃传统的,蕴藏于清代文学艺术和日常生活之中的审美意识的这种跨越式转型必须奠基于古代中国民族思维的优秀传统和彼时世界圆通的独特历史环境之上。

一、西方近代文明的强势冲击

西方近代文明的强势冲击是清代审美意识的跨越式转型的直接动因。

东西方文明的交流源远流长,最早可以追溯到西汉张骞通西域,这种交流及至唐宋日渐增多,基本上以中国古代文明向西方扩张为主轴。直至清代乾嘉年间,西人对中国文明仍称羡不已,彼时法国的魁奈曾被誉为"西方的孔子"。然而,自明末天主教传入中国,西方文明便与中国文明开始了正面冲突。明末清初中西文化的冲突具体表现为儒释道及传统风俗习惯与基督教的冲突。从明嘉靖年间基督教再次传入中国至清雍正年间的禁教,二百余年内冲突不断发生,尤以明代的"南京教案"、清代的"康熙三年教案"和"礼仪之争"最为集中。基督教文化与中国文化的冲突不仅仅限于宗教信仰,还涉及价值观、伦理观以及政治等问题。冲突无疑是激烈的,康熙年间杨光先力倡"宁使中华无完历,而不可使邪教入中华";嗣后,因教皇禁止中国天主教徒祀祖敬天尊孔、乃至参与诸王夺嫡之争而使雍正下令禁止代表西方近代文明的基督教在中土流波;迄至道光年间,基督教伴随着清廷屈辱的五口通商和船坚炮利的西方近代文明卷土重来,西方近代文明由此强势侵入中国。于是,大规模地接受西方近代文明便成为晚清以来清代文化的一大特点,清代审美意识也伴随着清代文化一道呈现出前所未有的特质,在富国强民的旗帜下,迈出了学习西方近代文明的艰难步伐,于极其痛苦屈辱的蹒跚中显露出跨越式转型的雏形。翻译书刊和出洋留学是彼时清人学习西方近代文明最为重要的两大手段。对西方近代文明的翻译起初是由马礼逊、米怜、裨治文、郭士立等传教士以办书院、编刊物、印小册子等方式引领和主导的。咸丰年间,李善兰翻译西方数理等书便得力于威廉爱约瑟。其后,江南制造局附设翻译馆,翻译业达到鼎盛。光绪年间,杨笃信称西洋文化是中国人所需要的,俱为基督教产物,更使得译书兴学成为传教士工作的最大通途,傅兰雅、韦廉臣、林乐知、李提摩太等均为著名者,其编译的《格致汇编》、《万国公报》、《益智新录》、《西国近事汇编》、《益闻录》等均风行一时,广学会更翻译出版近五百种书籍。清人自己大规模翻译西方书籍则始于同治年间北京同文馆的设立,该馆教习英人丁韪良译《万国律例》,法人毕利于编《化学指南》、《俄国史略》、《化学阐源》等20种书籍。上海制造局也附设翻译馆,由傅兰雅、林乐知等西人口译,徐寿、华蘅芳等清人笔述,翻译了数百种格致化学制造类书籍。戊戌变法期间,清人力倡西学、视译书为自强首策。康有为等认为学习西语费时费力,不如从日本文入手;他还译著《日本明治变法考》、《俄皇彼得变政记》、《突厥守旧削弱记》、《波兰分灭记》、《法国革命记》等呈光绪帝,促其下定维新自强决心。变法失败后,康梁等流亡日本,此类翻译日益繁盛。梁启超更认真总结了此前译书缺陷,身体力行地通过日译本将19世纪西方思想介绍到中国来,力纠仅重兵学艺学等"专门之学"、不重"开民智强国基之急务"之偏。据统计,仅1904年《东方杂志》广告栏所刊商务印书馆出版的105种书籍中,翻译作品就占67种,日译本高达40种。无怪乎有人称20世纪初中国出版界是"翻译时代"。就清人译书的影响论,同文馆等官设译局的影响明显小于严复、林纾等人的私人译书。严复所译西书主要有赫胥黎《天演论》,亚当斯密《原富》,约翰穆勒《名学》、《群己权界论》,斯宾塞尔《群学肄言》等近代欧洲最有影响的名著,其译文为古文、坚持信达雅原则,其译事融入了主体自己的体认,被吴汝纶誉为"高文雄笔",为中国近代翻译事业开创了光荣而伟大的传统。萧一山更直接将严复译书视为西洋文化输入中国之滥觞的分水岭,前此翻译无学、仅为一枝一艺之术。较之严复,林纾则不懂西语、仅靠笔述他人口译而以译述西洋小说著名,所译小说共159种、千万余字,号为"林译小说",其数量之多、文笔之健、新创之胜,迄今无出其右者;所译小说中最著名的有《茶花女遗事》、《贼史》、《拊掌录》、《撒克逊劫后英雄略》、《块肉余生述》、《玉楼花劫》、《孝女耐儿传》、《黑奴吁天录》、《迦茵小传》等；胡适赞其"是介绍西洋近世文学的第一人"。晚清留学运动是清人主动接受西方近代文明的又一重要途径。自清朝顺治年间起，即曾有天主教士往意大利的中华书院和意大利、葡萄牙等欧洲国家留学，迄至同治年间，约有一百二十名天主教士留学欧洲，堪称清代留学运动的先声。清人留洋学习的热潮始于同治年间。早期留学目的地主要是欧美等地。1870年，清廷批准了《蒲安臣条约》中的留学计划，派陈兰彬、容闳等在上海设出洋局、办理招生事宜，并于1872年至1875年派出四批约一百二十余名少年留学生学习西方自然科学或应用科学，分住康涅狄格州城乡居民家中，学语言、掌风俗，相继当地入校、直接以英语上课。后因国内保守势力对留学运动的非议、管理人员对留学生的非议、支持留学的曾国藩去世以及美国当局的排华政策，1881年全部留学生除约十人之外均被遣送回国，仅詹天佑、欧阳唐在耶鲁大学毕业，余有唐绍仪、蔡廷干、梁廷彦数人尚称有名。光绪初年，清廷重视海防，选派陆军、海军留学欧洲。1876年派出卞长胜等七名军官赴德学习陆军；1877年开始又陆续派出三批赴英法学习海军，均成为中国近代海军的骨干力量，使得中国近代海军建设达到相当规模，拥有福建水师、北洋海军、南洋海军、粤洋海军四支海上五张力量，巡弋在北自海参崴南至南洋群岛的槟榔屿、新加坡和菲律宾的东方海上劲旅，位居世界海军第四位。晚期特别是1908年美国国务卿约翰建议将庚子赔款退回一半作为中国留学生赴美学习经费，并在北京开设游美学务处和游美学生肄业馆之后，赴欧美留学之风继续延续。甲午战争后，日本成为晚清人留学的新目的地。留日之风自1896年始，至1899年约达八十人，至1900年后人数骤然增多，1903年年底破千人，1905年年底更达八千人之多；即便是清廷限制留学的1906年至1911年间，每年赴日留学者亦达三千人之巨。晚清留日狂潮实为清廷鼓励的结果，此外，20世纪初中日两国化敌为友、日方接受留学生配合默契以及日本民间友好人士积极支持等也是重要原因。迥异于初期留学欧美，留日狂潮中留学生们所习科目较多，陆军、海军、警察、法政、师范、工业、商业、蚕业、土木、铁路、测绘、制药、物理、化学、外语、体育、音乐、美术等，无所不包，尤以政法、师范、军事、科技四项影响为大。留日狂潮使得中国借助日本这一间接渠道引入了日本式的西洋文化。综上，无论是传教士在中国的译书兴学，还是清代官私主动翻译西学书籍；无论是赴欧美留学，还是留日狂潮，均向中国引入了大量西学近代思想与科技文艺；并对中国社会改革起到极大的影响，成为清代审美意识跨越式转型的直接动因。

二、国人变革维新的文化传统

国人变革维新的文化传统是清代审美意识的跨越式转型的内在驱动。

变革维新是中国古代传统文化中的一个古老话题。《诗经》即有"周虽旧邦，其命维新"之谓，《周易》亦有"天行健，君子以自强不息"之训。迄至晚清，文人士子多醉心于恁叮之学，或谈时文，或作八股，"避席畏闻文字狱，著书都为稻粱谋"，中国更如龚自珍所言"日之将夕，悲风骤至"、呈出一派末世衰象。当此民族危亡存续之际，龚自珍、魏源、陶澍、林则徐等晚清先进文士基于对现实社会的揭露和批判的立场，醉心于鼓吹变革。作为今文经学代表刘逢禄的后辈及传人，龚自珍充分发挥今文经学"微言大义"的底蕴，指出自古及今、法无不改、势无不及、事例无不变迁、风气无不移变，亦即变法是古已有之、今必行之的，更仗义执言，一祖之法无不弊、千夫之议无不靡、与其赠来者以劲改革、孰若自改革。龚自珍的改革檄文无疑是振聋发聩的。随着新经济、新阶级的出现以及外国科学、文化的传入，特别是经过"千古未遇之变局"的鸦片战争之后，中国知识界也发生了急剧的变化，这种变革图存的要求与呼声更为直接和迫切，方式也更为直截了当。魏源、林则徐等人以经世致用、自强不息的信念明确提出"师夷长技以制夷"的口号，主张了解外情、仿造国外枪炮军舰，在中国历史上首次明确标举惟我独尊的天朝上国要向海外蛮夷之邦学习文化，魏源更著《圣武记》、《海国图志》等热议西人船坚炮利、宣扬变革观念。此后，知识分子中要求学习外国、进行改革的思潮日渐高涨。戊戌变法前，薛福成、马建忠、王韬、容闳、郑观应、何启等早期要求变革的改良主义思想家，或游历外国，或长居港沪，较多接触西方制度和文化，不仅主张开

工厂、兴矿业、筑铁路、设学校、译书籍,并且主张在政治、经济制度等方面
实行改革;他们明确提出"重商"主张,宣称"商"是富国强兵的关键,其所
言之"商"包括以对外贸易为中心的整个工商业,即要求发展本国经济,
保护民族工商业,促进出口,堵塞对外贸易的巨大漏洞;他们认为中国的
落后和贫穷是由于政府和民众之间的政治关系不正常,专制君主政府和
不当权的绅商以及人民大众之间的矛盾尖锐,隔阂太深,希望在不触动封
建专制制度的基础之上放松控制,重视舆论,缓和上下矛盾,让中下层绅
商分享权力。这些早期资产阶级改良主义思想家们著书立说、提出许多
改革措施,向统治者进言献策,成为彼时中国向西方学习的先驱;然而,他
们寄望于当权派的自动改革,明显缺乏推行改革的力量和实际手段。随
着太平天国运动被镇压,清廷出现短暂的同治中兴的局面,并开始在自强
旗帜下,开展洋务运动。此期对西方近代文明的态度已从魏源等人的纸
上议论落实到了工商实业、实业强国的学习乃至政治制度的讨论上。汤
震、郑观应等人甚至围绕西方议会展开深入议论。甲午战争后,列强瓜分
中国的危机,使得改良主义思潮进一步高涨,资产阶级改良派发动了声势
浩大的维新运动,尤以康有为、严复、谭嗣同、梁启超等人为主要代表。康
有为除了多次上书要求变法之外,撰写《新学伪经考》、《孔子改制考》,利
用今文经学议论时政,抨击受历代统治者尊崇的古文经典,反对墨守成
规,又以孔子托古改制为变法寻求依据,撰写《大同书》描绘未来社会美
好蓝图;严复除了撰文反对封建政治和文化,更翻译西书、系统介绍西方
资产阶级政治和社会学说,尤以《天演论》"物竞天择,适者生存"的进化
论思想影响为大,他还在译著中加入个人政治主张,疾呼不变法图强必将
遭受弱肉强食的命运而亡国灭种,对彼时知识界乃至社会各界起到振聋
发聩的警醒作用;谭嗣同则是维新派的中坚骨干和最激进者,他于《仁
学》中猛烈批判封建纲常伦理,直斥"君为臣纲"的暗黑且无理的逻辑,号
召冲决纲常名教的网罗,矛头直指倾听专制主义统治;梁启超则在《变法
通议》中以犀利笔锋痛陈变革的必然性与迫切性,号召向西方学习,并主
张伸民权、设议院。这些思想家及其著述译作均在社会上产生极大的影
响,形成一个解放思想的启蒙运动,也为清代审美意识的跨越式转型提供

了充分的思想准备。及至戊戌变法,变革呼声更至顶峰,维新百日间所颁上谕百余件,广涉人才选拔、文教改革、政治改革、经济改革等诸多内容,但也因"不中不西,即中即西"而有梁启超后来所言"已为时代所不容"的天然缺憾。时人张之洞《劝学篇》曾谓"中学为体,西学为用"即中体西用。所谓中学亦即旧学,是中国数千年沿袭传承的儒家主体思想,是中国之谓中国、中华民族之为中华民族的本根命意,事关根本政治制度与社会制度等纲常名教的大义;所谓用,则是从学习西方科技到取法西方行政、搞咨议局、组织内阁等类制度的随时应变的权宜之策,但都一统于中学之体的范畴和大格局之内。尽管张之洞与维新派在政见上有较大差异,但在对中国文化走向等本源问题的把握上,却又颇为相近,体现了彼时中国人在面对西方近代文明猛烈冲撞时寻求中国文化出路的共通之处。变革、维新之外,晚清还有另外两股试图打破彼时政治困局的颇具革命性的变革。一是太平天国运动,一是国民革命运动。太平天国革命运动是洪秀全领导的从西方传教士宣传品中接受了上帝名称、借以向数千年中国社会的精神偶像孔子相抗争的农民革命运动,但集中体现其革命主张的《天朝田亩制度》却并未能超出孔子所规范的藩篱,真正体现近代色彩的太平天国革命运动纲领当属受过西方教育的洪仁玕草拟并颁布的《资政新篇》,该文力主仿效欧美资本主义民主制度,造火车、修轮船、筑道路、兴邮政、开矿山、办银行,振兴经济、改革政治、统一事权、禁止陋习、富国利民,绘制了一幅完整的资本主义发展的宏图。这一宏图虽惜因太平天国的夭折而化为泡影,却从侧面反映了彼时社会审美意识中新兴的资本主义经济思潮和处于萌芽阶段的新型审美观念的广泛影响,也昭示着清代审美意识由传统的封建格局中逐步挣脱,跨越式地溢出向新兴的审美因素转型的趋向。国民革命运动则是以孙中山为代表的先进的中国人承继洪秀全等人未竟的事业,以全新的面貌将中国文化推进到新的境界的努力尝试。孙中山很早便已觉察到中国文化的新生之路绝不仅仅在于洋务运动人士所言之"中体西用",以为若"仅仅只是铁路,或是任何这样欧洲物质文明的应用品德输入,就会使得事情越来越坏,因为这就为勒索、诈骗、盗用公款开辟了新的方便之门",并高高祭起以民为本的民族主义、民生主义、民权主义即"三民主义"大旗,力图以此为基础使中国走向独立自主、走向现代化;孙中山总结了西方工业文明发展的经验教训,以为文明越发达、社会问题越严重,并指出中国的现代化绝不应该盲目照抄照搬西方和日本人的经验,而应该避免早期现代化国家所犯的错误,以欧美日等国贫富差距为前车之鉴,尽早"预筹个防止的法子";孙中山最大的贡献还在于他以革命的手段变革了国体、政体等文化制度层面的最大制度,去除了君主专制政体"恶劣政治的根本"、"建立民主立宪政体",并最终以辛亥革命的成功,使中国的政治由此进入共和时代。孙中山留给中国人民的文化遗产无疑是 20 世纪中国人最为珍贵的礼物,在他领导的国民革命运动的巨大影响下,清代社会审美意识自然而然地被赋予跨越式转型的鲜明色彩。

三、晚清近代文化的横空出世

晚清近代文化的横空出世是清代审美意识的跨越式转型的显性表征。

晚清是中国人学习西方近代文明的第一个阶段,中国近代文化的雏形在晚清已初步显现。大略观之,晚清近代文化的横空出世可从近代知识分子的群体出现、近代新学的广泛传播、近代文化的巨大成就乃至传统学术的全新总结诸方面见出,正是在这些领域的显性表征中,清代审美意识的新的跨越式转型的趋势得以显现。一是近代知识分子的群体出现。晚清时期,工厂企业的兴办、资产阶级的形成、列强瓜分的危机、戊戌变法的推行、西学的广泛传播,均促成了中国近代知识分子的出现。尤其是科举考试废止以后,读书应试、入仕做官的文人晋身传统途径被堵塞,但知识分子的出路却更加广阔,他们或进学堂攻读,或到国外留学,使得伸手西学熏陶的知识分子迅速增加。仅以 1908 年为例,是年全国学堂 47000 所、各类学 130 万人,留学生数量庞大,当年仅留日学生即达 8000 人,次年更增至 23000 人之巨。这些早期的近代知识分子多由封建士子转化而来,但又因产生于国家民族危亡存续之际而迥异于旧士子,俱有关心国家命运和民族前途、要求独立富强、富于责任感和政治敏感性、热心变革、以天下为己任、爱国思想强烈等突出特征，与此同时，他们又因接受国外科学、文化等西学影响而活跃、开放、勤奋。近代知识分子的出现为晚清近代文化的横空出世奠定了坚实的主体基础。尽管他们初步接触西学，水平并不很高，但他们如饥似渴地向西方学习，坚信能够找到救国真理。科举入仕之途被中断后，近代知识分子走上了更为决绝地探索救国济世之途的新征程，他们或参加政治运动成为革命派或立宪派；或致力于教育事业，学习科技工程、医学，办工厂、开矿山，成为教育家、科学家、工程师、企业家。同时，他们又与封建的传统儒学保有千丝万缕的血缘关系，其头脑中的新思想与旧传统并存不悖，普遍具有脱离劳苦大众、实践能力差、政治上不够成熟、在形势急剧变化中易生悲观消极、难以跟上时代而落后的局限性。但这些缺憾显然无法动摇他们既是晚清政治运动的急先锋、又是传播新文化新思想桥梁的主体身份；也无法抹煞这一群体对清代审美意识发生跨越式转型巨变的积极意义。二是近代新学的广泛传播。随着近代知识分子的增长，西方的思想文化在晚清迅速传播，在彼时思想文化的各个领域形成西学与中学、新学与旧学的尖锐对立，甚至是颠覆性对峙。自然科学是最早受到重视的板块。这一先机的抢占源自洋务运动中造船、制械、设厂、开矿的需要。江南制造局、北京同文馆、上海广学会等翻译了大批自然科学著作，数学、天文、地质、地理、医学、机械及声光化电等科技书籍的出版，在彼时蔚然成风；数学家李善兰、华蘅芳，化学家徐寿，工程师詹天佑，等等，一大批科技人才均于此期出现；早期的晚清留学生更多习科学、技术、医学等自然科学或应用科学专业。尽管彼时科学刚刚传入中国，清人的科学水平还远远落后于外国，但这毕竟冲破了传统封建社会的知识结构，为清代审美意识的跨越式转型注入了崭新的内容、输入了新鲜的血液。学术研究也起了巨大的变化。宋明理学和乾嘉汉学在晚清均走向末路，康有为、严复、梁启超、章太炎、蔡元培、王国维、刘师培等一大批兼有传统旧学根基和新兴西学基础的学者脱颖而出，开始在彼时的哲学、政治、历史、文学等领域的研究中主动引入西方资产阶级的理论和方法，在总结和批判传统学术、开拓新的研究途径方面作出了突出贡献。在他们的大力推动下，进化论、天赋人权思想、平等共和学说、真善美观念,等等,均不胫而走,为沉闷、固化、静态的晚清知识界提供了全新的研究课题,也为清代审美意识的跨越式转型提供了深刻的学术思想与方法论上的保障。科技、学术之外,新学在文学艺术上的传播也为晚清文学艺术界带来了新的风气。随着形势的剧变,晚清出现了"南社"等宣传反清的爱国革命文学团体,壮大了新学在文学艺术界传播的队伍和声势;黄遵宪反对陈腐的"同光诗体"、力倡"诗界革命",主张在诗歌内容、题材、技巧上别出心裁、俱有突破;梁启超力倡"小说界革命",将小说作为揭露黑暗、改造社会的重要手段,清末李伯元、吴趼人、刘鹗、曾朴等作家更促成风行一时的谴责小说的兴盛,林纾、曾朴等人更致力于翻译外国小说,首次将许多世界名作引入中国。晚清的这种小说审美意识近现代化的大胆尝试,其得失能够为实现中国古典小说审美理论与实践的"现代转换"提供相当的历史经验与教训。三是近代文化的巨大成就。尽管对西方近代文明这一异质文化的吸收因文化传播的特性需要经历一定时间的刍嚼,但清人仍然在短时间内取得了令人瞩目的成就。譬如,王国维《宋元戏曲史》、夏曾佑《中国历史》、刘师培《中国历史教科书》等,均具有该学科开山之祖的称誉,梁启超所倡导的新文体和通过日文将大量西方自然科学与社会科学新词汇引入中国语言的举措更直接影响到后世国人。以文体之新创这一文学的跨越式转型而论,中国古文延至晚清已日渐步入死胡同,不惟八股文如斯,即如"文以载道"、"言必雅驯"的桐城派古文亦已江河日下。戊戌变法之后,古文更已成为宣传变法和普及教育的主要障碍。康梁流亡国外,直接受西方近代文明浸润,开始意识到开启民智的重要性,便开始打破古文的束缚,创造出一种流畅活泼的新文体,堪称新文化运动的先声。所谓"新文体",梁启超称其"务为平易畅达,时杂以俚语、韵语及外国语法;纵笔所至不检束,学者竞效之"。其中所谓"外国语法"实指日本语法。梁启超在日本流亡期间所办《时务报》、《清议报》、《新民丛报》、《新小说》等刊物,均采用了这种新文体,一时间成为国人竞相捧读的畅销读物,每出一册,内地便立即出现数十种翻刻本,清廷数度欲严禁而不得遏止。黄遵宪、鲁迅、毛泽东、郭沫若等人均为这种"新文体"的忠实拥趸。黄遵宪赞誉其"警心动魄,一字千金,人人笔下所无,欲为人人意中所有,虽铁石人亦应感动,从古至今文字之力之大,无过于此者矣"。郭沫若则称:"平心而论,梁任公在当时确实不失为一个革命家的代表。他是生在中国的封建制度被资本主义冲破了的时候,他负载着时代的使命,标榜自由思想而与封建的残垒作战,在他那新兴气锐的言论之前,差不多所有旧思想、旧风习都好像狂风中的败叶,完全失掉了它的精彩。二十年前的青少年——换句话说,就是当时有产阶级的子弟——无论是赞成或反对,可以说没有一个没有受过他的思想或文字的洗礼的。"以词汇之新创这一语言的跨越式转型而论,晚清兴起了将日译西方自然科学与社会科学的新词汇大量引入中国语言的风习,仅在日本学者实藤惠秀《中国人留学日本史》中就列出了八百余此类词汇,譬如一元论、二重奏、人道、人格、反动、反对、方针、方案、内在、文明、文化、分析、分配、手段、手续、主义、主体、右翼、左翼、主观、客观、自由、民主、人生观、不景气、大本营、世界观、未知数、交响乐、意识形态、经济恐慌、最后通牒、形而上学、自然科学,等等。这简直可以称为中国历史上一场规模空前的文化移植运动,其影响迄今不绝,依然活跃在我们生活语言之中。凡此种种,均可见出清代审美意识跨越式转型的深度与广度、跨度与强度。四是传统学术的全新总结。晚清之世,处于中国与西方学术教会之处,加之中国学术本身也经由乾嘉学者的共同努力达到一种烂熟与蜕变的境地,开始在全面总结基础上肇端了全新的开始,一些新的审美趋势也在此崭露新姿,在对经学、汉学、金石甲骨、中外史地、佛学等诸多方面的全新总结中呈现出清代审美意识跨越式转型的迹象。

参 考 文 献

（按姓氏拼音为序）

A

阿英:《晚清小说史》,商务印书馆 1937 年版。

阿英:《晚清戏曲小说目》,上海文艺联合出版社 1954 年版。

阿英:《小说闲谈四种》,上海古籍出版社 1985 年版。

艾治平:《清词论说》,学林出版社 1999 年版。

B

巴金:《我读红楼梦》,天津人民出版社 1982 年版。

(清)八大山人书/绘,齐渊编著:《八大山人书画编年图目》,人民美术出版社 2006
年版。

(清)八大山人绘:《中国古代名家作品选粹:八大山人》,人民美术出版社 2002
年版。

(清)八大山人书/绘,齐渊编著:《八大山人书画编年图目》(上、中、下),人民美术
出版社 2006 年版。

(清)八大山人:《八大山人小品花鸟画》,人民美术出版社 2011 年版。

八大山人纪念馆编:《八大山人研究》,江西人民出版社 1986、1988 年版。

八大山人纪念馆编:《八大山人研究》(第 2 辑),江西人民出版社 1986—1988
年版。

白盾:《红楼梦研究史论》,天津人民出版社 1997 年版。

白砥:《书法空间论》,荣宝斋出版社 2005 年版。

本刊编委会:《红楼梦研究集刊》(第 1—14 辑),上海古籍出版社 1979 年至 1989
年版。

本社编辑部:《红楼梦问题讨论集》(第 1—4 集),作家出版社 1955 年版。

本社编辑部:《红楼梦研究参考资料选辑》(第 1—4 辑),人民文学出版社 1973 年
至 1976 年版。

薄子涛:《聊斋艺术谈》,中国文联出版公司 1987 年版。

C

蔡元培:《石头记索隐》,商务印书馆 1917 年版。

蔡元培:《蔡元培美学文选》,北京大学出版社 1983 年版。

蔡毅:《中国古典戏曲序跋汇编》,齐鲁书社 1989 年版。

蔡星仪:《恽寿平研究》,天津人民美术出版社 2000 年版。

曹虹:《阳湖派研究》,中华书局 1996 年版。

陈邦彦、叶嘉莹:《清词名家论集》,台湾"中央研究院"中国文哲研究所 1996 年版。

陈抱成:《中国的戏曲文化》,中国戏剧出版社 1995 年版。

陈传席主编:《八大山人真品集(花鸟卷·山水卷)》,江西美术出版社 2011 年版。

陈大康:《通俗小说的历史轨迹》,湖南出版社 1993 年版。

陈大康:《中国近代小说编年》,华东师范大学 2002 年版。

陈芳:《晚清古典戏剧的历史意义》,台湾学生书局 1988 年版。

陈芳:《清初杂剧研究》,台湾学海出版社 1991 年版。

陈方既、雷志雄:《书法美学思想史》,河南美术出版社 1997 年版。

陈方既:《书法美学原理》,华文出版社 2003 年版。

陈方既:《书法综论》,华文出版社 2003 年版。

陈方既:《中国书法精神》,华文出版社 2003 年版。

陈浩、卢建成:《中国书画典库》(第 14 函第 83 卷),线装书局 2001 年版。

陈洪:《中国小说理论史》,安徽文艺出版社 1991 年版。

陈节:《中国人情小说通史》,江苏教育出版社 1998 年版。

陈居渊:《清代诗歌与王学》,台湾文津出版社 1994 年版。

陈美林:《吴敬梓研究》(上中下),南京师范大学出版社 2006 年版。

陈美林、冯保善、李忠明:《章回小说史》,浙江古籍出版社 1998 年版。

陈乃乾:《曲苑》,古书流通处 1921 年影石印巾箱本。

陈乃乾:《清名家词》,开明书店 1936 年版。

陈谦豫:《中国小说理论批评史》,华东师范大学出版社 1989 年版。

陈庆浩:《新编石头记脂砚斋评语辑校》(增订本),中国友谊出版社 1987 年版。

陈汝衡:《吴敬梓传》,上海文艺出版社 1981 年版。

陈师曾:《中国绘画史》,中华书局 2010 年版。

陈世旭:《孤独的绝唱:八大山人传》,作家出版社 2014 年版。

陈廷佑:《中国书法美学》,中国和平出版社 1989 年版。

陈廷佑:《书法美学新探》,商务印书馆 1997 年版。

陈望衡:《中国古典美学史》,武汉大学出版社 2007 年版。

陈香:《聊斋志异研究》,台湾"国家"出版社 1983 年版。

陈炎:《中国审美文化史》,山东画报出版社 2007 年版。

陈衍:《石遗室诗话》,人民文学出版社 1998 年版。

陈耀南:《清代骈文通义》,台湾学生书局 1977 年版。

陈寅恪:《唐代政治史述论稿》,三联书店 1954 年版。

陈寅恪:《柳如是别传》,上海古籍出版社 1980 年版。

陈云君:《中国书法美学纲要》,天津科学技术出版社 1988 年版。

陈万鼐:《洪昇研究》,台湾学生书局 1970 年版。

陈万鼐:《元明清剧曲史》(增订本),台湾文史哲出版社 1974 年版。

陈万鼐:《洪稗畦先生年谱》,台湾文史哲出版社 1976 年版。

陈文:《历史的超越:明清书法美学探微》,北京燕山出版社 1997 年版。

陈维昭:《红学与二十世纪学术思想》,人民文学出版社 2000 年版。

陈维昭:《红学通史》,上海人民出版社 2005 年版。

陈振濂:《书法美学》,山东人民出版社 2006 年版。

陈祖武:《清代学术源流》,北京师范大学出版社 2012 年版。

程千帆:《全清词·顺康卷》,中华书局 1992 年版。

程华平:《中国小说戏曲理论的近代转型》,华东师范大学出版社 2001 年版。

承明世、承载:《恽南田》,江苏人民出版社 1983 年版。

承名世:《恽寿平书画集》,文物出版社 1987 年版。

崔尔平:《明清书法论文选》,上海书画出版社 1994 年版。

崔自默:《为道日损——八大山人画语解读》,人民美术出版社 2000 年版。

D

戴逸:《简明清史》,人民出版社 1980 年版。

戴逸:《清史》,中国大百科全书出版社 2010 年版。

邓长风:《明清戏曲家考略》,上海古籍出版社 1994 年版。

邓长风:《明清戏曲家考略续编》,上海古籍出版社 1997 年版。

邓长风:《明清戏曲考略三编》,上海古籍出版社 1999 年版。

邓红梅:《女性词史》,山东教育出版社 2002 年版。

邓狂言:《红楼梦释真》,上海民权出版社 1919 年版。

邓云乡:《清代八股文》,中国人民大学出版社 1994 年版。

丁汝芹:《清代内廷演戏史话》,紫禁城出版社 1999 年版。

丁汝芹:《清代内廷演戏史话·戏装与砌末》,紫禁城出版社 1999 年版。

丁世良、赵放:《中国地方志民俗资料汇编》,书目文献出版社 1995 年版。

丁文隽:《书法精论》(上编),中国书店 1983 年版。

董康:《读曲丛刊》,诵芬室 1917 年刻本。

董每戡:《说剧》,人民文学出版社 1983 年版。

董每戡:《五大名剧论》,人民文学出版社 1984 年版。

(明)董其昌等绘:《南画大成》(全 12 册),广陵书社 2004 年版。

董上德:《古代戏曲小说叙事研究》,广东高等教育出版社 2007 年版。

杜贵晨:《传统文化与古典小说》,河北大学出版社 2001 年版。

杜颖陶:《曲海总目提要拾遗》,上海世界书局 1936 年版。

杜云:《明清小说序跋选》,广西人民出版社 1989 年版。

段启明:《红楼梦艺术论》(修订本),北京师范学院出版社 1990 年版。

段启明:《中国古典小说艺术鉴赏辞典》,北京师范大学出版社 1991 年版。

段启明、汪龙麟:《中国 20 世纪文学研究·清代卷》,北京出版社 2001 年版。

F

樊波:《中国书画美学史纲》,吉林美术出版社 1998 年版。

范淑敏:《戏曲艺术的继承与创新》,《大舞台》2011 年第 4 期。

方正耀:《明清人情小说研究》,华东师范大学出版社 1986 年版。

方正耀:《中国小说批评史略》,中国社会科学出版社 1990 年版。

方正耀:《中国古典小说理论史》(修订版),华东师范大学出版社 2005 年版。

傅抱石:《中国绘画变迁史纲》,上海古籍出版社 1998 年版。

傅陛云编:《郑板桥全集·题画编》,北京出版社 2003 年版。

傅惜华:《清代杂剧全目》,人民文学出版社 1981 年版。

傅雪漪:《明清戏曲腔调寻踪》,《戏曲研究》1985 年第 15 辑。

傅憎享:《红楼梦艺术技巧论》,春风文艺出版社 1988 年版。

G

高玉海:《明清小说续书研究》,中国社会科学出版社 2004 年版。

高云策划:《中国历代花鸟画经典》,江苏美术出版社 2000 年版。

葛兆光:《道教与中国文化》,上海人民出版社 1987 年版。

龚自珍:《龚自珍全集》,中华书局 1959 年版。

顾平旦:《红楼梦研究论文资料索引(1874—1982)》,书目文献出版社 1982 年版。

(清)顾炎武、王蘧常:《顾亭林诗集汇注》,上海古籍出版社 1983 年版。

顾祖钊:《艺术至境论》,百花文艺出版社 1999 年版。

郭成康:《康乾盛世历史报告》,中国言实出版社 2002 年版。

郭沫若:《读随园诗话札记》,北京古籍出版社 2003 年版。

(北宋)郭若虚:《图画见闻志》,俞剑华注,上海人民美术出版社 1964 年版。

郭绍虞:《照隅室古典文学论集》,上海古籍出版社 2009 年版。

郭绍虞:《中国文学批评史》,上海古籍出版社 1979 年版。

郭延礼:《中国近代文学发展史》,山东教育出版社 1992 年版。

郭延礼主编,孙之梅著:《中国文学精神》(明清卷),山东教育出版社 2003 年版。

郭因:《中国绘画美学史稿》,人民美术出版社 1981 年版。

郭英德:《明清文人传奇研究》,北京师范大学出版社 1992 年版。

郭英德:《明清传奇综录》,河北教育出版社 1997 年版。

郭英德:《明清传奇史》,江苏古籍出版社 1999 年版。

郭豫适:《中国古代小说论集》,华东师范大学 1985 年版。

郭豫适:《红楼研究小史稿》,上海文艺出版社 1980 年版。

郭豫适:《红楼研究小史稿续》,上海文艺出版社 1981 年版。

郭预衡:《中国散文史》,上海古籍出版社 1999 年版。

郭味蕖:《宋元明清书画家年表》,人民美术出版社 1982 年版。

H

韩凤林、宫玉果编:《郑板桥书法集》,北京体育大学出版社 2009 年版。

韩进廉:《红学史稿》,河北大学出版社 1981 年版。

韩进廉:《中国小说美学史》,河北大学出版社 2004 年版。

[美]韩南:《韩南中国古典小说论集》,台湾联经出版事业公司 1979 年版。

[美]韩南:《中国白话小说史》,浙江古籍出版社 1989 年版。

[美]韩南:《中国近代小说的兴起》,上海教育出版社 2004 年版。

韩兆琦等主编,李修生等:《中国古代戏剧研究论辩》,百花洲文艺出版社 2007
　年版。

杭间:《中国工艺美学思想史》,北岳文艺出版社 1994 年版。

何满子:《蒲松龄与聊斋志异》,上海出版公司 1955 年版。

何泽翰:《儒林外史人物本事考略》,古典文学出版社 1957 年版。

何平华:《八大画风和楚骚精神》,江西美术出版社 2004 年版。

[日]河井荃庐、日下都寿、原田尾山、藤原楚水监修:《南画大成》,(东京)兴文社
　1935 年版。

[德]黑格尔:《美学》,商务印书馆 1981 年版。

[日]黑泽礼吉编纂:《支那历代皇帝皇后亲王御笔书画目录》,别发公司 1919
　年版。

(清)洪亮吉:《北江诗话》卷四,人民文学出版社 1983 年版。

侯镜昶:《中国美学史资料类编·书法美学卷》,江苏美术出版社 1988 年版。

侯运华:《晚清狭邪小说新论》,河南大学出版社 2005 年版。

侯忠义:《中国文言小说史稿》(上),北京大学出版社 1990 年版。

侯忠义、刘世林:《中国文言小说史稿》(下),北京大学出版社 1993 年版。

胡文彬、周雷:《台湾红学论文选》,百花文艺出版社 1981 年版。

胡文彬、周雷:《香港红学论文选》,百花文艺出版社 1982 年版。

胡文彬、周雷:《海外红学论集》,上海古籍出版社 1982 年版。

胡文彬:《〈红楼梦〉在国外》,中华书局 1993 年版。

胡文炜:《贾宝玉与大观园》,华艺出版社 1995 年版。

胡晨:《洪昇考略》(附年谱),《文学遗产》1963 年增刊。

胡光华:《明清中国画大师研究丛书——八大山人》,吉林美术出版社 1996 年版。

胡忌、刘致中:《昆剧发展史》,中国戏剧出版社 1989 年版。

胡经之:《文艺美学论》,华中师范大学出版社 2000 年版。

胡适:《中国章回小说考证》,上海古籍出版社 1979 年版。

胡适:《胡适古典文学研究论集》,上海古籍出版社 1988 年版。

胡士莹:《话本小说概论》,中华书局 1980 年版。

胡晓真:《世变与维新——晚明与晚清的文学艺术》,台湾“中央研究院”中国文哲
　　研究所 2001 年版。

胡幼峰:《清初虞山派诗论》,台湾“国立”编译馆 1994 年版。

胡云翼:《清代词选》,亚细亚书局 1947 年版。

[日]戸田、祯佑·小川裕充:《中国绘画总合图录续编》,(东京)东京大学出版会
　　2001 年版。

华玮:《明清妇女的戏曲创作与批评》,台湾“中央研究院”中国文哲研究所 2003
　　年版。

黄爱平:《四库全书纂修研究》,中国人民大学出版社 1989 年版。

黄爱平:《18 世纪的中国与社会·思想文化卷》,辽海出版社 1999 年版。

黄宾虹、邓实:《美术丛书》(第一册),江苏古籍出版社 1986 年版。

黄桂兰:《吴嘉纪陋轩诗之研究》,文史哲出版社 1995 年版。

黄丽贞:《中国戏曲的语言艺术》,暨南大学出版社 2010 年版。

黄霖、韩同文选注:《中国历代小说论著选》(修订本)(上册中编),江西人民出版
　　社 2000 年版。

黄憩园:《山水画法类丛》,江苏扬州梅志枝成书局 1930 年版。

黄天骥:《冷暖集》,花城出版社 1983 年版。

黄图珌:《看山阁集间笔》,《中国古典戏曲论著集成》(第七册),中国戏剧出版社
　　1959 年版。

黄毅、许建平:《二十世纪中国古代小说研究的视角与方法》,复旦大学出版社

2008 年版。

（清）黄宗羲、沈善洪：《黄宗羲全集》，浙江古籍出版社 1994 年版。

霍有明：《清代诗歌发展史》，台湾文津出版社 1994 年版。

J

［日］吉川幸次郎：《清初诗说》，（东京）筑摩书房 1995 年版。

季伏昆：《中国书论辑要》，江苏美术出版社 2000 年版。

江巨荣：《古代戏曲思想艺术论》，学林出版社 1995 年版。

姜华：《戏曲审美趣味三探》，《戏剧之家》2010 年第 3 期。

姜寿田：《中国书法理论史》，河南美术出版社 2009 年版。

姜书阁：《桐城文派评述》，商务印书馆 1930 年版。

姜书阁：《骈文史论》，人民文学出版社 1986 年版。

姜帅：《中国古典戏曲文采派、本色派质疑及辨析》，兰州大学硕士论文，2010 年。

蒋瑞藻：《小说枝谈》，上海古典文学出版社 1931 年版。

蒋瑞藻：《小说考证》，上海古籍出版社 1984 年版。

蒋松源、谭邦和：《明清小说史》，长江文艺出版社 1996 年版。

金开诚、王岳川：《书法艺术美学》，中国文联出版社 1995 年版。

（清）金人瑞、刘献廷：《清人别集丛刊》，上海古籍出版社 1979 年版。

金学智：《中国书法美学》，江苏文艺出版社 1994 年版。

金学智：《中国园林美学》，中国建筑工业出版社 2005 年版。

（清）金埴撰，王湜华点校：《不下带编·巾箱说》，中华书局 1982 年版。

经君健：《清代社会的贱民等级》，浙江人民出版社 1993 年版。

景梅九：《石头记真谛》，西京出版社 1934 年版。

K

阚铎：《红楼梦抉微》，天津大公报馆 1925 年版。

康保成：《中国近代戏剧形式论》，漓江出版社 1991 年版。

康保成：《苏州剧派研究》，花城出版社 1993 年版。

孔另境：《中国小说史料》，中华书局 1936 年版。

L

蓝凡：《中西戏剧比较论》，学林出版社 2008 年版。

郎秀华：《中国古代帝王与梨园史话》，中国旅游出版社 2001 年版。

雷群明：《聊斋艺术谈》，江西人民出版社 1981 年版。

雷群明：《聊斋艺术通论》，三联书店 1989 年版。

李春林:《大团圆》,国际文化出版公司 1988 年版。

李崇元:《清代古文述传》,商务印书馆 1940 年版。

李旦:《画家八大山人》,《江西日报》1961 年 4 月 2 日。

[韩]李庚秀:《汉诗四家清代诗受容样相研究》,韩国太学社 1992 年版。

李汉秋:《儒林外史研究资料》,上海古籍出版社 1984 年版。

李汉秋:《儒林外史研究论文集》,中华书局 1987 年版。

李汉秋、胡益民:《清代小说》,安徽教育出版社 1989 年版。

李汉秋:《〈儒林外史〉汇校汇评本》,上海古籍出版社 1999 年版。

李厚基、韩海明:《人鬼狐妖的艺术世界》,天津人民出版社 1982 年版。

李君侠:《红楼梦人物介绍》,台湾商务印书馆 1969 年版。

李舜华:《清代戏曲文献简述》,《广州大学学报》(社会科学版)2006 年第 2 期。

李希凡、谭需生、陈绶祥主编:《中国艺术》,人民出版社 2002 年版。

李兴洲:《中国书法精要》,学苑出版社 1996 年版。

李修生:《古本戏曲剧目提要》,文化艺术出版社 1997 年版。

李永祥:《蒲松龄传》,山东文艺出版社 1993 年版。

李泽厚、刘纲纪:《中国美学史》,中国社会科学出版社 1984 年版。

李泽厚:《美学三书》,安徽文艺出版社 1999 年版。

梁启超:《饮冰室诗话》,人民文学出版社 1959 年版。

梁淑安、姚柯夫:《中国近代传奇杂剧经眼录》,书目文献出版社 1996 年版。

梁淑安:《中国古典文学名著分类集成·戏曲卷五》,天津百花文艺出版社 1994 年版。

梁乙真:《清代妇女文学史》,商务印书馆 1925 年版。

梁章矩:《退庵所藏金石书画跋尾》,见《中国书画全书》,上海书画出版社 2009 年版。

廖奔:《中国古代剧场史》,中州古籍出版社 1997 年版。

林辰:《明末清初小说述录》,春风文艺出版社 1988 年版。

林辰:《明末清初小说述录》,春风文艺出版社 1988 年版。

林语堂:《平心论高鹗》,台湾传记文学社 1969 年版。

林虞生:《升平署岔曲》(外二种),上海古籍出版社 1984 年版。

林植峰:《聊斋艺术的魅力》,学林出版社 1995 年版。

凌廷堪:《校礼堂文集》,中华书局 1998 年版。

[日]铃木敬:《恽南田》(小八开),(东京)平凡社 1957 年版。

[日]铃木敬:《中国绘画总合图录》,(东京)东京大学出版会 1983 年版。

刘纲纪:《书法美学简论》,湖北人民出版社 1979 年版。

刘冠良主编:《中国十大名画家画集》,北京工艺美术出版社 2003 年版。

刘辉校笺:《洪昇集》,浙江古籍出版社1992年版。

刘辉:《洪昇生平考略》,《戏曲研究》(第5辑),文化艺术出版社1982年版。

刘辉:《洪昇集笺校》,浙江古籍出版社2012年版。

刘九庵:《宋元明清书画家传世作品年表》,上海书画出版社1997年版。

刘阶平:《蒲留仙传》,台湾学生书局1970年版。

刘建生:《晋商研究》(第二版),陕西人民出版社2005年版。

刘良明:《中国小说理论批评史》,武汉大学出版社1991年版。

刘梦溪:《红学三十年论文选编》(上中下),百花文艺出版社1983、1984年版。

刘梦溪:《〈红楼梦〉与百年中国》,中央编译出版社2005年版。

刘墨:《八人山人》,河北教育出版社2003年版。

刘奇玉:《古代戏曲创作理论与批评》,中国社会科学出版社2010年版。

刘人岛、唐璐主编:《中国传世名画全集》,国际文化出版公司、中国戏剧出版社
　2001年版。

刘世南:《清诗流派史》,台湾文津出版社1995年版。

刘声木:《桐城文学渊源考》,黄山书社1989年版。

刘世德:《中国古代小说百科全书》,中国大百科全书出版社1993年版。

刘荫柏:《洪昇散佚剧目钩沉》,《文献》1989年第4期。

刘祯:《中国民间目连文化》,巴蜀书社1997年版。

刘正成:《中国书法全集·王铎卷》,荣宝斋出版社1993年版。

刘治贵:《中国绘画源流》,湖南美术出版社2003年版。

龙榆生:《近三百年名家词选》,上海古籍出版社2014年版。

卢辅圣:《中国书画全书》(第十二册),上海书画出版社1998年版。

卢辅圣:《八大山人研究》,上海书画出版社2000年版。

卢前:《明清戏曲史》,商务印书馆1935年版。

卢前:《八股文小史》,商务印书馆1937年版。

鲁迅:《中国小说史略》,人民文学出版社1981年版。

鲁迅:《鲁迅选集》,人民文学出版社1983年版。

路大荒:《聊斋全集》,上海世界书局1936年版。

路大荒:《蒲松龄年谱》,齐鲁书社1980年版。

陆萼庭:《昆剧演出史稿》,上海文艺出版社1980年版。

陆树萼:《清代戏曲家丛考》,上海学林出版社1995年版。

罗锦堂:《中国丛书综录》,中华书局1961年版。

[法]罗兰·巴特:《符号学美学》,辽宁人民出版社1987年版。

M

马积高:《清代学术思想的变迁与文学》,湖南出版社1996年版。

马积高:《赋史》,上海古籍出版社 1987 年版。

马茂元等:《桐城派研究论文选》,黄山书社 1986 年版。

马瑞芳:《蒲松龄评传》,人民文学出版社 1986 年版。

马瑞芳:《聊斋志异创作论》,山东大学出版社 1990 年版。

马也:《戏剧人类学论稿》,文化艺术出版社 1993 年版。

马振方:《聊斋艺术论》,上海文艺出版社 1986 年版。

马子富,刘丽红:《中国清代文学史》,人民出版社 1994 年版。

马宗霍:《书林藻鉴　书林纪事》,文物出版社 1984 年版。

毛佩琦:《中国文化发展史·明清卷》,山东教育出版社 2013 年版。

毛万宝:《书法美学论稿》,中国文联出版社 1999 年版。

梅兰芳著,中国戏剧家协会编:《梅兰芳论文集》,中国戏剧出版社 1962 年版。

梅新林:《红楼梦哲学精神》,华东师范大学出版社 2007 年版。

孟繁树:《洪昇及〈长生殿〉研究》,中国戏剧出版社 1985 年版。

孟森:《明清史讲义》,中华书局 1981 年版。

孟醒仁:《吴敬梓年谱》,安徽人民出版社 1981 年版。

孟亚男:《中国园林史》,台湾文津出版社 1993 年版。

孟瑶:《中国小说史》,台湾传记文学出版社 1980 年版。

[日]米泽嘉圃、鹤田武良:《水墨美术大系·第 11 卷·八大山人·扬州八怪》,(东京)讲谈社 1975 年版。

敏泽:《中国美学思想史》,中国社会科学出版社 2007 年版。

苗壮:《才子佳人小说史话》,辽宁教育出版社 1992 年版。

苗怀明:《二十世纪戏曲文献学述略》,中华书局 2005 年版。

么书仪:《晚清戏曲的变革》,人民文学出版社 2006 年版。

莫道才:《骈文通论》,广西教育出版社 1994 年版。

牟钟鉴、胡孚琛、王葆弦:《道教通论——兼论道教学说》,齐鲁书社 1993 年版。

N

宁宗一、鲁德才:《论中国古典小说的艺术——台湾香港论著选辑》,南开大学出版社 1984 年版。

O

欧阳健:《晚清小说史》,浙江古籍出版社 1997 年版。

欧阳健、曲沐、吴国柱:《红学百年风云录》,浙江古籍出版社 1999 年版。

欧阳兆熊、金安清撰,谢光尧点校:《水窗春呓》,中华书局 1984 年版。

P

潘重规:《红学六十年》,台湾三民书局 1974 年版。

潘重规:《红楼梦新解》,(新加坡)青年书局 1959 年版。

潘茂:《常州画派》,湖南美术出版社 2003 年版。

潘天寿:《中国绘画史》,上海人民美术出版社 1983 年版。

潘运告:《明代画论》,湖南美术出版社 2002 年版。

裴世俊:《钱谦益诗歌研究》,宁夏人民出版社 2007 年版。

彭泽益:《十九世纪后半期的中国财政与经济》,人民出版社 1983 年版。

(清)蒲松龄撰,张友鹤辑校:《聊斋志异(汇校汇注汇评本)》,中华书局 1978
　年版。

(清)蒲松龄著,张式铭标点:《聊斋志异》,岳麓书社 1988 年版。

汪玢玲:《蒲松龄与民间文学》,上海文艺出版社 1985 年版。

Q

齐如山:《升平署月令承应戏》,国立北平故宫博物院 1936 年版。

齐如山:《齐如山文集》,河北教育出版社 2010 年版。

齐森华、陈多、叶长海:《中国曲学大辞典》,浙江教育出版社 1997 年版。

千家驹:《旧中国公债史资料》,中华书局 1984 年版。

钱静方:《小说丛考》,上海古典文学出版社 1958 年版。

钱穆:《中国文学讲演集》,巴蜀书社 1987 年版。

(清)钱谦益、钱仲联:《牧斋初学集》,上海古籍出版社 1985 年版。

钱仲联:《梦苕庵诗话》,齐鲁书社 1986 年版。

钱仲联:《清词三百首》,岳麓书社 1992 年版。

钱钟书:《谈艺录》,中华书局 1993 年版。

[日]青木正儿:《中国近世戏曲史》,商务印书馆 1936 年版。

R

任半塘:《唐戏弄》(下册),作家出版社 1958 年版。

任二北:《新曲苑》,中华书局 1940 年聚珍仿宋排印本。

任访秋:《中国近代文学作家论》,河南人民出版社 1984 年版。

任孚先:《聊斋志异评析》,山东人民出版社 1986 年版。

S

商衍鎏:《清代科举考试述录》,三联书店 1958 年版。

上海博物馆编:《历代花鸟画精品集》,上海书画出版社 1998 年版。

上海师范学院图书馆:《红楼梦研究资料目录索引》,上海师范学院图书馆 1982
　　年版。

上海书店出版社编:《历代名画大观·花鸟人物册页》,上海书店出版社 1997
　　年版。

上海书店出版社编:《历代名画大观·花鸟人物轴》,上海书店出版社 1997 年版。

上海书店出版社编:《历代名画大观·山水册页》,上海书店出版社 1997 年版。

上海书店出版社编:《历代名画大观·山水轴》,上海书店出版社 1997 年版。

(清)沈粹芬等:《国朝文汇》,国学扶轮社 1909 年版。

(北宋)沈括著、胡道静校注:《梦溪笔谈校证》,上海出版公司 1956 年版。

沈天佑:《金瓶梅红楼梦纵横谈》,北京大学出版社 1990 年版。

(清)沈曾植:《海日楼札丛·海日楼题跋》卷八,辽宁教育出版社 1998 年版。

盛瑞裕:《聊斋人物塑造艺术研究》,武汉出版社 1991 年版。

盛瑞裕:《花妖狐鬼话聊斋》,华中理工大学出版社 1994 年版。

施旭升:《中国戏曲审美文化论》,北京广播学院出版社 2002 年版。

[日]石川淳、梅原龙三郎、小林秀雄、神田喜一郎监修:《文人画粹编·第六卷·
　　八大山人》,(东京)中央公论社 1970 年版。

石昌渝:《中国小说源流》,三联书店 1994 年版。

时萌:《中国近代文学论稿》,上海古籍出版社 1986 年版。

史华罗:《明清文学作品中的情感、心境词语研究》,中国大百科全书出版社 2000
　　年版。

史仲文:《中国艺术史·建筑雕塑卷》,河北人民出版社 2006 年版。

双翼:《聊斋志异今谈》,百花文艺出版社 1982 年版。

寿鹏飞:《红楼梦本事辨证》,商务印书馆 1927 年版。

司徒秀英:《清代词人厉鹗研究》,(香港)莲峰书舍 1994 年版。

(宋)苏轼:《苏轼全集》,上海古籍出版社 2000 年版。

苏淑芳:《朱彝尊之词与词学研究》,台湾"中央研究院"中国文哲研究所 1985
　　年版。

孙楷第:《傀儡戏考原》,上杂出版社 1953 年版。

孙楷第:《沧州后集》,中华书局 1985 年版。

孙楷第:《戏曲小说书录解题》,人民文学出版社 1990 年版。

孙逊:《明清小说论稿》,上海古籍出版社 1986 年版。

孙逊、孙菊园:《中国古典小说美学资料汇粹》,上海古籍出版社 1991 年版。

孙一珍:《聊斋志异丛论》,齐鲁书社 1984 年版。

孙玉明:《日本红学史稿》,北京图书馆出版社 2006 年版。

宋俊华:《中国古代戏剧服饰研究》,广东省高教出版社 2003 年版。

宋民:《中国古代书法美学》,北京体育学院出版社 1989 年版。

宋淇:《红楼识要——宋淇红学论集》,中国书店 2000 年版。

T

谭帆:《中国小说评点研究》,华东师范大学出版社 2001 年版。

谭天:《非哭非笑的悲剧:八大山人艺术评传》,湖南美术出版社 1990 年版。

谭正璧:《中国小说发达史》,光明书局 1936 年版。

唐传基:《桐城文派新论》,台湾现代书局 1976 年版。

唐富龄:《明清文学史·清代卷》,武汉大学出版社 1991 年版。

唐富龄:《文言小说高峰的回归——聊斋志异纵横研究》,武汉大学出版社 1990
年版。

唐湜:《民族戏曲散论》,上海古籍出版社 1987 年版。

唐跃、谭学纯:《小说语言美学》,安徽教育出版社 1995 年版。

滕固:《滕固美术史论著三种》,商务印书馆 2011 年版。

佟雪:《论红楼梦的政治历史意义》,江西人民出版社 1975 年版。

童书业:《童书业论画》,上海古籍出版社 1999 年版。

W

汪子豆编:《八大山人书画集》(第一、二集),人民美术出版社 1983 年版。

汪子豆编:《八大山人诗钞》,上海人民美术出版社 1981 年版。

王伯敏:《中国绘画史》,文化艺术出版社 2009 年版。

王定天:《中国小说形式系统》,学林出版社 1988 年版。

王汎森:《晚明清初思想十论》,复旦大学出版社 2008 年版。

[美]王方宇:《八大山人论集》,台湾"国立"编译馆:《中华丛书》编审会 1984
年版。

(清)王夫之、王孝鱼:《船山全书》,岳麓书社 1996 年版。

王国维:《宋元戏剧史》,商务印书馆 1915 年版。

王国维:《宋元戏曲考》,东方出版社 1996 年版。

王国维:《王国维文集》,中国文史出版社 1997 年版。

王国维等:《王国维、蔡元培、鲁迅点评红楼梦》,团结出版社 2004 年版。

王宏健:《命定与抗争——中国古典悲剧及悲剧精神》,三联书店 1996 年版。

王季思、苏寰中:《桃花扇》,人民文学出版社 1959 年版。

王季思:《名家论名剧》,首都师范大学出版社 1994 年版。

王季烈:《螾庐曲谈》,商务印书馆 1928 年版。

王昆仑:《红楼梦人物论》,北京出版社 2004 年版。

王立兴:《中国近代文学考论》,南京大学出版社 1992 年版。

王丽梅:《曲中巨擘——洪昇传》,浙江人民出版社 2007 年版。

王梦阮,沈瓶庵:《红楼梦索隐》,中华书局 1916 年版。

王平:《中国古代小说叙事研究》,河北人民出版社 2001 年版。

王平:《聊斋创作心理研究》,山东文艺出版社 1991 年版。

王琪森:《中国艺术通史》,江苏文艺出版社 1998 年版。

王戎笙:《清代全史》(10 卷),辽宁人民出版社 1995 年版。

王戎笙:《清代简史》,辽宁人民出版社 1996 年版。

王卫民编:《吴梅戏曲论文集》,中国戏剧出版社 1983 年版。

王先霈、周伟民:《明清小说理论批评史》,花城出版社 1988 年版。

王旭川、马国辉:《中国近代小说思想》,华东师范大学出版社 1997 年版。

王英志:《性灵派研究》,辽宁大学出版社 1998 年版。

王永健:《洪昇与〈长生殿〉》,上海古籍出版社 1982 年版。

王永健:《中国戏剧文学的瑰宝》,江苏教育出版社 1989 年版。

王友亮:《双佩斋文集》(卷三),上海图书馆藏嘉庆十年刻本。

王朝闻:《中国美术史》,北京师范大学出版 2011 年版。

王朝闻:《中国美术史·清代卷》(上),齐鲁出版社、明天出版社 2000 年版。

王朝闻主编:《八大山人全集》(全五册),江西美术出版社 2000 年版。

王振复:《中国美学的文脉历程》,四川人民出版社 2002 年版。

王振复:《中国美学史教程》,复旦大学出版社 2004 年版。

王政:《清代戏曲审美理论发展大势》,《戏曲研究》1980 年第 8 辑。

王政尧:《清代戏剧文化史论》,北京大学出版社 2005 年版。

王枝忠:《蒲松龄论集》,文化艺术出版社 1990 年版。

王芷章:《北平图书馆藏升平署曲本目录》,中华书局 1936 年版。

王芷章:《清代伶官传》,中华书局 1936 年版。

王芷章:《清升平署志略》,上海书店 1991 年版。

王芷章:《中国京剧编年史》,中国戏剧出版社 2003 年版。

温儒敏:《中外比较文学论集》,北京大学出版社 1988 年版。

乌力吉:《八人山人画传》,中国广播电视出版社 2006 年版。

吴国钦:《中国戏曲史漫话》,上海文艺出版社 1980 年版。

吴光正:《中国古代小说的原型与母题》,社科文献出版社 2002 年版。

吴宏一:《清代诗学初探》,台湾学生书局 1986 年版。

吴宏一:《清代词学四论》,台湾联经出版事业公司 1990 年版。

吴九成:《聊斋美学》,广东高等教育出版社 1998 年版。

吴梅:《中国戏曲概论》,大东书局 1926 年版。

吴梅:《吴梅戏曲论文集》,中国戏剧出版社 1983 年版。

吴孟复:《桐城文派述论》,安徽教育出版社 1992 年版。

吴士余:《中国小说美学论稿》,复旦大学出版社 2006 年版。

(清)吴伟业、李学颖:《吴梅村全集》,上海古籍出版社 1990 年版。

吴毓华:《中国古代戏曲序跋集》,中国戏剧出版社 1990 年版。

吴泽顺编:《郑板桥集》,岳麓书社 2002 年版。

吴组缃:《聊斋志异欣赏》,北京大学出版社 1985 年版。

武润婷:《中国近代小说演变史》,山东人民出版社 2000 年版。

X

夏写时:《中国戏剧批评的产生和发展》,中国戏剧出版社 1982 年版。

[美]夏志清:《中国古典小说导论》,安徽文艺出版社 1988 年版。

[美]夏志清:《中国古典小说史论》,江西人民出版社 2001 年版。

萧元:《书法美学史》(修订本),湖南美术出版社 1990 年版。

萧默主编:《中国建筑艺术史》(上下),文物出版社 1999 年版。

萧鸿鸣:《八大山人生平及作品系年》,北京燕山出版社 1997 年版。

萧鸿鸣:《八大山人研究:八大山人的王室家学》,北京燕山出版社 2006 年版。

萧鸿鸣:《八大山人研究:八大山人现存诗辑》,北京燕山出版社 2006 年版。

萧鸿鸣:《八大山人研究:八大山人与“江西派”开派画家罗牧》,北京燕山出版社 2006 年版。

萧鸿鸣:《八大山人研究:八大山人研究论文集》,北京燕山出版社 2006 年版。

萧一山:《清代通史》,中华书局 1985 年版。

萧一山:《清史大纲》,上海世纪出版集团 2008 年版。

谢柏梁、高福民:《千古情缘:〈长生殿〉国际学术研讨会论文集》,上海古籍出版社 2006 年版。

谢飘云:《中国近代散文史》,中国文联出版公司 1997 年版。

谢稚柳:《朱耷》,上海人民美术出版社 1979 年版。

熊秉明:《中国书法理论体系》,天津教育出版社 2003 年版。

徐邦达:《历代流传书画作品编年表》,上海人民美术出版社 1963 年版。

徐琛:《中国绘画史》,文化艺术出版社 2012 年版。

徐扶明:《元明清戏曲探索》,浙江古籍出版社 1986 年版。

徐改:《中国古代绘画》,商务印书馆 1996 年版。

徐湖平、刘建平主编:《明清花鸟画集》,天津人民美术出版社 2000 年版。

徐建融:《元明清绘画研究十论》,复旦大学出版社 2004 年版。

徐建融：《传统的兴衰》，上海书画出版社 2003 年版。

徐珂：《清稗类钞》，商务印书馆 1917 年版。

徐珂：《清代词学概论》，大东书局 1926 年版。

徐珂：《清词选集评》，中国书店 1988 年版。

徐利明：《中国书法风格史》，河南美术出版社 1997 年版。

徐世昌：《晚清簃诗汇》，中国书店 1929 年版。

徐朔方：《长生殿校注》，人民教育出版社 1958 年版。

徐小梅：《聊斋志异与唐人传奇的比较研究》，台湾黎明文化事业公司 1983 年版。

徐兴业：《清代词学批评家述评》，无锡国专 1937 年版。

徐义生：《中国近代外债史统计资料》，中华书局 1962 年版。

许并生：《中国古代小说戏曲关系论》，文化艺术出版社 2002 年版。

许福吉：《义法与经世——方苞及其文学研究》，学林出版社 2001 年版。

许建忠：《明清传奇结构研究》，中州古籍出版社 1999 年版。

许金榜：《中国戏曲文学史》，中国文学出版社 1994 年版。

许明、苏志宏：《华夏审美风尚史》，河南人民出版社 2000 年版。

薛龙春：《郑簠研究》，荣宝斋出版社 2007 年版。

薛永年、杜鹃：《中国绘画史》，人民美术出版社 2000 年版。

Y

［日］岩城秀夫：《中国戏曲演剧研究》，（东京）创文社 1972 年版。

［日］岩城秀夫：《中国古典剧研究》，（东京）创文社 1986 年版。

严迪昌：《清词史》，江苏古籍出版社 1990 年版。

严迪昌：《阳羡词派研究》，齐鲁书社 1993 年版。

严敦易：《元明清戏曲论集》，中州书画社 1982 年版。

杨臣彬：《恽寿平》，吉林美术出版社 1996 年版。

杨蕾：《戏曲脸谱色彩研究》，河南大学硕士论文，2010 年。

杨明刚：《古代人文思潮与知音论的审美生成》，上海人民出版社 2013 年版。

杨明刚：《清代书法遗存审美意识研究》，山东人民出版社 2015 年版。

杨新：《故宫博物院藏文物珍品全集·四僧绘画》，上海科学技术出版社、香港商务印书馆 2000 年版。

杨修品：《书法美学》，云南美术出版社 1999 年版。

杨义：《中国古典小说史论》，人民出版社 1998 年版。

姚文放：《中国戏剧美学的文化阐释》，中国人民大学出版社 1996 年版。

叶长海：《中国戏剧学史稿》，上海文艺出版社 1986 年版。

叶德均：《祁氏剧品曲品补校》，上海出版公司 1955 年版。

叶恭绰:《全清词钞》,香港中华书局 1975 年版。

叶嘉莹:《清词论丛》,河北教育出版社 1997 年版。

叶朗:《中国美学史大纲》,上海人民出版社 1985 年版。

叶朗:《中国小说美学》,北京大学出版社 1982 年版。

叶龙:《桐城派文学史》,台湾文津出版社 1975 年版。

叶培贵:《米颠痴顽》,上海书画出版社 2004 年版。

叶秀山:《书法美学引论》,宝文堂书店 1987 年版。

叶衍兰、叶恭绰:《清代学者像传合集》,上海古籍出版社 1989 年版。

一粟:《古典文学研究资料·红楼梦卷》,中华书局 1963 年版。

一粟:《红楼梦书录》,上海古籍出版社 1981 年版。

一粟:《红楼梦资料汇编》(全二册),中华书局 1964 年版。

易中天:《中国戏曲艺术的美学特征》,《大舞台》1998 年第 5 期。

尹旭:《中国书法美学简史》,文化艺术出版社 2001 年版。

[日]永原织治:《石涛·八大山人》,(日本)圭文馆 1961 年版。

尤信雄:《桐城文派学述》,台湾文津出版社 1975 年版。

于景祥:《中国骈文通史》,吉林人民出版社 2002 年版。

于天池:《蒲松龄与聊斋志异》,北京师范大学出版社 1993 年版。

于兴汉:《中国古代小说批评概论》,中国社会科学出版社 2004 年版。

俞剑华:《中国绘画史》,东南大学出版社 2009 年版。

俞剑华:《中国古代画论精读》,人民美术出版社 2011 年版。

俞平伯:《红楼梦辨》,上海亚东图书馆 1923 年版。

俞卫民、孙蓉蓉:《历代曲话汇编·清代编》,黄山书社 2008 年版。

俞晓红:《王国维〈红楼梦评论〉笺说》,中华书局 2004 年版。

余英时:《论戴震与章学诚——清代中期学术思想史研究》,三联书店 2000 年版。

余英时、周策纵、周汝昌:《四海红楼》,作家出版社 2006 年版。

余英时:《红楼梦的两个世界》,上海社科院出版社 2006 年版。

余秋雨:《戏剧理论史稿》,上海文艺出版社 1983 年版。

余秋雨:《中国戏剧史》,上海教育出版社 2006 年版。

袁烈州编著:《中国历代花鸟画选》,河南美术出版社 1986 年版。

袁世硕:《蒲松龄事迹著述新考》,齐鲁书社 1988 年版。

袁行云、高尚贤:《清人诗集叙录》,春秋出版社 1988 年版。

袁行霈:《中国诗歌艺术研究》,北京大学出版社 1998 年版。

(清)恽格著,朱季海编:《南田画学》,古吴轩出版社 1992 年版。

Z

曾国藩:《曾国藩诗文集》,上海古籍出版社 2005 年版。

曾永义:《中国古典戏剧论集》,台湾联经出版事业公司 1975 年版。

曾永义:《〈长生殿〉研究》,台湾商务印书馆 1980 年版。

曾祖荫、黄清泉、周伟民等:《中国历代小说序跋选注》,长江文艺出版社 1982
年版。

章培恒:《洪昇年谱》,上海古籍出版社 1979 年版。

章培恒、王靖宇主编:《中国文学评点研究论集》,上海古籍出版社 2002 年版。

张次溪:《清代燕都梨园史料正续编》,中国戏剧出版社 1988 年点校本。

张法:《中国美学史》,上海人民出版社 2000 年版。

张庚、郭汉城:《中国戏曲通史》,中国戏剧出版社 1980 年版。

张庚:《中国大百科全书·戏曲曲艺卷》,中国大百科全书出版社 1983 年版。

张庚、黄菊盛:《中国近代文学大系·戏剧集》,上海书店出版社 1995、1996 年版。

张庚、刘瑷撰,祁晨越点校:《国朝画征录》,浙江古籍出版社 2011 年版。

张宏生:《明清文学与性别研究》,江苏古籍出版社 2002 年版。

张宏生:《清代词学的建构》,江苏古籍出版社 1998 年版。

张健:《清代诗学研究》,北京大学出版社 1999 年版。

张锦池:《中国四大古典小说论稿》,华艺出版社 1993 年版。

张景樵:《蒲松龄年谱》,台湾商务印书馆 1980 年版。

张敬:《明清传奇导论》,台湾东方书店 1961 年版。

张菊龄:《清代满族作家文学概论》,中央民族学院出版社 1990 年版。

张俊:《清代小说史》,浙江古籍出版社 1997 年版。

张仁青:《中国骈文发展史》,台湾中华书局 1970 年版。

张守杰编著:《郑板桥新修城隍庙碑记》,潍坊市新闻出版局 1997 年版。

张研、牛贯杰:《清史十五讲》,北京大学出版社 2004 年版。

张永芳:《晚清诗界革命论》,漓江出版社 1991 年版。

张郁明等:《扬州八怪诗文集》,江苏美术出版社 1996 年版。

张仲谋:《清代文化与浙派诗》,东方出版社 1997 年版。

张之薇:《京剧传奇》,河北教育出版社 2014 年版。

张宗祥:《清代文学》,商务印书馆 1936 年版。

赵尔巽:《清史稿》,中华书局 1977 年版。

赵景深:《明清曲谈》,古典文学出版社 1957 年版。

赵景深:《读曲小记》,中华书局 1959 年版。

赵景深:《中国戏曲丛谈》,齐鲁书社 1986 年版。

赵景深、张景元:《方志著录元明清曲家传略》,中华书局 1987 年版。

赵同:《红楼猜梦》,台湾三三书坊 1980 年版。

赵阳:《清代宫廷演戏》,紫禁城出版社 2001 年版。

赵永纪:《清初诗歌》,光明日报出版社 1995 年版。

郑秉珊:《艺苑琐话》,海豚出版社 2011 年版。

郑传寅:《中国戏曲文化概论》,武汉大学出版社 1998 年版。

郑方泽:《中国近代文学史事编年》,吉林人民出版社 1983 年版。

郑午昌:《中国画学全史》,上海书画出版社 1985 年版。

郑振铎:《清人杂剧初集》,1931 年刊行。

郑振铎:《清人杂剧二集》,1934 年刊行。

郑振铎:《古本戏曲丛刊》,商务印书馆 1954 年版。

郑振铎:《插图本中国文学史》,人民文学出版社 1957 年版。

郑振铎:《郑振铎古典文学论文集》,上海古籍出版社 1984 年版。

(清)郑燮:《郑板桥全集》,世界书局 1936 年版。

钟慧铃:《清代女诗人研究》,台湾里仁书局 2000 年版。

仲威:《帖学 10 讲》,上海书画出版社 2005 年版。

周伯棣编著:《中国财政史》,上海人民出版社 1981 年版。

周华斌:《京都古戏楼》,海洋出版社 1993 年版。

周华斌:《中国戏剧史论考》,北京广播学院 2003 年版。

周华斌:《中国戏剧史新论》,人民出版社 2003 年版。

周积寅:《中国画论辑要》,江苏美术出版社 1985 年版。

周来祥:《中国美学主潮》,山东大学出版社 1992 年版。

周来祥、周纪文:《中华审美文化通史》,安徽教育出版社 2006 年版。

周妙中:《清代戏曲史》,中州古籍出版社 1987 年版。

周汝昌:《曹雪芹新传》,外文出版社 1997 年版。

周时奋:《八大山人画传》,山东画报出版社 2007 年版。

周士心:《八大山人及其艺术》,台湾华冈书局 1970 年版;台湾艺术图书公司 1974
  年版。

周书文:《〈红楼梦〉的艺术世界》,书目文献出版社 1990 年版。

周伟民:《明清诗歌史论》,吉林教育出版社 1995 年版。

周先慎:《明清小说》,北京大学出版社 2003 年版。

周先慎:《中国古代文学专题研究之四:明清小说》,北京大学出版社 2003 年版。

周贻白:《中国戏剧史长编》,人民文学出版社 1960 年版。

周贻白:《中国戏曲论集》,中国戏剧出版社 1960 年版。

周贻白:《中国戏曲发展史纲要》,上海古籍出版社 1979 年版。

周贻白:《周贻白戏剧论文选》,湖南人民出版社 1982 年版。

(清)朱耷绘、人民美术出版社编:《八大山人》(上、中、下),人民美术出版社 2003
  年版。

(清)朱耷作:《八大山人画册神品》,小林写真制版所 1919 年版。

(清)朱耷等人作、美术研究会审定:《八大山人石涛上人画合册》,上海有正书局 1924 年版。

(清)朱耷作、秋叶启鉴编:《八大山人画撰》,东京:聚乐社 1949 年版。

(清)朱耷作、上海人民美术出版社编:《八大山人画集》,上海人民美术出版社 1958 年版。

(清)朱耷作:《八大山人画册》,荣宝斋出版社 1959 年版。

(清)朱耷作:《八大山人画册》,朝花美术出版社 1961 年版。

(清)朱耷作、上海人民美术出版社编:《八大山人花鸟册页》,上海人民美术出版 社 1963 年版。

(清)朱耷作:《八大山人画册》,江西人民出版社 1979 年版。

(清)朱耷作:《八大山人书画册》,西泠印社 1982 年版。

(清)朱耷作:《八大山人画集》,江西人民出版社 1985 年版。

(清)朱耷作:《八大山人书画集》,天津人民美术出版社 1999 年版。

(清)朱耷绘、人民美术出版社编:《八大山人》,人民美术出版社 2003 年版。

(清)朱耷绘、人民美术出版社编:《八大山人》(中卷),人民美术出版社 2003 年版。

朱传誉:《清宫大戏十种》,台湾天一出版社 1986 年版。

朱承朴、曾庆全:《明清传奇概说》,广东人民出版社 1985 年版。

朱光潜:《悲剧心理学》,人民文学出版社 1983 年版。

朱光潜:《谈美书简》,上海文艺出版社 1980 年版。

朱恒夫:《目连戏研究》,南京大学出版社 1993 年版。

朱良志:《八大山人研究》,安徽美术出版社 2008 年版。

朱良志:《生命清供——国画背后的世界》,北京大学出版社 2008 年版。

朱一玄:《〈红楼梦〉资料汇编》,南开大学出版社 1985 年版。

朱一玄编:《〈聊斋志异〉资料汇编》,中州古籍出版社 1985 年版。

朱一玄:《红楼梦人物谱》,百花文艺出版社 1986 年版。

朱则杰:《清诗代表作家研究》,齐鲁书社 1995 年版。

朱则杰:《清诗史(修订本)》,江苏古籍出版社 2000 年版。

[日]竹村则行、康保成:《长生殿笺注》,中州古籍出版社 1999 年版。

庄一拂:《古典戏曲存目汇考》,上海古籍出版社 1982 年版。

卓清芬:《纳兰性德文学研究》,台湾"国立"编译馆 1999 年版。

宗白华:《美学散步》,上海人民出版社 1981 年版。

宗白华:《艺境》北京大学出版社 1999 年版。

邹国平、王镇远:《清代文学批评史》,上海古籍出版社 1995 年版。

邹式金:《杂剧新编》(又名《杂剧三集》),武进诵芬室 1941 年刊行。

索　引

后　记

　　2012年5月,我进入华东师范大学中国语言文学博士后科研流动站,参加合作导师朱志荣先生主持的国家社科基金重点项目"中国审美意识通史研究"的课题,承担清代卷的研究与写作。从接受任务到修订完稿,清代卷的研究与写作持续了近四年时间。其间,我也从华东师范大学结束了博士后研究阶段,进入中国艺术研究院从事研究工作。

　　清代卷研究与写作之初,朱志荣先生希望我能直接从清代小说、戏曲、书法、绘画等文艺遗存中提炼其审美意识,期待我能在中国审美意识史研究方面有所创新。审美意识在美学史研究领域极有价值,但研究头绪却相当博杂。我在攻读博士学位阶段主要致力于六朝文论和美学研究,对清代史料文献并不十分熟悉。加之清代是中国学术乃至美学的集大成时期,美学思想和文艺创作均非常丰富,诸如小说、戏曲、书法、绘画等方面所蕴藉的审美意识更是异彩纷呈。于我而言,这显然是个巨大的挑战。所幸,朱先生为我出了个很高明的主意:每一章节都用论文的形式写成,最后总汇成书。据此,我将尽心写成的清代卷内容逐次发表了二十余篇;同时,我还围绕与清代卷研究与写作相关的主题,顺利完成了博士论文修订和中国博士后科学基金方面资助一等资助项目"清代美术遗存审美意识研究"课题研究,先后出版了《古代人文思潮与知音论的审美生成》(上海人民出版社)和《清代书法遗存审美意识研究》(山东人民出版社)两部专著,以此拓展清代卷研究与写作的广度与深度。囿于识见学力,本书从思想观点到研究方法,从资料搜求到论证过程,均难免存在稚嫩与不足之处,期待学界和同行诸君提出批评,以便我不断修正和改进,逐步臻于完善和严密。

　　清代卷的成稿，离不开华东师范大学和中国艺术研究院为我提供的良好的研究条件与写作环境，离不开诸多师长同伴对我的鼓励、支持、指点与帮助。感谢博士后合作导师朱志荣先生悉心指导，感谢博导袁济喜先生时时关心，感谢朱国华、方克强、王峰、胡抗美诸位先生适时提点。感谢课题组李修建、王怀义、朱媛、宋巍与董惠芳夫妇、朱忠元等老师互通有无，感谢人民出版社方国根先生体例规范。感谢《山东社会科学》、《云南社会科学》、《民族艺术研究》、《解放军艺术学院学报》、《书法》、《中国美学研究》、《中国社会科学报》等报刊和上海人民出版社、山东人民出版社、人民出版社等出版社及相关编辑老师。感谢家人理解支持。

杨　明　刚

2016 年 3 月 22 日

策划编辑:方国根
责任编辑:夏　青
封面设计:石笑梦
版式设计:顾杰珍

图书在版编目(CIP)数据

中国审美意识通史. 清代卷/朱志荣 主编;杨明刚 著. —北京:
人民出版社,2017.8
ISBN 978－7－01－017766－3

Ⅰ.①中…　Ⅱ.①朱…②杨…　Ⅲ.①审美意识-美学史-中国-
清代　Ⅳ.①B83－092

中国版本图书馆 CIP 数据核字(2017)第 128275 号

中国审美意识通史

ZHONGGUO SHENMEI YISHI TONGSHI

(清代卷)

朱志荣　主编　　杨明刚　著

人 民 出 版 社 出版发行
(100706　北京市东城区隆福寺街 99 号)

北京中科印刷有限公司印刷　新华书店经销

2017 年 8 月第 1 版　2017 年 8 月北京第 1 次印刷
开本:710 毫米×1000 毫米 1/16　印张:35.75
字数:530 千字

ISBN 978－7－01－017766－3　定价:145.00 元

邮购地址 100706　北京市东城区隆福寺街 99 号
人民东方图书销售中心　电话 (010)65250042　65289539